T-Scan:
컴퓨터 교합분석기술의 응용

Computerized Occlusal Analysis
Technology Applications in Dental Medicine

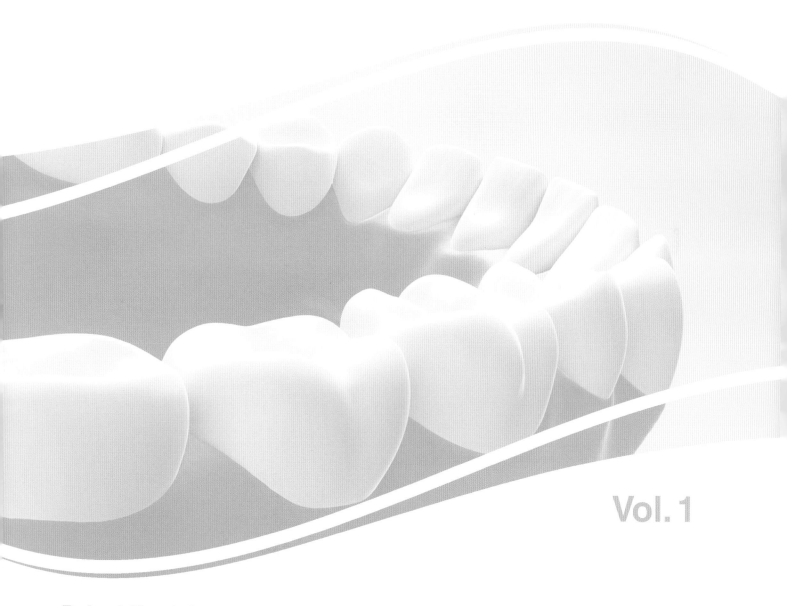

Vol. 1

저자 **Robert Kerstein**
역자 정도민, 안효원 감수 김성훈

군자출판사

T-Scan:
컴퓨터 교합분석기술의 응용 Vol. 1

첫째판 1쇄 인쇄 | 2018년 1월 10일
첫째판 1쇄 발행 | 2018년 1월 20일

지 은 이	Robert B. Kerstein, DMD
옮 긴 이	정도민, 안효원
감 수	김성훈
발 행 인	장주연
출 판 기 획	심도성
편집디자인	박은정
표지디자인	김재욱
발 행 처	군자출판사(주)
	등록 제 4-139호(1991. 6. 24)
	본사 (10881) **파주출판단지** 경기도 파주시 회동길 338(서패동 474-1)
	전화 (031) 943-1888 팩스 (031) 955-9545
	홈페이지	www.koonja.co.kr

First Published in the English language under the title "Handbook of Research on Computerized
Occlusal Analysis Technology Applications in Dental Medicine" by Robert B. Kerstein, editor.
Copyright © 2015 by IGI Global, www.igi-global.com.

* 파본은 교환하여 드립니다.
* 검인은 저자와의 합의 하에 생략합니다.

ISBN 979-11-5955-260-1
      979-11-5955-259-5 (세트)

정가 100,000원
      180,000원 (세트)

T-Scan:
컴퓨터 교합분석기술의 응용

Computerized Occlusal Analysis
Technology Applications in Dental Medicine

Vol. 1

Robert B. Kerstein, DMD

Former clinical professor at Tufts University School of Dental Medicine, USA
& Private Dental Practice Limited to Prosthodontics and Computerized
Occlusal Analysis, USA

Editorial Advisory Board

Ray Becker, Baltimore College of Dental Surgery, USA

Julia Cohen-Levy, Paris 7 University, France

Tom Coleman, SUNY at Buffalo School of Dental Medicine, USA

Sushil Koirala, Mysore University, India & National Dental Hospital Complex, Nepal & Vedic Institute
   of Smile Aesthetics (VISA), Nepal & Thammasat University, Thailand

Bernd Koos, University Medical Center Schleswig-Holstein, Germany

Sarah Qadeer, Thammasat University, Thailand

John Radke, BioResearch Associates, Inc., USA

Roger Solow, University of the Pacific School of Dentistry, USA

List of Reviewers

Nick Yiannios, Private Practice, Rogers, Arkansas, USA

Rob Anselmi, McGill University, Canada & Tekscan, Inc. Boston, Massachusetts, USA

도움을 주신 분들

List of Contributors

Anselmi, Robert / *McGill University, Canada*

Becker, DDS, FAGD, Ray M. / *International Certifying and Interpretation Instructor of the Total BioPAK System, Private Practice, USA*

Cohen, DDS, MS, PhD, Nicolas / *Private Practice, France & University of Paris, France*

Cohen-Levy, DDS, MS, PhD, Julia / *Private Practice, France*

Coleman, DDS, Thomas A. / *Private Practice, USA*

Droter, DDS, John R. / *The Pankey Institute, USA*

Kerstein, DMD, Robert B. / *Former Clinical Professor at Tufts University School of Dental Medicine, USA & Private Dental Practice Limited to Prosthodontics and Computerized Occlusal Analysis, USA*

Kim, DDS, MS, PhD, Jinhwan / *Seoul National University, South Korea & Oneday Dental Clinic, South Korea & Theodental Ltd., South Korea*

Koirala, Sushil / *Thammasat University, Thailand & Vedic Institute of Smile Aesthetics (VISA), Nepal*

Koos, Bernd / *University Medical Center Schleswig-Holstein, Germany*

Qadeer, BDS, MSD, Sarah / *Thammasat University, Rangsit Campus, Thailand*

Radke, BM, MBA, John C. / *BioResearch Associates, USA*

Sierpińska, Teresa / *Medical University of Bialystok, Poland*

Solow, DDS, Roger / *The Pankey Institute, USA*

Stevens, DDS, Christopher J. / *Private Practice, USA*

Supple, DMD, Robert C. / *Private Practice, USA*

Westersund, DDS, Curtis / *ICCMO, Canada*

Yiannios, DDS, Nick / *Private Practice, USA*

목 차

목 차

Robert B. Kerstein / 미국, Tufts 대학교 치과 대학 임상 교수 역임 / 보철과, 컴퓨터 교합 분석 전문

1984년 개시 이후, 컴퓨터 교합 분석 기술은 기존의 주관적인 평가 방법에서 벗어나 객관적이고 정교한 측정을 제공하면서 치과 교합학과 실제 임상 과정에 혁명을 일으켰다. 이 기술은 T-Scan Ⅰ으로 시작하여, Windows®를 위한 T-Scan Ⅱ, 터보 기록을 보유한 T-Scan Ⅲ를 거쳐 T-Scan 8로 알려진 현재의 버전까지 지난 30년 농안 많은 진화를 거쳐왔다. 1980년대 중반 이후 많은 저자들이 다양한 T-Scan 버전을 연구함으로써, 제조자가 하드웨어를 향상시키고 기록 센서를 보다 더 정확하고 반복 가능하며 정교하게 만드는데 기여하였다. 소프트웨어 또한 진화하여 현재의 T-Scan 8은 비정상 교합의 넓은 범위에 대한 진단 및 치료가 가능하도록 다양한 첨단 측정 도구를 포함하게 되었다. 이번 장의 목표는 T-Scan의 정확성과 반복성을 높이기 위한 시스템 버전의 개선에 중대한 영향을 준 많은 과학적 연구를 포함하여 T-Scan 시스템 진화를 상세히 설명하는 것이다.

Sarah Qadeer, BDS, MSD / Thammasat 대학교, Rangsit 캠퍼스, 태국

치과 치료에서 전통적으로 사용되는 교합 지표는 교합지, Shim-stock foil, 탄성의 인상재, 교합 왁스 등이다. 이런 정적인 재료들로 교합력을 설명할 수 있다고 널리 받아들여져 왔다. 그러나, 현대의 재료 연구들은 교합 지표 재료가 다양한 교합력을 측정할 수 있다는 믿음에 이의를 제기하고 있다. 이번 장에서는 정적인 교합 지표의 기록 한계를 평가하고 어떻게 임상의들이 주관적으로 교합력을 결정하여 해석하는 지에 대해 논의한다. 그리고 이런 비-디지털 교합 지표와 정확히 수량화한 상대적 교합력 및 교합 접촉 시간 순서를 기록하고 보여주는 컴퓨터 교합 분석 기술을 비교한다. 이런 디지털 데이터는 술자에게 더 정확한 교합 분석을 제공하여, 전통적인 교합 지표 사용에 내재되어 있는 주관성을 배제함으로써 비정상적인 교합력과 타이밍을 수정하도록 안내할 수 있다.

Bernd Koos / University Medical Center Schleswig-Holstein, Germany

불균형한 교합의 해로운 영향이 광범위하고 더 심각해질 수도 있음에도 불구하고, 교합 접촉 및 교합력의 정확한 분석은 아직도 만족스럽게 해결되지 않고 있다. 현재의 임상 과정에서, 교합 분석은 치아에 찍힌 잉크 자국으로 힘을 기술하는 것으로 제한되어 있다. 그러나, 이런 얇은 종이들은 오직 접촉의 위치만을 표시하고, 믿을 만한 교합력 관계에 대해서는 알려주지 않는다. 교합 내에서의 시간 분해를 포함하고 힘 분포를 표시하는 정교한 분석은 전통적인 교합 지표 방법을 사용해서는 획득할 수 없다. 변화하는 상대적 교합력 크기와 실시간 교합 접촉 순서 데이터를 고해상(HD; High Definition) 기록 센서로 기록하는 T-Scan Ⅲ 시스템(Tekscan, Inc., S. Boston, MA, USA)을 이용하는 컴퓨터 분석을 이용해야만, 상세한 교합력과 타이밍 분석을 얻을 수 있다. 이번 장은 시간에 따른 교합력 변화의 분포를 나타내는 컴퓨터를 근거로 한 교합 측정 방법의 정확성 및 신뢰성에 관해 설명한다.

SECTION 02 T-Scan 8 시스템

Robert B. Kerstein / 미국, Tufts 대학교 치과 대학 임상 교수 역임 / 보철과, 컴퓨터 교합 분석 전문
Robert Anselmi / 캐나다, 맥길 대학교

새로이 디자인된 T-Scan 8 컴퓨터 교합 분석 시스템은 교합 진단에서 최첨단을 표방한다. 시스템의 고해상 기록 센서, 많은 교합 분석 타이밍과 힘 소프트웨어 특성, 0.003초 간격으로 교합 기능을 기록하는 현재의 컴퓨터 하드웨어의 신뢰도는 임상의에게 많은 교합 이상을 예상대로 진단하고 치료할 수 있도록 견줄 데 없는 교합 접촉 타이밍 및 힘 정보를 제공한다. T-Scan 8은 데스크탑 그래픽을 교정하고 그래픽 디스플레이를 단순화하기 위해 툴바 버튼을 감소시켜 조작 교육 기간을 단축시키는 등 T-Scan 기술 혁신과 발달 30년의 정점을 찍었다. 이번 장은 흔하게 관찰되는 교합 문제 치료 시 유용한 5개의 진단적 교합 기록에 대해 논의할 것이다. 마지막으로, 유능하고 능숙한 T-Scan user가 되길 원하는 임상의가 반드시 성취해야 하는 T-Scan 통달의 3단계 학습 개요를 설명할 것이다.

목 차

John C. Radke, BM, MBA / BioResearch Associates, USA

임상 진단에 과학 기술을 접목하는 것은, 객관적인 측정 방법으로 환자의 증상 기록이나 검사 동안 이루어진 관찰을 강화할 수 있기 때문에, 환자 치료를 향상시킨다. 다양한 테스트를 조합함으로써, 치료 효과 모니터링과 치료 결과의 가치를 높일 뿐 아니라, 진단의 민감도와 특이도를 향상시킨다고 널리 알려져 있다. 이번 장에서는 다양한 저작 기능을 객관적으로 측정하는 4개의 치과 기술에 대해 논의하고자 한다; 표면 근전도(EMG) 검사, 자석-기반 3D Electrognathography, 악관절 진동 분석(JVA), T-Scan 컴퓨터 교합 분석. 각 기술은 무증상 환자와 저작계 이상을 가진 환자로부터 기록한 출력 데이터의 실례와 함께 제시된다. 이 장에 제시된 증례 보고는 이런 조합된 기술이 증상을 보이는 교합-근육 이상 환자의 진단과 치료를 어떻게 향상시키는지 설명한다. 마지막으로, 치의학이 이런 기술을 현대 임상 술식의 필수적인 부분으로 받아들여, 이들 사용에 대한 저항감으로 더 이상 방해하지 않기를 권한다.

Ray M. Becker, DDS, FAGD / BioPAK 시스템의 국제 인증 설명 강사, 개인의원, 미국

이번 장에서는 악관절 내에서 발생하는 병적인 변화를 평가하는 관절 진동 분석(JVA) 기술에 대해 설명하고자 한다. JVA는 구조적으로 약화된 내부 악관절 구조에 의해 발산되는 진동을 객관적으로 포착하기 위해 조직 가속도계를 이용한다. 구조적 약화는 저작 기능 동안의 하악 운동 양상을 변화시키게 된다. 대표적인 JVA 진동의 다양한 특성은 악관절 복합체내에 종종 나타나는 다양한 병적 상태의 존재를 지적하기 위해 보여진다. 기록이 만들어진 후, JVA 소프트웨어는 다양한 진동 파형(waveform)을 임상의에게 제시하여, 특정 내장증(internal derangement)이 존재하는지 판단하게 한다. 이 장은 악관절 질환을 암시하는 다양한 진동 파형에 대한 개요를 제공하고 TMD 진단 일부로서의 JVA의 효용성에 대해 설명한다.

Robert B. Kerstein, DMD / 미국, Tufts 대학교 치과 대학 임상 교수 역임 / 보철과, 컴퓨터 교합 분석 전문

이번 장에서는 교합에 의한 근육 과활성으로 발생한 TMD 증상 중 근육성 하위군(subset)인, 만성 교합-근육 장애(Occluso-Muscle Disorder)에 대해 논의할 것이다. 1991년 이후 발표된 T-Scan 기반 연구는 교합-근육 장애의 상당한 원인 요소가 하악 편심위 동안 대합하는 구치부 사이에서 발생하는 연장된 교합면 마찰에 있다고 하였다. 이런 마찰은 해당 치아의 PDL 섬유에 연장된 압축력을 발휘하여 저작근의 과다한 근수축을 촉발한다. 이번 장은 편심위 마찰이 저작근 과활성을 유발하는 신경 구조를 설명하고 연장된 교합면 마찰을 촉진시키는 환자의 교합 요소를 보여주게 될 것이다. 교합-근육 장애 환자가 교합 개입에 대한 후보자인지를 결정하기 위한 환자 부문 기준을 설명하고, 이개 시간 감소로 알려진 컴퓨터-유도 교합-근육 장애 치료를 상세히 설명하며, 이런 측정성 교합 치료가 매우 효과적인 교합-근육 장애 치료 사용임을 입증하는 연구 조사를 근거로 지지할 것이다.

SECTION 04 교합 외상과 컴퓨터 교합 분석

Nick Yiannios, DDS / 개인 의원, 미국

문헌에서, 상아질 지각과민증(Dentinal Hypersensitivity, DH)은 노출된 상아질과 상아 세관에서 유발되는 것으로 여겨진다. 그러나, 최근의 DH 민감성에 대한 임상 관찰은 노출된 상아질이 없어도 발생할 수 있음을 지적한다. 수량화된 교합 접촉력과 타이밍 변수는 과민성 치아를 평가하는 연구에서 무시되었었다. 이번 장은 새로운 교합 개념을 소개한다: 마찰성 치아 지각과민증(Frictional Dental Hypersensitivity, FDH). 컴퓨터 교합 분석 및 EMG를 연동하여 얻은 임상적 증거로, 대합하는 구치부 간의 마찰과 근육 과활성이 DH와 연관되어 있음을 제안한다. 또한 교합, 근육성 TMD 증상과 FDH가 어떻게 연관되는지 살펴본다. 마지막으로, 과민 증상이 있는 환자에서 즉시 완전 전방 유도 발달(Immediate Complete Anterior Guidance Development, ICAGD) 치관성형술을 시행하여, DH 개선 정도를 통증 진단 척도(VAS)를 이용하여 수량화한 예비 연구를 제시한다. 컴퓨터-유도 교합 조정으로 치료-전 FDH 증상을 제거하고, 더 나아가 DH가 교합-기반, 마찰성 병인을 가진다는 것을 뒷받침한다.

목차

Thomas A. Coleman, DDS / 개인 의원, 미국

이번 장은 치경부 상아질 지각과민증(CDH)을 포착하고 수량화하기 위해 공기 지표법과 접촉치아의 교합력 및 타이밍을 평가하는 T-Scan 교합 분석 시스템을 결합하여 소개한다. 또한 CDH의 임상적 증상 및/혹은 징후의 포착, 진단, 치료에 대해 논의한다. 1979년에서 1996년까지 17년에 걸친 후향적 연구는 CDH와 교합 조정으로 얻은 개선 사이의 상관관계를 보여줄 것이다. 교합 접촉력으로 인한 스트레스가 비-우식성 치경부 병소 형성과 치근 악화의 원인으로 작용하였다. 이번 장에서는 생물부식(biocorrosion)과 보호성 당단백의 소실이 적용된 힘의 영향을 가속화하여 CDH 증상과 치경부 굴곡파절을 유발하는 것에 대해 설명할 것이다. 마지막으로, CDH 증상을 진단하고 치료하기 위해 CDH 진단에 대한 공기 지표법을 T-Scan 교합 분석과 연계하여 소개할 것이다. 이 두 방법을 각각 따로 적용했을 때보다 연계했을 때 CDH/교합 통찰을 더 잘 만들어낸다.

Dr. Teresa Sierpińska / Bialystok 의과 대학, 폴란드

치아 마모는 법랑질과 상아질의 소실을 야기하는 정상적이고 나이와 연관된 생리적 과정으로 간주된다. 그러나, 어떤 경우에서는, 그 과정이 너무 진행되어 병적 상태에 이르기도 한다. 이번 장은 굴곡파절, 과다한 저작력, 불균형한 교합 접촉, 저작근의 과활성으로 인해 초래된 중증의 치아 마모를 제시할 것이다. 또한, 병적인 마모의 진행을 예견성 있게 감소시킬 수 있는 T-Scan 8/BioEMG 동기화 모듈을 사용한 예방 전략의 개요를 설명할 것이다. 이 두 개의 객관적 동행 기술로 치료 전, 진행 중, 후의 교합을 평가하고, 새로이 장착된 고정성, 임플란트-지지, 가철성 보철물의 장기간 안정성을 예견성 있게 조절할 것이다. 이런 동기화는 근활성 크기 정보를 직접적으로 교합 접촉력 및 시간 순서 정보와 연관시켜, 마모 환자에게 같이 적용하면 병적인 교합 마모를 감소시키고, 완전히 제거할 때까지 중요한 역할을 할 수 있다.

펴내는 말

종종, 우리는 감성과 지성을 요구하는 정보가 필요한 결정에 직면하게 된다. 뿐만 아니라, 전문적인 치의학적 결정은 임상의로 하여금 환자들에게 행하는 진료의 질을 약화시키는 않아야 하며, 많은 술자들이 적절하게 보호하고 지휘할 수 있게 한다. 전문적인 결단, 객관적인 지적 연구, 감성적 정보로 구성된 의사-결정의 3요소를 통하여, 치의학은 임상의와 연구가 모두에게 대중을 보호하고, 치과적 질환 연구를 발전시키고, 환자에게 적용할 수 있는 치료법을 향상시킬 수 있는 기술을 발달시키고 진보하도록 요구하고 있다. 디지털 치과(Digital Dentistry) 시대에서, 이런 기술적인 진보는 보다 나은 치료 성과, 좀 더 편안한 환자, 더 건강한 치과 공동체로 이끌고 있다.

치의학의 범주 안에서, 통상적인 프로토콜과 치료법으로 받아들여졌던 믿음에 대해 의문을 가지는 혁신자들이 있었다. 이런 의문은 종종 사멸되기도 했지만, 한편으로는 참신한 새로운 이론과 결과를 이끌어내어 환자의 불편감을 야기하는 상태에 대해 더 잘 이해하고 치료할 수 있게 되기도 하였다. 가끔 이런 혁신자는 기존의 방법을 재조정하여 컴퓨터를 이용한 새로운 접근을 수용하기도 하였다. 예를 들어, 왁스업하여 만든 보철물이 잘 받아들여지고 있는 보철 분야에서, CAD/CAM의 출현은 상부구조의 예술적인 창조물을 현대화하였고 크라운은 컴퓨터에 의해 제작되고 있다. 또 다른 경우에서, 기존의 재료를 개조하거나 과학적 진보로 가능해진 새로운 재료를 창조하여, 더 안전하고 예견 가능한 치료를 환자에게 제공한다. 이런 혁신의 일례로 골 형태형성 단백질(Bone Morphologic Protein, BMP) 복제가 있다. 골이식에 이 재료를 사용함으로써 이식된 골의 예견성이 증가하였고 이식부위로의 성공적인 임플란트 골유착을 촉진하게 된다.

아직, 지난 20년 동안 가장 흥미로운 혁신자들은 임상의들로 하여금 측정 가능한 데이터 정보를 통합하여 환자의 상태를 설명할 수 있게 하는 어려운 기술과 연관되어 있다. 이런 기술은 임상의의 인지를 향상시키고, 치료 성과를 향상시키고, 장기간 안정성이나 환자의 상태 변화를 감시할 수 있다. Robert Kerstein 박사는 환자의 현존 교합 체계를 양적으로 평가하고 질적으로 설명하기 위해 최소 3차원 측정을 이용하는 객관적인 기술을 발달시키기 위해 광범위하게 연구한 혁신자이다. 일단 T-Scan 컴퓨터 교합 분석 시스템(Tekscan, Inc., S. Boston, MA, USA)으로 교합 체계를 규정하면, 측정된 데이터를 이용하여 환자를 치료할 수 있고, 적절하게 시행되면 교합 적응이 눈에 띄게 향상되고, 치아의 구조적 상해와 마모가 최소화되고, 구강악계 내부의 통증이 감소된다. 다른 생물 측정 기술과 유사하게, 임상의들은 주어진 시점에서 T-Scan 기술을 이용하여 환자에게 자신의 교합 체계 상태를 교육하거나, 기존의 교합 체계 상황에 의존하여 제작되는 미래의 보철 수복물이 미치게 될 교합 건강이나 온당치 못한 퇴행성 변화를 식별할 수 있다. 이런 방법으로, T-Scan을 이용한 교합 측정은 진단학적으로 진행되거나 일어날 위험성을 예견하고, 보조적으로 선택된 치료 성과가 예견가능하고 최선인지를 확실하게 할 수 있다.

최근 100년 동안, 인간의 기능에 대한 의문들이 "교합학"으로 알려진 집중적인 치의학 과목의 발달을 이끌었다. 교합학은 치아, 악관절, 상악, 하악이 모두 연관된 분야이다. 이 책에서는 치의학 세계에 널리 퍼져있는 손상된 믿음과 가치에 대항하는 지난 30년 간의 초기 시도에 대해 제시한다. 이것은 이런 믿음을 뒷받침하는 교합에 대한 어떠한 측정도 없이 교두감합 혹은 기능 중인 치아, 교합지 자국, 왁스 바이트에 대한 시각적인 검사로 믿을만한 저작 기능을 설명할 수 있다는 (그릇된) 생각의 결과이다. 이런 전통적인 개념은 비성공적으로 적용되고 있다; 임상의와 연구자들이 교합 접촉의 질과 힘의 양에 연

펴내는 말

관된 의문에 대한 답을 찾고자 할 때, T-Scan 기술을 통해 저장된 형식으로 답을 쉽게 얻고, 임상의는 명확하게 판단된 문제성 교합 접촉력을 보고, 분석하고, 목표하는 정확한 치료 결정을 시행할 수 있게 된다.

교합에 관한 대부분의 연구에서, 교합 이론을 측정하고 증명할 수 있는 유일한 도구는 교합 접촉을 인기한 교합지 자국뿐이다. 30년 전, 힘, 시간 순서, 지속 시간의 관점에서 각각의 교합 접촉 잉크 자국을 식별하는 측정법을 제공하기 위해 T-Scan Ⅰ 시스템이 소개되었다. 이 혁명은 치의학에 있어서 교합을 이해하는 지적인 방법뿐만 아니라 환자에게 교합 치료가 시행될 때 임상의를 지원하는 정교한 디지털 방법을 제공하였다.

치의학에서 현대의 기술 시대 동안, 교합 과학이 이 책을 만든 공동 연구자들에 의해 서서히 깨어나고 있다. 이런 자각은 실제적으로 혁명이라는 것이 저자의 의견이다. 과학에서든 정부 정책에서든 생각 변화가 진행되는 다른 혁명과 마찬가지로, 여기에도 리더가 있다. 이 교합 혁명에서, 리더는 Robert Kerstein 박사라고 본인은 생각한다. 1989년 이후로, 본인은 Kerstein 박사가 T-Scan 데이터를 이용하여 지속적으로 많은 동료들의 연구를 검토하고 이전에 답을 찾지 못한 많은 교합 의문에 대한 답을 발표했다고 생각한다. 더욱이, 그는 광범위한 T-Scan 시행에 필요한 그들 자신의 영역 내에서 지지받는 전세계에 걸친 많은 저자에 의해 대표되는 다원화된 학문 그룹에 영향을 미쳤다. 이 저자들은 모두 교합의 정확한 측정이 진단과 치료의 중요한 발달이 되고, 환자와 임상의 모두에게 다방면으로 이익이라고 인식하는 자신의 분야를 가지고 있는 전문가이다.

이 최초의 컴퓨터 교합 분석 교과서는 역사적인 것이고 교합 측정을 일반적인 치과 개념으로 자리매김시키려는 치의학적 요구에 대한 선물이다. 본인은 다가오는 10년 내에 T-Scan이 일반적인 치과계에서 일상적으로 사용되는 기초적인 기술이 되기를 희망한다.

이 책의 독자들이 세부적인 내용들을 즐기고 기록하며 의문점과 관심사, 앞으로의 출판에 대한 생각을 제안하여 T-Scan으로 알려진 중요 교합 측정 혁신에 대한 연구를 계속 전진시킬 수 있기를 바란다.

Paul Mitsch
Augusta Family Dentistry, 미국

Paul Mitsch는 미조리주 세인트 루이스의 워싱턴 대학에서 1977년 DMD 학위를 받았다. 1979년 캔자스주 오거스타에서 Augusta Family Dentistry를 인수하였다. 2005년, 지역 치과의사들에 의해 제작, 간행되고 버틀러와 세지윅 카운티에 배포되는 Dental Impact를 창간하였다. 2008년, American Family Dentistry Training Center를 설립하였다. AFD Training Center는 치과 산업 종사자의 교육을 돕기 위해 창설되었다. 기술을 연마하고 보다 높은 수준의 손기술을 원하는 사람들에게 치과 분야에서 숙련된 전문가의 수업과 세미나를 제공하는 것이 그의 미션이었다. Mitsch 박사는 미국내의 치과에서 최신 기술의 이행을 강의하고 있다. 또한, Academy for General Dentistry, Academy for Dentistry International, International Congress of Oral Implantologist의 회원으로 있으며, American Academy of Craniofacial Pain에서 특별 회원으로 있다. 또한, BioResearch, Inc.에서 마스터쉽을 이수하였다.

서 문

컴퓨터 교합 분석이라는 주제는 1984년에 시작하여 30년 동안 발전하여, 많은 치의학 학문에서 T-Scan 기술을 활용한 많은 임상 및 연구적 응용이 발달하였다. 치과 환자에 대한 T-Scan의 임상적 활용은 백 년 넘게 사용된 전통적이고 비-디지털 교합 인기 방법을 뛰어넘는 주요한 진단 및 치료 진보를 보여 준다. T-Scan이 개시될 때까지 임상의에 의해 주관적으로 해석되었던 일상적인 치과 진료에, 컴퓨터 교합 분석은 교합력과 교합 시기 측정을 도입하였다. T-Scan의 상대적인 교합력과 교합 시기 측정 능력 덕분에, 연구에 이 데이터를 응용하면 교합 고안의 최종 정밀성이 절대적으로 향상된다. 이렇듯, 컴퓨터 교합 분석의 분야는 치과 교합의 과학 및 실행을 포함할 뿐만 아니라 고정성 및 가철성 보철, 임플란트-지지 보철, 치주, 교정, 심미 치과, 치아 민감성, 악관절 장애, 하악 정형, 신체 자세와 균형을 아우른다.

오늘날, 컴퓨터 교합 분석 기술은, 치과의사가 임상에서 흔하게 관찰되고 종종 직면하게 되며 디지털 교합 측정의 도움없이 치료하고 싶어하는 (가끔은 투쟁하는) 교합 문제에 대한 해답을 제공한다. 전통적인 교합 지표를 능가하는 T-Scan의 명백한 우월성에도 불가하고, 현재의 T-Scan 기술은 여전히 학문적인 승인과 치과 환자들에게 전반적인 임상 응용을 얻는데 상당한 어려움을 직면하고 있다. 논문 발표를 통해 T-Scan 방법 자체가 믿을 수 있고 재현가능하고 정확하다는 것이 증명되었다고 할지라도, 일상적으로 사용되고 실제적으로 교합력과 교합시기를 측정할 수 없는 전통적이고 비-디지털적인 교합 지표 때문에 치의학은 T-Scan 기술을 다소 간과하고 있다. 증거-바탕의 치의학 시대에서, 교합 모형, 왁스 바이트, 실리콘 바이트, 교합지 등으로 교합력 수준을 파악할 수 있다고 여전히 광범위하게 믿어지고 있다. 전통적인 교합 지표의 그 어느 것도 교합력을 과학적으로 측정할 수 없고 지속적인 교합력 수준 평가를 재생산하거나 교합 접촉 시기 및 순서를 측정하고 파악할 수 없다는 것이 증명되었음에도, 이런 비과학적인 믿음이 T-Scan의 필요성을 가로막고 있다.

이 "*T-Scan: 컴퓨터 교합분석기술의 응용*"은 컴퓨터 교합 분석 분야라는 영역과 범위에서 현대의 치의학을 설명하기 위해 고안된 포괄적인 편찬물이다. 기대하는 독자는 보철, 임플란트-지지 보철, 치주, 교정, 악관절 장애 등의 많은 분야 내에서 치의학 교육자와 연구가, 치과 대학 교합 프로그램 관리자, 재학 중인 치과 대학생, 박사 후 프로그램 관리자, 졸업생 등의 치과 건강 제공자들이다. 또한, 환자에게 이 기술을 사용하는 치과의사에게 고용된 치위생사와 어시스트도 이 책을 읽어 포괄적인 환자 검사에 한 구성원이 되어야 할 것이다.

아주 명백하게, 저자는 매일매일의 치과 치료에서 교합 문제를 치료하는 치과 임상의를 겨냥하고 있다. 이 책을 읽음으로써, 임상의는 교합 치료에 T-Scan 응용 원리를 적용하고 여기에 묘사된 교합 개념을 평가하게 될 것이다. T-Scan에 근거한 치료 과정에 과학적 기반을 제공하기 위해 특별한 노력이 수행되어서, 이 책을 임상적 가이드로 활용하는 임상의들이 주관 보다는 증거를 바탕으로 접근하여 교합 문제를 치료하도록 배우게 될 것이다.

이 책이 치과 교합 분야의 연구자들에게 특별하게 방향을 제시하는 것은 아니지만, T-Scan 기술의 상대적인 교합력과 시기-순서 측정 능력은 연구 환경에서 교합 기능에 이상적인 증거를 제공할 수 있게 한다. 연구가들은 그들 자신의 T-Scan 교합 기능 연구를 고안하거나 현존의 혹은 앞서 출판된 T-Scan 연구를 모사하기에 앞서 이 책을 통해 적당한 T-Scan 사용 기술을 습득하기 바란다. 이런 방법으로, 미래의 T-Scan 연구자들은 적절한 T-Scan 데이터 세트를 이용하는 방법을 더 잘 이해할 수 있을 것이고, 이로 인해 같은 연구자들이 적절한 T-Scan 사용 지식 부족으로 인한 빈약한 T-Scan 기술을 이용하는 것보다 훨씬 더 신뢰할 수 있는 T-Scan을 바탕으로 한 미래의 연구로 제공되는 결과가 나오게 것이다.

ORGANIZATION OF THE BOOK 이 책의 구성

이 책은 6개의 부로 나누어져 있다.

제1부, "T-Scan 기술의 진화"에서는 T-Scan 시스템을 1984년의 초기 도입부터 현재까지의 역사를 소개한다. 1장은 4개의 T-Scan 시스템 버전을 자세히 소개하고 중요한 시스템 정확도에 영감을 준 과학 연구들과 각각의 버전 발달에 포함된 재현가능성의 향상을 설명한다.

2장은 상업적으로 다양하게 이용할 수 있고, 흔하게 채택되는 전통적인 비-디지털 교합 지표와 T-Scan 기술을 상대적인 교합력 측정 능력, 과다 교합력 발견 능력, 시기-순서 측정과 보고 능력의 보유 여부에 대해 비교한다. 추가적으로, 이 장의 부분은 임상의의 주관적인 해석에 의한 *침습적인 치료를 최소화*하는 기술인 T-Scan에 비해서, 비-디지털 전통적인 교합 지표와 연관된 임상의의 *주관적인 해석*이 잠재적으로 *최대 침습적*이라는 사실에 할애한다.

3장에서는 T-Scan 교합 측정 방법의 정확도와 신뢰도를 입증하고, 기록 센서와 시스템의 힘 생산 보고 일관성을 재현하는 능력을 평가하고, 또한 환자의 교두감합 동안 교합력의 시기-의존적인 본성을 이야기한다. 이 장은 특별하게 T-Scan 기록법의 재현 가능성을 설명하고, 그 신뢰성과 정확성을 측정한다.

제2부, "T-Scan 8 시스템"에서는 T-Scan 기술의 현재 버전에 대해 전반적으로 소개한다. T-Scan 8은 사용자가 사용 방법 학습을 최소화하도록 도와주는 임상 표시를 단순화하기 위해서 데스크탑 그래픽을 수정하였다. 4장은, 이 책 전반에 걸쳐 제공되는 많은 T-Scan 이미지에 대한 독자 *가이드*가 될 것이다. 독자는 이 장의 이미지와 많은 T-Scan 8 소프트웨어의 특성의 능력을 묘사하기 위한 이미지 설명을 참조하게 될 것이다. 여기에서는 T-Scan의 교합력과 타이밍 소프트웨어 특성이 표현되고 분석되는 방법과 교합 특성을 독자에게 제공한다. 이 장의 마지막 부분은 T-Scan 임상의가 능력있는 사용자가 되기 위해 효율적으로 갖추어야 할 T-Scan 전문 지식과 필요한 임상 사용 기술의 세가지 학습 부분을 자세히 설명한다.

제3부, "일상적 치과 진료에 보완적 T-Scan 시스템의 임상적 사용 기술"은, T-Scan 시스템의 임상적 사용을 촉진하고 보완하는 다른 디지털 치과 기술을 소개하는 장들을 포함한다. 각 장은 이런 보완적 기술과 T-Scan 기술을 같이 사용하는 방법을 보여주는 적어도 한가지의 임상 증례를 포함한다. 5장은 저작 기능의 객관적이고 생물-생리적 측정을 제공하는 몇 가지 다른 치과 기술(T-Scan 시스템에 추가하여)인 표면 근전도(EMG), 자석-기반 3D Electrognathography, 악관절 진동 분석(JVA)에 대해 논의한다. 또한 환자 검사와 치료 결과 평가 동안 생체 계측 측정을 포함해야 하는 필요성도 다룬다.

6장은 JVA 기술이 TMJ 내에 발생하는 병적 변화를 측정하는 방법을 자세히 묘사한다. TMJ 구조 내에 존재하는 다양한 병적 상태를 대표하는 TMJ 진동 포착에 대해 설명한다.

7장은 교합-근육 장애 환자의 치료에서 T-Scan 8/BioEMG 동기화 시스템의 임상적 활용을 설명한다. 저작근 과활성과

서문

교합-근육 장애 종합 증상을 유도하는 연장된 편심위 교합면 마찰에 대한 신경구조 및 생리를 묘사한다. 또한, *이개 시간 감소(Disclusion Time Reduction, DTR)*라고 알려진 매우 치료적이고 빠른 증거-바탕 T-Scan 교합 치료에 대해 상세하게 설명한다. DTR은 장치나 교정 장치를 사용하지 않고 환자 자신의 신경생리 내에서 탁월한 치료 효과를 가져오기 때문에, 환자와 임상의 모두에게 상당한 TMD 치료 발전을 제공하게 된다.

제4부, "교합 외상과 컴퓨터 교합 분석"에서, 교합 굴곡, 굴곡파절 형성, 교합 마모에 의한 교합 미세외상, 상아질 지각과민증의 중요성을 묘사한다. 각 장은 T-Scan 기술이 교합 미세외상 측면을 파악하고 치료하는 데 도움이 되는 방법을 설명한다. 8장은 치아 지각과민증에 대한 많은 다양한 이론과 주장되는 원인을 설명하고, 새로운 잠재적 교합 원인 용어인 마찰성 치아 지각과민증(Frictional Dental Hypersensitivity, FDH)을 소개한다. FDH의 성공적인 치료는 DTR 치료를 받은 환자의 치료 전후 상아질 지각과민증 변화를 평가하는 예비 연구를 통해 설명된다.

9장은 공기 지표법을 T-Scan 시스템과 같이 사용하여, 치경부 상아질 지각과민증(CDH)의 임상적 증상을 파악, 진단, 치료하는 것에 대해 논의한다. 공기 지표화는 T-Scan 시스템으로 포착되는 CDH 치아의 교합력 및 타이밍 일탈과 상호 관련성을 찾을 수 있는 CDH의 다양한 정도를 수량화한다.

마지막으로, 10장은 교합 마모의 수많은 원인을 소개하고, 중증의 치아 마모의 임상적 중요성을 상세히 하며, 중증 치아 마모의 보철적 기능 회복(rehabilitation)을 자세히 설명한다. 여기에서 T-Scan 8/BioEMG 동기화 시스템에 의해 치료되고 유지될 때 교합 마모가 성공적으로 최소화될 수 있음을 설명한다.

제5부, "컴퓨터 교합 분석의 임상 적용"은, 임상적 시나리오의 넓은 범위에서 T-Scan 사용을 설명한다. 11장에서 18장까지 다양한 치의학 교육 내에서 컴퓨터-유도 교합 치료를 제공하는 임상의에게 컴퓨터 교합 분석을 제의하여 얻은 진단, 치료, 유지 단계의 장점을 논의한다. 모든 장에서 각각 설명된 교육에서 사용될 수 있는 T-Scan 사용법의 임상적 증례를 포함한다.

11장은 종종 교정 치료 결과가 시각적으로 이상적으로 "보임"에도 불구하고 이상적인 치아 접촉이나 이상적인 교합력 관계를 이루지 못하는, 고정성 장치 교합 치료의 술식을 마치고 치료 후 교합 종말점 평가의 증례에서 T-Scan의 역할을 설명한다.

12장은 굳건한 임플란트 교합에서 T-Scan으로 골유착 파괴나 임플란트 수복 재료의 부분 파절을 최소화하는 타이밍 순서 조정을 통해 과다한 교합력을 조절하는 방법을 다룬다. T-Scan의 치아 타이밍 소프트웨어를 자세히 설명하여, 독자가 자연치와 임플란트가 혼재하는 악궁에서 시간-지연 원리를 적절하게 시행하는 방법을 이해할 수 있게 한다.

13장은 occlusal splint의 제작 방법과 장치의 힘 분산 특성을 크게 향상시키기 위해 T-Scan 측정과 교합지 자국을 병행하는 것을 설명한다. 교합 간섭과 저작근 기능 이상 사이의 관계의 실재 혹은 결여에 관한 논란을 다루면서, 관계의 실재에 반대하는 연구가 교합을 측정하지 않았기 때문에 존재하는 연관성을 부정할 과학적 근거가 부족하다고 제안한다.

14장은 CR 이론을 강조하고, 교합기에 장착된 진단 모형이나 양수 조작으로 수행한 T-Scan 시스템을 사용하여 CR 조기 접촉을 확인하는 임상적 기술, 장점, 이론을 논의한다.

15장은 장기간 동안 직접적으로 이익이 되는 필요한 치료 술식을 환자가 받아들이도록 유도하는 환자의 교육 전략에서 T-Scan 그래픽의 힘 데이터를 사용하는 방법을 살펴본다. 최적의 치아 건강을 구축하는 4단계 및 효과적인 교육과 학습이 필요한 단계와 일상적으로 사용되는 다양한 학습과 교육 스타일에 대한 개요를 설명하고, 특성, 기능, 이득이 되는 기술을 사용하는 방법을 설명한다.

16장은 디지털 인상으로 제작한 CAD/CAM 보철물의 삽입을 향상시키기 위한 T-Scan 사용법을 도해함으로써 심미 치과의 구성 요소로서의 교합을 논의한다. 위치적으로 불안정한 접착성 수복물은 제자리에 합착하기 전에 교합 접촉 평가를 위한 시적을 할 수 없다. 부적절한 시적은 교합 공간 오류를 악화시키나, T-Scan 시스템을 사용하여 예견성 있게 조절할 수 있다.

17장은 근신경 상하악 관계를 수립하는 TMD 증상에 대한 치료로 무통법, 환자 진정을 사용하는 TENS에 대해 논의한다. 폐구 시 근신경 보조 장치의 교합 구축에 의한 교합 접촉을 T-Scan으로 기록하여, TENS가 폐구의 불수의적 근육성 수축을 유도하는 방법을 설명한다.

마지막으로, 18장에서 장기간 논란이 되고 있는 치주 질환 진행에서의 교합의 역할에 대한 과학적 증거를 제시한다. 교합력은 치주 질환을 개시하거나 가속화하지 않는 것으로 항상 간주되고 있다. 이번 장에서는 이런 연구에 교합을 수량화한 측정 장치가 포함되지 않아 치주 질환과 교합력 사이의 관계에 관한 혼동을 일으킨다고 제안한다. T-Scan이 치주 치료 결과를 향상시키고 유지기간 동안 치주 질환을 조절할 수 있음을 설명한다.

제6부, "컴퓨터 교합 분석에 근거한 새로운 교합 개념"에서, 측정된 T-Scan 데이터 세트에 근거한 새로운 교합 변수 개념을 치의학에 소개한다.

19장은 디지털 교합력 분포 양상(Digital Occlusal Force Distribution Patterns, DOFDP)이란 용어를 통해, 교합력이 힘의 반복적인 양상을 통해 교합에 전달되는 방법에 관한 이론을 제시한다. 장기간 임상적 관찰로, 악궁 내 DOFDP 위치는 교합, 치아, 치주조직, TMJ 건강의 구조적 적응 변화와 일치한다는 것을 알 수 있다. 좋지 않은 교합력 분포가 야기할 수 있는 치아 조직 손상을 도해한 많은 임상 증례를 사용하여, 알려진 6개의 DOFDP를 자세하게 묘사한다.

끝으로, 20장에서 힘 마무리(Force Finishing) 개념과 최소한의 침습적이고, 심미적인 수복 재건 증례에 사용하는 프로토콜을 설명한다. 회복된 치열의 힘 구성 요소가 적절하게 다루어지지 않으면, 교합력 장애의 증상과 징후로 저작계 붕괴가 야기될 수 있다. 현재의 치과 술식에서, 임상의가 심미적 결과에 집중하고 교합력 마무리가 낮은 비중을 차지하게 될 때, 디지털 힘 마무리 방법으로 예견성 있고 반복적으로 얻을 수 있는 교합력 조화를 얻을 수 있다.

이 책의 모든 장은 많은 치의학 학문 분야의 하나인 T-Scan 기술을 수년간 면밀하게 작업한 경험이 있는 국제적인 전문가로부터 기증받은 것이다. 모든 장은 다양한 임상 사진과 해당 상황을 설명하는 동반하는 디지털 교합 데이터 이미지를 수록한다. 추가적으로, 각 장마다 주요 용어 및 정의의 해설 목록을 포함하여, 각 장의 초점을 설명한다.

많은 장에서 현대 교합 개념상 논란이 지속되고 있는 두 가지의 흔한 주제를 깊이 있게 다룬다. 첫째, 오늘날 가장 널리 토의되는 교합 논의는 교합 기능이 TMD 발달의 원인 역할을 하느냐에 관한 것이다. 교합이 TMD 원인 인자가 아니라는

서 문

의견을 밝힌 치과의사에게 반박하기 위해, 이 책의 저자들은 독자에게, T-Scan 시스템에 의한 교합력 측정이 발달하기 전에 TMD에서 교합의 역할을 완성한 연구들은 뚜렷한 결점이 있다고 제안한다:

- 연구자들은 수량화하는 방법으로 교합력을 측정하는 능력이 없었기 때문에, 자신들이 실제적으로 치료한 교합 문제에 대해 알지 못한다.
- 연구 프로토콜 내에서 치료로서의 비측정성 교합 조정을 이용함으로써 만들어진 교합에 향상(혹은 악화)가 있는지 알 수 없다.
- 연구자들은 치아들의 교합 기능을 수량화할 수 없기 때문에 진단하고 치료하는 동안 교합과 TMD 상태에 대해 적절하게 분류할 수 없다.

연구자들이 교합 정확성을 판단하기 위해 시도했던 기술은 환자의 구내 상태에 대한 시각적 평가와 정적인 치과 재료의 관찰이었다. 하지만, 비-디지털 교합 지표를 연구에 사용했기 때문에 이런 시각적 평가는 완전히 주관적이다.

비측정의 개념은 교합 과학을 괴롭히는 두 번째 논의 쟁점을 직접적으로 야기한다. 현재의 치료 기준은 임상의가 힘을 측정할 능력이 없는 정적인 교합 지표를 사용함으로써, 교합력을 측정하는 실제적인 방법은 그들의 관점이 된다. 교합지 자국의 임상 주관적 해석이나 shim stock hold라는 오류를 유발하기 쉬운 기술에 추가하여, 오늘날 교합의 치료 기준은 교합지 자국을 임상적으로 추측하여 교합력 내용물을 제안하는 비-과학적인 방법을 허가한다. 이런 기준은 시대에 뒤떨어지고 추측하는 면이 있기 때문에 비-최소적으로 침입적이며, *비-디지털 교합 지표가 교합력을 측정할 수 있다고 설명하는 연구 발표가 없기* 때문에 과학적으로 증명되지 않는다. 그러므로, 치과 환자의 이익을 위해, 이런 기준은 과학을 기반으로 하고 임상적 추측을 완전히 배제한 측정성 방법을 포함하도록 변화되어야 한다.

마지막으로, 이 책의 저자들은 모두 TMD 환자의 진단과 치료를 도울 뿐만 아니라, 보철 재료의 수명, 임플란트 존속, 새로운 교합에 대한 신속한 환자 적응을 보장하는 교합 재건에 적용할 수 있는 대단히 흥미롭고 새로운 컴퓨터-기반 측정성 교합 개념을 설명한다. 이런 측정성 치료 접근은 지난 30년간 수행된 연구 발표에서 유효하고 치료적인 것으로 증명되었고, 상대적 교합력과 교합 접촉 타이밍을 측정할 수 있는 T-Scan의 능력 때문에 오늘의 치과 환자에게 적용할 수 있게 되었다.

이 책을 다듬으면서, 본인은 내 자신과 다른 저자들에게 좋은 참고 자료와 과학적으로 견실한 모음집을 만들었다. 1984년 이후로 T-Scan 기술이 시작되고 발전하면서 많은 기술자들, 저자들, 연구자들을 통해, 과거에 진정한 측정이 없었던 치과 교합의 영역에 측정적이고 과학적인 방법과 정확한 종말점 기준을 가져왔다.

결론적으로, 이 책 안에, T-Scan 기술 자체에 대한 과학적으로 근거한 정보가 다양하고 포괄적인 범위로 이전에-출판된 적이-없는 방대한 양으로 포함될 것이다. 페이지마다 의심할 여지 없이 세계적인 사용자로부터 향상된 T-Scan 기술 시행으로 인도할 것이고, 컴퓨터 교합 분석의 진화된 영역의 보다 나은 이해로 이끌 것이다. T-Scan 기술로 사용할 수 있는 방법을 자세히 설명하여 컴퓨터 교합 분석이 환자와 임상의에게 제공하는 장점에 대해 많은 임상의, 연구자, 학생들에게 가르쳐주게 될 것이다. 가장 중요한 것은, 책 안에 담겨있는 정보를 보급하여, 치과 교합의 임상 실행 기준이 *주관적*에서 *객관적*으로 향상될 것이다.

매우 열심히 작업해 준 Editorial Advisory Board 회원, 모든 검토자, 그리고 자신의 치과 영역 내에서 T-Scan 응용에 대한 내용 저술을 허락해 준 뛰어난 저자들과, T-Scan 기술과 임상 적용에 관한 이 책을 즐기고 있을 독자에게 감사드린다. 편집자로서 나의 바람은 이 책이 컴퓨터 치과 교합 영역의 지식을 위해서 훌륭한 참고 자료가 필요한 학생들과, 임상 시행이나 연구 시도에서 T-Scan 기술의 적절한 사용을 위한 더 나은 이해를 위해 분명하고 간결하며 자세한 정보가 필요한 임상의와 연구가에게 유용한 도구가 되길 바란다.

Robert B. Kerstein, 치의학박사
미국, 터프트 대학교 치과 대학 임상 교수 역임
보철과, 컴퓨터 교합 분석 전문
2014년 8월 15일

감사의 글

이 책의 전개 과정에 연관되었던 모든 사람의 도움에 진심으로 감사를 표합니다. 그들의 지지가 없었다면, 이번 기획은 만족스럽게 완성되지 못했을 것입니다.

무엇보다도, Tekscan의 하드웨어와 소프트웨어 기술자, 예술과 그래픽 팀, 판매 팀, 나와 긴밀하게 작업하고 30년의 진화 (1984년에 시작)의 과정 동안 끊임없이 나를 지원해준 Tekscan의 모든 매니저들에게 깊은 감사와 사의를 드립니다. T-Scan 기술의 수행 능력을 향상시키고, 개선하고, 진보시켜준 Steve Jacobs씨와 Charles Malacaria씨에게 특별한 감사를 표현하고 싶습니다. 그들은 지속적인 진화와 발전을 독려하여, T-Scan이 치과 교합의 영역 내에서 교합력과 타이밍 측정을 포함하는 필요성에 가장 잘 부합할 수 있게 되었습니다.

또한, Brent Thompson씨에게 이 편집된 책을 제작하게 해준 초기 저술 기회를 만들어준 점에 대해 감사드립니다. 치과의사가 아님에도 불구하고, T-Scan 기술에 대한 그의 장기간 지치지 않는 참가는 치의학에서 T-Scan이 중요성을 얻는 데 큰 역할을 해주었습니다. 아울러, John Radke에게 공동 편찬한 다수의 T-Scan/BioEMG 연구에 포함된 많은 통계 분석을 해주신 것과 이 책의 완성에 대한 편집을 지원해 주신 것에 대해 감사드립니다.

또한, T-Scan 기술의 어얼리 어댑터에게도 큰 은혜를 입었습니다. 그들은 매일의 교합 진료라는 중요한 부분에서 일상적으로 T-Scan을 근거로 한 교합 원리를 이용한 임상의들입니다. 초기 이용자들은 그들의 공부 모임들, 교육 프로그램, 현장의 임상적 연수 코스를 통해 교합학이 전진하는 데 도움이 주었고, 이를 통해 보다 많은 사람에게 T-Scan 기술을 노출할 수 있었습니다.

또한, 편집 자문 위원회와 검토 위원들에게 진정한 감사를 표현하고 싶습니다. 오랜 검토 과정 동안, 이 임상의들은 저자들과 저에게 건설적으로 비평하고 필요한 주제를 제안함으로써 확실하게 책의 모든 내용들을 향상시켰습니다.

책 제안에서부터 최종 출간의 전 과정 동안 귀중한 도움을 준 IGI Global의 편찬팀에 특별한 감사를 드립니다. 특히, 책을 만드는 모든 단계에서 제가 드린 모든 질문에 대답해준 Erin O'Dea씨에게 개인적인 감사를 표합니다.

책을 집필하는 동안 무한한 사랑, 지지, 응원을 보내준 나의 부인, Kym에게 고마움을 표시합니다. 밤낮으로 그녀 (그리고 애완견) 옆에서 몇 시간씩 앉아서 컴퓨터로 조용히 글을 쓰는 동안에도 그녀의 인내심은 결코 흔들리지 않았습니다.

마지막으로, 모든 장의 저자들에게 그들의 훌륭한 과학적 및 임상적인 공헌에 대해 감사를 표합니다. 저는 각 저자들에게 저와 힘을 합쳐 T-Scan 컴퓨터 교합 분석 기술에 전념한 첫 번째 책을 창간한 그들의 의지에 대해 영원한 빚을 진 것입니다.

Robert B. Kerstein, DMD
미국, 터프트 대학교 치과 대학 임상 교수 역임
보철과, 컴퓨터 교합 분석 전문
2014년 7월 15일

역자 소개

역자 ●●●

정도민

- 경희대학교 치과대학 졸업
- 경희대학교 치의학 석사
- 전) 국립중앙의료원 치과 과장
- Saint Louis University 교정과 방문 연구원
- R. G. "Wick" Alexander,
- The Alexander Discipline, Volume 3: Unusual and Difficult Cases 역자
- 국립중앙의료원 치과 Faculty.

안효원

- 서울대학교 치과대학 졸업
- 서울대학교 대학원 치의학과 치과교정학 전공, 석사, 박사 학위 취득
- 서울대학교 치과병원 인턴 및 교정과 전공의 수료
- 경희대학교 치과병원 교정과 전임의
- 현) 경희대학교 치과대학, 치의학전문대학원 조교수
  대한구순구개열학회 재무이사
  대한치과교정학회 편집위원, 전문의위원회 위원, 기획위원

감수 ●●●

김성훈

- 경희대학교 치과대학 졸업
- 경희대학교 치의학 석사
- 서울대학교 치의학 박사
- 경희대학교 치과대학 교정과 교수
- University of California SanFrancisco(UCSF) 교정과, Saint Louis University
  교정과 외래교수
- National Hospital of Odontology and Stomatology in HCMC, Vietnam
  교정과 외래교수
- 경희대학교 치과대학 교정학교실 주임교수 및 치과병원 교정과 과장

역자 서문

환자의 교합의 안정성을 유지하거나 때로는 새로운 교합을 창조 해야 하는 치과의사로서 최종 교합의 목표를 어디에 두어야 하는지에 대한 고민이 계속될수록 그 한계를 절감할 때가 많습니다. Angle Class I 구치 관계, 이상적인 전치부 수직, 수평피개의 달성, 측방 운동 시 견치 유도 교합 확보 등 기존에 정립된 이론에 맞추어 교합을 완성하였어도 일부 환자는 원인을 찾기 어려운 교합의 불편감에 시달리는 것을 경험할 수 있었습니다.

임상가에게 익숙한 기존의 교합 평가 방식은 비정량적이며, 인기된 교합점의 크기가 교합력에 비례하지 않는다는 한계가 있습니다. 따라서 상당 부분 환자의 주관적인 느낌에 의존해서 교합을 조정할 수 밖에 없습니다. 본 저서 "T-Scan: 컴퓨터 교합분석기술의 응용 I, II권"에서 소개하는 T-Scan 시스템은 비정량적, 비디지털 교합 분석의 한계를 극복할 수 있는 새로운 대안으로 생각됩니다. 특히 개별치아 및 악궁별로 시간에 따른 동적 교합의 정밀 평가가 가능함으로써, 과도한 힘이 집중되는 특정 치아를 효과적으로 배제할 수 있으며, 이를 개선하였을 때의 변화되는 양상 또한 실시간으로 확인할 수 있습니다.

이는 임상의에게 난제로 생각되었던 원인이 분명하지 않았던 만성 턱관절 질환, 근육장애, 과민성 치아, 외상성 교합에 의해 야기된 치주질환, CO-CR discrepancy에 의한 기능 부조화, 치아 마모, 지속되는 보철물 파절 등의 개선에 큰 기여를 할 수 있을 것으로 기대됩니다. 또한 기존 치료방법에 불신을 갖고 있는 환자들도 이러한 시각적 도구를 이용하여, 자신의 상태를 잘 인지하게 되고, 치료에 대한 동의를 높일 수 있으며, 치료로 개선된 부분을 보다 잘 받아들일 수 있을 것으로 생각됩니다.

특히 T-Scan 시스템은 악관절의 퇴행성 질환이나 내장증을 평가하는 Joint vibration analysis (JVA), 안면 및 저작 근육의 활성을 평가하는 근전도 (Electromyography, EMG), 하악 운동 범위와 저작 패턴을 평가하는 Jaw Tracker (JT) 등 다양한 도구와 함께 운용될 수 있습니다. 이는 근육 및 악관절과 조화를 이루는 3차원적 교합을 달성하게 함으로써, 악기능의 효과적인 회복에 기여할 것입니다.

임상에서 매일매일 부딪치는 교합과 관련된 여러 이슈를 극복하는데 이 역서를 통해 조금이나마 도움이 되기를 바랍니다. 또한 교정 및 보철 치료의 최종 목표를 달성하는데 유용한 도구로 자리매김하기를 기대해 봅니다.

정도민, 안효원, 김성훈

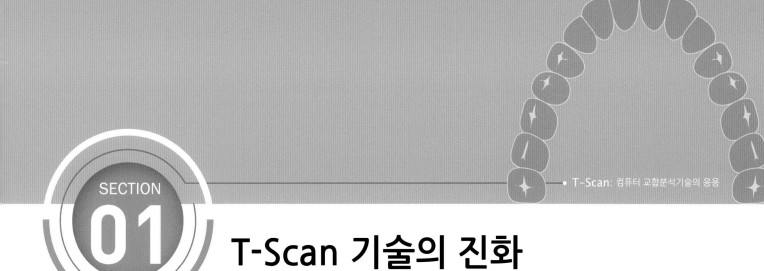

SECTION 01

T-Scan 기술의 진화

1984년부터 현재까지의 T-Scan 시스템 발달 역사

Robert B. Kerstein
미국, 터프트 대학교 치과 대학 임상 교수 역임
보철과, 컴퓨터 교합 분석 전문

초록

1984년 개시 이후, 컴퓨터 교합 분석 기술은 기존의 주관적인 평가 방법에서 벗어나 객관적이고 정교한 측정을 제공하면서 치과 교합학과 실제 임상 과정에 혁명을 일으켰다. 이 기술은 T-Scan I 으로 시작하여, Windows®를 위한 T-Scan II, 터보 기록을 보유한 T-Scan III를 거쳐 T-Scan 8로 알려진 현재의 버전까지 지난 30년 동안 많은 진화를 거쳐왔다. 1980년대 중반 이후 많은 저자들이 다양한 T-Scan 버전을 연구함으로써, 제조자가 하드웨어를 향상시키고 기록 센서를 보다 더 정확하고 반복가능하며 정교하게 만드는데 기여하였다. 소프트웨어 또한 진화하여 현재의 T-Scan 8은 비정상 교합의 넓은 범위에 대한 진단 및 치료가 가능하도록 다양한 첨단 측정 도구를 포함하게 되었다. 이번 장의 목표는 T-Scan의 정확성과 반복성을 높이기 위한 시스템 버전의 개선에 중대한 영향을 준 많은 과학적 연구를 포함하여 T-Scan 시스템 진화를 상세히 설명하는 것이다.

도입

1984년 이후, 컴퓨터 교합 분석 기술은 대체로 주관적으로 분석하였던 교합학에 객관적이고 정교한 측정방법을 제공하면서 치과 교합학 과학과 실제 임상 과정에 혁명을 일으켰다. 현재의 컴퓨터 교합 분석 기술은 임상적 해석이 용이하도록 기능적 하악 운동(functional mandibular movement)시 일어나는 치아의 순차적인 접촉 타이밍과 변동하는 상대적인 교합력 세기를 기록하고 신속히 보여준다. USB를 통해 컴퓨터 워크스테이션으로 연결되는 아주 얇은 Mylar가 내장된 센서를 이용하여 구강 내에서 교합 데이터 측정값을 기록한다. 이 센서를 환자의 치아 사이에 위치시켜 변

화하는 치아간 접촉 관계를 기록한다. 역동적인 치아 접촉의 상대적인 힘과 타이밍 데이터를 조합하여 다양한 임상적 교합 병리를 감별할 수 있도록, 임상의에게 상세하고 정교한 전대미문의 교합 측정값 데이터를 제공하여 진단과 치료에 적용하게 된다. 주어진 교합력과 타이밍 데이터는 자연치, 보철물, 임플란트 보철물에서 발생하는 비정상적인 교합의 검사와 치료에 도움을 준다(Kerstein, 2010).

이 기술은 1984년 T-Scan I 으로 시작하여, 1995년 Windows®를 위한 T-Scan II, 2004년 터보 레코딩을 보유한 T-Scan III(소프트웨어 버전 5, 6, 7)를 거쳐 2014년 T-Scan 8(Tekscan Inc., South Boston, MA, USA)으로 알려진 현재의 버전까지 지난 30년 동안 많은 변화를 거쳐왔다.

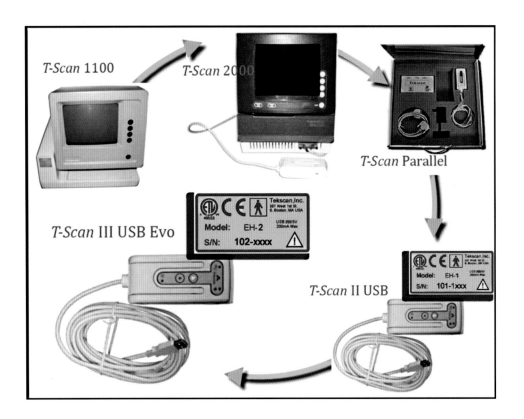

그림 1 4개의 T-Scan 시스템 세대

1980년대 중반 이후 많은 저자들이 다양한 T-Scan 버전을 연구함으로써, 제조자를 고무하여 하드웨어를 향상시키고 보다 더 정확하고 반복 가능하며 정교한 기록 센서를 만들었다. 이러한 하드웨어의 발전은 상대적인 교합력 및 타이밍 분석 소프트웨어 도구와 결합하여, 마침내 치의학계에서 T-Scan 시스템에 대해 제기되었던 기존 비판을 종식시켰다.

T-Scan 시스템은 *상대적 교합력 측정 시스템(relative occlusal force measuring system)*으로 발전되었다. 모든 T-Scan 시스템 개발형(T-Scan Ⅰ, Ⅱ, Ⅲ와 T-Scan 8)은 공학 단위 (Newton/cm² 혹은 lb/inch²)로 절대적인 교합력을 기록하거나 측정하지 않는다. 그러므로, 이 책에서 앞으로 나오게 되는 *교합력*에 대한 언급은, *절대적 교합력*이라고 명기하지 않는 한, *상대적 교합력*을 의미하는 것이다.

T-Scan 시스템들은 상대적 교합력을 측정함으로써, 접촉하는 한 세트의 대합치에 대한 교합력이 전체 치열궁의 다른 접촉 치아에 대한 교합력과 비교하여 대소 혹은 동등 여부를 알 수 있다(Kerstein 2010). 상대적 힘은 하악의 기록된 기능 운동의 범위 안에서 모든 접촉 치아 위치에 적용되는 변화하는 부하를 설명하기 때문에, 상대적인 힘을 결

정하는 것이 임상의에게 중요하다. 상대적 교합력은 기록으로 얻어진 최대 교합력에 대한 비율로 주어진다. 탐지된 상대적 교합력 차이를 임상적으로 이용하여 *겨냥된 시간-기반 및 힘-기반(targeted time-based and force-based)* 교합 조정으로 불균형한 교합을 정교하게 균형 잡을 수 있고, 같은 교합의 다른 부위에서 교합력이 없거나 적거나 적당한 지를 관찰하는 동시에 과다하게 높은 교합력 집중 부위를 진단할 수 있다(Kerstein, 2010).

이 장에서는 세대 별 버전 별 중요한 센서와 시스템 향상을 초래한 많은 학술연구를 기반으로 초기부터 현재까지(그림 1) T-Scan의 정확성과 재현성이 최적화되는 과정을 살펴보고자 한다.

제1부: T-Scan Ⅰ 시스템

1984년, 시제품 버전(T-Scan 1100, Tekscan, Inc., Boston, MA, USA)에서 T-Scan Ⅰ 시스템(T-Scan 2000, Tekscan, Inc., Boston, MA, USA)이 상용화되면서, 컴퓨터 교합 분

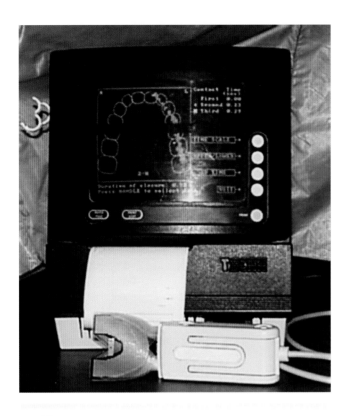

그림 2a 시간 모드 상의 T-Scan Ⅰ 독립형 컴퓨터, 칼라 스크린 디스플레이, 레코딩 핸들, 데이터 재생을 위한 조절 버튼

석 기술이 처음으로 치의학에 도입되었다(그림 2a, 2b). 도입 이후, T-Scan 기술은 악골의 기능 운동 중 발생하는 각 치아 접촉의 타이밍과 실시간 변화하는 상대적 교합력 크기에 대한 지도를 동시에 기록하고 시각화함으로써 임상적 해석이 가능하게 하였다. T-Scan Ⅰ 시스템에 대한 논문이 1987년 치과 문헌에 최초로 개제되었다(Maness, Benjamin, Podoloff, Bobick, Golden, 1987).

T-Scan Ⅰ은 3초 길이의 "Force Movie" 동안 실시간으로 포착된 다양한 교합력을 16단계로 기록하고 정량화할 수 있었다(그림 3a, 3b, 3c, 및 그림 4)(Maness, 1988). 1.07초 간의 좌측 작업측 Force Movie가 그림 3a, 3b, 3c에 보여지고 있는데, 교두감합(그림 3a)으로부터 군기능교합(group function)(그림 3b)을 거쳐, 전치 유도가 측방 편심위 조절을 인계하는 지점(그림 3c)을 나타내는 것이다.

T-Scan Ⅰ은 2개의 다른 모드로 교합 데이터를 보여줄 수 있다; 모든 기록된 접촉의 정적인 힘을 보여주는 힘-스냅샷 모드(Force-Snapshot Mode)(그림 5)와 교합 접촉 순서를 순서대로 보여주는 시간 모드(Time-Mode, Maness, 1988). 상대적인 힘과 타이밍 데이터는 T-Scan Ⅰ 시스템

The T-Scan System

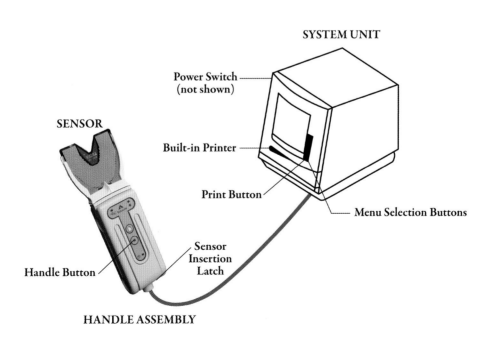

그림 2b T-Scan Ⅰ 구성 요소와 특징적인 설계 도해(Maness, W.(1993)에서 발췌. Computerized Occlusal Analysis, The High-tech, High care Dentistry Journal, 59(8), 701-702)

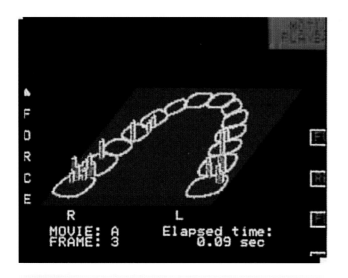

그림 3a 프레임 3, 0.09초에서 좌측방 운동 전 교두감합에서의 T-Scan I force movie(Maness, W.(1993)에서 발췌. Computerized Occlusal Analysis, The High-tech, High care Dentistry Journal, 59(8), 701-702)

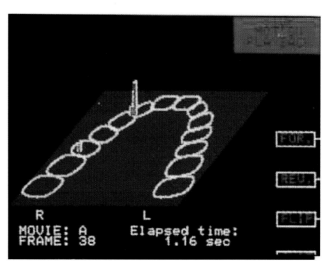

그림 3c 프레임 38, 1.16초에서 전방 유도가 측방 운동을 인계하는 좌측 편심위 후기 force movie(Maness, W.(1993)에서 발췌. Computerized Occlusal Analysis, The High-tech, High care Dentistry Journal, 59(8), 701-702)

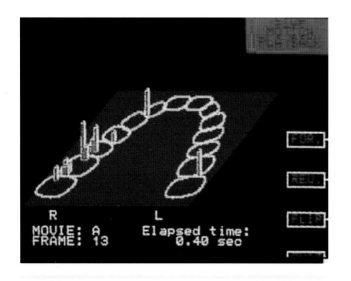

그림 3b 프레임 13, 0.40초에서 그룹 기능과 균형 접촉이 존재하는, 좌측 편심위 중의 force movie(Maness, W.(1993)에서 발췌. Computerized Occlusal Analysis, The High-tech, High care Dentistry Journal, 59(8), 701-702)

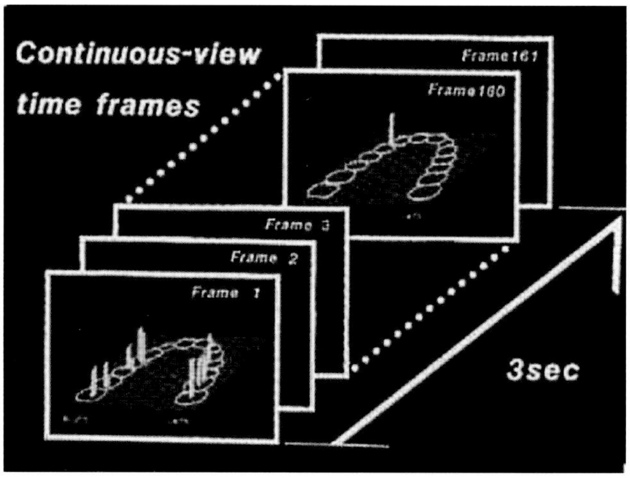

그림 4 T-Scan I, 그래픽으로 나타낸 3초 길이의 Force Movie(Maness, W.(1993)에서 발췌. Computerized Occlusal Analysis, The High-tech, High care Dentistry Journal, 59(8), 701-702)

본체에 내장된 소형 프린터에 의해 한 프레임씩 출력될 수 있고, 환자의 교합 상태 기록은 하드카피로 저장될 수 있다.

교합 접촉력과 타이밍 데이터의 재생은 Oscilloscope(일정 기간의 전류의 변화를 곡선으로 나타내는 장치)와 유사한 스크린 상에서 보여진다. 임상의는 전면 콘솔(console)의 우측에 수직으로 정렬되어 있는 4개의 버튼을 눌러서 0.01초

길이로 재생 장치를 전방이나 후방으로 조절한다(그림 1). 치열궁은 환자의 실제상태와 상관없이 정해져 있다. 시간 모드 스크린에서, 14개의 치아는 치아 모양의 타원형으로 표현되며 크기가 후방으로 갈수록 점차 증가한다(전치부가 가장 작고, 소구치 부위를 거치면서 살짝 커지고, 대구치 부위에서 가장 크다). 시간 모드의 재생 동안, 모든 접촉은 0.01초 길이의 기록 프레임에, 센서에 인기된 순서로 배열된다.

6

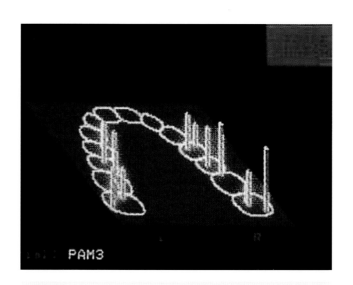

그림 5 모든 기록된 교합 접촉의 정적인 힘 개요를 보여주는 힘 스냅샷 모드(Maness, W.(1993)에서 발췌. Computerized Occlusal Analysis, The High-tech, High care Dentistry Journal, 59(8), 701-702)

처음 발생한 3개의 교합 접촉은 3가지의 적색과 백색으로 다르게 채색된 접촉 지정으로 표시된다. 또한, 기본 치열궁 화면 우측에 Force Movie 내에서 각각의 접촉이 나타나는 시간도 보여진다(그림 2a). 이것이 최초로 고안된 *교합 타이밍(Occlusion Timing)* 표로 교합 진단에 사용된다.

Force Movie 모드에서, 교합력의 상대적 강도를 나타내는 다양한 높이의 수직적 힘 막대(force column)는 0.01초 간격으로 영상이 앞으로 혹은 뒤로 재생되면서, 프레임마다 점차 상하로 움직일 것이다(그림 3a, 3b, 3c; 그림 4). T-Scan I에서 보여지는 변화하는 막대 높이는 추후의 T-Scan II, III, T-Scan 8 시스템에 보여지는 3차원적 힘 막대의 전구체이다.

T-Scan I은 가로와 세로의 전도성 잉크(Podoloff & Benjamin, 1989)를 함유한 전기로 충전되는 에폭시 센서(그림 6)를 환자가 교합하여, 교합 접촉 타이밍과 상대적 힘을 구강 내에서 포착한다. 독립형 컴퓨터에 병렬 포트(port)로 연결된 레코딩 핸들(recording handle) 내부로 센서를 삽입하고 고정한다. 레코딩 핸들의 정면에 있는 버튼을 눌러 하악의 기능 운동 기록을 활성화한다(그림 2b).

본래의 에폭시 센서의 전기로 충전되는 전도성 잉크가 치아 접촉으로 압축되면, 접촉점의 전기 저항이 적용된 교합력의 정도에 비례하여 변화한다. 큰 힘은 강한 저항 변화를, 가벼운 힘은 작은 저항 변화를 야기할 것이다. 그러면

각 접촉점에서 포착된 전기 저항 변화 정도의 결과로 다른 높이의 막대가 오르내리며 하드웨어가 상대적인 전기력을 보여주게 된다.

T-Scan I이 도입되었을 때, 이것은 최초의 상대적 교합 접촉력을 실제적으로 측정할 수 있는 교합 지표 장치 혹은 재료였다. 하악의 기능 운동 안에서 주어진 순간에 접촉하는 모든 치아의 힘을 측정할 수 있는 기구나 재료는 없었다. 아직, 치의학 저자들이(오늘날까지도) 신뢰하는 힘 측정법은 왁스나 교합지와 같은 정적인 교합 지표(indicator)를 사용하는 것이었다. 그러나, 1980년대 이후로 시행된 연구들(Halperin, Halperin, & Norling, 1982; Schelb, Kaiser, & Brukl, 1985; Millstein & Maya, 2001; Carey, Craig, Kerstein, & Radke, 2007; Saad, Weiner, Ehrenberg, & Weiner, 2008; Qadeer, Kerstein, Kim, Huh, & Shin, 2012)은 반복적으로 일상적이고, 전통적인, 비-디지털적인 교합 지표가 교합력이나 시간-순서 교합 접촉을 측정할 수 없음을 보여줬다. 지금까지, 이런 과학적인 증거에도 불구하고, 치의학의 주류는 여전히 비-디지털 교합 지표가 교합력과 접촉 타이밍을 수량화할 수 있다고 믿고 있다.

비-디지털 교합 지표가 교합력 측정 능력을 가지지 못한다는 것에 대한 상세한 설명은 2장에서 계속된다.

장기간 지지된 이상적인 교합력의 특징

상대적인 교합 접촉력 차이를 결정하는 것은 교합과학에서 항상 중요한 것으로 여겨져 왔다. 생리적인 교합에 존재하는 교합력은 다음의 특성을 따라야 한다고 알려져 있다:

• 좌우 악궁에서 대칭적으로 같은 힘을 공유
• 모든 접촉된 치아마다 균일하게 같은 교합력을 공유
• 접촉된 치아의 장축을 따라 수직적으로 배열된 교합력

그러나, 이런 것이 이론적으로 이상적인 힘이라고 주장됨에도 불구하고, T-Scan I 기술이 발달하기 전에는 전통적인 비-디지털 교합 지표를 가지고 교합력을 측정하거나 기록할 수 없었다. 대신, 왁스에 인기된 구멍 크기의 일관성이나, 교합지에 찍힌 유사한 크기의 표시나, 환자가 편안하다고 하는 느끼는 "느낌"을 이용하여 임상의가 동등한 교합력을 관찰할 수 있다고 믿었다.

T-Scan I 도입으로 인한 다른 중요한 교합학 혁신은 폐구 시 교합 접촉 타이밍 순서 및 편심위 운동 시 일어나

는 교합 마찰 지속 시간을 측정할 수 있다는 것이다(Maness, 1989; Kerstein & Wright, 1991). T-Scan Ⅰ 도입 당시, 이것은 3초간의 기록 안에서 0.01초 길이로 교합 접촉 타이밍을 실제적으로 측정하고 기록할 수 있는 유일한 장치 혹은 재료였다. 시간을 측정할 수 있는 장치나 치과 재료는 없었다. 아직도, 치의학에서는 왁스나 교합지 같은 정적인 교합 지표를 사용하여 시간을 측정할 수 있다고 믿는다.

장기간 지지된 이상적인 교합 타이밍의 특징

교합 접촉의 타이밍은 항상 교합학에서 중요한 것으로 간주되었다. 생리적인 교합에 존재하는 교합 접촉은 다음 타이밍 특성을 따라야 한다고 주장되고 있다:

최적의 교합 접촉 타이밍 배열은 다음과 같다:

- 하악이 완전한 교두감합의 위치로 폐구 시 양측성으로 동시에 모든 치아의 접촉 발생(Okeson, 2005a)
- 하악이 본래의 완전한 교두감합에서 편심위 운동 시 모든 구치의 신속한(즉각적인) 이개(Okeson, 2005b)
- 하악이 중심위(CR)로 폐구 시 조기 접촉의 부재(Okeson, 2005c)

그러나, 이런 것이 이론적으로 이상적인 타이밍이라고 주장됨에도 불구하고, T-Scan Ⅰ 기술이 발달하기 전에는 교합 접촉 시간 순서를 측정하거나 기록할 수 없었다. 대신, 악궁 전반에 걸쳐 접촉된 유사한 크기의 교합지에 찍힌 표시의 분포를 관찰하거나, 환자가 "균등하다고 느끼는" 교합 접촉 시 발생하는 "소리"를 들어서 임상의가 주관적으로 동시 접촉 타이밍을 결정할 수 있다고 믿었다. 추가적으로, 환자가 교두감합의 위치에서 작업측 견치 절단연에 도달하기 위해 측방으로 운동할 때 임상의가 시각적으로 벌어지는 구치를 관찰할 수 있다면, 측방 운동 시 구치부의 즉시 이개가 발생하는 것이라고 믿어졌다. 단 한 번도 이런 주관적인 임상의의 시각적인 평가가 편심위 운동 시 교합 타이밍 순서, 동시성, 지속 시간을 정확하게 측정할 수 있다는 연구는 발표되지 않았다.

본래의 T-Scan Ⅰ 소프트웨어와 그 후속 버전들은 0.01초(T-Scan Ⅰ, Ⅱ)와 0.003초(T-Scan Ⅲ 소프트웨어 버전 6, 7 및 T-Scan 8) 간격으로 교합 타이밍을 기록한다.

T-Scan Ⅰ 성능 연구

T-Scan Ⅰ이 현대의 교합 진단 과정에서 상당한 기술적 혁신을 일으켰음에도 불구하고, 과학 공동체는 힘에 대한 정확성과 측정 반복성에 대해 면밀히 조사하였다. 상대적으로 T-Scan Ⅰ의 타이밍에 대한 측정과 보고 능력은 과학적인 연구가 덜 이루어졌다.

치과 문헌에서, 교합 진단 및/혹은 임상 교합 치료에서의 T-Scan Ⅰ 유효성에 대해서 상반되는 보고가 있었는데, 일부 저자는 센서의 본래 디자인에 대해 문제점을 발견하고 창출된 데이터가 교합 진단 도구로서 믿을 수 있는지에 대해 의문을 제기했다. 1989년, Patyk와 Lotzmann이 수행한 2개의 초기 연구에서 에폭시 센서의 해상 능력이 부족하고 센서의 감도가 일정하지 않다고 보고하였다(Patyk, Lotzmann, Paula, & Kobes, 1989a; Patyk, Lotzmann, Scherer, & Kobes, 1989b). 교합 접촉 측정의 재현성 오류의 주요 이유로, T-Scan 센서 은박지(foil)가 너무 두껍고 뻣뻣하여 환자가 교합상태로 폐구할 때 하악에 조절할 수 없는 이동이 야기되기 때문이라고 하였다. 이런 이동으로 반복된 폐구 시 일관된 교합 접촉 재생산을 얻기 힘들다는 것이다. 이들은 T-Scan Ⅰ 시스템의 사용은 진단 가능성에 한계가 있기 때문에 이 시스템을 교합 분석의 유일한 도구로 사용하는 것을 추천할 수 없다고 하였다(Patyk, Lotzmann, Scherer, & Kobes, 1989b).

또한 다른 저자들은 초기의 T-Scan의 신뢰도 실험에서 비일관성을 보고하였다. 1989년 다른 연구에서, T-Scan Ⅰ 시스템의 측정된 시간은 실제 시간 기록의 약 64/100이고, 1-10kg의 무게를 센서에 임의의 위치에 놓았을 때 측정된 무게가 실제 무게에 대해 약한 상관관계를 보였다고 했고, T-Scan Ⅰ 에폭시 센서는 구조상 비-감각적(비-기록적) 부위가 있다고 하였다(Tokumura & Yamashita, 1989). 그리고, Maeda 등은 5단계의 교합력 증가를 측정하기 위해 필요한 무게의 최소량은 1차함수적(1단계: 250g, 5단계: 1750g)이고, 전도성 행렬 막대의 교차부에서 센서가 수직적으로 눌리면 센서 기질 자체가 왜곡되어 측정 오류를 야기할 수 있다고 하였다(Maeda 등, 1989). 그들은 또한 조기의 가벼운 교합 접촉은 T-Scan Ⅰ 시스템으로 믿을 만하게 감지되지 못한다고 하였다(Maeda 등, 1989).

이와는 다르게 1989년, T-Scan Ⅰ에 대한 독립된 2개의 긍정적인 연구가 발표되었다(Maness & Podoloff, 1989;

Collesano, de Rysky, Bernasconi, & Magenes, 1989). Maness와 Podoloff는 치아 접촉 데이터를 기록하고 시간-순간 통계(time-moment statistics)를 계산하여 분석하였다. 치아 접촉 분포를 인식하는 T-Scan Ⅰ 시스템의 빠르고 정확한 능력 덕분에 교합에 대한 임상적 진단 장치로 T-Scan 이 큰 가치를 가진다고 하였고(Maness & Podoloff, 1989), Collesano는 T-Scan Ⅰ 시스템이 그들의 시험 방법에서 만족할 만한 결과를 보인다고 하였다(Collesano 등, 1989).

T-Scan Ⅰ의 실행 신뢰도에 대한 상충되는 보고는 1990년대에도 계속 되었다. Setz는 T-Scan Ⅰ 센서의 재현성을 시험하여 주어진 힘이 하나의 센서상 같은 지점에 반복적으로 적용되었을 때 해석이 매우 재현 가능했다고 하였다(Setz & Geis-Gerstorfer, 1990). 그러나, 같은 센서의 다른 지점에 혹은 다른 센서의 다른 지점에 같은 힘을 적용한 결과, 재현성있는 결과를 만들어 내지 못했다(Setz & Geis-Gerstorfer, 1990). 다양한 적용에 대한 T-Scan Ⅰ 센서 연구에서, 센서를 이용한 교두감합의 교합 접촉 인지에 대한 유효성과 신뢰성은 오직 2번 사용되었을 때만 유효하다고 하였다(Harvey, Hatch, & Osborne, 1991). 많은 저자들은 또한 T-Scan Ⅰ 디스플레이에 보여지는 표준 치열궁을 비판하였는데, 힘 막대가 구강내의 정확한 치아에 적절하게 나타나지 않는다고 하였다. 이것은 개개 치아의 그래픽 표현이 일정한 폭과 길이를 가진 14개의 작은 타원형이기 때문이라고 하였다. 어떠한 치아도 제거될 수 없고(결손치가 있다고 하더라도), 악궁 폭을 환자 개개인에 맞춰서 변화시킬 수 없다고 하였다(Maeda 등, 1989; Okamoto, Okamoto, Shinoda & Tamura, 1990; Dees, Kess, Proff, & Schneider, 1992).

그 대신에, 1990년대 초반, Kawazoe 등은 T-Scan Ⅰ을 사용하여 62개의 자연 치열궁의 전후방 균형 및 좌우 균형의 교합 접촉을 기록하고 분석하였다. 교합 접촉의 시간-순간 통계 6개와 힘-순간 통계 5개를 교합면의 정중시상 및 절단연 축으로 계산하였다. 교합력의 시간-순간 및 힘-순간은 반복적이고 교합면의 시상축에 대해 대칭적이었다. 전후방 교합 접촉에 대한 중심부는 지속적으로 제1대구치 부위에 위치하였다(Kawazoe 등, 1990). T-Scan Ⅰ 센서의 재생산성에 대한 일본의 다른 연구는 센서가 다양한 압력(10, 20, 30, 40, 50kg)하에 놓였을 때, 센서가 여러 번의 부하에도 접촉 치아수가 안정적으로 유지된다고 하였다.

또한, 센서에 가해지는 압력이 증가하면 접촉 치아수가 더 증가하고, 변동계수가 더 감소하는 경향이 있다고 하였다(Okamoto 등, 1990).

Kong은 paired method로 유도 교합 접촉을 확인하기 위해 2개의 교합 인기법(왁스바이트와 두께 23μm의 교합지)을 T-Scan Ⅰ으로 연구하였다. 왁스와 교합지는 유도 교합 접촉과 큰 차이를 보였다. T-Scan은 두 가지 방식과 적은 격차를 보였으나, 왁스와 보다 더 근접하게 나타났다(Kong, Yang, & Maness, 1991). Maness는 이후 실험 모형을 이용하여 치아 접촉 인기에 대해 T-Scan Ⅰ 시스템, Accufilm (Parkell Inc., Farmingdale New York, USA), Shimstock foil을 연구하였다. 기계적 폐쇄 장치 내에 장착된 에폭시 모형에 의도된 차단 접촉을 만들고, 교합 접촉을 각 인기 방식으로 기록하였다. 전통적인 방식은 컴퓨터 분석과 유사하였으나, T-Scan은 향상된 교합 분석으로 힘과 시간 모드에서 추가적인 차별적 진단 정보를 제공하였다(Maness, 1991).

또한 1991년, Reza는 10명의 무증상 실험대상에서 T-Scan이 모든 접촉에서 100%의 정확성과 재현성을 갖는다고 하였다(Reza & Neff, 1991). 그들은 T-Scan의 최대 장점은 믿을만한 접촉을 기록할 뿐만 아니라, 각 접촉의 힘과 타이밍을 분석하는 것이라고 하였다(Reza & Neff, 1991). 마지막으로, 1991년 Kerstein은 T-Scan Ⅰ 시스템을 이용하여, 편심위 운동 동안 구치를 이개하는 데 필요한 시간을 측정하는, 예전에 관찰된 적이 없는 교합 타이밍 변수를 분리하고자 하였다. 구치부 이개 시간(Posterior Disclusion Time)은 편심위 운동 동안 교근과 측두근이 흥분하는 지속 시간에 비례하여 나타났다(Kerstein & Wright, 1991). T-Scan 이 가진 0.01초의 실제-시간 기록 능력은 이런 새로운 타이밍 변수를 가능하게 했다.

T-Scan Ⅰ 센서

최초의 T-Scan Ⅰ 센서는 93.98 micron 두께로, 부서지기 쉬운 유전체(dielectric) 압력 감작 잉크가 적층된 에폭시로 만들어진 Mylar(절연막용, 폴리에스테르 필름)으로 구성되었다(그림 6). 유통 기간이 짧고 치아 사이에서 유연성이 부족하였다. 이상적인 수명보다 짧은 것도 상반되는 연구 결과의 원인이 되었기 때문에, 제조사는 1992년 1세대 센서를 다시 디자인하였다. 새로운 디자인(2세대)은 우레탄으로

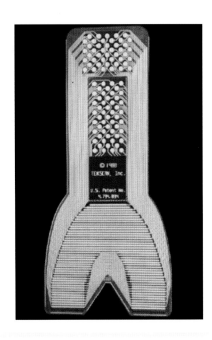

그림 6 T-Scan Ⅰ 1세대 청색 에폭시 레코딩 센서(Maness, W.(1993)에서 발췌. Computerized Occlusal Analysis, The High-tech, High care Dentistry Journal, 59(8), 701-702)

만들어진 유전체로 유통 기간을 향상시키고 유연성을 증가시켰다. 두께는 여전히 93.98micron이다.

1992년에서 1995년 동안, 단 하나의 추가적인 T-Scan Ⅰ 센서의 힘 재현성 연구가 발표되었다. 이 연구가 1세대와 2세대를 분석하였는지는 알 수 없지만, 저자는 힘-모드에서 접촉점 인기를 측정하는 역치가 불균등하여, 같은 환자에서 만들어진 다른 교합 기록에서 보여지는 힘의 상대적 재현성을 믿을 수 없다고 하였다(Dees 등, 1992). 또한 이 연구는 힘-모드에서 강한 생리적 접촉과 초기 접촉(early contact)을 구분할 수 없어, 임상적 시행에서 초기 접촉은 시간-모드를 사용하여 확인해야만 한다고 하였다(Dees 등, 1992).

1994년 후반, 2세대 센서를 사용한 이개 시간 측정에 대한 연구가 발표되었다(Kerstein, 1994). 1991년 연구의 참가자들을 1년 후 다시 불러, 그들의 이개 시간에 어떤 변화가 있는지 재측정하였다(Kerstein & Wright, 1991). 원래의 연구가 1세대 센서로 시행되었음에도 불구하고, 참가자들의 이개 시간은 최소 1년 이상 안정적으로 유지되었다. 이 연구로 T-Scan Ⅰ 시스템의 시간 측정 능력이 사용된 센서 디자인에 상관없이 재생산적이라는 것을 알 수 있다.

접촉하는 교합 접촉 시간-순서를 측정하는 능력과 함께 모든 치아의 상대적 교합력을 탐지하는 T-Scan Ⅰ 시스템은 교합학 진단과 치료에 새로운 시대를 열어주었다. 술자가 T-Scan Ⅰ을 사용하여 분석하면, 접촉 타이밍 순서와 상대적 교합력 데이터가 교합진단 능력을 혁신적으로 향상시킨다. 이 디지털 교합 데이터는 임상의가 조기 접촉(premature contact) 시간의 존재 및 비정상적 교합력을 분리하도록 지원하였고, T-Scan Ⅰ 기술의 발명은 치의학 역사상 최초로 교합 문제의 진단과 치료에 객관적인 힘과 타이밍 측정을 가능하게 하여 치과 교합학과 실제 임상 술식 모두에 혁신을 일으켰다.

1995년, 제조사는 T-Scan 하드웨어 전체가 Windows®로 운영되는 8-bit 기술을 사용하게 재디자인하였다. 이 새로운 시스템이 Windows®(Microsoft Corp., Seattle, WA, USA)를 이용한 T-Scan Ⅱ(Tekscan Inc., S, Boston, MA, USA)이다. T-Scan Ⅱ의 발달로 독립형 T-Scan Ⅰ 시스템의 시대는 막을 내리게 되고, 이후의 모든 버전은 컴퓨터에 기반하게 된다. T-Scan Ⅱ부터, 레코딩 핸들은 바로 컴퓨터 워크스테이션에 직접적으로 연결된다.

제2부: Windows®를 이용한 T-Scan Ⅱ

Windows®를 이용하는 T-Scan Ⅱ 시스템은 T-Scan Ⅰ의 힘 재현성, 센서의 유용성과 신뢰성에 대해 문헌에 언급되었던 결점을 극복하기 위한 많은 개선이 있었다. T-Scan Ⅱ는 진정한 임상적 컴퓨터 시대라는 혁신이었다. 컴퓨터를 기반으로 한 치과 치료의 수가 증가하면서, 컴퓨터는 치과 영역에서 점점 더 일반적이 되고 있다.

T-Scan Ⅱ는 임상 진단 컴퓨터 워크스테이션으로 통합된 Microsoft Windows®를 인식하는 시스템이었다. 시스템을 적절하게 운용하기 위해서는 펜티엄 프로세서로 운용되는 IBM PC 및 최소 4-8Mbyte의 RAM이 필요하다. 하드웨어의 대부분은 PC 구성 요소로 레코딩 핸들이 중간 병렬 박스(parallel box)를 경유하여 연결되어 있고, 그 후 PC의 병렬 프린터 포트로 연결되게 된다(그림 7a, 7b).

그래픽 인터페이스는 익숙한 Windows® 툴바 아이콘을 사용하여 기록된 교합 접촉 정보를 분석하는 많은 소프트웨어 기능을 보여주게 된다(그림 8)(Kerstein, 2010). 소프트웨어는 환자의 기록된 데이터를 각 이름 하에 독립적으로 저장하여 환자의 데이터베이스를 구축한다. 기록된 데이터는

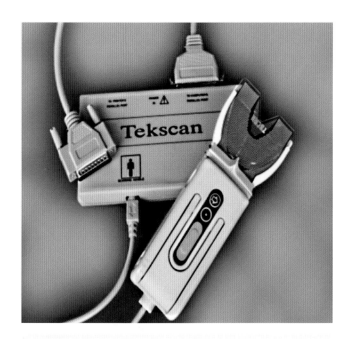

그림 7a T-Scan II 하드웨어 구성 요소. 레코딩 핸들, 중간 병렬 박스, 병렬 박스를 PC 프린터 포트에 연결하는 병렬 케이블

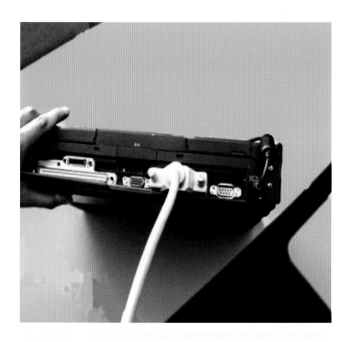

그림 7b PC 프린터 포트에의 병렬 박스 연결

a.fsx 파일로 포맷되어 컴퓨터 하드드라이브에 저장되고, 분석 혹은 주어진 환자의 치료에 사용되었던 .fsx 파일과 비교하기 위해 검색할 수 있다. 이런 방법으로, 교합 병력을 장기간에 걸쳐 비교할 수 있다. 이렇게 교합 문제로 내원한 환자를 치료할 때마다 혹은 다음의 정기 리콜 체크까지 교합 접촉을 따라갈 수 있다. 문제가 있는 교합력과 타이밍 차이가 반복적인 T-Scan 검사에서 발견되면, 임상의는 비교 변화를 관찰하고 필요할 때 수정 치료를 시행할 수 있다.

T-Scan II 시스템은, I의 16단계와 비교해서, 힘을 256개의 단계로 기록할 수 있다. 상대적 교합력은 증감하는 작은 막대로 표현되어, 미묘하고 다양하게 힘을 탐지하여, 훨씬 더 신뢰성 있게 만든다. T-Scan I과 비교하여, 또 다른 중요한 차이는 임상의가 기록 감도(Recording Sensitivity; 개개 환자의 다양한 교합 강도를 보상하기 위한, 센서로 투입되는 전기량)를 증가 혹은 감소시킬 수 있다는 것이다.

이런 기록 발전으로 임상의는 센서 기록 작용을 변형시켜, 환자의 절대적인 교합 강도에 상관없이 분석을 위해 최적화된 개개 환자의 교합 데이터를 기록할 수 있다. 만약 환자의 교합력이 약하다면(교합-근육 장애 환자처럼), 센서의 전하를 증가시켜 약하고 낮은 교합력에 더 잘 반응하게 할 수 있다. 반면 강한 교합력의 환자(이악물기 환자 등)에서는, 감도를 감소시켜 교합력에 반응하는 센서를 제한한다.

T-Scan I을 능가하는 또 하나의 발전은 치열궁을 주어진 환자의 악궁에 더 잘 조화되게 맞춤화할 수 있다는 것이다(그림 8-위쪽 우측 구획). 환자의 파일을 만드는 초기에 환자의 중절치 폭경을 측정하여 악궁을 만든다. 모든 치아와 상악 중절치 폭경 간의 연관성을 다룬 "황금 비율 원칙; Rule of Golden Proportions"(Levin, 1978)에 근거하여, 악궁 내 다른 치아의 크기를 결정한다.

맞춤화된 악궁의 특징은(그림 9):
• 결손치를 악궁에서 제외할 수 있다.
• 치아간 치아 폭경을 수동으로 악궁에서 변경하여 치아의 회전, 경사, 어긋난 배열을 보완할 수 있다.
• 결손치가 보철로 수복되지 않아도 가공치 공간을 만들 수 있다.
• 다양한 치아 넘버링 시스템을 기호에 맞게 선택할 수 있다(Universal, FDI/ISO, Palmer법에서 선택 가능).

그림 9에서 결손된 제 3대구치 부위는 양측성으로 회색으로 표시되어 있다. #5(14)번과 #12(24)번 치아는 교정발치로 소실되어 있다. 교정 치료로 발치 공간을 폐쇄하여

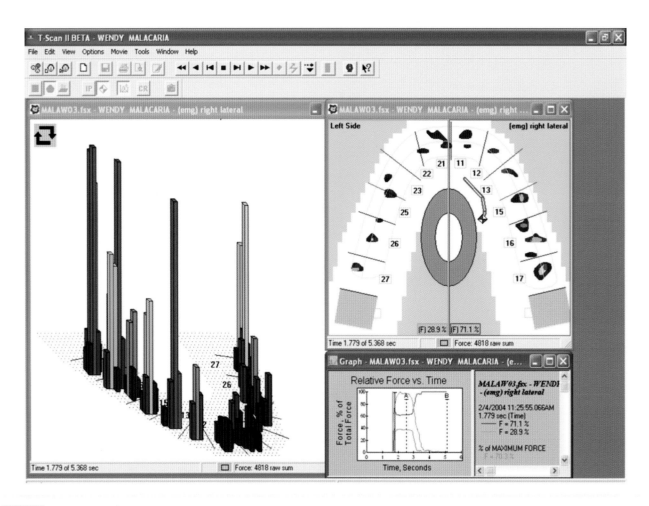

그림 8 Windows® 툴바와 버튼이 있는 T-Scan II 데스크탑, 2차원적 윤곽 시점(2D Contour View), 3차원적 막대 시점(3D Columnar View), 힘 중심(Center of Force, COF) 궤도와 아이콘, 힘 vs 시간 그래프

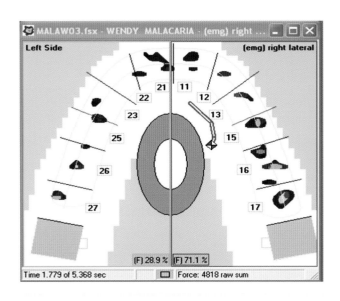

그림 9 맞춤화된 T-Scan II 치열궁으로 제3대구치 결손, 양측성으로 폐쇄된 견치와 제2소구치 치간, FDI/ISO 치아 넘버링을 볼 수 있다

#11(23)번과 #13(25)번, #4(15)번과 #6(13)번 치아가 인접하게 되었다. T-Scan 악궁이 양측성으로 폐쇄되어 교정 치료의 결과를 반영하였다. 닫힌 공간 사이는, 치간이 적색으로 보여진다. 마지막으로, 치아 넘버링 시스템은 FDI/ISO 이다. 이런 모든 악궁 변형은 T-Scan II에 의해 기능 시에 구분된 문제성 교합 접촉을 보다 믿을 수 있게 위치시킨다.

T-Scan II에서, 기록된 상대적 힘과 시간 순서 데이터는 2, 3차원적으로 데스크탑의 나란한 비교창을 통해 보여진다. 2D 창에서 교합력이 변화함에 따라 색깔-암호화된 힘 집중 지역이 크기, 모양, 색상을 변화시키는 반면, 3D 창에서는 데이터가 재생되는 동안 힘 막대(T-San I에서처럼)는 교합력의 변화에 맞춰 높이와 색깔이 달라진다. 교합 접촉 타이밍 순서는 전방 혹은 후방으로, 연속적 혹은 0.01초 간격으로 재생될 수 있다. T-Scan I과는 달리, 임

상의가 기록하기 원하는 어떤 기능적인 하악 운동의 지속 시간에 맞춰 기록 지속 시간을 조절할 수 있다.

T-Scan Ⅱ는 2D, 3D 재생창을 나란하게 보여줄 뿐만 아니라, 새로이 추가된 교합력과 타이밍 분석 소프트웨어 툴을 상당수 가지고 있다. 이런 소프트웨어 툴은 T-Scan Ⅲ와 8에까지 유지된다. 각각의 툴은 임상의가 하악의 기능 운동 시 자연치, 보철물, 임플란트 보철물에 존재하는 과다한 교합력과 비정상적인 교합 타이밍을 진단하도록 돕는다 (Kerstein, 1995; Kerstein, Chapman, & Klein, 1997; Kerstein & Wilkerson, 2001; Kerstein & Grundset, 2001).

T-Scan Ⅱ에 새로이 추가된 힘과 타이밍 소프트웨어의 특징

- **힘 vs 시간 그래프(The Force vs. Time Graph)**: 하악의 기능 운동을 기록하는 지속 시간 동안 악궁 양측에서 발견되는 힘의 변화 비율을 나타내는 적색선 및 녹색선의 변화를 통해 시간-순서를 점진적으로 지도화한다.
- **4분악 힘 분할 툴(The Quadrant Force Division Tool)**: 힘 vs 시간 그래프는 좀 더 상세한 시간-순서와 상대적 교합력 데이터 분석을 위해 4분악으로도(2분악 대신에) 보여질 수 있다. 2D 창 툴바 상의 버튼을 클릭하면 힘 구성을 4분악으로 분할할 수 있다.
- **힘 중심(COF)과 궤도(The Center of Force and Trajectory)**: 힘 중심(COF) 궤도로 알려진 소프트웨어를 이용하여 치열궁에 전체 교합력 총체의 전력을 지도화한다. 하악이 기능 운동하는 동안, 각각의 치아에서 순차적으로 발생하는 힘은 전체의 힘이 더 집중되는 방향을 향해 이동하고 집중이 약한 부위와는 멀어지게 된다. 이런 총체적인 힘 변화는 채색된 선 트레일러로 나타나는 적색과 백색의 다이아몬드 모양 아이콘에 의해, 2D 창에서 재생되는 동안 그래픽으로 보여진다. 트레일러의 각 구간은 0.01초를 나타내고, COF 아이콘 이동의 증감 위치가 트레일러를 구성하게 된다.
- **치아 당 힘 비율(Force % Per Tooth)**: 기록하고 재생하는 동안, 각 치아마다 힘의 변화율은 0.01초 간격으로 2D 창에서 보여진다. 치아 당 힘 비율은 시간 경과에 따라 각 반-악궁 사이의 불균등하거나 균등한 개개 치아 접촉 면적을 나타낸다.

위에 언급된 소프트웨어의 특징에 대한 상세한 묘사와 설명 및 임상적 중요성은 T-Scan 8을 사용하여 기록된 데이터 증례를 이용하여 4장에서 보여지게 될 것이다.

T-Scan Ⅱ 센서 세대

1992년 T-Scan Ⅰ 기록 센서를 재디자인하여 원래의 에폭시 기질을 대체하는 Mylar(강화 폴리에스터 필름) 피복을 사용하게 되었다. 이런 2세대 센서는 치아 사이에서 좀 더 유연하고, 균열에 좀 더 저항성을 가지고, 더 긴 유통 기간을 가진다. 1997년 후반, 종횡 막대 내에 압력 감응 잉크를 이용하여 다시 한번 센서를 재디자인하였다. 전체적으로, 3세대 센서에서 이력 현상(Hysteresis; 변형을 유발한 외력을 제거한 후에도 본래의 모양으로 되돌아가지 않고 변형된 상태가 남는 것), 드리프트(drift; 현재 상태의 변화가 없는데 측정치가 변동하는 것), 온도 안정성이 향상되었다. 이뿐만 아니라, 2세대 센서와 유사한 유통 기간과 유연성을 가지며, 전체 두께가 82.82micron으로 감소되었다. 최종적으로, 2001년 기록 센서는 고해상(High Definition, HD) 디자인으로 변경되었고, 3세대와 비교하여 활성 기록 부위가 33% 증가하였고 비활성 면적(비-기록 면적)이 50%로 감소하였다. 기록 sensel(센서의 기본단위)을 더 긴밀하게 위치시킴으로써, 접촉이 sensel 사이에 위치하여 교합 접촉이 파악되지 않는 현상을 감소시켰다(그림 10a). HD 센서의

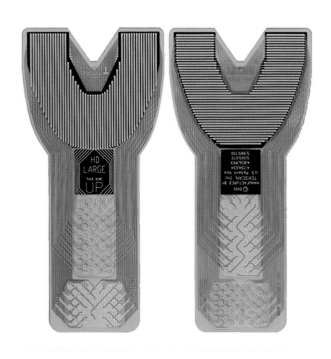

그림 10a 4세대 HD 센서, 정면과 후면

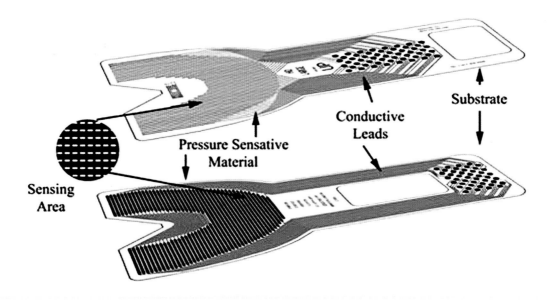

그림 10b HD 센서 구성 요소(Kerstein, R.B.(2010)에서 발췌. Time-Sequencing and force-mapping with integrated electromyography to measure occlusal parameters. In Informatics in Oral Medicine, Ed. A. Daskalaki, Hershey, PA: IGI Global Publishers, pp.91)

두께는 여전히 82.82micron으로 유지되었다. HD 센서 디자인의 도해는 그림 10a, 10b에서 볼 수 있다.

T-Scan II 성능 연구

T-Scan II 또한 힘의 재현 능력에 대해서 철저한 검증을 거쳤다. 버전 II는 I보다 신뢰성 시험에서 좋은 점수를 받았다. 1997년, 18명을 대상으로 4회의 자가 최대 교두감합 상태에서 T-Scan II에 의해 기록된 치아 접촉 수를 수량화하려는 연구에서, 가장 많은 수의 치아 접촉은 대구치 부위에서 발생한다고 하였고, 개체간 다양성이 개체 내의 다양성보다 더 크다고 하였다(Garrido Garcia, García Cartagena, & González Sequeros, 1997). 그 결과 모든 4회의 교두감합에서 테스트 대상 증례의 90.3%로 나타났다. 저자는 T-Scan II 시스템이 최대 교두감합에서 교합 접촉 분포의 분석과 평가에 대해 신뢰성 있는 방법이라고 보고하였다(Garrido Garcia 등, 1997).

1997년에도, Kerstein은 하루에 8회의 이개 시간 측정을 경험하고 1년 동안 치료 혹은 조절 치료 및 예후 관찰(follow up)을 위해 4-5회 내원한 30명을 대상으로 이개 시간 치료 연구를 발표하였다. 개개인의 이개 시간의 평균 및 표준 편차는 측정 날마다 통계적으로 유의성 있는 유사성을 보여주었고, T-Scan II의 2, 3세대 다른 센서를 사용했

음에도 개인마다 매우 지속적인 타이밍 데이터를 얻을 수 있었다(Kerstein 등, 1997). 이 연구로 T-Scan II 시스템의 시간 측정 능력이 사용된 센서 디자인과 무관하게 매우 재현성 있다는 것을 알 수 있다.

2002년, Hirano는 T-Scan II의 정확성과 반복성에 관한 실험실 연구를 시행하였다(Hirano, Okuma, & Hayakawa, 2002). 그들은 시간 기록의 정확성, 부과된 힘과 산출된 힘 기록 간의 1차함수적 관계, 압력 감도, 반복적인 센서 부과 동안 기록된 힘의 변동성을 연구하였다. 그들은 시간 기록이 사건이 발생한 사실상의 실제-시간에 비례하고, 기록된 힘이 관찰된 1차함수적인 관계로 수용될 수 있을 정도로 정교하다고 하였다. 압력 감도는 강도가 높으면 덜 요구되고, 중등도의 강도에서는 적당하게, 낮은 강도에서는 더 많이 필요하다. 또한 반복되는 부하로 기록된 힘의 안정성도 허용할 수 있다는 것을 발견하였다. 그들은 반복적이고 연속적인 센서 부하에도, 보고되는 힘의 단계는 반복에 의해 유의성 있는 영향을 받는 데이터 없이 꾸준하게 지속된다고 하였다(Hirano 등, 2002).

2002년, 또 다른 2명의 저자가 T-Scan I 시스템과 연관된 신뢰성에 관한 연구로 논문을 개재하였는데, 안타깝게도 T-Scan I 하드웨어와 센서를 사용하는 독자들(혹은 논문)에게 정보를 주지는 못했다(Sarcoglu & Ozpinar,

2002). 이 연구에서, 다양한 교합 지표(교합지, 은박, 실크 스트립, T-Scan Ⅰ 시스템)에 대한 감도와 신뢰도를 실험하였다. 그 결과 모든 기록 재료들은 반복적인 사용에 의해 감도가 감소하고(p<0.001), 기록 정확성 감소도 통계적으로 유의성이 있어서(p<0.001), 저자는 기록 재료를 오직 한번만 사용하도록 권고하였다(Sarcoglu & Ozpinar, 2002). 이런 결과에 대해 Kerstein은 Journal of Prosthetic Dentistry의 편집장에게 편지를 보내, 그들이 T-Scan 평가에 "힘-스냅샷 모드"를 사용했기 때문이라고 지적하였다(Kerstein, 2003). 힘-스냅샷 모드는 오직 T-Scan Ⅰ에서만 유용하였고, Ⅱ 시스템에서는 제거되었다. 하지만 그들이 연구에서 T-Scan Ⅰ을 사용했다는 것을 설명하지 않았기 때문에, 잘 모르는 독자들은 새로 개선된 T-Scan Ⅱ 시스템이 Ⅰ과 유사하게 일관성이 떨어진다고 잠재적으로 평가할 것이다(Kerstein, 2003). 편집장에게 보낸 편지에 대한 그들의 답변에서, 저자는 T-Scan Ⅰ 하드웨어와 2세대 센서를 사용했고, 향후 보다 최신 버전의 T-scan Ⅰ 시스템을 이용한 연구는 더 이상 진행하지 않을 것이라고 하였다. Sarcoglu와 Ozpinar가 시행한 이 연구 외에, 2002년 이후로, 3세대나 HD 센서 혹은 전체적인 T-Scan 시스템과 연관된 부정적인 논문은 발표되지 않았다.

2006년, T-Scan Ⅱ 시스템을 이용하여 새로워진 HD 센서 디자인과 그 전의 3세대 센서 디자인 모두 힘 재현 신뢰성을 실험하였다. 실험실에서, 센서를 교합 조정하지 않은 에폭시 모델 사이에 위치시키고 250N으로 압축한 후, 각 센서 당 30개의 압착을 분석하였다(그림 11)(Kerstein, Lowe, Harty, & Radke, 2006). 60개의 실험 센서에 존재하는 9개의 sensel 박스에 의해 표현된 6개의 교합 접촉을 가로지르는 전압 방울의 지속성을 비교하여 두 센서의 힘 변동성을 결정하였다(그림 12). 분산에 대한 연구로 복수의 폐구 시 6개의 교합 접촉 구역에 나타나는 힘 재현의 변동성을 결정하였다. 저자는 HD 센서가 3세대보다 더 일관되게 힘 단계를 재현한다고 하였다(Kerstein 등, 2006). 3세대 T-Scan 센서는 압착을 반복함에 따라 각 박스의 재현성이 감소하였는데, HD 센서에서는 거의 일직선으로 나타났다(그림 13a, 13b). 1번째 4개의 HD 센서 압착은 뒤이은 20개의 압착보다 큰 변동성을 보여줬다. 이에 따라 제조사는 HD 센서를 사용할 때 환자 치아 사이에서 센서를 길들이고 상당한 힘 재현을 얻은 후에 사용할 것을 권고하였다(Koos,

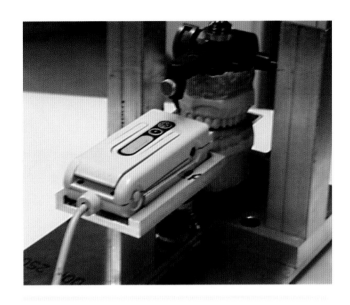

그림 11 HD와 3세대 T-Scan 센서의 힘 재현 신뢰성 실험을 위한 연구 장치(Journal of Craniomandibular and Sleep Practice에서 허락 하에 발췌; Kerstein, R.B., Lowe, M., Harty, M., & Radke, J. (2006). A force reproduction analysis of two recording sensors of a computerized occlusal analysis system. Journal of Craniomandibular Practice, 24(1), 15-24)

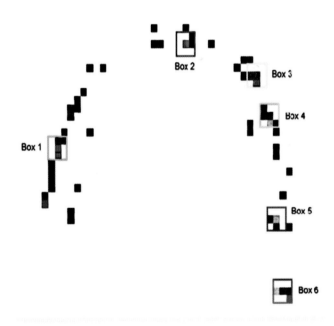

그림 12 HD/3세대 센서 연구에서 사용된 교합 조정되지 않은 에폭시 모델에 6개의 가장 강력한 접촉을 나타내는 9개 sensel 박스의 선택된 6개의 예시((Journal of Craniomandibular and Sleep Practice에서 허락 하에 발췌; Kerstein, R.B., Lowe, M., & Radke, J. (2006). A force reproduction analysis of two recording sensors of a computerized occlusal analysis system. Journal of Craniomandibular Practice, 24(1), 15-24)

15

3세대 T-Scan 센서에 대한 전형적인 미가공 데이터

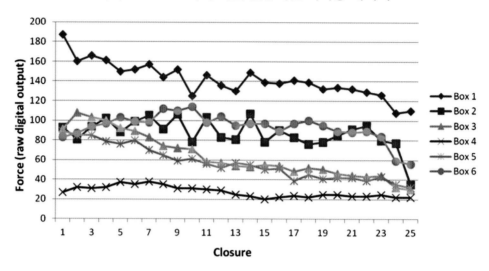

그림 13a 압착 반복에 따라 감소하는 힘 재현을 보여주는 3세대 T-Scan 센서에 대한 전형적인 미가공 데이터(raw data). 각각이 감소하는 형태로 비-일직선의 변동성을 보임을 주목하라(Journal of Craniomandibular and Sleep Practice에서 허락 하에 발췌; Kerstein, R.B., Lowe, M., Harty, M., & Radke, J. (2006). A force reproduction analysis of two recording sensors of a computerized occlusal analysis system. Journal of Craniomandibular Practice, 24(1), 15-24)

HD T-Scan 센서에 대한 전형적인 미가공 데이터

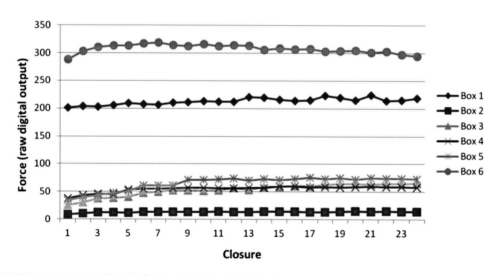

그림 13b 압착 반복에도 일직선에 가까운 힘 재현을 보여주는 High Definition T-Scan 센서에 대한 전형적인 미가공 데이터. 각각의 선이 유의성 있는 변동성을 보이지 않음에 주목하라(Journal of Craniomandibular and Sleep Practice에서 허락 하에 발췌; Kerstein, R.B., Lowe, M., Harty, M., & Radke, J. (2006). A force reproduction analysis of two recording sensors of a computerized occlusal analysis system. Journal of Craniomandibular Practice, 24(1), 15-24)

Godt, Schille, & Göz, 2010).

T-Scan II 시스템을 HD 센서와 같이 사용하면 믿을 수 있는 상대적 힘을 측정할 수 있었고, 원래의 T-Scan I 을 능가하는 상당한 호전을 보였다. 센서 디자인과 재료의 개선으로 컴퓨터의 기술적인 진보로 하드웨어가 개조된 결과, 이전 모델보다 좀 더 정확하고 재현 가능한 교합 진단 장치가 되었다.

그러나, I 을 뛰어넘는 T-Scan II 의 주요한 진보에도 불구하고, 여전히 강한 비판이 있었다. 레코딩 핸들을 컴퓨터의 병렬 포트와 연결함으로써 기록하는 동안 데이터 취득이 느려지고, 프린터로 연결되는 컴퓨터의 성능도 무력화했다. 게다가, 센서 스캐닝 속도가 기록하는 동안 다소 변화하여, 점점 더 많은 치아가 센서 표면에 접촉될수록 속도가 느려졌다. 근래에, 2D, 3D 재생 창에서 힘이나 접촉 위치 데이터가 다르게 보여졌다. 2D 시점은 힘 데이터를 교합지에 나타나는 것과 유사하게 힘 집중의 유사 그룹으로 거의 정확하게 *윤곽화*했고, 3D 창에서는 모든 활성의 기록 sensel을 묘사했다. 각 비평은 나중에 T-Scan III 시스템과 터보 레코딩 속도의 발달과 함께 다루어질 것이다.

제3부: 터보 레코딩을 이용하는 T-Scan III 시스템

T-Scan III 시스템은, 2004년에서 2006년 사이에 T-Scan II 가 소프트웨어와 하드웨어 측면에서 개선된 다음 세대이다. 레코딩 핸들을 컴퓨터 워크스테이션에 USB로 연결하여 데이터 취득이 향상되는 발전이 있었다(그림 14a, 14b).

T-Scan II 의 소프트웨어가 한층 개선되어, 맞춤형 툴바와 설정이 가능한 다양한 재생 창을 갖추게 되어, 임상의가 자신이 선호하는 고유의 데스크탑 뷰를 셋업할 수 있다. III 버전은 2D, 3D 창이 모든 활성화된 sensel을 보여주고 상대적 교합력과 접촉 타이밍 데이터는 양쪽 창에서 동일하게 재현되었다. 그리고, 새로운 확대 그래프(zoom graph)가 힘 vs 시간 그래프를 동반하였다. 그림 15는 T-Scan III의 1번째 버전(버전 5 데스크탑)을, 그림 16은 T-Scan III의 3번째 버전(버전 7 데스크탑)을 보여준다.

새로운 확대 힘 vs. 시간 그래프는 그래프의 시각화와 해석력을 향상시켰다. 이로 인해 2D, 3D 창에 현재 나타나는 재생 틀에서 전후 1.5초씩 표현된 표준적 힘 vs 시간 그래프

의 3초 부분이 확대된다. 그림 17의 확대 그래프에서, x-축이 1.2-2.7초 길이로 확장되어, 1.9초가 정확히 중앙부가 된다(그림 17). 확장된 확대 그래프는 임상의로 하여금 미묘한 힘의 변화를 쉽게 관찰하고 타이밍의 중요한 특징을 즉시 결정할 수 있게 한다.

새롭고 독특한 T-Scan III 소프트웨어 추가부분

• **근전도검사 시스템(Electromyography System)과 T-Scan III의 통합:** T-Scan III 시스템은 BioPAK 근전도검사 시스템(BioEMG, Bioresearch, Assoc., Milwaukee, Wisconsin, USA)의 소프트웨어와 통합될 수 있다. T-Scan III/BioEMG 통합은 교합 접촉 시간-순서 데이터, 상대적 교합력 데이터, 8개에 달하는 두경부 근육의 근전도검사 데이터를 동시에 수집한다. 연합된 데스크탑은 동시 분석을 위해 두 교합 기술을 나란히 정렬하여, 근육 활성 크기, 교합 접촉력 분포, 교합 접촉 시간-순서 사이의 관계를 규명하는 특별한 방법을 임상의에게 제공한다(그림 18) (Kerstein, 2004).

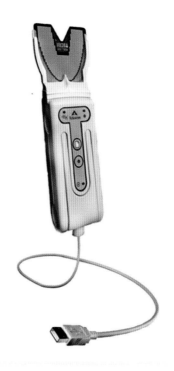

그림 14a 센서와 T-Scan III 레코딩 핸들(Kerstein, R.B.(2010)에서 발췌. Time-Sequencing and force-mapping with integrated electromyography to measure occlusal parameters. In Informatics in Oral Medicine, Ed. A. Daskalaki, Hershey, PA: IGI Global Publishers, pp.90)

그림 14b T-Scan III USB와 레코딩 핸들의 컴퓨터로의 직접 연결(Kerstein, R.B.(2010)에서 발췌. Time-Sequencing and force-mapping with integrated electromyography to measure occlusal parameters. In Informatics in Oral Medicine, Ed. A. Daskalaki, Hershey, PA: IGI Global Publishers, pp.93)

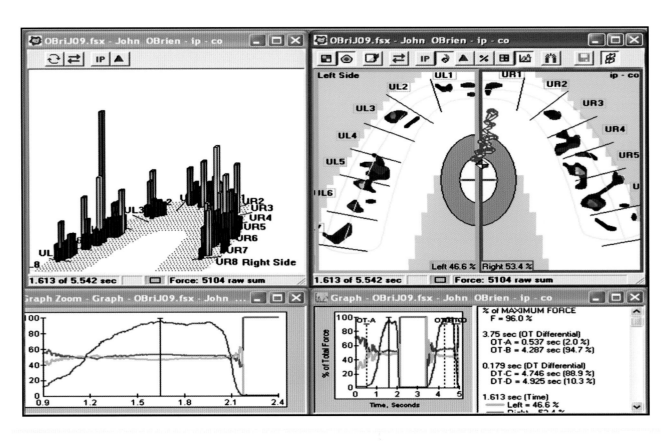

그림 15 4개의 창을 가진 T-Scan III 버전 5 소프트웨어 데스크탑 - 2D 창, 3D 창, 힘 vs 시간 그래프, 확대 그래프

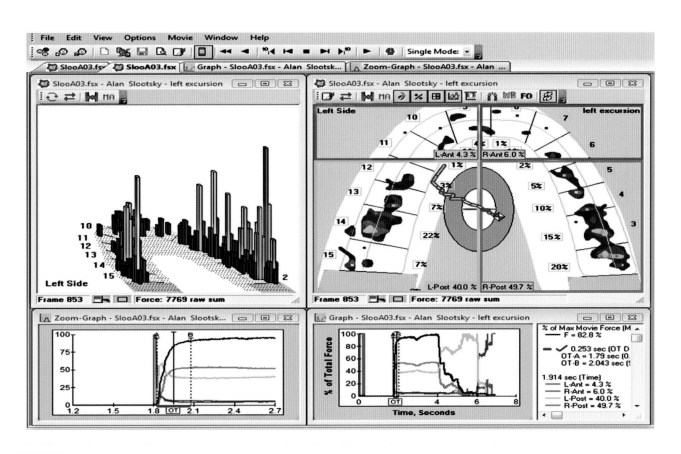

그림 16 4개의 창을 가진 T-Scan III 버전 7 소프트웨어 데스크탑 - 2D 창, 3D 창, 힘 vs 시간 그래프, 확대 그래프

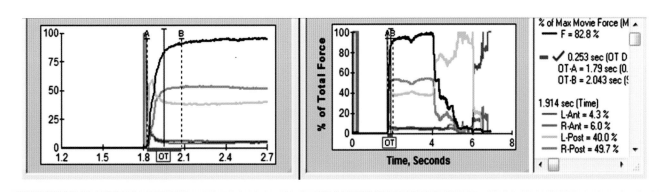

그림 17 정확한 중앙이 1.9초인, 1.2-2.7초의 x-축을 확장한 확대 그래프

- **힘 이상치(Outlier):** 힘 이상치는 하악이 폐구하는 동안 주어진 시점에 다른 치아보다 월등한 상대적 힘을 가지는 개별 치아 접촉이다. 영상이 처음 접촉부터 재생되는 동안, 악궁의 다른 치아와 비교하여 상대적 힘의 역치를 초월하는 힘의 증가를 보이는 치아는, 2D 창에서 배경이 분홍색으로 표시된다(그림 19). 힘 이상치는 교합 치료가 요구되는 폐구 초기에 발생하는 강한 힘의 치아 접촉을 감별해낸다.

그림 19에서, #2, 3, 5(17, 16, 14)번 치아에서 힘 이상치가 분홍색으로 나타났다. 접촉되는 다른 치아들과 비교했을 때 힘 전체값의 65%에 달하고, 해당 치아들이 다른 치아들보다 상대적 힘의 역치까지 더 빨리 상승했다. 힘 이상치 표는, 폐구 시에 이상치가 나타나는 순서(시간) 및 이웃 치아와의 힘 편차 수준(Sigma level)을 보여준다. 이 소프트웨어는 임상의가 빠르게 증가하는 강력한 치아접촉을 쉽게

19

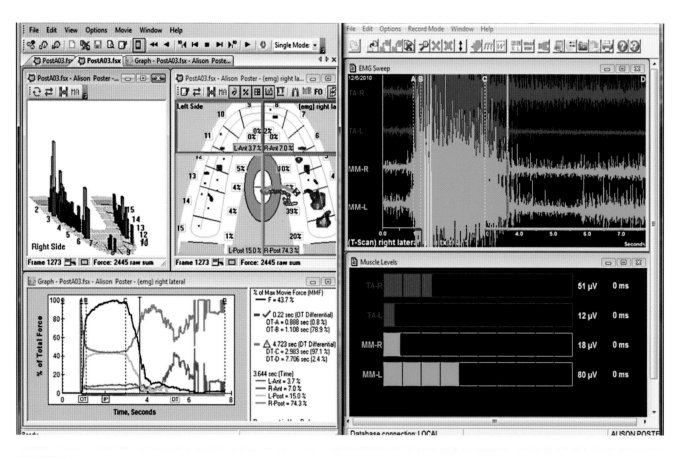

그림 18 이 T-Scan III/BioEMG 통합 데스크탑은 연장된 그룹 기능 접촉에 대한 우측방 운동 교합 접촉 시간-순서 데이터, 상대적 교합력 데이터, 측두근(TA-R, TA-L)과 교근(MM-R, MM-L)의 근전도검사 결과를 보여준다

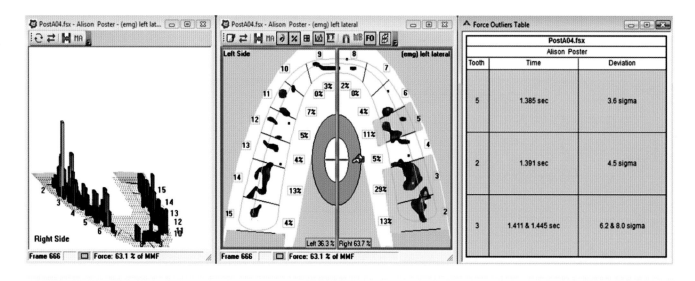

그림 19 우측 구치부의 #2, 3, 5(17, 16, 14)번 치아에 힘 이상치가 나타났다. 좌측의 반대편 치아와 비교했을 때 전체 힘의 65%로, 해당치아에서 높은 상대적 힘 한계점까지 악궁 내 다른 치아보다 빠르게 상승하였다

진단할 수 있도록 단순화하였다.

- **각 치아의 타이밍(Individual Tooth Timing)**: 개별 치아의 타이밍 힘 vs 시간 그래프 내에서, 다른 치아와 비교하여 시간 그래프에 대조한 개개 치아의 힘을 나타내는 상대적 힘을 창출한다. 이것은 개개 치아 혹은 치아군의 폐구 타이밍을 분석하는 데 유용하다.

- **.avi 파일로 T-Scan Ⅲ 영상 저장**: AVI로 저장하면 T-Scan .fsx 영상 파일을 표준화된 .avi 파일로 전환하여, .avi 비디오를 재생하는 어떠한 소프트웨어 프로그램으로도 T-Scan 영상 파일을 재생시킬 수 있다. 이것은 임상의가 T-Scan 영상 파일을 또 다른 소프트웨어 프로그램으로 통합하거나, T-Scan Ⅲ 시스템을 보유하고 있지 않은 다른 임상의에게 영상 파일을 보낼 수 있는 유익한 소프트웨어이다. 그러나, T-Scan 소프트웨어 내에서 영상 파일을 재생하는 것과 달리, .avi 파일은 한번에 한 프레임씩 혹은 거꾸로 재생될 수 없다. 오직 앞으로, 연속적으로만 재생될 수 있다.

- **ASCII 파일로 T-Scan Ⅲ 영상 저장**: ASCII는 *American Standard Code for Information Interchange*의 약자이다. 이것은 컴퓨터, 의사소통 장비, 텍스트와 작동하는 다른 장치들 내에 텍스트를 나타내는 영어 알파벳에 근거하는 컴퓨터 문자 인코딩 방법이다. ASCII는 128개의 문자에 대한 정의를 포괄하여, ASCII 문자 인코딩은 거의 모든 PC와 컴퓨터 워크스테이션에서 사용된다. ASCII 파일로 T-Scan Ⅲ 영상을 저장하면 영상 데이터(프레임 수, COF 위치, 그래프 데이터)를 간단한 텍스트로 전환하여, spreadsheet(컴퓨터용 회계 처리 프로그램) 프로그램을 사용하는 연구가가 분석할 수 있다.

- **터보 레코딩**: 2008년, 터보 모드 레코딩을 사용한 T-Scan Ⅲ USB가 도입되었다(Tekscan Inc., S. Boston, MA, USA). 이것이 T-Scan Ⅲ 시스템에서 이루어진 가장 중요한 개선 중의 하나로, 센서 스캐닝 간격을 0.01초에서 0.003초의 증가된 속도로 기록할 수 있게 되었다. 증가된 속도로 얻어진 레코딩 핸들 하드웨어 개선으로 주어진 하악 기능 운동의 기록 속도를 유의하게 증가시킬 수 있게 되었다(Kerstein, 2010).

T-Scan Ⅲ USB 시스템(모델 # EH-102, Tekscan, Inc., South Boston, MA, USA)의 진화된 핸들은, 0.003초 간격으로 모아진 데이터를 터보 모드에서 작동시켰을 때, 비-터보 T-Scan Ⅱ 및 Ⅲ의 USB 핸들을 사용할 때보다 분석을 위한 교합 데이터를 3배 더 많이 포착한다. 터보 모드 데이터를 얻으면, 임상의는 환자의 교합 내에 존재하는 비-동시적인 치아 접촉 순서와 비정상적인 교합력 집중을 좀 더 국소화할 수 있게 된다. 교합력과 타이밍 데이터의 증가된 시각화로 0.01초 데이터와 비교하여 임상의가 좀 더 높은 수준의 정확한 교합 성과물을 얻을 수 있다.

T-Scan Ⅲ의 성능 연구

T-Scan Ⅱ 시스템을 설명하면서 앞서 얘기했던 것처럼, 2002년 이후로 T-Scan 센서나 시스템에 대해 부정적인 결과의 연구는 없었다. 그러나, T-Scan Ⅲ에 대한 긍정적인 분석은 2010년이 되어서야 수행되었다(Koos 등, 2010). 저자는 T-Scan Ⅲ를 이용, 42명을 대상으로 1인당 2개의 센서를 사용하여 총 30회의 저작 주기로 된 6개의 기록을 만들었다. 통계적 분석은 다음을 기반으로 수행되었다:

- T-Scan Ⅲ의 힘 측정 정확성과 신뢰성.
- 반복된 측정 기록 동안, T-Scan Ⅲ 레코딩 핸들 내에서 센서의 변화와 재위치의 영향.

그 결과, 센서의 변화나 같은 센서의 반복적인 측정에도 측정된 결과 값의 재현성에 대해 어떠한 통계적으로 유의한 차이도 없었다. 다수의 다른 참가자에서 T-Scan Ⅲ는 95%의 힘 재생산 능력을 보였는데, 이것은 시스템의 상대적 교합력 측정 반복성이 높다는 것을 나타내는 것이다. 저자는 교정과 보철에 있어서 교합 접촉을 확실하게 식별하고, 교합력 분산의 결정적 특성을 분명하게 표현하는 방법으로 T-Scan Ⅲ를 제안하였다(Koos 등, 2010).

터보 레코딩의 T-Scan Ⅲ에 대한 비판적인 문헌은 거의 없었지만, 어려운 학습 곡선(learning curve)으로 인해 상당히 복잡하다는 약간의 비판적인 임상 반응이 있었다. 이런 비평은 임상의가 우선적으로 그들의 소프트웨어를 맞춤화하여 설립하는 능력을 가지고 있었음에도 흔하게 나타났다. T-Scan Ⅲ의 복잡성을 최소화하고자, T-Scan 8으로 알려진 최신 버전을 발달시켰다(Windows® 용 T-Scan 8, Tekscan Inc., S. Boston, MA, USA). T-Scan 8은 보다 간단한 데이터 디스플레이를 위해, 툴바 버튼과 아이콘을 줄이고 간단화하여 데스크탑 그래픽을 수정하였다. 단순화된 소프트웨어 화면으로 학습 과정을 단축시키고 우선적인 소프트웨어 셋업 옵션의 대부분을 제거하여 디스플레이를 표준화하였다.

T-Scan 8 시스템에 대한 자세한 설명은 4장에 있다.

치료 기준(Standard of Care)

T-Scan 기술은 치의학에서 교합의 미래를 제시한다. 장치의 태동기 동안, 그리고 그 후 수년에 걸쳐, 건설적인 비평이 있었다. T-Scan 기술은 상대적인 교합 접촉력을 측정하고 교합 접촉 타이밍 순서를 기록할 수 있는 유일한 지표였기(그리고 지금도 그러하기) 때문에, 항상 치과 교합의 과학과 실행을 전진시키기 위한 많은 미래를 보여줬다. T-Scan은 끊임없이 변경되고 향상되어, 다양하고 정확한 측정 소프트웨어 툴을 보유한 현재의 버전으로 진화했으며, 넓은 범위의 교합 문제를 진단하고 치료하는 데 도움이 되고 있다. 그러나, 최초의 T-Scan 책 편찬 집필부터 시작해서, *임상적 필요성의 인지 부족*으로 인해 치의학은 컴퓨터 교합 분석을 무시하고 있다. 교합지 자국이 믿을 수 있는 교합력 측정이라는 믿음은 현재 진행형으로 만연해 있으며 모든 치의학 교육까지 침투되어 있어서, 교합지와 술자의 주관적인 해석이 (그릇되게) 치과 교합학의 표준으로 받아들여지는 실정이다.

해결 방안 및 권고 사항

저자는 치의학이 T-Scan 컴퓨터 교합 분석 시스템을 충분히 포용할 것을 권고한다. 시초부터, T-Scan 기술은 믿을 수 있는 상대적 교합력 재현과 시간 측정 능력을 입증하는 혹독한 동료의 평가를 경험하고 있다. 주관적 해석에 의해 이루어지는 교합 과정과 비교했을 때(Vallon, Ekberg, Nilner, & Kopp, 1995; Tsolka, Morris, & Preiskel, 1992; Wenneberg, Nystrom, & Carlsson, 1988), T-Scan은 개선된 교합 치료 과정으로 환자에게 객관적으로 통제된 실험의 일부분이었다(Kerstein & Wright, 1991; Kerstein, 1994; Kerstein, 1995; Kerstein 등, 1997; Kerstein & Radke, 2006; Kerstein & Radke, 2012).

새로운 증거-바탕 치의학(EBD; Evidence-based Dentistry) 파라다임은 임상의가 과학적으로 입증된 최고의 진료를 수행하기를 요구한다. EBD는 환자의 구강 및 전신 건강과 내력, 치과의사의 임상적 전문 기술, 환자의 치료 필요와 선호도와 연관된, 임상적으로 관련 있는 과학적 증거의 체계적인 평가의 신중한 통합을 필요로 하는 구강 건강 관리 접근이다(ADA Policy Statement on Evidence-based Dentistry, 2010). 최근의 증거는 주관적 해석이 임상의가 강력한 교합 접촉을 선택하기 위해 일상적으로 사용하는 매우 부정확한 과정이라는 것을 분명하게 보여준다(Kerstein & Radke, 2013). 교합지 자국을 주관적 해석하는 것이 믿을만한 임상적 방법인지에 대한 1번째 평가에서, 교합지 자국이 묻어있는 치아 사진을 관찰한 295명의 치과의사들이 센 힘과 보통의 힘을 선택했는데, 12.8%만 정확했다. 나아가, 모든 연구 참가자의 95%는 12개의 정답 가운데 3개 이하로 정답을 선택했다(Kerstein & Radke, 2013). 임상의로 구성된 커다란 그룹의 성적으로는 매우 저조하여, 치의학은 강력한 교합 접촉을 구별할 수 있는 신뢰성 있는 방법이 필요하다는 설득력있는 증거가 된다.

최근에 교합지 자국이 그 크기에 상관없이 교합력을 설명할 수 없다는 연구를 통해, 교합지가 믿을 수 있는 교합력 측정법이라는 만연한 믿음은 사라지고 있다(Carey, Craig, Kerstein & Radke, 2007; Saad, Weiner & Ehrenberg, 2008; Qadeer, Kerstein, Yung-Kim, Huh, & Shin, 2012). 이런 사실이 교합지 자국에 대한 부정확한 주관적 해석과 연결되었을 때(Kerstein & Radke, 2013), T-Scan에 근거한 객관적인 교합 평가가 주관적 해석을 대체하는 것이 교합 치료의 미래를 개선하기 위해 필요하다. EBD의 진화하는 디지털 시대에, "주관적 해석"에서 탈피하여, T-Scan 8 기술을 향해 이동함으로써 치과 교합학이 진보하게 된다.

미래의 연구 방향

앞으로의 연구는 T-Scan 시스템의 측정 능력을 이용하여 치아에 악영향을 끼칠 수 있는 잠재적 위험인자로 교합력과 접촉 타이밍을 평가할 수 있는 내용을 포함하여야 한다. T-Scan 데이터는 여러 가지 치과 질환 발생의 원인으로써 교합의 잠재적인 역할을 둘러싼 의혹을 분명히 하는데 이용될 수 있다.

T-Scan 교합 분석 시스템을 포함하는 가능한 미래의 연구 분야

- 치주 질환 진행에 있어서의 교합의 역할
- 악관절 질환 발달, 교합-근육 장애 합병 증상, 원인, 치료에 있어서의 교합의 역할
- 근신경 치과학에서 근전도 검사 데이터 양상에 근거한 수정 치료를 위한 치아 접촉을 선택하기 위해 사용하는 "고-저 차트(high-low chart)"의 정확성과 신뢰성 평가
- 긴장성 두통과 편두통에서의 교합의 역할
- 임플란트 주위염 진행에서의 교합의 역할
- 진행성 교합 마모, 부식, 굴곡파절(abfraction) 형성에서의 교합의 역할
- 만성 치경부 상아질 지각과민증 발달에 대한 교합의 역할

보철과 교합 재료 생존 가능성 연구

- 임플란트 보철 재료 생존 가능성과 보철 수복 비율에서의 교합의 역할
- all-ceramic 접착성 보철 재료의 생존 가능성과 보철 수복 비율에서의 교합의 역할

결론

이 장은 T-Scan 컴퓨터 교합 분석 기술의 하드웨어와 소프트웨어의 진화에 대해, 1984년에 처음 소개된 T-Scan Ⅰ으로 알려진 초기 독립형 버전부터, 1990년 Windows®의 PC를 이용하는 T-Scan Ⅱ, 후의 T-Scan Ⅲ를 거쳐 현재의 T-Scan 8에 이르기까지 모두 살펴보았다. 또한 제조사로 하여금 기록 센서, 하드웨어, 소프트웨어를 개선시키게 만든 많은 비평적인 과학 연구와 이로 인해 정확성과 반복성이 향상된 버전의 발전도 설명하였다. 증거-바탕 치의학 시대의 권고 사항에 대해서도 언급하며, 교합지는 교합력을 설명할 수 없음과 주관적 해석이 상대적 교합력을 결정하는데 정확하지 않음도 설명하였다. 치과 교합학의 발전을 위해, 교합지 표시에 대한 주관적 해석은 T-Scan 기술의 상대적 교합력과 시간 순서 측정 능력으로 대체되어야만 한다.

참고문헌

- ADA Policy Statement on Evidence-based Dentistry (2010). Retrieved August 17, 2010 from http://www.ada.org/1754.aspx
- Carey, J.P., Craig, M., Kerstein, R.B., & Radke, J. (2007). Determining a relationship between applied occlusal load and articulating paper mark area, *The Open Dentistry Journal*, 1, 1-7.
- Collesano, V., de Rysky, C., Bernasconi, G., & Magenes, G. (1989). T-Scan tracing of the arches. Computerized analysis. *Dental Cadmos*, 15(57, 19), 34-38, 41.
- Dees, A., Kess, K., Proff, P., & Schneider, S. (1992). The use of the T-Scan system in occlusal diagnosis. *Zahn Mund Kieferheilkd Zentralbl*, 80(3),145-151.
- Garrido García, V.C., García Cartagena, A., & González Sequeros, O. (1997). Evaluation of occlusal contacts in maximum intercuspation using the T-Scan system. *Journal of Oral Rehabilitation*, 24(12), 899-903.
- Halperin, G.C., Halperin, A.R., & Norling, B.K. (1982). Thickness, strength, and plastic deformation of occlusal registration strips. *Journal of Prosthetic Dentistry*, 48, 575-578.
- Harvey, W.L, Hatch, R.A., & Osborne, J.W. (1991). Computerized occlusal analysis: an evaluation of the sensors. *Journal of Prosthetic Dentistry*, 65(1), 89-92.
- Hirano, S., Okuma, K., & Hayakawa, I. (2002). In vitro study on the accuracy and repeatability of the T-Scan II system. *Kokubyo Gakkai Zasshi*, 69(3), 194-201.
- Kerstein, R.B., & Wright, N. (1991). An electromyographic and computer analysis of patients suffering from chronic myofascial pain dysfunction syndrome, pre and post - treatment with immediate complete anterior guidance development. *Journal of Prosthetic Dentistry*, 66(5), 677- 686.
- Kerstein, R.B. (1994). Disclusion time measurement studies, Stability of disclusion time. A 1-year follow - up study. *Journal of Prosthetic Dentistry*, 72(2), 164-168.
- Kerstein, R.B. (1995). Treatment of myofascial pain dysfunction syndrome with occlusal therapy to reduce lengthy disclusion time - a recall study. *Journal of Craniomandibular Practice*, 13(2), 105-115.
- Kerstein, R.B., Chapman R., & Klein, M. (1997). A comparison

of ICAGD (Immediate Complete Anterior Guidance Development) to "mock ICAGD" for symptom reductions in chronic myofascial pain dysfunction patients. *Journal of Craniomandibular Practice*, *15*(1), 21-37.

- Kerstein, R.B. (2003). Readers Roundtable. *Journal of Prosthetic Dentistry*, *90*(3), 310-311.

- Kerstein, R.B. (2004). Combining Technologies, A Computerized Occlusal Analysis System Synchronized with a Computerized Electromyography System. *Journal of Craniomandibular Practice*, *22*(2), 96-109.

- Kerstein, R.B., Lowe, M., Harty, M., & Radke, J. (2006). A Force reproduction analysis of two recording sensors of a computerized occlusal analysis system. *Journal of Craniomandibular Practice*, *24*(1), 15-24.

- Kerstein, R.B. (2010a). Time-sequencing and force-mapping with integrated electromyography to measure occlusal parameters. In A. Daskalaki (Ed.), *Informatics in Oral Medicine*, (pp. 88-110). Hershey, PA: IGI Global Publishers

- Kerstein, R.B., & Radke, J. (2013). Clinician accuracy when subjectively interpreting articulating paper markings. *The Journal of Craniomandibular & Sleep Practice*, *32*(1), 13-23.

- Koos, B., Godt, A., Schille, C., & Göz, G. (2010). Precision of an instrumentation-based method of analyzing occlusion and its resulting distribution of forces in the dental arch. *Journal of Orofacial Orthopedics*, *71*(6), 403-410.

- Kong, C.V., Yang, Y.L., & Maness, W.L. (1991). Clinical evaluation of three occlusal registration methods for guided closure contacts. *Journal of Prosthetic Dentistry*, *66*(1), 15-20.

- Levin, E.I. (1978). Dental esthetics and golden proportion. *Journal of Prosthetic Dentistry*, *40*, 244–252.

- Maeda, Y., Ohtani, T., Okada, M., Emura, I., Sogo, M., Mori, T., Yoshida, M., Nokubi, T., & Okuno, Y. (1989). Clinical application of T-scan System. Sensitivity and reproducibility and its application. *Osaka Daigaku Shigaku Zasshi*, *34*(2), 378-384.

- Maness, W.L., Benjamin, M., Podoloff, R., Bobick, A., & Golden, R.F. (1987). Computerized occlusal analysis, a new technology. *Quintessence International*, *18*(4), 287-92.

- Maness, W.L. (1988). Force Movie, A time and force view of occlusal contacts. *Compendium of Continuing Education in Dentistry*, *10*(7), 404-408.

- Maness, WL. (1991). Laboratory comparison of three occlusal registration methods for identification of induced interceptive contacts. *Journal of Prosthetic Dentistry*, *65*(4), 483-487.

- Millstein, P., & Maya A. (2001). An evaluation of occlusal contact marking indicators. A descriptive quantitative method. *Journal of the American Dental Association*, *132*, 1280-1286.

- Nabeshima, F., Tanaka, M., Kawano, W., Saratani, K., Yanagida, M., & Kawazoe, T. (1990). The balance of occlusal contacts during intercuspation using T-scan system. *Nihon Hotetsu Shika Gakkai Zasshi*, *34*(2), 340-349.

- Okamoto, K., Okamoto, Y., Shinoda, K., & Tamura, Y. (1990). Analysis of occlusal contacts of children by the T-Scan system. (1) The reproducibility of the sensor. *Shoni Shikagaku Zasshi*, *28*(4), 975-983.

- Okeson, J. (1985a). *Fundamentals of Occlusion and Temporomandibular Disorders*, St. Louis, CV Mosby Co., pp. 106-108, 426, 428.

- Okeson, J. (1985b). *Fundamentals of Occlusion and Temporomandibular Disorders*, St. Louis, CV Mosby Co., pp.42.

- Okeson, J. (1985c). *Fundamentals of Occlusion and Temporomandibular Disorders*. St. Louis, CV Mosby Co., pp.428

- Patyk A., Lotzmann, U., Paula, J.M., & Kobes, L.W. (1989a). Is the T-Scan system a relevant diagnostic method for occlusal control? *Das Deutsche Zahnarzteblatt*, *98*(8), 686-688.

- Patyk, A., Lotzmann, U., Scherer, C., & Kobes, L.W. (1989b). Comparative analytic occlusal study of clinical use of T-Scan systems. *Das Deutsche Zahnarzteblatt*, *98*(9), 752-755.

- Podoloff, R., & Benjamin, M., (1989). Tactile Sensor for Analyzing Dental Occlusion. *Soma Engineering For The Human Body*, *3*(3), 1-6.

- Qadeer, S., Kerstein, R.B., Yung Kim, R.J., Huh, J.B., & Shin, S.W. (2012). Relationship between articulation paper mark size and percentage of force measured with computerized occlusal analysis. *Journal of Advanced Prosthodontics*, *4*, 1-6.

- Reza, M.M., & Neff, P.A. (1991). Reproducibility of occlusal contacts utilizing a computerized instrument. *Quintessence International*, *22*(5), 357-360.

- Saad, M.N., Weiner, G., Ehrenberg, D., & Weiner, S. (2008). Effect of load and indicator type upon occlusal contact markings. *Journal of Biomedical Materials Research, Part B, Applied Biomaterials, 85*(1), 18-22.

- Schelb, E., Kaiser, D.A., & Brukl, C.E. (1985). Thickness and marking characteristics of occlusal registration strips. *Journal of Prosthetic Dentistry, 54*, 122-6.

- Setz, J., Geis-Gerstorfer, J. (1990). Properties of a measuring system for digital occlusion diagnosis. *Das Deutsche Zahnarzteblatt*, 45(7) Special Number, 565-586.

- Tokumura K, & Yamashita A. (1989) Study on occlusal analysis by means of 'T-Scan system'. Its accuracy for measurement. *Nihon Hotetsu Shika Gakkai Zasshi, 33*(5), 1037-1043.

- Tsolka P., Morris R.W., & Preiskel, H.W. (1992). Occlusal adjustment therapy for craniomandibular disorders: a clinical assessment by a double-blind method. *Journal of Prosthetic Dentistry, 68*(6), 957-964.

- Vallon, D., Ekberg, E., Nilner, M., & Kopp, S. (1995). Occlusal adjustment in patients with craniomandibular disorders including headaches. A 3- and 6-month follow-up. *Acta Odontologica Scandinavica, 53*(1), 55-59.

추가문헌

- Azuma, T. (2001). Development of High-Speed Pressure Distribution Measurement System and Its Application to Food Texture Characterization, *Sensors and Materials, 13*(2), 107-117.

- Chapman, R.J. (1989). Principles of occlusion for implant prostheses: Guidelines for position, timing, and force of occlusal contacts. *Quintessence International, 20*(7), 473-480.

- Chapman, R.J., Maness, W.L., & Osorio, J. (1991). Occlusal contact variation with changes in head position. *The International Journal of Prosthodontics, 4*(4), 377-381.

- Clinical Research Associates Newsletter (1989). *Occlusal Analysis, Computerized System, 13*, 5.

- Dan, H., & Kohyama, K. (2003). Effect of sample thickness on the bite force for apples, *Journal of Texture Studies, 34*, 287-302.

- Dahan, J. S. (2000). La Dysfonction occluso-linguale: symp-

tomes, signes; biometrie. *Le Monde Dentaire, 18*,148-53.

- Dahan, J. S. (1998). Occlusal and functional evaluation in adults: a case report. *American Journal of Orthodontics and Dentofacial Orthopedics, 11*, 551-557.

- Dario, L.J. (1995). How occlusal forces change in implant patients: A clinical research report. *Journal of the American Dental Association, 126*, 1130-1132.

- Farr, C. (1998). Closing the Gap Between Specialists and GPs: Technologies and Interdisciplinary Therapy, *Dentistry Today, November,* 94-100.

- Iwase, M., Sugimori, M., Kurachi, Y., & Nagumo, M. (1998). Changes in bite force and occlusal contacts in patients treated for mandibular prognathism by orthognathic surgery. *Journal of Oral and Maxillofacial Surgery, 56*, 850-855.

- Kerstein, R.B. (2000). Conducting A Computer-Analyzed Occlusal Exam with T-Scan II Occlusal Analysis System, *Dental Products Reports, April*, 44-45.

- Kerstein, R.B. (2008). Computerized occlusal analysis technology and Cerec case finishing. *International Journal of Computerized Dentistry. 11*(1), 51-63.

- Kerstein, R.B. (2001). Nonsimultaneous tooth contact in combined implant and natural tooth occlusal schemes. *Practical Periodontics and Aesthetic Dentistry, 13*(9), 751-755.

- Kerstein, R.B. (2001). Current applications of computerized occlusal analysis in dental medicine. *General Dentistry, 49*(5), 521-30.

- Kohyama, K., Nishi, M. (1997). Direct measurement of biting pressures for crackers using a multiple-point sheet sensor, *Journal of Texture Studies, 28*, 605-617.

- Kohyama, K., Nishi, M., & Suzuki, T. (1997). Measuring texture of crackers with a multiple-point sheet sensor, *Journal of Food Science, 62*(5), 922-925.

- Maness, W.L. (1992). Comments on the article by Boening, K.W. and Walter, M.W. "Computer aided evaluation of occlusal load in Complete Dentures". *Journal of Prosthetic Dentistry, 67*(3), 339-344.

- Maness, W.L. (1990). Maximum intercuspation; a computerized diagnosis. *Restorative Dentistry, 80*(1), 39-41.

- Schmelzeisen, R., Ptok M., Schönweiler, R., Hacki, T., & Neukam,

F.W. (1996). Reconstruction of speech and chewing function after extensive tumor resection in the area of the jaw and face. *Larynorhinootolgie*, *75*, 231-238.

- Throckmorton, G.S., Rasmussen, J., & Caloss, R. (2009). Calibration of T-Scan sensors for recording bite forces in denture patients. *Journal of Oral Rehabilitation*, *47*, 1-8.

주요 용어 및 정의

- **T-Scan 8**: 2012년에 소개된 T-Scan 시스템의 최신 버전으로 T-Scan III 사용자의 복잡성을 최소화하기 위해 디자인되었다. 소프트웨어 툴바 버튼과 아이콘을 줄여 데이터 디스플레이를 단순화하도록 데스크탑 그래픽을 변경하였다. 단순화로 T-Scan 학습 과정을 단축하고, T-Scan III에서 사용되었던 우선적인 소프트웨어 셋업의 대부분을 제거하여 디스플레이를 표준화하였다.

- **T-Scan I**: 최초로 상업적으로 제작된 컴퓨터 교합 분석 시스템으로, 3초짜리 "Force Movie"에서, 실시간으로 포착된 다양한 교합력을 16단계로 수량화하여 기록한다. 기록된 데이터는 0.01초 간격으로 전이나 후로 재생할 수 있고, 술자가 상대적 교합력의 변화를 역동적으로 볼 수 있다.

- **T-Scan III USB**: T-Scan III 시스템은 T-Scan 소프트웨어와 하드웨어가 개선된 3번째 세대이다. 레코딩 핸들을 컴퓨터 워크스테이션에 USB로 직접 연결한다. 이로 인해 데이터 취득이 향상되고 컴퓨터 프린터 포트의 사용을 제한하는 중간의 병렬 박스가 제거되었다.

- **Windows®를 이용한 T-Scan II**: T-Scan II는 Microsoft Windows®를 인식하는 시스템으로 임상적 진단 컴퓨터 워크스테이션으로 통합된다. 시스템을 적절하게 운용하기 위해서는 펜티엄 프로세서로 운용되는 IBM PC 및 최소 4-8 Mbyte의 RAM이 필요하다. 하드웨어의 대부분은 PC 구성 요소로 레코딩 핸들이 중간 병렬 박스(parallel box)를 경유하여 연결되어 있고, 그 후 PC의 병렬 프린터 포트로 연결되게 된다. 그래픽 인터페이스는 익숙한 Windows® 툴바 아이콘을 사용하여 기록된 교합 접촉 정보를 분석하는 많은 소프트웨어 기능을 보여주게 된다.

- **기록 센서 세대**: 1세대 T-Scan 기록 센서는 에폭시로 만든 전기적으로 충전되는 기질로 전도성 잉크 막대를 포함하고 있다. 교합이 되면, 접촉점에서 전기 저항이 적용된 교합력 정도에 비례하여 변화한다. 센 힘은 큰 저항 변화를 가져오고, 약한 힘은 작은 저항 변화를 일으킨다. 2세대 T-Scan 기록 센서는 1세대 센서에 에폭시 대신에 Mylar(강화 폴리에스터 필름)를 사용하여 재디자인되었다. 2세대 센서는 좀 더 유연하고, 균열에 강하며, 유통기간도 더 길다. 3세대 T-Scan 센서는 종횡 막대 내에 압력 감응 잉크를 이용해서 다시 한번 센서를 재디자인하여, 이력현상(hysteresis; 변형을 유발한 외력을 제거한 후에도 본래의 모양으로 되돌아가지 않고 변형된 그대로의 상태에 있는 것), 드리프트(drift; 현재 상태의 변화가 없는 데 측정치가 변동하는 것), 온도 안정성이 향상되었다. 2세대 센서와 유사한 유통 기간과 유연성을 가지며, 전체 두께를 82.82micron으로 감소시켰다. 4세대 T-Scan 센서는 고해상(HD; High Definition) 디자인으로, 3세대와 비교하여 활동성 기록 부위가 33% 증가하고, 비활성(비-기록) 부위가 50% 감소하였다. 앞선 센서 디자인보다 기록 sensel을 좀 더 밀집하게 배열하였다.

- **성능 연구**: T-Scan I, II, III 모두는 시스템의 기록 정확성과 힘 측정 반복가능성에 대해 치과 공동체에 의해 과학적인 검증을 경험했다. T-Scan I의 타이밍 측정과 기록 능력에 대해서는 다소 적게 연구되고 검증되었다.

- **장기간 지지된 이상적인 교합 타이밍의 특징**: 최적의 교합 접촉 타이밍 배열은 다음과 같다. 하악의 폐구 동안 완전한 교두감합으로 동시에 대칭적으로 모든 접촉하는 치아의 접촉 발생; 하악이 완전한 교두감합에서 편심위 운동하는 동안 모든 구치부의 신속한(즉각적인) 후방 이개; 하악이 중심위(CR)로 위치할 때 조기 접촉 부재.

- **장기간 지지된 이상적인 교합력의 특징**: 최적의 교합 접촉력 분산은 다음과 같다. 좌우 악궁에 대칭적으로 동등한 힘의 공유; 동등한 교합력이 접촉하는 치아 사이에 균일하게 분포; 마주하는 접촉 치아의 장축을 따라 교합력이 수직적으로 정렬.

- **터보 모드 기록**: T-Scan III 하드웨어 진보로 임상의는 0.01초 간격의 센서 스캐닝(T-Scan I, II)에서 0.003초 간격의 증가된 속도로 교합 데이터를 기록할 수 있다. 터보는 T-Scan II 병렬 시스템이나 T-Scan III USB보다 3배나 많은 교합 데이터를 포착한다. 비-동시적인 치아 접촉 순서와 비정상적인 교합력 집중에 대해 보다 더 정확히 위치화할 수 있다. 0.01초 센서 스캐닝에 비해, 치료 시에도 훨씬 더 높은 수준의 정확한 교합 결과를 얻을 수 있다.

T-Scan 컴퓨터 교합 분석 기술과 비교 시 전통적인 비-디지털 교합 지표의 한계

Sarah Qadeer, BDS, MSD

Thammasat 대학교, Rangsit 캠퍼스, 태국

초록

치과 치료에서 전통적으로 사용되는 교합 지표는 교합지, Shim-stock foil, 탄성의 인상재, 교합 왁스 등이다. 이런 정적인 재료들로 교합력을 설명할 수 있다고 널리 받아들여져 왔다. 그러나, 현대의 재료 연구들은 교합 지표 재료가 다양한 교합력을 측정할 수 있다는 믿음에 이의를 제기하고 있다. 이번 장에서는 정적인 교합 지표의 기록 한계를 평가하고 어떻게 임상의들이 주관적으로 교합력을 결정하여 해석하는 지에 대해 논의한다. 그리고 이런 비-디지털 교합 지표와 정확히 수량화한 상대적 교합력 및 교합 접촉 시간 순서를 기록하고 보여주는 컴퓨터 교합 분석 기술을 비교한다. 이런 디지털 데이터는 술자에게 더 정확한 교합 분석을 제공하여, 전통적인 교합 지표 사용에 내재되어 있는 주관성을 배제함으로써 비정상적인 교합력과 타이밍을 수정하도록 안내할 수 있다.

도입

보철물 준비를 위한 교합기에 환자의 교합 관계를 기록하고 전달하기 위해, 보철 수복에서 교합 지표를 사용하여 교합 접촉 위치를 결정한다. 교합을 조정하는 동안 교합 접촉 선택을 위해 임상적으로 사용하는 전통적 혹은 통상적인 방법은 디지털적이지 않다. 정적인 치과 재료를 마주하는 치아 사이에 놓고 교합 접촉을 인기하거나 색으로 표시한다. 흔하게 사용하는 비-디지털 교합 지표는 종종 환자의 주관적인 "느낌"과 결합하여, 임상의가 강력한 교합 접촉을 찾도록 돕는다.

이런 정적인 재료는 다양한 물리적 성질(점성, 탄성, 부

피 수축, 변형, 구겨짐)로 정확도가 떨어지게 된다.

임상에서 교합을 조정할 때, 가장 흔하게 사용되는 비-디지털 교합 지표는:

- **교합지**: 교합 접촉이 존재하는 치아에 잉크 자국을 남긴다.
- **Shim-Stock Foil**: 치아 사이에 잡아당겨서 강력한 치아 접촉의 존재를 암시하는 저항을 찾는다.
- **탄성 인상 재료**: 교합 접촉으로 위치된 치아 사이에 주입하여 치아 접촉이 있는 위치를 완전히 대신한다.
- **교합용 판 왁스**: 연화시켜 마주하는 치아 사이에서 인기한다. 왁스에 난 구멍 혹은 얇아진 부위가 교합 접촉이나 근접촉을 암시한다.

'이상적인' 교합간 기록 재료의 특성은 다음과 같다 (Malone & Koth, 1989):

- 폐구 시 가동성의 치아 및 하악, 재료 자체의 변위를 예방하는 제한적 초기 저항;
- 경화 후 뛰어난 부피 안정성;
- 중합 후 높은 압축 저항;
- 조작의 용이성;
- 기록 압력과 연관된 조직에 영향을 미치는 악영향의 부재;
- 치아의 절단연 혹은 교합면의 정확한 기록;
- 기록 확인의 용이성.

이런 성질을 모두 가지고 있는 이상적인 교합 기록 재료는 없다(Malone & Koth, 1989). 위에 정리된 정적인 재료는 임상의가 교합 조정 과정에서 강력해 보이는 접촉을 선택할 때, 다양한 정도의 한계점을 가지고 있다.

일상적으로 교합 조정은 비-디지털 교합 지표의 외형 특징을 이용하여 조절이 필요한 접촉을 선택하여 수행된다. 이런 방법은, 적용된 교합력의 양을 판단하기 위한 왁스나 인상 재료 인기, 교합지의 색깔 두께, 교합지 자국의 크기와 관련된 과학적인 증거가 부족함에도 불구하고, 치의학에서 널리 사용되고 있다. 연구들도 하악이 최대 교두감합으로 폐구하는 동안, 그 어떤 정적인 치과 재료도 교합력을 수량화하거나, 교합 접촉 시간의 동시성을 찾아내거나, 치아 접촉의 순서를 결정할 수 없다는 것을 지적한다(Koos 등, 2010; Kerstein, 2008). 이런 정적인 재료는 오로지 접촉 위치만을 표시하고 교합력과 타이밍에 대해서는 알려줄 수 없다. 특별히, 교합지와 Shim-stock foil에 관한 논문들은 재료의 물리적 성질(두께, 성분, 잉크 기질 및 플라스틱 변형)을 분석하였고(Schelb & Kaiser, 1985; Carey, Craig, Kerstein & Radke, 2007), 교합지 자국의 다양한 크기 혹은 Shim-stock의 "유지"가 정확하게 교합 접촉 부하를 설명할 수 있다는 것에 대한 증거를 제공하지 않았다(Harper & Setchell, 2002).

대안적으로, 컴퓨터 교합 분석(T-Scan 8, Tekscan, Inc., S. Boston, MA, USA)은 실시간으로 상대적 교합력 변화를 기록할 수 있는 디지털 기술이다. 이 시스템은 임상적 분석을 위해 교합 접촉 순서, 상대적 교합 접촉력, 개개의 치아뿐만 아니라 전 악궁에 가해진 최대 힘과 연관된 힘의 분포를 동시에 등록하고 시각적으로 해석하여 기록하고 보여준다. T-Scan은 처음 접촉점부터 최대 교두감합에 이르기까지의 교합력과 시간 데이터를 기록하고 역동적인 교합 기능 중에 발생하는 교합 간섭을 식별할 수 있다.

제1부: 임상적으로 사용되는 주관적 비-디지털 교합 지표의 한계점

교합지

치아 접촉을 잉크로 표시하는 교합지는 다양한 교합 접촉에서 발생하는 과도한 힘을 결정하기 위해 임상적으로 사용하는 방법으로 가장 널리 받아들여진다. 환자는 교합지 상에서 교합하여 다양한 크기와 모양의 잉크 자국을 교합면 혹은 절단면에 남기게 되고, 임상의는 이것을 주관적으로 해석한다(그림 1a, 1b).

교합지 자국 크기는 강력한 치아 교합의 지표로 받아들여진다. 크고 진한 자국은 강력한 접촉의 표시이고 작고 흐린 자국은 적은 교합력의 표시라고 널리 주장되고 있다. 게다가, 자국의 크기 및 색상의 깊이와 다양한 교합력 크기와의 연관성을 입증하는 과학적 근거가 거의 없음에도 불구하고, 교합학자들은 교합학 교과서에서 교합지 자국이 남은 부위는 자국 내 부하를 대변한다고 주장하고 있다(Glickman, 1997; Kleinberg, 1991; Smukler, 1991; Dawson, 2007).

한계점

교합지를 구강 내에서 사용할 때, 교두감합의 위치에서 교합지는 쉽게 파괴되고 천공된다. 또한 환자가 여러 번 같은 종이를 가볍게 치면서, 계속적으로 잉크가 소실되기 쉽다. 이미 교합이 기록된 부분의 종이에서 잉크가 소실되어서, 일부 교합되는 치아에서 잉크가 찍히지 않을 수도 있다.

환자의 가벼운 교합이나 가는 동작으로 치아에 찍힌 남겨진 종이 자국은 그 후에 임상의에 의해 "주관적으로 해석"되어, 자국이 위치하는 치아에 다양한 교합력이 존재한다고 평가된다(Kerstein & Radke, 2013). 연구를 통해 이런 자국이 교합의 세기나 시간-순서를 수량화하지 못하고, 치아에 남아 있는 잉크는 치아 접촉의 상대적 교합력을 판단하는 정확한 지표가 아니라는 것을 알 수 있다(Qadeer 등, 2012; Carey 등, 2007; Saad 등, 2008; Millstein & Maya,

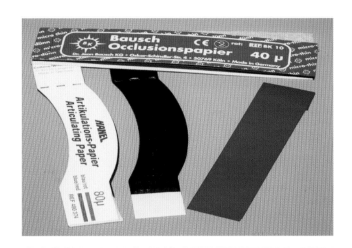

그림 1a 띠모양의 교합지(Bausch BK® 10 교합지, Dr. Jean Bausch & Co. KG, Köln Germany)와 반-궁형(semi-arch)의 교합지 (Hanel® 80μ 교합지, Langenau, 독일)

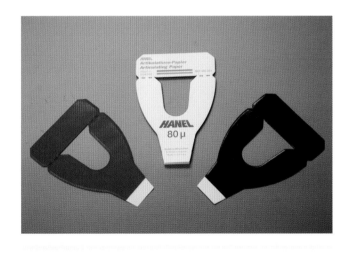

그림 1b 전형적인 말발굽(궁형의) 교합지(Hanel® 80μ 교합지, Langenau, 독일)

1975). 지금까지, 어떠한 연구도 교합지 자국의 크기가 교합력 차이를 결정하기 위해 임상의가 사용할 수 있는 신뢰할만한 지표라는 장기간 지속된 (그릇된) 믿음을 뒷받침하지 못했다.

연구 결과

동일 치아에서 교합지 자국의 크기와 T-Scan 시스템을 이용하여 측정한 힘의 비율 간의 연관성을 밝히고자 하는 한국 논문이 있었다(Qadeer 등, 2012). 30명의 여성 치위생사가 교합지(Accufilm, Parkell, Inc., Edgewood, NY, USA)

상에서 교합하고, 상악 구치부에 찍힌 교합지 자국을 촬영하였다. 그 후, T-Scan 시스템으로 촬영한 4분악 내에 존재하는 치아마다 각각의 힘의 비율을 측정하였다. 가장 큰 자국(사진 pixel로 측정)을 T-Scan에 최대힘으로 기록된 데이터와 비교하여, 4분악에서 가장 큰 힘을 발휘하는 치아와 가장 큰 자국이 일치하는 정도를 분석하였다(그림 2a).

240개의 구치부를 분석하였는데, 가장 큰 자국은 23개의 치아에서 나타났다. 결과는 교합지 자국 표면 부위와 힘 비율 사이에 38.3%의 낮은 관련성을 보이고, 결정 계수($r2=0.067$)를 사용하면 6.67%의 원인적 관계로 설명된다(그림 2b). Qadeer 등(2012)의 허락 하에 발췌. Journal of Advanced Prosthodontics, 4, 7-12. ©[2014 Journal of Advanced Prosthodontics]

이런 낮은 연관성은 교합지 자국 표면 부위의 나머지 93%가 대부분 교합면 형태에서 기인하기 때문이다(Qadeer 등, 2012). 넓고 평평한 면이 서로 마주하고 있는 경우(교모에서와 같이), 커다란 표시가 나타나기 쉽다. 반대로, 뾰족한 교두가 평평한 표면 혹은 또 다른 뾰족한 교두와 대합하면, 작은 자국이 관찰될 것이다. 이 연구 결과는, 교합면 형태가 자국의 크기를 결정하는 최우선 요인이지, 적용되는 교합 부하의 정도가 아님을 시사한다.

마운팅된 에폭시 모델을 이용한 실험실 연구에서도, 교합지 자국 크기의 증가가 힘의 증가와 약간의 관련성은 있지만, 자국 부위와 적용된 교합 부하 간의 직접적인 연관성은 없음을 보여주었다(Carey 등, 2007). 마운팅된 에폭시 치아 모형에 교합지를 삽입하고, 단축 시험 기계(uniaxial testing machine)로 25N에서 시작하여 450N까지 점차적으로 증가하면서 반복적으로 압축 부하를 적용하였다. 모형에 남은 교합지 자국(n=600)을 매번 사진 촬영하고, 포토그래픽 이미지 소프트웨어 프로그램을 이용하여 화소(pixel) 수를 세어 분석하였다. 스케치 툴로 각 교합지 자국의 윤곽 내의 화소 수를 산정하였다. 600개 자국의 모든 화소 수 데이터에 의하면 자국 부위가 증가하는 부하에 대해 1차함수적으로 증가하지 않는다. 치아 사이에 자국 부위의 농도를 비교하기 위해 데이터를 그룹화하면, 같은 힘이 적용된 다른 치아 사이에서 자국 부위의 높은 가변성을 볼 수 있다. 교합지 자국 부위와 적용된 힘 사이에 직접적인 연관성은 발견되지 않았다. 저자들은 교합 조정할 치아를 선택할 때 임상의가 교합 접촉력을 판단하기 위해 교합지 자국의 크기를 정확한

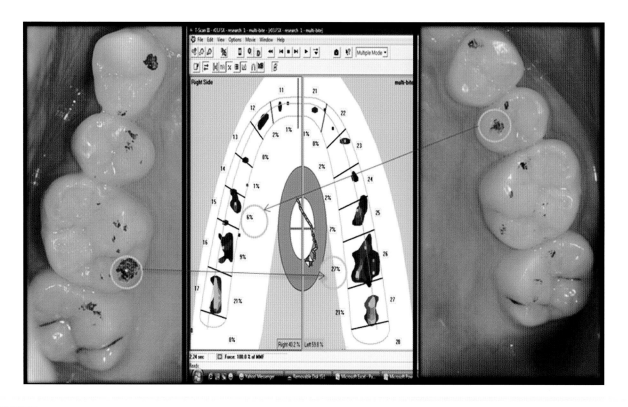

그림 2a 가장 큰 교합지 자국과 T-Scan 데이터 비교. #15번 치아에 가장 큰 교합지 자국(368 화소)이 있으나 힘의 비율은 6%에 지나지 않아, 4분악에서 가장 강력한 치아가 아니다. 반대편 4분악에서, 가장 큰 자국은 #26번 치아에 위치하고(1601 화소) 실제적으로도 4분악에서 가장 강력하다

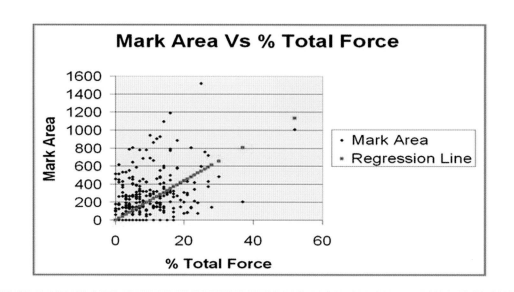

그림 2b P value 0.0063, 화소에 의한 치아 별 이변수 회귀 분석. 교합지 자국 크기와 힘 비율 사이에 낮은 양의 관계가 성립된다. Qadeer 등 (2012)의 허락 하에 발췌. Journal of Advanced Prosthodontics, 4, 7-12. ©[2014 Journal of Advanced Prosthodontics]

지표로 사용하지 말아야 한다고 하였다(Carey 등, 2007).

임상적으로, 교합지는 위양성(false positive)이 높은 자국이고 자국의 크기와 개수가 상당히 가변적이어서 재현성도 취약하다(Schelb 등, 1985; Halperin, 1984). 또 다른 연구에서는 교합지 자국이 재료간에 일정하지 않고, 어김없이 위양성 자국을 나타내며, 교합 접촉의 크기를 해석하기 어렵다고 하였다(Millstein & Maya, 2001).

그 후에, 두껍거나(60micron) 얇은(25micron) 교합지(Accufilm, Parkell, Farmingdale, NY, USA; Rudischauer Articulating Paper, G.E. Rudischauer, Brooklyn, NY, USA)를 이용하여 다르게 적용된 부하와 교합지 자국의 수 및 크기를 비교한 연구가 있었다(Saad 등, 2008). 치아 모형을 Hanau Mate 비조절성 교합기(Hanau, Teledyne Water Pik, Fort Collins, CO, USA)에 장착하여 100N, 150N, 200N 3가지의 다른 부하를 적용하였다. 각 시도마다, 사용하지 않은 교합지를 하악 좌측 치아 부분에 위치시켰고, 교합기를 닫아, MTS 단축 시험 기계(MTS Systems Corporation, Eden Prairie, MN, USA)를 이용하여 5초간 수직적으로 부하를 가하였다. 각각의 교합지는 3가지의 다른 부하로 5회씩 총 15회 시험하였다. 그 결과로 제1, 2소구치와 제1대구치에 남은 자국을 분석하였다.

Accufilm을 사용하여 나타난 자국의 크기를 비교해 보면, 각 9개 부위에서 얇은 교합지에 기록된 자국보다 두꺼운 교합지에서 유의성 있게 크게 나타났다(p<0.02에서 p<0.0001까지의 p value 범위). 그러나, 100N, 150N, 200N 간 자국의 위치에서 개개의 차이는 없었고, 부가되는 힘이 2배 증가함에도 불구하고 자국의 크기가 눈에 띄게 증가하지는 않았다(Saad 등, 2008). 이 결과는 교합지 두께 차이가 형성된 자국의 크기와 개수를 결정하는 요인이었으며, 적용된 부하의 크기와는 관련성이 없다는 것을 보여준다. 교합지 자국은 치아-대-치아 접촉의 해부학적 형태, 치아 사이에 삽입된 재료의 두께, 자국 염색제의 특성, 교합면상의 물기 존재 여부, 재료의 신장성(stretch) 등의 영향을 받아 형성된다(Saad 등, 2008; Zuccari 등, 1997).

Kerstein에 의한 최신 연구에서, 치과의사는 치아의 교합지 자국을 관찰하여 내리는 주관적 해석으로는 보통의 교합력 중에서 강력한 힘을 구별할 수 없다고 하였다(Kerstein & Radke, 2013). 295명의 치과의사에게 다양한 크기의 교두감합 교합지 자국이 찍혀있는 상악 치아 구내 사진 6세트를 보여주었다. 사진마다 찍혀 있는 자국 중에서, 교합 치료 시 구강 내에서 시행하는 방법 그대로 가장 강력한 접촉과 가장 약한 접촉을 하나씩 선택하라고 하였다. 참가자들은 교합지 자국의 외형적 특성에 근거하여 각 사진마다 최대 및 최소 교합력을 선택하였다. 참가자마다 선택한 답을 동일 치아에 대한 최대 및 최소 교합 접촉을 측정한 T-Scan 객관적 교합력 데이터와 비교하였다. 참가자들은 *임상 경험 년 수, 교합에 대한 지속적 교육 횟수*를 기반으로 2개 그룹으로 구분하였다.

295명의 참가자 중 정답에 대한 평균 점수는, 12개의 가능한 정답(6개의 사진, 최대 교합력 1개, 최소 교합력 1개) 중 1,534개에 불과했다. 이 연구 결과, 대부분의 임상의가 교합지에 나타난 교합 자국의 크기와 색상을 주관적으로 해석하여 적절한 교합 부위를 선택하지 못하는 것이 확인되었다. 모든 참가자들은 12.8%의 정답률을 보였고, (295명) 참가자의 95%는 12개 중 3개 이하의 정답을 골랐다(그림 3).

위에 논의되었던 연구들을 종합해 보면, 교합지 자국에 의해서 실제적으로 낮은 힘이 강력한 힘으로 빈번히 잘못 선택될 것이다. 교합지 단독으로 다양한 교합력 수준을 해석하는 데 이용하기에는 신뢰성이 떨어진다. 모든 면에서 볼 때, 교합지 자국에 대한 주관적 해석은 교합 접촉에 관한 교합력을 구분해야 하는 임상의에게 매우 부정확한 방법이다.

최종적으로, 교합지는 접촉 크기와 위치를 묘사하는 정적인 교합 지표이지만, 교합 접촉 타이밍이나 교합 접촉력을 수량화하지 못한다(Qadeer 등, 2012; Carey 등, 2007; Saad 등, 2008; Kerstein & Radke, 2013).

Shim-Stock Foil

Shim-stock은 8mm 너비의 제전성(antistatic) 금속 폴리에스터 필름으로, 겸자를 이용하여 교합된 치아 사이에 삽입된다. 필름은 극도의 인장 강도를 가지며, 교합된 치아 사이에 "Shim-stock 유지"의 단단한 정도를 술자가(주관적으로) 판단하는 동안 탄성 시험을 받게 된다.

교합 접촉 평가에 사용되는 Shim-stock은 코팅되지 않은 것(BK38 Arti-Fol® 12μ Shimstock-film, Hanel® 8μ Shimstock foil, Langenau, Germany), 혹은 한 면만 적색 코팅된 것(BK28® Metallic Shimstock foil, Bausch, Dr. Jean Bausch Gmbh & Co. KG, Köln, Germany)이 있다(그림 4a, 4b).

Shim-stock foil은 브릿지나 크라운 등의 고정성 보철물 시적 시 치간 접촉을 평가할 때 유용하게 사용될 수 있다. 그러나, 이것은 과다한 교합력을 조절하기 위해서 더 자주 사용된다. 한 저자는, Shim-stock은 임상의에게 최첨단의 얇은 금속박과 초미세 색깔 입자의 독특한 결합으로 선명하고 분명한 교합 접촉점을 표시해 줄 수 있다고 하였다

Average Number of Correct Answers by Time in Practice

	0-5 yip	6-10 yip	11-15 yip	16-20 yip	> 20 yip	All	Random
mean	1.528	1.476	1.520	1.318	1.636	1.534	1.50
SD	1.4038	1.2923	1.1292	1.1768	1.238	1.2361	

Average Number of Correct Answers by Number of Occlusion Courses Taken

	0-3 Courses	4-6 Courses	7+ courses	All	Random
Mean	1.66	1.38	1.42	1.53	1.50
SD	0.883	0.748	0.706	1.234	
p > 0.82	*	*			
p > 0.76	*		*		
p > 0.94		*	*		

Comparison between Groups (years in practice)

yip = years in practice	p	
0-5 yip Vs 6-10 yip	0.867205	ns
0-5 yip Vs 11-15 yip	0.978179	ns
0-5 yip Vs 16-20 yip	0.477757	ns
0-5 yip Vs > 20 yip	0.680351	ns
6-10 yip Vs 11-15 yip	0.864266	ns
6-10 yip Vs 16-20 yip	0.555468	ns
6-10 yip Vs > 20 yip	0.489988	ns
11-15 yip Vs 16-20 yip	0.400081	ns
11-15 yip Vs > 20 yip	0.557058	ns
16-20 yip Vs > 20 yip	0.136142	ns

그림 3 임상 경험 년 수와 교합 교육 수료 수에 의해 구분한 그룹의 평균 정답 수. 12개의 가능한 정답 중 평균 정답 수는 모든 그룹에서 1.534로 나타났다. 주관적 해석을 기초로 교합력 수준을 선택하는 임상의의 정확도는 겨우 평균 12.8%이다. Kerstein & Radke(2013)의 허락 하에 발췌. Journal of Craniomandibular & Sleep Practice, 32(1), 13-23(www.maneyonline.com/crn)

그림 4a Miller-type 겸자에 삽입된 비코팅성 Shim-stock foil

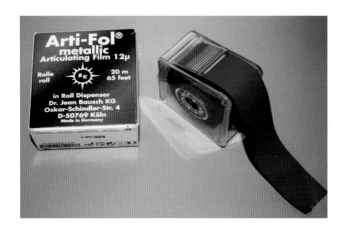

그림 4b Arti-Fol® Shim-stock foil 은 한 면에 색상 입자가 코팅되어 있다

(Parmar, 2013).

Shim-stock을 사용하여 강력한 교합 접촉 부위를 찾을 수 있다고 주장되는 방법은 대합치 사이에 위치시키고 환자에게 최대 교두감합으로 "물고 계세요"라고 지시한 후, 협측으로 잡아당겨 보는 것이다. 임상의는 Shim-stock이 제거되지 않게 저항하는 정도를 판단하여야 한다(Carranza, 2007). Shim-stock을 잡아당기는 데 필요한 제거력에 큰 차이가 없다는 연구들이 있었다(Schelb & Kaiser, 1985; Harper & Setchell, 2002). 추가적으로, 접촉을 "유지"하기 위한 저항력의 크기는 주관적이기 때문에, "유지"는 교합 조정을 위한 교합 접촉을 선택하기 위해 사용하는 지침이 되기에 곤란하다. 치아 접촉력이 보통이거나 약하면 Shim-stock이 쉽게 빠져나가기 때문에 환자의 가변성이 임상의가 유지하고 포착하는 정도에도 영향을 미칠 수 있고, 상당한 근육 긴장이 있는 경우라면 강하게 저항하며 단단하게 유지될 것이다.

한계점

Shim-stock은 힘-지도화(force-mapping), 힘 포착(force detection), 힘 기록(force reporting) 능력이 없는 비-수량화 교합 지표로, 교합 접촉 시간-순서 기록 능력도 없다. 한 연구는 조기 접촉을 발견하기 위해 Shim-stock을 사용하면, 충분한 정확성으로 초기 접촉을 구분할 수 없다고 하였다(Harper & Setchell, 2002). 무엇보다도, Shim-stock은 힘의 크기를 임상의에게 알려주지 못한다. 대신, 임상의는 제거 시의 저항감을 주관적으로 해석해야 한다. 마지막으로, Shim-stock은 선택한 치아에 접촉을 표시하지 않기 때문에, 강력한 접촉을 식별하기 위해 여전히 교합지가 필요하다. 그러므로, 교합지가 접촉을 선택하여 교합 조정을 할때 1순위의 가이드가 된다.

연구 결과

Shim-stock을 교합력 지표로 사용하였을 때의 정확성에 관한 많은 연구가 발표된 것은 아니다. 그러나, 런던대학의 Eastman Dental Institute에서 시행된 실험실 연구에서, 교합 접촉 간격이 0에서 8micron의 다른 간격에 다양한 교합력을 적용하였을 때, 치아와 수복 재료 사이에서 8micron의 Shim-stock을 당기는 데 필요한 힘에 관해 조사하였다 (Harper & Setchell, 2002). 연구자들은 요구되는 제거력을 측정하기 위해, 마모되지 않은 대구치 교두와 대합치의 연마된 아말감 사이의 Shim-stock foil을 지속적으로 잡아당기는 기계 장치를 개발하였다. 0gm에서 400gm의 부하와 0(완전 접촉), 2, 4, 6, 8-micron의 접촉 간격을 조합하여 실험하였다. Shim-stock 제거력은 교합력 상승에 따라 증가하였고, 접촉 간격이 제일 좁을 때 가장 높은 값을 보였다. 그러나, 접촉 간격이 0, 2, 4-micron일 때 두께 8 micron의 Shim-stock을 제거하는 힘에는 유의성 있는 차이를 보이지 않았다. 이 결과에 의하면, 6micron의 간격까지는 Shim-stock이 여전히 잘 잡혀있기 때문에, 아직도 "접촉 유지"로 확인될 수 있다. 8micron의 간격에서, Shim-stock을 제거할 때 마찰력이 "느껴진다"고 알려져 있기 때문에, 주관적으로 "가벼운 접촉"으로 받아들여진다. 이 연구에서 접촉을 "유지"하는 저항 수준은 주관적이고 믿을 수 없음을 지적하였고, Shim-stock 제거력은 교합력 감소를 위한 조정이 필요한 접촉을 선택할 때 사용할 수 있는 지침으로 부적당하고 하였다. 마지막으로, Shim-stock은 과학적으로 교합 접촉 타이밍이나 접촉력 수준을 평가하기에 적당한 능력이 없는 정적인 교합 지표이다.

탄성 인상재

환자의 진단 혹은 작업 모형의 정교한 교합은 보철 제작에 필수적이다. 이런 목적을 위한 여러 재료가 각기 다른 조작성과 사용 특성을 가지고 있는데, 이런 재료들이 구강에서 기공실로 교합간 기록을 항상 정확하게 포착하고 전달하는

것은 아니다. 이런 재료가 구강 내 구조를 정확하게 복제하더라도, 교합간 기록 재료의 성공적인 임상적 결과는 임상의 재료의 크기 안정성(dimensional stability), 체적 수축 (volumetric shrinkage), 찢김 강도, 탄성 회복, 유동성, 젖음성, 친수성을 조절하는 능력에 따라 달라진다.

현재 수 년간, 폴리에테르 및 부가중합 실리콘 인상재가 구내 기록 재료로 사용되고 있다. 그들은 뛰어난 구내 커버 능력, 높은 크기 정확성, 중합 시 믿을만한 체적 안정성을 가지고 있다.

폴리비닐 실록산(PolyVinyl Siloxane, PVS)은 1970년대에 소개된 인상재이다. 상업적으로 동량의 베이스와 촉매를 스파츌라로 혼합하거나, 2개의 카트리지가 있는 자동 분배 기를 이용하거나, 동량을 혼합하여 균일한 퍼티를 만들어 이용하게 된다(그림 5a, 5b). 폴리비닐 실록산은 탄성 회복성을 가진 탄성 중합체로 분류된다. PVS는 이액(syneresis; 겔을 방치할 때에 자연적으로 액체를 분리하여 수축하는 현상), 침염(imbibition; 흡수 팽윤)에 민감하지 않고, 경직성이 있어서 light-body 퍼티가 치아와 밀접하게 접촉하도록 힘을 가한다(Priyesh & Guni, 2011). 실리콘은 진단 모형을 만드는 데 사용하는 알지네이트보다 더 정확한 인상재이다.

탄성 실리콘의 현재 버전은 화학적으로 예전 버전과 유사하지만(Harper & Setchell, 2002; Millstein 등, 1975), 가소제와 촉매를 추가하여 술자의 조작성에 변화를 주었다 (Eames 등, 1979). 그러나, 이러한 변화가 크기 안정성이나 체적 수축 같은 핵심적인 물리적 특성을 변화시켰는지는 알려지지 않았다.

정적인 교합 기록을 채득할 때 발생되는 비정확성은 3개의 범주로 나눌 수 있다:

- 구강악계의 생물학적 특성,
- 재료 조작,
- 교합 기록 재료의 물리적 특성.

교합 기록 재료의 정확성에 영향을 미치는 모든 물리적 특성 중에서, 가장 중요한 특성은 멀리 위치해있는 기공소까지 이동하는 동안 시간-지연에 의해 초래된 부피 변화의 양이다(Tejo & Kumar, 2012).

그림 5a 각각의 용기에 베이스와 촉매, 계량스푼으로 공급되는 퍼티 점도의 폴리비닐 실록산 인상재

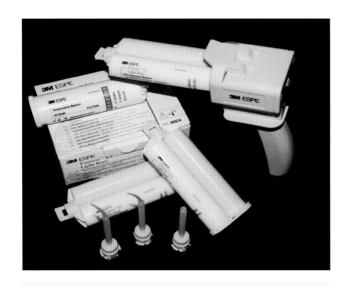

그림 5b mixing gun, 카트리지, 구내용 팁으로 구성된 탄성 인상재

한계점

실리콘 교합 기록의 정확성/비정확성은 다음과 연관성이 있다:

• 휘발성 증발에 의한 무게 감소,
• 유동성,
• 열팽창,
• 부피 안정성,
• 친수성,

• 구내 커버력,
• 재료를 혼합하고 다루는 임상의의 기술. 이 요소는 탄성 인상재의 정확성을 획득하는 데 있어서 무엇보다도 중요하다(Tejo & Kumar, 2012).

연구 결과

현재 다양한 물리적 특성과 특징을 가지고 있는 여러 종류의 탄성 인상재를 이용할 수 있다. 선택의 폭이 넓어진 만큼, 어떤 재료가 정밀성과 정확한 구내 기록을 만들어 낼 수 있는지 임상의는 딜레마에 빠지게 된다. 여러 인상재의 물리적 특성을 평가하고 비교하기 위해 많은 연구가 이루어졌고, 결과에 관해서도 다양한 의견이 있었다. 한 예로 폴리실록산에 대한 연구들에서, PVS가 Zinc Oxide Eugenol paste (DPI Impression Paste, Dental Products India, Mumbai, India)나 Alluwax (Alluwax Dental Products Co., Allendale, Michigan, USA)와 비교하여, 뛰어난 부피 안정성을 보인다는 결과가 있었다(Anup & Ahila, 2011). 그러나, 어떤 연구에서는 폴리실록산(Imprint bite, ESPE, 3M, St. Paul, Minnesota, USA)이 구내 기록의 부정확성을 야기할 수 있는 시간-의존성 부피 안정성을 가진다고 하였다.

Tejo 등이 시행한 3가지 교합 기록 재료의 부피 안정성에 대한 비교 평가에서, 폴리에테르 교합 기록 페이스트(Ramitec, 3M, ESPE, AG Dental Products, Germany), 폴리비닐 실록산 교합 기록 페이스트(Jet bite, Coltene, Whaledent, Swezerland), ZOE 교합 기록 페이스트(Super bite, Bosworth Company, Skokie, IN, USA) 중에서 24시간 후 부피 안정성은 폴리비닐 실록산(0.15%)이 가장 뛰어났다. 다른 시간 간격에서 3가지 재료의 부피 안정성 간에 유의성 있는 차이가 있었다(p < 0.05)(그림 6).

상대적으로, 폴리에테르 교합 기록 재료는 중합 후 1, 24, 48, 72시간에서 폴리비닐 실록산, ZOE 교합 기록 재료에 비해 적은 변형, 좋은 부피 안정성을 보였다(Tejo & Kumar, 2012). 그 대신에, 시간이 증가함에 따라 PVS의 부피 안정성은 감소하였다. 저자들은 폴리에테르의 부피 안정성이 가장 적당하고, 그 다음이 폴리비닐 실록산이며, ZOE에서 안정성이 가장 떨어진다고 하였다. 또한, 폴리비닐 실록산의 부피 안정성 변화는 긴 중합 시간 덕분이라고 하면서, PVS는 초기 혼합 이후 72시간 보다 더 오랫동안 지속적인 수축력을 유지한다고 하였다(0.016%).

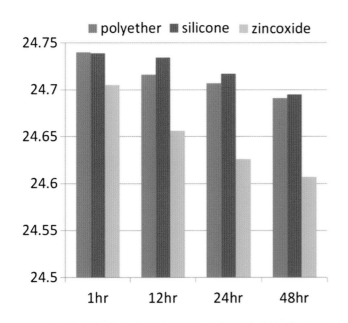

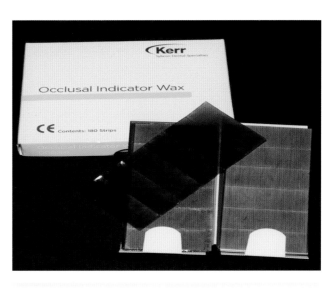

그림 7a 교합 왁스 웨이퍼

그림 6 ANOVA를 이용하여 다른 시간 간격에서 측정한 교합 기록 재료의 부피 안정성 비교. Tejo & Kumar(2012)의 허락 하에 발췌. Head & Face Medicine, 5(8), 27-35

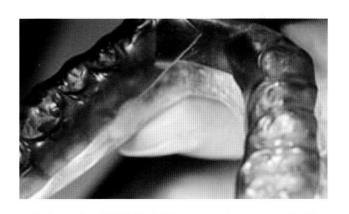

그림 7b 환자의 교합 접촉을 표현하는 교합 왁스 인기

Millstein이 시행한 3가지의 다른 실리콘-바디 교합 기록 재료를 비교하는 유사한 연구에서, 중합 시에 휘발성 기화가 일어나기 때문에, 기록이 고정되고 정확한 것처럼 보여도, 무게가 소실되고 시간의 흐름에 따라 현미경 수준의 부피 변화가 일어나게 된다는 것을 알게 되었다. 3가지 재료가 시간에 따라 무게가 감소되었고, 대체적으로 이에 비례한 정도의 부피 변화가 있었다(Millstein, Clark, & Myerson, 1975).

위에 언급한 증거들은 실리콘 교합 기록 재료는 기술에 영향을 받고, 고유의 물리적 특성과 조작 방식에 의해 정확도가 떨어질 수 있음을 보여준다. 또한 기공실에 도착하기까지 걸리는 이동 시간에 의해서 부피가 영향을 받는다. 가장 중요한 것은, 인상 채득 시에는 유동성 특성 및 구강 조직 커버력이 좋음에도 불구하고, 실리콘 인상재가 교합력이나 교합 접촉 시간-순서를 표시할 수 있다고 증명하는 연구가 없다는 것이다.

교합 왁스

1756년, Phillip Pfaff는 천연 왁스를 가지고 처음으로 교합 기록을 만들었다(Tejo & Kumar, 2012; Millstein, Clark, & Myerson, 1975). 그 이후로, 많은 왁스 재료와 기술이 교합 관계를 기록하기 위해 진화하였다(그림 7a, 7b).

왁스 스트립은 다음의 경우에 사용된다(Carranza, 2007):
- 정적인 교합 관계 수집,
- 최대 교두감합 시 교합 접촉 확인,
- 편심위 운동 시 유도선 표시,
- CR 폐구 시 초기 접촉 판단,
- 하악 운동의 질 평가,
- 치아 동요 탐지,
- 치아 마모 입증.

왁스를 이용하면, 적용된 왁스에 남아있는 자국, 천공, 근접촉(near contact)을 평가하여 환자의 교합 접촉을 확인한다.

한계점

왁스에 남아있는 자국은 정적인 교합 접촉 관계를 보여주고, 환자가 최대 교두감합으로 폐구하는 경로상 나타나는 교합 접촉 타이밍 순서나 편심위 운동에 필요한 시간에 대한 정보는 가지고 있지 않다. 커다란 왁스 천공이나 인기가 강한 교합 접촉을 제안한다고 알려져 왔지만, 실제로 왁스 자국은 교합력을 나타내지 않는다. 종종 흔들리는 치아가 왁스에 자국을 내지 않고 치주 조직 내로 움직이는 경향이 있기 때문에, 동요하는 치아를 식별하기 어렵다. 마지막으로, 알루미늄이나 구리 입자를 함유하고 있는 왁스는 37.5℃에서 2.5-22%의 유속을 가지고 있어서, 만들어진 교합 왁스를 구강에서 제거할 때 변형되기 쉽다(Anup & Ahila, 2011).

연구 결과

1756년 이후로 왁스가 교합 기록으로 사용되었음에도 불구하고, 지표로서의 유효성은 오로지 임상적인 판단에 기초한다. 왁스의 최대 장점은 냉각 시 빠르게 굳고, 스톤 모형 교합기 장착 시 크게 변형되지 않는다. 그러나, 교합 왁스가 뻣뻣하기 때문에, 녹는 점에 가까운 온도에서조차 폐구 시 높은 저항성을 가진다. 이와 같이, 왁스는 상당한 냉각 수축을 가지는 믿을 수 없는 교합 기록 재료이다(Yu & Lee, 2010; Millstein & Clarke, 1973; Millstein, 1985).

인기된 왁스의 찢어지고, 비어있고, 투명한 부분이 접촉 혹은 근접촉 부위를 의미한다고 주장되고 있다(Millstein, 1985). 그러나, 얇은 왁스는 평범한 조작 중에 찢어질 수 있기 때문에, 천공된 부위의 찢어짐이 정확하게 교합 접촉을 표시하는 것은 아니고, 천공은 근접한 치아가 있는 경우에도 쉽게 나타날 수 있다. 종종 환자 폐구력의 다양성 때문에, 왁스가 진성 교합 접촉 부위에서 천공되지 않기도 한다는 보고도 있었다(Millstein, 1985; Millstein & Clarke, 1973). Millstein은 환자의 폐구력 및 왁스 내에서 폐구 운동 유지가 왁스의 압축력에 영향을 미친다고 하였다(Millstein, 1985). 한층 더 나아가, 흔들리는 치아는 연화된 왁스에 저항하지 못하고 위치가 변경되기 때문에, 흔들리는 치아의 함입력은 주어진 교합 위치를 부인하게 된다. 게다가, 왁스를 이용하여 교합을 채득할 때, 환자 하악 폐구 시에 나타나는 왁스의 교합 인기 저항으로 인해, 악관절 내에서 일시적인 해부학적 위치 변화가 일어난다. 그러므로, 저자는 왁스의 효용성은 흔들리는 치아를 보유한 환자 및/혹은 폐구력이 감소된 환자에서 한계를 가진다고 간주하였다(Millstein, 1985).

Millstein은 또한 교합 왁스를 인상재와 비교하였고, 왁스를 교합 인기에 사용하는 것은 매우 기술 의존적이고, 주의 깊은 조작, 상당한 사용 경험, 자국이 나타내는 기록에 대한 임상적 판단, 숙련된 해석이 필요하다는 결론을 내렸다(Millstein & Clarke, 1973).

2004년, 몇 가지 교합 기록 재료의 물리적 특성을 평가한 한 연구는, 왁스의 흐름성은 온도, 적용된 교합력, 힘 적용의 지속시간, 왁스 경화 시간에 의해 많이 달라진다는 Millstein와 유사한 결론을 내렸다(Michalakis 등, 2004). 왁스를 사용하여 믿을 수 있는 교합 인기를 얻기 위해서, 저자는 임상의가 주의 깊게 제조사의 사용법을 따르고, 재료의 한계를 명심해야 함을 제안하였다.

왁스 조작 시의 난점은 중요한 임상적 단점이 되고, 따라서 왁스를 교합 인기 재료로 사용하는 것은 매우 기술 의존적이라 할 수 있다. 가장 중요한 것은, 왁스에 남겨진 천공된 부위와 자국을 근거로 한 왁스 교합 기록의 해석은 시각적으로 얻어지고 주관적으로 판단된다. 왁스는 임상의에게 수량화된 기능적 교합 정보를 제공하지 않기 때문에, 힘-지도화, 힘 포착, 힘 기록 능력은 가지고 있지 않다. 또한 교합 접촉 시간-순서를 기록할 수 있는 능력도 물론 없다.

제2부: T-Scan 컴퓨터 교합 분석 시스템의 측정 능력

저작 시에 발생하는 구강 내 힘에 관한 연구는 긴 역사를 가지고 있다. T-Scan 시스템이 도입되기 전부터 보존, 보철, 교정 치료를 시행하는 임상의들은 교합력이 어떻게 발생하는지에 대한 과학 및 이해에 상당한 관심을 가지고 있었음에도 불구하고(Maness, 1987), 교합 접촉에 대한 정밀 분석은 만족스럽지 않았다(Gazit, Fitzig, & Lieberman, 1986; Kerstein, 2008; Kerstein & Radke, 2006).

인간의 교합력 크기를 연구하기 위해 기계적 장치에서 파생된 전기적 방법을 사용하였다. 1681년, Borelli은 '교합력측정계(Gnathodynamometer)'를 고안하여 최초로 구내 저작력을 연구하였다(Brawley 등, 1938). 몇몇 연구자들

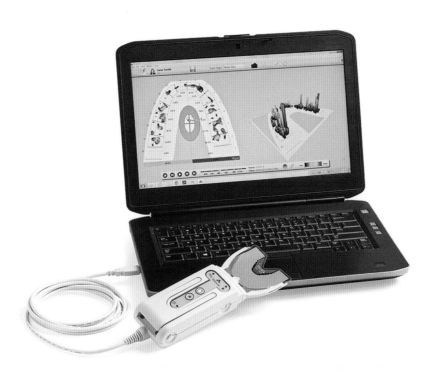

역동적인 상대적 교합력과 타이밍 데이터를 보여주는 T-Scan 8 데스크탑

은 동일한 목적으로 고안되고 발명된 보안 장치를 가지고 교합력 연구를 계속하였다. 그것들은: 레버-스프링(lever-spring), 단보격-스프링 및 레버(monometer-spring and lever), 다른 마이크로미터 장치들이다(Brawley 등, 1938; Howell 등, 1948; Andrew 등, 1967; Sandberg, 1969). 이런 전기 장치들로 절치나 대구치의 최대 교합력을 측정할 수 있다. 후에, 이런 초기의 전기적 방법은 교합력을 수량화하는 정교한 측정 능력을 보유한 Dental Prescale(Dental Prescale, Fuji Photo Film, Tokyo, Japan)이나 T-Scan 교합 분석 시스템(Tekscan, Inc., S. Boston, MA, USA)과 같은 현재의 컴퓨터 교합 분석 시스템에 자리를 내주었다.

인간의 교합력 측정에 관한 편찬물과 교과서는 전 악궁 내의 정적인 지점에서 측정되거나 단일 치아의 완전 교두 감합으로부터 개구 수직 고경에서 만들어진 힘 곡선 측정에 근거한다(Kerstein, 2010). 매일의 임상에서 교합 분석은 앞 장에서 설명한 것처럼 교합 접촉력이나 시간-순서 교합 접촉을 수량화하는 능력이 없는 정적인 교합 지표(채색된 교합지 자국, 왁스 인기, 채색되지 않은 Shim-stock foil)를 이용하여 교합 접촉을 표현하는 데에 한정된다. 과학적 증거는, 교합 상에 존재하는 조기 접촉 및 높은 힘 접촉이 임상의에 의해 종종 부정확하게 식별되거나 그릇된 위치로

파악됨을 명백하게 밝혀냈다(Kerstein & Radke, 2013). 교합 측정 기술에 관해 지난 30년간 많은 발전이 있었음에도 불구하고(그림 8), 임상의가 교합 접촉력이나 접촉 타이밍을 측정할 수 없는 비-디지털 교합 지표를 주관적으로 해석하기 때문에, 임상적 문제점이 현재까지 지속적으로 발생하고 있다.

대안적으로, T-Scan 컴퓨터 교합 분석 시스템 기록은 (압력 감작성의 전기적으로 충전되는 기록 센서를 이용하여) 실시간으로 폐구 교합 접촉 순서, 각 악궁 내에서 발생하는 조기 및 빠른 교합력 증가의 존재 여부, 과다한 교합 접촉력의 정확한 위치를 기록한다. 또한 T-Scan은 모든 교합하는 치아에 가해지는 최대 힘과 연관된 각 치아의 교합력 비율을 확실하게 보여준다(Koos, Godt, Schille & Göz, 2010). T-Scan Ⅲ는 각 반-악궁 혹은 임상의의 관심 4분악 내의 각 치아에 가해지는 교합력이나 교합 접촉 순서를 0.003초 간격으로 객관적으로 측정하고 기록하는 정교한 교합 분석 기술이다.

Koos는 악궁 내의 교합 분석 및 힘 분산 기록에 대한 T-Scan의 정확성을 평가하였다. 저자는 압력 감도의 전기로 충전되는 센서를 사용하는 것은 "충분히 정교하다"고 보고하였다(Koos 등, 2010). T-Scan의 측정 정확성과 재현성은

통계적으로 산정되고 비교되었고(Bland & Altman, 2003), 모든 측정치의 95%는 실제값과 1.96배 측정 오차 이하 범위였다. 42명의 참가자를 5회씩 반복적으로 기록했을 때, 반복된 측정 사이의 보고된 힘 차이(신뢰도)는 2.8%에 지나지 않았다. 기록 센서를 구강 내에 재위치 시키거나 다른 센서로 교체하여 기록했을 때, T-Scan의 힘 재현 가능성에 유의성 있는 차이는 보고되지 않았다. 이 연구에서 T-Scan Ⅲ는 반복되는 기록 내에서 약간의 힘의 값 차이만을 보였고, 반복적으로 예견성있게 실제 힘의 값을 찾아냈다.

광-교합(photo-occlusion) 기술로 알려진 교합력을 기록하는 또 다른 전기적 방법은 교합 접촉의 정적인 시각적 기록을 보여준다. 광-교합은 단단한 왁스 재료를 사용하여 교합을 검사하기 때문에, 왁스의 저항성으로 인해 환자가 쉽게 재료에 자국을 남기기 어렵고, 실제 교합력을 확실하게 측정하기 어렵다. Prescale System(Dental Prescale, Fuji Photo Film, Tokyo, Japan; Occluzer, GC Corp., Tokyo, Japan; Occluzer FPD-703; Fuji Film Co., Tokyo, Japan)으로 알려진 교합 진단 시스템은 0.098mm의 유연성 있는 압력 감작성 시트를 환자의 MIP에서 인기시켜 분석 컴퓨터로 해독하고, 교두간 위치에서 교합력 균형을 예측하여 평균 압력, 교합 접촉 부위, 압력 측정 범위 내에서 교합 접촉력 비율을 결정한다(Sadamori 등, 2007). Prescale은 치아 자국 깊이나 윤곽의 모양으로 나타나는 정적인 절대적 힘 특성을 나타내는 정적인 힘 기록 매체이다. 그러나, 데이터 복구 과정이 T-Scan 시스템의 기록된 데이터 소환보다 훨씬 오래 걸리므로, 임상에서 일상적으로 사용하는 데 결정적인 단점이 된다. Prescale 시스템의 한 가지 장점은 절대적 힘을 기록할 수 있다는 것이지만, 가장 결정적인 단점은 교합 접촉 타이밍 순서를 기록하고 보고하는 능력이 부족하다는 것이다(Koos, 2010).

T-Scan 컴퓨터 교합 분석 시스템

교합 진단에 T-Scan 시스템을 이용할 때, 모든 기록된 교합 접촉 시간과 힘 정보를 모으는 매체가 시스템의 기록 센서이다. 1세대(G1)의 파란색 센서는 1984년에 개발되었다(Maness 등, 1984). 센서는 압력 감작성 잉크 망을 감싸는 악궁 형태의 에폭시 기질로 구성되었다. 센서를 구강 내로 삽입하고 교합력을 부하하면, 센서가 연결된 소프트웨어에 실시간 교합 접촉 순서와 상대적 교합력 정보를 전달하고,

힘을 0.01초 단위로 16단계에 걸쳐 해석하게 된다(Maness 등, 1984). 센서가 기록한 교합 접촉의 전 사건에 대한 결과적인 교합 데이터를 힘 스냅샷 혹은 연속적인 Force Movie로 2차원 혹은 3차원적으로 보여준다(Maness, 1989).

T-Scan Ⅰ 시스템과 G1 센서를 이용하여 시행한 초기 연구들은 센서의 물리적 특성의 가변성뿐만 아니라 기록 능력의 모순을 밝혀냈다(Patyk, Lotzmann, Paula, & Kobes, 1989; Patyk, Lotzmann, Scherer, & Kobes, 1989; Yamamura & Takahashi, 1990). T-Scan 센서의 2번째 세대(G2)가 1992년에 공개되면서 센서 디자인이 향상되었다. G2 센서는 G1에 비해 더 얇고 유연하다. G2를 이용한 연구는 시간 측정과 접촉 위치 파악 모두에서 센서의 신뢰성이 많이 향상되었음을 보고하였다(Cartagena 등, 1997; Sequeros 등, 1997). 1998년, T-Scan Ⅱ 시스템이 Windows 플랫폼(Windows 95, Microsoft Inc., Redmond, WA, USA)에서 운영되도록 재개발되었다. T-Scan Ⅱ는 4-bit 해상도를 가진 Ⅰ에 비해 8-bit로 교합 데이터를 기록할 수 있다. 이런 개선으로 T-Scan의 측정 및 기록 능력이 16단계에서 256단계로 발전하게 되었다. 이런 업그레이드로 임상의가 더 미묘한 힘의 차이와 보다 넓은 범위의 교합 접촉력 차이를 관찰하는 것이 가능해졌다.

1997년 센서가 다시 변경되어, 3세대(G3)가 탄생하였다. G3 센서는 새로운 특허의 저항성 잉크를 사용하여, 센서의 이력현상(hysteresis), 드리프트, 재현가능성이 향상되었다. G3 센서는 Mylar 사이에 저항성 잉크의 종횡 막대 망을 함유한 Mylar의 2층으로 구성되어 있다. 종횡 막대의 각 교차점은 하나의 감각 요소("sensel"로 알려진)로써, 센서의 힘과 시간을 기록하는 원소이다.

환자가 센서 표면으로 교합하여 기록하는 동안, 각 sensel에 가해진 힘은 전도성 잉크의 저항에 변화를 초래하게 되고, 각 부하된 sensel의 전압이 떨어지게 된다. 하드웨어(병렬 전자기기)는 센서에 전류를 공급하고, 센서에의 신호를 조절하고, 치아가 접촉하는 동안 센서를 통해 다양한 전압 하강이 나타나면서 데이터를 획득한다(Kerstein, 2010).

그 후, 2002년에 G3 센서 디자인을 변경하였는데, sensel의 수를 33% 정도 증가시켜 좀 더 활동적인 감각 요소를 포함하면서 동시에 sensel 사이의 비활동성 부위를 50% 감소시켰다. 이 4세대 디자인은 "고해상(HD; high definition)" 센서로 알려져 있는데, sensel이 좀 더 근접하게 위치함으

로써, 접촉하는 교합면의 다양한 교두 형태에 존재하는 치아 접촉을 명확히 하는 동시에 sensel 사이의 비활동성 부위가 아닌 sensel 상에 더 많이 접촉하게 된다. 이로써 반복되는 교합 기록 시에 좀 더 일관적인 힘 재생산을 제공하기 때문에 G3 센서에 비교하여 많은 개선이 있었다(Kerstein, Lowe, Harty & Radke, 2006). HD 센서는 6가지의 다른 교합 접촉에서 24회 시도 중 최소 20회라는 매우 낮은 변동성으로 일관된 상대적 교합 크기를 기록하였다. G3에 비해, HD 센서는 힘의 디지털 산출의 변화폭도 좁았다. 이 연구의 데이터는 HD 센서로 생산된 구내 기록은 예전의 G3 센서를 이용했을 때 보다 향상된 데이터 포착을 주목하고 있다. 밀접하게 위치된 sensel이 기록 중에 발생하는 주름 변형을 더 잘 보완하기 때문에, 근접된 sensel로 변동이 적은 힘이 기록되었다(Kerstein 등, 2006).

HD 센서와 T-Scan III/8 교합 분석 시스템의 반복적인 측정 능력은 효과적이고 정확하게, 교합 조절 치료 중에 임상의에게 지나치게 강력한 교합 접촉을 분리하고 알려준다. T-Scan의 상대적인 힘 포착 방법은, 종종 환자의 교합 감각과 피드백이 반영되는 정적인 교합 지표에 대한 임상의의 주관적 해석보다 훨씬 우월하다. T-Scan이 상대적 교합력과 타이밍 분석과 관련하여 임상의에게 제공하는 정보와 비교하여, 비-디지털 교합 지표(교합지, Shim-stock foil, 실리콘 인상 기록, 교합 왁스)는 접촉 위치만을 구별할 수 있고, 역동적인 교합 기능 동안 실제로 나타나는 교합력의 다양성을 기록하거나 포착하지 못한다.

T-Scan 시스템의 발전 과정에 대한 좀 더 자세한 설명을 원한다면, 제 1장을 참고하기 바란다.

제3부: 토론

최대 침습(주관적 해석) vs. 최소 침습(컴퓨터-유도) 교합 접촉 선택

치과의사가 지나치게 강력한 교합 접촉을 식별하기 위해 교합지 자국의 깊이나 크기를 주관적으로 판단하여 시행하는 교합 조정은 잘못된 접촉 선택을 야기할 수 있다. 이런 현상은 교합지 자국의 크기나 색상이 정확한 교합 접촉력을 반영하지 않기 때문에 야기된다. 임상의에 의한 교합 접촉력 진단 오류는 직접적으로 교합 조정 치아의 잘못된 선

택으로 연결될 것이다. 그릇된 치아 선택과 연이은 잘못된 교합 조정으로 상당히 까다로운 교합 조정 합병증이 발생하게 될 것이다(Kerstein & Radke, 2013):

• 불필요한 부위의 과다한 치아 구조 삭제로 법랑질이 약해지고 얇아져 치아 과민증 초래.

• 다양한 종류의 교합면 수복 재료가 얇아지고 약화되어, 조기 치료 실패나 수복물의 수명 단축 초래.

• 잠정적으로 환자가 느끼는 교합 시 안정감 감소로, 교합에 의해 발생하는 치아 통증 및/혹은 전에 없던 악관절 질환의 갑작스런 발병.

• 교합지 자국이 임상의에게 "강력해 보이지"않기 때문에 과도한 교합력 부위를 치료하지 않음으로써, 과도한 힘을 제거하지 못하여 국소화되고 장기화된 과도 교합력의 계속 존재. 이로 인해 치아 파절, 교모, 치아 동요, 굴곡파절(abfraction), 치은 퇴축, 치조골 소실, 임플란트 주위골 소실 등이 초래될 수 있다.

주관적 해석은 임상의의 부적절한 교합 선택을 유도하기 때문에(Kerstein & Radke, 2013), 교합 조정을 시행할 때 최대 침습적인 치료 접근법이 된다. 불균형한 교합이나 중심성 및 편심성 조기 접촉이 치료되지 않은 상태로 남게되어, 치근 수직 파절, 임플란트 조기 소실, 치주 조직 과부하를 유발할 수 있다(Cartagena, 1997; Garrido-Garcia, 1997; Kerstein 등, 2006). 주관적 판단으로 그릇된 접촉을 선택하는 것은 직접적으로 불균형한 교합의 형성을 초래할 수도 있다.

대신에, T-Scan 분석에 의해 생산된 수량화된 교합 데이터는 악궁 내 지나치게 강력한 접촉 위치를 정확하게 식별해준다. 이런 강력한 접촉 결정은 교합 접촉력의 강도 및 교합 접촉력 비율에 근거한다. 이런 방법을 이용하면 실제적으로 지나치게 강력하여 교합 수정이 반드시 필요한 접촉이 객관적으로 겨냥되고, 비-문제성 교합 접촉은 치료되지 않은 채 남겨지게 된다. 교합지 자국으로 나타나는 임상적 외관에도 불구하고 접촉 선택 과정에서 주관성을 배제함으로써, 치료가 필요하지 않은 부위에 대한 과다한 교합 치료를 수행하지 않게 된다(Kerstein & Radke, 2013).

비-주관적(객관적)으로 수량화된 교합 지표(컴퓨터 교합 분석)를 기준으로 교합 조정 치료가 필요한 치아 접촉을 선택하면 조정이 필요한 접촉만 겨냥하기 때문에, 좀 더 포

괄적인 최종-결과를 얻게 될 것이다. 이 컴퓨터-유도 방법은 교합지 자국에 의존한 주관적 해석 접근의 최대 침습적인 방법에 비해, 최소 침습 치료 접근법을 제공한다.

제4장: 비-디지털 교합 지표를 능가하는 컴퓨터 교합 분석의 장점

임상의에게
수량화된 시간-순서와 힘-지도화
컴퓨터 교합 분석 기술은 대상자가 레코딩 센서를 통해 교합할 때, 폐구 시 1번째 접촉점에서부터 최대 교두감합에 이르는 순서를 기록한다. 이 폐구 데이터는 치아가 완전한 교두감합에 이르기까지 필요한 시간을 분석하고 해석하는 데 이용될 수 있고, 힘 지도화 데이터는 객관적으로 강력한 교합 접촉을 구분하는데 사용될 수 있다. 힘 데이터는 전후방 및 악궁의 좌우 각 치아에 가해지는 비율로 표현된다. 역동적인 3D 및 2D 그래픽 디스플레이가 환자의 이해를 돕기 위한 종합 교육 도구로 제공되고, 임상의에게는 정확한 교합 진단과 올바른 조정에 사용될 수 있는 객관적이고 수량화된 교합력과 타이밍 데이터가 제공된다.

객관적이고 믿을 수 있는 데이터에 근거한 정교하고 목표된 교합 조정
T-Scan 교합력과 타이밍 데이터는 일상적으로 사용하였던 교합지 자국, Shim-stock 저항감의 주관적인 해석 과정을 배제한다. 데이터는 지나치게 강력한 접촉 위치를 정확하고 정밀하게 찾아내어, 작은 힘의 파란색 짧은 막대부터 큰 힘의 빨간색 및 분홍색 긴 막대까지 다양한 키의 막대로 3D Force View 창에 분석 결과를 표현한다. 2D Force View 창에는 각 반-악궁 내 4분악 마다 각 치아의 힘의 비율을 표시하는데, 양측의 시간 및 힘 동시 발생성, 양측의 힘 균등성, 전체적인 교합력 분포에 대해 임상의가 객관적으로 진단하게 도와준다. T-Scan을 구내 접촉을 표시하는 교합지 인기와 같이 사용하면, 임상의는 교합지 자국이 예상한 바와 같이 진정한 *힘의 상황*인지, 즉 센 교합력인지 약한 교합력인지 확인할 수 있다.

교합 조정 동안 증가된 정확성과 임상적 결과
컴퓨터 스크린에 나타난 수량화된 시각적 교합 데이터는 임상의에게 악궁 내에서 교합 조정이 필요한 정밀한 위치를 정확하게 지정해준다. 이런 시각적 디스플레이는 임상의의 조정 결과에 대한 정확성을 향상시킬 뿐만 아니라, 환자의 집중과 호기심을 이끌어낸다. 환자는 다양한 색상(녹색은 적당한 힘; 노란색은 적당하게 강한 힘; 빨간색은 강한 힘; 분홍색은 알 수 없을 정도의 강한 힘)으로 나타나는 강한 힘의 부위를 이해할 수 있고, 시각적으로 자신의 불균등한 교합력 분포를 평가할 수 있게 된다. 이렇게 환자의 적극적인 협조와 이해로 조정 치료에 필요한 환자의 수용을 쉽게 얻게 되고, 임상의는 환자 관리가 용이해진다.

Follow-up 예약 감소로 전체적인 진료 시간 감소
임상의가 T-Scan을 이용하여 모든 해로운 과다 교합력을 조정하고 꼼꼼하게 교합의 균형을 잡으면, 환자가 재-조정을 위해 내원할 가능성이 줄어든다. 임상의가 단독으로, 주관적인 비-디지털 교합 지표에 의존하여 교합을 조정하면, 종종 원치 않는 환자의 재방문이 흔하게 발생한다. 새로운 보철물을 장착하고 "높다" 혹은 "편하지 않다"고 호소하는 환자들은 만족하지 못하면서도, 종종 불편감을 유발하는 부위의 위치를 정확하게 지적하지 못한다. 종종 임상의들은 환자의 불편감을 제거하여 요구를 만족시키기 위해 과다한 교합 부위를 찾는데 너무 많은 시간을 소비한다. 일반적으로 계획되지 않은 재-처치 내원은 '*진료비 수납 없이*' 이루어진다. 이런 잠정적으로 미해결된 교합 문제는 임상의를 좌절시키며 비생산적이기도 하다. 컴퓨터 분석을 이용한 교합 균형은 이런 원치 않는 방문을 감소시키고, 전체적인 재-조정에 따른 진료 시간을 감소시킨다.

재료와 보철물 실패와 연관된 비용 절감
교합 과부하는 보철물 파절, 수복물 탈락, 재료 파손, 최종 보철물 실패에 대한 주요 기여 요소 중 하나이다. 보철물 사용 기간 혹은 새 보철물 장착 후 환자가 적응하는 과정에 따라 보철물 재제작과 수리에 대한 비용이 결정된다. 기공소에서 재제작에 대한 비용은 경우에 따라 임상의가 부담하기도 한다. 보철물 장착 시 컴퓨터 교합 분석을 사용하면 치료 마무리의 결과를 향상시켜, 보철물과 재료의 수명이 연장되고, 환자의 만족도가 높아진다. T-Scan은 미래의 보철물 실패나 위해를 유발하는 교합력으로부터 임상의를 해방시켜준다.

환자에게

환자 자신의 교합 상태에 대한 전반적인 가시화

컴퓨터 교합 분석은 환자의 교육을 돕고 환자 자신의 교합에 대한 관심을 유도하여, 보다 나은 치료 결과를 위한 동기 부여를 촉진한다. T-Scan 데스크탑이 보여주는 기능적 하악 운동 기록의 역동적인 2D, 3D Force View는 환자에게 자신의 교합 문제를 시각화하여 보여준다. 데이터를 전방 및 후방으로 재생하여 환자의 관심과 호기심을 자극하여, 교합 조정 과정의 필요성을 환자에게 인식시키는 데 도움이 된다. 환자는 그들 자신의 교합 기록을 보고, 교합 문제 해결에 대한 주인의식을 가지고 기꺼이 참여하게 된다. 진동하고 움직이는 파란색, 노란색, 녹색, 빨간색, 분홍색 막대들이 교합력 강도의 변화를 보여줌으로써, 임상의가 환자 교육에 사용할 수 있는 포괄적인 시각적 도구가 된다. 일단 환자가 실시간으로 치아가 교합되는 기록을 보고 나면, 자신을 위해 좀 더 균형잡힌 교합을 얻기 위한 치료를 찾게 될 것이다.

측정 능력으로 인한 최소 침습적 치료

T-Scan 시스템의 힘을 수량화하고 측정하는 능력은 임상의에게 과다한 교합 접촉력의 위치를 보다 객관적으로 명확하게 제공한다. 이는 정말로 치료를 필요로 하는 치아의 정교한 조정을 가능하게 한다. 조정이 필요한 치아만을 겨냥하기 때문에, 강력하지 않은 교합 접촉의 건강한 치아 구조를 제거할 가능성이 확실하게 최소화된다. 이를 통해, 교합지 자국 크기, 왁스에 남은 인기, Shim-stock의 저항력 등을 바탕으로 임상의가 주관적으로 시행한 교합 조정과 비교했을 때, 환자는 상당한 치료 개선을 경험하게 된다. 컴퓨터 교합 분석은 도덕적이고 최소 침습적 교합 조정을 제공하여, 조정 치료가 필요없는 치아 구조에 대한 불필요한 치료가 배제된다.

보철 치료 결과의 향상

T-Scan 기록이 제공하는 측정된 힘과 시간 순서 덕분에, T-Scan을 이용하여 보철물을 확인하면 새로 장착되는 보철물에 가해지는 교합력의 양과 분산을 더 잘 조절할 수 있다. 크라운, 브릿지, 의치, 임플란트-지지 보철물 모두 교합 접촉을 측정하고 조정하여, 과부하되는 교합력에 의한 장기간의 치명적인 결과를 최소화할 수 있다. T-Scan은 교합 조정을 유도하기 위해 수량화된 상대적 교합력과 시간-순서 데이터를 제공하여 임상의의 보철물 장착 능력을 만족스럽게 향상시킨다. 이런 과정은 보철물의 균형이 잘 잡히고 동시 접촉되게 하여, 새로이 장착된 보철물에 대한 환자의 만족도를 향상시키는 데 도움이 된다.

필요한 예후 관찰 진료 감소

컴퓨터-유도 교합 조정은 장착 후 교합 조정 시간을 단축시키고, 불필요하고 종종 실망스러우며 원치 않는 교합 조정 진료를 덜어줄 수 있다. T-Scan 데이터를 사용하여 보철물 장착 시 교합 조정을 시행하면 follow-up을 위한 환자의 내원 필요성을 감소시킬 수 있다.

해결 방안 및 권고 사항

전세계적으로 시행되는 치과 치료 방법이 빠르게 변화하면서, 새롭게 떠오르는 기술과 혁신적인 재료가 많이 소개되고 있다. 이런 발달은, 치료 과정을 단순하게 하고 결과물의 비용-대비-효과를 향상시켜, 임상의와 기공사 모두에게 꾸준히 영향을 미치고 있다. 치의학의 디지털화는 보다 적은 시간에 뛰어난 수복 결과물로 환자를 치료할 수 있게 다듬는다. 치과 연구에 참여한 많은 기술적 진보와 함께, 증거 바탕의, 경제적인, 예상 가능한, 지속적인, 신뢰할 수 있는 치료 프로토콜은 CAD/CAM 기술, 디지털 진단 지원, 구내 영상화, 레이저, electronic shade-matching, 컴퓨터 TMJ 및 교합 진단을 사용하면서 발달하였다. 이런 모든 디지털 진보들은 현재 시행되고 있는 치과 치료법에 혁명을 일으키고 있다.

T-Scan 교합 분석 기술은 비-디지털 전통적인 교합 지표에 역동적이고 수량화할 수 있는 측정값을 추가한다. 다양한 교합력 크기를 정확하게 수량화하는 능력은 교합지 자국에 대한 부정확한 주관적 해석을 축출하고, 대신에 진성으로 강력한 교합지 자국을 수량화하는 객관적인 힘 데이터를 제공한다. 이런 수량화는 자연치, 고정성 및 가철성 보철물, 임플란트-지지 보철물에서 이루어진 교합 조

정 과정의 정확성과 질을 상당히 향상시킨다. T-Scan을 사용하면, 임상의는 더 이상 교합지 자국, 왁스에 남은 인기, Shim-stock의 저항, 환자의 '느낌'에 대한 표현에 근거하는 주관적 해석을 내리지 않아도 된다. 실시간으로 기록된 반복적이고, 정교한 교합 데이터는 임상의가 좀 더 예견 가능한 교합 결과를 이끌어 낼 수 있게 할 것이다.

반대로, 정적인 비-디지털 교합 지표는 조작이나 기록 특성에 따라 상당히 달라져서, 모두 위양성(false-positive) 자국이 인기되고, 교합 접촉의 재현성이 부족하고, 상당한 교합 접촉점 크기 변화를 보인다(Zuccari 등, 1997). 더욱이, 전통적으로 시행된 교합 조정 시, 임상의의 결함이 있는 주관적 해석 기술(Kerstien & Radke, 2013)이나 환자의 '느낌' 표현 그 어느 것도 정확하게 과도한 교합 접촉점을 찾아내지 못한다. 위에 언급된 정적인 비-디지털 교합 지표가 환자 치료를 위해 제공하는 내용에 한계가 있기 때문에, 이러한 한계에 직면한 치의학 분야에서 저자는 임상적인 비-디지털 지표와 교합 측정의 많은 장점을 가진 T-Scan 시스템을 결합시킬 것을 권유한다. 치의학계에, 교합 진단 및 교합 조정 치료 모두에서 T-Scan이 기준이 되는 시대가 도래하고 있다.

미래의 연구 방향

T-Scan 기술은 근 30년간 상업적으로 이용 가능했고, 상대적 교합력 및 교합 시간 순서를 측정하는 T-Scan의 수행 능력에 관한 연구 결과가 충분히 발표되었다. 그러나, 통상적인 정적인 교합 지표와 T-Scan를 사용한 교합적으로-연관된 임상 병리의 치료에 관한 연구에서, T-Scan 치료 결과의 장점에 대한 더 많은 연구가 필요하다.

변화 혹은 새롭게 떠오르는 트렌드는 종종 저항과 비평과 마주하게 된다. T-Scan Ⅰ에서 시작한 T-Scan의 경우도 그러하였다. 그러나, 교육 워크샵을 통해 임상의에게 증거-바탕의 정보를 제공하고자 하는 지속적인 노력으로, T-Scan을 전세계 치과 공동체에 전파하는데 도움을 주고 있다. 앞으로는 임플란트, 악관절 질환, 치주, 교정, 보철과 T-Scan의 연관성에 대한 연구로 오랜 기간 연체된 판도 변경을 유발하여, T-Scan이 치과 교합의 최전방으로 이동하는데 기여하게 될 것이다.

결론

T-Scan 컴퓨터 교합 분석 기술은 임상 분석을 위해 실시간으로 상대적 교합력 차이를 측정하여, 임상의에게 수량화된 교합 기능 데이터에 근거한 정교한 교합 조정 능력을 제공한다. T-Scan은 접촉하는 대합치 한 세트의 교합력이 다른 접촉 치아들의 교합력보다 더 큰 지, 같은 지, 적은 지를 찾아낸다. 상대적 교합력 차이를 간파하여 불균형한 교합의 균형을 잡고, 교합에 존재하는 과다하게 높은 교합력 집중 부위를 진단한다(Kerstein, 2010).

이번 장에서는 T-Scan 기술이 증거-바탕의 반복적인 기능적 교합 접촉 시간과 힘 데이터를 제공하는 방법에 관해 자세하게 기술하였다. 또한, 많은 전통적인 비-디지털 교합 지표는 임상의의 주관적 해석을 필요로 하기 때문에, 임상이나 환자에게 정교한 기능적 교합 데이터를 제공할 수 없다는 것도 자세하게 설명하였다. 이것은 비-디지털 교합 지표 사용의 치료 결함을 대표한다.

대신에, T-Scan 기술은 종종 임상의와 환자에게 비-디지털 교합 지표를 사용하지 않는 정확한 교합의 장점을 제공한다. 임상의가 T-Scan 시스템을 비-디지털 교합 지표와 같이 사용하면 교합을 조정하는 동안 환자 교합 치료의 질이 드라마틱하게 증가하게 될 것이다. 마지막으로, T-Scan 시스템을 교합 진단과 조정에서의 치료 기준으로 사용할 것을 권고하는 바이다.

참고문헌

- Andrew, L.B., & Aero, B. (1967). Margins of safety for forces on the human dentition. *Journal of Prosthetic Dentistry,18*, 261-266.
- Anup, G., Ahila, S.C., & Vasanthakumar, M. (2011).Evaluation of dimensional stability, accuracy and surface hardness of interocclusal recording materials at various time intervals: an in vitro study. *Journal of Indian Prosthodontics, 11*(1),26-31.
- Brawley, RE., & Sedwink, H.J. (1938). Gnathodynamometer. *American Journal of Orthodontics, 24*, 256-258.
- Carey, J.P., Craig, M., Kerstein, R.B., & Radke, J. (2007). Determining a relationship between applied occlusal load and ar-

ticulation paper mark area. *The Open Dental Journal*, *1*,1-7.

• Cartagena, A.G., Sequeros. O.G., & Garrido-Garcia, V.C. (1997). Analysis of two methods for occlusal contact registration with the T-Scan system. *Journal of Oral Rehabilitation*, *24*,426-432.

• Conrad, H.J., Schulte, J.K., & Vallee, M.C. (2008). Fractures related to occlusal overload with single posterior implants: a clinical report. *Journal of Prosthetic Dentistry*, *99*,251–6.

• Dawson, P.E. (2007). *Functional Occlusion: From TMJ to Smile Design*. St. Louis, MO: CV Mosby, pp. 47.

• Eames, W.B., Wallace, S.W., Suway, N.B., & Rogers, L.B. (1979). Accuracy and dimensional stability of elastomeric impression materials. *Journal of Prosthetic Dentistry*, *42*, 159-162.

• Glickman, I., & Carranza, F.A., Jr. (1979). *Glickman's Clinical Periodontology: Prevention, diagnosis, and treatment of periodontal disease in the practice of general dentistry*. 5th ed. Philadelphia,PA: W. B Saunders Co. pp. 951.

• Gazit, E., Fitzig, S., & Lieberman, M.A. (1986). Reproducibility of occlusal marking techniques. *Journal of Prosthetic Dentistry*, *55*,505-9.

• Garrido-Garcia, V.C., Cartagena, A.G., & Sequeros, O.G. (1997). Evaluation of occlusal contacts in maximum intercuspation using the T-Scan system. *Journal of Oral Rehabilitation*, *24*,899-903.

• Halperin, G.C. (1982).Thickness, strength and plastic deformation of occlusal registration strips. *Journal of Prosthetic Dentistry*, *48*,575–578.

• Harper, K.A., & Setchell, D.A. (2002). The use of Shim-stock to assess occlusal contacts, a laboratory study. *International Journal of Prosthodontics*, *15*, 347-52.

• Howell A.H., & Manly, R.S. (1948). An electronic strain gauge for measuring oral forces. *Journal of Dental Research*, *27*,705-712.

• Kerstein, R.B., Lowe, M., Harty, M., & Radke, J. (2006). A Force reproduction analysis of two recording sensors of a computerized occlusal analysis system. *Journal of Craniomandibular Practice*, *24*(1),15-24

• Kerstein, R.B. (2008). Articulating paper mark misconceptions and computerized occlusal analysis technology. *Dental Implantology Update*, *19*, 41-6.

• Kerstein, R.B. (2008). T-Scan III applications in mixed arch and complete arch, implant -supported prosthodontics. *Dental Implantology Update*,*19*,49-53.

• Kerstein, R.B. (2010). Time-sequencing and force-mapping with integrated electromyography to   measure occlusal parameters. In A. Daskalaki (Ed.), *Informatics in Oral Medicine*, (pp. 88-110), Hershey, PA: IGI Global Publishers.

• Kerstein, R.B., & Radke, J. (2013). Clinician accuracy when subjectively interpreting articulating paper markings. *Journal of Craniomandibular & Sleep Practice*, *32*(1), 13-23

• Kleinberg, I. (1991). Occlusion practice and assessment. Oxford (UK):Knight Publishing, pp.128.

• Koos, B., Höller, J., Schille, C., Godt, A. (2012). Time-dependent analysis and representation of force distribution and occlusion contact in the masticatory cycle. Journal of Orofacial Orthopedics. May, 73(3), 204-214.

• Koos, B., Godt, A., Schille, C., & Göz, G. (2010). Precision of an instrumentation-based Method of Analyzing Occlusion and its Resulting Distribution of Forces in the Dental Arch. *Journal of Orofacial Orthopedics*, *71*(6), 403-410.

• Malone, W.F.P., & Koth, D.L. (1989). *Tyllman's Theory and Practice of Fixed Prosthodontics*. *Ed 8,* St. Louis, MO: Ishiyaku. EuroAmerica, pp. 273-282.

• Millstein, P.L., Clarke, R.E., & Kronmen, J.H. (1973). Determination of the accuracy of wax interocclusal registrations. Part II, *Journal of Prosthetic Dentistry*, *29*, 40-45.

• Millstein, P.L., Clark, R.E., & Myerson, R.L. (1975). Differential accuracy of silicone body interocclusal records and associated weight loss due to volatiles. *Journal of Prosthetic Dentistry*, *33*, 649–654.

• Millstein, P.L. (1983). An evaluation of occlusal contact marking indicators: a descriptive,   qualitative method. *Quintessence International Dental Digest*, *14*, 813-826.

• Millstein, P.L. (1985). An evaluation of occlusal wax indicators. *Journal of Prosthetic Dentistry*, *53*(4), 570-573.

• Millstein, P., & Maya, A. (2001). An evaluation of occlusal contact marking indicators. *Journal of American Dental Association*, *132*, 1280-1286.

• Michalakis, K.X., Pissiotis, A., Anastasiadou, V., & Kapari, D. (2004). An experimental study on particular physical properties of several interocclusal recording media. Part II: Linear Dimensional change and accompanying weight change. Journal of Prosthodontics, 13,150-159.

- Maness, W.L., & Podoloff, R. (1989). Distribution of occlusal contacts in maximum intercuspation. Journal of Prosthetic Dentistry, 62(2), 238-242.

- Maness, W.L. (1989). Force Movie, a time and force view of occlusion. *Compendium of Continuing Education in Dentistry*, *10*, 404-408.

- Parmar, A. (2013). Articulating papers and occlusal tips. *Dental Tribune, United Kingdom Edition*. pp. 14-16

- **Patel, P.& Guni, A. (2011).** A student's guide to dental materials: first impressions. Retrieved December 19, 2011 part 1. http://thedentalstudent.co.uk/first-impressions_1/

- Patyk, A., Lotzmann, U., Scherer, C., & Lobes, L.W. (1989). Comparative analytic occlusal study of clinical use of the T-Scan system, *ZWR Zahnarztliche Welt*, Zahnarztliche Rundschau, Deutsche Zahnarzteblatt, *98*, 752-755.

- Qadeer, S., Kerstein, R.B., Yung-Kim, R.J., Huh, J.B., & Shin, S.W. (2012). Relationship between articulation paper mark size and percentage of force measured with computerized occlusal analysis. *Journal of Advanced Prosthodontics*,4, 7-12.

- Schelb, E., Kaiser, D.A., & Brukl, C.E. (1985). Thickness and marking characteristics of occlusal registration strips. *Journal of Prosthetic Dentistry, 54*, 122-6.

- Sandberg C.L., Jr., & Yules, R.B. (1969). The Bite-Ometer. *Archives of Otolaryngology*, *89*, 682-684.

- Saad, M.N., Weiner. G., Ehrenberg, D., & Weiner, S. (2008). Effects of load and indicator type upon occlusal contact markings. *Journal of Biomedical Materials Research, Part B*, *85*(1),18-22.

- Smukler, H. (1991). *Equilibration in the natural and restored dentition*. Chicago, IL: Quintessence Publishing Co., pp. 110.

- Sequeros, O.G., Garrido-Garcia V.C., & Cartagena, A.G. (1997). Study of occlusal contact variability within individuals in a position of maximum intercuspation using the T-Scan system. *Journal of Oral Rehabilitation*, *24*, 287-290.

- Sadamori, S., Hiroo, K., & Hitoshi, A. (2007). Quantative analysis of occlusal force balance in intercuspal position using Dental

Prescale System in patients with temporomandibular disorders. *International Chinese Journal of Dentistry*, *7*, 43-47.

- Tejo, S.K., & Kumar, A.G. (2012). A comparative evaluation of dimensional stability of three types of interocclusal recording materials-an in-vitro multi-centre study. *Head & Face Medicine, 5*,8,27-35.

- Yu, A., & Lee, H. (2010). A wax guide to measure the amount of occlusal reduction during tooth preparation in fixed prosthodontics. Journal of Prosthetic Dentistry,.103(4), 256-257.

- Yamamura, M., & Takahashi, A. (1990). A study on display and accuracy of occlusal contacts by means of T-Scan system. *Kanagawa Shigaku*, *25*(2), 236-241.

- Zuccari, A.G., Oshida, Y., Okamura, M., Paez, C.Y., & Moore, B.K. (1997). Bulge ductility of several occlusal contact measuring paper based and plastic-based sheets. Bio-medical Materials and Engineering, 7, 265-270.

추가문헌

- Balthazar, H.Y., Sandrik, J.L., & Malone, W.F. (1981). Accuracy and dimensional stability of four intraocclusal recording materials. *Journal of Prosthetic Dentistry*, *45*,586-591.

- Ceisco, J.N., Malone, W.F., & Sandrik, J.L. (1981). Comparison of elastrometric impression material used in fixed prosthodontics. *Journal of Prosthetic Dentistry*, *45*,89-94.

- Christensen, G, J. (1993). Keeping intraocclusal records: How to solve a common problem. *Journal of American Dental Association*, *124*, 93-94.

- Harvey, W.L., Hatch, R.A., & Osborne, J.W. (1991). Computerized occlusal analysis: an evaluation of the sensors. *Journal of Prosthetic Dentistry*, *65*, 89-92.

- Harcourt, J.K. (1974). Accuracy in Registration and transfer of prosthetic records. *Australian Dental Journal, 19*, 182-190.

- Kerstein, R.B. (2000). Are articulating paper labeling reliable indicators of occlusal contact force? *Dental Products Reports Technique Guide*, pp. 43.

- Kerstein, R. B. (2004). Combining Technologies: A computerized occlusal analysis system

- synchronized with a computerized electromyography system. *Journal of Craniomandibular Practice, 22*(2), 96-109.
- Lassila, V., & McCabe, J.F. (1985). Properties of intraocclusal registration materials. *Journal of Prosthetic Dentistry*, *53*,100-104.
- Muller, J., Gotz, G., & Horz, W. (1990). Study of accuracy of different recording materials. *Journal of Prosthetic Dentistry*, *63*, 41-46.
- Maness, W., Benjamin S.M., & Podoloff, R. (1987). Computerized occlusal analysis: a new technology. *Quintessence International*, *18*, 287-292.
- Paikowsky, S.G., & Hajduk, E.L. (1997). Calibration and use of grid-based tactile pressure sensors in granular material. *Geotechnical Testing Journal*, *20*, 218.
- Phillips, R.W. (1991). *Skinner's Science of Dental Materials*. Ed. 9, Philadelphia, PA: Saunders. pp. 99-105, 135-156.
- Stackhouse, J.A. (1975). A comparison of elastic impression materials. *Journal of Prosthetic Dentistry*, *34*, 305-313.
- Yurkstas, A. (1953). Force analysis of prosthetic appliances during function. Journal of Prosthetic Dentistry, 3, 82-87.

주요 용어 및 정의

- **Shim-Stock Foil:** 정전기의 높은 절단 강도를 가진 금속성 필름으로 겸자에 삽입한 상태로 접촉하는 대합치 사이에 끼워 넣는다. 환자에게 단단하게 물고 있으라고 한 상태로 임상의의 판단 하에 (주관적으로) 잡아당겨 교합 저항성을 평가한다.

- **교합 왁스 지표:** 정적인 교합 관계 기록, 최대 교두감합 상태에서 확인, 하악 운동 평가, 치아 마모 입증을 위해 사용한다.

- **교합 지표:** 치아 접촉을 평가하기 위해 임상의에 의해 사용되는 치과 재료로, 과다하게 강력한 접촉 위치를 결정하거나 스톤 모형을 마운팅할 때 교합기에 상하악 관계를 전달하기 위해 사용된다.

- **교합지:** 정적인 교합지 자국은 교합 조정 과정에서 교합 접촉을 분류하기 위해 사용된다. 치아 교합면에 나타난 크고 진한 자국은 조기 접촉이나 과다한 교합력 부위를 표시한다고 부정확하게 믿어지고 있다. 교합지는 가장 흔하게 사용되는 교합 지표이다.

- **디지털 교합 지표(T-Scan 시스템):** 환자의 기능적 교합 접촉력과 타이밍 특성을 기록하기 위해 컴퓨터 분석 기술이 사용된다. 정확하게 접촉 타이밍과 다양한 상대적 교합력 크기를 실시간으로 기록하는 능력을 가지고 있다.

- **정적인 교합 지표:** 정적인 교합 관계를 기록하는 비-디지털 치과 재료로, 재료의 물리적 특성과 임상의의 주관적 해석에 근거한다. 이런 재료는 기능적 교합 접촉의 상대적인 힘이나 시간-순서 교합 접촉을 수량화하는 능력이 없다.

- **주관적 해석:** 교합력 크기를 결정하기 위해, 교합지 자국 크기, Shim-stock foil 저항성, 교합 왁스 인기와 같은 정적인 비-디지털 교합 지표에 대한 시각적 해석. 이 해석은 포괄적인 수량화할 수 있는 교합력 데이터에 기초하기 보다 자국 윤곽 특성에 대한 임상의의 판단이나 의견에 근거한다.

- **탄성 인상재:** 실리콘이나 폴리에테르 재료는 환자의 진단 및 작업 모형의 제작을 위한 정확한 복제를 얻기 위해 사용한다. 이 재료들은 종종 교합간 인기를 위한 재료로 사용되기도 한다.

T-Scan III 시스템의 정확성 및 신뢰성: 치열궁에서 교합 및 결과적인 힘의 분포와 타이밍 분석

Bernd Koos
University Medical Center Schleswig-Holstein, Germany

초록

불균형한 교합의 해로운 영향이 광범위하고 더 심각해질 수도 있음에도 불구하고, 교합 접촉 및 교합력의 정확한 분석은 아직도 만족스럽게 해결되지 않고 있다. 현재의 임상 과정에서, 교합 분석은 치아에 찍힌 잉크 자국으로 힘을 기술하는 것으로 제한되어 있다. 그러나, 이런 얇은 종이들은 오직 접촉의 위치만을 표시하고, 믿을 만한 교합력 관계에 대해서는 알려주지 않는다. 교합 내에서의 시간 분해를 포함하고 힘 분포를 표시하는 정교한 분석은 전통적인 교합 지표 방법을 사용해서는 획득할 수 없다. 변화하는 상대적 교합력 크기와 실시간 교합 접촉 순서 데이터를 고해상(HD; High Definition) 기록 센서로 기록하는 T-Scan Ⅲ 시스템(Tekscan, Inc., S. Boston, MA, USA)을 이용하는 컴퓨터 분석을 이용해야만, 상세한 교합력과 타이밍 분석을 얻을 수 있다. 이번 장은 시간에 따른 교합력 변화의 분포를 나타내는 컴퓨터를 근거로 한 교합 측정 방법의 정확성 및 신뢰성에 관해 설명한다.

도입

부드럽고 기능적인 교합은 교정을 포함한 모든 치과 세부-분야에서 기본이자 핵심이다(Andrews, 1972). 보존 수복학에서도, 조화롭고 부드러운 교합이 구강악계 시스템의 생리적인 기능에 필수적인 것으로 인식되고, 장착된 수복물이나 임플란트가 과도한 부하로 인해 파절되지 않게 보호하기 위해서도 필수적인 것으로 여겨진다. 교정학에서도, 획득된 치료 결과의 안정성을 확고히 하기 위해 조화로운

교합 관계가 필요하다. 교합 지표(foil, 교합지, 실크 리본)나 교합 진단 기구를 이용하여 해당 환자의 교합 관계를 정확하게 사실적으로 기록하고 분석하는 것은 치과 치료에서 불가결한 요소이다. 이 장은 주로 방법들의 재현 가능성과 신뢰성에 중점을 둘 것이다. 이어서 T-Scan Ⅲ 교합 분석 시스템(Tekscan, Inc., S. Boston, MA, USA)으로 관찰된 교합력 증진의 시간적 관계에 대한 분석 결과가 뒤따를 것이다. 이는 전통적인 비-디지털 교합 진단 지표의 문헌적 뒷받침을 반박하기 위해 추후 논의될 것이다.

배경

교합 지표의 한계

기능적 진단에 있어서 교합 접촉을 정교하게 분석하는 방법에 관한 문제는 오늘날까지 만족할만한 해법을 찾지못했다(Balters, 1955; Gazit, Fitzig & Lieberman, 1986; Komari, 1978; Millstein, 1983; Reiber, Fuhr, Hartmann, & Leicher, 1989). 채색된 foil, 교합지, 실크 이외에는 교합 접촉을 확인하기 위해 매일의 임상 술식에서 임상의가 사용할 수 있는 다른 방법이 없다. 이런 종류의 지표가 접촉 위치에서 이개되는 과정에서, 상대적 교합력이나 접촉 순서의 타이밍에 대한 정보를 제공하지 못한다. 교합 자국과 힘 크기 사이에는 단지 21%의 신뢰도가 있고, Kerstein은 이것을 바탕으로 "임상적 추측과 유사하다"고 표현하면서 결론지었다(Carey, Craig, Kerstein, & Radke, 2007; Kerstein, 2008; Kerstein & Radke, 2013). 치아 표면에 표시된 접촉점에 존재하는 힘 벡터에 대한 부적절한 실명으로 인해, 이런 지표의 효용성은 접촉 탐지기로써의 역할에만 한정되어야 한다.

게다가, 이런 얇은 foil이나 strip에 의해 제공되는 마크는 적절하게 재생산될 수 없지만, 힘의 크기가 커질수록 다소 신뢰성이 증가한다(Gazit, Fitzig & Lieberman, 1986; Millstein & Maya, 2001; Reiber, Fuhr, Hartmann, & Leicher, 1989). 특히, 물기와 반복된 사용으로 전통적인 교합 지표의 감도가 현저하게 약해질 것이다(Saracoglu & Ozpinar, 2002). Reiber 등은 채색된 foil 자국이 종이나 실크보다 더 정확한 자국을 제공하나, 임상적 상황에서 foil에서 염색제 박리가 더 적게 일어나기 때문에 마모된 facet이나 고도로 연마된 수복물처럼 반짝거리는 표면 상에서는 교합지가 더 좋은 자국을 남긴다고 하였다(Reiber, Fuhr, Hartmann, & Leicher, 1989). 부하가 약하거나 충격이 없는 경우에 foil에 의해 만들어진 기록을 예견할 수 없기 때문에, 보다 강력한 힘이 가해져야 하고(다지는 운동처럼) 이로 인해 교합 분석 에러의 추가적인 원인을 제공한다(Reiber, Fuhr, Hartmann, & Leicher, 1989). 그러나, 적절하게 경험 있고 신중한 임상의의 손에 의해서, 이런 전통적인 foil과 교합지 기술도 수용할 만한 수준의 변동성으로 재현성 있는 결과를 이끌어 낸다는 보고가 있었다(Tschernitschek, Handel, & Gunay, 1990).

지표(indicator)의 두께

일반적인 관심은 다양한 지표(indicator)의 두께와 관련된다. Foil은 구입할 수 있는 종류 중에서 가장 얇다. Foil과 strip의 규정값은 8-200μm로 다양하지만, 실제적인 두께는 높은 변동성을 보이고, 제조사의 설명서에도 260%에 달하는 차이를 기술하고 있다(Reiber, Fuhr, Hartmann, & Leicher, 1989). 이런 변동성에 대해, Harper는 8-micron 간격에서도 제거 시 발생하는 마찰력 때문에 가벼운 접촉으로 기록되는 문제점이 있다고 하였다. 당기는 힘에 매우 민감하다고 고려되는 Shim-stock foil 제거를 평가하는 실험에서도 이런 결과가 나타났다(Hanel Shimstock foil; Coltène/Whaledent AG, Alstätten, Switzerland)(Harper & Setchell, 2002).

전통적인 지표가 가지는 근본적인 문제는 접촉 배열의 순서나 하악 폐구 시 관여하는 치아 수 증가에 따른 교합력 증강에 대한 정보를 제공하지 않는다는 것이고, 이로 인해 적절한 조기 접촉 확인을 불가능하게 만든다. 불균형한 교합 혹은 조기 접촉의 잠정적인 심각한 결과로 수직적 치근 파절, 임플란트 조기 소실, 과도한 치주 부하가 유발될 수도 있다(Chambrone, Chambrone, & Lima, 2010; Conrad, Schulte, & Vallee, 2008; Isidor, 1996; Lawn & Lee, 2009; Quirynen, Naert, & van Steenberghe, 1992; Rangert, Krogh, Langer, & Van Roekel, 1995; Tawil, 2008; Zeng, Wang, & Zhou, 2000).

앞서 언급한 항목에 대한 연관성이 분명하게 구축되는 동안, 비록 덜 명확하고 논쟁의 여지가 있지만 악관절 질환과 교합 기능과의 가능한 관련성에 대해서도 논의가 있었다. Reiter(Reiter, 1980)와 Okeson(Okeson, 1981)은 대부분의 TMD는 교합 간섭과 심리적인 스트레스가 결합되어 야기된다는 TMD에 대한 병인학을 주장하였다. 몇 가지 최근의 연구들이 이런 원인론을 전적으로 지지함에도 불구하고, 다른 논문들은 공동-결정인자로서의 교합 인자의 역할을 인정하기도 하고, 또 다른 논문들은 교합 인자의 기여도를 여전히 배제하고 있다(Carlsson, 2010; Gesch, Bernhardt, Mack, John, Kocher, & Alte, 2005; Greene, 2011; Turp & Schindler, 2012; Wang & Yin, 2012). 2011년 Slavicek(Slavicek, 2011)과 2012년 Kerstein과 Radke(Kerstein & Radke, 2012)가 발표한 최신 논문은 TMD에 대한 교합의 역할에 초점을 다시 맞추었다.

TMD 발생에서 교합의 영향에 대해 상반되는 논쟁이 이뤄지는 것은 무엇으로 설명해야 할까? 이런 질문에 대한 그럴 듯한 대답은 그 복잡성과, 하지만 좀 더 중요하게, 부적절한 방법으로 교합을 분석하였기 때문이다. 환자의 기능장애를 유발하는 교합의 역할을 애매하게 만드는 이전 연구의 결정적인 단점을 극복하기 위해, 미래의 연구는 객관적이고 포괄적이며 정교한 교합 측정 방법 기술을 사용하여야만 한다. 이런 방법으로, 연구자는 연구 참가자에게 나타나는 상대적 교합력 및 교합력 증강의 접촉 순서를 정확하게 분석하고 TMD에 기여하는 교합 구성 요소를 보다 효과적으로 밝힐 수 있을 것이다.

그러나, TMD 발생에서 교합 인자의 역할에 대해 상충되는 논의가 있음에도 불구하고, 많은 연구에서 조화로운 교합이 TMD 발병을 피하도록 도움을 주는 보호 효과가 있음을 제안하였다(Okeson, 1981; Okeson, 1995; Reiter, 1980; Slavicek, 2011).

컴퓨터-보조 교합 진단 시스템

이런 목적을 달성하고자, 컴퓨터-보조 과정(Computer-aided processes)이 수년간 적절하게 이용 가능하였다. 이 프로토콜을 위한 한 가지 중요한 필요 조건은, 교합 지표 및 교합 접촉력 데이터 기록을 위한 접근 시 교합을 최소로 방해해야 한다는 것이다.

이런 요구를 충족시키는 시스템의 예에는:

- Dental Prescale 시스템(Fuji Film Co., Tokyo, Japan),
- GEDAS 시스템(Department of CAD/CAM and CMD Treatment, Ernst-Moritz-Arndt University, Greifswald, Germany),
- T-Scan Ⅲ 컴퓨터 교합 분석 시스템(Tekscan, Inc., South Boston, MA, USA).

Dental Prescale System(DPS)(Sultana, Yamada & Hanada, 2002)은 악궁 내 힘 분포를 2단계 과정으로 측정한다. 1번째 단계는 여러 부위에 가해지는 압력 크기에 의존하여 다색상 변화를 유발하는 압력-감작 왁스 와이퍼를 사용하여 구내에서 힘을 인기한다. 2번째 단계에서, 채색되고 인기된 왁스 와이퍼를 스캔하고 컴퓨터 소프트웨어 프로그램으로 분석한다(Occluzer FPD-703; Fuji Film Co., Tokyo, Japan; and Occluzer Graph M; Scimolex Co., Tokyo, Japan).

GEDAS 시스템은 상대적 교합력을 분석하기 위해 기본적인 비교 과정과 측정 원리를 활용한다(Stern & Kordaß, 2010). GEDAS는 컴퓨터-보조 광학적 교합 분석을 이용하여 최대 교두감합(MIP)에서 획득한 초경질 실리콘 교합 기록을 처리한다(Greenbite Apple; Detax, Ettlingen, Germany). 앞에 소개한 DPS처럼, GEDAS는 2개의 분리된 단계를 포함하고 측정된 교합 관계를 분석 소프트웨어 내로 직접 전송하지 않는다. 이 실리콘 교합 기록을 구내 MIP에서 냉각하여 제거하고, 연속된 2번째 단계에서 실리콘을 보정 물체(calibration object)와 함께 스캔한다.

양 시스템(DPS와 GEDAS) 모두 악궁 내에서 힘 분포를 표현할 수 있다. 하지만, 시간에 따른 교합 접촉 증강 순서를 나타내는 능력이 부족하고, 각각 얻어낸 교합 데이터를 통합하고 분석을 수집하여 완성하는 데 상당한 시간이 필요하다. DPS와 GEDAS는 측정 싸이클마다 오로지 하나의 교합 접촉 양상만 기록할 수 있고, 다수의 혹은 연속적인 교두감합이나 하악의 편심위 운동 시 존재하는 외측방, 내측방 접촉이나 조기 접촉의 타이밍을 분석할 수 없다. 이 장치를 효과적으로 사용하기 위해 광범위한 많은 것을 고려해야 하기 때문에, 연구용으로 사용하는 것이 훨씬 적합하다. 특히 임상의가 자연치나 보철 수복물 장착을 위한 교합 조정을 위해 자주 사용해야 한다는 점에서 보면, 임상적 상황에서 사용하기에는 너무 많은 시간이 필요하다.

이와 대조적으로, HD(고해상도; high definition)를 기록 센서로 사용하는 T-Scan Ⅲ 시스템(Tekscan, Inc., S. Boston, MA, USA)(그림 1)은 악궁에 가해진 최대 힘에 대해 상대적으로 발생하는 힘 분포를 동시에 기록하고 표시하여, 교합 접촉 증강 순서의 시간 해상도를 보여준다(그림 2). 역동적인 교합에서의 조기 접촉과 간섭이 언제라도(또한 교합 증강 순서를 시간 순으로) 식별될 수 있다. 컴퓨터-보조 데이터 포착, 디스플레이, 분석을 거의 동시에 이뤄내는 특성 덕분에, 임상에서 이 시스템을 사용하는 데 한계가 거의 없다. 과학적 연구에서의 사용도 마찬가지로, 소프트웨어를 기반으로 한 교합력과 타이밍 데이터 분석이라는 종합적이고 세밀한 가능성을 허용한다.

전통적이고 정적인 교합 지표로 얻은 임상 결과와 달리, T-Scan Ⅲ 시스템으로 얻은 결과는 역동적인 힘 영상으로 재생되는 자동화된 방법으로 자료화된다. 이전 검사와의 비교도 어느 때나 시행할 수 있다. 이것이, 전통적인 방법

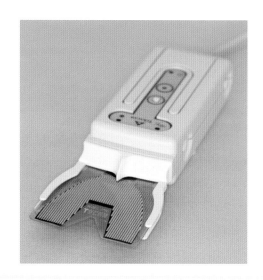

그림 1 기록 센서가 레코딩 핸들에 삽입되어 있는 T-Scan III 시스템. 손잡이기구(handpiece)가 USB 선으로 컴퓨터로 연결된다. 기록 센서는 쉽게 교환될 수 있다

달의 복잡한 본성을 더 잘 이해하는 것이 교정의사와 임상의의 근본적인 관심이다. 세밀한 분석을 제공하는 연구 방법이 부족하기 때문에, 하악이 최대 교두감합으로 폐구하는 동안의 점진적인 교합력 변화는 아직 현존하는 어떤 문헌에서도 포괄적으로 보고되지 않았다. 힘 순서 측정을 다룬 최근의 발표나 교과서들은 개개의 치아나 정적인 시점에서 전 악궁 측정을 시행하고 있다. 저자들은 이와 관련하여 정적 교합과 역동적 교합을 구분하였다(Clark & Evans, 2001; Hauck, 2003; Hellmann, 2007; Kahl-Nieke, 2010; Reiter, 1980). 한 저자는 정적 교합은 하악이 이동하지 않은 상태이고, 역동적 교합은 전방, 외측방, 내측방 형태의 운동이 연루된 것이라고 적절하게 규정하였다(Kahl-Nieke, 2010).

이런 개념의 대부분은 출발점으로 습관성 중심교합(CO)이나 최대 교두감합(MIP)을 사용하기 때문에(Reitemeier, 2006), 최소 치아 접촉의 첫 순간부터 악궁 전체에 걸친 점차적인 교합 접촉 증강의 연속적인 단계를 거쳐 중심 혹은 습관성 교합에 다다르는 최종점에까지 이르는 교합 접촉 증강 순서의 연관된 과정을 무시한다. 종종 중심위 조기 접촉의 존재가 수직적 치근 파절, 조기 임플란트 소실, 치주 조직에의 과다한 부하를 일으키기 때문에, 습관성 교합의 점진적인 형성을 설명하는 시간 간격에 대한 이해가 특히 중요

으로는 임상의에게 절대로 제공할 수 없는, 진단과 치료를 자료화하는 결정적인 장점이 된다.

전통적인 교합 지표(교합 왁스, 폴리비닐 실록산, 교합지, 마운팅된 스톤 모형)는 교합 접촉 증강 순서를 적절하게 포착하거나 보여주지 못한다. 시간 순서와 연관된 힘 발

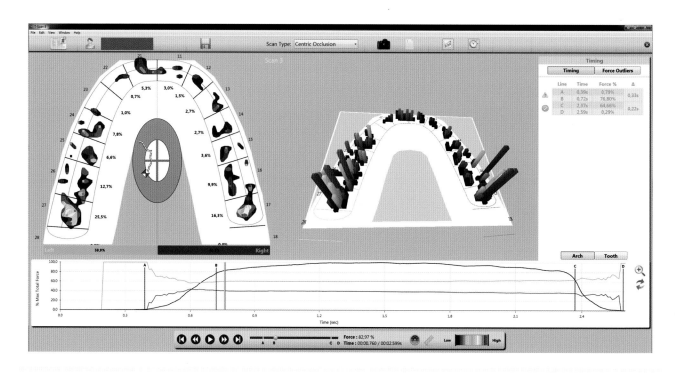

그림 2 교합 접촉 증강 순서의 시간 해상도는 분석을 위해, T-Scan 시스템에 의해 쉽게 보여진다

하다. 많은 저자들이 교합 기능 동안 잘못된 접촉 타이밍으로 발생된 합병증을 제시하였다(Conrad, Schulte, & Vallee, 2008; Isidor, 1996; Lawn & Lee, 2009; Quirynen, Naert, & van Steenberghe, 1992; Rangert, Krogh, Langer, & Van Roekel, 1995; Tawil, 2008; Zeng, Wang, & Zhou, 2000).

이 장의 주요 논점

T-Scan Ⅲ 시스템에 의해 결정되는 교합력 및 접촉 순서 타이밍의 변화

전에 논의했던 것처럼, foil에 근거한 교합 분석의 전통적인 방법은 적지 않은 약점을 가지고 있고, 힘 분산과 시간에 따른 접촉 순서 분석에 관해서는 더욱 그러하다. T-Scan Ⅲ 시스템과 컴퓨터를 이용하는 방법에 대한 본질적인 의문은 어느 정도까지 신뢰할 수 있고 재현성이 있는지에 관한 것일 것이다. 더욱이, 좀 더 중요한 것은, 임상적 사용에서 마주칠 수 있는 에러의 잠재적인 요인은 어느 범위이고, 측정 정확성에 어느 정도의 영향을 미치는가?

과소평가해서는 안 되는 에러의 한 요인은 환자 운동 시 고유의 교합 변이이다. 운동의 근육 유도와 과두 자유성(condylar freedom)의 효과가 결합되면 어떠한 반복적인 교합 접촉도 다양한 정도의 변동성을 일으키게 된다. 임상 적용 시, 이런 요소들을 적절하게 조절하는 것은 불가능하다. 환자로부터 정해진 양상에 의한 재현성 운동을 얻기 위한 시도는 결과적으로 운동의 일관성은 향상되지만(예를 들어, 짧은 tapping, 임펄스-형식의 chopping, 하악 폐구 시 술자가 조절하는 양손 유도), 이런 운동이 생리적인 저작을 어느 정도 표현할 수 있을 지도 매우 의문스럽다. 이것은 치아 접촉의 위치뿐만 아니라, 접촉 위치에서의 힘 크기에도 적용된다. T-Scan 소프트웨어는 절대적인 힘에 근거하지 않기 때문에, 교합 접촉력 변동성을 분석하기 위해, 각 기록된 하악 운동 동안 가해지는 최고 저작력에서 파생된 최고값을 기준으로 해독한다. 교합 과정과 연관된 힘의 차이 기록은 특별히 T-Scan 기록 능력의 중요한 측면이다.

과소평가되어서는 안 되는 기록 에러의 다른 잠재적 요인은 임상의가 여러 단계로 구성된 치료 중(삭제 기구를 이용하는 수복물의 다단계 교합 조정과 같은)에 구내 센서를 재삽입하는 과정에서 범할 수 있는 재위치 에러를 포함한

다. 또한 기록 센서가 새로운 것으로 대체된 후, 소프트웨어가 식별값을 계속 기록할 수 있는지 혹은 부정확한 제조로 인해 발생한 foil 구조 차이로 측정값에 변화를 일으킬 수 있는지에 대한 의문 때문에, 센서 재위치는 중요한 조작 기술로 고려된다. 또 다른 측정값 변이를 야기할 수 있는 중요한 잠재 요소는 서로 다른 센서를 레코딩 핸들 내에 삽입할 때 발생할 수 있는 위치 차이이다. T-Scan 시스템의 재현성에 관한 다른 흥미로운 의문점은 센서와 교합 접촉하는 대항치의 교두에 의해 기록 센서에 형성된 침하가, 미리-형성된 전기적으로 충전된 센서 표면뿐만 아니라, 한 기록부터 다음번까지 센서의 달라진 위치에 존재하는 접촉을 보여줄 것인지에 관한 것이다.

이런 질문에 대한 받아들일만한 포괄적인 대답은 2개의 최신 연구 논문에서 찾을 수 있다(Koos, Godt, Schille, & Goz, 2010; Stern & Kordaβ, 2010). 2가지가 다른 실험 디자인과 통계법을 사용했기 때문에, T-Scan Ⅲ 방법의 신뢰성을 평가한 결과는 2개의 완전히 다른 관점의 연구에 의해 도출되었다. Stern과 Kordaβ는 MIP에서 T-Scan Ⅲ 시스템을 사용하고, 초경질 실리콘 교합간 기록을 MIP에서 획득한 GEDAS 시스템과 비교하였다. 요약하면, GEDAS와 비교했을 때, T-Scan Ⅲ 방법이 교합 접촉에 대해 빠르고 간단한 디지털 포착을 제공하여, 임상의로 하여금 매일의 임상 과정에서 좀 더 빠르고 정확하게 그릇된 부하를 인식하고 처치할 수 있는 기회를 부여한다. GEDAS 시스템에서 측정의 정확성에 대해서는 전체적으로 동의한다(Stern & Kordaβ, 2010). 기록된 T-Scan 사용의 문제점 가운데, 그들은 소프트웨어 분석 중에 접촉점의 위치가 구내 접촉점의 위치와 항상 일치하지 않고, 각 치아의 폭경이 소프트웨어에 시뮬레이션된 악궁과 맞지 않는다는 것을 지적하였다(Stern & Kordaβ). 이런 비평은 T-Scan 소프트웨어 악궁의 개개 치아 폭경을 미리-조정해서, T-Scan Ⅲ 악궁에서 보여지는 접촉 위치와 환자의 상악 치아상의 접촉 위치 사이에서 존재하는 접촉 위치를 확실하게 해야 함을 강조한다.

이 연구의 분명한 약점은 저자들이 GEDAS 방법을 T-Scan Ⅲ로 얻은 결과와 비교하는 "좋은 기준"으로 간주하는 것이다. 특히 구내 기록을 광학적으로 스캔하는 2단계 및 보정 물체와 비교하는 연속적 평가 동안 발생하는, 구조적이고 임의적인 에러 또한 GEDAS 방법에 내재되어 있다는 것을 반드시 명심해야 한다. 또한, 참가자가 매우 단단한

실리콘 재료를 물고 치아에 힘을 주어야 하기 때문에, 습관적 교합 과정 중에 실리콘 재료는 구강 내에서 쉽게 변형된다. 실리콘 재료의 저항성 때문에 요구되는 강력한 폐구로 인해, 대상자의 정확한 교합 접촉 데이터를 합산하는데 상당한 오류가 추가될 것 같다.

독자는 이 연구가 치아 접촉력에 대한 GEDAS의 정확성을 시험하는 것이 아니라는 점을 이해해야 한다. GEDAS 자체는 그 자체의 정확성이나 접촉 강도, 접촉 범위, 접촉 위치를 보고할 수 있는 진정한 능력에 대한 시험을 받아본 적이 없다. 이 연구의 저자들은 GEDAS가 치아 접촉 강도, 접촉 범위, 접촉 위치를 보고하는데 있어 20 micron 이하로 정확하게 평가한다고 추측하였다. 그러나, 그들이 T-Scan과의 비교 논문에서 저자들은 GEDAS가 교합 변수를 신뢰성 있게 기록한다고 주장하였지만, GEDAS가 교합 접촉 강도, 범위, 위치를 평가하는 정확한 방법이라는 과학적 증거는 없다.

T-Scan 센서의 힘 재현 능력

초기의 T-Scan Ⅰ과 Ⅱ 시스템은 힘 재현성의 엇갈리는 뒤섞인 예견가능성, 부족한 정확성, 힘 재현 능력의 부족 등을 보였다(Dees, Kess, Proff, & Schneider, 1992; Scholz, Pancherz & Reichel, 1991; Setz & Geis-Gerstorfer, 1990; Tschernitschek, Handel, & Gunay, 1990). 그러나, 2006년, T-Scan HD 센서 1세대 디자인이 힘 재현 신뢰성에 대한 실험실 분석을 통해 이전 모델인 T-Scan 3세대 디자인과 비교하여 평가되었다(Kerstein, Lowe, Harty, & Radke, 2006). HD 센서에서, 3세대 센서에 비해서 활동성 기록 부위가 33% 정도 증가하였고, 비활동성(비-기록성) 부위는 50% 정도 감소하였다. HD 디자인은 센서의 기록 요소(sensel)를 이전 모델보다 훨씬 근접하게 배열하여, 접촉이 비활동성(비-기록성) 부위에 "착륙"하여 교합 접촉으로 기록되지 않을 가능성을 감소시켰다.

이 연구에서, 조정되지 않은 상태로 마운팅된 에폭시 모형 사이에 센서를 위치시키고 250N의 압축식 공기압으로, 실험되는 센서 당 30번씩 센서 압착을 반복하였다. 60개의 시험 센서에 존재하는 6개의 교합 접촉에 대한 힘 재생산을 비교하여 HD와 3세대 센서의 힘 변동성을 결정하였다. HD 센서가 3세대에 비해 좀 더 지속적인 힘 크기를 재생산한다는 분석 결과를 얻었다(Kerstein, Lowe, Harty, &

Radke, 2006). 3세대 센서는 압착을 반복함에 따라 힘 재생산 감소를 보였으나, HD 센서는 거듭된 압착에도 거의 일정한 힘 재생산을 나타냈다. 또한 이 연구에서, 처음 4번의 HD 센서 압착은 이후의 20번에서 보다 큰 변동성이 나타났다. 이런 발견으로 제조사는 처음 4번 환자의 시험 압착을 시행한 후, HD 센서를 사용할 것을 권고하게 되었다. 교합 데이터의 실제적인 기록 동안 상당한 힘 재생산을 얻을 수 있게 환자의 치아 사이에서 센서를 "길들이라"는 것이다(Kerstein, Lowe, Harty, & Radke, 2006).

Koos 등(Koos, Godt, Schille, & Goz, 2010)은, GEDAS 연구(Stern & Kordaß, 2010)와 대조적으로, 비교를 위한 황금 기준에 의존하는 것이 아니라, Bland와 Altman에 의해 수립된 개인간 측정 에러를 산출하는 연구 디자인 방법(Bland & Altman, 1996)을 이용하였다. 이런 통계학적 방법은 본질적으로 폐 기능의 측정을 촉진하기 위해서 발달되었고, 그 후로 의학과 치의학에서 반복적인 측정의 신뢰성과 정확성을 평가하기 위해 폭넓게 사용하게 되었다. 폐 기능의 측정은 교합 평가와 잘 비교될 수 있는데, 둘 다 측정 정확성 평가를 둘러싼 유사한 문제와 측정 에러의 기록을 가지고 있다. 표준화되지 않은 예상 불가능한 양상 내에서 호흡(혹은 교합 접촉)의 새로운 싸이클이 이전 싸이클과 매번 생리학적으로 다르기 때문에, 실험실에서는 정밀한 상황을 포착할 수 있는 방법은 없다.

Bland와 Altman의 통계법을 사용하면, 2개의 다른 측정값을 이용하여, 측정값의 정확성과 재현성을 반영하도록 계산한다. 이는 다음과 같다:

- **측정 에러(Measurement error)**: 한번 측정의 정확도는 1.96의 인수를 포함.
- **반복가능성(Repeatability)**: 반복된 측정의 정확도, *재현성(Reproducibility)*이라고도 함. 2.77의 인수 포함.

각 샘플에서 변수를 반복측정하여, 개체 내 편차와 개체 간 편차의 상관관계를 분석하여, 통계적으로 측정방법의 정확성 및 변동성을 평가하게 된다. 1.96X 측정 에러를 적용함으로써, "참값(true value)"으로부터 계산된 특정값의 편차를 평가할 수 있는데, 이 값은 측정의 95%에서 "1.96X 측정 오류"보다 적게 참값과 다르다고 표방된다.

2.77X 측정 오류와 조합하면, 측정의 신뢰성을 평가할 수 있다. 2.77X 측정 에러는 2개의 반복된 측정의 차

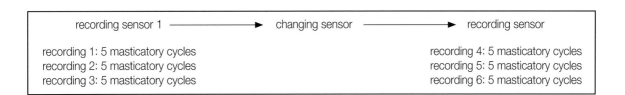

그림 3 각 대상자마다 6개의 측정 기록을 포함하는 측정 순서로, 2개의 센서를 사용한, 5회의 교두감합으로 구성된 6개의 연속적인 반복-교합 기록

이로 표현된다(관찰의 95%에서 2.77X 측정 에러보다 적게 다르다고 알려져 있다). 이렇게 임상적 시나리오로 시행된 어떠한 측정도, 역치 측정 에러에 의해 계산되는 것보다 항상 혹은 훨씬 정확하다. 비-모수적 검증(Wilcoxon and Kruskal-Wallis rank-sum test)을 이용하면, 센서 재위치 시 일관성 부족, 혹은 센서 교체에 의한 에러가 반복 측정에 미치는 효과를 통계적으로 평가할 수 있다($p \leq 0.05$).

중위 연령(median age)이 26세(20-30)인 남성 23명, 여성 19명의 총 42명의 지원자를 대상으로 T-Scan Ⅲ의 꼼꼼한 측정에 대한 광범위한 통계적 평가를 시행하였다. 지원자 중 TMD 증상을 가진 사람은 없었다. 전력 분석(power analysis; Cohen에 따라서 0.5의 효과 크기를 가정하는)에 의하면(Cohen, 1988), 42명 샘플 크기는 통상의 0.05 α-level에서 최소 0.92의 적정한 검정력을 확보하였다.

측정 순서가 그림 3에 나타나 있다. 각 대상자마다 2개의 센서를 이용하여 총 6회의 측정 기록을 획득하였는데, 각 5회씩의 연속적인 반복-교합을 기록한 6개 그룹으로 총 30회의 싸이클을 확보하였다. 각 기록을 얻은 후, 센서를 구강에서 제거하고 다시 재위치하였다. 총 15회의 기록 싸이클(3회 반복-교합 기록, 기록마다 5회의 최대 교두감합으로 구성)을 측정한 후, 센서를 새 것으로 교체하였다.

이 프로토콜은, 환자에 의해 유도되는 교합 양상의 변화, 임상의에 의해 유도되는 구강 내 센서 재위치 에러(교합 조정 과정 동안 발생하는 것처럼, 같은 센서를 구강 내에 반복적으로 재위치하면서 만들어지는 에러), 기록 센서 재위치에 의해 유도되는 에러(사용된 센서를 새 센서로 교체할 때)를 포함하는, 임상적 상황에서 발생할 수 있는 에러의 중요한 잠재적 요인을 가정하였다. 이런 계획된 접근에서, 기록 센서 구조의 편차 여부나 기록 센서를 레코딩 핸들에 삽입하는 과정 중의 편차 여부가 측정값에 영향을 줄 것인가를 사전에 예측하는 것은 불가능하다. 부가적으로, 같은 센서로 기록이 반복적으로 만들어질 때, 기록된 값이 기록 센서 기질로 형성된 자국의 변화하는 위치에 의해 영향을 받은 것인지, 연속적인 기록 동안 교합 접촉하는 대합치 교두에 의해 창조된 것인지는 알 수 없다. 이것들이 T-Scan Ⅲ 시스템 측정 정확성의 평가에서 언급되는 주요 의문이다.

이 연구의 결과, 상대적 힘 분포는 치아 당 0.0-41%로 나타났다. 측절치에서 매우 빈번하게 접촉이 없었고, 중절치가 그 다음, 그리고 견치였다. 힘 크기는 거의 변함없이 제1, 2대구치에서 가장 높았다(30-41%). 치아 당 평균값은 측정된 최대 힘의 6.9%로 같았다. 측정 에러는 1%였다. Bland과 Altman에 따른 계산으로, 1.96X 측정 에러(정확도)는 2%였고, 2.77X 측정 에러(신뢰도)는 2.8%였다(그림 4). 치아 부위별로 그룹화한, 힘 분포 및 에러의 크기에 대한 자세한 설명은 그림 5에서 볼 수 있다.

측정값과 반복된 측정 사이에 잠재적인 연관성이 존재하는 지 확인하기 위하여 Kruskal-Wallis rank-sum test를 수행하였다. 이 통계 작업은, 보철 수복으로 시행된 교합 조정 과정 동안, 유사한 방식으로 같은 센서를 구내에 반복적으로 위치시켜 얻은 반복 측정이 통계적으로 유의한 연관성을 나타내지 않는다는 것을 밝혀냈다(그림 6). 마찬가지로, 사용했던 센서를 새로운 센서로 대체하는 센서 재위치 시에도, 기록들간에 통계적으로 유의한 영향을 주지 않는 것으로 나타났다(그림 7). 이 결과는 측정방식과 관련된 변화가 힘의 분포에 영향을 주지 않는다는 것을 입증하였으므로, (환자가 추적관찰 시 내원하여 센서를 교체하였을 때라도) 임상적으로 특히 관련성이 높은 부분이다.

앞서 언급한 것처럼, 임상적으로 유용한 측정 시스템을 위한 중요한 요구 조건은, 돌아온 측정값이 비-측정성 참값을 가능한 근접하게 반영하여, 재내원 측정 동안 얻어지는 차이가 매우 적어야 한다. 이것은 모든 참값이 적절한 측정 정확성 및 낮은 측정 에러를 표방하는 적당한 측정 기구로 "추정"될 수 있다는 사실에 근거한다. 예를 들어, 캘

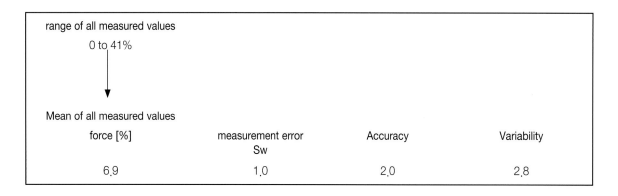

range of all measured values			
0 to 41%			
Mean of all measured values			
force [%]	measurement error Sw	Accuracy	Variability
6.9	1.0	2.0	2.8

그림 4 치아 당 평균값은 측정된 최대 힘의 6.9%로 같았다. 측정 에러는 1%(Bland과 Altman에 따르면), 1.96X 측정 에러는 2%, 2.77X 측정 에러는 2.8%였다

Tooth	Mean value	Sw	Accuracy	Variability
11	5.3	1.	1.9	2.7
12	1.9	0.6	1.3	1.8
13	2.3	0.8	1.5	2.1
14	4.9	0.9	1.8	2.5
15	6.1	0.9	1.8	2.6
16	13.3	1.2	2.3	3.2
17	16.3	1.4	2.8	4.0
18	11.9	1.5	2.9	4.1
21	5.0	1.0	1.9	2.6
22	1.9	0.8	1.5	2.1
23	2.8	0.8	1.6	2.3
24	4.5	0.9	1.7	2.4
25	5.5	0.9	1.8	2.5
26	11.5	1.2	2.4	3.3
2.7	14.2	1.3	2.6	3.7
28	6.0	1.2	2.3	3.3

(force values [%])

그림 5 치아 부위로 그룹화한 힘 분포 및 에러의 크기

리퍼를 이용하여 크라운 마진의 두께를 측정하는 것이 자를 사용하는 것보다 더 정확하고 더 작은 측정 에러를 야기하게 된다. 자도 측정 도구이긴 하지만, 크라운 마진 측정에는 캘리퍼보다 자가 훨씬 덜 정확하고 더 큰 측정 에러를 유발한다. 그러므로, 캘리퍼가 크라운 마진의 두께 "추정"에 최고의 장치가 될 것이다. 이런 현상은 "구조적 오류(systematic error)"라는 용어로 표현한다(Taylor, 1999). 임상적 유용성을 위한 측정 시스템의 또 다른 중요한 고려 사항은, 센서가 재위치 되었을 때 결과값이 외부 요인에 의해 영향을 받지 않아야 한다는 것이다. T-Scan 시스템의 측정값은 측정 에러가 2% 이하이고 기록 방법이 충분히 정확하

기 때문에, 저자들은 T-Scan이 이런 요구 사항을 충족시켜 준다고 믿는다.

측정 결과는 치아 동요도 양상, 반복된 교합 부하에 대한 변화된 치주 반응, 교두감합 동안 하악의 비틀림, MIP를 향한 하악 운동 다양성과 관련된 힘의 각도 변화 등의 개별적 인자에 의해서도 결정적인 영향을 받을 수 있다는 것을 반드시 고려해야만 한다.

T-Scan III 시스템의 임상적 효용성을 평가하는 또다른 중요 고려사항은, 반복되는 측정동안 장치 재위치나 센서 교체가 보고된 수치에 영향을 미치는지에 대한 것이다. 공식적인 통계 검증에서 장치 재위치나 센서 교체가 반

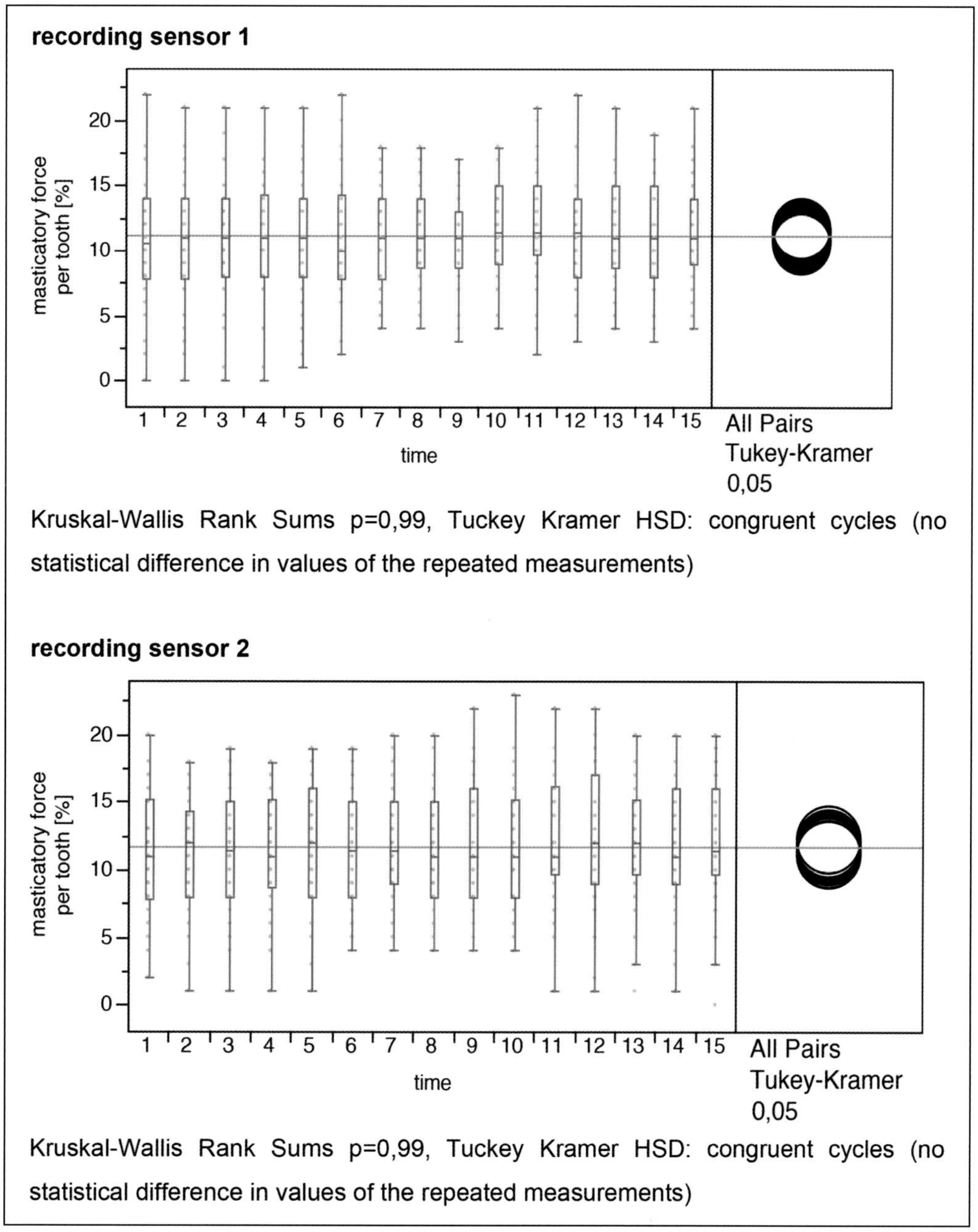

그림 6 Kruskal-Wallis rank-sum test를 통해, 센서를 재위치하여 얻은 반복된 측정값이 통계적으로 유의성 있는 차이를 유도하지 않았음을 확인할 수 있다(©Springer-Verlag, 허락 하에 인용)

복 측정에 대해 유의한 영향을 끼치지 않았다. T-Scan Ⅲ 시스템에 대해, 예전에 T-Scan Ⅰ과 Ⅱ에서 보고되었던 (Dees, Kess, Proff, & Schneider, 1992; Scholz, Pancherz, & Reichel, 1991; Setz & Geis-Gerstorfer, 1990; Tschernitschek, Handel, & Gunay, 1990) 정확성이나 재현성 부족을 보고한 저자는 없었다. T-Scan Ⅲ에서 제조사는 소프트웨어의 개별맞춤능력을 향상시켜, 이전 버전에서 발견되었

던 단점을 제거하였다. 이런 소프트웨어의 향상으로 임상의는 그래픽으로 보여지는 악궁의 치아 근원심 폭경을 변화시켜 구내 상황과 분석 소프트웨어를 더 잘 일치시킬 수 있게 되었다.

마지막으로, 임상의가 T-Scan Ⅲ 시스템으로 교합을 분석하면, 많은 진단적 장점을 누릴 수 있다. 각 치아뿐만 아니라, 반악궁 간 혹은 전-후방 4분악의 힘 관계에 이르기

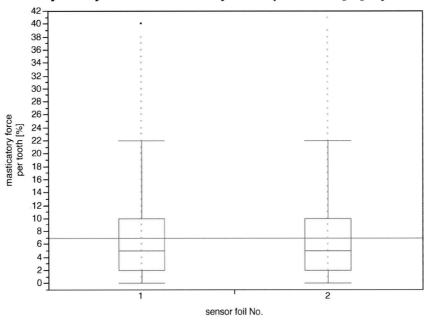

Oneway Analysis of masticatory force per tooth [%] By sensor

Quantiles

Level	Minimum	10%	25%	Median	75%	90%	Maximum
1	0	0	2	5	10	16	40
2	0	0	2	5	10	16	41

Wilcoxon / Kruskal-Wallis Tests (Rank Sums)

1-way Test, ChiSquare Approximation

ChiSquare	DF	Prob>ChiSq
0,0699	1	0,7915

그림 7 Kruskal-Wallis rank-sum test를 통해, 재사용된 센서를 레코딩 핸들에 삽입하여 얻은 반복된 측정과 새로운 센서를 이용해 얻은 기록 사이에 통계적으로 유의성 있는 차이를 보이지 않는다는 것을 알 수 있다(©Springer-Verlag, 허락 하에 인용)

까지 교합력 분포를 평가할 수 있다. 또한, 교합 접촉 증강의 시간 순서 및 경과한 시간 동안의 각 상응하는 접촉력 변화를 볼 수 있다. 게다가, 힘 중심(Center of Force) 궤도와 아이콘은 MIP 전후로 교합 접촉되는 치아 수가 증감하는 동안, 변화하는 힘의 총합을 파악한다. 이런 소프트웨어의 특징으로 악궁 전체에서 상대적 교합력의 대칭성을 분석하는 것이 가능하다. 특히, 반복-교합 기록을 만들 때, COF 궤도는 환자가 재현성의 접촉 순서(COF 궤도 경로와 중첩)로 반복적으로 꾸준히 폐구하는지, 혹은 환자가 비-재현성의 접촉 순서(COF 궤도 경로와 비-중첩)로 다양한 폐구 운동을 보이는지에 대한 정보를 분명하게 임상의에게

전달할 것이다.

역동적 교합 접촉 순서 증강 분석

본 저서의 저자들 및 T-Scan 방법의 신뢰성에 관심이 있는 다른 이들이 보고한 긍정적인 관찰 결과(Kerstein, 2001; Lowe, Harty, Kerstein, & Radke, 2006; Kerstein, 2008; Koos, Godt, Schille, & Goz, 2010; Stern & Kordaβ, 2010)에 고무되어, Koos 등은 T-Scan Ⅲ 교합 분석 시스템을 이용하여 교합 접촉 순서 증강(occlusal contact sequence buildup)의 역동적인 측면을 탐구하였다. 목표는 MIP로 환자가 자가-폐구 운동하는 동안, 폐구 순서 시간에 걸쳐 발

생하는 악궁 내의 힘 변화를 모니터링하여, 접촉점 발달 순서를 정확하게 기록하고 분석하는 것이다(Koos, Holler, Schille, & Godt, 2012).

이 연구에 대한 답을 찾고자, 여자 18명 남자 20명으로 구성된 38명의 백인 지원자(평균 나이 25.3세; 범위 21-32세)가 참여하였다. 참가 자격은 양측성 중립-교합(neutron-occlusion; 소구치 폭경 ±1/2)과 완전 영구치열을 보유하는 것이고, 이들 중 37%는 사랑니를 가지고 있었다. 지원자들 중 반대교합, 비-교합성 대합치, 개방 교합, 소구치 발치 경험, 스팬이 긴 브릿지, 임플란트를 가지고 있거나, 내재적인 운동신경, CNS, 정신적인 질환을 가지고 있는 경우는 제외되었다.

T-Scan 측정에 앞서, 각 지원자에게 실험 프로토콜을 설명하고, 표준화된 두개하악 장애(Craniomandibular disorder; CMD) 스크리닝을 시행하였다. CMD 검사의 진단 분석 결과 지원자의 86%는 건강한 기능을 가진 것으로 판정되었고, 등록자 중 14%는 보상된 기능 장애 상태로 나타났다. 그러나, 기능 장애가 입증되지 않은 참가자만이 연구에 참여하도록 하였다.

참가자를 체어에 직립 자세로 앉히고, 머리를 헤드레스트에 기대게 한 후, 보철 수복 장착 동안 일상적으로 같은 자세를 사용하도록 시뮬레이션하였다. 동일하게 미리-프로그래밍된 체어 포지션을 모든 참가자에게 유지하였다. 참가자마다 개구 위치에서 MIP까지, 그리고 다시 개구할 때까지, 5회의 반복적인 폐구 싸이클을 기록하였다. 분석을 위해 총 190 싸이클을 수집하였다.

각 교합 접촉 순서 동안, 대합치와의 처음 치아 접촉을 Time 1(T1)으로 표시하고, 교합 접촉으로 들어가는 각 치아 순서를 기록하였다. 또한 지원자의 상대적 교합력이 T1에서 얼마나 강력한지도 기록하였다. T2부터 T15에 이르는 접촉 분포를 관찰하기 위해, 0.01초 간격으로 기록된 폐구 순서를 뒤로 재생하면서 같은 과정을 각 치아마다 반복하였다.

시간-순서 연구를 통해 다음의 타당한 의문이 제기되었다:
- 시간에 따라 교합의 양적 분포가 어떻게 발달하는가?
- 기록된 교합 과정의 몇 퍼센트에서, 대합치와 1번째 접촉이 구치부 혹은 전치부에서 일어나는가, 아니면 균일화된 순환적 첫 접촉이 있는가?
- T1과 T15 사이에서 상대적 교합력은 어떻게 발달하는가?

- T1에서 대합치와 접촉하는 치아는 어느 것인가?
- T2와 T10에 존재하는 교합력이 차지하는 비율은 얼마나 되는가?
- T2에서 T10까지 교합력의 질적인 분포는 어떻게 발달하는가?
- 상대적인 저작력 분포는 대칭적인가, 그렇다면 이 대칭성은 시간에 따라 점점 더 많은 수의 치아에서 교합접촉을 형성함에 따라 함께 변화하는가?
- 상대적 교합력의 관점에서 가시적인 성별-특이적인 차이가 존재하는가?

결과

시간에 따른 접촉 증강 순서 및 교합 접촉상 힘 크기 변화의 공간적 진행에 대한 분석은 막대 도표내의 평균값 및 영역 모두를 사용하여 수행하고, 타이밍과 힘 데이터에 일인자성의 비모수 방법인 Wilcoxon rank-sum test, $p < 0.05$의 유의 수준을 적용한다.

기록된 MIP 전후의 교합 접촉 순서 싸이클은 T1에서 T15로 시간이 경과함에 따라 접촉하는 대합치의 수가 점차적으로 증가함을 보여준다(그림 8). 접촉 순서의 초기에, 평균 1.9개의 대립 치아 접촉이 관찰되고, 다음 0.04초가 경과한 후에는 4배에 달하는 8.2개의 접촉을 보인다. T8에서 평균 10.7개의 접촉이 발생한 후, 접촉 진행을 묘사하는 곡선이 현저하게 평평해져 이후의 치아 접촉 진행이 느려지거나 멈추는 것을 의미한다. 완전 교두감합의 종말에서, 평균 12.5개의 치아가 대합치와 접촉하였다.

접촉 순서 데이터에 의하면, T1에서의 1번째 접촉이 후방부에서 가장 흔하게 나타난다(44%). 그러나, 분석된 모든 교합 싸이클의 40%에서 거의 동등하게 초기 접촉이 전치부(견치 포함)에서 관찰되었다. 특히, 악궁을 가로지르는 균등하고 동시적인 1번째 교합 접촉의 분포는 16%에 불과하였다(그림 9).

시간에 따른 접촉 순서 증강 동안 관찰되는 총 상대적 교합력의 평균값은 대합 치아 접촉이 증가함에 따라 점진적으로 증가하였다. 그러나, 폐구로 시간이 경과함에 따라, 교합력은 점차적으로 운동량(momentum)의 대부분을 소실하였다(그림 10).

그림 11은 교합력 증강의 순서 안에서 각 치아의 기여 정도를 세밀하게 보여주고 있다. 초기 단계에서, 중절치의

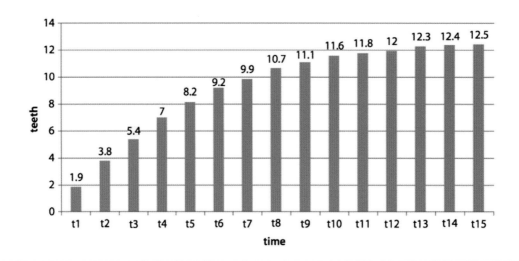

그림 8 시간의 흐름에 따른 대상자 당, 대립 치아 접촉의 평균 개수. 접촉 순서의 초기에 평균 1.9개의 대립 치아 접촉이 관찰된 후, 8.2개로 증가하고 T8에서 평균 10.7개의 접촉이 나타났다. MIP에서, 평균 12.5개의 치아가 대합치와 접촉하였다(©Springer-Verlag, 허락 하에 인용)

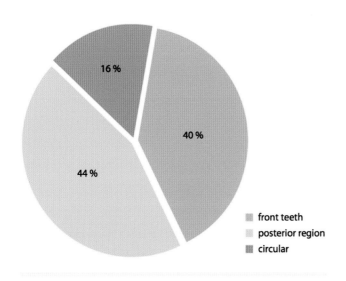

front teeth
posterior region
circular

그림 9 초기 교합 접촉의 국소화가 T1에서 관찰된다; 44%는 구치부에서, 40%는 전치부에서 나타났고, 16%에서만이 균등하고 동시적이며 넓게 퍼진 T1 접촉을 보였다(©Springer-Verlag, 허락 하에 인용)

눈에 띄게 높은 참여가 드러나는데(약 41%), 이것은 견치(약 20%), 대구치(약 32%)를 능가하는 것이다. 이런 분포의 반전은 뒤에 관찰되는데, 더 많은 후방 치아가 접촉하면서, COF를 형성하게 되고, 대구치와 소구치 근처에 분포(약 86%)하게 된다. 흥미롭게도, 교합력 증강의 종료점에서 중절치와 견치의 강한 참여(약 70%와 72%)가 관찰된다.

상대적 힘 발달의 시간적 순서를 보여주는 추가적인 데이터(그림 12)는 정적인 교합(MIP)에 도달하기까지 교합이

발달하면서 상대적 교합력의 대칭성(우측 반악궁% vs. 좌측 반악궁%)이 개선됨을 보여준다. T2에서, 평균 좌우 힘의 불균형은 우측 57.4%-좌측 42.6%(Δ 14.8)로 나타난다. T10에서는, 이런 차이가 상당히 감소하여 우측 52.6%-좌측 47.4%(Δ 5.2)로 되었다. 그러나, 좌우 비대칭이 9.6% 감소하는 동안, 이 연구군에서는, 우측의 상대적 교합력이 높은 불균형이 유지되었다. 샘플에서 오른손잡이의 일상적인 우위가 이런 상황을 잘 설명할 수 있음에도 불구하고, 이런 결과와 오른손잡이 환자와의 연관성이 어느 정도인지 분석되지 않았다. 마지막으로, 이번 연구에서 상대적 교합력 크기에 대한 성별-특이적인 영향은 보이지 않았다. 비모수적, Wilcoxon rank-sum test는 성별 간에 상대적 교합력 크기의 유의성 있는 차이가 보이지 않는다고 하였다(표 1).

상대적 교합력 분포의 초기 단계(T2)에서 중절치의 점유율이 높게 나타났지만, 이런 접촉은 일반적으로 개개 환자 최대 교합력의 6.4%에 불과하는 낮은 힘으로 관찰되었다. T10 근처에서, 개별 환자 최대 교합력의 57.6%에 달하는 상대적 힘의 대부분이 제1, 2대구치로 후방 이동하지만, 중절치에서 소구치보다 더 큰 상대적 힘을 보인다. 특히, 측절치는 항상 최소의 상대적 힘을 나타냈다. 어떠한 집단에서든 제3대구치의 유무가 매우 다양하게 나타나므로, 이번 연구에서 제3대구치는 포함시키지 않았다(3대구치는 종종 결손되거나 교합면 상에 미치지 못한다)(Dodson, 2012; Jung, & Cho, 2013).

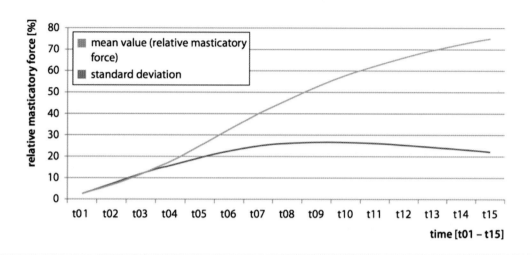

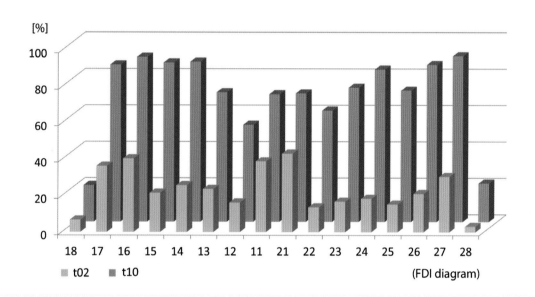

T2에서 T10 구간에서 각 치아 별로 나누어 평가해보면, 상대적 힘 크기 변화는 소구치 부위에서 0.9%, 대구치 부위에서 3.7% 증가하였고, 절치 부위에서는 3.2% 감소하였다. 대응하는 대합치 접촉의 분포도 매우 유사한 방식으로 시간에 따라 연속적으로 발달했다. 총 상대적 교합력 크기가 증가하면서 분포가 후방으로 이동하였다.

연구 결과, 놀랍게도 초기 교합력 증강 단계에서 전치부가 강하게 연관되었다. 연구 측정 프로토콜에 이런 결과를 유도한 구조적 오류가 있다고 생각할 수 있음에도 불구하고, Ivanis 등은 완성된 온전한 치열을 가진 청년의 절치 간에 높은 교합력이 존재한다는 유사한 보고를 하였다. 그러나, 저자들은 시간의 흐름에 따른 힘 발달을 분석하지 않았다(Ivanis, Zivko-Babic, & Stalec, 1988). 부가적으로, Kampe 등은 전치에 수복물이 있는 사람에서 전방의 교합력이 유의성 있게 감소한다고 하였다. 그들은 이런 수복물에 반응하는 적응 변화가 이런 결과와 연관성이 있을 것이라고 추측하였다. 대상자들은, 이 장의 앞에 언급했던 연구에 참여했던 지원자 그룹과 견줄 수 있는, 평균 나이 25.3세의 청

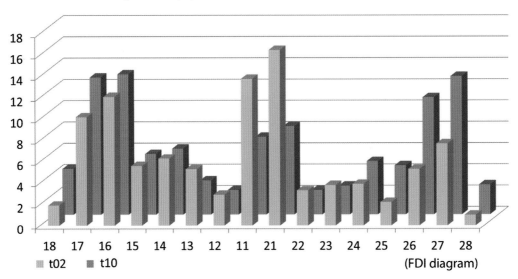

relative occlusal force per tooth [%]

MIP를 향해 교합 발달이 진행됨에 따라 상대적 힘 발달의 시간 순서로 상대적 교합력의 대칭성이 개선됨을 보여준다. 이 연구군에서, 우측의 상대적 교합력이 높은 불균형이 유지되었다(©Springer-Verlag, 허락 하에 인용)

표 1 t1-t15의 성별과 연관된 힘 비율 비교, p-values와 평균값 포함(©Springer-Verlag, 허락 하에 인용)

TIME	p-Value	MEAN MALE	MEAN FEMALE
t01	0.822	1.4	1.6
t02	0.325	4.2	3.8
t03	0.402	7.6	6.8
t04	0.589	13.6	12.0
t05	0.735	22.0	19.0
t06	0.897	31.1	26.5
t07	0.886	41.3	38.3
t08	0.891	50.3	49.5
t09	0.763	58.8	58.2
t10	0.689	65.4	66.5
t11	0.600	69.4	69.9
t12	0.583	74.2	74.6
t13	0.441	79.4	78.2
t14	0.441	82.2	80.7
t15	0.380	84.2	83.3

년이었다(Kampe, Haraldson, Hannerz, & Carlsson, 1987).

상대적 교합력 크기가 증가함에 따라 대구치와 소구치가 교합 증강에 점진적으로 참여하게 되는 이유를 이해하려면, 이 치아들이 저작근의 중심에 가깝게 위치하여 잠재적으로 힘을 최대로 발휘할 수 있음을 고려해야 한다. T2에서 T10 사이에서, 구치부에서 상대적 힘 발달이 증가하면서, 전치부에서는 감소한다. 평균 상대적 교합력의 증가가 대구치 부위(+3.7%)보다 훨씬 적게 소구치 부위(+0.9%)에서 관찰되었다(그림 12). COF가 소구치부보다는 대구치부에 종종 위치하기 때문이다. Kumagai 등에 의한 앞선 연구는 이런 결과를 지지한다(Kumagai, Suzuki, Hamada, Sondang, Fujitani, & Nikawa, 1999). 그들은 점진적으로 더 큰 힘에 도달하면서, 소구치와 전치의 역할이 감소하고 대구치의 참여가 증가한다고 언급하였다. 그들의 데이터는 기본적으로 위의 연구 발표 결과와 같은 선상에 있다. 그러나, 같은 저자들은 시간이 흐름에 따라 힘이 증가하면서 소구치 참여가 감소한다고 하였는데(Kumagai, Suzuki, Hamada, Sondang, Fujitani, & Nikawa, 1999), 이와 반대로 Koos 등은 시간에 따라 소구치의 연관성이 살짝 증가한다고 하였다(Koos, Holler, Schille, & Godt, 2012).

초기 교합력 발달에서 중절치의 강력한 역할은, 치주 고유감각을 통해 근신경 조절을 이끌어내어 하악의 폐구운동을 지배함으로써, 다른 치아보다 주도적인 역할을 하기 때문이다. 이와는 다르게, 제1, 2대구치가 습관적인 교합 간 접촉에서 교합력이 최대 크기에 도달하는 부위이기 때문에, 이들 치아가 저작의 중심에 있다고 제시한 연구도 있었다. 어느 대구치가 더 영향을 받는지는 밝혀지지 않았다. Ferrario 등은 최대 교합력의 비율이 견치나 절치에서보다 소구치나 대구치에서 더 크다고 하였다. 그는 제1대구치가 가장 센 힘과 연관된다고 하였다(Ferrario, Sforza, Serrao, Dellavia, & Tartaglia, 2004). 위의 T-Scan III 연구는 좌-우의 대구치 차이에서, #16번과 #27번이 대칭 치아보다 더 큰 힘을 보이는 것으로 나타났다. Zivko-Babic 등은 후방부와 전방부의 교합력 사이에는 통계적으로 유의성 있는 차이가 있지만, 좌-우 차이에는 유의성이 없다고 하였다(Zivko-Babic & Panduric, 2002). Filtchev 등은, 이와 대조적으로, 중심 교합(CO)에서 부하가 항상 교합 접촉을 구성하는 마지막 치아에 존재한다고 하였다. 이는 지원자에게 CO로 최대한 세게 물게 하여 얻은 결과이다(Filtchev &

Kalachev, 2008).

무수한 연구 발표에 의하면, 최대 및 최소 힘은 각각 제1 대구치와 절치에 위치한다(Carlsson, 1974; Ferrario, Sforza, Serrao, Dellavia, & Tartaglia, 2004; Maness & Podoloff, 1989). 위의 연구 결과에서, 대구치의 힘 수준이 가장 크다. 대신에, 중절치가 전방부에서 제일 높고, 소구치가 그 다음, 그리고 견치이며, 가장 작은 힘은 측절치에 위치한다.

위의 T-Scan 연구는 교합력 증강 시작점에서 교합력의 뚜렷한 좌우 비대칭성을 밝혔는데, 이것은 MIP로 근접해 가면서 현저히 감소한다고 했다. 몇몇 연구자들은 대칭성을 보고하고(Ferrario, Sforza, Serrao, Dellavia, & Tartaglia, 2004; Maness & Podoloff, 1989), 다른 T-Scan 연구자들은 비대칭성을 보고하면서(Garrido Garcia, Garcia Cartagena, & Gonzalez Sequeros, 1997; Korioth, 1990), 문헌상에서 상충되는 논의가 이루어졌다. 생각건대, 치아가 자신의 치주인대 내에 정착하여 광범위하고 대칭적이며 보다 안정적인 교합 접촉력 분포를 얻을 수 있도록, 하악이 정적인 교합으로의 길을 찾기 위한 근신경 적응이 필요할 것이다.

앞서 언급한 많은 연구의 다양한 결과는 각 연구에서 서로 다른 측정 기술이 사용되었다는 것을 의미한다. 인위적으로 조성된 어떠한 측정 조건도 기존 상태에 영향을 미친다는 것을 기억해야 한다.

T-Scan을 이용한 교합 측정 및 기존의 상태에 미치는 T-Scan 센서의 영향에 관하여, 다음 2가지 쟁점이 논의되어야 한다:

1. **교합 접촉과 상대적 교합력을 측정하기 위해 기록 센서는 반드시 교합하는 치아 사이에 위치시켜야 한다:** 센서는 제한된 정도이기는 하지만, 양측성으로 모든 치아가 교합 접촉하거나, 환자가 반복적으로 습관적 교두감합을 만들어내는 능력을 저해한다. 실제 데이터를 기록하기 전에, COF를 반복적으로 관찰하여 환자 폐구 시 위치의 재현성을 파악할 수 있다.

Forrester 등은 교합지의 편측 조각을 모방하기 위해 T-Scan 센서를 반으로 잘라서 사용하였는데(제조사의 사용법 권고에 어긋나는), 반으로 잘라진 T-Scan 센서와 편측용 교합지 모두가 습관성 교두감합 동안 기록된 표면 근전도검사(EMG)에 대해 측정할 수 있는 수준의 영향을 끼쳤다고 하였다. 그는 편측성 지표가 교합을 방해하는 위험성을 가지고 있다고 하였다(Forrester, Presswood, Toy, & Pain, 2011).

T-Scan Ⅲ 기록 센서는 임상적으로 사용되는 전통적인 교합 지표(두께 범위 8-200μm)에 비해 중간 두께(100μm)를 가진다(Kerstein, 2001). 환자 교합에서 T-Scan 센서의 악영향은 전통적인 교합 지표와 비교할 수 있다. 그러나, T-Scan HD 기록 센서는 전통적인 지표를 넘어서는 수많은 결정적인 장점을 가지는데, 습기에 의해 영향받지 않고, 24회까지 반복적으로 여러 번 사용해도 힘 재현을 유지한다(Lowe, Harty, Kerstein, & Radke, 2006). 확연하게, 습기의 영향과 반복된 사용으로 인한 파손은 전통적인 교합 지표를 사용할 때 가장 흔한 에러의 원인이 된다. 현재 제조 기술이 기록 센서 기질 내에 내장된 출력 전도 통로를 충분히 최소화할 정도로 발전하지는 않았으므로, 센서의 두께를 감소시키기 위한 노력이 계속되어야 한다.

2. **환자 자세가 일관된 힘 재생산에 영향을 미친다:** 몇몇 연구자들은 머리 사세가 시상면으로 기울면 교합에 영향을 주어 조기 접촉이 유도된다고 하였다(Chapman, Maness, & Osorio, 1991; Makofsky, 2000). 다른 연구에서는 발의 자세가 변화해도 교합이 변하는 효과가 있다는 것을 보여줬다(Sakaguchi, Mehta, Abdallah, Forgione, Hirayama, Kawasaki, & Yokoyama, 2007).

T-Scan 기록 에러의 잠재적인 요인을 최소화하기 위해, 환자의 머리와 등을 바르게 정리하고 모든 기록 동안 체어 자세를 일정하게 유지하며 같은 환자의 반복 기록 동안 COF 아이콘이 반복적인 통로를 갖는지 시각적으로 확인하기 위해, 기록하는 동안 T-Scan 데스크탑을 관찰한다.

하나의 기록에서 다른 기록까지, 반복적이고 지속적인 T-Scan 데이터를 얻을 수 있는 최고의 방법에 대한 자세한 안내는 4장을 참고하기 바란다.

해결 방안 및 권고 사항

전통적인 교합 지표가 힘 기록의 신뢰성과 반복적인 인기 능력이 부족하다는 것은 이 장에 인용된 문헌들을 통해 충분히 입증되었다. 가장 중요한 것은, 접촉 치아 상에 존재하는 교합력과 전통적 교합 지표 자국의 크기 및 색상 사이에 연관성이 밝혀지지 않았다는 것이다. 부가적으로, 전통적 교합 지표는 교합 접촉 시간-순서를 기록하거나 임상의에게 가르쳐주지 않는다. 그렇게 때문에, 조기 접촉을 정확하거나 예견성있게 확인시켜주지 않는다.

불균형한 교합이나 중심/편심위 조기 접촉으로 수직적 치근 파절, 임플란트-주위 골소실, 치주조직 과부하가 유발될 수 있다(Conrad, Schulte, & Vallee, 2008; Isidor, 1996; Lawn & Lee, 2009; Quirynen, Naert, & van Steenberghe, 1992; Rangert, Krogh, Langer, & Van Roekel, 2005; Tawil, 2008; Zeng, Wang, & Zhou, 2000). 이런 임상적 사실은 교합력 관계, 시간 경과에 따른 교합력 양상에 대한 정확한 분석을 연구 분야뿐만 아니라 임상적 진단, 환자 치료에서도 의미 있게 만든다. 교합력 분포, 교합력 발달 순서에 대한 지식은 특히 임상의가 다양한 교합력-관련 합병증이 환자에게 유발되는 것을 예방하는 가치를 지닌다. 또한, T-Scan으로 교합 치료를 시행함으로써, 비측정, 비기록성 교합 치료의 잠재적인 악영향으로 인한 법적 결과를 피할 수 있다.

교합력 분산이 자연치와 임플란트의 생존 가능성에 미치는 영향과 같은 중요한 임상적 연관성과 전통적인 교합 지표의 정확성이 부족하다는 과학적 증거가 있기 때문에, 대합치 접촉 사이의 정확한 교합력 관계를 측정하고 보고할 수 있는 능력이 있는 진단 기구가 결정적으로 필요하다. 처음부터 현재에 이르기까지의 교합 진단 장치 진화에 걸쳐, 교합 접촉 분포를 파악하고 분석할 수 있는 임상의가 이용할 수 있는 유일한 옵션은 T-Scan Ⅲ 시스템이다.

T-Scan Ⅲ HD 기록 센서는 치아 표면에 자국을 남기지 않기 때문에, 저자는 T-Scan Ⅲ 데이터를 전통적인 지표와 병행하여 사용하기를 강력히 권고한다. 이 조합을 이용하면 임상에서 믿을만한 컴퓨터 교합 분석으로 과다한 교합력의 위치를 파악하고, 해당 치아를 교합지로 기록하여 힘이 과다한 부위를 삭제한다. 측정성 과다 교합력 파악과 술식 간소화로, 임상의는 불균등한 교합력 분포로 유발되는 교합 합병증을 예방할 수 있게 한다.

미래의 연구 방향

가장 바람직한 앞으로의 T-Scan 기술 연구는, 완전한 교두감합 상태의 절대적 교합력 크기를 측정하고 분석하는 예견 가능한 프로토콜을 시행하는 것이다. 교합 기능 동안 시간에 따른 힘 발달의 정도를 포함하여 절대적 교합력을 측정하는 것은 기초 과학 연구자들과 임상의에게 상당한 흥미를 유발할 것이다. 단일 치아나 소수의 교합 치아에 부하된 구내 센서를 이용한 절대적 힘에 대한 예전 연구는, 한 번에 소수 치아에 한정된 절대적 힘만 기록하기 때문에, 교합 접촉력의 완전한 범위나, 환자의 *온전한* 교두감합 교합 동안의 전개를 포착하지 않는다.

이와 대조적으로, T-Scan HD 센서는 이상적으로 상하 치아 사이에 들어맞게 위치되고, 하악 폐구 혹은 편심위 운동 시에, 시간에 따른 환자의 절대적 교합 발달을 포함하여 절대적 교합력 세기를 디지털적으로 기록한다. 또한, 연구자가 T-Scan 힘 데이터를 통계적 분석에 대한 스프레드시트 소프트웨어에 전달하는 소프트웨어의 특성을 이용하는 장점을 입증할 수도 있다(Microsoft Excel, Microsoft Corp., Seattle, WA, USA). 수출 함수(export function)가 T-Scan 버전 7에 포함되어 있는데, 역량에 대한 자세한 평가가 그 유용성을 입증할 것이다.

결론

문헌 상에서 "이상적 교합"은 전통적으로 교합력과 접촉 관계가 동시에 균등하게 증강하는 것으로 특징지어진다. T-Scan Ⅲ 시스템으로 측정된 기능적 교합 분석은 양적 및 질적으로 교합력과 접촉 증강의 시간 순서를 정밀하게 배열하고 시간에 따른 교합 분산을 분석할 수 있다(Koos, Holler, Schille, & Godt, 2012).

이 장에서는, T-Scan Ⅲ 시스템과 HD 기록 센서의 능력을 이용하여, 지원자의 44%는 대구치에서 초기 교합 접촉(T1)을 보였고, 40%는 전치부에서 최초 접촉이 나타났음을 설명하였다. 16%만이 첫-접촉이 균등한 순회 양상을 보였다. 시간적 교합 접촉 순서의 상대적 비교로 중절치가 좀 더 흔하게 1번째 접촉을 보였다. 교합 접촉이 더 많이 진행되면서, 교합의 중심은 전치부에서 구치부로 이동하였고, 폐구 순서 후기에 대구치와 소구치는 중절치보다 좀 더 자주 대합치와 접촉하였다. 상대적 교합력 분포에서 변화의 유사한 양상이 관찰되는데, 이것은 중절치에 상대적으로

큰 초기 힘이 부하되고, 그 후에 대구치부로 이동하였다. 마지막으로, 교합력의 상대적 분포가 좌-우 비대칭적으로 우측에서 크게 나타났는데, 적은 인원에 기초하였기 때문에 절대적인 표준화는 될 수 없다. 그러나, 균형에서, 위에 서술한 결과가 일반적으로 받아들여지거나 만연하게 믿어지는, 교합 접촉과 힘 증강이 보통 동시적이고 균등한 양상을 따른다는 믿음을 지지하지 않는다.

최근 문헌에 따르면, 교합 분석에 대한 T-Scan Ⅲ 방법은 진단 영역에서 정확하고 신뢰할 수 있는 중요한 추가 수단으로 간주되어야 한다(Kerstein, 2001; Kerstein, Lowe, Harty, & Radke, 2006; Kerstein, 2008; Koos, Godt, Schille, & Goz, 2010; Stern & Kordaβ, 2010). 이 방법은 매일의 임상 술식에서 진단 및 치료의 중요한 도구로 이용된다. 이것의 최대 장점은 조기 접촉과 과부하 접촉을 객관적이고 재현적으로 식별하는 능력이다. 교합지나 채색된 foil과 같이 사용하면, 교정이나 수복의 과정에서 과다 교합력 및/혹은 조기 접촉을 포착하여 문제성 접촉을 제거하면서 추후에 유발될 수 있는 잠재적인 손상을 제한할 수 있다. 마지막으로, 교합 치료 후 손상을 제기하는 환자의 수가 증가하면, 선재하는 비대칭적 혹은 환자의 교합에 존재하는 결정적인 힘 관계를 입증하는 능력이 치료의 이유뿐만 아니라 법적 이유를 위해 진단 영역에 추가되어야 할 것이다.

참고문헌

• Andrews, L.F. (1972). The six keys to normal occlusion. *American Journal of Orthodontics*, 62, 296-309.

• Balters, W. (1955). [Articular compensation and relief therapy in grinding and pressing teeth.]. *Deutsche Zahnärztliche Zeitung*, 10, 867-73.

• Bland J.M., & Altman, D.G. (1996). Measurement error. *British Medical Journal*, 313, 744.

• Carey, J.P., Craig, M., Kerstein, R.B., & Radke, J. (2007). Determining a relationship between applied occlusal load and articulating paper mark area. *The Open Dentistry Journal*, 1, 1-7.

• Carlsson, G.E. (1974). Bite force and chewing efficiency. *Fron-*

tiers of Oral Physiology, 1, 265-92.

• Carlsson, G.E. (2010). Some dogmas related to prosthodontics, temporomandibular disorders and occlusion. *Acta Odontologica Scandinavica*, 68, 313-322.

• Chambrone, L., Chambrone, L.A., & Lima L.A. (2010). Effects of occlusal overload on peri-implant tissue health: a systematic review of animal-model studies. *Journal of Periodontology*, 81, 1367-1378.

• Chapman, R.J., Maness, W.L., & Osorio J. (1991). Occlusal contact variation with changes in head position. *The International Journal of Prosthodontics*, 4, 377-381.

• Clark J.R., & Evans, R.D. (2001) Functional occlusion: I. A review. *Journal of Orthodontic Research*, 28, 76-81.

• Cohen, J. (1988). *Statistical Power Analysis for the Behavioral Science*s. 2nd ed. Hillsdale: Lawrance Erlbaum Associates.

• Conrad, H.J., Schulte, J.K., & Vallee, M.C. (2008). Fractures related to occlusal overload with single posterior implants: a clinical report. *Journal of Prosthetic Dentistry*, 99(4), 251-256.

• Dees, A., Kess, K., Proff, P., & Schneider, S. (1992). The use of the T-Scan system in occlusal diagnosis. *Deutsche Zahn-, Mund-, und Kieferheilkunde mit Zentralblatt*, 80, 145-51.

• Dodson, T.B. (2012). How many patients have third molars and how many have one or more asymptomatic, disease-free third molars? *Journal of Oral and Maxillofacial Surgery*, 70, S4-7.

• Ferrario, V.F., Sforza, C., Serrao, G., Dellavia, C., & Tartaglia, G.M. (2004). Single tooth bite forces in healthy young adults. *Journal of Oral Rehabilitation*, 31, 18-22.

• Forrester, S.E., Presswood, R.G., Toy, A.C., & Pain, M.T. (2011). Occlusal measurement method can affect SEMG activity during occlusion. *Journal of Oral Rehabilitation*, 38, 655-60.

• Garrido Garcia, V.C., Garcia Cartagena, A., & Gonzalez Sequeros, O. (1997). Evaluation of occlusal contacts in maximum intercuspation using the T-Scan system. *Journal of Oral Rehabilitation*, 24, 899-903.

• Gazit, E., Fitzig, S., & Lieberman, M.A. (1986) Reproducibility of occlusal marking techniques. *Journal of Prosthetic Dentistry*, 55, 505-509.

• Gesch, D., Bernhardt, O., Mack, F., John, U., Kocher, T., & Alte D. (2005). Association of malocclusion and functional occlusion with subjective symptoms of TMD in adults: results of the Study of Health in Pomerania (SHIP). *The Angle orthodontist*, 75, 183-190.

• Greene, C.S. (2011). Relationship between occlusion and temporomandibular disorders: Implications for the orthodontist. *American Journal of Orthodontics and Dentofacial Orthopedics*, 139(11), 13, 15.

• Harper, K.A., & Setchell, D.J. (2002). The use of shimstock to assess occlusal contacts: a laboratory study. *The International Journal of Prosthodontics*, 15, 347-52.

• Hauck, M.J. (2003). Dynamische Okklusionskonzepte in der Totalprothetik. *Quintessenz Zahntechnik*, 10, 1214-1220.

• Hellmann, D. (2007). Grundlagen der Funktionslehre, Teil 1: Terminologie und Einführung. *Quintessenz Zahntechnik*, 33(4), 500-504.

• Isidor, F. (1996). Loss of osseointegration caused by occlusal load of oral implants. A clinical and radiographic study in monkeys. *Clinical Oral Implants Research*, 7, 143-52.

• Ivanis, T., Zivko-Babic, J., & Stalec, J. (1988). [The intensity of masticatory forces in front teeth]. *Acta stomatologica Croatica*, 22, 107-16.

• Jung, Y.H., & Cho, B.H. (2013). Prevalence of missing and impacted third molars in adults aged 25 years and above. *Imaging Science in Dentistry*, 43, 219-25.

• Kahl-Nieke, B. (2010). *Einführung in die Kieferorthopädie*. Köln: Deutscher Zahnärzte Verlag. pp. 48-50.

• Kampe, T., Haraldson, T., Hannerz, H., & Carlsson, G.E. (1987). Occlusal perception and bite force in young subjects with and without dental fillings. *Acta Odontologica Scandinavica*, 45, 101-107.

• Kerstein, R.B. (2001). Current applications of computerized occlusal analysis in dental medicine. *General Dentistry*, 49, 521-530.

• Kerstein, R.B., Lowe, M., Harty, M., & Radke, J . (2006). A Force reproduction analysis of two recording sensors of a computerized occlusal analysis system. *Journal of Craniomandibular Practice*, 24(1), 15-24.

• Kerstein, R.B. (2008). Articulating paper mark misconceptions and computerized occlusal analysis technology. *Dental Im-*

plantology Update, 19,41-6.

- Kerstein, R.B., & Radke, J. (2012). Masseter and temporalis excursive hyperactivity decreased by measured anterior guidance development. *Journal of Craniomandibular Practice, 30*(4), 243-254.

- Kerstein, R.B., & Radke, J. (2013). Clinician accuracy when subjectively interpreting articulating paper markings. *The Journal of Craniomandibular & Sleep Practice 32*(1),13-23.

- Komari, J. (1978). Diagnosis of premature contacts. *Zahnärztliche Welt, 87*,768-70.

- Koos ,B., Godt, A., Schille, C., & Goz, G. (2010). Precision of an instrumentation-based method of analyzing occlusion and its resulting distribution of forces in the dental arch. *Journal of Orofacial Orthopedics, 71*,403-10.

- Koos, B., Holler, J., Schille, C., Godt, A. (2012). Time-dependent analysis and representation of force distribution and occlusion contact in the masticatory cycle. *Journal of Orofacial Orthopedics, 73*,204-14.

- Korioth ,T.W. (1990). Number and location of occlusal contacts in intercuspal position. *Journal of Prosthetic Dentistry, 64*, 206-210.

- Kumagai, H., Suzuki, T., Hamada, T., Sondang, P., Fujitani, M., & Nikawa H. (1999). Occlusal force distribution on the dental arch during various levels of clenching. *Journal of Oral Rehabilitation, 26,* 932-5.

- Lawn, B.R.,& Lee, J.J. (2009). Analysis of fracture and deformation modes in teeth subjected to occlusal loading. *Acta Biomaterialia, 5*,2213-21.

- Makofsky, H.W. (2000). The influence of forward head posture on dental occlusion. *Cranio : the journal of craniomandibular practice*,18,30-9.

- Maness, W.L., & Podoloff, R. (1989). Distribution of occlusal contacts in maximum intercuspation. *Journal of Prosthetic Dentistry, 62*, 238-42.

- Millstein, P., & Maya, A. (2001). An evaluation of occlusal contact marking indicators. A descriptive quantitative method. *Journal of the American Dental Association, 132*,1280-1286; quiz 319.

- Millstein ,P.L. (1983). An evaluation of occlusal contact mark-

ing indicators: a descriptive, qualitative method. *Quintessence International, Dental Digest, 14*,813-36.

- Okeson, J.P. (1981). Etiology and treatment of occlusal pathosis and associated facial pain. *Journal of Prosthetic Dentistry, 45*,199-204.

- Okeson, J.P. (1995). Occlusion and functional disorders of the masticatory system. *Dental clinics of North America, 39*, 285-300.

- Quirynen, M., Naert, I., & van Steenberghe, D. (1992). Fixture design and overload influence marginal bone loss and fixture success in the Branemark system. *Clinical Oral Implants Research, 3*,104-11.

- Rangert, B., Krogh ,P.H., Langer, B., & Van Roekel, N. (1995). Bending overload and implant fracture: a retrospective clinical analysis. *The International Journal of Oral & Maxillofacial Implants, 10*, 326-334.

- Reiber, T., Fuhr, K., Hartmann ,H., & Leicher, D. (1989). Recording pattern of occlusal indicators. I. Influence of indicator thickness, pressure, and surface morphology. *Deutsche Zahnärztliche Zeitung, 44* ,90-93.

- Reitemeier, B S.N., & Ehrenfeld, M. (2006). *Einführung in die Zahnmedizin.* Stuttgart: Georg Thieme Verlag.

- Reiter, D. (1980). Concepts of dental occlusion. *American Journal of Otolaryngology, 1*, 245-255.

- Sakaguchi, K., Mehta, N.R., Abdallah, E.F., Forgione, A.G., Hirayama, H., Kawasaki, T., & Yokoyama, A. (2007). Examination of the relationship between mandibular position and body posture. *The Journal of Craniomandibular Practice, 25*, 237-249.

- Saracoglu, A., & Ozpinar, B. (2002). In vivo and in vitro evaluation of occlusal indicator sensitivity. *Journal of Prosthetic Dentistry, 88*, 522-6.

- Scholz, W., Pancherz, H., & Reichel, R. (1991). Review of T-SCAN-systems for registration of occlusal condition. *Zahnärztliche Praxis, 42*, 6-9.

- Setz, J., & Geis-Gerstorfer J. (1990). Properties of a measuring system for digital occlusion diagnosis. *Deutsche Zahnärztliche Zeitung, 45*,S65-6.

- Slavicek, R. (2011). Relationship between occlusion and temporomandibular disorders: implications for the gnathologist. *American Journal of Orthodontics and Dentofacial Orthope-*

dics, *139*(10), 12, 14 passim.

- Stern, K., & Kordaß, B. (2010). Comparison of the Greifswald Digital Analyzing System with the T-Scan III with respect to clinical reproducibility for displaying occlusal contacts. *Journal of Craniomandibular Function*, *2*, 107-119.

- Sultana, M.H., Yamada, K., & Hanada, K. (2002). Changes in occlusal force and occlusal contact area after active orthodontic treatment: a pilot study using pressure-sensitive sheets. *Journal of Oral Rehabilitation*, *29*, 484-491.

- Tawil, G. (2008). Peri-implant bone loss caused by occlusal overload: repair of the peri-implant defect following correction of the traumatic occlusion. A case report. *The International Journal of Oral & Maxillofacial Implants*, *23*,153-157.

- Taylor, J.B. (1999). Random and Systematic Errors. In A.McGuire (Ed). *An Introduction to Error Analysis: The Study of Uncertainties in Physical Measurements* (pp. 94-99). Sausalito: University Science Books,

- Tschernitschek, H., Handel, G., & Gunay, H. (1990). T-Scan - possibilities and limits of new occlusal diagnostic procedure. *Zahnärztliche Praxis*, *41*, 54-56.

- Turp, J.C., & Schindler, H. (2012). The dental occlusion as a suspected cause for TMDs: epidemiological and etiological considerations. *Journal of Oral Rehabilitation*, *39*, 502-512.

- Wang, C., & Yin, X. (2012). Occlusal risk factors associated with temporomandibular disorders in young adults with normal occlusions. *Oral Surgery, Oral Medicine, Oral Pathology and Oral Radiology*, *114*,419-423.

- Zeng, Y., Wang, J., & Zhou, S. (2000). [Occlusal contact force and stress analysis of molars with vertical root split]. *Zhonghua Kou Qiang Yi Xue Za Zhi*, *35*,142-143.

추가문헌

- Corte-Real, A.T., Filter V., Silveira A., Fonseca, J., Alves, S., & Rodrigues, M.J. (2013). The T-Scan System a tool for forensic science. *The Journal of Forensic Odonto-stomatology*, *31*(Suppl 1),51-52.

- Huang, Z.S., Lin, X.F., & Li, X.L. (2011) . Characteristics of temporomandibular joint vibrations in anterior disk displacement with reduction in adults. *Journal of Craniomandibular Practice*, *29*, 276-83.

- Hwang, I.T., Jung, D.U., Lee, J.H., & Kang, D.W. (2009). Evaluation of TMJ sounds on the subject with TMJ disorder by Joint Vibration Analysis. *The Journal of Advanced Prosthodontics*, *1*,26-30.

- Kerstein, R.B. (1998). Understanding and using the center of force. *Dentistry Today*, *17*,116-9.

- Kerstein, R.B., & Wilkerson, D.W. (2001). Locating the centric relation prematurity with a computerized occlusal analysis system. *Compendium of Continuing Education in Dentistry*, *22*, 525-528.

- Kerstein, R.B. (2003). Reader's Roundtable. *Journal of Prosthetic Dentistry*, *90*(3), 310-311.

- Kerstein, R.B. (2004). Combining technologies: a computerized occlusal analysis system synchronized with a computerized electromyography system. *Journal of Craniomandibular Practice*, *22*,96-109.

- Kerstein, R.B., & Radke J. (2006). The effect of disclusion time reduction on maximal clench muscle activity levels. *Journal of Craniomandibular Practice*, *24*,156-65.

- Radke, J., Garcia, R., Jr., & Ketcham, R. (2001). Wavelet transforms of TM joint vibrations: a feature extraction tool for detecting reducing displaced disks. *Journal of Craniomandibular Practice*, *19*, 84-90.

- Sierpinska, T., Golebiewska, M., Kuc, J., & Lapuc, M. (2009). The influence of the occlusal vertical dimension on masticatory muscle activities and hyoid bone position in complete denture wearers. *Advances in Medical Sciences*, *54*,104-108.

- Throckmorton, G.S., Rasmussen, J., & Caloss, R. (2009). Calibration of T-Scan sensors for recording bite forces in denture patients. *Journal of Oral Rehabilitation*, *36*, 636-643.

주요 용어 및 정의

- **Dental Prescale System(DPS):** 컴퓨터 진단 장치로 구내에서 교합력을 측정하기 위해 사용된다. 2단계의 과정으로, 처음에 환자는 압력에 따라 색상이 부분적으로 변화하는 압력-감작성 왁스 와이퍼를 문다. 그 다음에, 인기된 왁스 와이퍼를 스캔하여, 색상 변화를 분석한다. DPS는 교합 접촉 순서의 타이밍이나 교합력 증강의 시간적 순서에 대한 정보는 제공하지 않는다.

- **GEDAS:** DPS와 유사한 컴퓨터 지원 진단 술식이다. DPS와 마찬가지로, GEDAS는 2단계로 나뉘어져 있고, 측정된 교합 관계를 분석 프로그램으로 직접 전송하지 않는다. 1단계, 초경질 실리콘 구내 기록을 만든다. 냉각 후, 실리콘 기록은 제거하여 보정 물체와 함께 광스캔한다.

- **T-Scan Ⅲ HD 기록 센서:** HD 센서는 100μm 두께로, 다른 구매 가능한 교합 지표의 두께 범위(8-200μm) 내에 포함된다. 센서는 양면 Mylar 기질 내에 내재된 전도성 경로(sensel)의 격자망으로 구성되어 있다. 교두감합 치아에 의해서 센서 표면에 발휘되는 힘으로 전도성 경로 내에 전압 감소가 발생한다. T-Scan 소프트웨어는 이런 전압 변화를 측정하고 분석하여, 저작력을 256 단계의 상대적 교합력으로 구분하여, 채색된 막대와 비율로 보여준다. 소프트웨어는 교합력 데이터를 0.01-0.003초 길이 간격으로 순서대로 보여주는데, 연속적으로 재생할 수도 있고, 영상을 정지할 수도 있다.

- **교합력 증강(Buildup):** 교합의 과정은 힘이 없는 개구 상태에서 역동적으로 출발하여 최다수의 교합 접촉과 최대 교합력이 생성되는 최대 교두감합에까지 이르게 된다. 전 악궁 내에서 교합력 크기가 로지스틱(logistic) 성장 곡선(S자형의 성장 곡선으로, 상한(上限)이 있는 성장 과정을 나타낸다)으로 증가하고, 다른 성장 곡선은 종종 기능적 장애와 연관된다.

- **반복가능성(Repeatability):** Bland와 Altman에 따른 2번째 통계 용어로, 반복된 측정의 정확을 의미한다. 반복된 검사에서 측정값의 편차로 재현성(reproducibility)이라고도 알려져 있으며 2.77의 인수를 포함한다.

- **시간적 순서:** 1번째 치아 접촉(T1-초기 대항 치아 접촉)과 완전 교두감합(T15;T1후 0.15초. 15개의 시간 간격으로 구분될 수 있다) 사이에 발생하는 교합 접촉과 접촉력의 연속적인 발달을 표현한다. 폐구 동안 발생하는 연속적인 교합 접촉 중에 힘의 변화를 보여 줬던 문헌에서도, T1과 T15 사이에 발생하는 힘과 타이밍 변화는 적절하게 설명되지 않았다. 종종 "정적인 교합"(하악 운동 없이 발생하는)과 "역동적 교합"(하악의 내외측방 운동 시 발생하는) 사이의 차이가 있음에도 불구하고, 이런 정의는 완전 교두감합(MIP)으로부터의 운동 시작에 근거한다. 그러나, 초기 치아 접촉에서 접촉 치아수의 점진적 증가를 거쳐 완전 교두감합에 이르기까지의 교합력이 증가하는 매우 중요한 시간 순서가 측정 기구의 능력 때문에 적절하게 연구되지 못했다. 그러나, T-Scan 기술이 증가하는 시간을 기록하기 때문에, 교합력 증강의 시간적 순서가 쉽게 기록되고 분석을 위해 단편적인 시간대로 보여진다.

- **전통적인 교합 지표:** 채색된 foil, 교합지, 실크 리본 등이 일상적인 임상 술식에서 교합 접촉을 확인하기 위해 사용된다. 판매되고 있는 교합 지표의 두께는 8-200micron의 범위를 가진다. 이들은 접촉 위치를 제시하지만, 상대적 교합력에 대한 정보는 제공하지 못한다. 교합 자국과 접촉력 크기 사이의 신뢰도는 21%로, 전통적 지표로 얻어진 힘 크기는 "임상적 추측과 다름없는" 수준으로 표현되고 있다. 이런 상대적 교합력 크기에 대한 부적절한 재현으로, 전통적 지표 사용은 교합력 평가가 아닌 "접촉 위치" 파악으로만 제한되어야 한다(많은 논문과 교합 교과서에 교합력 표현 능력이 있다고 그릇되게 주장되고 있기도 하다).

- **참여 증가(Increasing Participation):** 이 표현은 교합력 증강의 시간적 순서 동안, 각 다양한 교합 접촉이 상대적 교합력 크기를 변화시키면서 교합 접촉을 이루는 치아수가 증가하는 것을 나타낸다.

- **측정 에러:** 이 통계적 용어는 "인수 1.96의 참값"에 따르는 단일 측정의 정확성을 설명한다. Bland와 Altman에 의하면, 이 생물통계는 2개의 다른 실험 사이의 일치성을 분석하는데 사용되는 데이터 표기 방법이다.

- **측정-불가 참값:** 구조적 오류(systemic error)라고도 알려진, 적절한 측정 정확성과 낮은 측정 에러를 표방하는 알맞은 측정 도구를 사용했음에도 불구하고, 모든 참값이 "추정"일 수 밖에 없음을 표현한다. 예를 들어, 캘리퍼를 이용하여 크라운 마진의 두께를 측정하는 것이 자를 사용하는 것보다 더 정확하고 더 작은 측정 에러를 야기하게 된다. 자도 측정 도구이긴 하지만, 크라운 마진 측정에는 캘리퍼보다 자가 훨씬 덜 정확하고 더 큰 측정 에러를 유발한다. 그러므로, 캘리퍼가 크라운 마진의 두께 "추정"에 최고의 장치가 될 것이다.

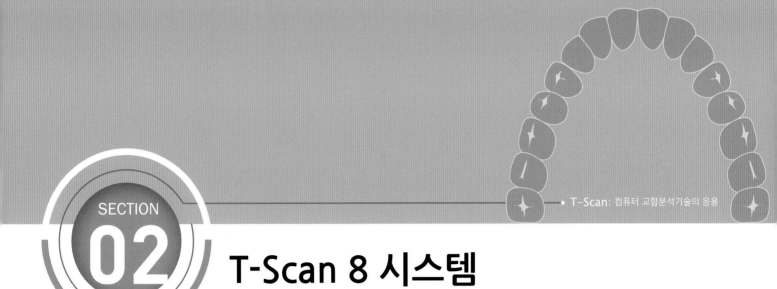

SECTION 02

T-Scan 8 시스템

CHAPTER

04

T-Scan 8 기록 역동성, 시스템 특성, 임상적 사용 기술

Robert B. Kerstein

미국, 터프트 대학교 치과 대학 임상 교수 역임
보철과, 컴퓨터 교합 분석 전문

Robert Anselmi

캐나다, 맥길 대학교

초록

새로이 디자인된 T-Scan 8 컴퓨터 교합 분석 시스템은 교합 진단에서 최첨단을 표방한다. 시스템의 고해상 기록 센서, 많은 교합 분석 타이밍과 힘 소프트웨어 특성, 0.003초 간격으로 교합 기능을 기록하는 현재의 컴퓨터 하드웨어의 신뢰도는 임상의에게 많은 교합 이상을 예상대로 진단하고 치료할 수 있도록 견줄 데 없는 교합 접촉 타이밍 및 힘 정보를 제공한다. T-Scan 8은 데스크탑 그래픽을 교정하고 그래픽 디스플레이를 단순화하기 위해 툴바 버튼을 감소시켜 조작 교육 기간을 단축시키는 등 T-Scan 기술 혁신과 발달 30년의 정점을 찍었다. 이번 장은 흔하게 관찰되는 교합 문제 치료 시 유용한 5개의 진단적 교합 기록에 대해 논의할 것이다. 마지막으로, 유능하고 능숙한 T-Scan user가 되길 원하는 임상의가 반드시 성취해야 하는 T-Scan 통달의 3단계 학습 개요를 설명할 것이다.

도입

오늘 날, 컴퓨터 교합 분석은 교합 진단에서 최첨단을 나타낸다. T-Scan 8(Tekscan, Inc., S. Boston, MA, USA)은 치과 교합 과학에 대한 T-Scan 기술 혁신 30년의 정점이다. T-Scan 8은 이전 T-Scan 버전의 배우기 어렵고 효율성이 떨어졌던 임상적 복잡성을 최소화하기 위해, 툴바 버튼과 아이콘을 줄여 데스크탑 그래픽을 단순화하고 변경하였다. 고해상(HD) T-Scan 기록 센서, 교합 타이밍과 상대적 힘 분석 소프트웨어 특성, 현재의 컴퓨터 하드웨어의 신뢰도를 통합하면, 임상의가 흔하게 만나는 교합 문제의 넓은 범위를 진단하고 치료하는 데 필요한 견줄 데 없는 교합력과

타이밍 정보를 제공한다. 지속 시간을 측정하고(Kerstein & Wright 1991; Hirano, Okuma, & Hayakawa, 2002), 정리된 치아 접촉 시간-순서를 보여주고(Kerstein, Chapman, & Klein, 1997; Koos, Holler, Schille, & Godt, 2012), 상대적 교합력을 재현하고(Kerstein, Lowe, Harty, & Radke, 2006; Koos, Godt, Schille, & Göz, 2010), 과다하게 강력한 교합 접촉을 위치화하는(Maness, 1998; Maness, 1991) T-Scan 기술의 연구 능력은 일반적으로 사용되는 비-디지털 교합 지표(교합지, 왁스 인기, 실리콘 인기, 마운팅된 치아 모형)에 비해서 엄청나게 우월한 진단 방법이다(Kerstein, 2010). 이런 재료 중 그 어느 것도 치아 접촉 시간-순서를 기록하거나, 교합 접촉력 크기의 상대적 차이를 설명하는 능력에

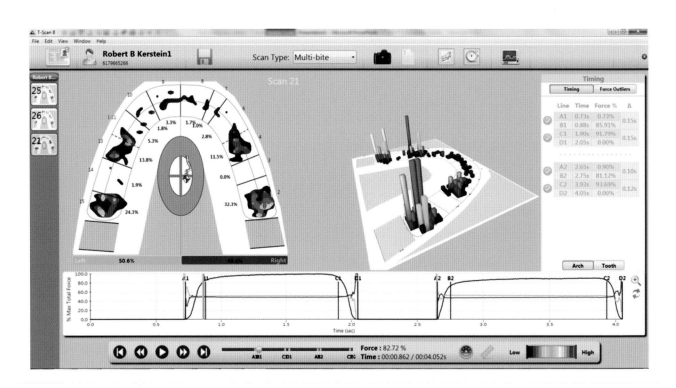

그림 1 회전형 3D Force View 창과 확대된 힘 vs 시간 그래프를 가진 T-Scan 8 데스크탑

대해 과학적으로 입증된 바가 없다. 더욱이, 이런 모든 비-디지털 교합 지표는 그 의미에 대한 임상의의 "주관적 해석"을 필요로 한다(Kerstein & Radke, 2013).

T-Scan 8의 사용자 안내가 확연히 간단해졌는데, 이전 T-Scan 버전에 있었던 임상의가 선택하는 소프트웨어 셋업 옵션의 상당 부분을 제거하고 디스플레이를 표준화하여 학습 기간을 단축하였다. T-Scan 7의 데스크탑에 비해, 모든 힘과 타이밍 선을 색상화하고 보다 쉽게 시각화하기 위해 힘 vs. 시간 그래프를 확대했으며, 영상이 재생되는 동안 관찰되는 각각의 움직이는 힘 막대의 시각화를 향상시킨 회전형 3D ForceView 창을 가지고 있다. 회전형 3D ForceView는 재생되는 동안 임상의가 어떤 view에서도 창의 방향을 조절할 수 있고, 상하로 움직이는 힘 막대의 중첩을 제거할 수 있다(그림 1).

임상적으로, T-Scan 8 시스템은 해당 환자의 교합 접촉력과 시간-순서 양상의 다양한 관점에서, 뚜렷하게 다른 다수의 하악 운동을 기록하는데 사용된다. 환자가 HD 기록 센서로 교합하고 압착한 후, 반복적으로 폐구하거나 센서의 표면을 가로질러 편심위 운동을 하여 교합 데이터를 수집한다.

환자의 교합 상태 진단을 위한 교합력 및 타이밍 데이터 기록은 다음의 교합 기능 기록 유형 중 하나 이상을 이용함으로써 성공적으로 완수할 수 있다:

- **반복 교합(Multi Bite)**: 2회 이상 환자의 자가-폐구를 반복하여 자신의 습관성 교두감합을 만든다(그림 1). 이 기록은 교합 시간(Occlusal Time)을 평가하고(Kerstein & Grundset, 2001), 1번째 접촉에서 정적인 교두감합까지 그리고 정적인 교두감합을 지나 최대 교두감합까지 교합 접촉 폐구 순서를 포착하고, 전체적인 우측과 좌측의 반-악궁 교합력 균형을 결정한다.

- **기능적 편심위 운동-측방 및 전방(Excursive Functional Movements-Lateral and Protrusive)**: 이 기록은 하악 편심위 동안의 구치부 마찰 지속 시간을 측정하여 후방 이개 시간을 평가하는 데 사용된다(Kerstein & Wright, 1991). 이 영상은 분석의 명확성을 위해 대체적으로 한 방향(우측, 좌측, 전방)만 기록하는 것이 가장 좋다. 편심위 운동 동안 구치부 참여를 더 잘 시각화하기 위해서, 재생은 구치부와 전치부를 구분하는 4분악 분할 분석으로 이루어져야 한다.

- **이악물기 및 이갈기(Clenching and Grinding)**: 이 기록

은 저작이나 식사 동안 발생하는 통증성 교합 접촉을 구분하기 위해 사용한다. 먼저 환자 자신의 습관성 교두감합으로 단단하게 자가-폐구하도록 환자를 교육하고, 센서를 끼운 상태에서 치아를 전후방으로 갈도록 하여, 문제성 치아 손상을 만들려고 시도한다.

- **디지털 교합력 분포 양상**(Digital Occlusal Force Distribution Patterns, DOFDP): 이 기록은 치아 구조에 끊임없이 영향을 주는 교합력이 과도하게 집중되는 위치를 악궁 내에서 진단하기 위해 사용한다. 환자는 기록 센서를 문 채로 연하하고, 치아를 최대 교두감합으로 압박(squeeze)하여 단단하게 유지한 후, 개구하여 치아를 이개시키고, 치아를 다시 교두감합 근처로 가볍게 재-교합하여 치아를 반복적으로 가볍게 부딪치게(tapping)한다(Kerstein, 2010).
- **중심위**(Centric Relation): 중심위 조기접촉을 파악하기 위해 사용한다. 체어 옆 조력자가 레코딩 핸들을 잡고 작동시키는 동안 임상의가 양손 조작을 수행하는 4-hand 과정이다(Kerstein & Wilkerson, 2001).

이번 장의 특별한 목표는 T-Scan HD(High Definition) 센서로 상대적 교합력과 교합 접촉 타이밍 데이터를 기록하는 방법을 묘사하여, 새로 고안된 T-Scan 8 시스템의 유용한 소프트웨어 특성들을 설명하고, 일상적으로 임상 적용할 수 있는 5가지 진단용 하악 기능 운동 기록에 대해 논의하는 것이다. T-Scan 8 버전 그래픽에 사용되는 각 중요한 특성이나 도구를 소개하여 각 소프트웨어 특성이 다양한 범위의 비정상 교합을 진단하고 치료하기 위해 사용되는 방법을 설명할 것이다. 후반부에서는 유능하고 능숙한 T-Scan 사용자가 되기 위해 임상의가 통달해야 할 3단계의 학습에 대한 개요와 설명을 서술할 것이다.

이번 장에서는 T-Scan 8 시스템에 대한 묘사 외에도, 이 책 여기저기에 실려 있는 많은 T-Scan 이미지에 대한 *독자 안내서(Reader's Guide)*가 되고자 한다. 독자는 이 책의 이미지와 이미지 포착 및 많은 T-Scan 8 소프트웨어 특성의 능력에 대한 그림 설명을 참고할 수 있게 될 것이다. 그래픽과 본문내용을 통해, 각 소프트웨어 도구를 어떻게 디스플레이하고 분석하는지, 측정된 교합력과 타이밍의 특징은 어떠한지를 기술할 것이다.

제1부: 기록된 교합 데이터의 역동성/역학

하드웨어 구성 요소

HD 기록 센서(Tekscan, Inc., S. Boston, MA, USA)는 T-Scan 센서의 4세대 개량형이다. 2001년에 개발되어, 기록 sensel(T-Scan 시스템의 기록 요소)의 크기를 확대하여 활동 부위를 33% 증가(3세대와 비교하여)시켰고, 동시에 비-기록성 영역을 50% 감소시켰다(그림 2a). 이 디자인은 기록 sensel을 좀 더 근접하게 위치시켰다. 이런 디자인의 변화로, 이전의 3세대 센서보다 HD 센서의 힘 재현성에 많은 발전이 있었다. 실험실 테스트에서, HD 센서는 교두감합된 에폭시 치아 모형에 가한 6개의 다양한 교합 접촉에 대해 20-24배 재현하였다(Kerstein, Lowe, Harty, & Radke, 2006).

핸들 걸쇠(handle latch)에 의해 센서가 개량된 레코딩 핸들(Model EH-2, Tekscan, Inc., S. Boston, MA, USA) 내부로 장착되면, sensor support가 볼이 움직일 때 구강 내에서 센서가 구부러지지 않도록 보호한다(그림 2b). 임상의는 센서 스캐닝 속도를 선택할 수 있고, UBS로 컴퓨터 워크스테이션에 연결된 핸들은 0.003초 간격의 *터보 모드(Turbo Mode)*로 기록한다. 핸들 내부의 길다란 sensor tab의 전도성 구성 요소는 T-Scan 소프트웨어에 교합력 출력을 전달한다(그림 3a, 3b, 3c).

환자의 상악 양 중절치 사이에 센서를 정확하게 위치시

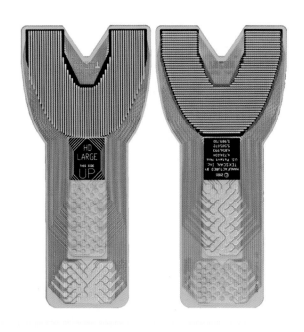

그림 2a T-Scan HD 센서; 상하 표면

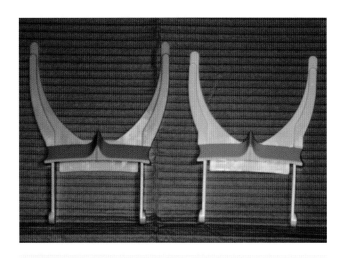

그림 2b sensor support 부품(Large 1, Small 1)

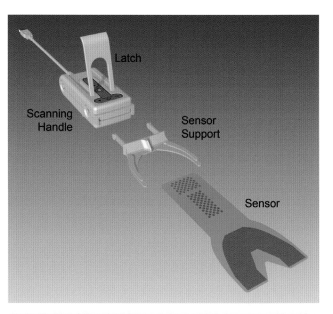

그림 3b 레코딩 핸들 내로 센서 삽입

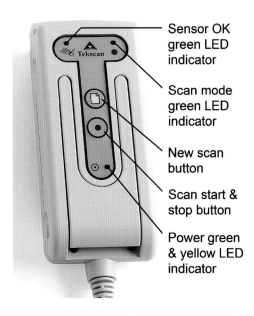

Sensor OK
green LED
indicator

Scan mode
green LED
indicator

New scan
button

Scan start &
stop button

Power green
& yellow LED
indicator

그림 3a 진화된 레코딩 핸들은 0.003초 간격으로 기록할 수 있다

키면(그림 4), 환자는 센서를 물거나 씹어서 기능적 하악 운동을 시행하는 동안, 변화하는 치아-대-치아의 상대적 교합 접촉력 상호작용을 실시간으로 기록한다.

HD 센서 디자인

HD 센서의 구조적 디자인은 저항성 잉크의 종횡 격자를 사이에 포함하는 2층의 Mylar로 구성되어 있다(그림 2a; 회색 부분). 센서 크기에는 2가지가 있다; *Large*는 넓은 내외측 및 긴 전후방 악궁용이고, *Small*은 좁은 내외측 및 짧은 전

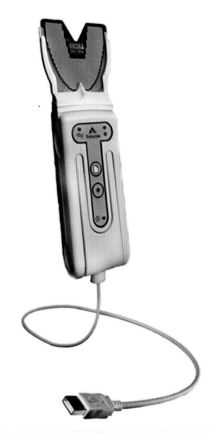

그림 3c sensor support가 적절하게 삽입된 센서와 레코딩 핸들이 구내 사용을 위해 준비되어 있다(Kerstein, R.B.(2010)에서 인용). 교합 변수 측정을 위해 근전도 검사와 통합된 시간-순서 및 힘-지도화. In A. Daskalaki (Ed.), Informatics in Oral Medicine, (pp. 90). Hershey, PA: IGI Global Publishers)

그림 4 T-Scan 센서의 구내 삽입

후방 악궁용. Large 및 Small의 HD 센서 디자인 사양은 그림 5a, 5b, 6a, 6b에서 볼 수 있다.

센서 기록 과정

이미 설명한 것처럼, 센서를 T-Scan 레코딩 핸들 내로 장착하면, 센서의 tab 부분이 레코딩 핸들의 내부 전자 부분과 연동된다. 이 연결을 통해 핸들의 전자 부분이 sensel에 전압을 적용하여 센서를 자극한다. 임상의는 전압의 크기를 조정하여 환자 개개인의 다양한 교합 강도에 맞추어, 적당하게 기록 *감도(Sensitivity)*를 높이거나 낮춘다. 이런 중요한 기록 소프트웨어의 특성으로 임상의는 전압을 선택하고 센서 기록 반응을 변형하여, 환자의 절대적인 교합 강도에 상관없이 분석을 위한 개인별 최적의 교합 데이터를 얻게 될 것이다.

환자가 HD 센서를 통해 교합하고 대합치가 접촉되면, 치아가 센서의 상하 표면을 압착하게 되고 각 접촉된 sensel 내의 잉크 저항성이 변화한다. 접촉력이 높게 적용되면 큰 저항 변화가, 낮은 접촉력이 적용되면 적은 변화가 생산된다. *디지털 출력 전압(Digital Output Voltage; DO)*이 변화하면서 시스템의 하드웨어 전기 부분이 이런 저항 변화를 측정한다. 높은 교합력은 가해진 sensel 저항을 더 크게 감소시켜, 높은 출력 전압을 방출하게 된다. 그 대신에, 낮은 힘이 가해지면, 출력 전압은 낮아진다.

*스캐닝(Scanning)*이라 불리는 과정에서 레코딩 센서의 전자 장치는 sensel의 각 열의 출력 전압을 읽는다. 터보 기록 동안 실시간 스캐닝은 0.003초 간격으로 얻어진다. 센서의 출력 신호가 조정되어 8-bit 디지털 값으로 전환되며, 각 측정된 저항 변화가 0과 255열 사이의 범위에서 각 sensel에 적용된 힘에 비례한다. 센서에 의해 측정된 총 힘은 각 sensel로부터의 전체 미가공 힘 출력의 총합이고, 센서에 대한 미가공 합계(Raw Sum)로 기록된다. 각 sensel의 미가공 숫자는 그 sensel에 존재하는 최소 압력으로 개념화될 수 있다. 그리고, 각 sensel은 1.61mm²의 영역을 가지기 때문에, 미가공 숫자는 힘으로도 개념화될 수도 있다(Kerstein, 2010).

T-Scan 8 소프트웨어의 지도는 레코딩 핸들로부터 변화하는 sensel 디지털 출력 전압값의 흐름을 받고, 그것들은 정리하여 sensel이 센서 내부에서 가지고 있는 양상과 같은 방향성을 임상의에게 보여준다(Kerstein, 2010). 녹화가 정지된 후 스캐닝 과정이 시작되면, 약 10초 내로 바로 완성된다. T-Scan 8 소프트웨어는 여러 색을 사용하는 2D, 3D 그래픽 데스크탑을 사용하여, 교합 분석을 위해 기록된 여러 디지털 출력 데이터를 임상의에게 제공한다(그림 1).

제2부: T-Scan 8 시스템 소프트웨어의 특성

데스크탑 소프트웨어 메인 창 구성

T-Scan 8의 *메인 창(Main Window)*은 다음의 소프트웨어 부문으로 구성된다(그림 7):

- 타이틀 바(Title Bar),
- 메뉴(Menu),
- 툴바(Toolbar),
- Scan Page View Sidebar,
- 2D, 3D ForceView 창,
- 교합 시간표(Occlusal Time Table),
- 힘 vs. 시간 그래프(Force vs. Time Graph),
- 내비게이션 바(Navigation Bar).

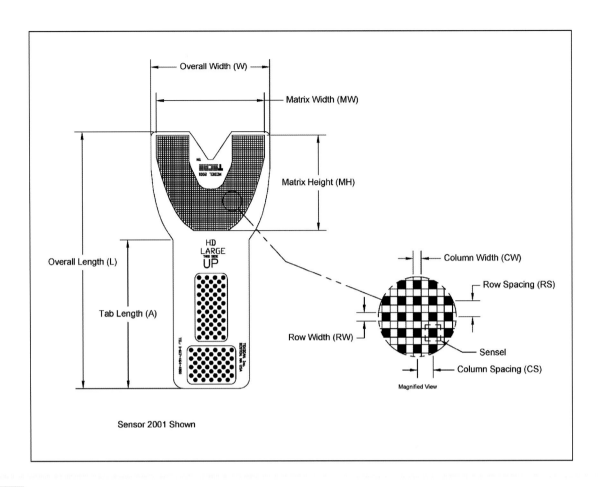

Sensor 2001 Shown

그림 5a Large 센서 디자인 사양

| Type | General Dimensions | | | Sensing Region Dimensions | | | | | | | | Summary | |
| | Overall Length | Overall Width | Tab Length | Matrix Width | Matrix Height | | | | Rows | | | Total No. of | Sensel Spatial |
	L	W	A	MW	MH	CW	CS	Qty.	RW	RS	Qty.	Sensels	Resolution
US 2001	(in) 6.0	(in) 2.9	(in) 3.5	(in) 2.64	(in) 2.24	(in) 0.040	(in) 0.050	52	(in) 0.040	(in) 0.050	44	1370	(sensel per sq-in) 400.0
Metric 2001	(mm) 153	(mm) 74	(mm) 89	(mm) 67	(mm) 57	(mm) 1.02	(mm) 1.27	52	(mm) 1.02	(mm) 1.27	44	1370	(sensel per sq-cm) 62.0

그림 5b Large 센서 크기

타이틀 바(Title Bar)

메인 창 제일 위쪽에 있는 *타이틀 바(Title Bar)*에는 프로그램 이름이 있고, 오른쪽 끝에 *최소화, 최대화, 닫기* 버튼이 있다.

메뉴(Menu)

메뉴는 접이식(pull-down)으로 되어서 T-Scan 8 프로그램을 조정하는 데 이용할 수 있는 항목이 열거되어 있다. 일부 메뉴 아이템은 키보드의 키로 사용할 수 있는 단축키를 가지고 있다.

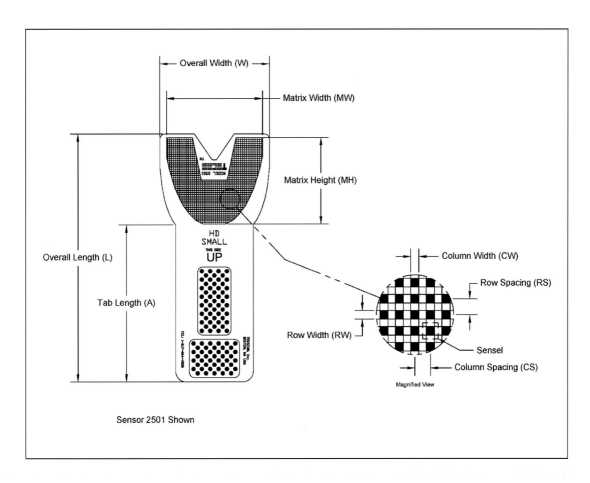

그림 6a Small 센서 디자인 사양

Type	General Dimensions			Sensing Region Dimensions								Summary	
	Overall Length L	Overall Width W	Tab Length A	Matrix Width MW	Matrix Height MH	CW	CS	Qty.	Rows RW	RS	Qty.	Total No. of Sensels	Sensel Spatial Resolution
US 2501	(in) 5.8	(in) 2.6	(in) 3.7	(in) 2.30	(in) 2.04	(in) 0.040	(in) 0.050	46	(in) 0.040	(in) 0.050	40	1122	(sensel per sq-in) 400.0
Metric 2501	(mm) 148	(mm) 67	(mm) 94	(mm) 58	(mm) 52	(mm) 1.02	(mm) 1.27	46	(mm) 1.02	(mm) 1.27	40	1122	(sensel per sq-cm) 62.0

그림 6b Small 센서 크기

툴바(Toolbar)

툴바는 임상의가 흔하게 수행하는 T-Scan 8 작업의 대부분을 쉽게 접근할 수 있게 한다. 기록이 이미 저장되었을 때 "저장(Save)" 아이콘은 사용할 수 없고 "회색으로 아웃"되는 것처럼(그림 8), 모든 툴바 기능을 항상 사용할 수 있는 것은 아니다.

툴바 옵션

- **환자 목록(Patient List)**

  이 아이콘은 환자를 추가, 편집, 삭제할 수 있는 환자 목록 대화 상자(dialog box)를 열고, 환자 기록을 열거나 삭제한다.

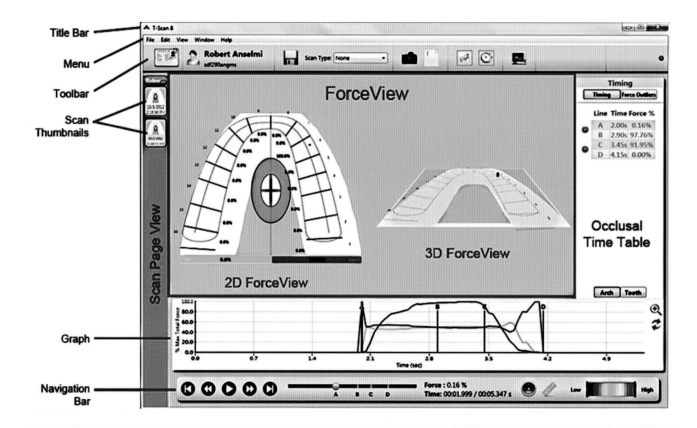

T-Scan 8 메인 창

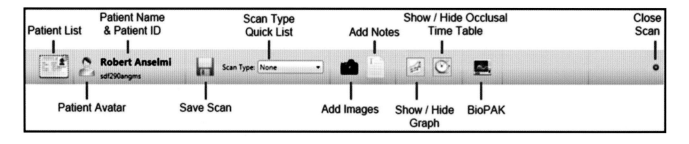

그림 8 T-Scan 8 툴바

• **환자 아바타(Patient Avatar)**
이 아이콘은 환자의 성별을 남자를 위한 일반 남성 얼굴, 여자를 위한 일반 여성 얼굴로 보여준다.

• **환자 이름과 환자 식별(Patient Name and Patient Identification)**
ID 번호를 이름 하방에 기록하여 환자의 전체 이름을 목록화한다.

• **기록 저장(Save Recording)**
기록이 만들어질 때 이 아이콘은 뚜렷해진다. 이 버튼을 클릭하면 기록이 저장되어, 자동적으로 환자 기록(Patient Record) 내로 위치하게 된다.

• **스캔 타입(Scan Type)**
임상의가 기록할 하악 기능 운동을 선택한다. 단일 교합(Single Bite), 반복-교합(Multi-Bite), 이악물기(Bite and Clench), 우측방(Right Lateral), 좌측방(Left

Lateral), 전방(Protrusion), 습관성(Habitual), 골격성 (Skeletal), 중심위(Central Relationship), 중심 교합 (Central Occlusion), None(기록에 부여된 제목이 없음) 중에서 선택할 수 있다. 물론 임상자의 필요에 의해서 수행된 기록 과정의 이름을 편집할 수 있다.

• **이미지 첨가(Add Images)**
기록에 임상 사진을 첨부할 수 있다.

• **메모 첨가(Add Notes)**
기록에 메모를 붙일 수 있다. 환자, 환자의 치료 전 교합 상태, 치료를 원하는 이유, 기록 중 발견한 특별한 데이터 등을 설명할 수 있다. 진료 시간을 단축하기 위해 각 기록마다 자주 사용하는 목록을 만들 수 있다.

• **BioPAK**
BioPAK 근전도검사 소프트웨어(BioEMG Ⅲ, Bioresearch Assoc., Milwaukee, WI, USA)가 같은 컴퓨터에 설치되어 브릿지를 통해 T-Scan 8 소프트웨어와 연동되어 있다면, 이 버튼을 눌러 BioEMG 소프트웨어를 시행할 수 있다. 이 연결로 기록 기능과 두 프로그램 사이에 동시 통합화된 데이터 재생이 동시에 활성화된다 (Kerstein, 2004). T-Scan 8/BioEMG Ⅲ 통합에 대한 자세한 내용은 5, 7, 8, 10장에 있다.

• **그래프(Graph)**
이 토글 버튼(on/off처럼 두 상태 중 하나를 선택하는 데 쓰는 버튼)으로 임상의는 데스크탑에 힘 vs. 시간 그래프를 전시하거나 숨길 수 있다. 기본적으로, 그래프는 보여진다.

• **교합 시간표(Occlusal Time Table)**
이 토글 버튼을 이용하여 데스크탑에 교합 시간표를 전시하거나 숨긴다. 기본적으로, 시간표는 숨겨져 있다. 그러나, 임상의가 시간표를 보고 싶다면, 다시 숨겨질 때까지 보이는 상태로 계속 유지된다.

• **기록 닫기(Close Recording)**
이 버튼을 이용하여 열려 있는 기록을 닫을 수 있다. 임상의는 이 버튼을 눌러서 신속하게 기록을 저장하거나 버릴 수 있다.

스캔 페이지 뷰(Scan Page View)
데스크탑에 여러 개의 기록이 열려 있을 때, 각 기록은 메인 창의 좌측을 따라 썸네일(thumbnail)로 표시된다. 썸네일을 클릭하여 메인 창으로 기록을 띄울 수 있다. 다른 환자의 여러 기록이 열려있는 상태에서는, 각 환자의 영상 썸네일 상방에 각 환자의 이름이 보이고, 썸네일 상단의 타이틀바가 열려있는 순서대로 함께 그룹화 되어 있다.

2D ForceView 창
2D ForceView(그림 9)는 2차원적으로 교합 접촉을 보여준다; 내외측 및 전후방. 기록된 교합력 데이터는 파란색이 최소힘을, 빨간색이나 포화된 분홍색이 최대힘을 나타낸다. 255 단계의 압력 미가공 데이터가 색으로 전환된다. T-Scan 8 소프트웨어를 통해 실시간 상대적 교합력 데이터를 전시하고 분석하는 여러 가지 옵션을 선택할 수 있다.

그림 9에 환자의 자가-폐구 기록에 대한 2D ForceView의 여러 구성을 설명하였다. 밑쪽 테두리에 좌측 악궁(초록색)이 68.7%를, 우측(빨간색)이 31.3%를 차지하고 있음을 보여주고 있다. 각 치아에 해당되는 힘 비율은 악궁 윤곽 내에 나타나있다. 바깥쪽에 치아 번호가 표시되어 있다. 치아와 악궁을 통과하는 둥근 초록색 선이 *악궁 윤곽선(Arch Outline)*이다. 각 치아의 인접치와 구분하는 직선은 *치간공극선(Embrasure line)*이다. 치아 사이의 치간공극선에 마우스를 대면, 치아 폭경이 mm 단위로 보인다(그림 10). 치간공극선을 클릭하고 끌어당겨 인접치 사이의 공간을 확장하거나 축소할 수 있다. 이렇게 회전, 비정렬, 이소맹출된 치아에 공간을 제공할 수 있다.

힘 중심 타겟(Center of Force Target, COF), 마커(아이콘), 궤도
2D ForceView의 가운데에 *힘 중심 타겟(COF), 마커(아이콘), 궤도*가 존재한다. 그래픽 마커(적색, 백색의 "연-모양" 아이콘)와 궤도(마커 뒤의 적색 꼬리)를 사용하여 교합의 균형을 나타낸다. COF 마커는 기록의 순간 동안 총 교합 접촉력 합의 위치를 정확히 보여준다.
T-Scan 8 소프트웨어는 기록된 교합 접촉력의 내외측

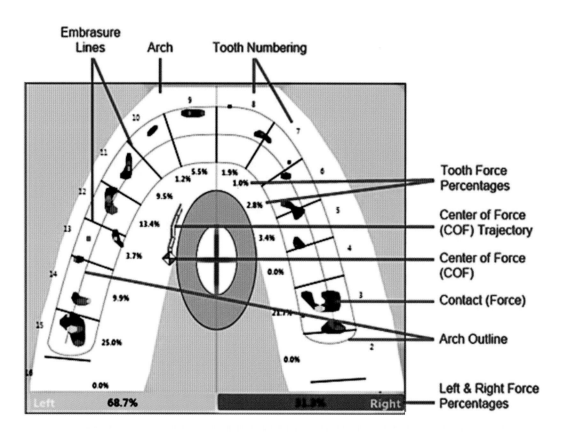

그림 9 2D ForceView 창

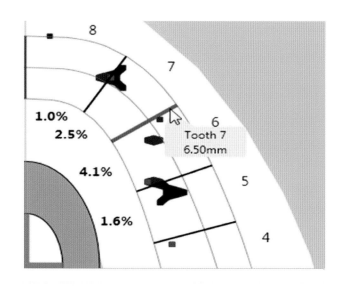

그림 10 치간공극선을 드래그하여 치아의 근원심 폭경을 확대하거나 축소하여, 환자 구강 내 동일 치아의 크기와 더 잘 맞출 수 있다

및 전후방 힘 순간의 합계를 계산하여, 최대 교두감합 폐구에 대한 COF의 이상적인 위치를 나타내는 이중 타원형 타겟(dual elliptical target)과 비교하여, 치아 접촉 데이터

에 COF 마커를 중첩하여 임상의에게 제시한다. 타겟은 정상 교합에 대하여 *이상적인 교합력* 가이드로 작용한다. 정상 교합 인구의 68%가 내측 타원(백색 부분)에서 발견된다. 정상 교합 인구의 95%는 외측 타원형(회색 부분)에서 발견된다(Mizui, Nabeshima, Tosa, Tanaka, & Kawazoe, 1994). COF에 대한 더욱 자세한 내용은 이번 장 후반부에 나올 것이다.

3D ForceView 창

회전하는 *3D ForceView* 창은 막대 높이가 수직으로 움직이고 변화하여, 교합 접촉력을 3차원적으로 보여준다(그림 11a, 11b).

임상의는 클릭하고 드래그하여 3D ForceView를 회전시킬 수 있다. 이런 방법으로, 명확한 진단 분석을 위해 중첩되어 보이는 표준 방향에서의 힘 막대(그림 11a)를 더 잘 격리하고 구분할 수 있다(그림 11b). 예시로, 그림 11a에서 좌측 최후방부의 원심측을 살펴보자. 파란색, 분홍색, 노란색 막대가 있다. 3D ForceView가 회전하면, 이 3개의 막대 그

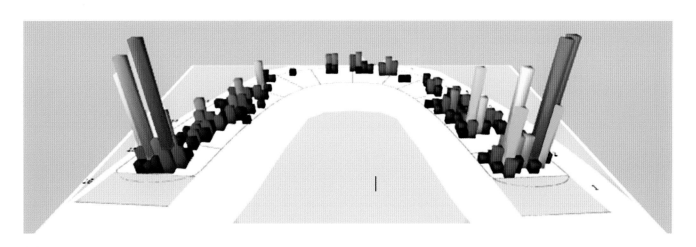

그림 11a 표준 3D ForceView 방향

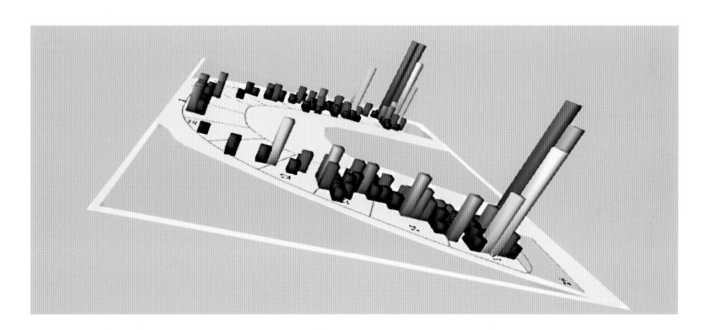

그림 11b 회전된 3D ForceView

룹이 분리되어 그림 11a에서 보이지 않았던 연한 청록색 막대가 #15(#27)번 치아의 근심협측에서 보인다(그림 11b).

기록이 전방이나 후방으로 재생될 때, 시간에 따라 2D, 3D view가 같이 한 프레임씩 진행된다.

내비게이션 바

새 기록을 만들거나 기존의 기록을 다시 볼 때, 내비게이션 바를 사용하여 핵심적인 작동을 수행한다. 2개의 구별된 작동 모드가 있다; 기록 모드(그림 12), 기록된 데이터의 재생 모드(그림 13).

내비게이션 바 기록 모드

새로운 기록을 만들 때, 다음의 내비게이션 툴을 이용할 수 있다:

- **기록 감도 조절(Adjust the Recording Sensitivity)**: Sensitivity Slider로 레코딩 핸들을 통해 센서에 전달되는 전기 전압을 증가 혹은 감소시켜 센서의 활동성을 조절한다. 환자의 교합 강도가 다양하기 때문에, 감도는 환자의 강도 특징에 맞춰서 센서의 디지털 출력을 조절한다. 감도를 각 환자의 교합 강도에 적당하게 맞추면, 포화된 sensel(분홍색은 포화되어 알 수 없

81

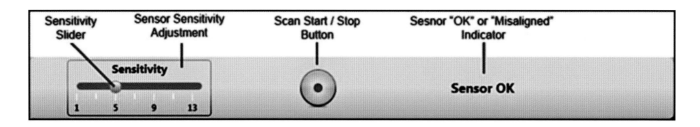

그림 12 기록 모드의 내비게이션 바

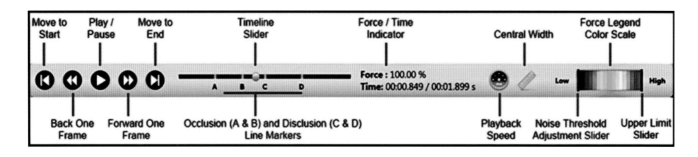

그림 13 기록된 데이터 재생 도구를 위한 내비게이션 바

는 정도의 강한 힘을 표시하며, 디지털 출력을 수량화할 수 없다는 것을 의미한다)이 거의 없기 때문에, 보다 더 유용한 진단 기록을 얻을 수 있다.

기록당 분홍 sensel이 1-3개로 나타나는 센서 반응이 환자의 교합 강도에 적절한 것이다. 포화된 sensel의 수가 3개 이상이면 slider를 왼쪽으로 움직여서 포화된 sensel 수를 감소시키고, 포화된 sensel이 하나도 기록되지 않으면 slider를 오른쪽으로 움직인다. 해당 환자에 대한 적절한 감도가 세팅되면, 교합 데이터 기록을 시작한다.

- **스캔 시작/정지 버튼(Scan Start/Stop Button)**: 이 버튼으로 환자 기록을 시작한다. 환자가 기능 운동을 마친 후, 버튼을 다시 눌러 기록을 정지시킨다. 또한, 레코드 핸들의 녹화 버튼(Record Button)을 눌러도 기록을 시작하거나 멈출 수 있다(그림 3a).

일반적으로 기록은 약 1분 동안, 1200개의 프레임을 가지게 된다. 초당 20개의 프레임으로, 적당한 시간 동안 하악 기능 운동 형태의 대부분을 기록하여 완성할 수 있다.

- **센서 인디케이터(Sensor Indicator)**: 센서의 상태를 나타낸다. "Sensor OK"는 센서가 적절하게 레코딩 핸들 내에 장착되어 기록을 시작할 수 있다는 뜻이다. "Sensor Misaligned"로 표시되면, 센서를 제거하고 레코딩 핸들

내에 재장착하여 "Sensor OK"가 표시되도록 해야 한다.

내비게이션 바 재생 모드

기록이 완성되면, 기록이 화면 상에 나타나고, 내비게이션 바 옵션이 재생 모드(그림 13)로 전환될 것이다. 기록된 교합 데이터를 재생할 때, 다음의 옵션을 이용할 수 있다:

- **처음으로 이동(Move to Start)**: 위치를 시작(1번째) 프레임으로 이동.
- **뒤로 한 프레임 재생(Play Back One Frame)**: 한 프레임 이전으로 이동.
- **재생/일시정지(Play/Pause)**: 프레임 세팅 속도(재생 속도; Playback Speed)에 따라 시간 순서로 전방으로 기록을 재생한다. 재생되고 있는 동안 다시 누르면 재생이 멈춘다.
- **앞으로 한 프레임 재생(Play Forward One Frame)**: 한 프레임 뒤로 이동.
- **끝으로 이동(Move to End)**: 마지막 프레임으로 이동.
- **Timeline Slider**: 임상의가 기록 내에서 timeline을 이동할 수 있다. Timeline이 이동하면 해당 위치의 ForceView도 자동으로 갱신된다. 이런 특성으로, 교합 시간(A-B)과 이개 시간(C-D) line marker가 노란색 세로줄

로 보인다.

- **힘/시간 인디케이터(Force/Time Indicator)**: 현재 timeline 위치에서의 힘 비율이 보여진다.
- **재생 속도(Playback Speed)**: 재생/프레임 속도를 3가지에서 선택할 수 있다: fast, medium, slow.
- **중철치 폭경(Central Incisor Width)**: 증감 화살표를 조절하여 환자의 중절치 폭경을 증감시킨다.

환자의 T-Scan 8 치열궁은 처음에 환자 목록(Patient List) 창에서 만들어진다. 환자의 중절치 근원심 폭경을 mm 단위로 측정하여 환자의 파일에 숫자를 기입하면, 치아의 "황금 비율 원칙; Rule of Golden Proportions"(Levin, 1978)에 근거하여 T-Scan 악궁 내의 다른 치아들의 크기가 비례적으로 결정된다. Levin에 의하면, 모든 치아는 상악 중절치의 폭경과 관련된 폭경 비율을 가진다. 환자의 악궁과 부합하지 않는 악궁 크기가 만들어지면, 중절치 폭경 버튼으로 0.1mm 단위로 폭경을 증감시켜, T-Scan 8 악궁과 구내 악궁 간의 크기 차이를 줄인다. 중절치 폭경이 증가/감소하면, T-Scan 8 내의 다른 모든 치아도 비례적으로 증가/감소할 것이다.

T-Scan 8은 T-Scan Ⅱ에서 개발된 악궁 조절 기능을 유지하고 있어서, 소실치아를 제거하고, 치간공극선을 드래그하여 치아 폭경을 조절하고, 수복되지 않은 소실치 위치에 가공치 공간을 만들 수도 있다. T-Scan 악궁 크기가 환자의 상태와 더 근접하게 유사해지기 때문에, 이런 모든 악궁 개별화로 문제적 교합 접촉을 좀 더 정확하게 위치화할 수 있다.

- **Force Legend Color Scale, Noise Threshold Adjustment Slider, Upper Limit Slider**: 힘 안내표(Force Legend)는 분절된 색상 척도로 기록 내에 나타나는 정상적인 힘의 모든 범위를 보여준다.

2D와 3D ForceView에 나타나는 다양한 상대적 교합력 크기는 빨간색(최대힘)에서 파란색(최소힘) 범위의 색상으로 구분된다. 최대의 빨간색을 넘어서는 분홍색은 sensel이 완전히 포화되었음을 의미한다. 하나의 안내표로 임상의가 slider를 이동시켜 2D, 3D 재생 ForceView를 조절할 수 있다. 안내표를 수정하면 보여지는 데이터를 변경하여 ForceView 간의 비교를 쉽게 해준다. 안내표 내부의 색상

규모는 디지털 출력의 힘 혹은 "미가공 합계(Raw Sum)"로 총 256단계인 0-255의 미가공 수치 사이에서 실제적인 범위이다.

Noise Threshold Adjustment Slider의 왼쪽 테두리를 우측으로 드래그하면, 존재하는 낮은 힘을 재생 화면에서 제거할 수 있다. 또한, 오른쪽 테두리를 좌측으로 드래그하면, 센 힘이 제거된다.

타이밍 분석 특성

T-Scan 8 소프트웨어는 교합 시간(Kerstein & Grundset, 2001), 이개 시간(Kerstein & Wright, 1991), 개개 치아 타이밍을 평가하는 시간-특이성 소프트웨어 특성을 가진다. 각 타이밍 분석은 힘 vs. 시간 그래프, 시간표(Time Table) 내에서 설명된다.

힘 vs. 시간 그래프

힘 vs. 시간 그래프는 하악의 기능 운동 기록을 설명하는데 사용되는 가장 중요한 소프트웨어 분석 도구 중 하나이다. 기능 운동 기록의 전체 시간 동안, 시간에 따라 순서대로 기록되면서 변화하는 힘을 보여준다(그림 1; T-Scan 8 데스크탑의 아래 부분). 또한, 힘 vs. 시간 그래프는 *치아 타이밍(Tooth Timing)* 소프트웨어를 사용하여 선택된 치아나 치아 그룹의 변화하는 힘을 보여줄 수 있다. 마지막으로, 소프트웨어 선택에 따라 *힘 이상치(Force Outlier)*를 보이는 치아의 변화하는 힘도 설명할 수 있다.

기록된 어떠한 하악 기능 운동이라도 특정한 *주요 시간-영역(key Time-Region)*을 가지고 있다. 이 시간-영역은 그래프 내에서 3개의 비-수직적 힘의 선, 5개의 수직적이고 이동 가능한 시간 위치 선으로 정의된다(그림 14). 이러한 짝 선들 사이의 수직적, 수평적 거리는 모두, 기록의 특정 부분에서의 교합 타이밍과 상대적 교합력을 의미한다. 각 그래프 선은 채색되어 반악궁과 4분악을 쉽게 식별할 수 있게 한다.

3개의 비-수직적 힘 선은:
- **비-수직적 흑색선(A Non-Vertical Black Line)**: 전체 기록 동안 나타나는 *총 힘 변화*.
- **비-수직적 적색선(A Non-Vertical Red Line)**: 전체 기록 동안 나타나는 *우측 반-악궁 힘 변화*.
- **비-수직적 녹색선(A Non-Vertical Green Line)**: 전체

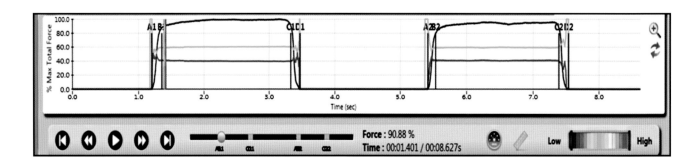

그림 14 반복-교합 폐구 그래프의 예

기록 동안 나타나는 *좌측 반-악궁 힘 변화*.

5개의 이동 가능한 시간 위치 선은:

- **시간 선(Time Line)**: 세로의 두꺼운 회색선이 시간 지표처럼 작용하고, 클릭하고 드래그하여 그래프 내의 원하는 위치로 이동할 수 있다. 기록 동안 원하는 시점으로 도약하여 특정 순간의 힘을 볼 수 있다. 2D, 3D ForceView가 시간 선 지표가 새로 위치한 곳으로 갱신된다. 그 대신에, 마우스로 그래프 내의 시간-순간 지점을 클릭하여 시간 선 지표를 이동해도 된다. 2D, 3D ForceView 또한 해당 시간-순간으로 갱신될 것이다.
- **4개의 흑색 수직적 A, B, C, D 선(4 Black Vertical A, B, C, D Lines)**: *A-B 증가/간격 선(A-B Increment/ Differential lines)*은 교합 시간의 처음과 끝(OT-A에서 OT-B까지)을 의미한다. *C-D 증가/간격 선(C-D Increment/Differential lines)*은 이개 시간의 처음과 끝 (DT-C에서 DT-D까지)를 의미한다.

교합 시간(Occlusion Time, OT; A-B)은 환자가 완전히 이개된 상태(치아 접촉 없음)에서 모든 치아를 폐구하여 정적인 교두감합 개시까지, 1번째 치아 접촉부터 마지막 치아 접촉까지를 측정하면서 경과한 시간이다(그림 15; A-B 구간). 정적인 교두감합은 항상 환자가 최대 교두감합(MIP) 힘 수준에 도달하기 전에 일어난다. 교합 시간(OT)은 환자 교합에 존재하는 양측성 시간-동시성의 정도를 의미한다. OT 지속 시간이 0.2초 이하일 때 이상적으로 여겨진다(Kerstein & Grundset, 2001).

이개 시간(Disclusion Time, DT; C-D)은 완전 교두감합의 모든 치아가 한 방향으로 편심위 운동(우측, 좌측, 전

방)을 시작하면서부터 견치 및/혹은 절치만이 접촉할 때까지 측정한 시간이다(Kerstein & Wright, 1991). DT는 모두 3개의 다른 하악 편심위 운동으로 측정될 수 있다(그림 15; C-D 구간).

이개 시간은 환자의 교합에 존재하는 전방 유도 메커니즘의 질을 설명한다. 지속 시간 0.5초 이하가 이상적인 것으로 판단되고, 0.5초를 초과하면 연장되는 것으로 판단된다(Kerstein & Wright, 1991). 즉시 후방 이개는 교합 건강의 바람직한 요소로 고려된다. 최적의 교합 디자인을 위한 요구조건으로 주장되고 있다.

가장 중요한 것은, 하악이 편심위 운동을 위해 CO에서 개시하거나 종결되는 운동할 때, 연장된 이개 시간은 좋지 않은 구치부 이개 동안 교합면 마찰이 지속되는 것을 의미한다. 여러 연구에서 연장된 이개 시간이 편측성 근육 활동 과다 및 근육성 TMD 증후군의 유발인자로 나타났고(Kerstein & Wright, 1991; Kerstein, Chapman, & Klein, 1997; Kerstein, 2010; Kerstein & Radke, 2012), 마찰에 의한 교합면 마모와 굴곡 파절을 유발하는 치아 굴곡에도 기여한다. 그림 15의 그래프는 지속 시간이 1.73초인 연장된 이개 시간을 보이는 좌측 편심위 운동을 보여준다.

4-분악 힘 vs. 시간 그래프

힘 vs. 시간 그래프는 보다 정교한 힘 분포와 시간 분석을 위해 4개의 4분악(2분악 대신에)을 보여줄 수 있다. 임상의가 *View Menu*를 선택하고, 2D ForceView내에서 *Arch in Quadrant*(그림 16)을 선택하면, 양측으로 수평 구분선이 견치의 원심면에서 2D ForceView의 전방부와 후방부를 구분한다. 좌측(녹색)과 우측(적색) 반-악궁 윤곽이 4개의 새로운 색상의 윤곽을 가진 4분악으로 대체된다:

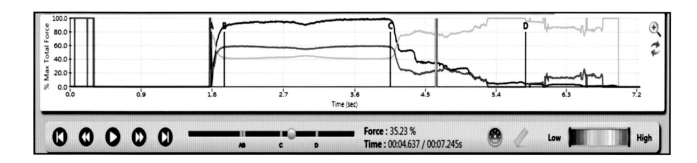

그림 15 좌측 작업측 편심위 힘 vs. 시간 그래프. A-B 구간은 교합 시간(OT) 측정; C-D 구간은 이개 시간(DT) 측정

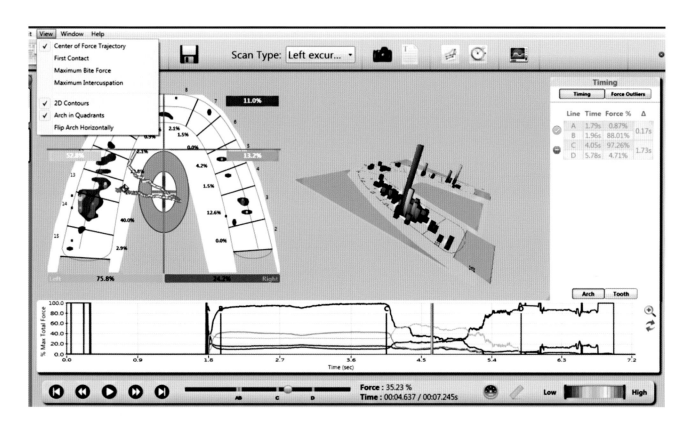

그림 16 그림 15의 2분악 그래프로 만든 4분악 그래프. View 메뉴 내의 Arch in Quadrants를 선택하면, 2D ForceView가 양측성으로 견치 원심면에서 4분할된다

- 환자의 좌측 전방 4분악(진한 청색 윤곽),
- 환자의 좌측 후방 4분악(연한 청색 윤곽),
- 환자의 우측 전방 4분악(진한 적색 윤곽),
- 환자의 우측 후방 4분악(연한 청색 윤곽).

그림 16에서 보여지는 힘 vs. 시간 그래프에서, 적색과 녹색선이 4가지 새로운 색의 선으로 바뀌어, 2D ForceView 창에서 4분악을 나타낸다. 그림 16은 그림 15의 2분악 그래프를 분할하여 만들어진 것이다.

4-분악 그래프에서, 기록 내의 전후방 및 내외측에서 나타나는 힘의 변화를 표현하기 위해 소프트웨어가 4가지 새로운 색의 선을 창출한다(그림 17):

- **연한 분홍색 선**: 우측 후방 분할선으로 악궁의 우측 후방부에 발생하는 힘의 변화를 표시한다(우측 제3대구치 원심면에서 제1소구치 근심면까지).
- **연한 청색 선**: 좌측 후방 분할선으로 악궁의 좌측 후방

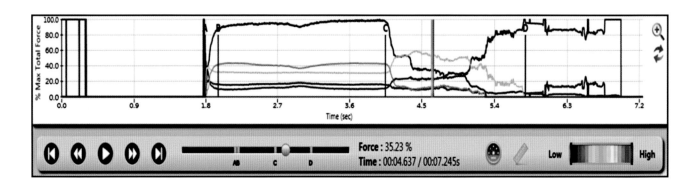

그림 17 그림 16의 좌측 편심위 운동을 설명하는 4분악 편심위 그래프

부에 발생하는 힘의 변화를 표시한다(좌측 제3대구치 원심면에서 제1소구치 근심면까지).
- **진한 황토색 선**: 우측 전방 분할선으로 악궁의 우측 전방부에 발생하는 힘의 변화를 표시한다(우측 견치 원심면에서 중절치 근심면까지).
- **진한 청색 선**: 좌측 전방 분할선으로 악궁의 좌측 전방부에 발생하는 힘의 변화를 표시한다(좌측 견치 원심면에서 중절치 근심면까지).

적색과 녹색은 기존대로 2분악, 즉 좌측과 우측의 편측힘을 의미하지만, 4분악 그래프에서는 보이지 않는다. 4분악으로 분할되면 2D ForceView의 하방에 나타나게 된다(그림 16).

임상의는 A에서 D까지 시간이 진행함에 따라 하악의 기능 운동이 그래프 선에 나타나면서, 변화하는 선을 관찰함으로써 전체 기록을 이해할 수 있다(그림 17). T-Scan 사용자는 하방 그래프의 채색된 그래프 선 분석을 개념화하는 법을 숙달해야 할 것이다.
- **A-B 구간, 환자 자가 폐구**: 환자가 습관적 교두감합으로 자가-폐구할 때, A에서 치아 접촉이 시작된다. 시간의 흐름에 따라, 환자는 B에서 정적인 교두감합에 다다르고, 최대 교두감합(MIP)에 미치는 힘보다 선행하는 적은 힘으로 항상 기록된다. 또한, 총 힘 선(Total Force Line)이 A에서 B까지 거의 수직적으로 가파르게 상승하다가, B에서 총 힘 선이 거의 수평적으로 전환된다.
- **B-C 구간, 환자 교두감합**: B와 C 사이는 교두감합 구간으로, 환자가 MIP에서 치아를 견고하게 유지하면서 시작된다. 이 구간의 수평적 그래프 선은 모든 4분악의

힘을 표시하고, 뿐만 아니라, 환자가 교두감합을 견고하게 유지하는 동안 총 힘은 사실상 변하지 않고 유지된다. 2.980초에서 총 힘 선이 약간 내려가면서 총 힘의 "꺼짐"이 보인다. 여기에서, 환자가 살짝 교두감합을 풀고, 그 후에 다시 교합하여, 좌측방 운동을 시작하는 C까지 총 힘이 증가한다.
- **C-D 구간, 좌측 편심위 운동**: C에서 환자가 교두감합을 풀고 구치부를 이개시키기 때문에, 기록 센서에 인기되는 총 힘이 급격하게 감소한다. 외측방 운동 초기인 C의 바로 우측에서, 좌측 구치부가 관여하여 *좌측 후방 4분악의 연한 청색선*이 수평에서 상승한다. 동시에, *좌측 전방 4분악의 진한 청색선*도 그래프 정상으로 올라가려고 애쓰지만, 좌측 후방 4분악 교합면 마찰 때문에 전방 유도가 제한된다. 좌측의 전방 4분악과 후방 4분악 모두 능동적으로 편심위 운동에 관여하며, 후방치아의 군기능 교합(group function)이 전방 유도보다 선행된다. 좌측방 운동 시 비작업측 요소도 관여하는데, C 이후에 연한 분홍색 선이 급격하게 감소하여 전체 힘의 약 20%를 차지하며, 이는 총 1.73초의 이개 시간 중 1.25초 간 지속되는 연장된 마찰성 균형측 접촉에서 기인한다. 진단학적으로 인지하기 위해 중요한 것은 C에서 D까지 진행되는 동안 총 힘 선이 가시적인 "감소(step down)"를 포함한다는 것이다. 이런 구간은 *심각한 정도의 구치부 악궁-간 교합 표면 마찰*이 있다는 것을 나타낸다. 좌측 편심위 동안 치아가 가로질러 움직이면서 마찰에 의해 문질러지면서, 순간적인 정지와 시작이 형성된다.

이 장의 제3부는 5가지의 다양하고 유용한 진단적 하악 기능 기록 유형이 서술될 것이다. 각 기록의 종류는 기능

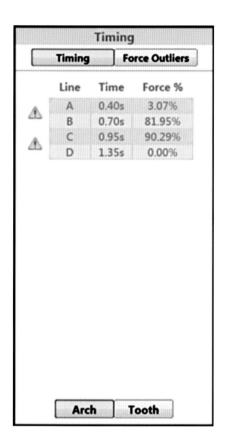

그림 18a A-B 및 C-D 구간 디스플레이

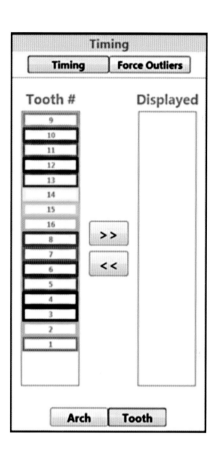

그림 18b 치아 타이밍 선택 창

운동 기록과 연관된 특별한 힘 vs. 시간 그래프 모양을 가진다. 기록 종류에 따른 그래프의 특이점은 거기에서 자세히 설명될 것이다.

교합 시간표

임상의는 교합 시간표를 통해 힘 vs. 시간 그래프 내에서 계산된 교합 시간(A-B 구간) 및 이개 시간(C-D 구간)의 측정값을 볼 수 있다(그림 18a). 게다가, 분석을 위해 각 치아의 타이밍 순서를 선택하여 볼 수 있고(그림 18b), 힘 이상치로 정해진 치아도 볼 수 있다(그림 18c).

교합 시간표는 임상의가 힘 vs. 시간 그래프에서 보는 것과 직접적인 연관성이 있다. 타이밍 표가 채색된 그래프 선에서 보여지는 숫자값을 제공하고, 그래프는 힘과 타이밍 선을 보여준다. 하지만, 이 2개의 소프트웨어는 실제적으로 동일한 데이터를 설명하는 것이다.

타이밍 창에는, 기록 타이밍 변수의 질을 설명하는 A-B 및 C-D 선 옆에 인디케이터 아이콘이 있다:

• **녹색 확인표시(Green Checkmark)**: OT나 DT가 수용할 만한 생리적 범위 내에 있음을 가리킨다.

• **노란색 주의(Yellow Caution)**: OT나 DT가 수용할 만한 생리적 범위의 경계부에 있음을 가리킨다.

• **적색 경보(Red Warning)**: OT나 DT가 수용할 만한 생리적 범위 밖에 있음을 가리킨다.

치아 타이밍

선택된 치아의 치아 타이밍은 힘 vs. 시간 그래프 내에서 상대적 힘 vs. 시간 선을 창조하여, 각 치아의 힘 상승을 다른 치아의 힘 상승과 비교하여 보여준다. 이것은 각 치아 혹은 치아 그룹의 폐구 타이밍 지속 시간을 분석하는 데 유용하다.

그래프 내에서 각 치아의 힘과 타이밍을 보려면, *타이밍과 치아(Timing and Tooth)*를 선택한다. 교합 시간표가 그림 18b의 모습으로 변할 것이다. 치아 #(Tooth #) 목록(창의 좌측)에서, 임상의는 시간-분석을 원하는 치아를 더블 클릭하여 선택하고, 창 우측의 디스플레이(Displayed)로 옮긴다. 힘 vs. 시간 그래프는 총 힘 선을 제거하고, 전 기록

87

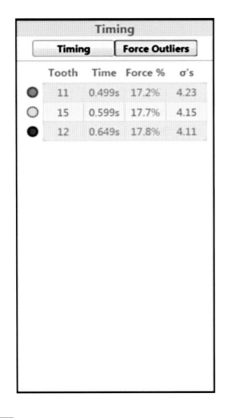

Timing			
Timing		**Force Outliers**	
Tooth	Time	Force %	σ's
11	0.499s	17.2%	4.23
15	0.599s	17.7%	4.15
12	0.649s	17.8%	4.11

그림 18c 디스플레이된 3개 치아의 치아 타이밍

의 타이밍을 가로질러 각 선택된 치아의 힘 변화를 보여주게 된다(그림 19).

그림 16에 제시된 같은 기록을 이용하여, 그림 19에서 #3(16, 청색), 4(15, 갈색), 8(11, 적색), 15(27, 연한 청록색)번 치아 타이밍 그래프가 T-Scan 데스크탑에 보이고 있다. 그림 20a와 20b는 #8번 치아(적색)가 A근처에서 #15번 치아(연한 녹청색선)보다 0.3초 먼저 힘이 증가하는 것을 보여주고, 다른 선택된 치아인 #3번과 4번(연한 갈색과 진한 청색선)은 거의 동시에 최고의 힘으로 증가하지만 #8번과 15번보다 더 느리다. #3, 4번 치아는 전체 힘의 대략 24% 정도를 보인다(2D ForceView의 치아 당 힘 % 계산에서 보여지는 값과 일치한다). 각 색 선이 2D ForceView와 시간 타이밍 표 모두에서 보이는 치아별 색 상자와 일치한다는 것을 확인하길 바란다.

힘 분석 소프트웨어의 특성

T-Scan 8 소프트웨어는 힘-특이성 소프트웨어로 힘 이상치 치아, 힘 중심(Center of Force)을 이용한 좌우측 교합 균형, 각 치아의 힘 비율을 결정한다.

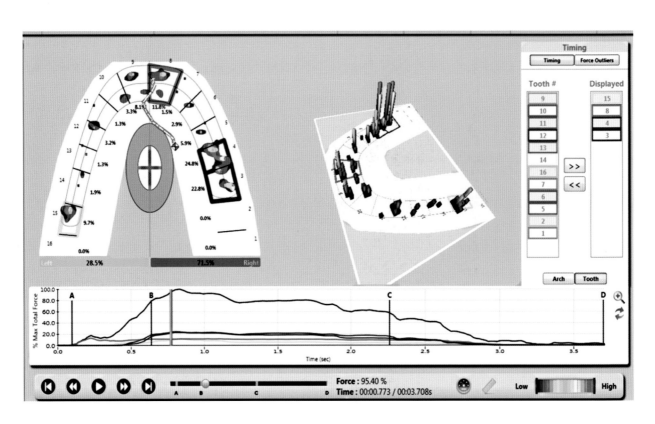

그림 19 선택된 #3(16), 4(15), 8(11), 15(27)번 치아의 치아 타이밍

힘 이상치(Force Outliers)

힘 이상치는 하악 폐구 동안 어느 순간에 발생하는 다른 접촉 치아보다 매우 높은 상대적 힘을 보이는 개별 치아 접촉

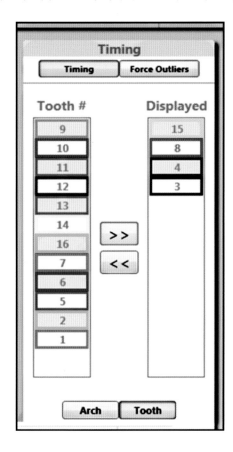

그림 20a 그림 19의 #15, 8, 4, 3(27, 11, 15, 16)번 치아의 타이밍. 치아 #(Tooth #) 목록(창의 좌측)에서 더블클릭하여 치아를 선택하고 창 우측의 디스플레이(Displayed)로 옮긴다. Tooth # 창과 Displayed 창 사이의 이중 화살표를 클릭하여 치아를 선택하거나 선택 취소할 수 있다

이다. 힘 이상치 소프트웨어는 폐구 순서 동안 조기에 발생하는 강력한 치아 접촉을 분리한다. 교합치료를 통하여, 이러한 접촉의 조기 급격한 힘 상승을 감소시켜 다른 접촉 치아의 힘 상승과 유사하게 만들 필요가 있다.

주어진 기록이나 타이밍 표 내에서 힘 이상치를 보기 위해서는 힘 이상치(Force Outliers) 탭을 선택해야 한다. 교합 타이밍 표가 그림 21처럼 변화하게 되고, 소프트웨어는 자동적으로 힘 이상치로 여겨지는 치아를 선택하고 보여준다.

힘 이상치를 선택하면, 영상이 1번째 접촉부터 앞으로 재생되면서 다른 치아와 비교하여 더 높은 상대적 힘 한계점을 초과하는 뒤이은 교합 접촉이 2D 및 3D ForceView 양쪽에서 보여질 것이고, 나머지 교합 치아와 비교하여 이상치가 더 큰 힘 한계점을 넘어가면서 개개의 색깔 상자 윤곽과 함께 제공된다(그림 22a). 그러면, 힘 vs. 시간 그래프는 총 힘 선을 제거하고 대신에 각 힘 이상치를 상자와 동일한 색상의 힘 선으로 제시한다. 각 힘 선은 전 기록을 통해서 힘 이상치 타이밍을 설명하게 된다.

그림 21에서, 소프트웨어는 그림 22a, 22b, 22c, 22d, 22e에 있는 폐구 운동으로부터 5개의 치아(#8, 9, 6, 3, 4번; #11, 21, 13, 16, 15번)를 힘 이상치로 분리하였다. *힘 이상치* 표는 각 치아가 이상치가 되는 시간(시간), 각 치아가 이상치가 될 때의 힘 비율(힘 %), 치아가 이상치가 될 때에 발생하는 다른 접촉의 평균값에 대한 이상치의 표준편차를 의미하는 시그마를 보여준다. 그림 22a, 22b, 22c, 22d, 22e는 시간-모멘트 및 5개의 치아가 이상치가 되는 순간의 막대 높이 변화를 묘사한다.

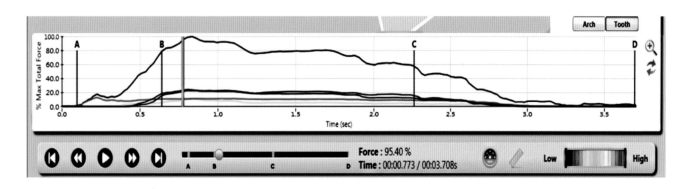

그림 20b 그림 19의 치아 타이밍 그래프가 #8(적색)번 치아의 A근처에서 #15번 치아(연한 녹청색선)보다 먼저 0.3초에 힘이 증가하는 것을 보여주고, 다른 선택된 치아인 #3번과 4번(연한 갈색과 진한 청색선)은 거의 동시에 최고의 힘으로 증가하지만 #8번과 15번보다 더 느리다. 각 색선이 2D ForceView(그림 19)와 시간 타이밍 표(그림 20a) 모두에서 치아의 색깔 상자와 대등하다는 것을 주목하길 바란다

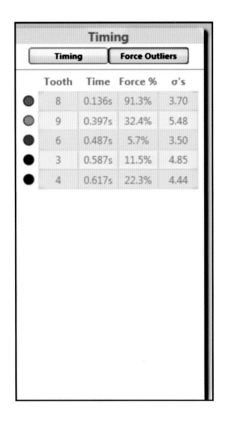

Timing			
Timing		**Force Outliers**	
Tooth	Time	Force %	σ's
8	0.136s	91.3%	3.70
9	0.397s	32.4%	5.48
6	0.487s	5.7%	3.50
3	0.587s	11.5%	4.85
4	0.617s	22.3%	4.44

그림 21 발생 순서로 정리된 힘 이상치

힘 중심(COF) 궤도

*COF 궤도*로 알려진 소프트웨어를 이용하여, 총 교합력의 합이 변화하는 추세를 악궁에 위치적으로 결정할 수 있다. 교합 이벤트 동안 힘이 개별 치아에 순차적으로 발생하면서, 힘의 합은 더 큰 힘이 집중되는 부위로 움직이고, 작은 힘이 집중되는 부위에서는 멀어진다. 이런 힘 합계 변화는 2D ForceView 안에 빨간색 및 하얀색 마름모형 아이콘과 그 뒤의 빨간색선 꼬리에 의해 생생하게 보여진다(그림 23). 각 꼬리의 각 다리는 0.003초 지속 구간을 나타낸다(터보 모드 기록에서). 기록 동안 COF 마커가 기록하는 점진적인 위치가 결과적으로 꼬리의 경로가 된다.

COF 마커는 모든 교합 접촉 기록의 내-외측 및 전-후방 힘 모멘트에 대한 소프트웨어 계산을 통해 총 교합 접촉력 합의 위치를 정확히 나타낸다. 치아 접촉 데이터 내에 COF 마커를 위치시킴으로써, 이 데이터를 2D ForceView에 중첩한다. 전체 COF 궤도의 길이가 짧고 개별 다리의 수가 적을수록, 폐구 운동의 타이밍이 양측성으로 동시에 일어난다. 2D ForceView의 중앙선을 따라 COF 궤도가 더 중앙화될수록, 악궁의 좌우측 교합력이 더 균형을 이루게 된다.

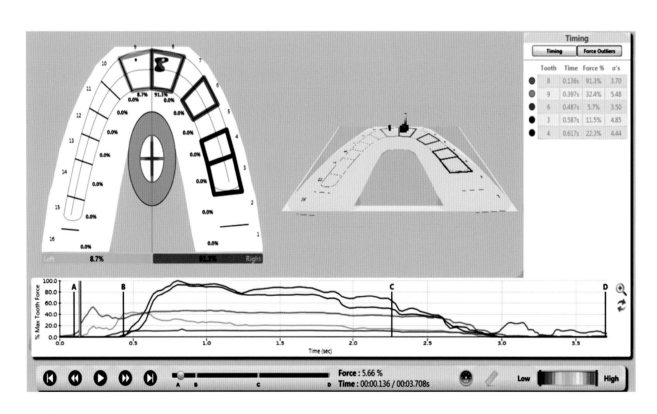

그림 22a #8(11)번 치아가 0.136초에 1번째 힘 이상치가 되고, 이 때 연한 청색 막대가 #9(21)번 치아에 존재하는 적은 힘보다 더 빠르게 상승한다. 2D 및 3D ForceView 내의 힘 vs. 시간 그래프에서 #8번 치아의 적색선이 #8번 치아를 둘러싸는 적색 박스에 부합된다

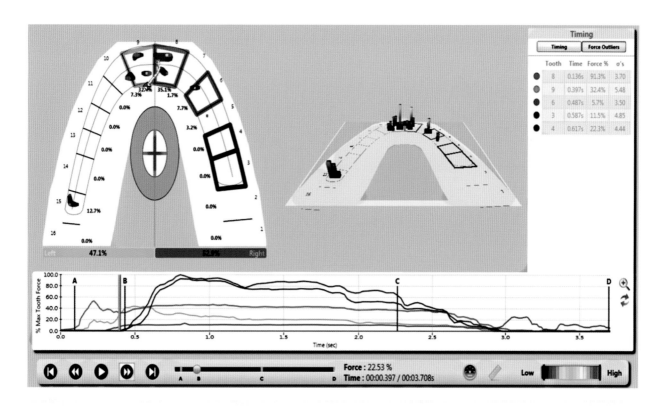

그림 22b #9(21)번 치아가 0.397초에 다음의 힘 이상치가 되어, 연한 녹색 막대가 #5, 6, 8, 10, 15(14, 13, 11, 22, 27) 치아보다 힘이 더 빠르게 상승한다. 2D 및 3D ForceView 내의 힘 vs. 시간 그래프에서 #9번 치아의 분홍색선이 #9번 치아를 둘러싸는 분홍색 박스에 부합된다

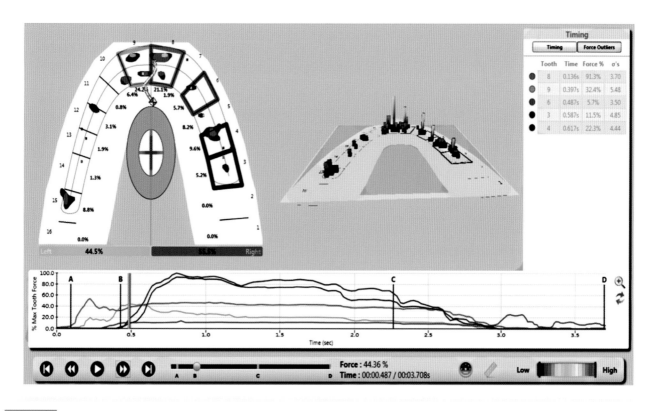

그림 22c #6(13)번 치아가 0.487초에 다음의 힘 이상치가 되어, 연한 녹색 막대가 같은 시간에 접촉하는 다른 모든 치아보다 힘이 더 빠르게 상승한다. 2D 및 3D ForceView 내의 힘 vs. 시간 그래프에서 #6번 치아의 청색선이 #6번 치아를 둘러싸는 청색 박스에 부합된다

91

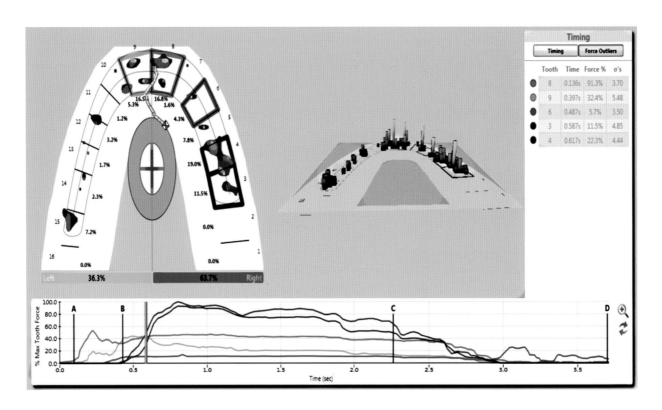

그림 22d #3(16)번 치아가 0.587초에 힘 이상치가 되어, 연한 녹색 막대가 같은 시간에 접촉하는 다른 모든 치아보다 힘이 더 빠르게 상승한다. 2D 및 3D ForceView 내의 힘 vs. 시간 그래프에서 #3번 치아의 진한 청색선이 #3번 치아를 둘러싸는 진한 청색 박스에 부합된다

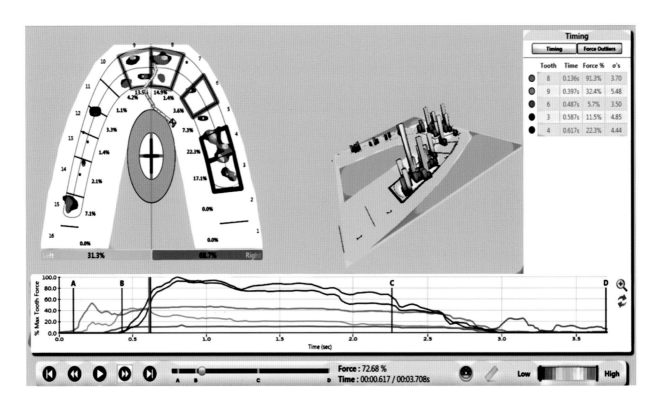

그림 22e #4(15)번 치아가 0.617초에 마지막 힘 이상치가 되어, 연한 녹색 막대가 같은 시간에 접촉하는 다른 모든 치아보다 힘이 더 빠르게 상승한다. 2D 및 3D ForceView 내의 힘 vs. 시간 그래프에서 #4번 치아의 갈색선이 #4번 치아를 둘러싸는 갈색 박스에 부합된다

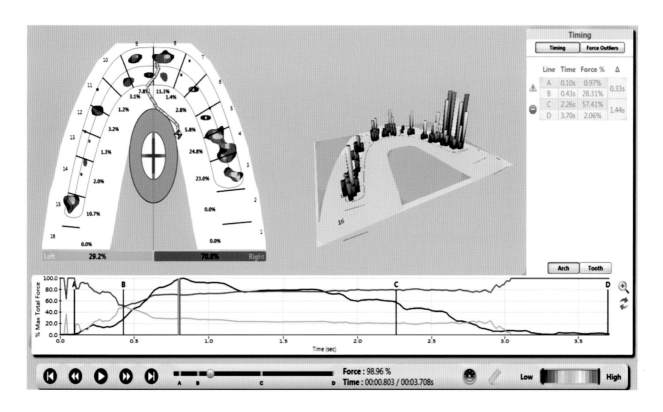

그림 23 그림 22a-22e에서 묘사된 폐구 운동의 COF 궤도

컴퓨터 교합 조정을 통한 COF 위치의 리디렉션

중심을 벗어난 궤도는 교합력 균형이 좋지 않다는 것을 의미하는 것이고, 임상의가 *시간-기반 및 힘-기반 컴퓨터* 분석을 이용하여 정확한 교합 조정을 시행하면 중앙화시킬 수 있다. 그림 24에서, 2D ForceView는 악궁의 좌측-중앙 근처에서 시작하는 좌측성 COF를 묘사하고 있고, 그 후 후방 및 좌측으로 이동한다. 전체적인 힘 합계가 초기에 #10, 11, 14, 15(22, 23, 26, 27)번 치아에 집중되기 때문에 COF가 좌측으로 치우치게 된다. 이 교합은 비동시적인 초기 좌측-말기 우측 교합 타이밍 순서를 가지고 있다. 게다가, 최종 COF의 위치는 61.1%-38.9%로 좌우 힘의 불균형을 보인다.

그림 25는, T-Scan을 기반으로 좌측의 조기 접촉, 교합력 과도한 좌측 접촉에 대한 교합 조정을 시행하여 얻은 COF 위치의 변화를 나타낸 것이다. 치료 후 COF의 방향 및 위치는 2D ForceView의 중앙으로 이동하였다. 총 교합력 합계는 좌-우측에서 (48.8-51.25%) 비슷하게 나뉘어졌고, COF도 악궁의 중앙 근처에서 출발하여 폐구 말기에 약간 우측 후방으로 이동하였다(그림 25).

이렇게 COF 궤도를 임상적으로 변경하면 교합 시간의 동시성이 향상되고, 좌우 반악궁 간에 교합력 발생을 동등하게 점유할 수 있게 된다. 또한, 치료 후에 교합력이 조절되고 감소되어, 전체 힘의 81.36%에서 ForceView 내에 빨간색이나 분홍색 sensel이 없다. 치료 전의 상태에서는, 더 적은 총 힘의 75.06%에서, 분홍색 2개, 빨간색 1개, 노란색 2개의 sensel이 있었다.

치아 당 힘 비율

기록하고 재생되는 동안, 각 치아의 변화하는 힘의 비율이 2D ForceView 내에서 동영상으로 전개된다. 각 치아의 힘 비율을 대칭치아와 관찰하여, *치아 당 힘 비율*이 균등한지 불균등한지 보여준다. 올바른 교합 조정으로, 좌우 비교 치아 당, 대칭 치아 부조화의 힘 비율을 균일하게 할 수 있다 (예를 들어, 좌측 중절치 %에 대한 우측 중절치 %를 비교).

그림 26a, 26b, 26c는 환자가 자가-폐구로 완전한 교두감합을 만드는 동안, 치아 당 다양한 힘 비율을 나타내는 것이다. 3개의 순차적인 2D ForceView 재생 프레임으로 교합 접촉 과정에 연루된 14개 각 치아의 교합력의 힘 변화를

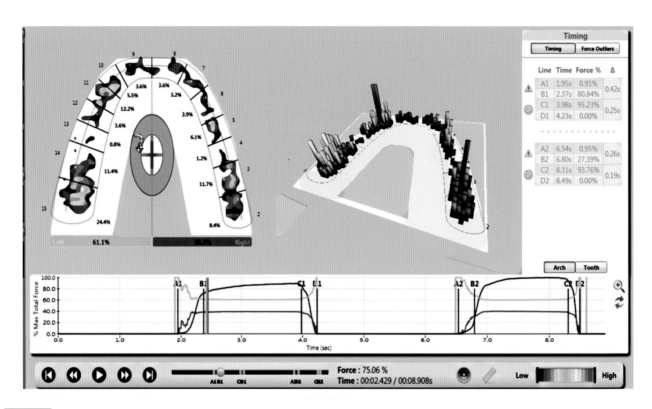

그림 24 좌측성 COF 궤도로, 그 후 후방 및 좌측으로 이동한다. 이런 전체적인 힘 합계는 #10, 11, 14, 15(22, 23, 26, 27)번 치아에 힘이 초기에 집중되기 때문에 왼쪽으로 휘어지는 것이다

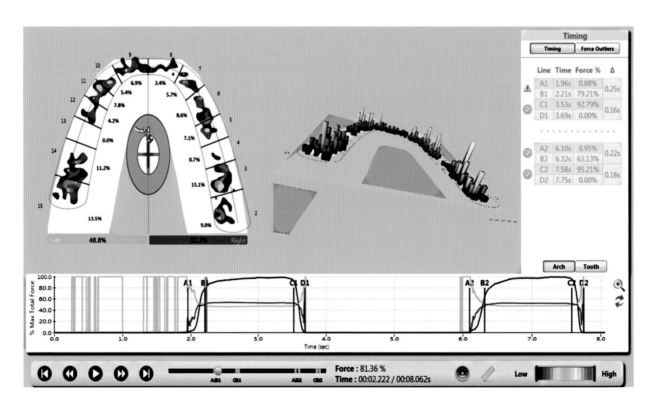

그림 25 COF 궤도의 경로를 변경하면 교합 시간의 동시성이 향상되고, 좌우 반악궁 간에 교합력 발달을 동등하게 공유할 수 있게 된다

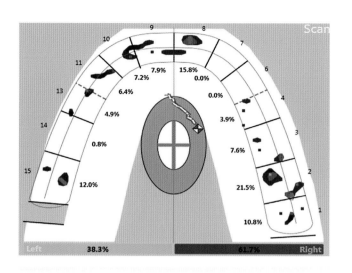

그림 26a 폐구 과정의 초기; 각 치아의 힘 비율

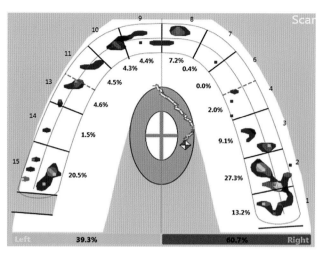

그림 26c 정적인 교두감합 후반; 교두감합에서 각 치아의 힘 비율

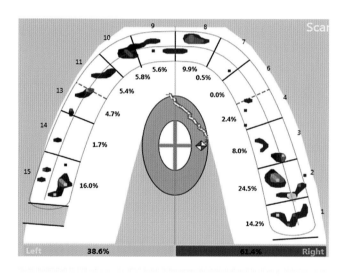

그림 26b 폐구 과정의 중기; 각 치아의 후기 힘 비율

볼 수 있다. 시간에 따라 교합 접촉이 진행되면서 한 프레임마다 비율이 변화한다. COF 궤도가 환자의 자가-폐구의 다른 단계에서 가장 큰 비율을 보이는 치아를 향해 이동함을 명심하라(Kerstein, 2010).

제3부: T-Scan 8 시스템으로 작성하는 일반적인 5개의 진단 교합 분석 기록

진단 교합 분석 기록 작성 전 적절한 T-Scan 8의 준비 과정

양질의 교합 분석 기록을 작성하기에 앞서, 임상의는 환자

에게 센서를 물고 교합하게 적응시키고, 반복적인 힘 기록을 위해 센서를 미리 조절하고, 환자의 교합 강도에 적합하게 기록 감도를 조정한다. HD 센서에 대한 연구에서, 센서는 반드시 환자에게 적용하기 전에 4회 압착되어야 하며, 이런 과정을 통해서 반복되는 힘 재현에 대한 디지털 출력의 일관성이 안정화된다고 하였다(Kerstein, Lowe, Harty, & Radke, 2006). 환자는 각 자가-폐구 운동마다 치아를 벌리기 전에 교두감합 상태에서 단단히 "유지"하도록 교육받아야 하는데, 이런 유지가 임상적 기록, 교합 데이터의 질과 유용성을 위해 중요하기 때문이다. 실제적인 환자의 교합 데이터 기록에 앞서 센서를 조정하는 동안 환자가 교두감합 상태를 적당히 유지하도록 훈련하여, 분석과 치료에 유용한 T-Scan 8 데이터를 모을 수 있도록 한다.

환자가 센서를 조정하고 교두감합을 유지하도록 배우는 동안, 임상의는 T-Scan의 2D ForceView 창을 관찰하여 포화된 분홍 sensel의 수(혹은 결손)를 확인하도록 한다. 이런 시각적인 평가 후에, 포화된 분홍 sensel의 수가 2개 보다 많다면 감도를 조정하여 그 수를 낮추고, 포화된 sensel이 없다면 감도를 증가시킨다. 포화된 sensel이 3개를 넘지 않도록 제한하여 센서가 적절하게 환자의 교합 강도에 적응된 것을 확인해야 한다.

마지막으로, 의미있는 교합 데이터를 기록하기 전에 센서를 조정하는 동안, 임상의는 데스크탑을 관찰하여 분홍 sensel의 수를 평가하고, 환자가 각 시험 폐구 동안 COF 마커의 위치를 재현할 수 있는지 살펴봐야 한다. 이것이 가능

95

해지면, 환자가 자연스러운 습관성 교두감합으로 반복적으로 폐구할 수 있고, 기록할 수 있는 준비가 된 것이다. 그러나, COF 마커의 위치가 재현되지 않는다면 환자의 실제적인 교합 데이터를 기록하기 전에, 임상의는 환자가 반복적인 폐구를 할 수 있도록 같이 작업해야 한다. 환자의 폐구가 반복적으로 이루어지도록 연습하여(교두감합으로 유지하는 동안 2D ForceView에서 COF 마커가 지속적으로 같은 위치하도록), 기록-준비-된 데이터가 환자의 자연스러운 습관적 교두감합(MIP)으로의 폐구를 표현하도록 확실히 한다.

하악 기능 운동 기록 유형

교합 진단에 빈번하게 사용되는 5가지의 특별한 하악 기능 운동 기록이 있다. 각각은 환자 교합의 다양한 타이밍 및 힘 요소를 설명하는 뚜렷한 힘 vs. 시간 그래프 특징을 가지고 있다.

I. 반복-교합(Multi-Bite)

반복-교합 기록은 환자 자신의 습관적 교두감합 위치로 자가-교두감합 폐구를 최소 2회(혹은 그 이상) 반복하여 얻어진다. 이 기록으로 교합 시간(Occlusion Time, OT)과 좌우측 교합력 균형을 평가하고, 1번째 치아 접촉부터 정적인 교두감합까지, 그리고 정적인 교두감합을 지나 최대 교두감합에 이르기까지의 폐구 순서를 포착한다. 환자가 자신의 자연스러운 교두감합으로 반복적으로 폐구하여 얻어지기 때문에, 반복-교합은 T-Scan 8 진단 기록 과정의 모든 유형을 위한 *기본적인 기록*이다. 이 자가-폐구 운동은 거의 모든 진단용 T-Scan 8 기록을 위한 초기 하악 운동이 된다.

- 반복-교합을 기록하기 위해 (중절치 순측 치간공극에 센서를 위치한 후 견고하게 유지하고), 환자에게 최대 교두감합으로 견고하게 교합하고 1-3초간 치아를 더 견고하게 유지한 후, 치아를 벌려 개구한 다음, 다시 최대 교두감합으로 폐구하고, 또 다시 1-3초간 견고하게 유지하고, 다시 교합 치아를 벌려 개구하도록 지시한다.

그림 27의 반복-교합 그래프는 2번의 폐구 구간(A1-B1, A2-B2), 2번의 교두감합 유지(B1-C1, B2-C2), 환자가 교두감합에서 하악을 수직적으로 이동하는 개구 구간(C1-D1, C2-D2)의 힘 변화를 보여준다. A1-D1 사이의 총 힘 선 모양은 폐구에서 최대 교두감합까지를 기록할 때 얻을 수 있는 이상적인 곡선이다. 임상의는 모든 하악 기능 운동 기록에서 이런 모양을 만들어 내도록 노력해야 한다. 개구 전에 1-3초 동안 교두감합을 견고하게 유지할 때 이런 모양을 쉽게 얻을 수 있다.

반복-교합 기록의 임상적 가치는 어떤 환자 폐구가 "약하거나", 환자의 실제적인 교합 강도를 진정으로 대표하지 못할 수도 있다. 한 번의 폐구에서 기록된 강도의 크기에 상관없이, T-Scan 8 소프트웨어는 총 힘의 100%에 달하는 기록을 보여줄 것이다. 1회의 폐구 기록 내에서 소프트웨어가 가장 강력한 순간을 생산하고, 이것을 근거로 모든 다른 기록된 힘 순간을 등급화하기 때문에 이런 현상이 나타난다. 2개 혹은 그 이상의 폐구 기록에서, 가장 강력한 비율 데이터의 폐구가 100%에 달하는 순간을 대표하게 되고, 임상의는 가장 강력한 폐구 기록으로부터 얻어진 양질의 교합 데이터를 갖게 된다.

그림 27에서, 보다 강력한 폐구는 1번째 것이고, 보다 약한 2번째 것과 비교해서 좌-우 힘 불균형을 보인다(교두감합 동안 적색과 녹색선 사이의 수직적 간격). 그러나, 어떤 기록에서는 1번째 폐구가 더 약하기도 하다(그림 28a, 28b). 약한 폐구만이 기록된다면, 소프트웨어는 이것을 100% 폐구로 정하기 때문에 환자 폐구 능력의 질에 대한 평가가 부정확하게 된다. 2번째 폐구에서 COF 궤도가 1번째보다 훨씬 더 우측으로 치우쳐서 출발하는 것을 확인하라. 이것은 환자가 더 센 힘으로 교합하면서 조기 우측 후방 접촉과 접촉 부위의 힘 과다 모두가 악화되었음을 설명하는 것이다(그림 28b).

반복 교합의 이용

- 교합 시간(OT)의 측정 – 환자의 정적인 교두감합으로의 자가-폐구 동안 1번째부터 마지막 치아 접촉까지의 경과 시간
- 1번째 접촉부터 정적인 교두감합 그리고 최대 교두감합까지의 폐구 접촉 순서 설명
- 좌-우측의 힘 비율 불균형 평가
- 폐구 운동에서 힘 중심(COF) 궤도의 경로 설명
- 교합 치료 동안 순서대로 연속적으로 사용하여, 교합의

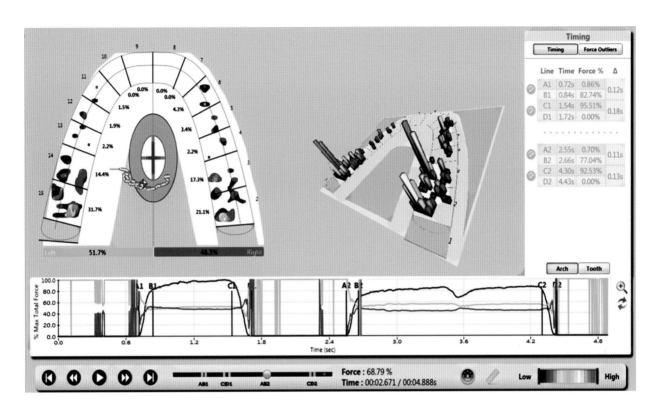

그림 27 2회의 폐구를 보이는 반복-교합 기록 그래프. 2번째 폐구는 1번째의 80%에 지나지 않는다

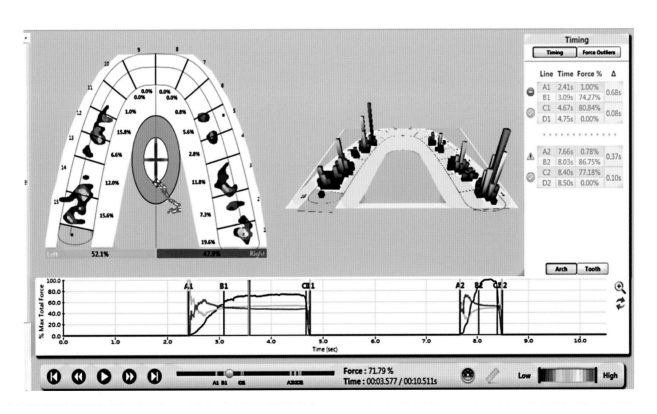

그림 28a 1번째 폐구가 2번째의 65% 밖에 되지 않는 반복-교합

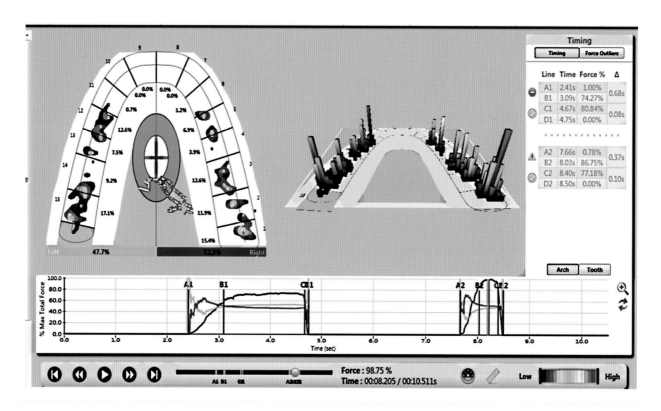

그림 28b 2번째 폐구가 악궁 전체에서 현저히 많은 치아 접촉과 강한 힘을 보인다. 또한, 2번째 폐구 COF 궤도가 1번째보다 훨씬 우측에 치우쳐서 출발한다. 우측 후방 접촉 초기와 힘 과다는 환자가 더 강한 힘으로 폐구하면서 약해진다

균형 조정(기록 후 조정이 따라오고, 새로운 기록이 따라오고, 2번째 조정이 뒤따르고, 3번째 새 기록이 뒤따르고, 3번째 조정이 이루어지고, 등등., OT가 0.2초 이하로 되고 좌우 힘 균형이 거의 같아질 때까지)

반복-교합 기록의 중요 사항

• 환자는 개구하기 전에 1-3초간 치아를 완전히 유지하기 위해 노력하는 것이 필요하다. 이렇게 하여 COF 마커의 운동이 정적인 교두감합에서 안정화되고, 영상의 OT 부분이 잘 기록될 수 있다(A-B 구간). A-B 구간의 진단이 향상된다.

• 가장 큰 총 힘을 보유하는 하나의 폐구를 분석하지만, 동일 환자의 동일 기록에서 얻어진 약한 폐구는 종종 근육성 교합 약화의 징후라는 것을 인식하라.

II. 측방 및 전방으로의 기능적 편심위 운동

편심위 운동 기록은 후방 이개 시간(DT)(Kerstein & Wright, 1991) 및 편심위 운동 동안 후방 교합면 마찰의 존재를 평가할 때 사용한다. 이런 기록은 한 방향으로만 운동할 때 힘 vs. 시간 그래프 분석 명료성을 향상시키기 때문에, 가장 잘 성취될 것이다. 2D ForceView에서, 4분악 분할 도구를 이용하여 견치 원심면에 분할선을 위치시켜서 재생한다.

• 편심위 운동을 기록하기 위해, (센서를 구내에 위치시키고 sensor support를 중절치 협측 치간공극에 단단하게 유지하여), 환자에게 완전 교두감합으로 견고하게 교합하고 1-3초간 교두감합을 유지한 후, 하악 치아가 상악 치아를 가로질러 좌측, 우측, 전방으로 미끄러지게 하되 운동 동안 전방 치아의 접촉을 유지하도록 지시한다.

그림 29는 지속 시간이 5.92초인 연장된 DT를 가지는 좌측 편심위 운동을 묘사하는 것이다. 편심위 구간 내에서 재생을 정지하여(4.120초 C 후의 시간 선), 2D ForceView를 견치 원심면에서 양측성으로 구치부와 전치부를 분리한 4분악으로 분할하였다. 힘 vs. 시간 그래프에서, 폐구(OT 구간 A-B) 및 교두감합 유지 구간(B-C)의 모양이 적절하여 양질의 진단 기록을 얻었음을 알 수 있다.

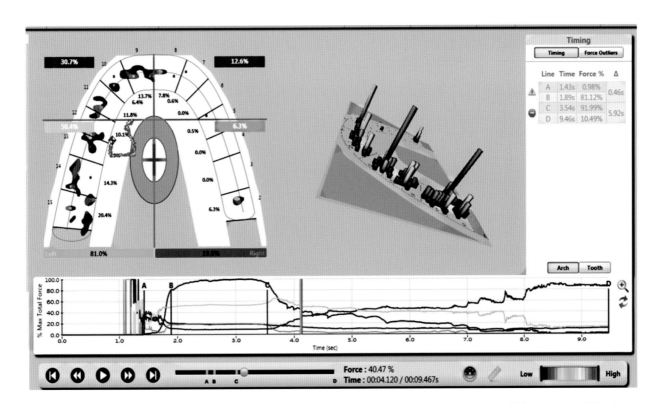

그림 29 연장된 이개 시간(C-D = 5.92초)을 보이는, 적절하게 기록된 좌측 편심위 운동

C 이후의 편심위 구간(C-D)을 통제하는 4분악은 후방 좌측(연한 청색선)으로, 지속 시간 4.5초 동안(3.6초의 C부터, 8.1초까지) 전방 좌측 4분악(진한 청색선)과 함께 전 편심위 운동 과정을 부분적으로 조절하고 있다. 8.1초에서, 연한 청색선이 현저하게 기울어지고 진한 청색선은 그래프의 정상을 위해 상승한다. 여기가 좌측 전치부가 좌측 구치부로부터 편심위 운동 조절을 떠맡게 되는 지점이다. 또한 #2(17)번 치아에 균형 접촉이 연장된 구간이 있는데, 연한 분홍선이 3.49초 동안(3.6초 C부터, 7.09초까지)의 그래프에서 수평적으로 진행되는 부분이다. 마지막으로, C 후의 총 힘 선은 "단계적 감소(step down)"로 나타나는데, 함께-가까워지고, 울퉁불퉁한 선 변화를 보인다. 이러한 스텝은 좌측 구치부가 맞물릴 때 발생하는 마찰 모멘트로 자유로운 편심위 운동을 제한하게 된다. 또한 2D ForceView에서, COF 궤도는 C에서 똑바로 좌측으로 이동하고 바로 90° 북쪽, 전방으로 회전한다. 그 궤도의 경로는, 좌측 후방 접촉에 대한 협설측 간섭(2D, 3D ForceView에서 보이는)으로 구성된, 연장된 상당한 작업측 그룹 기능이 존재한다는 것을 의미한다.

그림 30은 임상의가 즉시 완전 전방 유도 발생(Immediate Complete Anterior Guidance Development, ICAGD) 치관성형술(Kerstein, 1992)을 시행하여 연장된 DT를 치료한 후 작성한 좌측 편심위 운동 기록으로, 0.27초 지속 시간(C-D 구간)으로 DT가 단축되어 있다. 훨씬 짧은 C-D 편심위 구간(3.624초 C 뒤쪽에 시간 선이 위치) 내에서 재생이 정지되고, 2D ForceView가 4분악으로 나뉜다. C 뒤의 그래프에서, 이제 전방 좌측 4분악(진한 청색선)이 조절측이 되고, C부터 그래프는 정상을 향해 가파르게 상승한다. 다른 모든 4분악의 유색선은 빠르게 0%까지 떨어진다. 더욱이, 치료 후, 0%로 기울어지는 동안 C 후의 총 힘 선이 더 이상 어떤 "계단 모양"을 보이지 않는다. 이것은 ICAGD 치관성형술에 의해 치료 전 마찰력이 제거되었음을 의미한다. 또한, ICAGD 치료 후 COF 궤도가 향상되었다. 2D ForceView에서, COF 궤도가 C부터 전방 좌측으로 이동하여, 그룹 기능이 제거되고 전방 좌측 4분악이 편심위 운동의 조절을 인수받았음을 나타낸다.

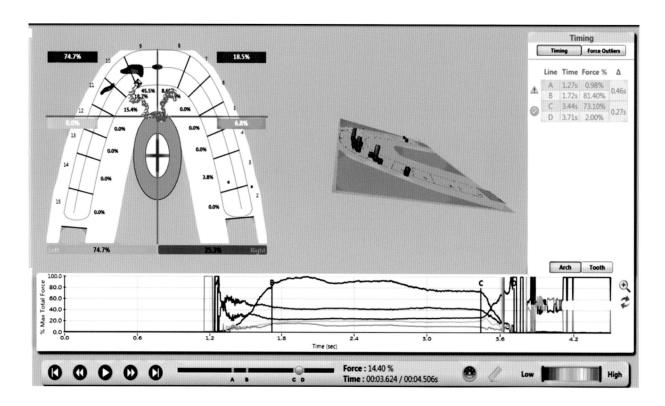

그림 30 그림 29 환자의 치료 후 편심위 운동 기록

편심위 운동 기록의 이용
- 후방 이개 시간(DT) 측정
- 편심위 마찰력의 존재 설명
- 전방 유도 메커니즘의 질 평가
- 교합 마모, 굴곡파절을 비롯한 편심위 저작근 과다활동 및 근육성 TMD 증상의 진단과 치료

편심위 운동 기록의 중요 사항
- 명확한 교두감합 유지에서의 하나의 교두감합을 기록하여, 환자가 측방으로 운동하기 전에 COF 마커를 시각적으로 안정화한다.
- 기록의 명확성을 위해 하나의 편심위 방향만 기록한다.
- 2D ForceView에서 견치의 원심면에서 4분악을 분할하여 기록을 분석한다.

후방 이개 시간(DT)과 편심위 마찰 및 그들의 임상적 영향에 관한 더 상세한 정보는 7장에 나와있다.

III. 이악물기와 이갈이 기록

이악물기와 이갈이 기록은 저작이나 식사 시 발생하는 통증성 접촉을 분리하기 위해 사용된다. 환자는 먹을 때 갑작스런 통증이 있으나, 씹을 때마다 나타나지는 않는다고 호소할 것이다. 간헐적인 치통의 특성으로 해당 치아 및 교두를 진단하는 것이 종종 수월하지 않을 것이다. 모든 통증성 치아에서처럼, 방사선을 통한 임상적 검사를 수행하여 치아 균열, 충치, 치주 질환, 치수 연관성 등의 조직 병리학을 신중히 배제한다. 조직적인 병인이 발견되지 않는다면, 교합 접촉이 원인 유발 요소가 될 수 있다.

T-Scan으로 이악물기와 이갈이 기록을 작성하면, 종종 쉽게 문제성 치아와 접촉을 찾아낼 수 있다. 필요한 진단 영상을 기록하기에 앞서, 통증을 유발하는 하악 운동 동작을 결정하기 위해서 환자에게 치아를 여러 번 갈게 하여 해당 치아를 아프게 만들도록 부탁해야 한다. 시험적인 이갈이가 식사할 때와 동일한 반응을 유도하지 못할 수도 있지만, 일반적으로 환자는 유사하지만 약화된 통증의 순간을 유도하게 된다. 치아에 상처를 유발하는 어떤 하악 갈기 동작이라도 기록하는 동안 문제성 접촉을 구분하게 될 것이다.

- 이악물기와 이갈이 영상을 기록하기 위해(센서를 구강 내에 위치시키고 중절치 순측 치간공극 사이에 sensor support를 단단하게 유지하여), 환자에게 완전 교두감 합으로 견고하게 교합하고 1-3초간 교두감합을 유지한 후, 앞서 치아 통증을 유발하는 동일한 하악 갈기 동작 으로 센서를 가로질러 앞뒤로 갈도록 지시한다. 이갈기 구간 내에서의 기록을 재생하면서, 환자가 앞뒤로 운동 하면서 나타나는 통증성 치아에 존재하는 막대에 어떤 급속한 증감이 나타나는지 관찰한다. 이것을 통해 치료 가 필요한 문제성 접촉을 구분할 것이다.

그림 31a의 환자는, #12-15(24-27)번 치아에 세라믹 고 정성 보철물 장착 후 얼마 지나지 않아, 저작 시 #14(26)번 에 통증이 발생하였다고 한다. 환자는 6개월이 넘는 기간 동안 수회에 걸쳐 치과에 내원하였고, 임상의의 반복적인 교합 조정에도 불구하고 해결되지 않았다. 환자는 그 후에 T-Scan의 이악물기 및 이갈이 검사를 통해 좌측 이갈이에 서 저작 통증이 유발되고 있다는 것을 알게 되었다. 반복적 으로 좌측으로 갈기 동작을 하여 기록하였다.

그림 31b, 31c, 31d, 31e, 31f에서, 환자는 #14번 치아 너머 좌측으로 이갈이를 하였다. 힘 vs 시간 그래프의 좌측 에 환자가 이갈이 전의 전체적인 교두감합 시에 초기 완전 폐구가 있다. 환자가 살짝 1초 동안 입을 벌리면서 D에서 폐구가 끝나고, 3.794초에서 좌측으로 이갈기가 시작된다. 기록의 나머지에서, 환자는 반복적으로 #14번 치아를 가로 질러 앞뒤로 이갈기를 하였다. 또한, #2, 15(17, 27)번 치아 가 과대한 힘 분석표(높은 비율, 분홍 막대의 높은 강도 존 재)를 보이지만, 이 치아들은 통증을 유발하지 않는다. T-Scan을 사용하면 이런 결과가 종종 관찰된다; 통증성 치아 가 악궁에서 가장 강력한 치아가 아닐 수 있다. 이 통증성 치아는 좌측 편심위 운동 동안 이웃의 #15번 치아보다 확 연히 적은 힘을 나타냈다((그림 31b)에서, #14(26) = 15.6%, #15(27) = 32.5%).

그림 31b에서 제시된 프레임은 6.099초로, 왼쪽으로 이 갈기를 했을 때 #14번 치아에 중등도의 힘(근심협측 부위 의 연한 녹색 막대)이 기록되었다. 뒤이은 4개의 자료(그 림 31c, 31d, 31e, 31f)는 좌측 이갈이 운동의 시간 순서에 따 른 것으로, 환자가 그림 31c, 31d, 31e에서 조금씩 더 좌측 으로 운동한 후 우측으로 되돌아가는 운동인 그림 31f에서

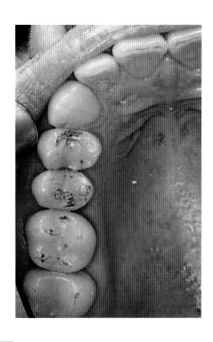

그림 31a #12-15(24-27)번에 장착된 고정성 보철물. 장착 직후 #14(26)번에서 저작 통증이 발생하였다

갈기 동작 동안 나타나는 COF 마커의 위치에 미묘한 변 화가 있음을 알 수 있다. 그림 31b, 31c, 31d, 31e, 그리고 31f(6.099초에서 시작)에 보이는 서로 겹쳐지는 타원형-모 양의 COF 궤도는 환자가 갈기 싸이클에 앞서 만든 모든 좌 측 갈기 싸이클의 결과이다.

6.128초의 그림 31c에서, 녹색 막대가 연두색으로 바뀌 고, 0.029초 좀 더 좌측으로 진행 시 힘이 상승함을 알 수 있다. 6.313초(0.185초 뒤인 그림 31d에서)에 환자가 좀 더 좌측으로 운동하면서 힘이 지속적으로 상승하여 붉은 주황 색으로 변한다. 그림 31e 6.328초(0.015초 후)에서, #14번 치아의 근심협측 교두에서 최대힘(분홍색 sensel)에 달한다. 최종적으로, 그림 31f에서, 환자가 6.601초에서 우측으로 되돌아가면서, 근심협측 접촉에서의 힘이 현저하게 감소하 여 연한 청색으로 바뀌었다. 왼쪽으로 다시 되돌아가면서, #14번의 근심협측에서 그림 31b, 31c, 31d, 31e, 31f에서 관찰되었던 동일한 힘이 반복적으로 통증을 유발할 것이 다. #14번 치아에 통증을 유발하는 힘 상승의 경과 시간은 0.229초(6.099초부터 6.328초까지)에 지나지 않는다.

환자의 #14번 치아를 넘는 전후 이갈이를 단 한번 기록 함으로써, 근심협측 접촉(그림 31a)만을 조정하여, 통증이 신속하게 해소되었다.

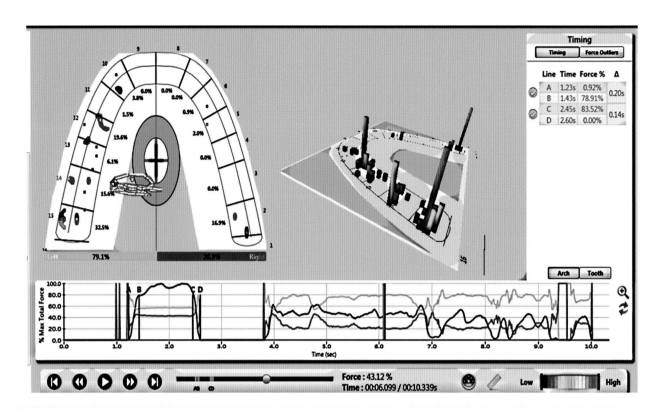

그림 31b 6.099초; 환자가 좌측으로 운동하면서 통증성 #14번 근심협측에 중등도의 힘(연한 녹색) 발생

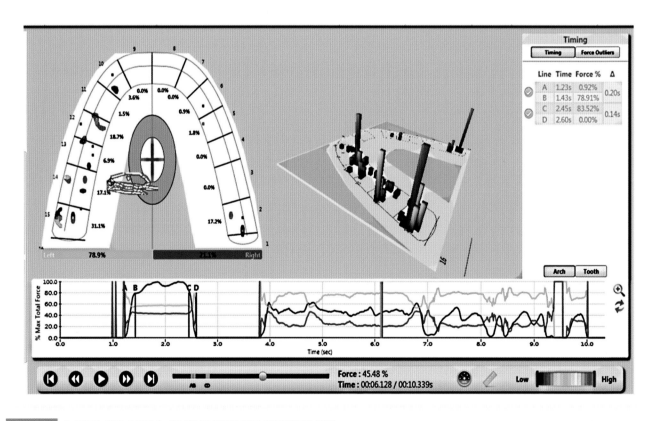

그림 31c 0.029초 뒤인 6.128초, #14번 근심협측 힘이 연두색으로 증가

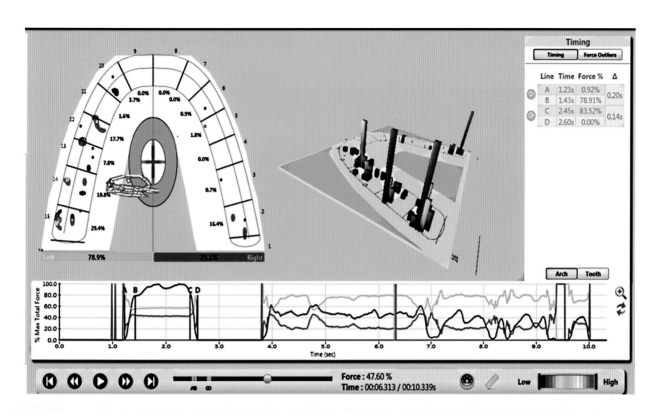

그림 31d 0.185초 뒤인 6.313초, 환자가 좀 더 좌측으로 운동하면서 근심협측 힘이 지속적으로 증가하여 붉은 주황색으로 상승

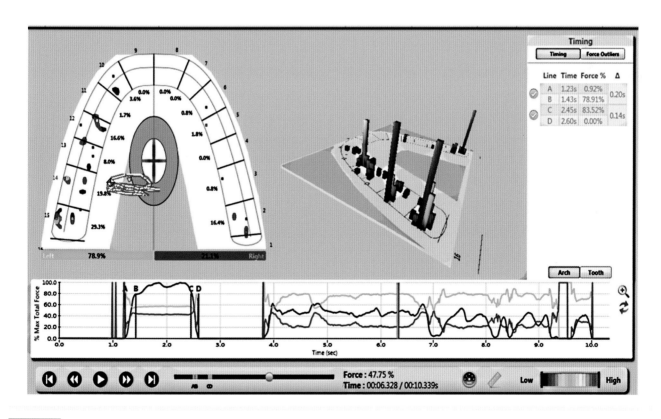

그림 31e 6.328초, #14번 근심협측 교두에서 최대힘에 도달(분홍색 sensel)

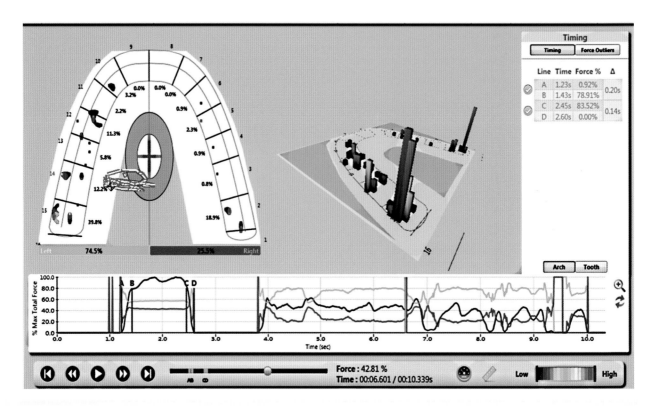

그림 31f 6.601초, 환자가 우측으로 되돌아가면서 #14번 근심협측 교두의 힘이 감소하고 연한 청색 막대로 변화

이악물기 및 이갈이 기록의 중요 사항

- 기록에 앞서 환자에게 이를 갈아서 치아에 통증을 유발하도록 요청하여, 통증을 일으키는 필요한 하악 운동 동작을 결정한다. 치아에 통증을 유발하는 동작이 무엇이든 간에, 기록된 하악 동작은 문제성 접촉을 찾게 될 것이다.
- 환자에게 완전한 교두감합으로 견고하게 교합하고 1–3초간 견고하게 유지한 후, 앞서 통증을 유발했던 동일한 하악 갈기 동작으로 센서를 가로질러 전방으로 갈도록 지시한다.
- 재생하는 동안, 아픈 치아에 갑작스런 증감을 보이는 막대가 있는지 관찰한다.
- 가장 강력하게 기록된 치아가 통증성 치아라고 단정지어서는 안 된다. 적은 총 힘을 가진 치아일 수도 있고, 가끔은 낮은 강도의 힘을 보이기도 한다.

IV. 디지털 교합력 분포 양상(Digital Occlusal Force Distribution Patterns; DOFDP)

디지털 교합력 분포 양상(DOFDP) 기록은 환자의 기능 운동 범위 내에서 반복적으로 과부하되는 치아 및 악궁 내에서 과다한 힘이 집중되는 위치를 설명해준다. 종종, DOFDP는 편측성 TMD 증상, 과도한 교합 마모, 치아 균열, 굴곡파절, 치주 지지 조직 소실의 위치에 대한 임상적 관찰로 이어진다.

구강악계 시스템이 기능하면, 하악이 상악에 대해 기능 운동을 만들면서 기시, 방향, 강도를 가지는 일련의 힘이 교합면에 발생된다. 근육계가 시스템 상에서 수축하면서, 악궁의 힘 분산은 각 치아의 압착(compression)과 감합(decompression)의 반복적인 부위로 고립된다(Kerstein, 2010). 반복적인 힘 분포의 기록과 뒤이은 위치 선정은 2D ForceView 내에서 영상이 재생되면서 COF 궤도와 아이콘이 새기는 양상에 독특한 흔적을 만들어낸다.

디지털 양상은 압착와 감합의 교합 주기를 통해 힘이 전달되는 방법을 보여준다. 교합 역학은 힘을 전체적인 힘 합계 위치(전방-우측과 같은)에 의존하여 반복적으로 다양한 악궁 부위에 집중시킨다. 한 임상의는 DOFDP가 치아, 치주 조직, 치근, 치조골과 같은 지속적인 힘 집중의 위치가 오랜 시간 동안 집중된 힘을 반복적으로 흡수하고, 교합 기간에 대한 구조적 손상 결과를 보여주는 것을 설명한다고 가정하였다.

• 흔하게 사용하는 진단용 DOFDP는 습관성 힘 분포 양상(Habitual Force Distribution Pattern; HFDP)으로 알려져 있다. 환자에게 기록 센서를 물고 연하하고, 최대 교두감합으로 치아를 꽉 문 상태로 견고하게 유지한 후, 치아를 이개했다가 다시 교두감합에 가깝게 반복적으로 가볍게 교합(tapping)하도록 지시했을 때, 이 기록이 가장 잘 얻어진다(Kerstein, 2010). 양질의 HFDP는 3회 이상의 환자 자가 폐구를 순서대로 포함하는데, 각 폐구는 견고하게 유지되는 위치로, 2D ForceView로 반복적이고 겹쳐지는 COF 위치를 그려내서, 반복적인 힘 집중을 보여준다.

이런 반복적 양상에 대한 수정은 치아와 연관된 반복적 과부하를 감압시키고 힘을 더 많은 치아에 나눠주어, 장기간의 교합력 손상에 대한 잠재력을 감소시킨다(Kerstein, 2010). 2D ForceView 내의 반복적인 COF 궤도와 연관된 3D ForceView 막대형 힘 데이터에 의해 이런 조정이 유도된다.

그림 32는 하악 우측 제1,2대구치에 과다 마모를 보이는 환자의 치료 전 반복적인 후방 우측 교합력 과다를 보여준다(그림 33). 치료-전 COF는 중-후방 우측 4분악 위치하고, 3D ForceView는 제1, 2대구치에서 강한 힘 집중이 반복되고 있음을 보여준다.

그림 33에서 시간 선이 7번째 교두감합에 있을 때를 보아라. 힘 vs. 시간 그래프에서, 초기 자가-교합에서 최고의 총 힘이 나타나고, 그 다음 6개의 뒤따르는 교두감합에서 총 힘이 감소하고 있다. 그러나, 양상이 우측에 치우쳐 있어서 모든 교두감합에서 적색선(우측 반악궁 힘 비율)이 지속적으로 녹색선(좌측 반악궁 힘 비율)보다 훨씬 높다. 2D ForceView에서 제1, 2대구치가 우측 총 힘의 32%, 28%를 가지고 있고, 이웃한 마모되지 않는 #28, 29(44, 45)번 치아는 단지 6.45%, 3.7%만이 집중(#5-7(14-12)번 치아에서 적은 힘 집중)되고 있음을 볼 수 있다.

이런 과다한 힘 집중이 오랜 시간 동안 반복되어, #30, 31(46, 47)번 치아의 교합면에 마모가 야기되었지만, 이웃한 #28, 29번 치아의 법랑질은 손상되지 않았다(그림 32).

그림 34는 치료-후 수정된 HFDP로 양측성으로 COF가

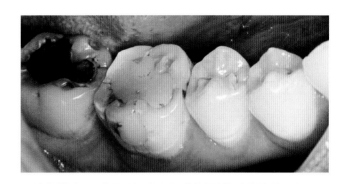

그림 32 과다한 치아 마모가 하악 우측 제1, 2대구치에 존재한다 (Kerstein, R.B.(2010)에서 발췌. Appendix in Tarantola, G. Clinical Cases in Restorative and Reconstructive Dentistry, Hoboken, NJ: Wiley-Blackwell)

정중선과 중첩되는 것을 보여준다. COF 궤도는 좌-우측 반악궁 사이에 중앙화되어 유지되어 있고, 2D ForceView의 정중선을 따라 전-후방으로 이동한다. 힘 전달의 수정된 양상으로 힘이 좌우 반악궁에 동등하게 공유되고, 좀 더 많은 치아에 전달되며, 모든 교합된 치아의 분포 중앙 내에 교합력이 집중된다. 치료 후 반-악궁 힘은 우측 55.4%-좌측 44.6%로 거의 동등하게 분포되었다. 또한, 현재 #2, 3(17, 16)번 치아의 힘이 치료 전보다 상당히 적은 힘 비율을 보이고 있다(8.1%와 2.0%, 치료 후).

디지털 교합력 분포 양상(DOFDP) 기록의 이용

• 이 기록은 교합 비대칭성, 힘 균형, 악궁 내에 반복적으로 집중되는 힘 불균형에 대한 진단에 사용된다.

DOFDP 중요 사항

• 종종 교합의 총 기간 동안 집중되는 힘을 반복적으로 흡수하는 치아 조직의 구조적인 손상의 위치를 암시하는 지속적인 힘 집중의 위치를 설명한다.
• 반악궁과 4분악의 다양한 조합에서 힘 집중을 보여 줄 수 있다.
• 견고한 교두감합과 연하 이후에 연속적으로 자가-폐구 tapping을 3회 이상 시행할 때 최고의 기록을 만들 수 있다.

DOFDP와 구조적 손상 이론에 대한 자세한 설명은 20장에 나와있다.

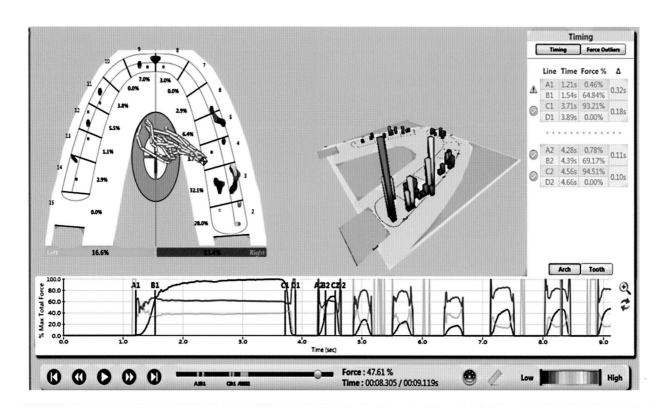

그림 33 반복된 후방 우측 4분악 힘 전달로 COF가 중-후방 우측 궤도 양상을 보이는 HFDP 양상

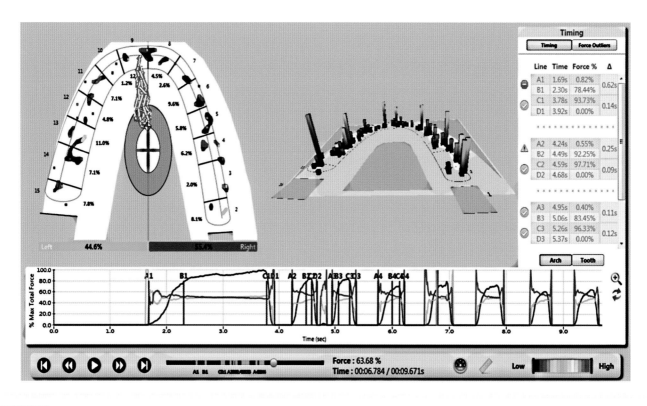

그림 34 정중선과 중첩된 양측성 COF를 보이는 수정된 치료-후 HEDP

V. 중심위(CR) 기록

이 유형의 기록은 *CR 조기접촉(prematurity)*의 위치를 찾기 위해 사용된다. 체어 옆 보조가 레코딩 핸들을 잡고 조작하는 동안 임상의가 양수 조작(Bimanual Manipulation)을 수행하는 4-손 술식으로 얻어진다(Kerstein & Wilkerson, 2001).

교합 평형을 수행하고자 할 때 CR 조기접촉 분리의 중요성은 여러 논문을 통해 주장되고 있다(Schuyler, 1935; Long, 1973; Glickman, 1979; Dawson, 1989a). 하악이 CR로 적절하게 위치할 때, 양쪽 디스크는 하악 과두의 머리와 관절 융기의 상부 사이에 적절하게 위치하여 길항근의 과다 활동에 대한 자극을 최소화한다고 널리 받아들여지고 있다(Dawson, 1989b).

CR 조기접촉은 술자-유도 하악 위치 잡기를 포함한 여러 방법으로 위치화될 수 있다(Schuyler, 1935; Lucia, 1964; Long, 1970). 양수 조작(Dawson, 1989c)으로 알려진 방법은 CR 위치로 하악을 유도하는 예측 가능한 방법으로 넓게 인식되고 받아들여지고 있다. 양수 조작 과정으로 얻어지는 1번째 교합 접촉이 CR 조기접촉이라고 알려져 있다.

• CR로의 양수 조작을 기록하기 위해서, 보조자가 환자 방향 90°에서 T-Scan 레코딩 핸들을 중절치 순면 치간 공극에 수직으로 유지하는 동안, 환자가 체어에 똑바로 앉은 상태로 술자가 양 손으로 하악을 흔들어 달랜다. 임상의가 T-Scan 데스크탑을 관찰하면서 센서를 구내에 위치시킨 상태로 환자의 하악을 CR로 조작하는 것이 도움이 된다(그림 35a, 35b, 35c, 35d)(Kerstein & Wilkerson, 2001). 임상의가 반복적으로 CR로 위치시킬 수 있고 스크린에 반복적인 COF 아이콘 위치가 재현되면, 보조자는 레코딩 핸들의 기록 버튼을 누르고, 임상의가 연습을 통해 얻은 CR 위치로 동일하게 재조작한다. COF 마커가 데스크탑에 가시화되면, 임상의는 환자를 CR 상태로 유지하여 COF를 안정화하고, 환자는 CR에서 자신의 최대 교두감합(MIP)으로 전방 운동한다.

그림 35a, 35b, 35c, 35d는 양수 조작으로 얻어진 CR 기록을 보여주는 것으로, 초기에 CR로 위치는 동안 낮은 교합력을 보인다. 그 후에, 환자가 교두감합으로 미끄러지면서 교합력이 드라마틱하게 상승한다. 환자의 근육 활동을 제한하면서 조절해야 하기 때문에 양수 조작 과정에 적은

힘을 적용해야 한다. 만약 임상의가 힘을 주어 유도하면, 환자는 MIP로 자가-폐구하게 된다. 환자의 자가-참여는 상당한 저작근 수축을 유발하여 많은 치아가 교두감합으로 맞물리게 된다. 하악 운동의 총 힘이 임상의가 양수 조작을 수행할 때 보다 현저히 증가하게 된다.

CR 기록 이용

• 4-손을 이용한 술식으로 CR 조기접촉의 위치 파악에 사용. 이 과정은 환자의 자가-교두감합의 습관성 교합 접촉에서 CR을 분리하기 위해 고안되었다.

CR 기록 중요 사항

• 임상의는 T-Scan 데스크탑을 관찰하면서, 센서를 구내에 위치시킨 상태로 환자의 하악을 CR로 조작해야 한다. 실제적인 CR 기록에 앞서, CR의 적절한 위치를 결정하는 데 도움이 된다.
• CR이 데스크탑에 재현되면, 보조는 레코딩 핸들의 기록 버튼을 누른 후, 임상의는 CR 위치로 동일하게 재조작하고, 조기 접촉을 분명하게 분리하기 위해 환자를 CR 상태로 유지한다. 유지 구간 후에, 환자는 자신의 MIP로 스스로 미끄러진다.

T-Scan을 시스템을 이용한 CR 조기접촉 기록에 대한 보다 자세한 설명은 14장에 나와있다.

해결 방안 및 권고 사항

유능한 T-Scan 술자가 되기 위해 훈련이 반드시 필요하다

T-Scan 8은 다양한 교합력과 타이밍 이상의 진단과 치료에 사용되는 복잡한 공학 도구이다. 이와 같이, 임상의가 일상의 임상 술식에 기술을 효과적으로 사용하기 위해, 이해하고 사용해야 할 많은 특성과 도구를 가지고 있다. T-Scan 8이 이전 T-Scan 버전에 비해 많이 간소화되었다고는 하지만, 여전히 임상의가 유능한 사용자가 되기 위해서 터득해야 하는 상당한 학습 내용이 남아 있다. 그러므로, 이 저자는 새로운 T-Scan 8 임상의는 T-Scan 8 구입 후 바로 확실한 훈련을 받을 것을 권고하는 바다. 임상 훈련은 웹세미나를 통한 온라인이나 수업 혹은 1대 1 환자 치료 학습을

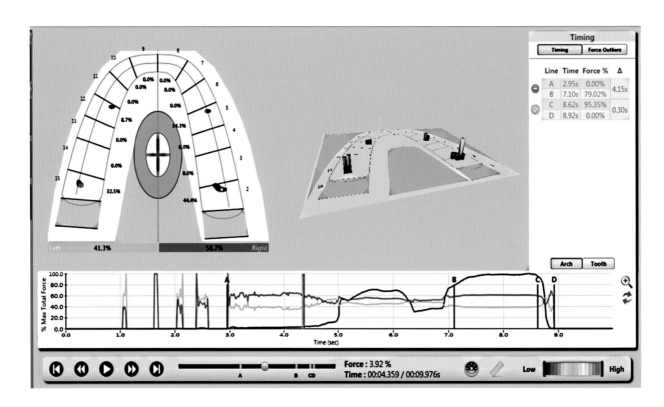

그림 35a 양수 조작 구간 동안 4.359초에서, CR 기록의 초기 부분은 낮은 힘을 보인다. 임상의가 하악 운동의 속도와 힘을 조절하는 동안, #2, 15(17, 27)번 치아에 총 힘 3.92%를 가진 CR 조기접촉이 존재하여 소수의 치아 접촉만 기록된다. 그 후 5.0초 근처에서, 환자가 스스로 MIP 위치로 미끄러지면서 힘이 극적으로 상승한다

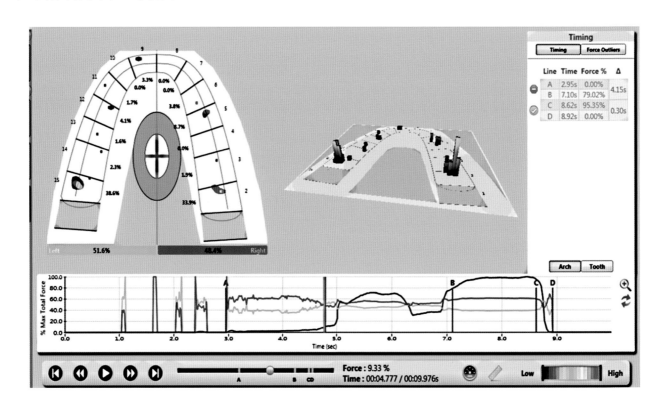

그림 35b 4.777초에서 총 힘은 9.33%으로, 임상의가 환자를 CR로 단단하게 유지하면서 CR 접촉이 증가한다. 악궁에 걸쳐 낮은 힘의 접촉이 나타난다

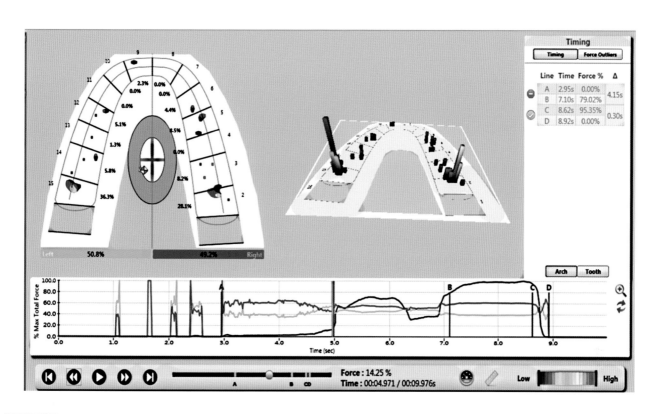

그림 35c 2개의 CR 접촉에서 최대 힘에 이르러 14.25%의 총 힘이 4.971초에서 발생하는데, 이것은 환자가 스스로 교두감합 위치로 전방 운동하기 직전이다. 이 순간에 COF 마커가 스크린에 처음 드러난다

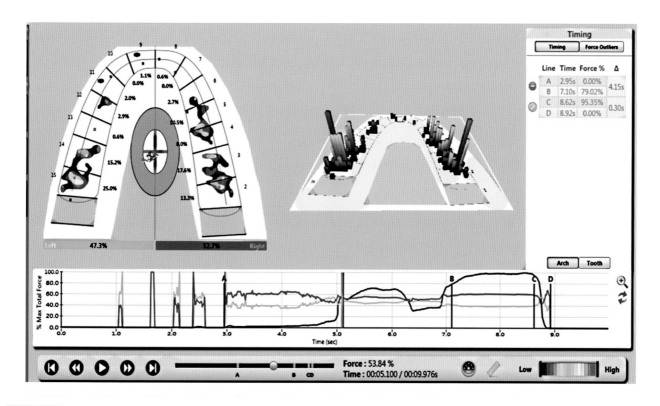

그림 35d 5.100초에 환자가 스스로 교두감합으로 미끄러지면서 53.84%의 총 힘이 발생한다. 환자가 더 많은 교두감합을 만들면서 MIP로 미끄러진 결과, 시간 선의 좌측에 뚜렷한 수직적 총 힘 상승이 있음을 확인하라

통해 받을 수 있다.

마지막으로, 훈련만으로 임상의가 *유능한* T-Scan 임상의가 될 수 없다. 실제 환자와의 반복적인 임상 시도를 수행하여 새로 배운 기술을 연습함으로써, 초기의 부족한 사용 지식을 극복하고 적절하고 안정된 T-Scan 8 임상 사용 기술을 획득해야 할 것이다.

T-Scan 사용자의 임상 능력 기술 및 학습 수준

임상 능력은 T-Scan 학습의 3단계를 터득함으로써 얻을 수 있다.

- **I 단계**: 분석에 유용한 T-Scan 데이터를 획득하기 위한 적절한 기록 기술 터득.
- **II 단계**: 소프트웨어 내에서 이용할 수 있는 힘과 타이밍 소프트웨어 도구를 이해하여 기록된 데이터 분석 터득.
- **III 단계**: 문제성 힘과 타이밍 데이터를 이용하는 방법을 터득하고 정교하고 목표가 있는 컴퓨터-유도 구내 조정 치료를 수행.

각 학습 단계는 순서대로 터득되어야 한다.

I 단계: 적절한 기록 기술 터득

기록 기술의 터득을 위해 임상의는 다음을 배워야 한다:

1. **올바른 환자 악궁 모형을 셋업하고 환자의 구내 악궁과 유사하게 맞춘다**: 이것으로 T-Scan 데이터가 환자의 치아와 어울리게 지도화하고 정확한 치아와 교두를 그대로 위치화할 수 있도록 하여 T-Scan 8 소프트웨어 내에 문제성 치아 접촉을 분리하고 수 있다.

2. **환자에게 알맞은 크기의 센서를 선택하고, 구강 내 전치 사이에 센서를 적절하게 위치시킨다**: 너무 큰 센서를 사용하면 Sensor Support가 환자의 하악지(ramus)나 볼에 불편하게 끼어들어 환자의 자유로운 기능 운동을 제한할 수도 있다. 이렇게 되면, 환자의 폐구 강도와 자유로운 외측 편심위 운동에 영향을 주게 될 것이다. 센서가 너무 작으면 환자의 치아가 센서 바깥쪽으로 교합하여 누락된 교합 데이터가 만들어지고, 모든 접촉 치아로부터의 교합 데이터 수집을 제한하게 된다. 작은 센서로는, 임상의가 교합 조정으로 불균형을 고치려고 반복해서 노력해도, 연장된 교합 불균형이 개선되지 않을 것이다.

적절한 크기의 센서를 선택하면, Sensor Support를 단단히 잡아, 환자의 상악 중절치 순측 치간공극 내에 수평적으로 상악 교합면 바로 하방에, 어느 치아와도 접촉되지 않게, 내외측으로 모든 치아가 포함되도록 센서를 위치시킨다. 센서가 악궁의 어느 한쪽으로 기울어지면, 반대편 교합 데이터가 센서에 포착되지 않을 수도 있고, 결과적으로 정확하지 않은 교합 기록이 된다.

3. **기록하는 동안 T-Scan 데스크탑을 관찰하여 전 기록 동안의 COF 아이콘 경로를 시각적으로 따라간다**: COF 아이콘 경로는 환자가 기록마다 반복적으로 교두감합으로 폐구하는지, 환자가 편심위 운동 시 적절하게 측방으로 운동하는지를 보여준다. 임상의가 COF의 움직임을 면밀하게 관찰하지 않으면, 환자가 올바르게 폐구하는지 바람직한 편심위 운동을 적절하게 수행하는지 판단할 방법이 없다. 많은 임상의들이 처음 기록하는 동안 환자의 입을 바라보기만 하여, 실제적으로 무슨 일이 발생하는지 확실하게 알 수 없는 경우가 있었다. 이런 경우 종종 기록이 빈약하거나 가치없는 교합 데이터가 만들어지게 된다.

4. **교합 데이터를 기록하기 전에 적절한 기록 감도를 결정한다**: 임상의는 ForceView에 나타난 포화된 분홍색 sensel의 수(혹은 결여)를 알아내서, 감도를 상하로 조정하여 분홍색 sensel이 2-3개 정도로 되도록 한다. 적당한 감도로 환자 교합 강도의 범위에 부합되는 센서로 맞춘다. 분홍색 sensel이 너무 많으면, 센서가 지나치게 활동적이어서 쉽게 힘을 기록하기 때문에 힘 단계를 256 단계로 최적절하게 등급화할 수 없다. 또한 좌우 불균형이 인위적으로 감소하게 된다. 분홍색 sensel이 없으면, 센서의 힘 강도가 제한되어 환자의 교합력 범위에서 대부분 낮은 힘 단계를 모으게 된다.

5. **환자가 바람직한 하악 기능 운동을 수행하게 지도하고 가르친다**: 임상의는 원하는 운동을 환자가 수행할 수 있도록 환자와 효과적으로 의사소통하는 방법을 배워야만 한다. 실제적인 기록을 만들기 전에 임상의는 환자에게 *구두로 운동을 훈련시켜*, 실제 기록 동안 올바르게 수행된 하악 운동이 포착되게 한다.

기능적 운동 훈련은 센서를 구강 내에 위치시키고, 기록을 시행하지 않은 상태로 2D, 3D ForceView를 관찰하여 시행한다. 기록 전에 T-Scan 8 데스크탑에 나타나는 환자의 운동을 관찰하여, 환자가 정확한 운동을 수행하고 있는 지 확인한다. 정확한 기능적 운동의 심층된 확인은 힘 vs. 시간 그래프 내에서 총 힘 선의 모양으로 결정될 수 있다.

II 단계: 이용 가능한 힘과 타이밍 소프트웨어 도구를 이해하여 기록된 데이터 분석 기술 터득

기록된 데이터 분석 기술 습득을 위해 임상의는 다음을 배워야 한다:

1. **분석을 위해 유용한 데이터에 포함되어 있는 기록의 부분들을 이해한다**: 전 기록 내에 모든 기록이 모여있음에도 불구하고, A-B와 C-D 구간만이 대부분의 컴퓨터 교합 치료에 사용된다. 그러므로, B와 C사이의 데이터를 분석하는 것은 폐구력 불균형 치료가 필요한 치아를 결정하는 데 최소의 혜택만을 제공한다.

   폐구 기록에서, B 이후 폐구 과정이 종결되는 위치에서 데이터가 변하지 않고, 모든 힘 이상치 접촉은 이미 나타났으며, 환자의 치아는 교두감합으로 굳게 고정되어 있다. 따라서, 효과적인 교합 균형은 폐구 기록의 A-B 부분 내에서 작업하는 것이 가장 잘 성취된다.

   편심위 기록에서, 총 힘 선의 하강, 연장된 후방 그룹 기능, 효과적인 전방 유도 조절의 결여를 관찰하기 위해 임상의는 견치 원심면에서 활성화된 4분악 분할 도구로 C-D 구간을 분석하는 것이 필수적이다.

2. **많은 유용한 교합력과 타이밍 진단용 소프트웨어 특성을 이용하는 방법을 이해한다**: 임상의는 다음을 배워야만 한다.

   a. 기록을 재생하고 시간적인 방법으로 데이터를 분석하여, 교합 내에 존재하는 문제점을 빠르게 확인하라.

   b. 기록을 재생하지 않은 상태로, *힘 vs. 시간 그래프*의 구성 선들을 이해하라.

   c. CR과 환자 자가-폐구 운동 내의 조기 접촉의 *치아 타이밍*을 평가하라.

   d. 폐구 동안, 전체적인 교합 균형과 *COF*의 위치에 영향을 미치는 *힘 이상치* 치아 접촉을 판단하라.

   e. 대칭 치아 사이에 *치아 당 힘 비율* 차이를 측정하라.

   f. 편심위 운동에서, *마찰에 의해 연장되는* 구치부 이개가 존재하는 접촉을 결정하라.

위의 각 교합 데이터 분석은 기능적 운동 기록에 일반적

으로 수반되는 과정이다. 그러므로, 임상의는 빠르고 효율적으로 수행하도록 학습해야 한다. 이런 기술 발달로 임상의의 임상적 T-Scan 사용 속도가 빨라지고 일단 기록이 완성되면, 진료 시간에 크게 지장받지 않는다.

III 단계: 문제성 힘과 타이밍 데이터의 이용 방법 터득과 정교하고 목표가 있는 컴퓨터-유도 구내 조정 치료를 수행

III단계 터득을 위해 임상의는 다음을 배워야 한다:

- 소프트웨어 분석으로 결정된 힘 이상치, 조기 접촉, 편심위 운동시 마찰과 연관된 후방 치아를 교합지로 분리하고 표시한다.

적절한 접촉을 표시한 후, 정확한 교합 조정은 특정의 문제적 교합 접촉을 겨냥하게 된다.

높고 낮은 교합 접촉력이 나타날 때 교합지 자국의 표현 방법에 대한 임상의가 가지는 선입견 때문에 이런 기술 습득이 어려워지는 원인이 되기도 한다. 다양한 교합지 자국 크기가 교합력을 설명하지 않는다는 많은 보고가 있었음에도 불구하고(Carey, Craig, Kerstein, & Radke, 2007; Saad, Weiner, & Ehrenberg, 2008; Qadeer, Kerstein, Yung Kim, Huh, & Shin, 2012), 교합지 자국 모양 특징이 교합력 크기에 대한 정보를 *설명한다*는 장기간의 믿음 때문에 임상의는 종종 치료를 위해 치아에 표시를 만든 후 혼동에 빠지게 된다. 임상의가 유능한 T-Scan 8 사용자가 되기 위해서는, 교합지 자국에 대한 선입견을 극복할 수 있는 생각의 전환이 반드시 필요하다.

- **현존하는 교합 체계에 대한 최적의 교합력과 타이밍 개선을 달성하기 위해, 매 기록마다 순서대로 작업하는 것을 익혀라**: 목표한 조정의 1번째 세트를 달성한 후에, 치료 전 교합력과 타이밍 문제를 신속하고 동시적인 교합, 고도로 균형잡힌 힘, 신속한 이개, 교합 체계로 전환하기 위해, 임상의는 컴퓨터-유도 조정에 뒤따르는 일련의 기록을 만들어야 한다.

케이스에 따라 필요한 기록의 수가 달라지는데, 치료 전 진단 기록 동안 사용한 동일한 센서와 동일한 감도로 획득되어야만 한다. 과다한 교합력이 겨냥되고 치료로 조정되면, 후속의 기록에서는 치료 전 과다하게 강력했던 접촉이

치료 후 성공적으로 감소되어 있을 것이다. 치료가 시작된 후 기록 감도나 센서가 변했다면, 임상의가 높았던 힘이 앞서 행해진 치료로 적절하게 감소되었는지 판단하기 어려워질 것이다.

미래의 연구 방향

T-Scan 8이 폐구 및 편심위 운동에서 교합력 분산과 시간-순서 지속 시간을 모두 수량화하기 때문에, 미래의 연구는 전체적인 인구에 존재하는 다양한 교합을 분류하기 위해 교합의 기능적 "기준"을 수립하는 데 초점을 맞추어야 한다. T-Scan 힘과 타이밍 데이터는 "정상적" 및 "비정상적"의 범위를 구축하여, 어떤 환자군은 증상을 보이고 다른 유사한 환자는 증상을 보이지 않는 이유를 판단하는데 도움이 될 것이다.

무증상 및 증상을 보이는 대상의 기준이 Angle의 분류(Ⅰ, Ⅱ, Ⅲ)와 환자가 예전에 교정 치료 경험 여부에 의해 무너질 수 있다. 이런 종류의 교합 기준 연구로 악관절 증상이 환자의 어떤 종류에서는 나타나고, 다른 환자에서는 나타나지 않는 이유를 판단하는 것이 가능해질 수 있다.

표로 만들어진 교합 기능 운동의 기준에 관한 데이터에서 교합력과 타이밍에 대한 매개변수는 다음과 같다:

- 정상 및 증상이 있는 환자에서의 평균 교합 시간(OT) 및 이개 시간(DT). Angle 분류마다 무증상환자에 대한 DT 기준은 이미 연구되었다(Kerstein, 1994). 그러나, OT 기준은 지금까지 연구되지 않았다.
- 증상 및 무증상 환자에서, 측정 가능한 즉시 구치부 이개를 동반하거나 동반하지 않는 견치 유도의 출현 빈도.
- 증상 및 무증상 환자에서, 교합면 편심위 마찰이 동반되는 연장된 그룹 기능 교합의 발생 빈도.
- 증상 및 무증상 환자에서, COF 위치, DOFDP 위치, 반악궁의 힘 비율, 동등 vs. 비-동등 양측성교합력 분포의 발현 빈도에 의해 결정되는 반-악궁 힘 분포 평균.

결론

이번 장은 T-Scan 고해상도(HD) 센서가 상대적 교합력과 교합 접촉 시간-순서를 기록하는 방법을 설명하고, 기록된 교합 데이터의 분석에 사용하는 많은 T-Scan 8 소프트웨어 특성을 상세화하여, 5개의 가장 유용한 진단용 하악 기능 운동 기록에 필요한 적절한 기록 기술을 약술하였다. 새로운 T-Scan 임상의에게 사용자 훈련을 권고하며, 유능한 T-Scan 시스템 사용자가 되기 위해 요구되는 T-Scan 기술 학습의 3단계를 터득할 수 있다는 결론을 내렸다. 훈련과 반복적인 실습을 통해서만, 임상의는 임상적 T-Scan 8 사용 능력에 도달할 수 있을 것이다.

참고문헌

- Carey, J.P., Craig, M., Kerstein, R.B., & Radke, J. (2007). Determining a relationship between applied occlusal load and articulation paper mark area. *The Open Dental Journal*, 1, 1-7
- Dawson, P.E. (1989a). *Evaluation, Diagnosis and Treatment of Occlusal Problems, Ed. 2*. St. Louis, MO: CV Mosby Co. pp.35-40.
- Dawson, P.E. (1989b). *Evaluation, Diagnosis and Treatment of Occlusal Problems. Ed. 2*. St. Louis, MO: CV Mosby Co., pp.436-441.
- Dawson, P.E. (1989c). *Evaluation, Diagnosis and Treatment of Occlusal Problems, Ed. 2*. St. Louis, MO: CV Mosby Co., pp.41-47.
- Dawson, P.E. (2007). *Functional Occlusion From TMJ to Smile Design*. Philadelphia, PA. Mosby/Elsevier Publishers, pp. 426.
- Glickman, I. (1979). *Clinical Periodontology*, Ed. 5, Philadelphia, PA: W.B. Saunders Co., pp.456-459.
- Hirano, S., Okuma, K., & Hayakawa, I. (2002). In vitro study on the accuracy and repeatability of the T-Scan II system. *Kokubyo Gakkai Zasshi*, 69(3), 194-201.
- Kerstein, R.B., Lowe, M., Harty, M., & Radke, J. (2006). A Force reproduction analysis of two recording sensors of a computerized occlusal analysis system. *Journal of Craniomandibular Practice*, 24(1), 15-24
- Kerstein, R.B. (2010a). Time-sequencing and force-mapping with integrated electromyography to measure occlusal pa-

rameters. In A. Daskalaki (Ed.), *Informatics in Oral Medicine*, (pp. 88-110), Hershey PA: IGI Global Publishers

• Kerstein, R.B., & Radke, J. (2013). Clinician accuracy when subjectively interpreting articulating paper markings. *Journal of Craniomandibular & Sleep Practice, 32*(1),13-23.

• Kerstein, R.B., & Wright, N. (1991). An electromyographic and computer analysis of patients suffering from chronic myofascial pain dysfunction syndrome, pre and post-treatment with immediate complete anterior guidance development. *Journal of Prosthetic Dentistry, 66*(5), 677- 686.

• Kerstein, R.B., & Wilkerson, D. (2001). Locating the centric relation prematurity with the aid of a computerized occlusal analysis system. *Compendium of Continuing Education in Dentistry, 22*(6), 525-536.

• Kerstein, R.B., & Radke, J. (2012). Masseter and temporalis excursive hyperactivity decreased by measured anterior guidance development. *Journal of Craniomandibular Practice, 30*(4), 243-254.

• Kerstein, R.B. (2004). Combining Technologies, A Computerized Occlusal Analysis System Synchronized with a Computerized Electromyography System. *Journal of Craniomandibular Practice, 22*(2), 96-109.

• Kerstein, R.B., & Grundset, K. (2001). Obtaining Bilateral Simultaneous Occlusal Contacts With Computer Analyzed and Guided Occlusal Adjustments. *Quintessence International, 32*, 7-18.

• Kerstein, R.B., Chapman, R., & Klein, M. (1997). A comparison of ICAGD (Immediate complete Anterior Guidance Development) to "mock ICAGD" for symptom reductions in chronic myofascial pain dysfunction patients. *Journal of Craniomandibular Practice, 15*(1), 21-37.

• Kerstein, R.B. (1992). Disclusion time reduction therapy with immediate complete anterior guidance development, the technique. *Quintessence International, 23*, 735-747.

• Kerstein, R.B. (2010). In Tarantola G. (Ed). *Clinical Cases in Restorative and Reconstructive Dentistry*. Appendix 1, Hoboken, NJ: Wiley-Blackwell, pp.391-431.

• Koos, B., Godt, A., Schille, C., & Göz, G. (2010). Precision of an instrumentation-based method of analyzing occlusion and its resulting distribution of forces in the dental arch. *Journal of Orofacial Orthopedics,71*(6), 403-410.

• Koos, B., Holler, J., Schille, C., & Godt, A. (2012). Time-dependent analysis and representation of force distribution and occlusion contact in the masticatory cycle. *Journal of Orofacial Orthopedics, 73*(3),204-214

• Levin, E.I. (1978). Dental esthetics and Golden proportion. *Journal of Prosthetic Dentistry, 40*, 244–252.

• Long, J.H. (1973). Occlusal adjustment. *Journal of Prosthetic Dentistry, 30*, 706-714.

• Long, J.H. (1970). Location of the terminal hinge axis by intraoral means. *Journal of Prosthetic Dentistry, 23*, 11-24.

• Lucia, V.O. (1964). A technique for recording centric relation. *Journal of Prosthetic Dentistry, 14*, 492-505.

• Maness, W.L. (1988). Force Movie, A time and force view of occlusal contacts. *Compendium of Continuing Education in Dentistry, 10*(7), 404-408.

• Maness, W.L. (1991). Laboratory comparison of three occlusal registration methods for identification of induced interceptive contacts. *Journal of Prosthetic Dentistry, 65*(4), 483-487.

• Mizui, M., Nabeshima, F., Tosa, J., Tanaka, M.,& Kawazoe, T. (1994). Quantitative analysis of occlusal balance in intercuspal position using the T-Scan system. *International Journal of Prosthodontics, 7*(1), 62-71.

• Schuyler, C.H. (1935). Fundamental principles in the correction of occlusal disharmony, natural and artificial. *Journal of the American Dental Association, 22*, 1193-1202.

추가문헌

• Baldini, A., Beraldi, A., & Nanussi. A. (2009). Importanza clinica della valutazione computerizzata dell'occlusione, *Dental Cadmos, 77*(4), 47-58.

• Baldini, A., Beraldi, A., Nota, A., Danelon, F., Ballanti, F., & Longoni, S. (2012). Gnathological posture treatment in a professional basketball player: a case report and an overview of the role of dental occlusion on performance, *Stomatologia*, 1-8.

• Beekmans, H. (2013). T-Scan: Verborgen Problemen In een Hap

Beeld Gebracht Een Briljante Hulp, Tandartspraktijk, Maart, 30-36.

• Brenton-Rule, A., Mattock, J., Carroll, M., Dalbeth, N., Bassett, S., Menz, B.H., & Rome, K. (2012). Reliability of the TekScan MatScan system for the measurement of postural stability in older people with rheumatoid arthritis, *Journal of Foot and Ankle Research*,*13*(5), 21. doi: 10.1186/1757-1146-5-21.

• Carcavilla, M.M., Zabalza, D.R., & Cuenca, A. (2011). Importancia de la Valoracion Digitalizada de los Contactos Oclusales, *Gaceta Dental, 227*, 172-187.

• Chow, D. W. (2010). A Multi-disciplinary approach to managing the unilateral intra-bony lesion in the Anterior Esthetic Zone, *Journal of the New York State Academy of General Dentistry*, 8-12.

• Gaj, V., & Primoz, N. (2009). Reliability of in-shoe plantar pressure measurements in rheumatoid arthritis patients. *International Journal of Rehabilitation Research*, *32*(1), 36-40

• Gozler, D.S. (2007).T-Scan II Okluzal Analiz Yontemi Klinik Pratikte Okluzal Uyumlama Icin Nasil Kullanilir?, *Dergi Mart Nisan*, 64-67.

• Gutierrez, E. M., Alm, M., Hultling, C., & Saraste, H. (2004). Measuring seating pressure, area, and asymmetry in persons with spinal cord injury. *European Spine Journal*, *13*, 374–379. doi:10.1007/s00586-003-0635-7

• Hamlett, K. M. (2006). Analysis and restoration of an open-bite case, *Dentistry Today*, *25*(8), 82-83.

• Harris, M.L., Morberg, P., Bruce, W.J.M., & Walsh, W.R. (1999). An improved method for measuring tibiofemoral contact areas in total knee arthroplasty: a comparison of K-scan sensor and Fuji Film, *Journal of Biomechanics, 32*, 951-958.

• Harrison, H. (2011). The invisible world of occlusion. *Implant Dentistry Today*, 22-24.

• Kerstein, R.B. (1997). Is patient confirmation an adequate indicator of occlusal adjustment completion? *Dentistry Today*, *16*(10), 72-5.

• Kerstein, R.B. (1998). Understanding and using the center of force. *Dentistry Today*, *17*(4), 16-19.

• Kerstein, R.B. (1999). Improving the delivery of a fixed bridge. *Dentistry Today*, *18*(5), 82-87.

• Kerstein, R.B. (1999). Computerized occlusal management of a fixed/detachable implant prosthesis. *Practical Periodontics and Aesthetic Dentistry*, *11*(9), 1093-1102.

• Kerstein. R.B.. (2008). T-Scan III applications in mixed arch and complete arch, implant-supported

• prosthodontics. *Dental Implantology Update*, *19*(7), 49-53.

• Kerstein, R.B. (2008). Computerized occlusal analysis technology and CEREC case finishing. *International Journal of Computerized Dentistry*, *11*(1), 51-63.

• Kerstein, R.B. (2008). Articulating paper mark misconceptions and computerized occlusal analysis technology. *Dental Implantology Update*, *19*(6), 41-46.

• Kidder, G. M., & Solow, R.A. (2014). Precision occlusal splints and the diagnosis of occlusal problems in myogenous orofacial pain patients, *General Dentistry*, *62*(2), 24-3.1

• Mahony, D. (2004). Refining Occlusion with Muscle Balance to Enhance Long-term Orthodontic Stability, *International Journal of Orthodontics*, *15*(4), 1-6.

• Masek, R. (2003). Integrating T-Scan & CEREC-A perfect match, *The Academy of Computerized Dentistry of North America Connections*, *2*(1), 7 -14.

• Papaioannou, G., Yang, K., Fyhrie, D., & Tashman, S. (2004). Validation of a subject specific finite element model of the human knee developed in-vivo tibiodfemoral contact analysis, *Poster Presentation, the 50th Annual Meeting of the Orthopaedic Research Society.*

• Rashid, M.H., Theberge, Y., Elmes, S.J., Perkins, M.N., & McIntosh. F. (2013). Pharmacological validation of early and late phase of rat mono-iodoacetate model using the Tekscan system. *European Journal of Pain, 17*, 210–222.

• Rome, K., Survepalli, D.G., Lobo, M., Dalbeth, M., McQueen, F., & McNair, P.J. (2011). Evaluating intratester reliability of manual masking of plantar pressure measurements associated with chronic gout, *Journal of the American Podiatric Medical Association, 101*(5), 424-429

• Stevens, C. (2012). A Segmented approach to full-mouth rehabilitation, *Dentistry Today*, November, 106-112.

• Tarantola, G. (2005). Defining Our Role As Dentists, *Dentaltown*, *6*(3), 42-50.

114

• **2D, 3D ForceViews:** 2D ForceView는 내외측 및 전후방의 2차원적으로 교합 접촉을 보여준다; 3D ForceView는 3차원에서 교합 접촉력을 보여주는데, 시간 흐름에 따라 다양한 상대적 교합력 크기를 반영하는 막대의 높이가 움직이고 변화한다. 기록된 교합력 데이터는 최저에서 파란색으로 최고에서 빨간색, 포화된 분홍색으로 표현된다.

• **Recording Sensel:** 센서 기질 내에 포함되어 있는 Tekscan 전매 특허의 전기 힘 측정 요소. 환자가 HD 센서 위로 교합하고 대합치아가 센서 표면 상하를 압착하면, 여러 치아 접촉에 적용된 힘의 변화가 각각의 접촉된 sensel의 저항성 잉크의 저항에 변화를 유발하게 된다. 적용된 접촉력이 높을수록 큰 저항 변화를 생산하고 낮은 교합력은 적은 저항 변화를 생산한다. Large HD 센서는 1370개의 sensel을 가지고 있다. Small HD 센서는 1122개의 sensel이 있다.

• **T-Scan 8:** 2012년에 공개된 T-Scan 시스템의 최신 버전으로 T-Scan Ⅲ 사용자의 공통적인 복잡성을 최소화하기 위해 고안되었다. T-Scan 8은 데스크탑을 변경하여 적은 수의 소프트웨어 툴바 버튼과 아이콘으로 데이터 디스플레이를 간소화하였다. 간소화로 T-Scan의 학습 기간을 단축하고, 임상적 T-Scan Ⅲ에서 이용 가능했던 우선적 소프트웨어 세트의 대부분을 제거하여 디스플레이를 표준화하였다.

• **교합 시간(OT):** 치아 접촉이 없는 완전한 개구 상태부터 정적인 교두감합이 시작될 때까지 환자가 모든 치아를 함께 폐구할 때, 1번째 치아 접촉부터 마지막 접촉까지 측정한 경과 시간. OT는 환자의 교합에 존재하는 양측의 동시성 정도를 설명하고, 지속 시간이 0.2초 이하일 때 이상적인 것으로 판단된다. 힘 vs. 시간 그래프에서, OT는 A-B 구간 내에서 수량화된다.

• **기능적 하악 운동:** 저작 기능 및 부기능 활동 동안 발생하는 하악 운동. 환자 자가-폐구, CR 폐구, 외측 편심위 운동, 이악물기 및 이갈기 운동이 T-Scan 기록의 주요 기능적 하악 작용이다.

• **디지털 출력 전압(Digital Output Voltage, DO):** 치아가 센서로 교합되면서 부하된 각 sensel 내에서 발생하는 저항 변화로 인한 전기 출력. T-Scan 시스템의 하드웨어는 DO의 변화로써 전기 저항 변화를 측정한다. 높은 교합력은 부하된 sensel 저항에 큰 감소를 일으켜서 높게 측정되는 DO를 방출한다. 부가적으로, 낮게 적용된 힘은 낮은 DO를 방출한다.

• **이개 시간(DT):** 교두감합에 있던 모든 치아가 편심위 운동을 시작하면서 측정되는데, 이 운동은 하나의 견치나 절치가 접촉할 때까지 한 방향으로 전개된다. DT는 3가지 편심위 운동에서 측정될 수 있다; 우측 편심위, 좌측 편심위, 전방 편심위. 힘 vs. 시간 그래프에서, DT는 C-D 구간 내에서 수량화된다. 편심위 운동 시작부터 후방 이개까지 0.4초 이하가 신속한 것으로 간주되고, 생리학적으로 바람직하다.

• **치아 당 힘 비율:** 이 소프트웨어의 특성은 각 반-악궁 사이에 각 치아의 힘 분포가 균등한지 아닌지를 평가하는 것이다. 좌-우측 대칭 치아의 힘 비율을 비교하여 이를 바탕으로 하면, 정확한 교합 조정으로 치아 부조화의 힘 비율을 보다 균등하게 할 수 있다.

• **힘 vs. 시간 그래프:** 기능적 하악 운동이 기록되는 전 과정 동안, 시간 순서에 따라 기록되는 힘 변화를 보여주는 중요한 소프트웨어 분석 도구. 또한 치아 타이밍 소프트웨어 특성을 사용하여 선택된 각 치아의 변화하는 힘도 보여준다. 게다가, 임상의가 선택하는 프로그램에 따라서 힘 vs. 시간 그래프는 어느 힘 이상치 치아의 변화하는 힘도 보여준다. 2D ForceView 악궁 모형의 다양한 부위를 시각적으로 참조하여 다양한 색상의 선을 사용하여 나타낸다. 또한 Quadrant Division Tool을 활성화하면, 반-악궁의 2분악 대신에 4분악으로 힘을 보여준다.

• **힘 이상치(Force Outliers):** 하악 폐구 동안 어떤 주어진 순간에 발생하는, 다른 치아보다 훨씬 큰 상대적 힘을 보이는 치아 접촉을 의미한다. 영상이 1번째 접촉부터 재생되면서, 다른 접촉 치아와 비교하여 높은 상대적 힘 역치를 초과하는 교합 접촉은 2D, 3D ForceView에서 개별로 채색된 윤곽으로 표시된다. 나머지 교합하는 치아와 비교하여 더 높은 힘 역치를 지나가는 이런 접촉을 이상치라고 부른다. 힘 vs. 시간 그래프는 총 힘 선을 제거하고, 대신에 기록 중에 발생하는 각 힘 이상치로 대체한다.

• **힘 중심(Center of Force; COF) 및 궤도:** 변화하는 총 교합력 합계의 기록이 COF 궤도에 의해 악궁에 위치하게 된다. 힘이 순차적으로 각 치아에 발생할 때, 하악 기능 운동이 기록되는 동안 힘 합계는 높은 힘이 집중되는 곳을 향해 이동하고 적은 힘 집중에서 멀어진다. 이런 힘 합계 변화는 2D ForceView 내에서 재생되는 동안, 적색선 꼬리가 뒤따르는 적백색의 다이아몬드-모양 아이콘으로 생생하게 보여진다.

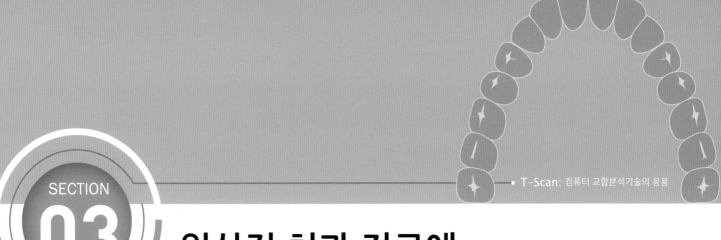

SECTION
03

일상적 치과 진료에
보완적 T-Scan 시스템의
임상적 사용 기술

진단 방법과 과학 기술의 접목

John C. Radke, BM, MBA
BioResearch Associates, USA

초록

임상 진단에 과학 기술을 접목하는 것은, 객관적인 측정 방법으로 환자의 증상 기록이나 검사 동안 이루어진 관찰을 강화할 수 있기 때문에, 환자 치료를 향상시킨다. 다양한 테스트를 조합함으로써, 치료 효과 모니터링과 치료 결과의 가치를 높일 뿐 아니라, 진단의 민감도와 특이도를 향상시킨다고 널리 알려져 있다. 이번 장에서는 다양한 저작 기능을 객관적으로 측정하는 4개의 치과 기술에 대해 논의하고자 한다; 표면 근전도(EMG) 검사, 자석-기반 3D Electrognathography, 악관절 진동 분석(JVA), T-Scan 컴퓨터 교합 분석. 각 기술은 무증상 환자와 저작계 이상을 가진 환자로부터 기록한 출력 데이터의 실례와 함께 제시된다. 이 장에 제시된 증례 보고는 이런 조합된 기술이 증상을 보이는 교합-근육 이상 환자의 진단과 치료를 어떻게 향상시키는지 설명한다. 마지막으로, 치의학이 이런 기술을 현대 임상 술식의 필수적인 부분으로 받아들여, 이들 사용에 대한 저항감으로 더 이상 방해하지 않기를 권한다.

도입

연구, 진단 목적, 치료 결과 관찰을 위한 정보를 모으기 위해 건강 검진에 사용되는 데이터 수집 방법에는 3가지 유형이 있다:

- 자가 보고(환자 병력).
  - 데이터 유형: 주관적
- 관찰(임상적 검사).
  - 데이터 유형: 주관적/객관적
- 생체-생리학적 측정(Bio-Physiologic Measurement, BPM).
  - 데이터 유형: 객관적/주관적(해석)

위의 3가지 방법 중에서, 생체생리학적 측정(BPM)은 현대 평가 장비를 포함하고, 최신 컴퓨터 기술 발달의 장점을 충분히 사용할 수 있기에, 가장 정량화할 수 있는 방식이다(예, 혈압, 심박수, 관절 가동 범위). 치과 임상에서 디지털 기술과의 결합이 많은 장점이 있음에도 불구하고, 치과 사회내의 저항감으로 진단과 치료에서의 기술 적용이 무시되고 있다(Reid and Greene, 2013; Greene, Klasser, & Epstein, 2010; Greene, 2010a; Greene, 2010b). 21세기에 들어와서, 증거를 바탕으로 하는 정보, 출간된 연구, 광범위한 치과 서적들이 특정 치과 영역에 적용이 가능한 다양한 첨단 기술의 효능을 입증하고 있기에, 이러한 저항감은

놀랍기만 하다.

그러나, 1969년에 발표된 어떤 문헌을 면밀히 보면, "근막 통증 기능장애 증후군(Myofascial Pain Dysfunction Syndrome, MPDS)"이라는 용어로 사회 심리적, 스트레스-관련 역학을 제안하였는데, 지금까지도 이 방식이 악관절 장애(TMD)를 진단하는데 평가 기술로 사용해야 할 필요성에 관한 논쟁이 계속 이어지고 있다(Greene, Lerman, Sutcher, & Laskin, 1969). 생물심리사회적 병인학은 TMD의 발현에 대한 저작 구조 붕괴의 역할을 최소화하여, 생리적 구조적 기능을 측정할 필요성을 배제한다. 이런 스트레스-관련 역학 이론은, 소위 "연구 진단 기준"이 처음으로 TMD를 진단하는 타당한 방법으로 주장되었던 1990년대 초기까지 지속되었다(Dworkin & LeResche, 1992). TMD가 정서적인 스트레스에 기인한다는 치과의사 직업군 내의 변하지 않는 믿음을 보면, 일부 임상의와 학자가 임상 진단에서 생체-생리학적 평가를 반대하는 이유를 알 수 있다. 사실상 모든 생리적 진단 평가에 대한 "생물-심리사회석" 이론가의 저항감은 TMD가 원인이 되는 생리적 구조물을 가지고 있지 않다는 그들의 (잘못된) 추측에 기초한다. 생체심리사회적 이론을 지지하는 재현 가능한 생리적 데이터가 완전히 부족함에도 불구하고, 기술이 지원되는 TMD 진단에 대한 반대 심리가 냉정하게 유지되고 있다는 것이 흥미롭다. 대안적으로, 치과 문헌에는 이런 기술이 TMD를 가지고 있는 환자에게 제공하는 이익을 상세히 설명하는 많은 연구들이 있었고, 그 중 일부는 이번 장에 설명될 것이다. 과학적 양심이 충돌하고 경쟁하는 이론들에 대한 지식을 필요로 하는데, 이것은 삼키기 어려운 알약이 될 수도 있다.

생체생리학적 측정(Biophysiologic Measurements; BPM)

일부 증례에서 BPM은 약간의 해석을 필요로 하고(예, MRI 이미지), 약간의 주관성이 첨가된다. 그러나, *관찰(Observation)*은 훨씬 덜 수량화될 수 있다. 예를 들어, "슬퍼 보이고 발진이 생긴 것 같아"라는 발언이나 "그냥 열만 나는 것 같아?"라는 질문은 수량화할 수 없다(Carr, 1994; Pollack & Panacek, 2000). 어떤 관찰은 객관적일 수 있지만(예, 치아 소실), 관찰 사항의 많은 부분은 매우 주관적이다(예, 근육촉진). 이렇게, BPM이 가장 객관적이고 *관찰*은 최소로 객관적이지만, BPM은 생리적으로 침습적일 수 있다(예, 이온화 방사선). 자가-보고는 수량화기 어렵고, 덜

객관적이지만 BPM보다 덜 침습적이다. 환자의 병력 및/혹은 검사 데이터의 분석은 이런 방법의 주관성 때문에, 단점을 완화시키기 위한 시도로 많은 변수를 지수나 지표로 병합하기도 한다(Helkimo, 1974).

의학이나 치의학에서 BPM은 백지 상태(포함된 병력이나 임상적 검사가 없는)에서 진단에 도달하는 방식으로는 거의 적용되지 않는다. 종종, 제한된 일부 진단만을 내릴 수 있다(예, "과두 관절염"이 전형적인 TMD 환자의 완전한 진단은 아니다). 환자의 구강 질환 병력 채득, 환자 검사, 채혈의 필요성 없이 채혈하는 것은 일반적이지 않다. 일반적으로 생리적 평가 방식은 환자 병력과 임상 소견과 통합되어 예비 진단 능력을 향상시키며, 기존 평가 방식을 진단에서 배제하는 것이 아니다. 환자의 병력 평가 및/혹은 환자 검사의 필요성을 대체하는 기술을 기대하는 것은 어리석은 일이다. 아직, 일부 저자는 어떤 병력, 임상 검사, X-ray 없이 백지 상태에서 TMD를 진단할 수 없다면, 그 기술은 완전히 쓸모 없다고 주장하거나 가정한다(Greene, 1973; Lund, Widmer, & Feine, 1995).

치료 과정과 결과를 모니터링하기 위한 기술 사용

과학 기술과의 접목은 근 과활성, 교합력, 관절 구조 붕괴 등과 같은 기능 이상의 특별한 유형을 확인하기 위한 현대 임상에서 유용한 진단 도구가 될 수 있지만, 그러한 기능 이상을 배제하기 위해서도 사용될 수 있다. 환자의 주관적 해석과 "더 잘 씹을 수 있어요?" 같은 질문에 대한 반응을 기본으로, 기술은 저작 기능의 객관적이고 수량화할 수 있는 측정을 얻기 위한 수단을 제공한다. 오늘날 이용 가능한 진단 기술은 초기 환자 검사 및 수행된 치료에 대한 과정을 모니터링하는 동안 필수적이고, 깊이 있는 정보를 모으는데 유용하고, 폐구 치료 동안 관찰할 수 있는 기능 향상의 정도에 대한 객관적인 지표도 제공해준다.

데이터 질의 비교

생리적 데이터를 수집하기 위해 BPM 방법을 활용할 때 고려해야 할 여러 요소가 있다:

- **타당성(Validity)**: 어떤 방법이 측정하고자 하는 대상을 얼마나 잘 측정하는지를 평가하는 척도. BPM으로 쉽게 이용가능하고, 미국 연방 표준·기술국(National Institute of Standards and Technology, NIST)이 추적할 수

있는 정확한 도구를 사용하여 수집된 측정값의 정확도를 정교하게 평가하는 것이 가능하다. 예를 들어, 악골 추적 장치의 눈금 측정은 매우 정확한 전압계를 사용하여 ±0.1mm 이내로 개량될 수 있다. 반대로, 자가-보고 및 관찰 방식에서는 종종 "평가자간 신뢰도" 및 "반복 테스트"가 정확성을 추정하기 위해 사용되지만, 이용할 수 있는 절대적으로 정확한 "황금 기준"은 없다.

- **신뢰성(Reliability)**: 이 방법을 적용할 때의 일관성 정도. 반복해서 말하지만, BPM은 정확한 수준으로 "대상 테스트(bench test)"를 할 수 있지만, *관찰*로 합당한 신뢰성을 수립하기 위해서는 새로운 관찰자의 반복적인 테스트가 필요하다. 환자 그룹을 샘플화하고 그룹 기록의 신뢰성을 추측하는 것은 가능하지만, 개별 환자의 기록 신뢰성을 추측할 수 있는 방법은 없다. 따라서 임상의는 환자의 기분이 상하지 않게 환자의 확인되지 않은 기록에 대해, 어느 정도의 의구심을 품으며 전달할 수 밖에 없다.

- **안정성(Stability)**: 시간 흐름에 따른 변화의 수준. 자가-보고는 오랜 시간 동안 다소 불안정한 것으로 보이는데, 특히 통증 등급화에 관해서 그러하다(Sisk, Grover, & Steflik, 1991; Eli, Baht, Kozlovsky, & Simon, 2000; Salé, Hedman, & Isberg, 2010; Yarnitsky, Sprecher, Zaslansky, & Hemli, 1996). BPM의 안정성은 특정 장비의 디자인 기능이지만, 보건의료 분야에서는 통상적으로 주기적인 장비의 재측정(recalibration)이 이루어지며, 이를 통해 장기적으로 일관된 안정성을 보장받게 된다.

데이터 분석

어떠한 임상 증례이든, 데이터의 중요성에 대한 주관적인 해석은 어려울 수 있지만, BPM의 정상 범위가 주어진다면 생리 기능 측정 기술을 사용하는 뚜렷한 장점이 된다. 주관적 데이터를 분석할 때 흔히 만나게 되는 오류는 내재되어 있는 가정을 고려하지 않고, 주관적 데이터를 분석하기 위해 모수 통계를 사용하는 것이다. 시각적 통증 지수(Visual Analog Scale, VAS)나 벡 우울 척도(Beck Depression Inventory)와 같은 주관적 추정을, 마치 그들이 정교하게 측정된 데이터인 것처럼 취급하는 것은 항상 옳지 않다(Freedman, 2000). 이것이 어떤 상황에서는 유용할 수 있지만, 주관적 데이터를 평가하기 위해 모수 통계를 사용하는 것은 매우 신중한 적용을 필요로 한다(Dimitri, Wall, & Oas, 1996).

그러나, 측정된 BPM 데이터는 동간 혹은 비율 척도를 가진 0의 값을 함유하는 진정한 숫자이고, 모수 통계 방법을 이용하여 분석될 수 있다. 일반적으로, 범주화되거나, 서열, 혹은 명목(주관적인) 척도 데이터는 비-모수 방법에 한정된다. 치과 연구에서 흔한 샘플 사이즈(N)가 6이하인 경우도 비-모수 통계가 필요하다. 모수 통계의 부적절한 사용은 결과적으로 실제적으로 존재하지 않는 의미를 발견하게 되지만(제2종 오류로 알려진), 비-모수 통계의 사용은 존재하는 의미를 발견하지 못하는(제1종 오류로 알려진) 위험성 또한 가지고 있다.

기준 데이터 범위(Normative Data Ranges)

의학은 모든 종류의 생리적 데이터에 대한 기준 범위를 가지고 있는데(PSA, 백혈구 수, 심박수 같은), 치의학은 기준 범위를 수용하는 것에 관하여 다소 두려워하는 경향이 있고, 특히 생체생리학적 측정이 연관되면 더 그러하다. 어떤 새로운 기술 없이 측정될 수 있는 개구의 정상 범위는 40-70+mm으로 보고되었다. 넓은 정상 범위를 보이지만, 27mm의 측정값은 분명 이 정상 범위 내에 있지 않다. 이렇게, 정상 범위가 항상 문제를 식별하지 않지만, 진단을 확립하는데 도움을 준다.

이번 장은 현재 임상에서 진단 능력을 향상시킬 수 있는 가장 대중적인 저작 시스템 기능 기술의 개별적인 장점에 초점을 맞추었다. 이런 기술들은 다양한 구강악계 기능 장애를 확인하고 환자의 저작 기능의 전체적인 질을 평가하는 능력을 가지고 있다.

배경

가끔 "생체측정(Biometrics)"으로 언급되는 생체-생리학적 측정(Bio-physiological measurement)은 역사적으로 치과의사 직업군 내에서 연구 도구로만 한정되었다. 진보적인 임상의만이 BPM 병용을 임상 프로토콜로 고려하고 있다. 임상 진단 목적의 근전도 검사(EMG) 사용에 대한 초기 권고는 1940년대 후반에 제기되었다(Thompson, 1949). 그는 근기능과 기능장애가 임상 교정 치료에 상당한 영향을 미친다고 아마도 처음으로 인식하였을 것이다. 1960년대까지 EMG는 거의 고려되지 않았으나, 일부 임상의는 진지하게 근기능에 관해 연구하기 시작했다(Ahlgren & Posselt, 1963). 이 기간 동안, 교합 조정이 교합-근육 기능장애에 대한 가장 보편적인 치료였고(1966년, 이런 상태는 TMJ 기능장애 증후군이라는 용어로 표현되었다), 어떤 임상의는 그 효용성을 실험하기도 하였다(Liebman & Kussick, 1966). 이 기간 동안 TMJ 증후군은 치과의사 내에서 좀 더 넓게 인식되기 시작했다(Weisengreen & Elliott, 1963; Franks, 1965). 게다가, 다른 저자들은 EMG의 무반응기(silent period)를 교합 기능과 연관지어 고려하기 시작했다(Brenman, Black, & Coslet, 1968).

1970년대에는 EMG가 광범위하게 연구되었고, 치과 문헌에 연구 결과가 개재되기 시작했다. 동물 실험의 연구(개, 고양이, 토끼, 쥐 등)가 근신경 시스템의 작용을 밝히는데 초점을 맞추기 시작했다. EMG 무반응기와 근신경 반사 작용의 기록과 연구가 그 과정의 중요한 부분이 되었다(Fujii & Mitani, 1973). EMG 신호의 파워 스펙트럼 분석은 근육 내에서 피로 수준과 연관된다고 가성되었다. 1970년대 동안에, TMJ 중심 그룹(Dr. William Farrar 주도하의) 및 근막 통증 기능장애 증후군(MPDS) 중심 그룹(Dr. Dan Laskin 주도하의) 사이에 논쟁이 높아졌다. Farrar는 "TMJ 기능장애 증후군" 안에서 차별화된 특별한 생리적 상태를 주장하였고(Farrar, 1972), Laskin은 MPDS의 역학에 대한 주요 생리적 및 스트레스 기반을 주장하였다(Laskin, 1970).

1970년대에는 MPDS 이론이 넓게 받아들여졌으나, 1980년대 후반에 생리적 및 TMJ 바탕 원인 이론의 인기 덕분에 그 지지의 상당부분을 잃게 되었다. 게다가, MPDS는 그것을 뒷받침할 유효한 연구가 부족하였다(McNeill, Danzig, Farrar, Gelb, Lerman, Moffett, Pertes, Solberg, & Weinberg, 1980). 정서적인 스트레스가 기능장애 발달의 주요 발단 요소가 될 수 있다는 개념은 TMJ 잡음, TMJ 통증, 과두 이동 한계, 교합 마모, 만성 저작성 근육통 및 피로, 다른 비-정서적 구조적 문제의 높은 발현에 의해 사용이 금지되었다. 마지막으로, 위원회는 TMD의 검사, 진단, 처치에 치과의사가 참고할 수 있는 기본 권고 사항을 정리하였다(American Dental Association, 1983). 이 보고에 의하면 치과의사는 TMD를 진단하고 치료하는 데 있어서, 보존적인 생리학적 접근과 환자 상담 모두를 사용하도록 결론지었다. 그러나, 위원회는 "TMD"를 확정적인 진단으로 명시할 수 없

는, TMJ 영역 주변에 나타날 수 있는 다양한 통증 및 기능장애 증상을 망라하는 포괄적 용어로 정의하였다(American Dental Association, 1983).

1990년 즈음하여, 많은 수의 심리학자와 정신과 의사가 TMD에 관해 좀 더 큰 목소리를 내기 시작했고, TMD는 환자가 그들의 통증에 정서적으로 과잉반응하는 것으로 여겨지는 만성 동통 상태로, (항상) 치과의사가 치료해야만 한다고 주장하였다. 이런 접근은 TMD와 MPDS를 동일한 것으로 진단하게 하였으며, 이는 구강안면 통증의 존재 여부에 순수하게 기초를 두고 있다. 그 당시에도 그리고 오늘날에도 여전히, "널리 적용되게 만든(one size fits all)" 진단은:

- 통증이 유일한 관심인자이며,
- 근본적인 생리학 혹은 병리학은 무시되거나 잘 이해되지 않았으며,
- 치료는 오직 인지 행동 치료의 심리적인 변수에만 집중된다.

"TMD" 진단의 인식 오류

"악관절 장애(Temporomandibular Disorder, TMD)"라는 용어는 원래 예전의 용어를 대체하기 위해 만들어졌다:

- **TMJ 기능장애 증후군(TMJ Dysfunction Syndrome)**: 원인이 불명확하지만, (이 증례에서) 이환된 범위가 종종 관절을 포함할 때 악관절 장애라고 한다. 근육 연관은 2번째로 고려되었다. "TMJ 기능장애 증후군"이라는 용어는 처음으로 이러한 기능장애 증후군 그룹을 관찰하고 보고했던 저자의 이름을 따서 Costen 증후군(Costen, 1935)으로 대체되었다.
- **근막 통증 기능장애 증후군(Myofascial Pain Dysfunction Syndrome, MPDS)**: 이 증후군의 원인론 또한 알려지지 않았지만, 통증성 저작근을 유발하는 정서적인 스트레스에서 기인한다고 생각하였다. 어떤 악관절 연관성도 2차적인 것으로 간주되었다.

"악관절 장애(TMD)"라는 용어는 본질적으로 TMJ, 근육, 머리, 목, 삼차신경에 영향을 미치는 어떤 통증성 상태를 다루기 위해 생각되는 폭넓은 범주로 제안되었다. 어쨌든, 원래 TMD는 진단을 목적으로 한 용어가 결코 아니었다. 임상의가 TMD를 가지고 있는 환자를 진단할 때, 환자는 13범주의 두통, 6개의 골성 장애, 13개의 TMJ 장애, 6

개의 근육 장애 등 TMD의 영향을 받는 것으로 보이는 38가지 상태 중 하나로 고통 받을 수도 있다(Okeson, 1996). 이렇듯, 좀 더 특수한 진단이 나올 때까지, 적절한 생리적 치료가 적당하게 선택될 수 없다. 그러나, *인지 행동 치료*가 현실적으로 어떤 신체적 혹은 정신적 상태나 정황에 적용될 수 있다. 목적은 환자가 그들의 상태를 받아들이고 배우도록 하는 것이다.

연구 진단 기준(Research Diagnostic Criteria, RDC/TMD)은 TMD의 포괄적 개념 하에 주관적 방법만을 사용하여, 특수한 관절, 근육, 통증 조건을 진단하기 위한 시도이다(Dworkin & LeResche, 1992). 이것은 1992년에 처음 발표되었는데, 동일 저자들이 TMJ 상태의 임상 진단은 믿을 수 없다고 발표한 2년 후였다(Dworkin, LeResche, & Von Korff, 1990). 그들은 앞서 "임상 증상 자체가 믿을 수 없고, 시간에 따라 자발적으로 변화하여 연속되는 검사 동안 동일한 증상을 찾기 어렵다"고 주장했었다(Dworkin, LeResche, DeRouen, & Von Korff, 1990). 그러나, 이 저자들은 만성 통증의 심도를 등급화하는 주관적인 방법과 검사자의 조정에 의해 특별한 TMD 상태는 신뢰할 정도로 진단될 수 있다고 가정하였다(Von Korff, Ormel, Keefe, & Dworkin, 1992). 또한, 기능장애 만성적 통증은, 통증 호소가 두드러지나 의학적으로 보고된 발견과 *일치하지 않는* 질병 행동의 부분 집합이라는 가설이 세워졌다(Dworkin, 1991). 다른 말로, 저자는 TMD 환자의 대부분이 대처하도록 학습하는 만성 통증 상태에의 과장된 반응을 가진다고 제안하였다. 이 이론은 *인지 행동 치료*가 TMD 환자에게 "그 상태를 받아들이라" 혹은 "너무 문제가 있는 것처럼 행동하는 것을 멈추라"고 효과적으로 가르칠 수 있다고 제안하였다.

RDC/TMD는 신체적 상태를 찾아내는 것을 돕기 위해 제안되는 규칙의 한 세트를 포함하고(Axis I), 통증 활동 제한, 우울증, 신체화(somatization)의 정신적 장애에 대해 환자를 평가하기 위해 심리 측정 척도(Axis II)를 분리한다.

1992년 이후로 RDC/TMD를 입증하기 위한 시도에 방대한 노력과 자원이 소비되었음에도 불구하고, RDC/TMD의 타당성은 대부분 이해되지 않고 있다(Schiffman, Truelove, Ohrbach, Gonzalez, Anderson, Jackson, Lenton, Pan, & Look, 2007).

악관절 장애에 대한 연구 진단 기준(RDC/TMD)
임상적 TMD 상태(Axis I)
RDC/TMD의 신체적 axis는 근육과 TMJ 사이의 원인을 구분하기 위해 주관적 검사 규칙을 사용할 것을 권고한다:

- Group I:
    a. 근막 통증.
    b. 개구 제한을 수반하는 근막 통증.
- Group II:
    a. 정복성 디스크 변위
    b. 개구 제한을 수반하는 비정복성 디스크 변위
    c. 개구 제한이 없는 비정복성 디스크 변위(관절조영술 및 MRI가 type c를 위한 가능한 추가 검사로 언급되나, 규정된 특별한 기준이나 지침은 없다).
- Group III:
    a. 관절통.
    b. TMJ의 골관절염(Osteoarthritis).
    c. TMJ의 골관절증(Osteoarthrosis).

단층사진(tomogram) 또한 Group III type b 및 c를 위한 가능한 추가 검사로 언급되나, 기준은 다음의 경우가 이상적이다:

- 정상 피질골 변연의 침식(erosion),
- 과두 혹은 관절 융기의 일부나 전부의 경화증(sclerosis),
- 골증식(osteophyte)을 수반 혹은 수반하지 않은 관절 표면의 편평화(flattening).

이렇게, 단층사진으로는 type b와 c 상태를 구분하는 것이 불가능하다.

2007년 뉴올리언스 IADR 미팅(683명이 포함된)에서 제안된 공식적인 미국 연방 치과 · 두개안면 연구소(National Institute for Dental and Craniofacial Research, NIDCR) 자금 비준 연구 결과, Group I 내에서, I-b 범주(운동 범위 40mm 이하를 수반하고, 근막 통증에 2 파운드의 힘을 적용한 근촉진)만이 적절한 민감성과 특이성을 위해 수립된 비준 요구를 만족시킨다고 밝혀냈다. Group I에서 다른 범주(Ia & Ic)는 받아들일 수 없는 민감성 및/혹은 특이성을 보였다(Lenton, Garfinkel, Huggins, Jackson, Look, Pan, Ohrbach, Truelove, & Schiffman, 2007).

Axis I의 Group II 내에서, 민감성과 특이성을 위해 수립된 비준 요구를 충족시키는 범주는 없었다(Look, Tai, Haugen, & Schiffman, 2007).

Axis I의 Group Ⅲ내에서, 민감성과 특이성을 위해 수립된 비준 요구를 충족시키는 범주는 없었다(Truelove, Sommers, Huggins, Schiffman, Ohrbach, Look, & Pan, 2007).

통증-연관 장애 및 심리적 상태(Axis II)

Axis II의 목적은 통증 상태의 전체적인 심도를 평가하고 분류하기 위해 다음의 면에서 간단한 방법을 제공하는데:

- 통증 강도,
- 통증-관련 장애,
- 우울증,
- 비특이성 신체 증상(주로 통증).

통증의 주관적 보고(VAS scale 사용)는 통증의 더 높은 강도 식별에 단독 사용하기 적당하지 않다는 것을 기본으로, RDC는 통증 환자가 일상적인 하루 활동을 수행할 수 있는 정도를 평가하여 통증-연관 장애를 측정하기 위해 시도된다. 게다가, 자가-보고 방법은 우울증을 측정하기 위해 이용되는데, 특히:

- 최근의 기분저하증/우울증(주요 우울 에피소드, TMD에 특이적이지 않은),
- 장기간의 기분저하증/우울증(주요 우울 에피소드, TMD에 특이적이지 않은),
- 최근의 기분저하증/우울증(어떠한 정신학적 진단, TMD에 특이적이지 않은),
- 장기간의 기분저하증/우울증(어떠한 정신학적 진단, TMD에 특이적이지 않은).

마지막으로, 신체화(somatization)라는 용어는 실제적인 신체 질병과 맞지 않는 신체적 증상에 집착하는 것을 일컫고, RDC로 포함되지 않았다. 그러나, 확산성 신체적 증상을 수반 혹은 수반하지 않는 대상이 Axis I TMD 상태, 정신적 상태, TMD 통증에의 반응, 장애의 면에서 어떻게 달라지는 지에 대한 평가를 촉진하기 위해 SCL-90 신체화 척도가 포함된다(연구 목적으로)(Dworkin & LeResche, 1992). 구강안면 통증과 기능장애로 고통받는 환자들에서, 치료를 원하지만 자신의 증상이 심리적인 것이라고 반복적으로 듣게 되는 경우, 기분저하증이 발달될 수 있다.

위에 언급된 것처럼, 신체화의 2가지 면을 고려해야 한다:

- 최근의 신체화,
- 장기간의 신체화.

2007년 뉴올리언스 IADR 미팅에서 제안된 공식적인 국가 NIDCR 자금 비준 연구는, Axis II의 어떤 측면에서도 유효성을 입증하지 못했다(Ohrbach, Sherman, Michalovic, Dworkin, Schiffman, Truelove, & Turner, 2007). 이 저자는 세션에 참석하였다.

이미지화 기술의 형태로 BPM을 RDC/TMD에 활용하는 것이 이를 입증하는데 도움이 될 수는 있지만, 지금까지 이미지화가 적절한 적응증을 수립하는 결정적인 RDC/TMD 기준이 아직 제안되지 않았다. 이미지화를 RDC/TMD 프로토콜에 추가하는 가능성 결정에 대한 최신 연구는 "방사선 검사보다 많이 혹은 적게 이익이 되는 특정의 환자 그룹을 선택할 수 없다"고 결론지었다(Wiese, Wenzel, Hintze, Petersson, Knutsson, Bakke, List, & Svensson, 2008). 현재까지, 특정 TMD 상태를 확실하게 진단하기 위한 강력한 주관적 방법의 사용이 성공적으로 달성되지 않은 것으로 보인다.

TMD에 대한 연구 진단 기준(Von Korff, Ormel, Keefe, & Dworkin, 1992)은 최신의 과학 기술 혁신을 접목하지 않고 단순한 임상 방법만을 사용하여 구강안면 통증의 다양한 상태를 진단하기 위한 시도를 20년이 넘게 하고 있다. 이런 방법을 확증하기 위한 광대하고 매우 값비싼 노력은 오늘날까지 지속적으로 실패하고 있고, 1992년 이후로 RDC/TMD의 대부분에서 타당성이 받아들여지지 않고 있다(Schiffman, Truelove, Ohrbach, Gonzalez, Anderson, Jackson, Lenton, Pan, & Look, 2007; Winocur, Reiter, Krichmer, & Kaffe, 2010; Naeije, Kalaykova, Visscher, & Lobbezoo, 2009). 이 작업의 본론은 자체적인 통증 호소 혹은 관찰 가능한 통증이 특정한 진단을 파악하기에 믿을만하지 않다는 것을 분명히 한다. 오직 구강 병력과 임상적 검사를 이용하는 TMD에 대한 한정적인 진단 프로토콜과 연관된 실패를 인지한 것은 이미 과거의 일이다. BPM을 TMD 진단 프로토콜에 추가하는 것이 필요하고 사실 지체되고 있다는 것이 이제는 분명하다. RDC/TMD를 확증하기 위한 수많은 시도는 적어도 그만큼 확실히 증명된 것이다.

진단과 과학 기술의 접목
다수 검사 결합

TMD 자체를 진단할 수 없다면 TMD의 진단에 특별한 기술을 추가할 가치가 없다는 논란은 대체적으로 타당하지 않다. 그러나, TMD 내의 38가지 뚜렷한 범주 모두를 진단할 수 있는 독자적인 검사가 없다는 것은 어느 정도 진실이다. 동시에, TMD가 진단명으로 고려되지 않기 때문에 이 또한 착오이다.

한가지 검사 이상의 지표를 결합하는 것이 진단의 정확성(민감성 및/혹은 특이성)을 향상시킨다는 것은 잘 정립된 원리이다(Biller, Samuels, Zagar, Cook, Arafah, Bonert, Stavrou, Kleinberg, Chipman, & Hartman, 2002). 환자의 병력과 임상 검사 결과를 결합하는 흔한 접근이 일반적인 예이다. X-ray를 추가하는 것은 진단의 정확성을 향상시키는 또 다른 방법이다. 진단을 확립하는데 새로운 기술을 결합하는 개념은 기존의 방법을 대체하는 것이 아니라 이를 보강하는 것이다. 다수의 검사는 일반적으로 진단이 틀렸음을 입증하는 것이 아니라, 보다 명확하게 하는 경향이 있다.

검사의 결합 시 논리적인 과정을 구축하기 위해 약간의 사고가 필요하다. 대부분의 진단은 환자의 병력으로 시작하는데, 이것이 의사가 환자를 진찰하기에 앞서 확보할 수 있기 때문이다. 병력은 의사가 진찰하는 동안 특별히 관찰해야 하는 것에 대한 단서를 제공한다. 진찰은 종종 추가적인 검사를 권유하게 된다. 가끔 하나의 진단 검사가 추가적인 검사에 대한 필요성을 암시할 것이다. 이런 일반적인 과정은 진단의 점증으로 생각될 수 있다. 이 과정의 어느 부분을 배제해야 한다는 타당한 이유가 절대적으로 없다. 그러나, 일부 증례에서 이런 과정을 제한하는 경제적 이유가 있을 수도 있다.

추가된 과학 기술이 정확한 진단을 내리기 위해 기여한 예는 다음에 제시되어 있다:

어렸을 때 얼굴에 외상을 입은 경험이 있는 환자이다. 이것이 최근에 발병한 구강안면 통증의 개시 요소가 되었을 수도 그렇지 않을 수도 있다. 임상 검사에서 외상과 연관된 상태를 뒷받침할 명확한 점은 찾을 수 없었다. 방사선 검사를 통해 예전에 골절된 관골이 완전히 치유된 것을 알 수 있었다. 교합지로 확인해본 결과, 악궁 전체의 많은 치아에 접촉이 고르게 분포되어 있었다. 그러나, 이용할 수 있는 과학 기술인 T-Scan 교합 분석 시스템(Tekscan, Inc.,

S. Boston, MA, USA)으로 검사한 결과, #2, #31(#17, #47)번 치아에서 과도한 접촉력이 포착되었다. 하나의 접촉에서 과도한 힘을 주의 깊게 삭제하였다. 초기 교합 조정 과정 후 다시 컴퓨터 교합 분석 기술을 이용하여 재검사하여, 과도한 힘이 적절하게 감소되었음을 확인하였다. 이것으로 환자의 초기 호소를 제거하게 되었다.

진단과 치료 평가에의 기술 적용

치통과 더불어, 치과의사는 종종 저작계의 통증 및 기능이상과 연관된 주소를 호소하는 환자를 만나게 된다. 이런 상태는 다음을 포함하지만, 여기에 국한되지는 않는다:

- 악관절,
- 저작 및 안면 근육,
- 12개의 두개 신경,
- 결합 조직,
- 기존의 부정교합,
- 불편한 상악-하악-관계.

환자 호소의 넓은 범주를 설명하기 위해 최근에 사용되는 2개의 포괄적인 용어는 측두하악 장애(Temporomandibular Disorder, TMD)와 좀 더 최근에, NIDCR에 의해 새로 만들어진 측두하악 관절 장애(Temporomandibular Joint Disorder, TMJD)가 있다. 이 두 용어 중 그 어느 것도 진단을 대표하지 않으며, 전형적인 환자의 상태를 해명하지 못한다. 그것들은 보통 저작 기능을 방해하는 상태들로 가득 찬 바구니로 표현되나, 정의된 것대로 기본적인 적절한 증상으로 구강안면 통증을 포함한다. 그러나, 통증은 최소의 특성이고, 환자가 드러내는 가장 주관적인 증상과 전적으로 거기에 집중하는 것은, 너무 잦은 마약 처방 해법을 초래하고, 환자의 내재적인 상태를 해결하기 보다는 중독의 새로운 문제를 유발하는 경향이 있다. 중독은 상태에 대한 진실한 생리적 기초를 효과적으로 치료하기에 앞서, 결국 통증 약물 치료를 철회할 필요성이 생긴다.

악관절 장애는 매우 다양한 상태를 포함하기 때문에, (인지 행동 치료 외에) 명백한 표준 TMD 치료 전략은 없다. TMD에 두루 적용되는 치료를 향한 현재와 미래, 과거의 모든 노력은 실패로 향하고 있다. 치료된 대상 그룹에 대한 초기 특정 진단 수립 없이 무차별적으로 선택된 TMD 환자에게 다양한 치료를 적용해본 몇 개의 무작위 대

125

조 시험(Randomized Controlled Clinical Trials, RCCT)은 애매한 결과를 제시하였다(Alencar Jr. & Becker, 2009; Hamata, Zuim, & Garcia, 2009; Truelove, Huggins, Mancl, & Dworkin, 2006). 진단되지 않은 TMD 환자에게 RCCT 방법을 적용하면 무작위 부적절 치료(Randomly Inappropriate Treatment, RIT)를 하게 되고 일반적으로 애매한 결과를 낳게 된다. 그러나, 이러한 시도를 계속하거나, 혹은 이러한 결과를 출판하는 것 모두 막기 어려웠다.

이용 가능한 생체생리학적 측정 기술

기능 이상의 저작 상태를 포함하는 진단과 치료 모니터링 술식 모두에 적용할 수 있는 4가지 생체-생리학적 측정 기술이 있다:

- 표면 근전도 검사(sEMG),
- 자석-기반 Electrograthography 검사(3D 하악 추적),
- 악관절 진동 분석(Temporomandibular Joint Vibration Analysis, JVA),
- T-Scan 컴퓨터 교합 분석.

각 기술들은 치료의 진행과 결과 모두에 대한 객관적인 평가가 가능하도록 가치 있는 데이터를 제공한다. 치료 평가 및 결과는 치료 후 측정값이 기준치 및 치료 전 데이터 모두와 비교하였을 때 보다 더 객관적일 수 있다.

근전도 검사(EMG)

근활동의 상대적 크기는 촉진이나 시진으로 결정될 수 없지만, 표면 근전도 검사(sEMG; BioEMGⅢ, Bioresearch Associates, Inc., Milwaukee, WI, USA)를 사용하면 파악할 수 있다. 특별히, 표재성 교근, 전방 측두근, 이복근 및 흉쇄유돌근 전복(ant. belly)은 동시에 확실하게 기록할 수 있다(Christensen, 1989; Ferrario, Sforza, D'Addona, & Miani, 1991; Sforza, Rosati, De Menezes, Musto, & Toma, 2011). 그러나, 표면 EMG를 성공적으로 사용하려면 적당한 기술이 필요함을 간과해서는 안 된다.

일부, 표면 EMG를 진단에 사용하는 것에 대해 단호하게 반대하는 사람들은, 구분되지 않은 TMD 환자 그룹과 비-TMD 그룹에 대해서, 표면 EMG 자체가 백지 상태에서 두 그룹을 명확하게 분류해야 한다고 제기했다(Manfredini, Cocilovo, Favero, Ferronato, Tonello, & Guarda-

Nardini, 2011). 그러나, 이 주장은 모순에 부딪친다. 진단적 표면 EMG 사용에 반대하는 또 다른 장기간의 논쟁은 근육 내로 삽입하는 미세선 전극이 EMG 기록을 위한 표면 전극보다 우세하다고 판단되기 때문에, 미세선 전극이 EMG 기능을 측정하기 위해 사용되어야 한다고 설명한다. 그러나, 이 논쟁은 완전히 틀렸음이 입증되었다(Koole, 1998).

EMG를 임상적으로 사용하는 방법은?

표면 EMG 신호가 근육에 의해 행사되는 힘의 크기에 직접적으로 비례하지만, 절대적인 힘 측정을 대체할 수 없다. 이렇게, 표면 EMG는 단일 개체에서 몇몇 근육의 상대적 활동을 비교하는데 가장 유용하다. 가장 흔하게 기록되는 활동은:

- 하악의 안정위(resting posture)에서 남아있는 근활성,
- Cotton roll을 물거나, 물지 않고 꽉 물기,
- 연하 활동,
- 저작 활동.

추가적으로, EMG를 T-Scan 시스템과 함께 사용하면, 역동적인 교합 기능과 저작근 활동 크기를 동시에 기록할 수 있다(Kerstein & Radke, 2012).

눈금 측정의 한계 때문에, 표면 EMG 데이터 분석은 양적이기 보다는 질적이다. 대부분, 근육들간의 상대적 값은 근육 당 기록된 microvolt의 정확한 숫자보다 일반적으로 더 중요하다. 저작 동안 모든 근육이 하나의 단위로 기능하기 때문에, 그들의 정교한 상호작용이 정상 기능에 결정적이다.

안정위에서의 잔여 활동(Residual Activity at Rest)

정상의 경우 안정위에서 근활동은 거의 없고, 일반적으로 $1-2\mu V$를 보인다. 환자가 정상의 안정위를 취하기 위해 하악이 "자세를 취하지" 않아도 되기 때문이다. 부정교합 혹은 정상적인 상하악 관계를 방해하는 어떤 종류의 골격적 문제가 있는 경우에만 자세를 취할 필요가 있다. 그러나, 이런 하악의 자세가 많은 EMG 활성을 요구하지 않지만, 이것이 지속될 경우 과다활동 근육의 작은 운동 단위(small motor unit)에 피로를 유발하게 된다. 그림 1은 정상 상태에서 예상되는 이완된 근활동 크기를 보여주는 것이다. 활

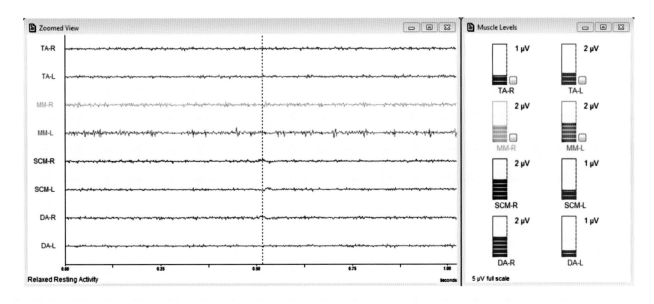

그림 1 하악 자세화의 증거가 없는 안정위에서의 이완된 근육[1]

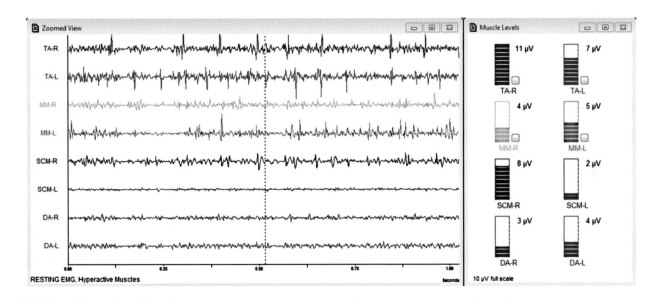

그림 2 피로를 보이는 가장 작은 운동 단위의 스파이크가 나타나는 과다한 자세화 활동

동 크기는 2.0μV(평균) 내외이다. 크기가 2.0μV 이상으로 증가하면, 문제성 근 생리를 암시할 가능성이 커진다.

안정위에서의 과다활동은 환자가 교합 혹은 골격적 이상-관계를 보상하기 위해 하악 자세를 취해야만 할 때 발생한다. 환자의 의식적인 노력이 없는 자동적인 적응 메커니즘이다. 가장 작은 운동 단위가 활동하고 피로를 느끼면, 그 다음 큰 운동 단위가 디스플레이 내에 "스파이크" 모양을 나타내며 그 뒤를 따르게 된다(그림 2).

그림 2에서 보이는 스파이크는 가장 작은 운동 단위의 피로에 이어, 다음으로 큰 운동 단위가 활동성을 인수받는 것을 나타낸다. 진폭 비율은 약 10Hertz(Hz)로, 골격근의 흥분을 야기하는 가장 느린 속도이다. 이 비율은 주어진 운동 단위로부터 가장 낮은 양의 힘을 산출하게 된다.

가시적인 스파이크를 보이는 근육을 이완시켜 과다활동을 제거하면, 스파이크 활동은 사라질 것이다. 그러나, 스파이크 활동은 징후이고, 안정위에서 근육의 이완을 유지

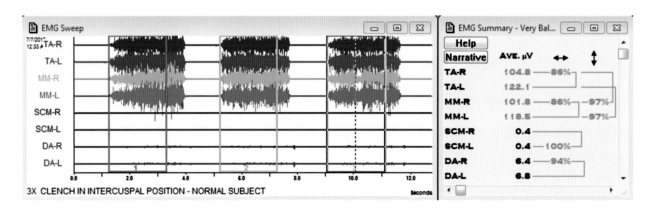

무증상 대상자의 교두감합 위치에서 3회의 이악물기. 근육 활동은 4개의 거상근 사이에 균등하게 분산된다

하기 위해 근본적인 문제 수정이 필요하다.

단단한 수의적 이악물기 활동(Hard Voluntary Clenching Activity)

이악물기는 일반적으로 다음의 3가지 상태 중 한 가지 이상에서 기록된다:

- 교두감합 위치에서의 단단한 수의적 이악물기,
- 양측성으로 대구치와 소구치 사이의 cotton roll을 위치시킨 후 단단한 수의적 이악물기,
- 전방 치아만 접촉한 상태로 단단한 수의적 이악물기.

각 이악물기 동작은 최소 3회 기록하여 지속성을 평가한다. 이악물기는 주로 거상근의 수축 능력을 평가하기 위해 사용되는데, 특히 표재성 교근과 전측두근이 이에 해당된다(그림 3).

무증상의 피험자는 교두감합 위치(ICP)에서 단단하게 이악물기를 할 때, 좌우측 사이에 활동량이 균등할 것이다. 동측의 교근과 측두근 사이도 거의 유사한 크기로 기록된다. 이악물기 동안 이복근과 흉쇄유돌근의 활동의 크기는 최소이어야 한다.

상악과 하악 간의 정렬이 변화하면 이들 근육간의 상대적 균형도 변화하게 되는데, 근육계는 근활성 분포를 바꿈으로써 이 상태에의 적응을 시도한다. 이를 위해 몇몇 근육(보통 1개 혹은 2개)이 다른 근육보다 더 수축하고, 반면 남은 다른 근육들은 그만큼 수축하지 못한다. 그림 4는 이악물기 동안의 전형적인 불균형을 보여준다. 여기에서 낮게 흥분하는 근육이 약한 것인지 방해받는 것인지에 대한 의문이 생긴다.

Cotton roll을 꽉 무는 것은 근육 약화(muscle weakness)와 중추신경계(CNS)에 의한 근육 방해(muscle inhibition)를 구분하기 위해서 사용될 수 있다. Cotton roll을 꽉 물었을 때 근육 균형 양상이 개선되지 않는다면, 출력이 낮은 근육은 약하다고 판단할 수 있고 근육 강화 훈련이 처방될 수 있다. 만일 그림 5에서 보이는 것처럼 양상이 개선된다면, 불균형 양상에 대한 책임이 방해에 있다고 할 수 있다. 그리고, 교합 개선이나 상하악 관계의 수정이 필요하다.

전치 접촉으로만 단단한 이악물기는 일반적으로 거상근의 전반적인 수축을 방해할 것이다. 이것은 전방 "거상" 장치의 제작에 앞서, 장치의 적용 효과를 테스트하는 간단한 방법이다. 그림 6에서 중간 3회의 이악물기 동안 근활동의 현저한 감소를 보여주고 있다. 이것은 항상 있는 경우가 아니며, III급 경향을 가진 I급 부정교합 환자에서 특히 그러하다. 대부분의 환자에서, 수축성 감소는 대부분 교근보다 측두근에서 크게 나타난다.

저작 동안의 EMG (Evaluating during Mastication)

호흡과 연하 외에, 구강악계의 근본적인 (생존적) 기능 중하나는 음식의 저작이다. 저작계는 위장계의 시작이다. 효과적인 저작계는 소화계의 기능을 촉진한다.

TMD와 과민성 대장 증후군(Irritable Bowel Syndrome, IBS) 사이의 관계는 중요하게 고려되지 않았지만, 한 연구는 연관성이 있다고 제안하였었다. 비-TMD 환자보다 TMD 환자는 IBS로 입원한 환자에서 46% 더 높게, IBS 외래 환자에서 61% 더 높게 나타났다(Shimshak & DeFuria,

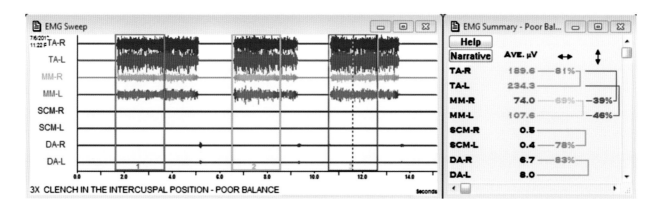

그림 4 부적당한 상-하악 관계를 가진 환자의 단단한 이악물기 3회 기록

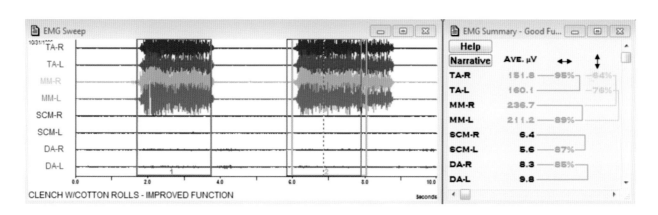

그림 5 마주하는 대구치와 소구치에 양측성으로 cotton roll을 물고 시행한 2번의 성공적인 단단한 이악물기로, 근육들 사이에 향상된 균형을 보여준다

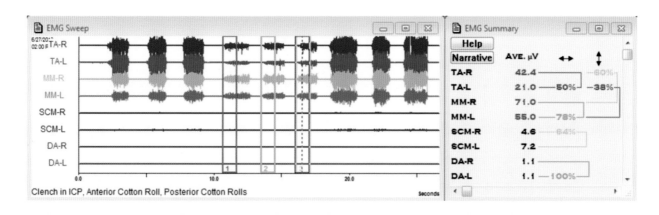

그림 6 교두감합으로의 3회 이악물기, 하나의 전방 cotton roll로 3회 이악물기, 양측성 후방 cotton roll로 3회 이악물기

1998). 그러나, 저자들은 보고된 차이의 유의성에 주목하지 않았다. 좀 더 최근에, 또 다른 연구에서는 무반응 TMD 그룹(n=24)과 IBS 그룹(n=20) 사이의 신경심리적 분석표에 서 통계학적으로 유의성있는 차이를 보이지 않는다고 하였다(Grossi, Goldberg, Locker, & Tenenbaum, 2008). 연구된 샘플 사이즈가 적음에도 불구하고, 두 그룹 사이에 어떤 공

통 인수를 공유할 수 있는 것으로 보인다. 이런 결과는 저작 기능 이상과 IBS 사이에 간과된 연관성이 있을 수 있음을 제안한다.

또한 이런 결과는 저작계 내의 생체 측정 평가가 신체의 다른 부위와 관련하여 의의를 가질 수 있다는 것을 입증하게 된다. Korszun 등이 시행한 유사 연구에서 IBS와 TMD가 46% 동시 발생함을 보고하였다(Korszun, Papadopoulos, Demitrack, Engleberg, & Crofford, 1998). IBS는 대부분 스트레스-연관 혹은 정신신체 장애를 일축하지만, 저작 기능 이상과 IBS 사이의 연관성을 밝히기 위해 이런 환자를 좀 더 신중하게 평가하고 검사해야 할 것이다.

저작 동안 근기능 평가

저작 동안 근기능을 평가하는 과정에는 일련의 근활동 기록(EMG)과 10-20회의 저작 싸이클 동안 발생한 활동의 평균화가 필요하다. 저작이라는 것이 원래 다양하기 때문에, 평균화는 음식물 덩어리의 변화에 맞추어야 한다. 저작하는 동안 변화하는 음식 덩어리가 근기능에 미치는 영향을 최소화하기 위해서, 부드럽고 안정적이며 자체의 특성을 재생산할 수 있는 씹는 껌을 이용할 수 있다. 저작계에 대한 최소의 도전을 제기하는 음식물이 씹는 껌이다. 씹는 껌은 저작계가 가장 부담없이 도전할 수 있는 음식물이다. 껌은 또한 저작 기능이 약한 경우에도 효과적으로 사용될 수 있다. 육포 같은 음식이 전체 저작계가 도전하는 질

긴 음식물인 것에 반해 껌은 기준 음식물로 고려될 수 있다. 상당한 저작 기능 장애를 가지고 있는 환자는 일반적으로 질긴 음식을 충분히 저작할 수 없다.

저작하는 동안 EMG 활동을 기록하면, 시퀀스 내에 휴지기와 번갈아 활성화되는 버스트(burst)로 나타난다(그림 7, 8, 9). 최고점 사이의 미가공 EMG 데이터는 저작 양상의 질적인 인상을 줄 수 있지만, 활동을 수량화하기 위해서 싸이클 횟수의 평균화가 필요하다(보통 10-15회). 표재성 교근과 전측두근은 폐구 동작의 저작 싸이클을 나타내고, 이복근의 전복은 개구 동작을 나타낸다.

단일 싸이클을 평균화하는 것은 근육 간의 활동 양상을 명백히 하지만, 전체 시퀀스를 평균화하는 것은 근육의 저작 능력을 더 정확하게 표시한다. 그림 8은 "정상적" 피험자의 껌을 씹는 우측 저작 단일 싸이클을 보여준다. 정상으로 예상되는 양상(평균 양상 분포±2 표준 편차)에서 최고의 활성은 작업측 교근(R), 그 다음은 작업측 측두근(R), 비작업측 측두근(L), 그리고 비작업측 교근(L) 순서로 나타난다. 이것은 그림 8에서 보여지는 것과 유사하다. 그러나, 상승과 하강 동안 근육들간에 상당한 중첩이 발생하면서 각 근육은 고유의 활동 양상을 가지게 된다. 부가적인 근육 또한 수축하는 것을 고려하면, 이런 제한된 증례에서 조차도, 저작이라는 것은 하나의 근육 자체로는 필요한 기능을 제공할 수 없는 그룹 근육 기능임이 명백하다.

10-15회의 저작 싸이클을 평균화함으로써, 각 근육이

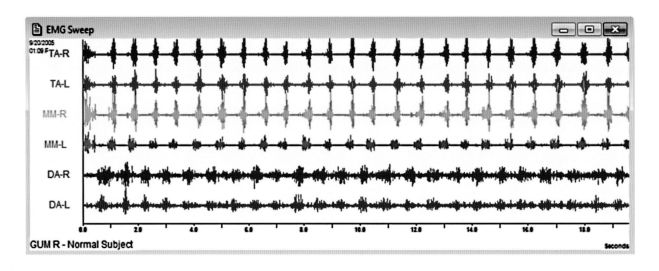

그림 7 껌을 씹는 동안 6개 근육의 미가공 EMG 활동. 상방 2개 채널은 측두근, 가운데 2개는 교근, 하방 2개는 이복근의 전복/설골상방 부위 근육계를 나타낸다

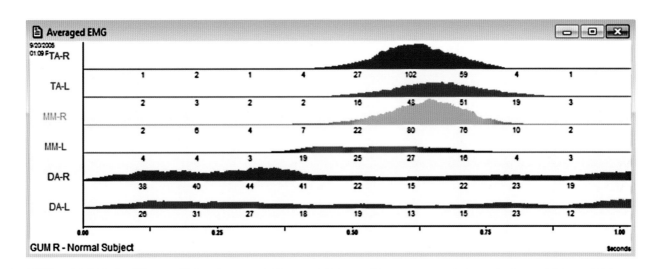

그림 8 음식 덩어리로 껌을 씹는 우측 저작 싸이클의 평균화된 EMG. "정상적" 피험자의 활동은 근육들간에 상당한 중첩과 각 근육 고유의 타이밍으로 불균등한 분포를 보인다

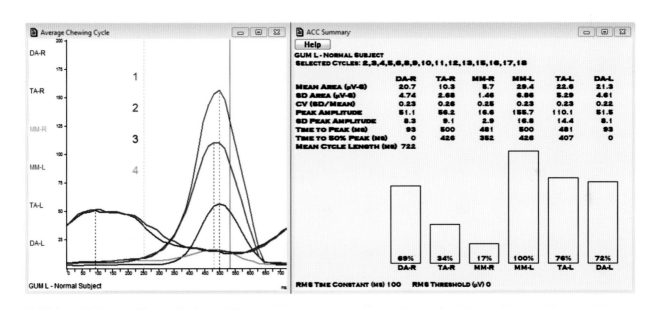

그림 9 무증상의 Class I 피험자에서 좌측으로 껌을 씹는 15싸이클의 전체 배열의 평균화된 그래프와 수량화한 값

저작 과정에 기여하는 활동량을 수량화할 수 있다. 그림 9는 무증상의 Class I 피험자의 활동을 그래프화하고 수량적으로 도식화한 것이다. 근활동 정점 및 기능적 커브 하방의 평균 면적(통합된 근활동)에 대해서, 양상은 예상되는 분포를 잘 따른다.

그림 9에서, 작업측 교근이 가장 활동적이고, 다음은 작업측 측두근, 비작업측 측두근, 그리고 가장 비활동적인 비작업측 교근이 나타나있다. 또한 이복근이 개구 시에 가장 활동적이지만, 전체 싸이클 내내 활동성을 유지한다. 데이터 내에서, 저작 활동의 타이밍도 파악할 수 있다.

일반적으로, 부정교합은 저작 시 근활동에 3가지의 주요한 효과를 발휘한다:

• 활동의 속도 감소,
• 활동의 변동성 증가,
• 활동을 수행하는 데 필요한 작업의 전체적 양 증가.

종종, 그림 9의 이상적인 관계와 비교하여, 활동 계급 내에서 변화가 생기기도 한다. 최악의 경우, 비작업측이 작업측보다 더 활성화되기도 한다. 이렇게, 저작 과정을 촉진시키는 부정교합을 수정하면, 근활동의 다양성이 감소되고 또한/혹은 근육이 필요로 하는 노력이 감소된다. 이런 작용은 30명의 부정교합 환자 그룹에서 분명하게 입증되었다(Kerstein and Radke, in Press).

자석-기반 절치-점 3D 하악 Electrognathography(Magnet-Based Incisor-Point 3-Dimensional Mandibular Electrog-nathography)

하악 운동 범위(Range of Motion, ROM)와 측방 운동은 mm단위의 자를 사용하여 손으로 적절하게 평가될 수 있다. 이것은 임상 검사에서 일상적으로 시행되는 중요한 측정값이다. 그러나, 3개의 자유도(변수)를 가지는 자석-기반 절치-점 하악 Electrognathghraphy(EGN; Bioresearch Associates, Brown Deer, WI, USA)의 중요한 장점은 이완된 하악의 휴식 자세에서 안정위 교두 간 거리(freeway space)를 기록할 수 있고, 저작하는 동안 원래 기능 기록에 대한 방해를 최소화하면서 자유로운 하악 운동을 기록할 수 있다는 것이다. 과두 운동을 기록할 수 있는 기존의 모든 6-degree jaw tracker는 치아에 부착하는 클러치를 착용해야 하기 때문에, 저작 기능의 자연스러운 근육 동작이 방해 받을 수 있다. 자석 시스템의 효과적인 퀵 셋업은 임상적 편리함을 향상시키고 경제적인 만족도도 높다.

자석-기반 절치-점 하악 Electrognathghraphy를 이용하는 가장 일반적인 측정은 다음과 같다.

- 측방 운동시의 ROM,
- 개구 및 폐구 운동의 속도(velocity),
- Freeway Space(FS),
- 이완된 안정위의 위치,
- 저작 분석 및 평균 저작 양상(Average Chewing Pattern, ACP) 결정.

측방 운동의 운동 범위(ROM)

상하악이 절치 접촉한 상태에서 하악 절치 치아는 하방에 자석을 부착하여 측방 ROM을 기록하기 위해, 가능한 크게 입을 벌렸다가 치아와 같이 다물고 가능한 멀리 한쪽으로 미끄러진 후 다시 MIP로 돌아와 재교합하고, 다시 가능한 멀리 반대쪽으로 미끄러지게 한 후 다시 교합 위치로 돌아오게 하고, 그리고 가능한 멀리 전방으로 미끄러지도록 환자

를 교육한다(그림 10). 이렇게 환자의 운동 한계를 수립한다.

그림 10과 관련하여 고려해야 할 몇 가지 요소가 있다:
- 47.4mm 측정치는 ROM에 overbite가 추가된 값이다.
- 우측 7.8mm, 좌측 9.3mm가 측방 운동의 범위이다.
- 정면에서 좌측으로 하방 1.9mm만큼 개구 편향된다.
- 전-후 방향으로 7.4mm가 전방 운동의 범위이다.

그림 10에서, 어떤 overbite나 overjet도 자동적으로 ROM 측정값에 포함된다. 또한 최대 개구에서 좌측으로 1.9mm 편향된다(적색선 = 정면에서의 개구). 그림 10의 모든 운동은 정상 한계 내에 위치한다(ROM = 40-70+ mm, 측방 운동 = 7-12+ mm, 굴절 및/혹은 편향은 3mm 이하).

디스크가 정복없이 변위되면, "폐구성 과두 걸림(closed lock)"이라고 표현되는데, 일반적으로 통증성 관절을 수반하면서 과두 운동 범위가 즉각적으로 제한된다. 시간이 흐르면서, 관절은 적응하기 시작하고, 관절 내 통증은 소실될 것이고, 환자는 본래의 ROM의 일부분을 다시 얻어 종종 80%까지 성공적인 적응을 하게 된다.

전형적인 급성 폐구성 과두 걸림은 무통증의 개구 범위가 약 27mm로 제한된다. 상태가 호전되면서, 시간이 지남에 따라 관절은 디스크를 점점 더 전방으로 밀어내면서 적응하기 시작하고, 개구 범위가 증가한다. 완전하게 성공적으로 적응되면서, 후방 연결 조직이 신경과 혈관을 제거하여 주로 반흔 조직으로 구성된 가성 디스크(pseudo-disk)를 형성한다.

그림 11은 ROM 31.2mm로 부분적으로 적응된 TMJ를 보여준다. 통증이 완화되고 ROM은 정상 범주를 향해 상승하기 시작한다. (MRI로 확인한 바) 양측성 상태는 다음과 같다:
- 최대 개구에서 편향되지 않음
- 대칭적인 좌측(5.8mm) 및 우측(5.4mm) 측방 범위
- 적선의 전방 운동(4.9mm).

비정복성 편측성 급성 디스크 변위는 개구 시에 이환된 쪽으로 측방 편향, 서로 다른 측방 범위, 이환측을 향해 경로가 이탈된 전방 유도를 나타낸다. 최대 개구에서 편향은 3mm 이하이면, 정상 범위로 고려된다.

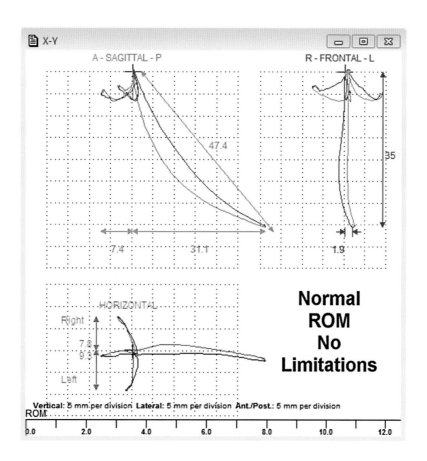

그림 10 전형적인 정상의 ROM을 보이는 측방 및 전방 운동

속도(Velocity) 양상

개구 및 폐구 운동의 속도 그래프는 본래 운동의 속력(speed)과 평탄성(smoothness)과 주로 연관된다. TMJ 혹은 근육계에 의한 기시된, 기능 장애의 어떤 유형도 속도 특성을 변화시킬 것이다. 그림 12에, 차이가 확연히 드러나있다. 정상의 피험자는 매우 부드럽고, 빠르고, 일관된 속도 분석표를 생산한다. 기능 장애 환자는 느리고, 변덕스러운 속도 분석표를 생산한다. 환자가 성공적으로 디스크 변위에 적응하면서, 속도 파형은 좀 더 정상적인 모양으로 개선된다.

Freeway Space와 안정위의 위치

Freeway Space는 모든 저작근육이 이완된 안정위와 교두간 위치(ICP) 사이의 거리이다. 자석 Electrognathograph(EGN)를 이용하여, 환자에게 잠시 동안 악 근육을 모두 이완하고 휴식 상태로 비활동성을 유지하게 한 상태로, 한동안 절치 위치를 지속적으로 기록한다. 근육 이완으로, 안정

위는 안정적이고, 기록은 중첩된다. 그 후 환자에게 후방 치아로 폐구하고 3회 치아를 가볍게 부딪치고(tapping) 치아를 가벼운 접촉으로 유지하게 한 후, 하악을 전방으로 미끄러뜨리게 교육한다. 이렇게 만들어진 기록이 그림 13으로, 안정위에서 ICP까지 2mm 이상의 폐구 거리를 보이고 있다.

이 궤도가 X－Y view에 디스플레이되면, 안정위, 탭핑(tapping) 궤도, 전방 유도 모두가 시각화된다(그림 14). 이 증례에서, 안정위가 탭핑 궤도보다 약 1mm 전방에 위치하고, ICP가 이상적인 근육 관계에 관련하여 약간 후방에 있는 것으로 나타났다(이상적인 모습은 탭핑이 안정위를 거쳐갈 때 나타난다). 전방 유도가 관찰되나, 너무 심하지는 않다.

그림 14에서, 안정위는 약간 ICP의 우측(약 0.4mm)에 있어서, YAW(좌우 요동)가 존재함을 의미하고, 일반적으로 0.5mm보다 클 때 가끔은 교합 내에서 문제를 일으킬 수 있다. 5mm의 overbite(한 칸 당 1mm)는 정상 기능을 방해

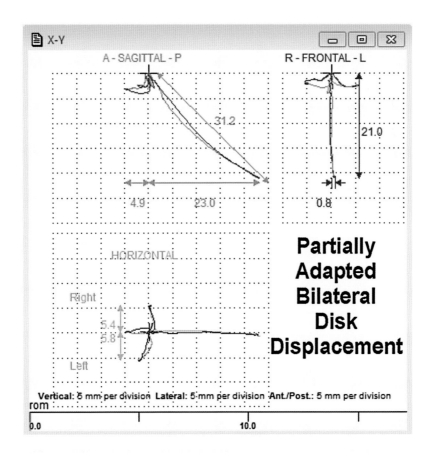

그림 11 부분적으로 적응된 양측성 비정복성 디스크 변위(DD) 환자의 ROM 기록

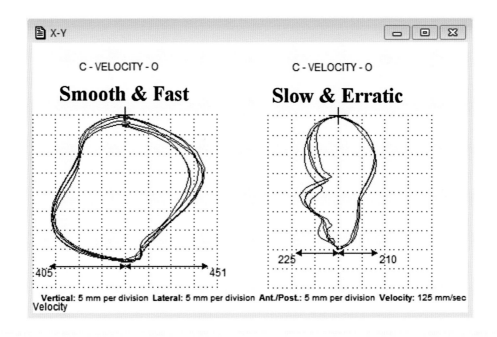

그림 12 수직 고경에 대한 3D 속도 도표. 좌측 도표는 정상적이고, 우측은 정복성 디스크 변위가 존재하는 변덕스러운 속도를 보여준다

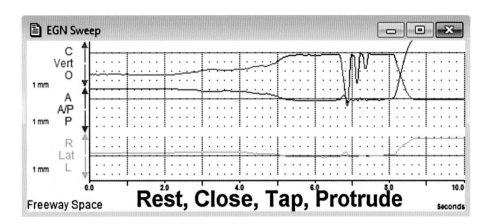

그림 13 정상적인 freeway space는 1-3mm이다. FS를 기록하기 위해, 휴식 상태의 환자에서 기록을 시작한 후, 환자를 후방 치아로 물게 하여 3회 탭핑하게 하고 가벼운 접촉을 유지한 후 하악을 전방으로 미끄러지게 하도록 지도한다

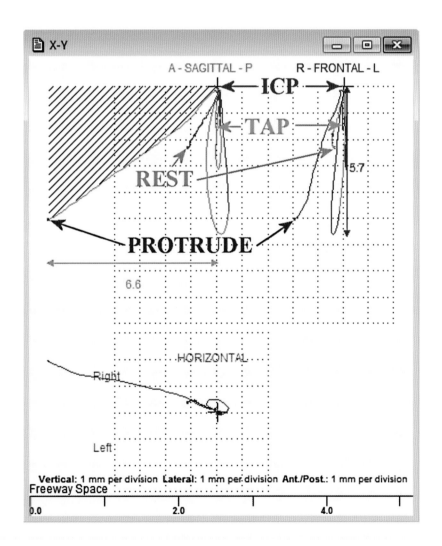

그림 14 3면(시상면, 정면, 수평면)에서의 freeway space, 탭핑 궤도 및 전방 유도의 X-Y view. 격자망은 한 칸당 1mm이다

135

할 정도로 가파르지 않다. 2mm의 전방 편향이 관찰되지만, 정상 범위이다.

저작 분석

인간의 저작 기능에 관한 기존 과학 연구의 수는 다른 영역의 기능에 관한 연구 발표에 비해 현저하게 적고, 정상적인 저작 기능이 무엇인지에 대해 수립하려는 시도도 거의 연구되지 않았다. 정상 저작은 상당한 측방 운동과 부드럽게 조화되는 일련의 사건으로 표현되었다(Goodson & Johansen, 1975). Lewin 등은 자석-기반 하악 절치-점 Electrognathograph(EGN)를 이용하여, 3면(시상면, 관상면, 정면)에서 저작을 연구하기 위한 적절한 기록 과정을 설명하였다(Lewin, Lemmer, & van Rensburg, 1976). 37년이 흘렀지만, 저작 기능을 위한 EGN 기록은 여전히 임상 진단 테스트와 교합 연구 프로토콜에서 드물게 적용되고 있다. 치의학은 단지 심미적인 것만을 고려하기 때문인가?

드물게 행해진 저작 효능 연구는 Sieve Method(사별법; 어떤 물질을 일정한 크기에 따라 나누어 가려내는 방법)를 사용하여 피험자의 자연적인 혹은 인공의 음식 덩어리를 저작하는 능력을 평가한다(Toro, Buschang, Throckmorton, & Roldán, 2006; Woda, Nicolas, Mishellany-Dutour, Hennequin, Mazille, Veyrune, & Peyron, 2010; Witter, Woda, Bronkhorst, & Creugers, 2013). 이런 연구들 중 가장 근래에는 음식물 파편 크기 3.68mm 이하는 온전한 치열을 갖춘 환자의 저작 결과로 예상되어지며, 보철물로 저작한 환자는 더 큰 크기를 삼킨다고 하였다(Witter, Woda, Bronkhorst, & Creugers, 2013). 파편 측정으로 수행되는 연구에는 다양한 한계점과 결함이 존재한다는 것을 기억해야 한다. 여기에는 파편 크기 분석에 요구되는 지나치게 많은 시간, 연구 디자인 표준화, 연구의 복잡성 등이 포함된다. 또다른 한계점으로, 이 방법은 낮은 효율에 기여하는 요소를 밝혀내기가 쉽지 않다.

평균 저작 양상(Average Chewing Pattern, ACP)

일부 저자들은 TMD 환자에서 관찰되는 저작 운동 양상과 무증상 피험자의 저작 양상을 비교하려고 시도하였다(Kuwahara, Miyauchi, & Maruyama, 1990). 이들은 ACP를 분석하는 시스템과 저작 양상의 다른 유형을 확인하기 위한 시스템도 개발하였다(Kuwahara, Miyauchi, & Maruyama,

1992):

- [F1] 정상 악관절 기능(혹은 잘 적응된),
- [F2] 정복성 디스크 변위,
- [F3] 급성 비정복성 디스크 변위,
- [F4] 만성-적응된 비정복성 디스크 변위.

최근 발표된 연구는 어린이에서 관찰되는 역 저작 싸이클(reverse chewing cycle sequencing)의 존재는 비정상 기능의 지표가 아니라, 연속적으로 변화하는 치열궁에 적응하는 자연스러운 과정일 것이라고 제안하였다(Saitoh, Yamada, Hayasaki, Maruyama, Iwase, & Yamasaki, 2010).

ACP를 결정하는 과정은 15-20회 껌을 씹어서 얻은 기록에 의해 얻어진다. 테스트에 앞서, 환자는 껌 한 개를 30초 동안 씹어 매우 안정적인 밀도로 껌을 연화하고, 그 후 25회 이상의 저작 주기를 기록한다. 대개 1번째 폐구 전 음식 덩어리가 연속적인 저작에 적합하도록 치아 사이에 지나칠 정도로 위치 조정되어 있는 상태이기 때문에, 일반적으로 1번째 싸이클은 나머지 기록의 전형적인 양상을 보이지 않아, 자동적으로 무시된다.

그림 15는 왼쪽으로 껌을 씹는 Mastication Sweep View를 보여주는 것으로, 2-16번 싸이클이다. 자동적으로 15회의 각 싸이클로 기록을 분할하여, ACP를 만들기 위해 평균화할 수 있다. 그림 15에서, 녹색 세로선은 각 싸이클의 개구 시작을 표시한 것이다(이전 최대 음식물 분쇄로부터 0.3mm 개구). 청록색 세로 점선은 개구가 폐구로 변환되는 각 싸이클의 "전환점"을 가리키는 것이다. 적색 세로선은 폐구의 끝을 의미하며, 다음 최대 음식물 분쇄보다 0.3mm 전에 이루어진다.

정상적 ACP

ACP는 15회 싸이클을 하나의 싸이클로 평균화하여 산정된다. 15회의 싸이클을 평균화함으로써, 각 싸이클의 임의 변동(random variation)이 서로서로 전체 양상과 균형을 이루려고 하여, 기저의 운동 양상을 밝혀내게 된다. 정면, 시상면, 수평면에서의 흑색선은 500명의 무증상 피험자의 평균 운동 양상을 보여준다. 평균 정상 양상은 각 개인의 ACP 크기를 조화시키기 위해 측정되었다. 그림 16의 샘플 기록은 정면에서 넓게 나타나지만, 평균 양상과 같은 일반적인 모양을 유지하고 있다. 사람 입의 크기와 구조가 다양하지

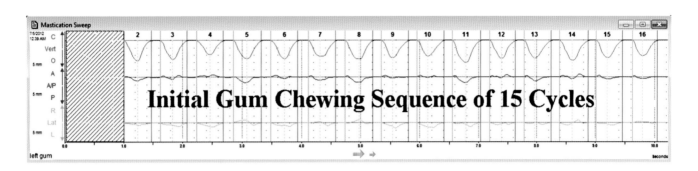

그림 15 왼쪽으로 껌을 씹는 Mastication Sweep view. 자동적으로 싸이클을 포착하여, 각 싸이클을 3부분으로 나눈다; 개구 단계, 폐구 단계, 교합 단계

만, 정상 저작 양상의 일반적인 F1 모양은 일관된다.

기능 이상의 ACP

저작 기능 이상은 여러 병적 상태로 인해 발생한다. 결과적으로, 모든 기능 이상의 경우에 대해 하나의 치료 옵션을 적용하는 것은 상식적이지 않다. 그러나, 선택할 치료 옵션과 상관없이, 치료의 과정 동안 객관적으로 환자의 기능을 평가하고 개선된 정도를 측정하는 것은 가능하다.

저작 기능 이상은 저작 운동에 3가지 중요한 영향을 미친다:

• 활동 크기 감소,
• 활동 속력 감소,
• 활동 다양성의 증가.

기능 이상 환자의 좌측 껌 씹기 양상이 그림 17에 나와 있다. 이 ACP는 만성 비정복성 우측 디스크 변위를 가진 환자의 전형적인 경우이다. 우측 과두의 제한된 전위로 인해, 기능 이상 양상은 이환측(우측)으로 왜곡된다. 정면과 수평면에서 적색 및 청록색 선의 넓은 영역은 경로의 이 부분이 평균 정상 경로(흑색 양상)로부터 2 표준 편차 이상으로 떨어져 있다. 시상면 하방의 적색 수직 막대는, 비정복성 우측 디스크 변위를 보이는 이 저작 양상의 총 수직적 높이를 나타내는 것이다. 평균 정상 수직 저작 크기보다 2 표준 편차 이상 더 작다.

ACP의 중요성

정상으로 나타나는 ACP(평균 양상에서 ±2 표준 편차)는 대게 무증상의 피험자와 성공적으로 적응한 약간의 기능

이상을 가진 환자에게서 볼 수 있다. 대부분의 무증상 환자의 저작 양상이 완벽하게 평균 양상에 들어맞는 것은 아니다. 그러나, 적절한 수준의 적응성 덕분에, 거의 정상적으로 기능할 수 있고, 저작 시 통증이나 증상 없이 상대적으로 정상적인 저작 양상을 만들어낸다. 적응된 근육 양상을 보이는 몇몇 경우에서, 성공적으로 악관절이 적응하여, 기능 이상의 환자가 마치 전체 시스템이 자동적으로, 구조적으로, 생리적으로 정상인 듯이 기능할 수 있게 된다.

기능 이상의 크기가 환자의 적응성 혹은 보상 능력을 넘어서면, ACP는 비정상이 되거나 왜곡된다. 비정상적 ACP의 존재는, 기능 이상이 환자의 현재 적응 능력을 초과하는 것을 의미하고, 환자의 저작 기능에 질적인 영향을 미침을 시사한다. 먹는 것은 생존을 위해 필요하기 때문에, 임상적으로 기능이 약화된 환자도 그들의 감소된 능력과 비효율적인 저작계를 가지고 여전히 먹어야 한다. 그러나, 그들의 기능적 능력이 시간에 따라 더 감소한다면(노화에 따른 치아 소실 등으로), 저작의 효율은 점점 더 감소하게 될 것이다.

가장 간단한 용어로, 저작 능력을 묘사하는 일반적인 환자의 3가지 범주가 있다:

• 저작 능력에 영향을 미치는 근본적인 임상 문제가 없는 건강한 사람,
• 약간의 기능 이상이 있으나, 정상에 가깝게 기능하는 적응 범위 내에 있는 환자,
• 그들의 적응력을 능가하는 기능 이상으로 비정상적으로 기능하는 환자.

상대적으로 "완벽하다"고 표현되기 위해서 다양한 환자에게 필요한 자격을 고려해보면, 저작계의 모든 면에서 완

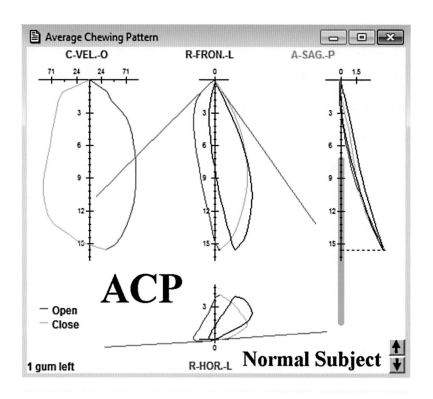

그림 16 전형적인 "정상" 평균 저작 양상(ACP)은 부드럽고, 정면에서 식별하기 쉬운 "눈물 방울" 형상을 나타낸다

벽하게 건강하다는 것은 찾기 어렵기 때문에, 다수의 환자는 아마도 2번째 범주로 포함될 것이다. 그 대신에, 3번째 범주는 결단코 치료가 필요한 구강악계 기능 이상의 다양한 증상을 가진 환자로 한정될 것이다.

교합에 적용하는 기술
전통적인 교합 조정 과정은 다음으로 구성된다:
- 치아를 더 잘 맞게 하기 위해서 치아를 삭제한다,
- 크라운, 브릿지, 임플란트로 치아를 수복한다,
- 마주보는 상하악의 보다 이상적인 배열을 위해 치아를 이동한다(Angle's Class Ⅰ).

악교합학(Gnathology)은 치아는 동시에, 악궁 전체에 걸쳐 균등하게, 대구치와 소구치의 특정 교두가 특정 와에 깔끔하게 안착하면서 접촉해야 한다는 개념을 도입하였다 (Stuart, 1973). 악교합학은 카본지(먹지)나 실크 리본을 사용하여 치아 접촉점을 표시하라고 하였다(Gazit, Fitzig, & Lieberman, 1986). 이론상으로는 (또한 종종 임상 실행에서), 교합 조정은 주관적으로 치아 구조를 삭제하여 접촉부를 감소시키고, 교합력을 약화하여, 접촉의 동시성을 향상

시키면서 시행된다. 종이나 리본 사용의 한계성은 이들 재료가 교합력의 양, 치아 접촉의 타이밍 순서, 교두감합으로 다무는데 필요한 소요 시간 등을 알려주지 못한다는 것이다(Kerstein, Lowe, Harty, & Radke, 2006). 잉크로 치아에 표시하는 것은 교합 조정이 필요한 부위를 충분하게 알려주지 못하므로, 이런 방법은 예견성있게 수행하는 교합 조정 술식으로 부적합하다(Kerstein & Radke, 2013). 이렇게, 교합지 자국이 큰 부위를 선택적으로 삭제하는 치아 조정의 개념은 치과 사회에서 적당한 방법으로 폭넓게 받아들여지고 있으나, 신뢰할만한 방법임을 뒷받침하는 과학적 증거가 부족하다(Torii & Chiwata, 2010).

교합지, Shim-stock foil에 관해 발표된 논문들은 두께, 구성, 잉크 기질, 플라스틱 변형 등 그들의 물리적 특성을 분석하였다(Schelb & Kaiser, 1985; Carey, Craig, Kerstein, & Radke, 2007). 연구를 통해 교합지 표시는 교합력이나 접촉 순서를 수량화하지 못하고, 치아에 남아 있는 잉크 자국은 교합력 크기를 정확하게 판단할 수 있는 믿을 만한 지표가 되지 못한다는 것을 보여주고 있다(Qadeer 등, 2012; Carey 등, 2007; Saad 등, 2008). 어떤 저자는 전통적인 교합 조정은 더 이상 수용할 만한 치료 접근법이 아니라고 발

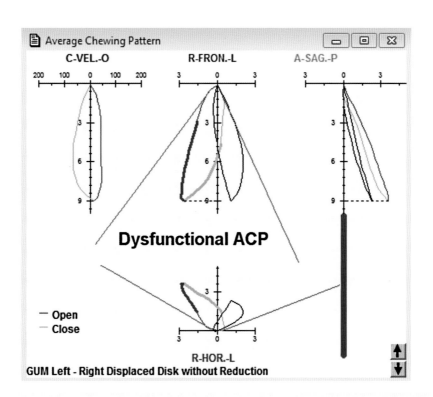

그림 17 우측 TMJ에 비정복성 디스크 변위를 가진 환자의 ACP로, 개구와 폐구 모두에서 평균 정상 양상보다 2 표준편차 많은 저작 양상을 보여준다. 운동의 수직 크기는 평균 정상 저작 양상보다 2 표준편차 더 작다

표하였다(Koh & Robinson, 2004). 그러나, 디지털 교합 분석 기술(T-Scan Ⅲ, Version 8, Tekscan, Inc., S. Boston, MA, USA)은 임상의에게 교합 조정 술식을 수행함에 있어 정교한 교합 접촉 타이밍 순서 데이터와 상대적인 교합력 데이터를 제공하여, 측정된 시간과 힘에 이상이 있는 교합 접촉의 수정에만 한정하여 술자에게 교합 재형성을 안내한다. 이런 방법으로, 교합지 자국 같은 전통적인 방법으로 얻을 수 없는 정확하고 재현성있는 데이터를 술자에게 제공하여 교합 균형과 조정 술식을 가능하게 한다.

T-Scan 자체만으로 교합 평가에 얼마나 큰 영향을 미치는가?
물리학의 원리 중 다음과 같은 것이 있다; "어떤 것에 영향을 미치지 않고 측정하기란 불가능하다." 그러나 특히 부정확한 측정값이라 하더라도, 아예 측정하지 않은 것과 비교해 보면, 매우 도움이 될 수 있을 것이다. T-Scan 센서가 측정값에 영향을 미치는 양은 임상적 타당성 내로 한정된다. 만약 어쨌든 에러가 0으로 감소되면, 더 정확한 교합 조정을 할 수 있는 임상의는 존재하지 않을 것이다. 왜냐하면, 치아 조정의 정확성이 이미 T-Scan 측정으로 적절하게

성취된 정확성보다 적기 때문이다.

이 저자는 20개의 T-Scan 구내 기록 센서를 200부위(센서 당 10부위)에서 측정하였다. 압착된 평균 두께는 99.86micron(±1.72micron)이었다. 이렇듯, 센서의 위치는 전 교합 영역에 걸친 두께에서 매우 균일하게 나타났다. 묶음마다 각 센서의 전체적인 두께에 약간의 차이가 있음에도 불구하고, 교합 부위에 걸친 각 센서의 균일성은 상당하다. 센서의 실제적인 두께보다는 교합 부위의 지속적인 두께가 정확한 측정을 위해 훨씬 중요하기 때문에 이런 균일성은 의도적이다.

환자가 기록 센서를 균일한 교합력으로 교합할 때, 마주하는 악궁을 균등하게 전체적으로 포함하는 것이 중요하다. 악궁을 불균등하게 덮으면 하악 폐구 경로가 왜곡되어 폐구 시의 근육 반응이 변경될 수 있다(Christensen & Rassouli, 1995). 저작계는 2개의 대합치 사이에 삽입된 극소의 물체를 감지할 수 있는 무수한 치주인대 및 치수 기계적수용기(mechanoreceptor)를 가지고 있기 때문에, 센서 두께 균일성이 아주 경미하게 떨어지더라도 높은 힘 접촉의 위양성(false positive) 혹은 접촉이 없다는 위음성(false nega-

139

tive) 표시를 생산할 수도 있다.

한 연구 그룹은 그들의 연구에서 의도치 않게 T-Scan 센서가 악궁을 반드시 전체적으로 포함해야 할 필요성에 관해 발표하였다(Forrester, Pain, Presswood, & Toy, 2009; Forrester, Presswood, Toy, & Pain, 2011). T-Scan 센서를 반으로 잘라 편측성으로 대합치 사이에 위치시킨 동일 연구가 두 번 발표되었다. 동일 환자가 완전한 자연 치열로 이악물기를 하였을 때와 비교한 결과, 교근의 근반응이 변하는 것이 입증되었다(Forrester 등, 2011). 이 발견으로 온전한 T-Scan 레코딩 센서를 사용해야 할 필요성이 강화되었고, 반으로 잘라서 사용하지 말아야 한다. 온전한 센서를 사용해야 교합 접촉력 및 타이밍 데이터를 기록하는 동안 발생할 수 있는 근수축 양상의 변화를 제한할 수 있다. 또한 이 사실은, T-Scan 센서보다 훨씬 두꺼운 실크 리본에도 동일하게 적용될 것이다.

하악은 넓은 개폐구시 회전과 이동을 둘 다 함에도 불구하고, 하악이 교합 접촉에 접근하면서 발생하는 회전의 양은 최소로 나타난다(Torii, 1989). 하악이 수직적으로 상악 교합면에 거의 접근한다면, 균등한 두께의 센서가 교합면을 완전하게 덮는 한, T-Scan 센서의 정확한 두께는 중요하지 않다. 일상적으로, 무증상의 피험자가 T-Scan Ⅲ HD 센서(HD Sensor, Tekscan, Inc., S. Boston, MA, USA)를 교합했을 때, 센서 자체에 의해 유발되는 교합 불균등의 느낌은 없다고 보고되었다.

T-Scan Ⅲ로 무엇을 측정하는가?

환자가 T-Scan 센서로 교합할 때, 시스템은 개시 영상과 개개 치아에 적용되는 교합력의 상대적 크기를 기록한다. 1번째 치아 접촉부터 완전한 교두감합까지 폐구의 경과 시간을 교합 시간(Occlusion Time, OT)이라 하고, 완성될 때까지 이상적으로 0.2초 이하가 걸려야 한다(Kerstein & Grundset, 2001). 영상은 MIP로 폐구될 때까지 필요한 경과 시간 동안 각 접촉점에 적용되는 상대적 힘의 양을 수량화한다. 이것을 통해 술자는 조기 및/혹은 과다한 강력한 접촉을 삭제하는 데 집중할 수 있다. 그림 18은 #15(27), 18(37)번 치아에서, 과다하게 높은 교합력이 포착된 T-Scan 데이터를 보여준다.

T-Scan을 이용한 측정의 또 다른 장점은 임플란트 보철물의 부하를 지연시킬 수 있다는 것이다(Kerstein, 1999).

임플란트는 자연치처럼 충격을 흡수하는 치주인대를 가지고 있지 않기 때문에, 임플란트-지지 보철물의 동시 부하는 임플란트에 과부하를 초래할 위험성이 있다. 대부분의 자연치가 중등도의 힘 접촉으로 가볍게 접촉한 후에 임플란트 보철물이 접촉되도록 조정하여 임플란트의 과부하를 예방한다. 임상의는 반드시 시간-지연 수정(time-delayed correction)을 정교하게 시행함으로써, 임플란트 보철물이 과조정됨에 따라 교합 접촉이 완전히 상실되는 일이 없도록 하여야 한다(그림 18처럼).

또한 T-Scan은 교두감합부터 좌우 측방 운동으로 만들어지는 환자의 편심위 운동을 기록하는 데 이용될 수 있다. 이 기록은 운동 동안 후방 치아가 완전히 이개되는 데 필요한 경과 시간인, 이개 시간(Disclusion Time, DT)을 측정한다. 이 값은 편심위 운동마다 0.5초 이하가 이상적인 것으로 간주된다(Kerstein & Wright, 1991). 이런 2가지 측방 운동 측정값(우측 및 좌측)으로 교근과 측두근 활동 크기를 상승시키는 교합 간섭을 찾아낼 수 있다(Kerstein & Wright 1991; Kerstein & Radke, 2012). 이런 운동이 저작과 연관하여 반대 방향으로 된다고 하더라도, 술자는 작업측 및 비작업측 간섭 접촉의 지속-시간을 제한할 수 있게 된다. 측방 편심위 운동 간섭의 지속 시간 감소로 저작에 필요한 근육의 노력을 감소시킬 수 있다. 이런 근활동 영향은 통합화된 EMG를 사용하여 저작근 활동을 동시에 기록하여 한층 더 입증될 수 있다(그림 19).

그림 19에서, 측방 운동 동안 근육의 과활성이 관찰(C선 후방)되는데, 2.0초를 넘는 측방 운동 동안 후방 치아의 교합이 지속된다. 즉시 완전 전방 유도 발달(Immediate Complete Anterior Guidance Development, ICAGD) 치관 성형술(Kerstein & Wright 1991; Kerstein, 1992; Kerstein, 1993)을 이용하면, 환자의 DT를 0.5초 이하로 감소시킬 수 있다. 후방 치아가 편측 운동 시 접촉이 감소되어, 결과적으로 거상근 활동이 현저하게 감소할 수 있게 된다(그림 20)(Kerstein & Wright 1991; Kerstein & Radke, 2012).

그림 20은 ICAGD 치료 수행 후 통합된 T-Scan/BioEMG 기록을 보여주는 것이다. 우측 편심위 부위에서 EMG 활동이 감소하여 편심위 운동(C-D)이 보다 빠르게 완성된 것을 확인할 수 있다. 반대측 활성이 특히 감소하였다. 낮아진 근활성으로 계속 누적되는 근활성이 감소하고 환자는 적은 노력으로 장기간(수개월에서 수년간)동안 기

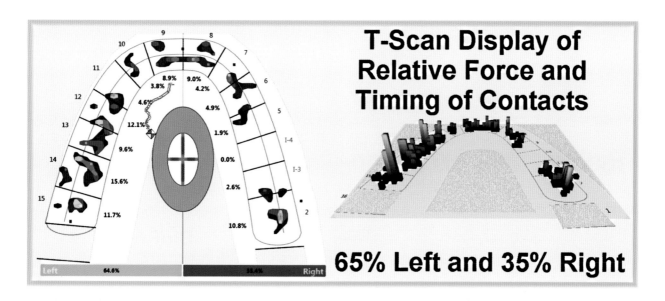

그림 18 T-Scan 스크린 캡처가 좌측에서 거의 2배에 달하는 불균형한 교합력을 보여준다(좌측 65.6% vs. 우측 35.4%). 악궁의 우측에 적색으로 표시된 임플란트에 교합력을 감소시키기 위해 부분적으로 의도된 것이다[2]

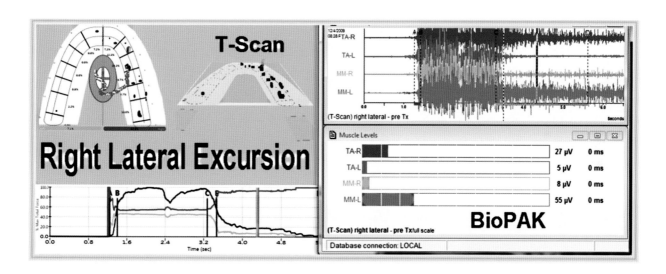

그림 19 T-Scan 프로그램이 BioPAK EMG 프로그램과 연동되면 교합력 및 타이밍의 동시 기록과 분석을 저장할 수 있다. 이것은 우측방 운동 동안의, 좌측 교근과 우측 측두근의 치료 전 과다 근활동의 증례이다

능할 수 있게 된다.

T-Scan 컴퓨터 교합 분석 기술은 과도하게 강력한 교합 접촉의 정확한 위치를 파악할 수 있게 하고, 임상의는 객관적인 데이터에 근거한 정교한 조정을 할 수 있다. 그러므로, 이 기술을 이용하여 교합 조정을 시행하면, 조정이 필요한 교합 접촉점만을 처치함으로써 교합 자국에 대한 임상의의 주관적 판단에 의존하는 전통적인 방법보다 덜 침습적이 된다(Kerstein & Radke, 2013). 이런 방법으로, "높

은" 혹은 마찰에 의해 지속되는 것으로 측정되는 치아들만이 조정을 받게 될 것이다. 게다가, T-Scan의 수량화된 데이터는 양측성 균형 교합이라는 바람직한 "최종" 목표의 성취 여부를 입증해준다. 그러므로, T-Scan은 임상의에게 술식이 성공적으로 완료되었음을 알 수 있게 해주는 확실한 방법을 제시해준다.

141

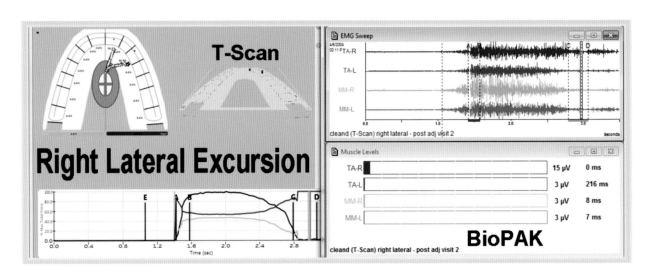

그림 20 T-Scan/BioEMG 동시 기록이 ICAGD 치료 후 만들어졌다. 편심위 운동시 EMG 활동의 양이 그림 19와 비교하여 확실히 감소하였고, 이 개 시간(T-Scan 창에서 C-D 구간)이 더 짧아졌다. ICAGD 치료 후, 편심위 시 후방 치아 접촉 지속 시간이 훨씬 감소하였다

임상 증례 보고: 저작 동안 표재성 교근과 전방 측두근에 관한 이개 시간 감소 치료의 효과 보고

다음은 저작 기능에 대한 ICAGD 법랑질성형술(Kerstein & Wright, 1991; Kerstein, 1992; Kerstein 1993; Kerstein, Chapman, & Klein, 1997; Kerstein & Radke, 2006; Kerstein & Radke, 2012) 시행으로 이개 시간을 개선시킨 환자 증례이다. 교합 조정 술식은 T-Scan/BioEMG 동기화 모듈과 3D 하악 Electrograthograph를 이용하여 완성한다. 제시된 환자는 27명-환자군의 일부로, 치료 전 교합 기능 평가도 받고 ICAGD 법랑질성형술로 교합 치료를 받았으며(저작 평가 및 ICAGD 치료는 하루에 수행되었다), 이개 시간 감소 치료 1주 후에 교합 기능을 평가받았다.

- **환자 상태**: 65세 보존과 의사로 전방 관계가 상당한 수직적 overbite를 가진 Class I이고 양측 견치 설측면이 오목하여 최대 교두감합에서 대합치와 접촉되었다(그림 21). 후방 우측 4분악 #3, 4(16, 15)번 치아에 2개의 골드 크라운이 있다. 좌측 후방 4분악에는 #13, 14, 15(25, 26, 27)번이 #18, 19, 20(37, 36, 35)번 치아의 설측에 위치하는 cross-bite가 있다. 양 후방 4분악에서 좌측이 우측보다 훨씬 더 비-수직적으로 정렬되어 치아의 수직적 배열이 좋지 않다. 모든 사랑니는 이미 발거되었다.

- **교합 질환의 내력과 현 상태**: 의뢰 전 20여년 동안, 환자는 만성 양측성 교근 긴장으로 인해, 스트레스를 많이 받는 기간 동안 규칙적으로 아침마다 턱에 통증을 경험

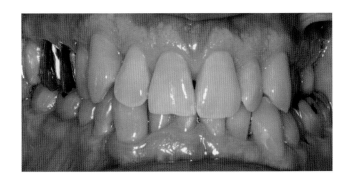

그림 21 65세 보존과 의사의 정면 사진으로, 상당한 수직적 overbite를 가진 Class I이고 양측 견치 설측면이 오목하다. 좌측 후방 4분악에는 #13, 14, 15(25, 26, 27)번이 #18, 19, 20(37, 36, 35)번 치아의 설측에 위치하는 cross-bite가 있다. 양 후방 4분악에서 치아의 수직적 배열이 좋지 않다

하였다. 환자와 작업하는 날 동안 이악물기와 밤시간대의 약간의 이갈이를 보고하였다. 추가적으로, 가끔씩 그의 저작 습관에 문제가 있어서, 곤란한 음식을 먹을 때 하악이 피로하다고 느낀다고 하였다. 마지막으로, 그는 불편감의 대부분이 양측성 교근이라고 하였지만, 또한 심해질 수 있는 측두통을 자주 경험한다고 진술하였다.

- **이전의 비성공적인 치료**: 20년 이상의 대부분 동안 밤마다 구내 장치를 착용하였지만, 해가 지나면서 장치의 만성 통증 조절 효과가 감소하였다. 이와 같이, 환자는 장치 사용 빈도가 감소하긴 했지만, 여전히 증상이 악화되

면 가끔 착용하였다고 한다.

- **TMJ 상태**: 개구량은 51mm로, 1mm 정도 좌측으로 편위된다. 드물게 clicking, popping 소리가 나지만, 과두걸림, 탈구, 무혈관성 괴사는 없다. 관절 진동 분석(Joint Vibration Analysis, JVA)에서 어떤 의미있는 내장증(internal derangement)은 발견되지 않았다.

환자의 기능적 임상 상태

좌측 편심위 운동을 왼쪽 협면에서 보면(그림 22a), 후방 4분악 crossbite와 #11(23)번 견치의 오목한 구개면이 뚜렷한 측방 마찰에 기여한다. 우측 편심위 운동을 오른쪽 협면에서 보면(그림 22b), 완전한 협측 후방 그룹 기능과 편심위 마찰이 뚜렷한데, 이는 견치의 설측 유도면이 오목하기 때문이다.

그림 23a, 23b는 T-Scan/EMG 데이터의 치료 전 좌우 편심위 운동을 보여준다.

그림 23c, 23d, 23e는 ICAGD 법랑질성형술 시행 전의, 상악 좌우측 및 하악 우측의 교합지 자국의 임상 사진이다.

상악 좌측 교합지 자국(그림 23e)은 #15(27)번 치아의 협설측면에서 가시적인 마찰을 보여주는데, 이것은 치료 전 좌측 편심위 T-Scan 데이터에도 나타나있다(그림 23a).

전방 운동을 분석하고 기록하였으나, 간략히 하기 위해서 생략하였다. 상악 전방 치아의 상당한 수직 중첩으로 전방 이개 시간은 짧았다.

저작 기능 분석 방법

양극성 EMG 전극을 측두근의 전방부와 표재성 교근의 중부에 양측성으로 위치시키고(4 channels), JT-3D 하악 Electrognathograph와 BioEMG Ⅲ로 저작 운동과 근활동을 동시에 기록한다(그림 24).

T-Scan/EMG를 분석하고 환자의 이개 시간 감소를 치료하기 전에, 환자에게 좌측으로 15싸이클 이상 연화된 껌을 씹은 후 우측으로 똑같이 15싸이클 씹도록 설명하였다. 그 후 편측으로 껌을 다시 씹도록 하여 15싸이클씩 4세트의 데이터를 만들었다(우측 데이터 2세트; 좌측 데이터 2세트).

데이터를 저장한 후, 각 저작 배열이 다음의 운동 기준을 이용하여 15개의 각 싸이클로 분할된다:

- 기록된 각 싸이클에서, 개구의 시작을 표시하는 시간은 이전 최대 음식물 분쇄점에서 수직으로 0.3mm 개구될

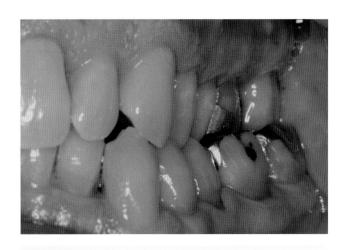

그림 22a 좌측 편심위 운동 1mm부터 견치가 참여하기 시작한다. 협측 후방 그룹 기능의 완전한 crossbite와 편심위 마찰이 보인다. 오목한 견치면으로 인해 견치 유도가 후방 치아부를 들어올리기 전에 하악이 외측방으로 몇 mm 이동한다. 수직적 유도 접촉의 존재가 없기 때문에, 마주하는 후방 치아가 협설측 양쪽으로 매우 조기에 마찰로 운동에 참여하여 된다(설측은 보이지 않는다). 이 마찰은 crossbite와 좋지 않은 수직적 치아 방향에 의해 악화된다

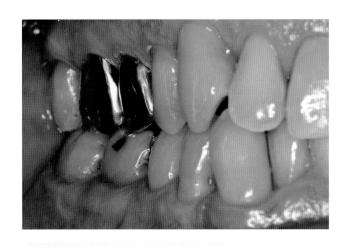

그림 22b 우측 편심위 1mm에서, #6(13)번 치아의 원심측이 #28(44)번 치아와 연루되기 시작한다. 오목한 견치로 인해 완전한 협측 후방 그룹 기능과 편심위 마찰이 뚜렷하다

때 수립된다(그림 25a).

- 15 좌측 및 15 우측 저작 싸이클에서 각 근육 활동의 크기를 바로 잡고 각각 평균화한다(그림 26).

정상적 피험자가 폐구 종말 전 혹은 동시에 EMG 정점에 다다르지만(그림 25b), 기능 이상을 가진 피험자는 자신의 저작 동작에 좀 더 조심스러워지고, 종종 최대 힘을 적

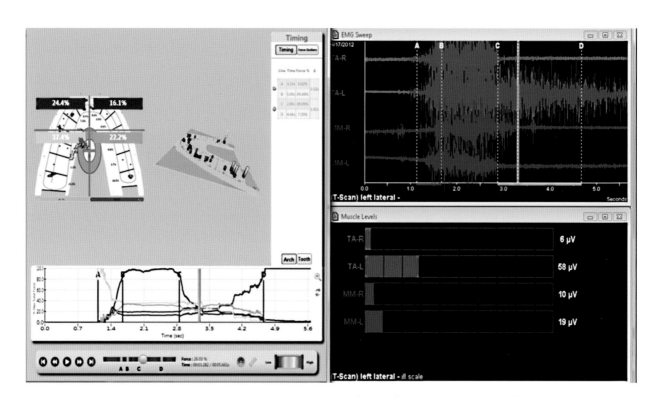

그림 23a 처치 전 좌측 편심위 T-Scan/BioEMG 데이터가 (T-Scan내에서) 연장된 좌측 이개 시간(C-D = 1.82초)을 보여주는데, 작업 및 균형 편심위 마찰 교합 접촉이 2D와 3D Force View에 나타나고, 총 힘 선이 "하강"한다. EMG 데이터에서, 좌측 측두근과 우측 교근에 지나친 편심위 과활성이 현저하게 나타난다(D의 오른쪽). 좌측 측두근에서 매우 연장되고 상당한 크기의 편심위 과활성이 드러나고 이 상태가 기록의 거의 마지막까지 지속된다. 이것이 환자의 만성 측두통 상태에 기여할 것이다. D 이후에 과활성이 다소 감소하는 것을 확인하라

용하기 전에 교두감합의 위치가 안전해질 때까지 기다리기도 한다. 그러므로, 정점의 근활동은 그들이 교두감합으로 폐구를 완성한 후에 나타난다(그림 26; 좌측 구획, 적색 수직선이 폐구 종료를 나타낸다).

저작 데이터를 포착한 후, 환자에게 ICAGD 법랑질성형술을 시행한다(세부 사항은 7장에 나와 있다).

초기 ICAGD 술식(1주 전) 후 교합 조정을 더 시행하기 전에, 조정 1주 후 동일한 편측 껌 저작 데이터를 반복 포착하기 위해 예약을 잡는다.

ICAGD 치료의 T-Scan/EMG 결과

ICAGD 술식의 편심위 기능 근육 영향을 그림 27a와 27b에서 볼 수 있다. 치료 전 연장된 이개 시간이 양측성으로 드라마틱하게 감소되었고, 그림 23a, 23b에서 보여지는 치료 전 근육의 측방 과활성(C의 우측)의 많은 부분이 현저하게 감소하였다.

ICAGD 치료로 인한 저작 기능 변화

치료 전 저작 EMG 활동과 치료 후 활동은 Student's Paired t-test (p<0.05)를 이용하여, 전체 그룹으로, 7개의 수치 매개 변수를 비교한다. 하방에 목록화한 7개의 매개 변수로, 수행된 ICAGD 교합 치료 결과로 생긴 저작 기능 동안의 전체 근육 활동에 생긴 어떤 의미있는 변화를 파악한다.

- **평균 면적(Mean Area)**: 껌 저작의 수정되고 평균화된 EMG 활동 하방 면적을 계산하여 측정된다.
- **SD 면적(평균 면적의 표준편차)**: 싸이클에서 싸이클까지 변화하는 양을 설명하거나 싸이클에서 싸이클까지 보이는 근활성의 변동성을 설명하기 위해 계산한다.
- **변동 계수(SD 면적/평균 면적)**: 근활성의 진폭과 별개로, 상대적 근육 변동성을 측정하기 위해 계산한다.
- **최대 진폭(Peak Amplitude)**: 저작 주기 동안, 각 근육이 나타내는 가장 높은 근활성 크기를 암시하는, 최고의 수정된 평균 진폭을 보여 준다.
- **SD 진폭**: *최대 진폭의 표준 편차로 계산한다.*

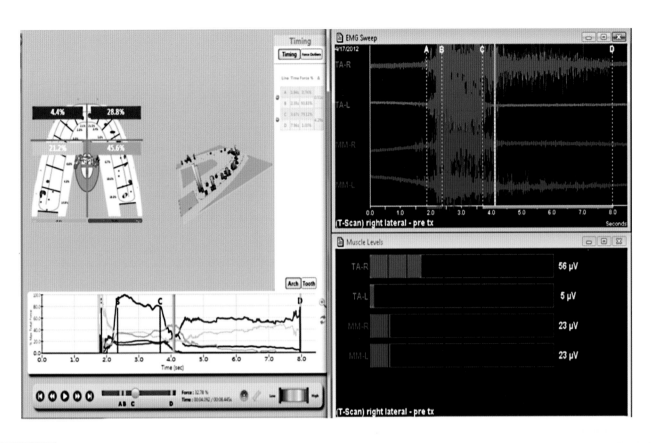

그림 23b 치료 전 우측 편심위 T-Scan/BioEMG 데이터로 (T-Scan에서) 연장된 우측 이개 시간(C-D = 4.29초)과 제2대구치의 상당한 설측-대-설측 작업 편심위 마찰 교합 접촉력이 보인다(그림 23c, d 참조). 총 힘 선에 가파른 "하강"이 편심위 초기에 가시화되는데(C 이후), 이것은 편심위 운동이 전개될 때 후방 치아의 하악을 쉽게 가로지르는 운동이 종종 "정지"되면서 뚜렷한 힘 감소가 있음을 암시한다. EMG 데이터 내에서, 우측 측두근과 좌측 교근에 연장되고 상승하는 수축 크기가 나타난다. C 이후, 우측 측두근에서 매우 높은 수준의 연장된 수축이 드러나고, 그의 만성적인 측두통 상태에 기여 요인이 될 수 있다. 우측 교근의 운동 시 경련이 심한 상하의 EMG 기복이 연속적이고 반복적으로 보인다. 우측 교근 경련은 후에 편심위 운동이 D에 가까워지면서 진폭과 빈도가 감소한다

- **정점 시간**: 하악 개구 시작부터 정점의 폐구 근활성이 관찰되는 시점까지 측정된 시간을(millisecond 단위로) 보여준다.
- **정점 50% 시간**: 하악 개구 시작부터 정점의 50% 폐구 근활성이 관찰되는 시점까지 측정된 시간을(millisecond 단위로) 보여준다.

ICAGD 교합 조정이 전체적 근활성 크기를 변화시키지 않고 각 근육을 변경하는 것이 가능하기 때문에, 활동의 일부가 한 근육에서 다른 근육으로 옮겨가면서 연합된 활동 크기는 변하지 않는다. 이것은 전체적 근활성 크기가 변화한다기 보다는 활동의 재분포가 이루어짐을 의미한다.

이 가능성을 설명하기 위해, 각 환자의 좌우측에서 15 저작 싸이클로 만들어진 4개 근육의 활동성(n = 4개의 근육 x 15 싸이클 = 60 싸이클)이 함께 더해져서 7개의 통합된 매개변수(위에 목록화된)를 생산하고, 치료 전과 치료 7일 후에 기록하였다(그림 28). 이것으로 각 저작 순서 동안 기록된 4개 근육의 융합된 근활성의 크기에 발생한 어떤 의미있는 변화를 평가할 수 있게 된다.

이개 시간 감소 치료 9일 후 관찰에서 좌측의 치료-후 근육 저작 데이터(후방 crossbite가 있는 반악궁)는, 치료-전 근활성 크기와 비교하여 융합된 근활성의 평균 크기에서 상당한 감소가 있음을 보여줬다. 이 결과는 치료-후 저작 시 전체적인 근육 노력이 더 적게 필요함을 의미한다(p < 0.024). SD 면적(평균 면적의 표준 편차) 또한 치료 후 현저하게 감소하여(p < 0.030), 근활성의 변동성이 감소되었음을 보여준다. 또한, 변동 계수(p < 0.039)도 전체적인 근기능 변동성에 큰 감소가 있음을 나타낸다. 이것은 그림

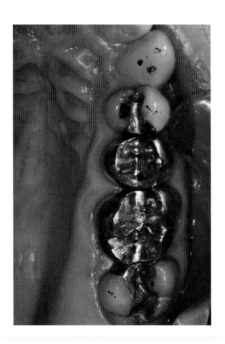

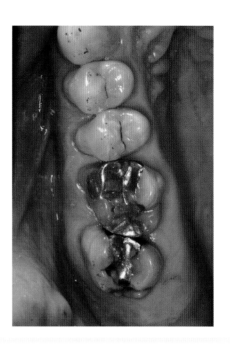

그림 23c 상악 우측 교합지 자국으로 제2대구치에서 설측-대-설측 접촉 표시가 보이고, 그림 23b처럼 매우 큰 접촉력으로 나타난다. #2(17)번 치아의 설측에 보이는 교합지 자국이 작고 얇아서 매우 강력한 것처럼 보이지 않으나, 실제적으로는 강한 힘의, 설측-대-설측으로 간섭하는 접촉이다

그림 23e 상악 좌측 교합지 마크는 #15(27)번 치아의 협설측에 뚜렷한 마찰을 보여주고, 이것은 치료 전 좌측 편심위 T-Scan 데이터에서도 명확하게 드러난다(그림 23a)

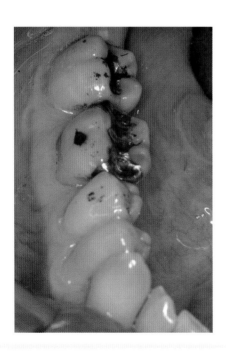

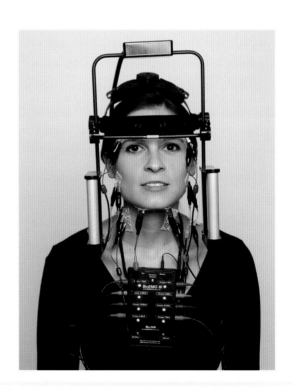

그림 23d 하악 우측 교합지 자국으로 #31(47)번 치아의 원심설면에 강력한 설측-대-설측 접촉이 보이고, 이 부위는 #2번 치아의 구개측 검정색 표시에 대응한다(그림 23c)

그림 24 다른 (여성) 환자의 머리에 장착된 3D 하악 Electrogna-thograph 및 BioEMG III가 모두 8개의 가능한 channel이 기록될 위치에 저작 분석을 위해 준비되어 있다. 제시된 증례에서는, 4개의 channel만 기록하였다(양측성 교근 및 측두근). 이 통합 기술은 껌 저작 기능 동안 하악 운동과 근활성을 동시에 기록한다

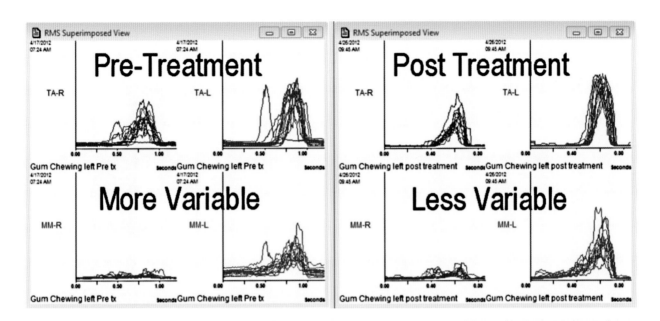

그림 25a 15 저작 싸이클 동안 기록된 4개의 근육에 대한 치료 전-후 근활성 크기 데이터. 치료 전부터 후까지 근활성의 변동성을 대조하기 위해 15 싸이클을 겹쳐놓았다. 치료 전보다 후에서 근활성의 정점은 더 높아지고 변동성은 적어졌다

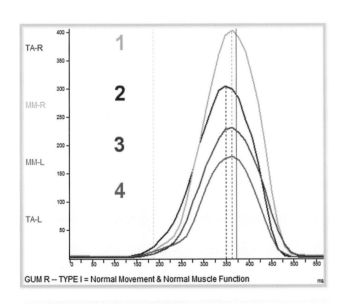

그림 25b 정상 피험자는 교두감합 위치로의 폐구 종료(적색 수직선) 전 혹은 동시에 EMG 정점에 다다르고 최고의 힘을 적용한다

25a의 치료-후 저작 근육 기록의 중첩성이 향상된 것에서 알 수 있다. 그 대신에, 정점 진폭은, 단축된 정점 시간(p>0.055) 및 단축된 정점 50% 시간(p>0.065)의 식별할 수 있는 경향과 함께, 상당히 증가하였다(p<0.043). 치료로 인한 전체적인 좌측 근육 변화로, 환자는 짧은 주기의 저작 운동으로 더 빠르게 분쇄력을 발휘하게 되었고 소모되는

노력도 적어지게 되었다. 7개의 매개변수를 모두 함께 고려해보면, 근활성에 발생한 통합된 치료 변화 또한 상당하다(p<0.024)(그림 28).

돌이켜 생각해보면, 우측 교합은 crossbite가 아니어서 치료 전에 좌측보다 더 나은 기능을 보였을 것이다. 우측에서 가장 드라마틱한 변화는 정점 시간의 유의성 있는 감소이다(p<0.0002). 또한 정점 진폭이 상승하는 경향을 보였는데(p>0.058), 같은 유형의 변화(좌측 보다 덜 드라마틱 하지만)가 우측에도 영향을 미치고, 치료 후 관찰에서 더 빠르고 강력한 폐구 주기가 보다 적은 근육 노력으로 얻어진다(그림 28). 아마도, 우측 반악궁의 저작 기능이 ICAGD 치료 전에 더 좋았기 때문에, 치료로 인해 우측에도 뚜렷한 개선이 있음에도 불구하고, 우측 변수의 치료 후 변화량은 통계적으로 유의하지 않다(p>0.122).

이개 시간의 변화가 저작 양상을 향상시키는 방법에 대한 추가적 증거

앞서 발표된 많은 연구에서 저작 동안 발생하는 치아 접촉이 교근과 측두근의 외수용성 억제를 만들 수 있다고 하였고(Atkinson, 1976; Mushimoto, 1981; Takada 등, 1992), 이것은 EMG 기록에서 관찰된 일명 *무반응기(Silent Periods, SP)*에 해당된다. 이런 근수축 억제는 전형적으로 10-

147

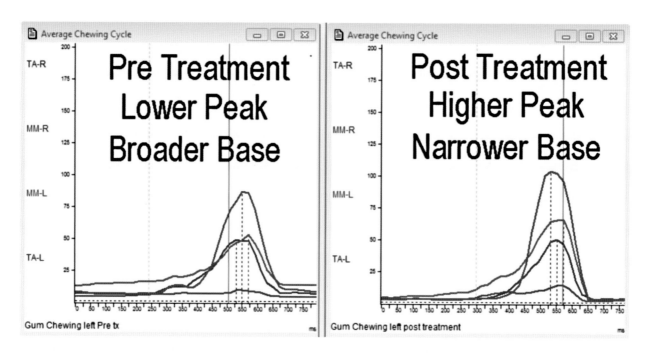

그림 26 15 좌측 및 15 우측 저작 싸이클에서 교정된 각 근육의 평균 근활성 크기. 치료 후 각 근육 기록에서, (그림 25b의 정상 양상과 유사하게) 더 좁은 구간의 높은 정점을 확인하라. 15 싸이클 평균이 ICAGD 치료 전과 후에 근 활성 양상이 변화했음을 보여주는데, 치료-후 데이터에서 더 높아지고(강력한 저작) 좁아진(빨라진 저작) 양상을 볼 수 있다. 적색 수직선은 폐구 종말을 표시하는데, 0.3mm 후 하악이 최대 음식물 압착에 도달함을 의미한다

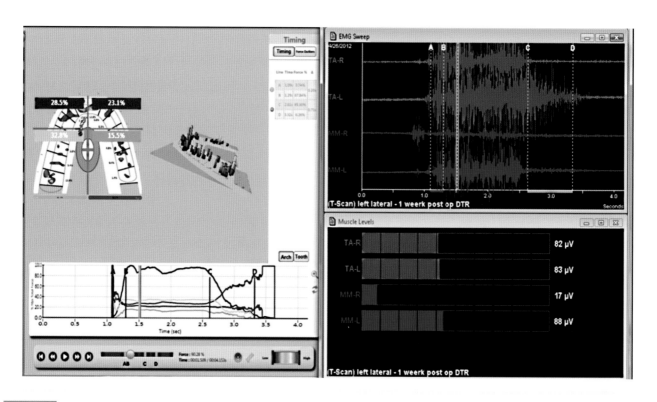

그림 27a ICAGD 1주 후 좌측 편심위 운동. 이개 시간 = 0.71초 지속으로 바람직한 범위인 0.5초 이하보다 약간 길다. ICAGD 치료로 치료 전(그림 23a)과 비교하여 좌측 측두근과 우측 교근의 과활성이 감소하였다. 좌측 교근이 C에서 신속하게 평평한 선으로 전환되고, 비작업측인 우측 측두근도 그러하다. 좌측 측두근은 C-D 구간에서 편심위 과활성을 유지하지만, C 이후에 빠르게 감소하여 D에서 평평해진다

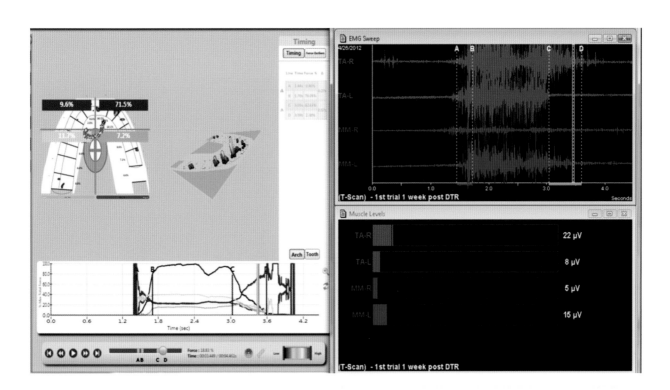

그림 27b ICAGD로 개선된 1주 우측 편심위 EMG로 0.57초의 이개 시간 동안, 그림 23b와 비교해서, 과활성이 뚜렷하게 감소되었다. 우측 측두근은 C-D 구간에서 과활성을 유지하지만, D 이후 즉시 빠르게 감소하고, 수축이 중단되고 선이 평평해진다. 좌측 교근도 C부터 D의 바로 전까지 빠르게 수축이 감소한다

	Sum of 4 muscles	Pre Tx	Post Tx	p	
Chewing Gum Left Side	Mean Area	53	44.6	< 0.024	
	SD Area	24.7	13.9	< 0.030	
	CV	1.84	1.26	< 0.039	
	Peak Amplitude	181	239	< 0.043	
	SD Amplitude	44.6	50.1	> 0.320	ns
	Time to Peak	2431	2185	> 0.055	ns
	Time to 50% Peak	1927	1714	> 0.065	ns
	Combined	**4663.14**	**4247.86**	**< 0.024**	

	Sum of 4 muscles	Pre Tx	Post Tx	p	
Chewing Gum Right Side	Mean Area	55.6	51.2	> 0.340	ns
	SD Area	26.8	32.8	> 0.148	ns
	CV	1.94	2.46	< 0.010	
	Peak Amplitude	184	271	> 0.058	ns
	SD Amplitude	46.6	47.1	> 0.483	ns
	Time to Peak	2416	2091	< 0.0002	
	Time to 50% Peak	1741	1722	> 0.452	ns
	Combined	**4471.94**	**4217.56**	**< 0.122**	**ns**

ICAGD 교합 조정 치료 전후 근활성의 통계 분석으로 치료 전과 후에 유의성 있는 변화가 발생하였음을 보여준다. 우측(정상 교합)보다 좌측(crossbite)에서 더 유의성 있는 변화가 있었다(ns= 유의성 없음)

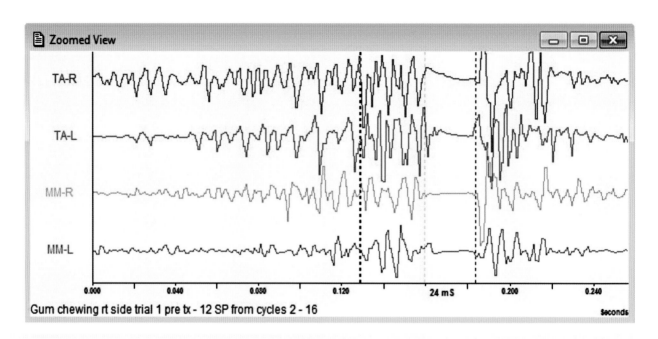

그림 29 우측 껌 씹기 증폭에 대한 IGACD 치료 전의 외수용성 억제(EMG 무반응기). 교근과 전방 측두근의 활동 정지가 전형적으로 10-25millisecond 동안 발생하고, 다시 재-시작한다. 이 증례에서, SP의 지속 시간은 21milliseconds이다

25 millisecond의 지속 시간 동안 유지된다(Iino 등, 1989). EMG 데이터 내에서 SP는 과다 및/혹은 조기 접촉 교합의 존재 여부를 확인할 수 있는 간단한 방법이 될 수 있다(McNamara, 1977; Sohn, Miyawaki, Noguchi, & Takada, 1997).

지금까지, 정상 그룹의 껌 씹기 동안 SP의 유병률에 대해서는 발표된 바 없다. 78명의 무증상 피험자(여자 44명과 남자 34명)를 포함하는 진행 중인 한 연구에서, 좌측 및 우측 껌 씹기 동안 교근과 측두근 활동을 기록하고(총 156개의 기록) SP의 발생 여부를 관찰하였는데, 15싸이클 내에서 나타난 SP 발생의 평균 횟수는 0.55(±0.882)회이고, 범위는 기록마다 0-3이었다. 껌보다 씹기 어려운 음식과 달리, 씹는 껌은 무증상 그룹 내에서 교합적으로 활성화된 침해 수용 반사를 자주 유발하지 않는다. 위의 무증상 그룹에서 나타나는 SP의 결여는 껌이 부서지지도 않고 크기나 질감이 변하지 않는 부드러운 음식물임을 반영하는 것이고, 따라서 매우 예견성있는 음식물임을 대변한다.

위에 제시된 증례에서, ICAGD 치료로 저작 기능 개선을 확인하는 또 다른 방법으로, 치료 전후 기록에서 SP가 발생하였는지를 재검토하였다. 치료-전 좌측 껌 씹기에서 2회와 16회 싸이클 사이에서 9번의 SP가, 우측에서는 12번이 관찰되었다(그림 29). 이와 대조적으로, 치료-후 좌측 껌 씹기에서 SP는 0회, 우측에서 1회 나타났다(그림 30). 이 증례에서, ICAGD 치료 수행으로 연구된 무증상 그룹의 범위 내에서, 치료-후 매우 짧은 기간 내에 SP의 발생건수가 감소하였다.

제시된 증례의 교합 수정에서 crossbite를 교정할 필요가 없었고, 기존 교합에 존재하는 연장된 편심위 마찰 간섭만을 제거하여 환자의 저작 기능 효율에 영향을 주었다. 후방 crossbite를 정상적 교합 관계로 고려한 것은 아니지만, 어떤 환자들은 이런 부적당한 관계에 잘 적응할 수 있다. 장기간의 성공적인 적응을 거친 만성 상태의 환자를 완벽하게 이상적인 상태로 복원할 필요는 없다는 것이 저자의 의견이고, 그렇게 하지 않아도 기능은 향상될 수 있다. 그러나, 이 환자가 장기간의 장치 사용에도 불구하고 적절하게 완화되지 않은 장기간의 만성 교합-근육 장애 증후군을 가지고 있다면, 잘 적응했다고 판단할 수 없다. 좌측 crossbite를 가진 그의 인생 동안, 반복적으로 연장된 편심위 마찰성 접촉으로 과다한 근수축이 저작 동안 하악 운동을 위해 근육이 필요로 하는 기본 근수축에 더해졌다. 그의 성년기 동안, 이렇게 연장된 후방 접촉이 허혈 뒤에 수반되는 젖산 축적과 만성 교합-근육 장애 증후군의 출현을 야기했다.

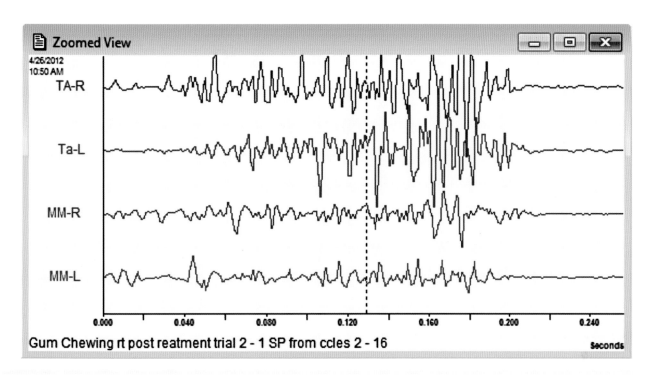

그림 30 우측 껌 씹기 증폭에 대한 IGACD 치료 후로, 눈에 띄는 SP가 없다

ICAGD 치료로 편심위 접촉 마찰 지속 시간이 즉각적으로 측정 가능하게 감소하여, 치료 전 높아진 편심위 근활성이 현저하게 감소하였다(그림 27a, 27b를 치료 전 그림 23a, 23b와 비교). 이렇게 감소된 편심위 근활성으로 젖산 축적이 감소되고 허혈도 줄어들어, 궁극적으로 근육 저작 능력에 통계적으로 유의성 있는 증가가 야기된다(그림 25, 26). 환자는 저작 개선으로 신속한 교합-근육 기능 장애 증상이 해소되었고, 더 이상 장치가 필요하지 않게 되었다.

제시된 환자에게 관찰되는 치료 효과와 저작 능력 향상은, 저작에서 이개 시간 감소 효과를 평가하기 위해 시행한 연구에 참여한 27명의 치료된 피험자 그룹의 결과와 유사하다.

평균 저작 양상(Average Chewing Pattern, ACP)
저작하는 동안 EMG 활동을 기록하는 과정에서, 각 저작 싸이클을 분할하고 분석하는 목적으로, 하악 절치점의 운동을 기록하는 것 또한 필요하다. 평균 정상 저작 양상과 그의 지속성을 보여주는 상당히 많은 양의 데이터가 이미 발표되었다(Kuwahara, Miyauchi, & Maruyama, 1992; Ferrario 등, 2006). 약한 저작 능력을 가진 사람은, 좀 더 정상적인 사람보다, 더 천천히 씹고 변경된 저작 싸이클 모양 내에서 더 큰 변동성을 보인다(Lepley, Throckmorton, Parker, & Buschang, 2010). 특히, 폐구 경로 모양이 볼록하면 저작 수행이 좋다고 판단된다(Watanabe, Shiga, & Kobayashi, 2011). 또한, 이런 경우 좀 더 넓은 외측 폐구 운동과 부드러운 동작을 보인다(Wilding & Lewin, 1994). 그림 31은 정상적이고 상대적으로 이상적인 Class Ⅰ이라고 간주되는 피험자가 수행한 좌우 껌 씹기에 대한 정면에서의 일반적인 하악 절치점의 ACP이다.

그림 32a는 ICAGD 치료 전후를 보여주는데, 이 환자의 우측 껌 씹기 양상은 그림 21에 보여주었다. 그림 32a의 좌측 도면에 보여진 ACP는 그림 30에 나타난 정상적 저작 양상과 매우 다르다. 좌측 후방 crossbite와 환자의 적응 덕분에, 치료 전후 ACP 양상은 드라마틱하게 영향받았다. 그러나, 우측 저작의 치료 후 정면 양상의 외측 범위(그림 32a, 우측 구획)는 ICAGD 교합 치료 결과 현저하게 변화하였다. 치료 전 폐구 동작은 개구 동작의 반대 순서로 보다 중앙으로 진행되고(그림 32a, 좌측 구획), 치료 후 폐구 동작은 개구 동작보다 외측으로 진행되면서 좀 더 정상적 양상을 보인다(그림 32a, 우측 구획). 우측 ACP 변화는 저작 양상의 통계

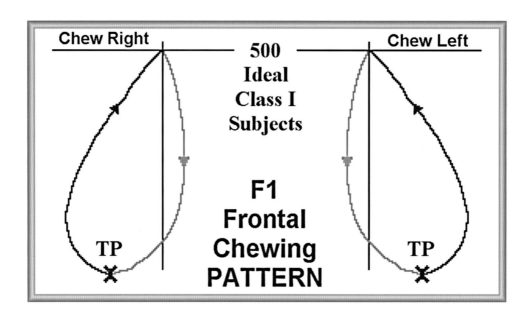

그림 31 정상적 피험자의 좌우 껌 씹기에 대한 일반적인 정면 ACP F1 저작 양상의 일반적 모양

학적으로 유의성 있는 개선이라 할 수 있다(p<0.0136).

그림 32b는 그림 1에 제시된 환자의 껌 씹기 양상 치료 전후로(그림 32b, 좌측 구획), 그림 31에서 보여준 정상 저작 양상과 매우 다르게 나타났다. ICAGD 치료 후, 좌측 저작 ACP 양상은 후방 crossbite에 의해 통제되면서 반대로 남게 되지만, 실제적으로 ACP가 열리고 더 부드럽고 빠르며 다소 정상적 ACP에 근접하게 나타난다(그림 32b, 우측 구획). 완벽한 ACP로의 관찰된 변화는 수직적으로 치료 전후 유의성 있게 차이나지 않지만(p>0.150), 그것이 증가함에도 불구하고, ACP의 외측 요소는 유의성 있게 변화한다(p<0.00001). 일반적으로 ACP의 크기와 속도 증가 및/혹은 변동성이 감소하는 치료로 기능이 증가한다.

이 증례는 65세의 환자로 좌측 후방 crossbite 상태에 장기간 적응했을 것이기 때문에, 후방 crossbite를 가진 보다 젊은 환자의 전형적인 형태는 아니라는 것을 잊어서는 안 된다. 이 장의 보다 앞부분에 언급한 것처럼, 후방 crossbite는 정상 교합 관계로 간주되지 않지만, 일부 환자는 치아의 관계 이상에도 불구하고 자신의 기능 상태에 충분히-잘 적응할 수 있다.

고령 환자의 crossbite를 수정하거나 완전히 제거하면, 환자는 군이 적응할 필요가 없는 새로운 저작 양상을 학습하도록 강요받게 되기 때문에, 실제적으로 그들의 적응된 기능을 방해할 수도 있다. 기존의 저작 양상을 밝혀 보다 부드러운 저작 동작을 만들 수 있게 하는 것이 더 간단할 것이다(소개된 증례에서 보는 것처럼). 대체적으로, 어린 환자에는 crossbite를 수정하는 것이 긍정적인 교합간 관계 개선이 될 것이다. Crossbite에 완전하게 적응하지 못한 어린 환자는 crossbite를 교정한 후 좀 더 정상적 운동 양상으로 쉽게 변화할 수 있다(Takeda, Nakamura, Handa, Ishii, Hamada, & Seto, 2009).

제시된 환자 저작의 통계학적 결과 정리

- **좌측 껌 씹기**: ICAGD 치료 후, 전체적인 근활성이 감소하였고(p<0.024), 변동성도 감소하였으나(p<0.039), 정점 근활성은 증가하였다(p<0.043). 저작은 더 빨라지고(p>0.055), 변동성이 감소하는(p>0.065) 방향의 경향을 보인다.

- **우측 껌 씹기**: ICAGD 치료 후, 저작 속도가 가장 드라마틱하게 증가하였고(p<0.0002), 전체적인 근활성은 지속되었으나, 변동성은 감소하였다(p<0.010). 마찬가지로, 환자는 높은 정점 근활성을 보였다(p>0.058).

- **좌우측 껌 씹기**: 저작 동안 EMG에 나타난 SP의 횟수는 치료 전 9-12회에서, 치료 후 0-1회로 극적으로 감소하였다. 이런 변화로 저작 동안 발생하는 피할 수 없는 치아 접촉의 수가 상당히 감소하였다는 것을 알 수 있다.

- **좌측 ACP**: 치료 후 좌측 ACP 양상은 여전히 후방 cross-

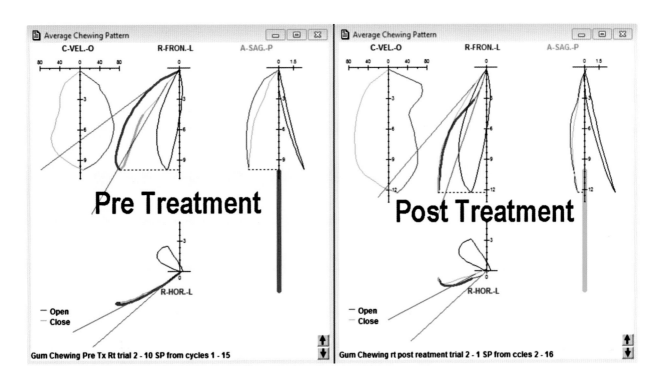

그림 32a 그림 21에 제시된 환자의 우측 껌 씹기의 치료 전(좌측 구획), 후(우측 구획) 양상. 치료 전 ACP(좌측)는 폐구 동작이 개구 동작보다 중앙에 가까운 반대 순서로 진행된다. ICAGD 후 ACP(우측)는 폐구 동작이 개구 동작보다 외측으로 진행되면서 좀 더 정상적인 양상을 보인다. 수직적 범위가 유의성은 없지만 증가하였고(p > 0.141), 측방 범위는 유의성 있게 변화하였다(p<0.0136)

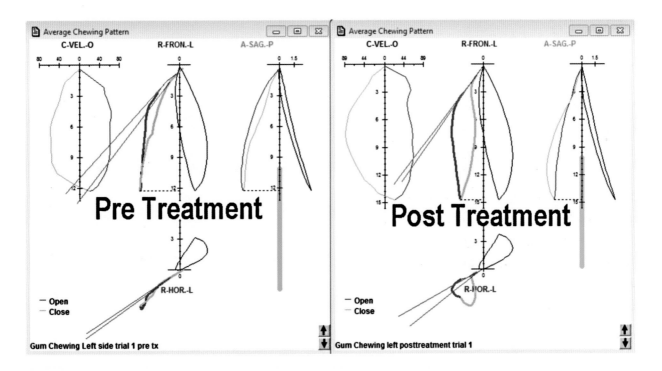

그림 32b 그림 21에 제시된 환자의 좌측 껌 씹기 양상 치료 전후. 치료 전 ACP(좌측 구획)는 crossbite 때문에 반대로 나타난다. ICAGD 치료 후(우측 구획) ACP가 열리고 더 부드럽고 빠르며 다소 정상적 ACP에 근접하게 나타난다. 유의성 있는 변화는 ACP의 측방 범위에서만 발견된다 (p<0.00001)

153

bite에 의해 속박당해서, 유의성 있는 변화는 일어나지 않았다(p>0.154). 그러나, ACP의 측방 범위는 유의성 있는 변화를 보였다(p<0.00001).

- **우측 ACP**: 치료 후, 우측 ACP도 유의성 있게 변하지는 않았지만(p<0.147), 좀 더 볼록한 폐구 양상을 보였다. 그러나, 측방 범위가 유의성 있게 변하였다(p<0.0136). 여전히 개구 경로가 적응된 좌측 후방 crossbite에 의해 상당히 제한된다.

이 환자에게 시행한 ICAGD 교합 치료로 완벽하게 정상적인 저작 기능을 만들지는 못했지만, 치료 전 저작 상태보다 기록되고 측정될 수 있는 향상을 이루어냈다. 이 증례는 과학 기술을 혼합함으로써 저작 기능의 질을 평가할 수 있다는 것을 보여준다:

- 치료 전, 기능 이상 확인;
- 치료 후, 치료에 의한 개선 측정;
- 어떠한 교합 치료를 시작하기에 앞서 저작 기능의 매우 약화된 크기부터 기능적 측정값을 기록할 수 있다.

치료를 통해서 모든 환자를 완벽한 기능 상태로 만든다는 것은 비현실적인 기대임에도 불구하고, 시행된 치료의 효과를 수량화할 수 있다는 것 자체가 연구자와 임상의에게 특히 가치가 있다. 이처럼, 이 장에 제시된 현대의 교합 과학 기술은 실제 임상에서의 치료 효과를 측정할 수 있게 하고, 그것들을 사용하지 않으면 임상적 치료 효과를 측정할 수 없다.

해결 방안 및 권고 사항

과학 기술은 전통적인 방법을 빠르게 대체하는 새로운 획기적인 발달로 사회의 여러 방면에 영향을 미친다. 의료인은 최신 기술과 진보에 적응하여, 최근 50년에 걸쳐 흔하게 사용되었던 진단적 접근 및 치료 양식에 많은 변화를 가져왔다. 불행하게도 치과 사회에서는, 진단 및 치료 모니터링 기술이 관례대로 매일매일 의료에 이용되고, 진단과 치료 계획에 대한 디지털적 접근은 상당한 저항감에 직면하고 있다.

이용 가능한 진보된 치과 기술(T-Scan, Electromyography (EMG), TMJ Vibration Analysis(JVA), Electrognathography(EGN)) 을 사용하여 진단의 민감성과 특수성을 향상시켜, 치료 과정을 객관적으로 관찰하고 치료 효과를 평가하며 환자 기능과 전체적 구강 건강에 대한 치료 효과를 수량화할 수 있다. 모든 경우에서 TMJ(JVA), 근육계(EMG), 전체 저작 기능(EGN), 교합 이상(T-Scan)에서 발생하는 저작 기능 이상의 존재를 충분하게 파악하여 기록할 수 있다. 치료 시행 후, 저작계 향상의 정도를 평가하기 위해 기능적 수행을 철저하게 재-검사할 수 있다.

디지털 진단 기술은 다음의 특징이 있다:

- 비-침습적,
- 경제적,
- 저작 기능 및 기능 이상의 믿을 수 있는 지표,
- 저작 기능 향상을 성공적으로 평가할 수 있는 가치 있는 가이드.

보스턴의 Tufts University School of Dental Medicine이나 멤피스의 University of Tennessee Dental School과 같은 몇몇 교육 기관, 세계 30여개국의 다른 치과 대학은 디지털 기술과 생체측정 평가를 커리큘럼 내에(주로 졸업반 수준으로) 포함하고 있어서, 어린 학생들이 최신 기술과 진보에 보다 더 수용적이다. 오랜 임상의는 이런 변화에 저항하는 경향이 있는 것 같다. 디지털 진단 기술의 가치, 효용성, 적절성을 강조하기 위한 부단한 노력으로, 많은 저자와 연구가가 치과 사회 내에서 매일의 진단 속으로 필요한 변화를 들여오기 위해 분투해야 한다.

진단 기술의 미래 방향

iPhone이나 iPad(Apple, Cupertino, CA, USA) 등의 회오리 같은 통신의 출현으로, 휴대성과 소형화의 새로운 시대가 의심의 여지없이 새로운 패러다임을 창조할 것이고, 진단이 기술에 의해서만이 아니라 온라인 시스템을 이용한 전문가와의 즉각적인 접근에 의해서도 향상될 것이다. 예전에 했던 것처럼 독자적으로 시행하는 대신, 미래에는 지식과 능력을 연결하고 공유하게 될 것이다.

아마도 과학 기술의 사용을 가로막는 가장 큰 장애물은 학습 과정일 것이다. 새로운 기술을 교육하는 과정이 아직은 충분하게 치과 대학을 뚫고 들어가지 않았다. 치과 교육은 이전 방법을 업그레이드하는 대체적인 치료 기술(임플란트, high-speed handpiece, 세라믹 크라운과 같은)과 대체적 진단 기술(MRI, CBCT 등)을 잘 수용하지만, 새로운 개념을 포함하지는 않고 있다. 그러므로, 치과 교육자는 자신들이 학생 때 배웠던 똑같은 수동(manual) 진단 방법을 가르치는 것이 반복되고 있다. 치과 대학에서 커리큘럼에 변화를 주는 것이 *불가능한 꿈*과 같은 것으로 묘사되고 있는 것으로 보인다.

새로운 기술 사용을 배우는 것은 작동하는 방법을 단순히 이해하는 것 이상이 필요하다. 기술이 수행하는 것과 그것이 제공하는 가치있는 정보를 사용하는 방법을 가르치는 것이 교육에 포함될 필요가 있다. 또한 새로운 정보를 언제, 어떻게 적절하게 사용하는 지에 대해 이해해야 한다. 이런 것들이 기술과 같이 성장하지 않은 오랜 임상의들에게는 벅찬 과제일 수 있을 것이다.

빠르게 변화하는 시나리오에 대한 해결 방안으로, 임상의가 입증된 프로토콜을 기반으로 한 데이터를 수집하여 필요한 곳에서 온라인 전문가 자문 능력을 구축하는 것을 생각할 수 있다. 이 데이터는 온라인 분석을 위한 중앙 처리 영역으로 전송될 것이다. 연구 보고서 같은 것이 치료 권고 사항과 같이 임상의에게 돌아오게 될 것이다. 이것을 통해 기술 학습 과정을 상당히 감소시키고, 임상의에게 새로운 기술을 사용하도록 더욱 빠르고 간단하게 동기 부여를 제공할 수 있다.

결론

오늘날 사용 가능한 새로운 진단 및 치료 평가 기술은 심오한 가치와 수량화된 정보를 추가하여, 임상의가 더 정확한 진단을 내릴 수 있게 도와주고 환자 치료 결과에 대한 평가를 향상시킬 수 있다. 디지털 기술 응용에 대한 저항감은 비용이나 복잡성 때문이 아니라, 급격한 학습 과정과 새로운 방법이나 개념에 대한 막연한 선입견 때문이다. 이런 기술적 돌파구가 좀 더 시술-지식적이고 현재 훈련된 임상의들 사이에서 희망적으로 사용이 지속되고 증가할 것이다. 시간의 흐름과 지속적인 노력으로, 현재의 저항감에도 불구하고, 진단 및 치료 모니터링 기술은 치과 내에서 지속적으로 팽창하게 될 것이다.

참고문헌

- Ahlgren, J., & Posselt, U. (1963). Need of functional analysis and selective grinding in orthodontics: A clinical and electro-myographic study. *Acta Odontologica Scandinavica, 21*(6), 187-226.
- Alencar, F. Jr., & Becker, A. (2009). Evaluation of different occlusal splints and counseling in the management of myofascial pain dysfunction. *Journal of Oral Rehabilitation, 36*(2), 79-85.
- American Dental Association. (1983). Report of the president's conference on the examination, diagnosis, and management of temporomandibular disorders. *Journal of the American Dental Association, 106*(1), 75-77.
- Atkinson, H. F. (1976). Research into mastication. *Australian Dental Journal, 21*(1),23-29.
- Biller, B. M., Samuels, M. H., Zagar, A., Cook, D. M., Arafah, B. M., Bonert, V., Stavrou, S., Kleinberg, D. L., Chipman, J. J., & Hartman, M.L. (2002). Sensitivity and specificity of six tests for the diagnosis of adult GH deficiency. *Journal of Clinical Endocrinology and Metabolism, 87*(5), 2067-2079.
- Brenman, H.S., Black, M.A., & Coslet, J.G. (1968). Interrelationship between the electromyographic silent period and dental occlusion. *Journal of Dental Research, 47*(3), 502.
- Carey, J.P., Craig, M., Kerstein, R.B., & Radke, J. (2007). Determining a relationship between applied occlusal load and articulation paper mark area. *The Open Dental Journal, 1*,1-7
- Carr, L.T. (1994). The strengths and weaknesses of quantitative and qualitative research: What method for nursing? *Journal of Advanced Nursing, 20*(4), 716-721.
- Christensen, L.V. (1989). Reliability of maximum static work efforts by the human masseter muscle. *American Journal of Orthodontics and Dentofacial Orthopedics, 95*(1), 42-45.
- Christensen, L.V., & Rassouli, N.M. (1995). Experimental occlusal interferences. Part I. A review. *Journal of Oral Rehabilitation, 22*(7), 515-520.

- Dimitri, P.S., Wall, C. 3rd, & Oas, J.G. (1996). Classification of human rotation test results using parametric modeling and multivariate statistics. *Acta Otolaryngologica, 116*(4), 497-506.

- Dworkin, S.F. (1991). Illness behavior and dysfunction: review of concepts and application to chronic pain. *Canadian Journal of Physiology and Pharmacology, 69*(5), 662-671.

- Dworkin, S. F., & LeResche, L. (1992). Research diagnostic criteria for temporomandibular disorders: review, criteria, examinations and specifications, critique. *Journal of Craniomandibular Disorders, 6*(4), 301-355.

- Dworkin, S.F., LeResche, L., & Von Korff, M.R. (1990). Diagnostic studies of temporomandibular disorders: challenges from an epidemiologic perspective. *Anesthesia Progress, 37*(2-3), 147-154.

- Dworkin, S.F., LeResche, L., DeRouen, T., & Von Korff, M. (1990). Assessing clinical signs of temporomandibular disorders: reliability of clinical examiners. *Journal of Prosthetic Dentistry, 63*(5), 574-579.

- Eli, I., Baht, R., Kozlovsky, A., & Simon, H. (2000). Effect of gender on acute pain prediction and memory in periodontal surgery. *European Journal of Oral Science, 108*(2), 99-103.

- Farrar, W.B. (1972). Differentiation of temporomandibular joint dysfunction to simplify treatment. *Journal of Prosthetic Dentistry, 28*,6, 629-636.

- Ferrario, V.F., Sforza, C., D'Addona, A., & Miani, A. Jr. (1991). Reproducibility of electromyographic measures: a statistical analysis. *Journal of Oral Rehabilitation, 18*(6), 513-521.

- Forrester, S.E., Pain, M.T., Presswood, R., & Toy, A. (2009). Do the physical properties of occlusal-indicating media affect muscle activity (EMG) during use? *Texas Dental Journal, 126*(6), 516-525.

- Forrester, S.E., Presswood, R.G., Toy, A.C., & Pain, M.T. (2011). Occlusal measurement method can affect SEMG activity during occlusion. *Journal of Oral Rehabilitation, 38*(9), 655-660.

- Franks, A.S. (1965). The role of electromyography in the diagnosis of complaints about the temporomandibular joint. *Nederlands Tijdschrift voor Tandheelkunde, 72*(1), 1-11.

- Freedman, D. (2000). *Statistical Models: Theory and Practice*. Cambridge, MA: Cambridge University Press.

- Fujii, H., & Mitani, H. (1973). Reflex responses of the masseter and temporal muscles in man.

- *Journal of Dental Research, 52*(5), 1046-1050.

- Gazit, E., Fitzig, S., & Lieberman, M.A. (1986). Reproducibility of occlusal marking techniques. *Journal of Prosthetic Dentistry, 55*,4, 505-509.

- Goodson, J.M., & Johansen, E. (1975). Analysis of human mandibular movement. *Monographs in Oral Science*, 5(1)-80.

- Greene, C.S., Klasser, G.D., & Epstein, J.B. (2010). Revision of the American Association of Dental Research's Science Information Statement about Temporomandibular Disorders. *Journal of the Canadian Dental Association, 76*(a), 115.

- Greene, C.S. (2010a). Managing the care of patients with temporomandibular disorders: A new guideline for care. *Journal of the American Dental Association, 141*(9), 1086-1088.

- Greene, C.S. (2010b). Diagnosis and treatment of temporomandibular disorders: emergence of a new "standard of care". *Quintessence International, 41*(8), 623-624.

- Greene, C.S. (1973). A survey of current professional concepts and opinions about the myofascial pain-dysfunction (MPD) syndrome. *Journal of the American Dental Association,* 86,1, 128-136.

- Greene, C.S., Lerman, M.D., Sutcher, H.D., & Laskin, D.M. (1969). The TMJ pain-dysfunction syndrome: heterogeneity of the patient population. *Journal of the American Dental Association, 79*(5), 1168-1172.

- Grossi, M.L., Goldberg, M.B., Locker, D., & Tenenbaum, H.C. (2008). Irritable bowel syndrome patients versus responding and non-responding temporomandibular disorder patients: a neuro-psychologic profile comparative study. *International Journal of Prosthodontics, 21*(3), 201-209.

- Hamata, M. M., Zuim, P. R. & Garcia, A. R. (2009). Comparative evaluation of the efficacy of occlusal splints fabricated in centric relation or maximum intercuspation in temporomandibular disorders patients. *Journal of Applied Oral Science, 17*(1), 32-38.

- Helkimo, M. (1974). Studies on function and dysfunction of the masticatory system. II. Index for anamnestic and clinical dysfunction and occlusal state. *Svensk Tandlakare Tidskrift, 67*(2), 101-121.

- Iino, M., Takamatsu, T., Mizukami, Y., Bando, S., Kato, Y., Nakagawa, H., Kowashi, Y., & Kato, H. (1989). Silent period and initial occlusal sliding time in patients with premature contacts. *Nihon Shishubyo Gakkai Kaishi, 31*(4), 1130-1137.

• Kerstein, R.B. (1992). Disclusion time reduction therapy with immediate complete anterior guidance development, the technique. *Quintessence International, 23*,735-747.

• Kerstein, R.B., & Grundset, K. (2001). Obtaining Bilateral Simultaneous Occlusal Contacts With Computer Analyzed and Guided Occlusal Adjustments. Quintessence International, *32*, 7-18.

• Kerstein, R.B. (1999). Computerized occlusal management of a fixed/detachable implant prosthesis. *Practical Periodontics Aesthetic Dentistry, 11*(9), 1093-1102.

• Kerstein, R.B., Lowe, M., Harty, M.,& Radke, J. (2006). A force reproduction analysis of two recording sensors of a computerized occlusal analysis system. *Journal of Craniomandibular Practice, 24*(1), 15-24.

• Kerstein, R.B., & Radke, J. (2013). Clinician accuracy when subjectively interpreting articulating paper markings. *The Journal of Craniomandibular & Sleep Practice, 32*(1), 13-23.

• Kerstein, R., & Radke, J. (2014 in Press). Analysis of masticatory muscle activity pre and post immediate complete anterior guidance development. *Journal of Craniomandibular and Sleep Practice.*

• Koh, H., & Robinson, P.G. (2004). Occlusal adjustment for treating and preventing temporomandibular joint disorders. *Journal of Oral Rehabilitation, 31*(4), 287-292.

• Koole, P. (1998). *Masticatory muscle function: A multichannel electromyographic investigation.* Groningin, Netherlands: Self Published.

• Korszun, A., Papadopoulos, E., Demitrack, M., Engleberg, C., & Crofford, L. (1998). The relationship between temporomandibular disorders and stress-associated syndromes. *Oral Surgery Oral Medicine Oral Pathology Oral Radiology and Endodontics, 864*, 416-420.

• Kuwahara, T., Miyauchi, S., & Maruyama, T. (1990). Characteristics of condylar movements during mastication in stomatognathic dysfunction. *International Journal of Prosthodontics, 3*(6), 555-566.

• Kuwahara, T., Miyauchi, S., & Maruyama, T. (1992). Clinical classification of the patterns of mandibular movements during mastication in subjects with TMJ disorders. *International Journal of Prosthodontics, 5*(2), 122-129.

• Laskin, D.M. (1970). Etiology of the myofascial pain-dysfunction syndrome. *Journal of the Massachusetts Dental Society, 19*(4), 227-228.

• Lenton, P., Garfinkel, L., Huggins, K.H., Jackson, A., Look, J., Pan, W., Orbach, R., Truelove, E., & Schiffman, E. (2007, March). *Examiner reliability for the RDC/TMD group I myofascial pain diagnoses.* Paper presented at the meeting of the International Association for Dental Research, New Orleans, LA.

• Lewin, A., Lemmer, J., & van Rensburg, L.B. (1976). The measurement of jaw movement. Part II. *Journal of Prosthetic Dentistry, 36*(3), 312-318.

• Liebman, F.M., & Kussick, L. (1966). Relationship between force, velocity, and integrated electrical activity in the masticatory muscles of man: normal and abnormal occlusions. *Journal of Dental Research, 45*(6), 1752-1761.

• Look, J.O., Tai, F., Haugan, M., & Schiffman, E. (2007, March). *A prediction model for detection of TMJ intra-articular disorders.* Paper presented at the meeting of the International Association for Dental Research, New Orleans, LA.

• Lund, J.P., Widmer, C.G. & Feine, J.S. (1995). Validity of diagnostic and monitoring tests used for temporomandibular disorders. *Journal of Dental Research, 74*(4), 1133-1143.

• Manfredini, D., Cocilovo, F., Favero, L., Ferronato, G., Tonello, S., & Guarda-Nardini, L. (2011). Surface electromyography of jaw muscles and kinesiographic recordings: diagnostic accuracy for myofascial pain. *Journal of Oral Rehabilitation, 38*(11), 791-799.

• McNamara, D. C. (1977). Occlusal adjustment for a physiologically balanced occlusion. *Journal of Prosthetic Dentistry, 38*(3), 284-293.

• McNeill, C., Danzig, W.M., Farrar, W.B., Gelb, H., Lerman, M.D., Moffett, B.C., Pertes, R., Solberg, W.K., & Weinberg, L.A. (1980). Position paper of the American Academy of Craniomandibular Disorders: Craniomandibular (TMJ) disorders--the state of the art. *Journal of Prosthetic Dentistry, 44*(4), 434-437.

• Mitani, H., Yamashita, A., Fujii, H., Kato, H., & Koizumi, T. (1974).

On the power-spectra of the surface electromyograms of masticatory muscles. *Journal of Osaka Dental University, 8*(1-2), 8-18.

• Mushimoto, E. (1981). The role in masseter muscle activities of functionally elicited periodontal afferents from abutment teeth under overdentures. *Journal of Oral Rehabilitation, 8*(5), 441-455.

• Naeije, M., Kalaykova, S., Visscher, C.M., & Lobbezoo, F. (2009). Evaluation of the Research Diagnostic Criteria for Temporomandibular Disorders for the recognition of an anterior disc displacement with reduction. *Journal of Orofacial Pain, 23*(4), 303-311.

• Okeson, JP. (Ed.). *Orofacial Pain: Guidelines for assessment, diagnosis and management*. Chicago, IL: Quintessence, Inc.

• Ohrbach, R., Sherman, J., Michalovic, S., Dworkin, S.F., Schiffman, E., Truelove, E., & Turner, J. (2007, March). *Validity of RDC/TMD Axis II: Identifying psychiatric morbidity.* Paper presented at the meeting of the International Association for Dental Research, New Orleans, LA.

• Pollack, C.V., & Panacek, E.A. (2000). Basics of Research – Part 4B: Sample size, data collection and bias. *Hong Kong Journal of Emergency Medicine, 7*(1), 51-56.

• Qadeer, S., Kerstein, R.B., Kim, R.J.Y., Huh, J.B., & Shin, S.W. (2012). Relationship between articulation paper mark size and percentage of force measured with computerized occlusal analysis. *Journal of Advanced Prosthodontics, 4*, 7-12.

• Reid, K.I., & Greene, C.S., (2013). Diagnosis and treatment of temporomandibular disorders: an ethical analysis of current practices. *Journal of Oral Rehabilitation, 40*(7), 546-561.

• Saitoh, I., Yamada, C., Hayasaki, H., Maruyama, T., Iwase, Y., & Yamasaki, Y., (2010). Is the reverse cycle during chewing abnormal in children with primary dentition? *Journal of Oral Rehabilitation, 37*(1), 26-33.

• Salé, H., Hedman, L., & Isberg, A. (2010). Accuracy of patients' recall of temporomandibular joint pain and dysfunction after experiencing whiplash trauma: a prospective study. *Journal of the American Dental Association, 141*(7), 879-886.

• Saad, M. N., Weiner. G., Ehrenberg, D., & Weiner, S. (2008). Effects of load and indicator type upon occlusal contact markings.

Journal of Biomedical Materials Research Part B, 85(1),18-22.

• Schiffman, E., Truelove, E., Ohrbach, R., Gonzalez, Y., Anderson, G., Jackson, A., Lenton, P., Pan, W., & Look, J. (2007, March). *Diagnostic validity of current and revised RDC/TMD myofascial pain diagnoses.* Paper presented at the meeting of the International Association for Dental Research, New Orleans, LA.

• Sforza, C., Rosati, R., De Menezes, M., Musto, F., & Toma, M. (2011). EMG analysis of trapezius and masticatory muscles: experimental protocol and data reproducibility. *Journal of Oral Rehabilitation, 38*(9), 648-654.

• Shimshak, D.G., & DeFuria, M.S. (1998). Health care utilization by patients with temporomandibular disorders. *Journal of Craniomandibular Practice, 16*(3), 185-193.

• Sisk, A.L., Grover, B., & Steflik. D.E. (1991). Long-term memory of acute postsurgical pain. *Journal of Oral and Maxillofacial Surgery, 49*(4), 353-358.

• Sohn, B. W., Miyawaki, S., Noguchi, H., & Takada, K. (1997). Changes in jaw movement and jaw closing muscle activity after orthodontic correction of incisor crossbite. *American Journal of Orthodontics and Dentofacial Orthopedics, 112*(4), 403-409.

• Stuart, C.E. (1973). The contributions of gnathology to prosthodontics. *Journal of Prosthetic Dentistry, 30*(4), Pt. 2, 607-608.

• Schelb, E., Kaiser, D.A., & Brukl, C.E. (1985). Thickness and marking characteristics of occlusal registration strips: *Journal of Prosthetic Dentistry. 54*,122-126.

• Takada, K., Nagata, M., Miyawaki, S., Kuriyama, R., Yasuda, Y., & Sakuda, M. (1992). Automatic detection and measurement of EMG silent periods in masticatory muscles during chewing in man. *Electromyography and Clinical Neurophysiology, 32*(10-11), 499-505.

• Thompson, J.R. & Graddock, F.W. (1949). Functional analysis of occlusion. *Journal of the American Dental Association, 39*(4), 404-406.

• Torii, K. (1989). Analysis of rotation centers of various mandibular closures. *Journal of Prosthetic Dentistry, 61*(3), 285-291.

• Torii, K., & Chiwata, I. (2010). Occlusal adjustment using the bite plate-induced occlusal position as a reference position for temporomandibular disorders: a pilot study. *Head & Face*

Medicine, 6, 5.

- Toro, A., Buschang, P.H., Throckmorton, G., & Roldán, S. (2006). Masticatory performance in children and adolescents with Class I and II malocclusions. *European Journal of Orthodontics, 28*(2), 112-119.

- Truelove, E., Sommers, E., Huggins, K.H., Schiffman, E., Ohrbach, R., Look, J.O., & Pan, W. (2007, March). *Diagnostic validity of current and revised RDC/TMD protocols for arthralgia.* Paper presented at the meeting of the International Association for Dental Research, New Orleans, LA.

- Truelove, E., Huggins, K.H., Mancl, L., & Dworkin, S.F. (2006). The efficacy of traditional, low-cost and non-splint therapies for temporomandibular disorder: a randomized controlled trial. *Journal of the American Dental Association, 137*(8), 1099-1107.

- Von Korff, M., Ormel, J., Keefe, F.J., & Dworkin, S.F. (1992). Grading the severity of chronic pain. *Pain. 50*(2), 133-149.

- Wahlund, K., List, T., & Dworkin, S.F. (1998). Temporomandibular disorders in children and adolescents: reliability of a questionnaire, clinical examination, and diagnosis. *Journal of Orofacial Pain.* 12(1), 42-51.

- Weisengreen, H., & Elliott, H.W. (1963). Electromyography in patients with orofacial pain. *Journal of the American Dental Association, 67*(12), 798-804.

- Wiese, M., Wenzel, A., Hintze, H., Petersson, A., Knutsson, K., Bakke, M., List, T., & Svensson, P. (2008). Osseous changes and condyle position in TMJ tomograms: Impact of RDC/TMD clinical diagnoses on agreement between expected and actual findings. *Oral Surgery, Oral Medicine, Oral Pathology, Oral Radiology and Endodontics, 106*(2), e52-63.

- Winocur, E., Reiter, S., Krichmer, M., & Kaffe, I. (2010). Classifying degenerative joint disease by the RDC/TMD and by panoramic imaging: A retrospective analysis. *Journal of Oral Rehabilitation. 37*(3), 171-177.

- Witter, D.J., Woda, A., Bronkhorst, E.M., & Creugers, N.H., (2013). Clinical interpretation of a masticatory normative indicator analysis of masticatory function in subjects with different occlusal and prosthodontic status. *Journal of Dentistry, 41*(5),443-448.

- Woda, A., Nicolas, E., Mishellany-Dutour, A., Hennequin, M., Mazille, M.N., Veyrune, J.L., & Peyron, M.A., (2010). The masticatory normative indicator. *Journal of Dental Research, 89*(3), 281-285.

- Yarnitsky, D., Sprecher, E., Zaslansky, R., & Hemli, J.A. (1996). Multiple session experimental pain measurement. *Pain, 67*(2-3), 327-333.

- End Notes:
- The figures 1 – 20 are all captured from the BioPAKTM computer program, © 2013 BioResearch Associates, Inc. Milwaukee, WI 53223.
- The figures 18 and 19 are captured from the T-Scan® Program, © 2013 Tekscan, Inc., South Boston, MA.

추가문헌

- Abrão, A. F., Paiva, G., Weffort, S. Y., & de Fantini, S. M. (2011). Clinical exam and electrovibratography detecting articular disk displacement: a comparative study. *Journal of Craniomandibular Practice, 29*(4), 270-275.

- Acosta-Ortiz, R., Schulte, J. K., Sparks, B., & Marsh, W. (2004). Prediction of different mandibular activities by EMG signal levels. *Journal of Oral Rehabilitation, 31*(5), 399-405.

- Alarcón, J. A., Martín, C., Palma, J. C., & Menéndez-Núñez, M. (2009). Activity of jaw muscles in unilateral cross-bite without mandibular shift. *Archives of Oral Biology, 54*(2), 108-114.

- Anderson, K., Throckmorton, G. S., Buschang, P. H., & Hayasaki, H. (2002). The effects of bolus hardness on masticatory kinematics. *Journal of Oral Rehabilitation, 29*(7), 689-696.

- Ardizone, I., Celemin, A., Aneiros, F., del Rio, J., Sanchez, T., & Moreno, I. (2010). Electromyographic study of activity of the masseter and anterior temporalis muscles in patients with temporomandibular joint (TMJ) dysfunction: comparison with the clinical dysfunction index. *Medicina Oral Patologia Oral Cirugia Bucal, 1*(15), 1, e14-19.

- Baad-Hansen, L., Jadidi, F., Castrillon, E., Thomsen, P. B., & Svensson, P. (2007). Effect of a nociceptive trigeminal inhibitory splint on electromyographic activity in jaw closing muscles during sleep. *Journal of Oral Rehabilitation*, *34*(2), 105-111.

- Bakke, M., Møller, E., Thomsen, C. E., Dalager, T., & Werdelin, L. M. (2007). Chewing in patients with severe neurological impairment. *Archives of Oral Biology*, *52*(4),399-403.

- Botelho, A. L., Silva, B. C., Gentil, F. H., Sforza, C., & da Silva, M. A. (2010). Immediate effect of the resilient splint evaluated using surface electromyography in patients with TMD. *Journal of Craniomandibular Practice, 28*(4), 266-273.

- Burnett, C. A., & Clifford, T. J. (1999). The mandibular speech envelope in subjects with and without incisal tooth wear. *International Journal of Prosthodontics*, *12*(6), 514-518.

- Carlson, C. R., Okeson, J. P., Falace, D. A., Nitz, A. J., & Lindroth, J. E. (1993). Reduction of pain and EMG activity in the masseter region by trapezius trigger point injection. *Pain*, *55*(3), 397-400.

- Castroflorio, T., Icardi, K., Torsello, F., Deregibus, A., Debernardi, C., & Bracco, P. (2005). Reproducibility of surface EMG in the human masseter and anterior temporalis muscle areas. *Journal of Craniomandibular Practice*, *23*(2), 130-137.

- Cecere, F., Ruf, S., & Pancherz, H. (1996). Is quantitative electromyography reliable? *Journal of Orofacial Pain*, *10*(1), 38-47.

- Celebic, A., Alajbeg, Z. I., Kraljevic-Simunkovic, S., & Valentic-Peruzovic, M. (2007). Influence of different condylar and incisal guidance ratios to the activity of anterior and posterior temporal muscle. *Archives of Oral Biology*, *52*(2), 142-148.

- Ciavarella, D., Mastrovincenzo, M., Sabatucci, A., Parziale, V., Granatelli, F., Violante, F., & Chimenti, C. (2010). Clinical and computerized evaluation in study of temporomandibular joint intracapsular disease. *Minerva Stomatologia*, *59*(3), 89-101.

- Combadazou, J. C., Combelles, R., & Cadenat, H. (1990). The value of mandibular kinesiography and of T-Scanning in the diagnosis and treatment of algo-dysfunctional syndrome of the temporomandibular joint. *Revue de Stomatologie et de Chirurgie Maxillo-faciale*, *91*(2), 86-91.

- De Felício, C. M., Sidequersky, F. V., Tartaglia, G. M., & Sforza, C. (2009). Electromyographic standardized indices in healthy Brazilian young adults and data reproducibility. *Journal of Oral Rehabilitation*, *36*(8), 577-583.

- De Oliveira Serrano, P., Cavalcante, L. M., Del Bel Cury, A. D., Bovi Ambrosano, G. M., & Rodrigues Garcia, R. C. (2008). Effect

of incisal tooth wear and restoration on interocclusal distance during Brazilian Portuguese language speech. *Minerva Stomatologica*, *57*(6), 301-308.

- De Rossi, M., De Rossi, A., Hallak, J. E., Vitti, M., & Regalo, S. C. (2009). Electromyographic evaluation in children having rapid maxillary expansion. *American Journal of Orthodontics and Dentofacial Orthopedics*, *136*(3), 355-360.

- de Souza, R. F., & Compagnoni, M. A. (2004). Relation between speaking space of the /s/ sound and freeway space in dentate and edentate subjects. *Brazilian Oral Research*, *18*(4), 333-337.

- Farias Gomes, S.G., Custodio, W., Moura Jufer, J. S., Del Bel Cury, A. A., & Rodrigues Garcia, R. C. (2010). Correlation of mastication and masticatory movements and effect of chewing side preference. *Brazilian Dental Journal*, *21*(4), 351-355.

- Ferrario, V. F., Sforza, C., Colombo, A., & Ciusa, V. (2000). An electromyographic investigation of masticatory muscles symmetry in normo-occlusion subjects. *Journal of Oral Rehabilitation*, *27*(1), 33-40.

- Ferrario, V. F., Sforza, C., Miani, A. Jr., Serrao, G., & Tartaglia, G. (1996). Open-close movements in the human temporomandibular joint: does a pure rotation around the intercondylar hinge axis exist? *Journal of Oral Rehabilitation*, *23*(6), 401-408.

- Ferrario, V. F., Sforza, C., Miani, A., & Serrao, G. (1992). Kinesiographic three-dimensional evaluation of mandibular border movements: a statistical study in a normal young non-patient group. *Journal of Prosthetic Dentistry*, *68*(4), 672-676.

- Ferrario, V.F., Piancino, M. G., Dellavia, C., Castroflorio, T., Sforza, C., & Bracco, P. (2006). Quantitative analysis of the variability of unilateral chewing movements in young adults. *Journal of Craniomandibular Practice*, *24*(4), 274-782.

- Fresno, M. J., Miralles, R., Valdivia, J., Fuentes, A., Valenzuela, S., Ravera, M. J., & Santander. H. (2007). Electromyographic evaluation of anterior temporal and suprahyoid muscles using habitual methods to determine clinical rest position. *Journal of Craniomandibular Practice*, *25*(4), 257-263.

- Goodson, J. M., & Johansen, E. (1975). Analysis of human mandibular movement. *Monographs in Oral Science*, *5*, 1-80.

- Garcia, A. R., Folli, S., Zuim, P. R., & de Sousa, V. (2008). Mandible protrusion and decrease of TMJ sounds: an electrovibratographic examination. *Brazilian Dental Journal*, *19*(1), 77-82.

- Garcia, A. R., Madeira, M. C., Paiva, G., & Olivieri, K. A. (2000). Joint vibration analysis in patients with articular inflammation. *Journal of Craniomandibular Practice*, *18*(4), 272-279.

- Goiato, M. C., Garcia, A. R., dos Santos, D. M., & Pesqueira, A. A. (2010). TMJ vibrations in asymptomatic patients using old and new complete dentures. *Journal of Prosthodontics*, *19*(6), 438-442.

- Hashii, K., Tomida, M., & Yamashita, S. (2009). Influence of changing the chewing region on mandibular movement. *Australian Dental Journal*, *54*(1), 38-44.

- Honda, K., Natsumi, Y., & Urade, M. (2008). Correlation between MRI evidence of degenerative condylar surface changes, induction of articular disc displacement and pathological joint sounds in the temporomandibular joint. *Gerodontology*, *25*(4), 251-257.

- Huang, Z. S., Lin, X. F., & Li, X. L. (2011). Characteristics of temporomandibular joint vibrations in anterior disk displacement with reduction in adults. *Journal of Craniomandibular Practice*, *29*(4), 276-283.

- Hwang, I. T., Jung, D. U., Lee, J. H., & Kang, D. W. (2009). Evaluation of TMJ sound on the subject with TMJ disorder by Joint Vibration Analysis. *Journal of Advanced Prosthodontics, 1*(1), 26-30.

- Ishigaki, S., Bessette, R. W., & Maruyama, T. (1994). Diagnostic accuracy of TMJ vibration analysis for internal derangement and/or degenerative joint disease. *Journal of Craniomandibular Practice*, 12(4), 241-245.

- Ishigaki, S., Bessette, R. W., & Maruyama, T. (1993). Vibration analysis of the temporomandibular joints with degenerative joint disease. *Journal of Craniomandibular Practice*, *11*(4), 276-283.

- Ishigaki, S., Bessette, R. W., & Maruyama, T. (1993). Vibration analysis of the temporomandibular joints with meniscal displacement with and without reduction. *Journal of Craniomandibular Practice*, *11*(3), 192-201.

- Ishigaki, S., Bessette, R. W., & Maruyama, T. (1993). Vibration of the temporomandibular joints with normal radiographic imagings: comparison between asymptomatic volunteers and symptomatic patients. *Journal of Craniomandibular Practice*, *11*(2), 88-94.

- Ishigaki, S., Kurozumi, T., Morishige, E., & Yatani, H. (2006). Occlusal interference during mastication can cause pathological tooth mobility. *Journal of Periodontal Research*, *41*(3),189-192.

- Ishigaki, S., Nakamura, T., Akanishi, M., & Maruyama, T. (1989). Clinical classification of maximal opening and closing movements. *International Journal of Prosthodontics*, *2*(2), 148-154.

- Kamyszek, G., Ketcham, R., Garcia, Jr., R., & Radke, J. (2001). Electromyographic evidence of reduced muscle activity when ULF-TENS is applied to the Vth and VIIth cranial nerves. *Journal of Craniomandibular Practice, 19*(3), 162-168.

- Katase-Akiyama, S., Kato, T., Yamashita, S., Masuda, Y., & Morimoto, T. (2009). Specific increase in non-functional masseter bursts in subjects aware of tooth-clenching during wakefulness. *Journal of Oral Rehabilitation, 36*(2), 93-101.

- Kecik, D., Kocadereli, I., & Saatci, I. (2005). Condylar disc relationships and vibration energy in asymptomatic class I 9- to 12-year olds. *The Angle Orthodontist*, *75*(1), 54-62.

- Kerstein, R. B. (2010). Reducing chronic masseter and temporalis muscular hyperactivity with computer-guided occlusal adjustments. *Compendium of Continuing Education in Dentistry*, *31*(7), 530-534, 536, 538 passim.

- Kerstein, R. B. (2004). Combining technologies: a computerized occlusal analysis system synchronized with a computerized electromyography system. *Journal of Craniomandibular Practice*, *22*(2), 96-109.

- Kerstein, R. B., & Radke, J. (2012). Masseter and temporalis excursive hyperactivity decreased by measured anterior guidance development. *Journal of Craniomandibular Practice*, *30*(4), 243-254.

- Kerstein, R. B., & Wright, N. R. (1991). Electromyographic and computer analyses of patients suffering from chronic myofascial pain-dysfunction syndrome: before and after treatment with immediate complete anterior guidance development. *Journal of Prosthetic Dentistry*, *66*(5), 677-686.

- Kim, S. K., Kim, K. N., Chang, I. T., & Heo, S. J. (2001). A study of the effects of chewing patterns on occlusal wear. *Journal of*

Oral Rehabilitation, 28(11), 1048-1055.

• Kimoto, K., Fushima, K., Tamaki, K., Toyoda, M., Sato, S., & Uchimura, N. (2000). Asymmetry of masticatory muscle activity during the closing phase of mastication. Journal of Craniomandibular Practice, 18(4), 257-263.

• Kobayashi, Y., Shiga, H., Yokoyama, M., Arakawa, I., & Nakajima, K. (2009). Differences in masticatory function of subjects with different closing path. Journal of Prosthodontic Research, 53(3), 142-145.

• Komiyama, O., Wang, K., Svensson, P., Arendt-Nielsen, L., & De Laat A. (2006). Reproducibility of the masseteric exteroceptive suppression period using stimulus-response curves. Journal of Oral Rehabilitation, 33(10), 741-748.

• Kubota, N., Hayasaki, H., Saitoh, I., Iwase, Y., Maruyama, T., Inada, E., & Yamasaki, Y. (2010). Jaw motion during gum-chewing in children with primary dentition. Journal of Craniomandibular Practice, 28(1), 19-29.

• Kuwahara, T., Bessette, R. W., & Maruyama T. (1995). Chewing pattern analysis in TMD patients with and without internal derangement: Part I. Journal of Craniomandibular Practice, 13(1), 8-14.

• Kuwahara, T., Bessette, R. W., & Maruyama, T. (1995). Chewing pattern analysis in TMD patients with and without internal derangement: Part II. Journal of Craniomandibular Practice, 13(2), 93-98.

• Kuwahara, T., Bessette, R. W., & Maruyama, T. (1996). Characteristic chewing parameters for specific types of temporomandibular joint internal derangements. Journal of Craniomandibular Practice, 14(1), 12-22.

• Kuwahara, T., Bessette, R. W., & Maruyama, T. (1995). Chewing pattern analysis in TMD patients with unilateral and bilateral internal derangement. Journal of Craniomandibular Practice, 13(3), 167-172.

• Kuwahara, T., Miyauchi, S., & Maruyama, T. (1992). Clinical classification of the patterns of mandibular movements during mastication in subjects with TMJ disorders. International Journal of Prosthodontics, 5(2), 122-129.

• Kuwahara, T., Yoshioka, C., Ogawa, H., & Maruyama, T. (1994). Effect of malocclusion on mandibular movement during

speech. International Journal of Prosthodontics, 7(3), 264-270.

• Learreta, J. A., Beas, J., Bono, A. E., & Durst, A. (2007). Muscular activity disorders in relation to intentional occlusal interferences. Journal of Craniomandibular Practice, 25(3), 193-199.

• Lepley, C., Throckmorton, G., Parker, S., & Buschang, P.H. (2010). Masticatory performance and chewing cycle kinematics-are they related? The Angle Orthodontist, 80(2), 295-301.

• Lin, X. F., Li, S.H., Huang, Z. S., & Wu, X. Y. (2010). Relationship between occlusal plane and masticatory path in youth with individual normal occlusion. Zhonghua Kou Qiang Yi Xue Za Zhi, 45(6), 370-375.

• Li, X., Lin, X., & Wang, Y. (2009). Temporomandibular joint vibration in bruxers. Journal of Craniomandibular Practice, 27(3), 167-173.

• Liu, Z. J., Yamagata, K., Kasahara, Y., & Ito, G. (1999). Electromyographic examination of jaw muscles in relation to symptoms and occlusion of patients with temporomandibular joint disorders. Journal of Oral Rehabilitation, 26(1), 33-47.

• Mazzetto, M. O., Hotta, T. H., Carrasco, T. G., & Mazzetto, R. G. (2008). Characteristics of TMD noise analyzed by electrovibratography. Journal of Craniomandibular Practice, 26(3), 222-228.

• Mazzeto, M. O., Hotta, T. H., & Mazzetto, R. G. (2009). Analysis of TMJ vibration sounds before and after use of two types of occlusal splints. Brazilian Dental Journal, 20(4), 325-330.

• Mioche, L., Bourdiol, P., Martin, J. F., & Noël, Y. (1999). Variations in human masseter and temporalis muscle activity related to food texture during free and side-imposed mastication. Archives of Oral Biology, 44(12), 1005-1012.

• Montgomery, M. W., Shuman, L., & Morgan, A. (2010). Joint vibration analysis in routine restorative dentistry. Dentistry Today. 29(9), 94, 96-97.

• Murakami, T., Harada, T., Abe, K., & Tanaka, T. (2000). Masticatory movement in two cases with unusual alignment of the maxillary canine. Journal of Oral Rehabilitation, 27(4), 317-331

• Olivieri, K. A., Garcia, A. R., Paiva, G., & Stevens, C. (1999). Joint vibrations analysis in asymptomatic volunteers and symptomatic patients. Journal of Craniomandibular Practice, 17(3), 176-183.

• Ono, T., Iwata, H., Hori, K., Tamine, K., Kondoh, J., Hamanaka, S.,

& Maeda, Y. (2009). Evaluation of tongue-, jaw-, and swallowing-related muscle coordination during voluntarily triggered swallowing. International *Journal of Prosthodontics*, *22*(4), 493-498.

• Ohrbach, R., Markiewicz, M.R., & McCall, W.D., Jr. Waking-state oral parafunctional behaviors: specificity and validity as assessed by electromyography. *European Journal of Oral Sciences*, *116*(5), 438-444.

• Piancino, M. G., Farina, D., Talpone, F., Merlo, A., & Bracco, P. (2009). Muscular activation during reverse and non-reverse chewing cycles in unilateral posterior crossbite. *European Journal of Oral Sciences*, *117*(2), 122-128.

• Pinho, J. C., Caldas, F. M., Mora, M. J., & Santana-Penín, U. (2000). Electromyographic activity in patients with temporomandibular disorders. *Journal of Oral Rehabilitation*, *27*(11), 985-990.

• Radke, J., Garcia, R. Jr., & Ketcham, R. (2001). Wavelet transforms of TM joint vibrations: a feature extraction tool for detecting reducing displaced disks. *Journal of Craniomandibular Practice, 19*(2), 84-90.

• Radke, J. C., & Kull, R. S. (2012). Distribution of temporomandibular joint vibration transfer to the opposite side. *Journal of Craniomandibular Practice*, *30*(3), 194-200.

• Radke, J. C., Ketcham, R., Glassman, B., & Kull, R. (2003). Artificial neural network learns to differentiate normal TMJs and non-reducing displaced disks after training on incisor-point chewing movements. *Journal of Craniomandibular Practice*, *21*(4), 259-264.

• Ries, L. G., Alves, M. C., & Bérzin, F. (2008). Asymmetric activation of temporalis, masseter, and sternocleidomastoid muscles in temporomandibular disorder patients. *Journal of Craniomandibular Practice*, *26*(1), 59-64.

• Rodrigues Garcia, R. C., Oliveira, V. M., & Del Bel Cury, A. A. (2003). Effect of new dentures on inter-occlusal distance during speech. *International Journal of Prosthodontics*, *16*(5), 533-537.

• Rohida, N. S., & Bhad, W. (2010). A Clinical, MRI, And EMG Analysis Comparing The Efficacy Of Twin Blocks And Flat Occlusal Splints In The Management Of Disc Displacements With Reduction. *World Journal of Orthodontics, 11*(3), 236-244.

• Rossetti, L. M., Pereira de Araujo Cdos, R., Rossetti, P. H., & Conti, P. C. Association between rhythmic masticatory muscle activity during sleep and masticatory myofascial pain: a polysomnographic study. *Journal of Orofacial Pain*, *22*(3), 190-200.

• Savabi, O., Nejatidanesh, F., & Khosravi, S. (2007). Effect of occlusal splints on the electromyographic activities of masseter and temporal muscles during maximum clenching. *Quintessence International*, *38*(2), e129-32.

• Serrano Pde, O., Faot, F., Del Bel Cury, A. A., & Rodrigues Garcia, R. C. (2008). Effect of dental wear, stabilization appliance and anterior tooth reconstruction on mandibular movements during speech. *Brazilian Dental Journal*, *19*(2), 151-158.

• Sforza, C., Zanotti, G., Mantovani, E,. & Ferrario, V. F. (2007). Fatigue in the masseter and temporalis muscles at constant load. *Journal of Craniomandibular Practice*, *25*(1), 30-36.

• Sforza, C., Peretta, R., Grandi, G., Ferronato, G., & Ferrario, V. F. (2008). Soft tissue facial planes and masticatory muscle function in skeletal Class III patients before and after orthognathic surgery treatment. *Journal of Oral and Maxillofacial Surgery*, *66*(4), 691-698.

• Sierpińska, T., Gołebiewska, M., & Długosz, J. W. (2006). The relationship between masticatory efficiency and the state of dentition at patients with non-rehabilitated partial loss of teeth. *Advances in Medical Science*, *51*(Suppl 1), 196-199.

• Sierpinska, T., Golebiewska, M., & Lapuc, M. (2008). The effect of mastication on occlusal parameters in healthy volunteers. *Advances in Medical Science*, *53*(2), 316-320.

• Suzuki, E., Ishigaki, S., Yatani, H., Morishige, E., & Uchida, M. (2010). Mean power frequency during speech in myalgia patients. *Journal of Oral Rehabilitation*, *37*(9), 692-697.

• Tartaglia, G. M., Testori, T., Pallavera, A., Marelli, B., & Sforza, C. (2008). Electromyographic analysis of masticatory and neck muscles in subjects with natural dentition, teeth-supported and implant-supported prostheses. *Clinical Oral Implants Research*, *19*(10), 1081-1088.

• Tartaglia, G. M., Barozzi, S., Marin, F., Cesarani, A., & Ferrario, V. F. (2008). Electromyographic activity of sternocleidomastoid and masticatory muscles in patients with vestibular lesions. *Journal of Applied Oral Science*, *16*(6), 391-396.

- Tecco, S., Epifania, E., & Festa, F. (2008). An electromyographic evaluation of bilateral symmetry of masticatory, neck and trunk muscles activity in patients wearing a positioner. Journal of Oral Rehabilitation, 35(6), 433-439.
- Tecco, S., Tetè, S., D'Attilio, M., Perillo, L., & Festa, F. (2008). Surface electromyographic patterns of masticatory, neck, and trunk muscles in temporomandibular joint dysfunction patients undergoing anterior repositioning splint therapy. European Journal of Orthodontics, 30(6), 592-597.
- Tsolka, P., Fenlon, M. R., McCullock, A. J., & Preiskel, H. W. (1994). A controlled clinical, electromyographic, and kinesiographic assessment of craniomandibular disorders in women. Journal of Orofacial Pain, 8(1), 80-89
- Vaiman, M., & Eviatar, E. (2009). Surface electromyography as a screening method for evaluation of dysphagia and odynophagia. Head & Face Medicine, 20(5), 9.
- van der Kaaij, N. C., Maillou, P., van der Weijden, J. J., Naeije, M., & Lobbezoo, F. (2009). Reproducible effects of subjectively assessed muscle fatigue on an inhibitory jaw reflex in humans. Archives of Oral Biology, 54(9), 879-883.
- Wang, M. Q., He, J. J., Wang. K., & Svensson, P. (2009). Influence of changing occlusal support on jaw-closing muscle electromyographic activity in healthy men and women. Acta Odontologica Scandinavica, 67(3),187-192.
- Wang, X. R., Zhang, Y., Xing, N., Xu, Y. F., & Wang, M. Q. (2013). Stable tooth contacts in intercuspal occlusion makes for utilities of the jaw elevators during maximal voluntary clenching. Journal of Oral Rehabilitation, 40(5), 319-328.
- Wilding, R. J., & Shaikh, M. (1997). Jaw movement tremor as a predictor of chewing performance. Journal of Orofacial Pain, 11(2), 101-114.
- Wilding, R. J., & Shaikh, M. (1997). Muscle activity and jaw movements as predictors of chewing performance. Journal of Orofacial Pain, 11(1), 24-36.
- Wilding, R. J., & Lewin, A. (1994). The determination of optimal human jaw movements based on their association with chewing performance. Archives of Oral Biology, 39(4), 333-343.
- Wilding, R. J., & Lewin, A. (1991). A model for optimum functional human jaw movements based on values associated with preferred chewing patterns. Archives of Oral Biology, 36(7), 519-523.
- Wilson, E. M., & Green, J. R. (2009). The development of jaw motion for mastication. Early Human Development, 85(5), 303–311.
- Wintergerst, A. M., Throckmorton, G. S., & Buschang, P. H. (2008). Effects of bolus size and hardness on within-subject variability of chewing cycle kinematics. Archives of Oral Biology, 53(4), 369-375.
- Yashiro, K., & Takada, K. (2004). Validity of measurements for cycle-by-cycle variability of jaw movements: variability of chewing cycles in cases of prognathism. Physiological Measurement, 25(5), 1125-1137.
- Yashiro, K., Miyawaki, S., & Takada, K. (2004). Stabilization of jaw-closing movements during chewing after correction of incisor crossbite. Journal of Oral Rehabilitation, 31(10), 949-956.
- Yoshioka, C., Ogawa, H., Kuwahara, T., Takashima, F., & Maruyama, T. (1993). The relationship between the mandibular movements during speech and specific types of malocclusions. Journal of Osaka University Dental School, 33, 39-44.

주요 용어 및 정의

- **Electrognathograph**: 자석-기반 절치점 악 운동 기록 기술. 다양한 하악 운동에서 하악 절치의 경로와 속도를 3D(정면, 관상면, 시상면)로 기록한다.
- **Joint Vibration Analysis(JVA) 시스템**: 하악 운동 동안 TMJ에서 방출되는 진동을 기록하고 분석하는 장치. 기록된 진동은 $1m^2$ 면적에 퍼지는 101.97gram의 힘으로 정의되는 Pascal로 알려진 소음과 동등한 압력의 단위로 설명된다.
- **TMD 혹은 TMJD**: 두경부 내에 발생하는 38개의 구분되는 병적 상태에서 최소 하나 이상을 일컫는 포괄적 용어. 항상 복수적인 의미를 내포하고 진단명을 대체하지 않는다.
- **과민성 대장 증후군(Irritable Bowel Syndrome, IBS)**: 염증 소견 없이 대장에 기능 방해와 불편감을 유발하는 원인 불명의 상태.
- **근막 통증 기능 장애 증후군(Myofascial Pain Dysfunction Syndrome, MPDS)**: 1970년에 만들어진 용어로, 저작계의 통증

성 상태는 생리적 원인보다는 주로 정서적 스트레스에서 기인한다는 이론을 바탕으로 한다.

- **근전도(Electromyograph):** 골격근 수축과 연관된 전기적 활성을 측정하는 장치. 측정 단위는 mV로, 1/106 볼트이다.
- **기분저하증(Dysthymia):** 신경증적, 만성 우울증. 우울증처럼 인지 및 생리적 증상을 수반하나 오래 지속되는 증상이 덜 심각한 기분 장애.
- **생체－생리학적 측정:** 주로 기능 평가를 목적으로 하는 생리학적 과정의 측정. 생체측정(Biometric)이라고도 불린다.
- **연구 진단 기준:** 실제적인 원인에 관계없이 신체적 통증 상태가 있는지에 대해 모든 TMD 상태를 진단하기 위해 고안된 제도. 1992년에 소개되어 광범위하게 연구되었으나, 성공적으로 입증되지 않았다.
- **즉시 완전 전방 유도 발달(ICAGD):** 모든 편심위 운동에서 발생하는 마찰력을 포착하고 제거하기 위해, T-Scan을 이용하는 치관성형술의 방법.
- **평균 저작 양상(Average Chewing Pattern, ACP):** 환자의 완전한 저작 과정에서 계산된 저작 운동의 정면, 관상면, 시상면에서 평균 양상.

ENDNOTES

- 그림 1-20은 BioPAK™ 컴퓨터 프로그램(© 2013 BioResearch Associates, Inc. Milwaukee, WI 53223)에서 캡처하였다.
- 그림 18, 19는 T-Scan® 프로그램(© 2013 Tekscan, Inc., South Boston, MA.)에서 캡처하였다.

관절 진동 분석(JVA)

Ray M. Becker, DDS, FAGD
총 BioPAK 시스템의 국제 인증 설명 강사, 개인의원, 미국

초록

이번 장에서는 악관절 내에서 발생하는 병적인 변화를 평가하는 관절 진동 분석(JVA) 기술에 대해 설명하고자 한다. JVA는 구조적으로 약화된 내부 악관절 구조에 의해 발산되는 진동을 객관적으로 포착하기 위해 조직 가속도계를 이용한다. 구조적 약화는 저작 기능 동안의 하악 운동 양상을 변화시키게 된다. 대표적인 JVA 진동의 다양한 특성은 악관절 복합체내에 종종 나타나는 다양한 병적 상태의 존재를 지적하기 위해 보여진다. 기록이 만들어진 후, JVA 소프트웨어는 다양한 진동 파형(waveform)을 임상의에게 제시하여, 특정 내장증(internal derangement)이 존재하는지 판단하게 한다. 이 장은 악관절 질환을 암시하는 다양한 진동 파형에 대한 개요를 제공하고 TMD 진단 일부로서의 JVA의 효용성에 대해 설명한다.

도입

악관절(TMJ) 해부학

TMJ는 경첩 모양의 가동 관절로, 기능하는 동안 활주하고 회전한다. 다음의 요소로 구성되어 있다:

- 관절 융기의 후방 경사면,
- 하악 과두,
- 관절 디스크,
- 윤활 조직,
- 혈관과 신경이 분포하는 디스크 후방조직(하악과 측두골 모두와 연결되는 관절원판의 후방 부착 부위를 포함)
- 혈관과 신경이 분포하는 후방 부착 조직

관절 디스크는 정상적으로 하악 과두의 머리와 측두골의 관절 융기 사이에 위치하는 양면이 오목한 섬유-연골성 캡슐이다. 디스크는 과두의 내외측 극(pole)에 부착하고, 또한 후방으로 측두골과 하악에 탄성적으로 부착된다. 전방으로, 외측 익돌근(lateral pterygoid m.)의 윗힘살(superior belly)의 몇 개의 섬유에 연결되어, 하악 편심위 운동 시 디스크와 과두가 전방으로 이동하는 것을 돕는다(그림 1).

정상적인 하악 편심위 운동 동안, TMJ는 회전하고 활주해야 한다. 건강한 관절은 모든 동작 범위 내에서 어떤 소리나 진동 없이 이 업무를 수행할 것이다(Ishigaki, Bessette, & Maruyama, 1993).

건강한 교합에서는, 기능하는 동안 거상근과 억제근의 반대 근육이 활성과 이완이 조화를 이루어 시너지를 내게

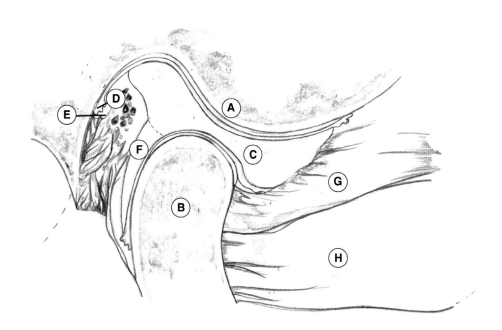

그림 1 우측 TMJ의 횡단면: A - 전형적인 볼록한 윤곽을 가진 융기의 후방 경사면; B - 하악 과두; C - 볼록한 융기와 볼록한 과두 머리 사이에 맞춰진 양면이 오목한 디스크; D - 윤활 조직; E - 측두골과 디스크 후방 부착을 포함하는 디스크 후조직; F - 혈관과 신경이 분포하는 후방 부착 조직; G - 관절 디스크의 내측면에 부착하는 섬유를 가진 외측 익돌근의 윗힘살; H - 과두에 부착하는 외측 익돌근의 아래힘살. (Breanna Becker from, Dawson, P.E. (2008). Functional Occlusion: From TMJ to Smile Design, Chapter 5; The Masticatory Musculature., C. V. Mosby, Elsevier. 허락 하에 사용)

된다(Higashi, 1989). 저작근 조화는 치아, 근육 자체, 치주 인대, 혀, 구강 연조직의 감각에서 기인한다. 이런 기관으로부터의 입력은 근활동 양상 혹은 근육 기억흔적(engram)을 창조하고, engram은 중심 양상 발생기(Central Pattern Generator, CPG)로 알려진 뇌간에 존재하는 신경 세포 풀(pool) 내에서 발견된다(Lund, 1991; Levy, 2009). 어떤 부정교합이 있다면, 이런 근육의 조화로운 발산이 감소할 것이다(Higashi, 1989). 이런 근육의 부조화는 디스크의 후방면에 힘의 유도를 야기할 것이다(Radu, Marandici, & Hottel, 2004; Wang, Sun, Yu, Liu, Jiao, Wang, Liu, & He, 2012). 디스크 후방면의 손상은 정상적인 자발적-중심화 능력을 결국 감소시킨다. 이렇게 처음에는 디스크가 느슨해지기 시작하여, 디스크가 기능 하에 부분적으로 변위하게 되고, 시간이 지나면서 완전히 변위할 가능성도 생긴다. 하악이 개폐구할 때 디스크가 정복되고 그 뒤 변위되면, 디스크는 들을 수 있는 진동을 발산하게 되어 TMJ 구조 내의 정상적이고 부드러운 동작에 붕괴가 있음을 암시한다(Findlay & Kilpatrick, 1960).

시간이 지나면서 디스크의 변위된 상태가 악화되면, 디스크는 영구적으로 변위되어 과두로부터의 바람직하지 않은 힘이 디스크의 후방 조직 부착에 가해질 것이다. 이 후방 구조물은 디스크와 풍부한 혈관과 신경이 분포되어 있는 윤활 조직에 영양을 공급한다. 시간이 흐름에 따라 과두로부터 가해지는 힘은 전형적으로 조직의 신경을 마비시키고 혈류를 차단시켜, 결합 조직 "가성(pseudo)-디스크"를 형성하거나 후방 조직이 결국 천공된다. 천공으로 인해 과두와 측두골이 직접적으로 접촉하게 된다(Rohlin, Westesson, & Eriksson, 1985). 이런 골-대-골 접촉은 하악이 개폐할 때마다 뚜렷한 진동 양상을 발산할 것이다(Rohlin, Westesson, & Eriksson, 1985).

관절 진동 분석(JVA)은 반복된 하악 개폐구 동안 디스크와 과두에 의해 만들어지는 진동을 정확하게 측정하는 가속도계를 이용하여 다양한 내부 TMJ의 이상을 포착하는 능력을 가지고 있다(그림 2, 3). 양측성 가속도계는 동측부터 반대측 TMJ까지 전송하는 진동 에너지의 양을 파악하여, 임상의에게 디스크 변위 방향을 알려준다(Radke & Kull, 2012).

정상적인 TMJ는 일상 기능 하에서 작동할 때 상당량

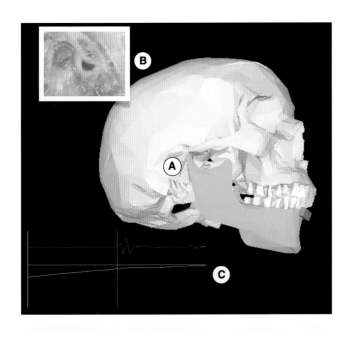

그림 2 환자가 입을 다물면(A), 관절 디스크가 전방으로 변위되고 (B), JVA에 의해 포착되는 진동이 만들어진다(C)

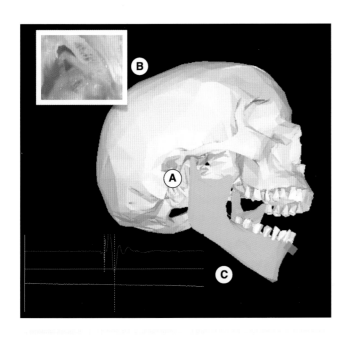

그림 3 환자가 입을 벌리면(A), 변위된 디스크가 정복되고(B), JVA 에 의해 정복성 디스크 변위(Disk Displacement with Reduction, DDR)의 압축된 높은 진폭의 파형(waveform)이 만들어진다(C)

의 진동을 만들지 않는다(Mazzetto, Hotta, Carrasco, & Mazzetto, 2008). 이는 JVA 기록에서 주목할 만한 진동으로 감지되지 않는다(Ishigaki, Bessette, & Maruyama, 1994).

TMJ 내에 기능 이상이 존재하면, 진동이 JVA 기록 내에 나타날 것이다. 각 진동이 나타내는 동반되는 구조적 변형을 결정짓기 위해 포착된 진동이 광범위하게 연구되고 있고, 이런 연구들은 진동 양상이 TMJ 구조의 건강이나 병에 대한 뚜렷한 진단 가치를 가지고 있다는 것을 말해준다(Huang, Lin, & Li, 2011; Ishigaki, Bessette, & Maruyama, 1993a; Ishigaki, Bessette, & Maruyama, 1993b; Olivieri, Garcia, Paiva, & Stevens, 1999; Goiato, Gardia, dos Santos, & Pesqueira, 2010; Owen, 1996; Christensen & Orloff, 1992).

진동의 진폭 및 진동수

주어진 진동의 진폭과 그 파형 양상 모두는 특정 내부 TMJ 기능 이상 사건과 연관된 에너지를 의미한다(Mazzetto, Hotta, Carrasco, & Mazzetto, 2008). 에너지의 양이 환자의 개폐 경로를 따라 발생하는 특정 진동과 결합하면, 진동 양상은 Piper의 분류에 의해서 병의 진행을 단계화할 수 있다(Droter, 2005; Piper, 2013).

진동수가 300Hz보다 크면, TMJ에 상당한 퇴행성 관절 질환(Degenerative Joint Disease, DJD)이 발병했을 가능성이 높다. 높은 진동수의 진동은 개폐구 동안 발생하는 들을 수 있는 골-대-골 접촉에서 일어난다(Ishigaki, Bessette, & Maruyama, 1993). 그러나, 주어진 진동의 최대 진폭이 6 Pascal(newtons/m²)보다 작으면 진동은 종종 환자에게 들리지 않고, 진단에 JVA을 이용하면 환자 자신도 알지 못하는 TMJ 기능 이상을 분석할 수 있는 이점이 있다(Widmalm, Bae, & Djurdjanovic, 2006). 임상의는 사전에 JVA를 진단에 이용하여 환자가 알지 못하는 질환을 분리할 수 있고, 잠재적인 질환의 진행과 연이은 병적 TMJ 붕괴를 예방할 수 있다.

연구에 의하면, JVA는 내장증(internal derangement) 상태에 따라 98%의 특이성(병이 없는 경우에 병적 상태가 있다고 보고하지 않는 것), 70-95%의 민감성(병이 존재할 때 병적 상태가 있다고 보고하는 것)으로 관절 상태를 파악할 수 있는 능력이 있다고 한다(Ishigaki, Bessette, & Maruyama, 1993; Honda, Natsuma, & Urade, 2008). JVA가 운동 범위(range of motion, ROM) 평가, 철저한 환자 임상 검사, 그들의 현존의 병적 상태를 설명하는 병력과 결합되면, 방사선 검사나 MRI 이미지와 같은 정적 이미지와 다르게 역동적인 하악 운동 동안 기록되기 때문에, 기능 하의 TMJ 상태에 대한 객관적이고 재현성있는 진단 데이터를 추가하게 된다. JVA의 빠른 분석은 완성까지 2분이 채 걸리지 않고, 정확하고, 임상적으로 사용하는데 경제적이며, 환자를 대규모의 방사선이나 침습적인 테스트에 노출시키지 않는다(Ishigaki, Bessette, & Maruyama, 1994).

배경

TMD의 원인 논란

TMJ 복합체와 연관된 병인론으로 교합의 역할 및 중요성에 관하여 많은 연구가 이루어지고, 가설이 제기되어 왔다. 그러나, 여전히 TMD의 다양한 원인에 관하여 많은 논란이 있다. 이렇게, 이론화되고 주장된 인과 관계는 수십 년 간 연구가와 임상의에 의해 뜨거운 논쟁거리가 되고 있다.

가장 흔하게 TMD 병인으로 받아들여지지 않는 가설은 다음과 같이 분류할 수 있다:

- 심리적 기인, 혹은
- 교합적 기인.

심리적으로 유래되었다는 이론은 어떤 심리적인 상태가 구강악계, 특히 치아, 근육, TMJ의 구성 요소에 신체적인 스트레스 인자를 창조 및/혹은 가속화한다고 강조한다(Laskin, 1970). 각각의 혹은 통합된 요소의 붕괴나 기능 이상은 심리적인 원인의 2차적인 효과로 본다. 그러므로, 원인이 되는 심리적 상태에 치료의 초점을 맞추어 환자의 스트레스 요인을 줄이면 2차적으로 치아, 근육, TMJ에 대한 손상이 감소할 것이다(Dworkin & LeResche, 1992).

교합에서 유래되었다는 이론은 두 가지의 기본적인 원리로 더 나뉜다:

- 교합의 중심위(CR) 이론, 혹은
- 교합의 근신경 이론.

교합의 CR 이론은 구강악계 내에서 안정성의 핵심으로서의 TMJ의 안정적인 과두-디스크 위치로 정의된다(Dawson, 1996). 교합의 근신경 이론은 저작근과 그 기능적 안정성에 초점을 맞춰서, 근육에 의해 치아에 적용되는 스트레스를 감소시키고, TMJ 복합체의 압박감을 줄인다(Jankelson, 1979). CR 이론과 반대로, 근신경 이론은 TMJ 구조(과두-디스크 위치)의 특별한 위치가 구강악계의 총체적인 건강에 미치는 특별한 역할의 중요성을 좀 더 낮게 평가하고, 근신경적으로 얻어지는 신체적인 하악 위치가 좀 더 중요하다고 한다.

T-Scan 사용을 포함하는 CR 이론과 근신경 이론의 좀 더 상세한 설명을 원한다면, 제2권의 14장과 17장을 참조하기 바란다.

가장 흔하게 사용하는 치료 위치에 관하여, 대부분의 임상의는 최종 치료의 상하악 관계로서 예전에 중심 교합(CO)이라고 불리던 최대 교두감합 위치(MIP)를 이용한다. MIP에서 시행되는 치료는 대안적인 상하악 관계로 하악을 이동시키려고 시도하지 않고, 환자의 근육 길이를 변경하지 않으며, 측두골에 대한 디스크/과두/관절와의 공간적 관계를 변경하지 않는다. 이처럼, MIP 관계로 수복물을 장착한다면, 기존의 교합면 윤곽, 기능성, 교합 체계에 이미 존재하는 부정교합을 재창조할 필요가 있다.

TMJ 상태의 원인이나 임상의의 치료 철학 혹은 교합 신념과 관계없이, 모든 철학은 관절 구조의 악화를 최소화하거나 예방하는 TMJ의 안정을 치료의 바람직한 결과라고 생각한다. 이와 같이, TMJ의 안정성을 결정하는 객관적 분석 장치를 이용하는 것이 건강한 구강악계를 진단하는 중요한 부분으로 고려되어야 한다.

JVA에 대한 대안적인 이미지 기법

MRI 이미지가 TMJ 내의 질환을 확정적으로 평가하는 '황금 기준'으로 많이 인식되고 있지만, 비용, 복잡성, 환자의 이용 가능성으로 인해 광범위한 사용이 상당히 제한된다(Ribeiro-Rotta, Marques, Paseco, & Leles, 2011). MRI를 CT와 같이 사용하면, 환자의 방사선 노출이 추가된다. 사실, 치과에서 CBCT의 이용 증가로 미국 치과의사 협회는 TMD 진단을 위한 적절한 MRI 사용에 관해 좀 더 특별한 적응증을 규정하였다(American Dental Association Council on Scientific Affairs, 2012). MRI와 CT의 커다란 한계점은 TMJ의 정적인 위치 관계를 묘사할 뿐, 동작하고 있는 관절을 반영하지 않는다는 것이다. JVA 사용의 장점은 TMJ 구조물을 방사선 노출 없이 역동적인 기능적 운동을 기록하는 것이다.

현재의 치과 치료에, TMJ에 대한 비-침습적이고, 저렴

하며, 사용이 간단하고 정확한 기능 진단 평가가 분명히 필요하다. 예전에, 치과의사는 손으로 촉진하거나, 소리를 듣기 위해서 청진기나 도플러 장치(Doppler device)를 사용하여 TMJ의 상태를 진단하려고 노력하였다. 불행히도, 이런 방법들은 반복적으로 같은 데이터를 보여 주는 객관적인 TMJ 구조의 기능적 데이터를 수집할 능력이 없다는 결점이 있었다. 데이터 재현이 어떤 진정한 과학적 방법의 품질 보증 마크라는 것을 주목하는 것이 중요하다.

촉진과 도플러 모두는 임상의가 TMJ 운동 시 느낌이나 병적 관절에서 발생되는 소리를 측정하거나 재현 가능한 데이터를 만들지 못하고, 주관적으로 해석해야 한다. 이 방법의 임상적 이용과 연관된 연구는 진성 관절 상태의 동일한 진단을 내리는 데 있어서 매우 낮은 일관성을 보인다고 폭로하였다(Dworkin, LeResche, DeRouen, & Von Korff, 1990; de Wujen 등, 1995; Paesani, Westesson, & Hazala, 1992).

대안적으로, JVA는 환자의 상태를 분석하고 평가하기 위해 쉽게 재현될 수 있는 객관적인 데이터를 사용하여 TMJ의 건강을 정확하게 평가하는 능력에서 특별하다. JVA는 저렴하고, 쉽게 임상 환경에서 적용할 수 있다. (피부) 표면 가속도계를 사용하여 기능하는 관절 진동(혹은 기능이상)을 포착하기 때문에, 완전하게 비-침습적이다.

정상적인 TMJ는 일상 기능 하에서 작용할 때 어떠한 상당량의 진동도 만들어내지 않는다(Mazzetto, Hotta, Carrasco, & Mazzetto, 2008). 이런 경우 주목할 만한 진동 포착이 없는 JVA 기록을 형성한다(Ishigaki, Bessette, & Maruyama, 1994). 만약 TMJ 내에 기능 이상이 있다면, JVA 기록 내에 진동이 나타날 것이다. 각 진동이 암시하는 구조적 변형을 확신하기 위해서 포착된 진동이 광범위하게 연구되었다(Ishigaki, Bessette, & Maruyama, 1993a; Ishigaki, Bessette, & Maruyama, 1993b; Olivieri, Garcia, Paova, & Stevens, 1999; Goiato, Garcia, dos Santos, & Pesqueira, 2010).

JVA가 TMJ 상태의 중요한 객관적 평가를 제공함에도 불구하고, 임상에서 TMD의 넓은 스펙트럼을 망라하는 광의의 질환을 진단하기 위해, 추가적인 확증 진단 데이터를 사용하지 않고 JVA 데이터만 독자적으로 사용할 수 있는가에 대해서는 약간의 논란이 존재한다(Greene, 2010). 광범위한 스펙트럼의 TMD를 진단하기 위해 JVA를 사용하는 것은 잘못된 것이다. 이것의 목적은 TMJ 구조적 붕괴의

다양한 정도를 나타내는 진동의 특징을 특별하게 평가하는 것이다. 이와 같이, TMJ 복합체의 내장증이 임상적으로 뚜렷할 때 JVA로 진단 과정을 쉽게 시작할 수 있다. 종종 사용 결과로 개입 전 추가적인 진단 이미지 프로토콜의 필요성을 표시할 수 있다.

JVA 기술 발달의 역사

JVA는 Bioresearch Associates(JVA, Bioresearch Assoc., Milwaukee, WI, USA)의 발명가 Mr. John Radke에 의해 고안되고 발달되었다. 치과 영역에서의 임상적 사용은 1990년에 공개되었다.

초기 TMJ 소리 평가 시스템

사람의 관절에서 방출되는 소리에 대한 전기적 기록은 오랜 동안 연구되었다. 1930년대의 독일 연구가는 무릎 관절을 분석하기 위해 초음파 검사를 사용하였다(Erb, 1933). 초음파 검사는 마이크를 이용하여 구조적으로 약화된 관절 공간에서 생성되는 소리를 포착하였다. 1980년대에는, 1970년대에 원래 심장 소리를 측정하기 위해 개발되었던 International Acoustic Incorporated 시스템(IAI, Illinois, USA)을 조정하여 TMJ 소리를 기록하였다. IAI 시스템은 각 TMJ를 따로 기록하는 단일 채널 마이크를 사용한다. 기록된 각각의 파형은 그 후 고속 푸리에 전환(Fast Fourier Transform) 알고리즘을 거친다(John Radke와 개인적 연결, 2013). 이 시스템의 평가는 각 관절이 따로 기록되어 획득한 데이터가 사실상 주관적이고 질적이라는 것이다. 한층 더 나아가, 이것은 새로운 기술이기 때문에, 기록의 정확성을 지지하거나 실증하는 연구가 없었다.

1980년대 후반, John Radke와 Bioresearch Associate는 3D Electrognathography(EGN) 기록 시스템을 개발하였는데, 이것은 3가지 평면(시상면, 정면, 수평면)에서 하악의 움직임을 동시에 정확하게 추적한다. 이 장치는 자석 자력계(Flux Gate Magnetometer)를 센서로 사용하여 하악 전치에 접착제(stomadhesive)로 부착한 자석을 추적한다. TMJ가 변위되거나 정복되는 환자들은 정상 하악 운동 양상에서 벗어난 상태를 인지하고, Bioresearch는 TMJ 내장증이나 기능적 변화를 신뢰성있게 기록할 수 있는 추가적인 장치를 개발하기 시작했다.

다른 종류의 변환기를 시도해보았지만, 그 이후에 내재

하는 측정의 부정확성 때문에 실패하였다. 또한 초음파 검사 기록 데이터는 주변의 잔잔한 소리에 의해서도 부정적인 영향을 받기 때문에 검사가 소리의 원천에서 다른 거리에서 측정되면 소리 재현에 큰 변동성이 나타나게 되고, 마이크를 이용하는 기록은 내부 자석이 필요한 데 이것이 3D EGN 기록 시스템에 사용되는 자력계를 방해한다. 최종적으로, 조직 가속도계는 민감성이 높고, 주변의 잔잔한 노이즈를 제한하는 능력이 있으며, 작동에 자석이 필요하지 않기 때문에 채택되었다. 더욱이, 가속도계는 정밀하게 수량화할 수 있다.

1990년대에, 다른 컴퓨터 기술이 발전하면서, Bioresearch는 SonoPAK 시스템(Sonopak, Bioresearch Assoc., Milwaukee, WI, USA)을 개발하여 공개하였다. SonoPAK은 DOS-기반 컴퓨터 기술로 가속도계를 사용하여 정확하게 양측성으로 TMJ 진동을 기록하고, 3면에서 하악 운동 시 진동을 일치시킬 수 있다(Christensen & Orloff, 1992). 이 시스템은 궁극적으로 Windows®에 기반한 현재의 임상용 관절 진동 분석(JVA)으로 발달하였다.

JVA는 관절 진동을 타이밍에 따라 하악 운동과 일치시키기 위해 3D EGN 시스템과 사용될 수 있다. *JVA Quick*으로 알려진 JVA의 축소 버전은 3D 하악 EGN을 동시에 사용할 수 없다. 대신에, 화면상의 메트로놈이 환자의 개폐수 싸이클의 지속 시간을 추정하여 기능적 싸이클에 비정상적이고 반복적인 진동이 발생하는지를 결정한다.

JVA 조사 연구

구강 외과의사들에 의해 수행된 초기 조사는 TMD 평가시 초음파 검사 기록의 중요성을 검사하는 데 관심이 모아졌다(Heffez & Blaustein, 1986). 그 전에는, 진동 데이터를 실제적인 의미와 연결 짓기 위해 설명할 수 있는 조사와 정보가 심각하게 부족하였다.

유사하게, 연구가들은 JVA를 이용하여 엄청난 양의 TMJ 데이터를 수집하였고, TMD 진단을 위해 예전에 받아들여졌던 방법과 비교하였다. 이 진단 비교는 MRI 분석 및/혹은 직접적 관절 내부 관찰을 포함한다(Ishigaki, Bessette, & Maruyama, 1993a; Ishigaki, Bessette, & Maruyama, 1994; Ishigaki, Bessette, & Maruyama, 1990; Ishigaki, Bessette, & Maruyama, 1993b; Brooks, 1993). 이런 다양한 비교 연구를 분석해 보면, JVA는 TMJ 병리를 파악하는데 매우 민감하고 특이성이 높다는 것을 알 수 있다.

시간에 따라 생성된 테스트 JVA 데이터 볼륨은 일반적으로 사용되는 신경망(3-겹 지각 신경망; Ward Systems, Boston, MA, USA)을 통해 여과되는데, 이를 통해 이전에 TMJ 진단으로 알려진(또한 확인된) 것과 일치하는 일반적인 패턴을 찾게 된다. 결국 각 진동에서 오는 반복되는 파형의 특정 값과 특성이 분명해진다. 1990년대에는, 지속적인 외과적 접근이 TMJ 병인을 확실하게 결정짓는 일반적인 방법이 되었고, 질병 발견에 대한 JVA의 신뢰성을 조사하고 TMJ 병인의 임상적 진단과 평가에서 JVA를 사용하는 것에 대한 문헌적 지지를 제공하게 되었다(Radke, Ketcham, Glassman, & Kull, 2003).

JVA 기술에 대한 설명

가속도계를 이용한 진동 발견

JVA 가속도계는 TMJ 구조적 운동으로 발생하는 진동에 의해 생산되는 에너지의 압력 파동을 측정한다. 정상적인 TMJ는 운동 범위에 걸쳐 부드럽게 이동하고 회전하기 때문에 진동을 발산하지 않는다. TMJ가 변위되거나 디스크가 정복되면 특정 진동 양상이 발산되고, 이것을 JVA 가속도계가 쉽게 감지한다. 이런 방법으로, JVA는 TMJ의 이상 여부를 빠르게 판단한다.

JVA 헤드셋에는 두 개로 나뉘어진 고도로 예민한 가속도계가 실리콘에 내장되어 있어서 좌우측 TMJ를 동시에 기록한다. 어떤 진동이라도 진동 에너지의 손실을 최소화하여 정확하게 기록된다(그림 4). 기록된 신호는 컴퓨터 내의 전용 소프트웨어에 의해 처리되고(Total BioPAK, Bioresearch Assoc., Milwaukee, WI, USA), 해석과 분석을 위해 숫자와 그래픽으로 임상의에게 전달된다.

주변 소리 차단은 JVA가 마이크를 사용하는 초음파 기록 기술을 능가하는 상당한 장점이 된다. 마이크는 공기를 통해 전해지는 주변 환경의 어떠한 소리 파동도 포착하여 TMJ 잡음의 선명한 포착을 방해한다. 반대로, JVA 가속도계를 감싸는 실리콘은 인간의 연조직과 유사한 밀도를 가지기 때문에, 임상적 환경에서 탁월한 주변 소리 차단을 제공한다. 밀도가 낮은 공기를 통해 전달되는 외부 소리의 파동은 상대적으로 밀도가 높은 실리콘에서 튕겨나가게 되

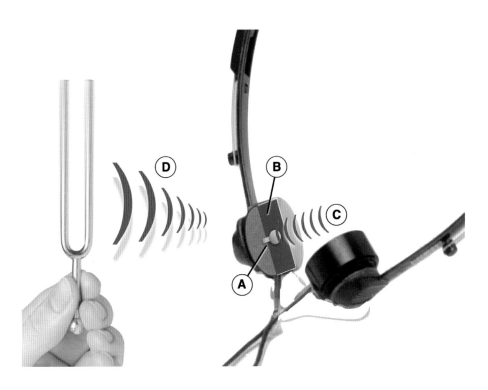

그림 4 JVA 헤드셋의 횡단면으로 실리콘-내장형(B) 가속도계(A)가 조직과 유사한 밀도(C)를 통해 관절의 진동을 우수하게 전달한다. 또한 고밀도의 실리콘 기질이 공기에서 흩뜨려진 소리 파동을 튕겨내어 주변의 잔잔한 소음(D)의 기록을 제한한다

고, 이에 따라 매우 미묘한 TMJ 복합체의 진동을 거의 소실하지 않고 전달하게 된다.

JVA의 임상적 사용 기술

JVA 테스트는 먼저 환자의 머리에 JVA 헤드셋을 위치시키고 각 가속도계를 좌우 TMJ 중앙에 놓으면서 시행된다(그림 5a, 5b). 정확한 위치는 각 센서가 관절 캡슐을 덮을 수 있게, 귓구멍의 전방 약 15mm 정도에 위치하게 된다. 기록센서는 운동 범위 내내 피부 조직과 접촉을 유지해야 TMJ 진동을 정확하게 포착할 수 있다(환자도 볼 수 있는 컴퓨터 화면 상에 있는). 속도 메트로놈은 기록하는 동안 환자가 하악 개폐구의 일정한 싸이클 속도를 유지하도록 돕는다. 운동 범위의 동일한 싸이클이 같은 속도로 기록되기 때문에, 각 개폐구 싸이클의 일관성이 향상된다. 환자에게 최대의 운동 범위로 넓게 입을 벌리도록 지시하여, 개구 싸이클에서 뒤늦게 발행할 수 있는 진동을 놓치지 않도록 하는 것이 중요하다.

JVA Quick의 기록과 3D EGN을 수반한 JVA 기록 사이에는 몇 가지 중요한 차이점이 있다. 우선적으로, JVA

그림 5a JVA 테스트 시작 전에, Therabite® Range of Motion Scale(CPT 95851, Therabite Corp., Westchester, PA, USA)을 이용하여 환자의 운동 범위를 측정한다

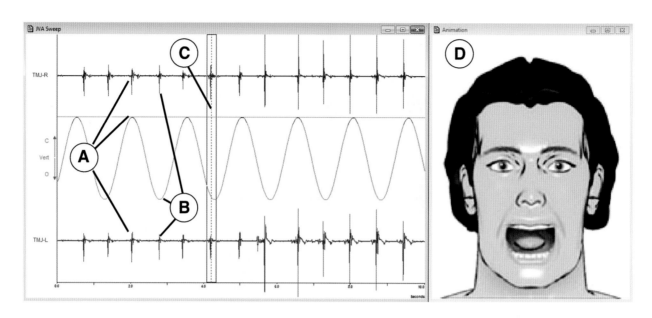

그림 5b JVA Quick 데스크탑으로 남성 메트로놈 얼굴을 보여준다. 메트로놈이 열리고 닫히면서, JVA 소프트웨어는 남성의 입이 완전히 벌어질 때부터 완전 교두 감합으로 다물 때까지의 싸이클에 들어맞는 sine 파동을 새긴다. 치아 접촉은 동위상의 진동을 생산하여(A로 표기된 청색 수직선) JVA 채널 좌우측에 보여진다. 치아 접촉(A)을 따라, 환자가 입을 수직적으로 벌리고 최대 개구에 접근하면서, 또 다른 TMJ 진동이 발생한다(B로 표기된 청색 수직선). 선택창이 진동 위에 놓이면(C), sine 파동 바닥의 최대 개구 근처에서 발생하는 진동을 보여준다. 남성 메트로놈의 입 또한 최대 개구로 접근하고 있음을 확인하라(D)

Quick은 환자가 지속적으로 치아를 메트로놈과 동시화한 'tapping'을 지속적으로 실시하여, 환자의 개폐구 싸이클을 기록에 그려진 싸이클의 sine 파동과 일치시켜야 한다. 치아의 'tapping'은 소프트웨어의 sweep view와 zoom view에서 쉽게 관찰되는 '동위상의(in phase)' 치아 접촉 진동을 만들어내기 때문에 중요하다(그림 5b). Tapping은 하악이 완전히 MIP로 닫히면서 스크린에 뚜렷한 진동을 만들어 낸다. 치아가 부딪치는 tapping 사이에서 감지되는 어떠한 진동도 개폐구 싸이클 동안, 진동이 발생한 것으로 관련 지을 수 있다.

JVA/3D 하악 EGN 기록은 하악의 개폐를 자동적으로 설정하는데(그림 6a), EGN이 접착제로 하악 전치에 부착된 자석이 그리는 경로를 추적하기 때문이다(그림 6b). 3D 하악 EGN과 JVA를 함께 사용하면, 환자는 MIP에서 기록을 시작하여 기록하는 동안 이 위치가 기준점으로 이용된다. 환자는 신뢰할 수 있는 기록을 얻기 위해 요구되는 개폐구를 만드는데 일정한 속도를 확인시켜주는 메트로놈을 단순히 따라 하면 된다.

JVA Quick과 JVA/3D 하악 추적의 또 다른 차이는, JVA/3D 하악 추적이 환자의 최대 개구와 가시적인 하악의

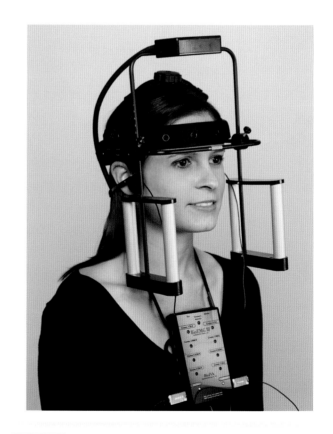

그림 6a 환자 머리에 놓인 3D 하악 Electrognathograph(EGN)와 JVA

그림 6b 하악이 운동하는 동안 접착제로 하악 전치 및/혹은 치은에 부착된 자석이 3D 하악 EGN의 지속 자력계에 의해 추적된다

편향을 측정하고 실제 기록의 일부로 기록하기 때문에, 임상의가 사전 기록할 필요가 없다는 것이다.

3D 하악 EGN은 JVA 기록의 정확성을 향상시킨다. 상악과 하악이 순간적으로 분리될 때부터 치아가 완전하게 교두감합될 때까지 발생하는 각 진동의 정확한 타이밍을 지속적으로 표시한다. 따라서, 최대 폐구나 초기 개구로부터 발생하는 진동 간격을 보다 정확하게 결정하게 된다. 마지막으로, JVA 소프트웨어는 기록하는 동안 자동적으로 sine 파동을 만들기 때문에, 개구 후나 완전 교두감합 폐구 전에 즉각적으로 발생하는 진동을 분리하기가 다소 어렵다. 3D 하악 추적에서는 EGN이 모든 하악 운동을 기록하기 때문에, 실제적으로 진동이 발생할 때마다 보다 쉽게 관찰할 수 있게 된다.

기본적인 JVA 파형(Waveform)에 대한 설명과 도해

JVA는 시간에 따라 진동의 진폭을 측정한다. 진동의 과정 동안 발생하는 누적 에너지 Pascal은 소프트웨어에서 진동의 적분으로 계산되어, 완전한 진동의 총 에너지를 나타내고, 각 진동으로 그려진 파형의 하방 면적이 된다. 에너지 구성(plot)으로 얻어진 다른 양상의 파형은 서로 다른 상태

및/혹은 TMJ의 병적 상태를 나타낸다(Heffez & Blaustein, 1986).

전형적인 JVA 파형

JVA에서 보여지는 기본적인 파형 양상은 다음과 같다:

- 압축된, 높은 진폭 – 종종 정복성 변위(DDR)와 연관됨 (그림 7)
- 펼쳐진, 낮은 진폭 – 종종 늘어난(이완된, laxity) 디스크와 연관됨(그림 8)
- 압축된, 낮은 진폭 – 종종 퇴행성 관절 질환(Degenerative Joint Disease, DJD)을 연상시키는 만성 TMJ 상태와 연관됨(그림 9)

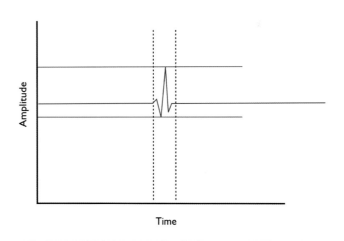

그림 7 압착된, 높은 진폭 파형

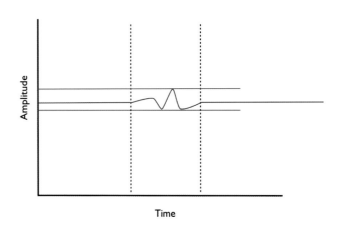

그림 8 펼쳐진, 낮은 진폭 파형

175

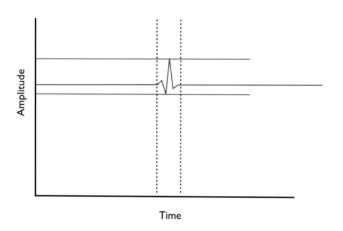

그림 9 압착된, 낮은 진폭 파형

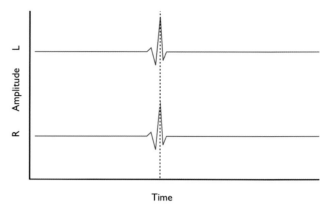

그림 10 좌우측 JVA 가속도계에 의해 포착된 동위상 파형을 보이는 치아 접촉의 도해

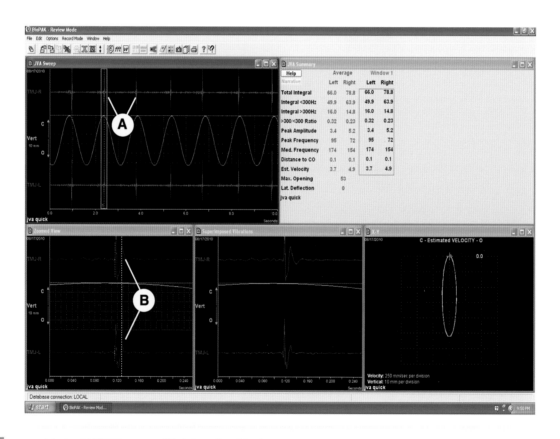

그림 11 JVA Quick 스크린 캡처로, sweep 창(A)에 보이는 좌우 양쪽 파형의 탁월한 치아 접촉 타이밍이 보이고, zoom 창(B)에서 동위상의 파형이 나타난다

JVA는 좌우 TMJ 진동을 동시에 측정하기 때문에, 임상의는 치아 접촉으로 야기된 관절 복합체에서 발생하는 진동을 쉽게 분리할 수 있다. 치아 접촉 진동은 양측성으로 동시에 발생해서 하악의 연속적인 골 구조물을 통해 JVA 센서를 향해 전파된다. 치아 접촉 압력 파동은 가속도계에 도 동시에 같은 규모로 전달된다(치열의 한 쪽이 접촉 범위 밖이지 않는 한). 치아 접촉은 sweep mode와 zoom mode 모두에서 관찰되는 "동위상으로" 동시적 진동으로 JVA 기록에 나타난다(그림 10, 11).

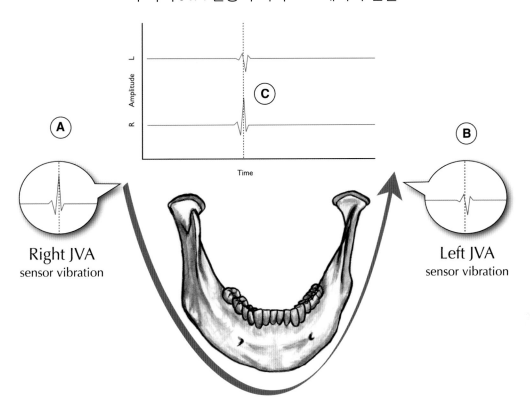

우측의 JVA 진동이 좌측으로 에너지 전달

그림 12 우측 TMJ에서 기원한 압착된, 높은 진폭 파형을 보이는 JVA 기록(A). 진동이 골성 하악을 지나면서 에너지가 감소하여 좌측 가속도계에 거울 이미지 파형으로 기록된다(B). JVA 기록(C)은 진동의 발생측으로 우측을 보여준다; 기록에서 낮은 에너지의 거울 이미지 진동보다 더 많은 에너지를 가지고 더 일찍 시작한다

이와는 다르게, TMJ 병적 진동에 의해 형성된 압력 파동은 가장 가까운 가속도계 센서에 우선 다다르고, 반대편 가속도계에 의해 기록되는 것보다 더 크게 나타날 것이다. 이런 환경에서, 압력 파동이 한쪽에서 기원하여 반대측 가속도계에 맞은편 효과를 창출하며 하악을 통해 전파된다. 그러므로, 발견된 관절 진동과 연관된 파형은 거울 이미지로 표현될 것이고, 발생측에서 더 큰 에너지를 보이며 기록 내에서 좀 더 먼저 나타난다(그림 12).

발표된 연구들은 발생측에서 반대측으로 전달하는 에너지의 양이 과두 상방의 디스크 변위 방향을 가리킨다고 하였다(Radke, Ketcham, Glassman, & Kull, 2003). 이 저자들은 초기 발생측 에너지의 0-30%가 반대측으로 전달되면 디스크의 전방 변위, 30-60%는 전방-내측 변위, 60-100%은 내측 변위를 의미한다고 하였다(그림 13).

급성 vs. 만성 상태를 나타내는 진동 타이밍

예전의 연구들은 개폐구 싸이클 내에 진동이 먼저 혹은 늦게 발생하는 것은 상태의 만성을 의미할 수 있다고 하였다(Widmalm, Westesson, Brooks, Hatala, & Paesani, 1992). 전형적으로, 개구 싸이클에서 조기에 발생하는 높은 진폭의 압축된 파형을 가진 급성 정복은 변위가 치아 접촉과 근접하여 발생한다는 것을 의미한다. 반대로, 좀 더 만성적인 TMJ 상태에서의 정복은 개구 싸이클에서 더 늦게 나타나며, 치아 접촉과 더 떨어져서 최대 개구에 근접하여 변위가 일어나는 것을 의미한다.

진동 발생 타이밍 차이는 디스크 후방 경계의 이상 질환 때문에 발생한다. 후방 가장자리의 구조가 온전치 못하게 됨에 따라, 디스크 변위 성향이 증가한다(Widmalm, Westesson, Brooks, Hatala, & Paesani, 1992). 후방 가장자리가 온전하면, 정복뿐만 아니라 변위 동안에도 더 큰 진동

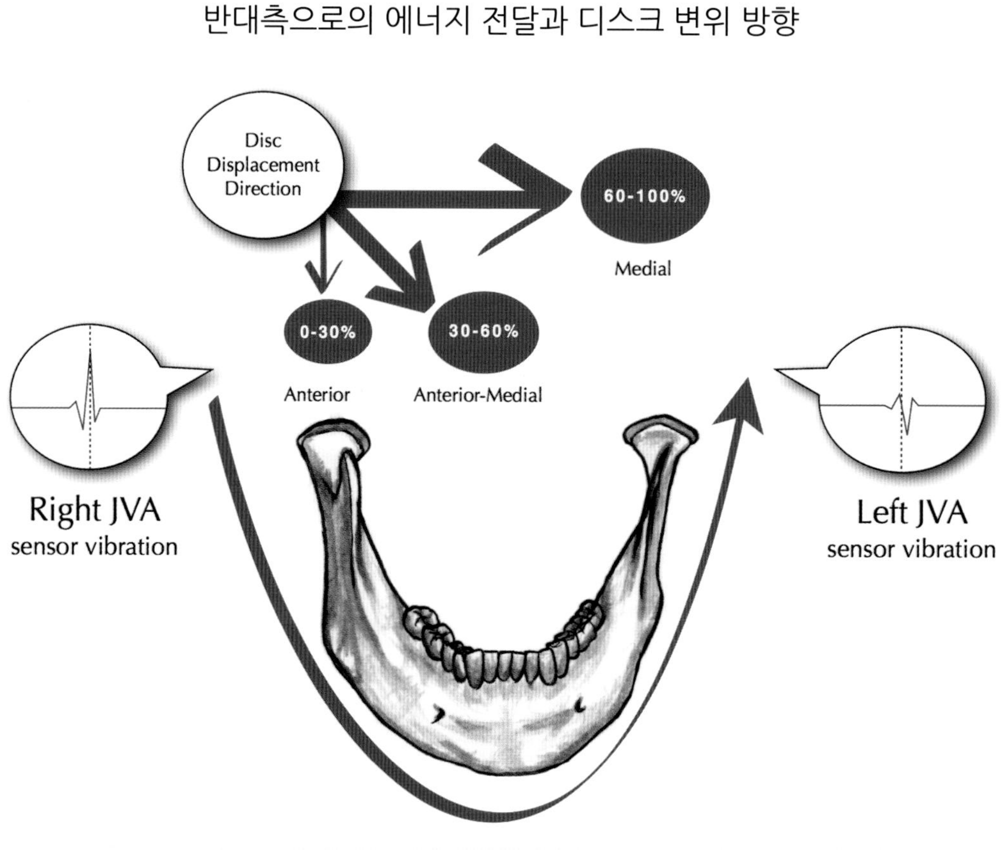

반대측으로의 에너지 전달과 디스크 변위 방향

그림 13 하악을 통해 반대편 JVA 가속도계로 전달된 에너지는 관절 디스크의 변위 방향을 가리킨다; 0-30% 에너지 전달 = 전방 변위, 30-60% 에너지 전달 = 전방-내측 변위, 60-100% 에너지 전달 = 내측 변위

에너지가 발생한다. 하지만, 후방 가장자리가 장기간의 붕괴 진행으로 얇아지면, 변위 동안 더 적은 에너지가 발산된다. 유사하게, 디스크의 상태가 좀 더 만성적이면 지지 조직이 더 느슨해져서, 디스크가 최종적으로 정복되기 전에 디스크가 좀 더 운동하게 되면서 보통 개구 싸이클의 후반부에 정복된다.

퇴행성 TMJ 상태 진단을 보조하는 에너지 비율
앞서 언급한 것처럼, 진동과 연관된 에너지(전적분, Total Integral)는 광범위하게 연구되었고, 에너지의 진동수는 현존하는 퇴행성 관절 질환(Degenerative Joint Disease, DJD)을 결정하는 데 도움이 될 수 있다(Widmalm, Westesson, Brooks, Hatala, & Paesani, 1992). 300Hz 이하의 진동수는 관절의 변위 및/혹은 정복의 고실음(tympanic sound)을 야기하는 대부분의 연조직 이상과 연관된다. 300Hz 이상의 에너지는 골-대-골 접촉과 연관되고, 퇴행성 관절 질환을

암시한다.

에너지 진동수의 비율(>300Hz/<300Hz)이 0.2보다 작을 때, 진동은 본질적으로 연조직 운동에서 기인한다. 이 비율이 0.3-1.0 사이일 때, DJD가 있을 수 있다. 그 비율이 1.0-1.5이면, 전형적으로 중요한 퇴행성 질환이 존재함을 암시한다(Widmalm, Westesson, Brooks, Hatala, & Paesani, 1992).

추가적으로 진동의 최대 진동수를 분석하면, 질환의 만성 여부를 알 수 있는데, 더 낮은 DDR(정복성 디스크 변위) 진동수 값(300Hz에 가까운)을 보일수록 더욱 만성화되었음을 의미한다(Huang, Lin, & Li, 2011). 250-275Hz의 중앙 진동수는 DJD가 DDR과 함께 있다는 것을 가리킨다. 이 값의 범위는 파형 데이터가 임상의에게 각각의 값과 숫자적인 평균값을 동시에 제공하는 총 BioPAK 소프트웨어 내에서 파형 분석을 통해 적절하게 결정될 수 있다(그림 14). 일반적으로 진동의 최대 진폭이 6.0에 다다르면, 환자

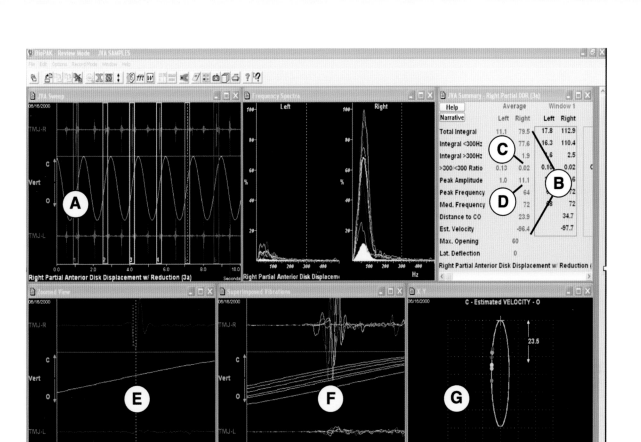

그림 14 선택된 개별 진동을 보여주는 JVA Quick 기록의 Sweep 창(A). 선택된 각 진동에 대한 평균 값을 보여주는 Summary 창(B). 0.02의 >300Hz/<300Hz 비율(C)은 연조직이 원인인 진동을 암시한다. 11.1의 최대 진폭(D)은 들을 수 있을 것 같은 진동의 표시이다. Zoom 창(E)은, 각 진동의 확대된 모습을 제공하고 파형 수치로 산정된 영역을 보여준다. Superimposed 창(F)은 지속적으로 형상화된 개별 파형을 서로 중첩하여 보여준다. 폐구 싸이클에서 발생하는 모든 개별 파형을 보여주는 X-Y 창(G)은 관절 디스크 변위의 대표적인 모습을 보여주고 있다

가 들을 수 있다고 한다. 진동수가 높으면 낮은 진동수보다 더 잘 들린다. 관절 질환을 보이지만 그 존재를 인식하지 못하는 환자와 이런 정보를 공유하는 것이 도움이 될 수 있다. 진동에서 수집한 많은 진동수와 진폭을 참고하는 것뿐만 아니라, 임상의는 별개의 고속 푸리에 전송(Fast Fourier Transfer, FFT) 소프트웨어 분석을 선택할 수 있다. FFT는 0-1000Hz 범위로 나타나는 각 진동수에 대항하여 진동 샘플 내에 존재하는 각각의 특별한 진동수의 상대적인 비율을 구성한다. 300Hz 이상(연조직) 혹은 이하(경조직)를 보이는 진동 에너지의 양을 시각화한 세로 점선을 확인하라. 이 방법은 다양한 TMJ 병리와 연관된 독특한 파형 양상을 인식하도록 임상의에게 좀 더 시각적인 방법으로 지원해준다(그림 15).

TMJ 병리와 연관된 다양한 JVA 파형의 묘사적 도해에 대한 정밀 분석

임상의, 구강외과의, 이미지 기술자 모두가 특정 환자의 TMJ 병리 상태를 정확하게 평가하고 지속적으로 설명하기 위해서 TMJ 병리의 설명을 표준화하는 것이 중요하다. 구강외과의사이자 내과의사이며 연구가인 Mark Piper는 분류 체계를 발달시켰는데, TMJ의 상태에 대해 단계화되고 포괄적인 설명할 수 있다(Droter, 2005; Piper, 2013).

Piper의 분류 체계는 TMJ의 MRI 평가를 기본으로 하며, 다음을 확인한다:

- 디스크의 변위 정도
- 변위 방향
- 디스크 및/혹은 연관 인대의 손상 정도

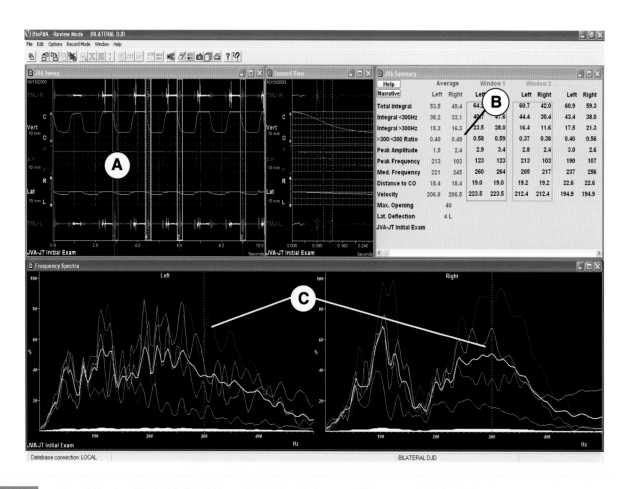

그림 15 JVA/3D 하악 EGN 기록이 양측성 퇴행성 TMJ를 보여주고 있다. Sweep 창은 JVA/JT와 함께 표시된 3D 하악 기록 데이터를 보여준다(A). Summary 창은 0.49의 >300Hz/<300Hz 비율을 보여주는데, 이로써 퇴행성 관절 질환(DJD)이 있다는 것을 알 수 있다. 중앙 진동수는 245로, 또한 DJD의 존재를 가리킨다(B). C의 (FFT) Frequency Spectra는 300Hz에서 전형적인 "톱니 모양"의 진동 양상을 보이는데, DJD의 매우 대표적인 양상이다

• 변위된 디스크의 정복 여부

Piper 분류는 5개의 카테고리를 하위 범주로 구분하여, 변위 방향이나 골관절염의 존재를 보다 자세히 규정한다. 질환 진행의 양상은 디스크와 인대가 정상인 Piper I 단계부터 디스크와 인대의 주요 구조물이 손상된 V 단계까지 확장된다.

정상적인 TMJ 진동 양상
앞에서 언급한 것처럼, 건강한 TMJ에는 반복적인 하악 개폐구 동안 진동이 거의 없다. 연속적인 치아 접촉 진동을 기록할 때, 정상은 양측성 0-10 Pascal-Hz의 전적분으로 특징지어진다. 동일한 진동수 범위가 JVA/3D 하악 EGN을 사용해도 관찰된다. 이 진동수는 TMJ 환자의 증상 혹은

편위나 굴절 없는 정상적인 운동 범위를 동반해야 한다. 이 상태는 Piper I 단계로 정의되며, 디스크나 TMJ의 지지 인대에 손상이 없다(Piper, 2013).

염증성 TMJ 진동 양상
TMJ의 염증도 JVA를 이용하여 발견할 수 있는데, 최대 진동수가 50Hz 이하인 낮은 전적분이 개구 시작 부위나 완전 폐구 직전에 발견된다(그림 16). 추가적으로, 염증은 하악의 개구 초기나 폐구 마지막을 정확하게 평가하는 3D 하악 EGN을 이용하는 FFT 창에서 가장 잘 시각화될 수 있다.

과두 걸림(Closed-Locked) TMJ 진동 양상
JVA는 하악 운동 범위 내 개폐구 동안 진동을 추적하기 때문에, 과두 걸림으로 인해 관절 전위가 발생할 때 진동은

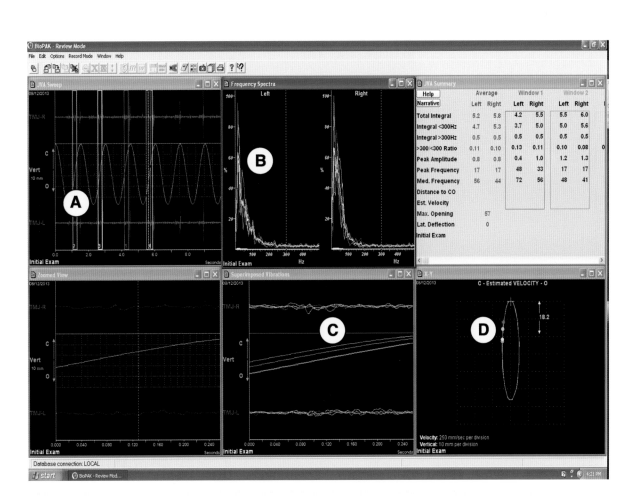

그림 16 JVA Quick 기록이 TMJ 내의 염증 특징을 보여준다. 펼쳐진, 낮은 진폭의 파형(C)이 하악 폐구 직전에 발생한다(A, D). 고속 푸리에 전송 (FFT) 분석(B)에서 상당량의 낮은 진동수를 가진 진동을 볼 수 있다

존재하지 않거나 최소화된다. '과두 걸림'은 관절 디스크가 과두 머리의 전방으로 변위되어 발생하며, 그 후에 개구 시 정복되지 않을 것이다. 이런 환경에서, JVA를 사용하여 포 착한 과두 진동은 미미할 것이다. 디스크가 과두 머리 전방 에 갇혀서 융기 밑으로 이동할 수 있는 과두의 능력이 제한 되기 때문에, 과두 걸림으로 개구량이 제한되어 이환측으 로 하악이 약간 굴절된다. 정상적인 남성의 절치간 개구 범 위는 40-42mm이고, 여성은 38-40mm이다. 개구량 25mm 이하의 과두 걸림은 그림 17에서와 같이 특징적으로 제한 된 진동 양상을 보인다.

인대 이완과 디스크 이동(Ligament Laxity and Disc Movement)

TMJ 복합체에 가해진 스트레스는 디스크의 지지 인대를 신장시키거나, 디스크 조직이 미세하게 찢어질 수 있으며,

과두 머리 상에서 디스크의 이완(과도한 움직임)을 유발할 수 있다. 디스크의 외측극을 과두 상방으로 미끄러지게 하 는 외측방 인대 부착에서 가장 흔하게 발생한다. JVA는 이 런 과도한 운동을 펼쳐진, 낮은 진폭의 1 혹은 2 싸이클 파 형으로 기록한다(그림 18). 이런 일관성 없는 진동은 전형적 으로 범위 20-50 Pascal의 전적분을 가진다. 그림 18은 과 두 머리에서 이동하지 않는 디스크를 나타내는데, 정상보 다 더 느슨하다. 디스크 이완은 궁극적으로 좀 더 의미있는 내부 이상으로 진행되거나 진행되지 않을 수 있는 전-임상 단계가 될 수 있다.

디스크 붕괴 및 디스크 변위와 관련된 변수(Factors in Disc Breakdown and Disc Displacement)

디스크의 후방면에 가해지는 만성 압력은 조직학적 변화와 디스크 붕괴를 유발할 수 있다(Radu, Marandici, & Hottel,

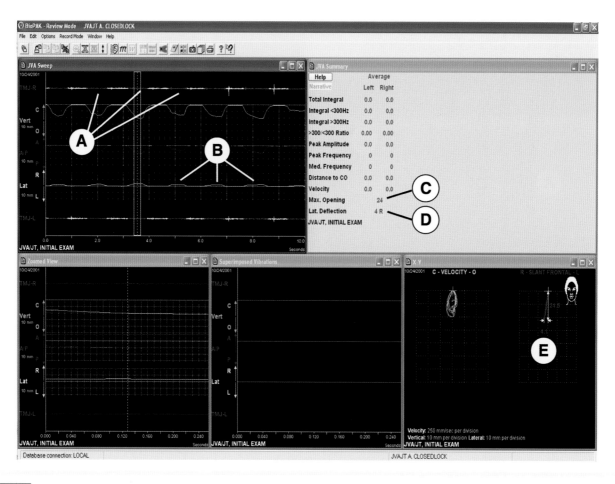

그림 17 '과두 걸림' 상태의 JVA/3D EGN 데이터로 하악의 개폐구 동안 진동이 보이지 않는다(A). JVA Sweep 창에서, 하악이 이환측으로 편위된다(B). Summary 창에서 외측방 편위 '4R'(D)과 24mm의 제한된 하악 개구(C)를 볼 수 있다. X-Y 창에서, 이환된 TMJ 측으로의 우측 편위 또한 분명하게 보인다(E)

2004; Wang, Sun, Yu, Liu, Jiao, Wang, Liu, & He, 2012). 이 압력은 여러 가지 잠재적인 원인으로 발생할 수 있다. 교합 접촉의 변화로 조직학적 변화와 디스크 세포의 파괴를 유도할 수 있다. 이것은 교합 간섭에 뒤따르는 하악 위치 변화 때문이다(Kurita, Ohtsuka, Kobayashi, & Kurashina, 2000; Cortes, Exss, Marholz, Millas, & Moncada, 2011). 유사하게, 비정상적이거나 과도한 근활동, 근육 부조화, 이상기능 활동 또한 디스크의 후방면에 압력을 증가시킬 수 있다. 시간이 지나면서, 디스크 붕괴로 인해 TMJ 운동 범위 내내 과두 머리가 자연적으로 유지되게 하는 디스크의 자발적-중심화 능력이 감소된다. 이렇게, 계속되는 압박이 지지 인대 및/혹은 디스크의 후방 부위에 놓이게 되고, 디스크가 스스로 과두 머리의 전상방을 지향하게 된다.

시간이 더 지나면, 한층 더 지속된 퇴행이 외측방 인대 부착을 일그러뜨려, 부착이 찢어지고, 전방-내측으로 외측극 부분적 디스크 변위가 일어난다. 이런 상태는 Piper Ⅲ단계로 간주된다(Piper, 2013).

전방-내측 외측극 부분적 디스크 변위가 개구량을 감소시키면, 이것은 Piper Ⅲa단계로 분류된다. Ⅲa단계에서, JVA는 1 혹은 2 싸이클, 폐쇄된 파형, 20-80 Pascal의 전적분을 보이고, 최대 개구는 40mm 이상의 정상적 범위를 보인다(그림 19).

디스크의 외측면이 부분적으로 변위된 상태로 유지되면, 이 상태는 Piper Ⅲb단계이다(Piper, 2013). Ⅲb단계에서는, JVA가 0-20 Pascal의 Ⅲa단계보다 낮은 전적분을 보이나, 환자는 여전히 정상적인 최대 개구량을 보인다. Piper Ⅲa 와 Ⅲb단계 모두에서, 디스크의 내측면이 과두의 내측극에 온전하게 유지된다. 디스크의 내측면이 여전히 온전하기 때문에, 환자가 상당한 통증, 기능 이상을 느끼지 않는다.

그러나, Piper Ⅲb단계에서, 외측극에서 디스크가 만성

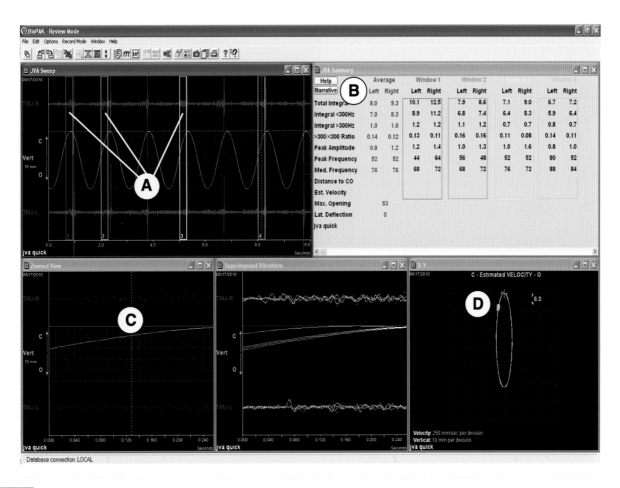

그림 18 JVA Quick 데이터는 불규칙하고, 낮은 진폭의 펼쳐진 파형(A, C)과 10 Pascal보다 적은 전적분(B)을 보인다. 이 진동은 완전 교두감합으로 폐구하기 직전에 발생한다(D)

적으로 변위되어 과두가 이 부위로 운동하는 것을 방해하기 때문에, 다소 감소된 과두 이동이 관찰된다. 추가적으로, 외측극의 모든 구조물에 퇴행성 변화가 발생하기도 한다. DJD는 300Hz 이상 및 3 Pascal 이상의 적분이 존재하는 경우에 발견된다(그림 19 참조).

수직 개구량의 '정상' 범위가 넓기 때문에, 특정 환자들에 한해서 이전의 '정상적' JVA 기록이 존재할 때에만, 오직 임상의들이 유의미한 작은 변화를 포착할 수 있다. 따라서, 증상이 발현되기 전에 적어도 한번은 환자의 정상 운동 범위를 기록할 가치가 있다.

인대가 지속적으로 뒤틀리고, 찢어지고, 혹은 디스크가 평평해져서 양면이 오목한 모양을 잃게 되면, 디스크의 내외측면 모두가 최종적으로 그들 각자의 과두극에서 변위될 것이다. 이 변위는 정상적으로 과두가 이동하는 동안 과두 머리에 대한 디스크의 적절한 배열을 유지하기 위한 긴

장을 제공하는 외측 익돌근의 윗힘살의 수축에 의해 악화될 가능성이 있다(Dawson, 2007). 개구 시 디스크의 이런 변위로, 폐구 시 변위된 디스크의 정복이 함께 발생할 것이다; 과두 머리에 대하여 디스크가 후방으로 움직이면서 각각 일어나게 된다. 이런 정복과 변위가 수반되는 현상을 정복성 (디스크) 변위(Disc Displacement with Reduction, DDR)라고 한다. JVA에 의하면, DDR은 높은 진폭을 가진 압착된 파형으로 특징지어진다. DDR의 전적분은 전형적으로 80 Pascal을 초과하고, 매우 급성적인 변위 상태에서는 1000 Pascal에까지 다다를 수 있다.

Piper Ⅳ단계는 관절 디스크가 과두의 내측극으로부터 변위되는 것이다(Piper, 2013). 이 단계에서 JVA 기록은 에너지의 일정 비율을 반대측 JVA 가속도계에 전달하는, 뚜렷한 1 혹은 2 싸이클 파형이 만들어진다. 앞서 설명한 것처럼, 반대편 TMJ에 전달되는 에너지의 양은 변위 방향이

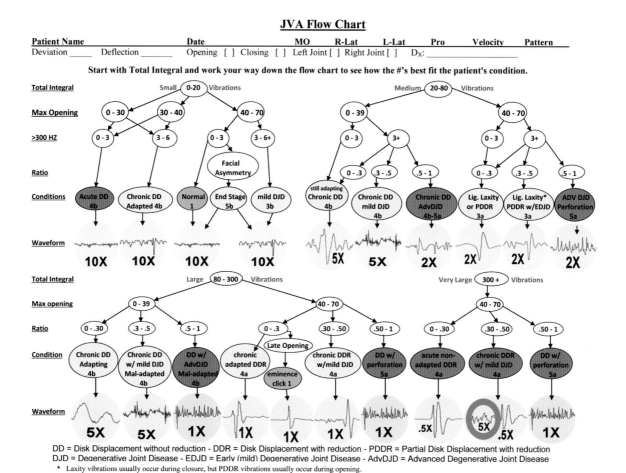

그림 19 JVA 흐름도(Flow Chart). 이것은 발견된 병소를 확인하기 위해 수술과 MRI 이미지를 포함하는 검사를 통해 입증되었다(Ishigaki, Bessette, & Maruyama, 1993). 임상의는 처음에 전적분(Total Integral)으로 들어가서 최대 개구(운동 범위)로 진행하고, >300Hz/<300Hz 비율로, TMJ 상태 및/혹은 Piper 분류로 이동한다. 의사결정 나무(Decision Tree) 하방에는 개별 TMJ 상태에 해당하는 전형적인 파형(확대되어 보이는)이 그려져 있다

전방, 전방-내측, 내측을 가리킨다(Radke & Kull, 2012). Ⅳ단계는 Ⅳa와 Ⅳb로 하위 분류된다. 이 둘의 명확한 차이는 변위된 디스크가 정복되는지(Ⅳa), 아니면 과두 전방에 걸린 채로 남게 되는지(Ⅳb)에 의해 결정된다. 변위된 디스크가 전방에 '걸려'있으면, 과두가 전방으로 이동하는 능력이 제한되고 일반적으로 환자의 운동 범위가 40mm 미만으로 제한된다(그림 19).

Ⅳ단계에서 디스크는 완전히 변위되기 때문에, 과두의 이동과 회전은 디스크 후조직에 힘을 가하게 되고, 여기에 존재하는 신경으로 인해 통증이 발생할 수 있다. 만약 만성적으로 변위된 디스크가 정복되지 않는다면 디스크 후조직은 쉽게 천공될 수 있다. 이런 상태는 Piper Ⅴ단계로 분류된다(Piper, 2013). 이 단계는 과두의 골관절염성 붕괴를

야기하는 심각한 퇴행성 관절 질환(Degenerative Joint Disease, DJD)으로 발전하기 쉽다.

DJD는 골-대-골 접촉으로 특징지어지고, JVA 기록에서 300Hz 이상의 진동 에너지로 나타난다. Ⅴ단계는 Ⅴa와 Ⅴb로 하위 분류된다. Ⅴa단계는 급성의 상당한 염증으로 과두에 골관절염성 파괴가 일어나 관절 운동 통증 때문에 개구가 제한되고, >300Hz/<300Hz 적분 비율이 0.50을 초과하여 전적분이 20-1000 Pascal 사이를 보이게 된다. DJD는 뚜렷한 '톱니 모양'과 FFT 분석에서 가시적인 불규칙적 양상을 만들어낸다. Ⅴb단계에서는, 디스크 천공이 여전히 존재하지만 과두의 활동성 골관절염성 붕괴와 감염이 감소하거나 없다. 이것은 과두 머리가 관절 융기의 후방 경사면을 반복적으로 문지름으로 인해, 상아질화(골성 경화

증)된 것이다. 시간이 지나면서 연골이 닳아 없어지고 벗겨져서, 연골이 소실된 부위에 연골하골이 노출된다. 상아질화 과정은 전적분을 20 Pascal 이하로 현저하게 감소시킨다(그림 19).

JVA 기술의 임상적 영향과 응용

JVA는 20년 이상 TMJ 상태를 객관적으로 수량화하였다. 이 기술은 일상적인 치과 치료에서 TMJ 건강을 다루는 임상의에 대해, 포괄적인 진료를 제공하는 일부분으로써 특별한 장점을 가지고 있다. TMJ 질환의 병인, 중요성, 치료에 대한 각 임상의의 신념과 상관없이, 환자는 진행 중인 TMD에 직접적으로 연관된 다양한 문제와 우려를 지속적으로 지닌 채 남겨진다. 그러나, TMJ의 특수한 치료의 표준화와 관련하여 널리 적용되고 수용된 가이드라인이 부족하다. 1983년 초반, 미국 치과 학회 회장은 치과의사가 TMJ와 관련된 상태를 검토하고 평가하고 치료할 주요한 책임을 가진다고 언급하였다(American Dental Association, 1983). 지금까지 전 세계적으로, 이런 만성적이고 자주 일어나는 질병을 이해하고 진단하고 치료해야 하는 다음 세대의 치과의사에게 열려있는 공인된 치과 대학에 의해 교육되는 포괄적인 프로그램이 매우 적다.

치료 기준은 "특정 부위에, 특정 시간에, 특이 상태에 제공되는 치료"로 정의된다(Moffett & Moore, 2011). 현재, TMJ 상태의 특수 치료에 관한 전체적인 치료 기준은 기껏해야 일관성이 없고, 최악의 경우 관심조차 없다. 저자가 이 주제를 국제적으로 많은 치과 임상의에게 제안한 후, 극소수의 임상의만이 형식적인 환자 질문지 이상의 자세한 TMJ 평가를 시행하였다. 종종 수집된 데이터만이 질환 과정에 대한 기초적인 병력 정보가 된다. 그리고 드물게, TMJ의 객관적인 건강 상태 데이터를 수집하기 위한 지속적인 임상적 프로토콜이 있다. 이것은 TMJ 안정성과 불안정성을 규정한다고 발표된 풍부한 소리가 다양한 병적 원인 요소를 결정하고, 임상적 관찰과 TMJ 병리 사이의 연관성을 조사하며, 다양한 TMJ 질환 상태에 대한 치료 옵션의 범위를 만들어낸다고 간주하는 것을 특별하게 방해한다.

종종 하악이나 관절에 통증이나 기능 이상을 가지고 있는 환자는 처음에 예전에 진료했던 치과 의사에 의해 의뢰되어 오는데, 전형적으로 연루된 원인 요소에 대한 이해가 거의 없고, 이용할 수 있는 가능한 TMJ 치료 방안을 알지 못한다. 환자는 자신의 TMJ 상태에 대한 정보를 얻기 위해, 환자는 내과의사, 구강외과의사, 이비인후과의사와 협의하여, 통증을 완화시키고 정서적인 염려를 줄이거나 성공적으로 진행 중인 질환을 치료하기 위해 시도할 수도 있다. 환자가 받게 되는 치료는 (있다면) 필연적으로 임상의의 배경, 경험, 철학적 신념, 예전 교육에 의해 한정된다. 그리고, 가이드라인이나 표준화가 없고 따라야 할 규정된 프로토콜이 없으면, 치료는 매우 다양해 질 것이다.

임상의가 환자의 진단과 잠재적인 치료를 구축하려고 노력할 때, 측정의 중요성은 과대평가될 수 없다. JVA는 다른 TMJ 분석으로는 필적하기 어려운 TMJ의 기능과 안정성과 연관된 중요하고 재현성있는 데이터를 제공한다. 한 연구는 전통적인 진단 방법을 사용하여 TMJ 질환을 진단할 때 임상의들 사이에 일관성이 거의 없다고 하였다. 청진기를 이용하는 경우 진단 일관성은 14%이고; 도플러는 48%를 보였다. 하지만, JVA는 임상의의 92%에서 같은 진단을 내렸고, 이것은 추가적인 CT로 확증되었다(Brooks, 1993; Ishigaki, Bessette, & Maruyama, 1993; Eriksson, Westesson, & Sjobert, 1987). 이것은 진단 일치의 매우 높은 비율로, 청진기나 도플러는 개인이 들은 소음의 주관적 분석을 필요로 하는데 반해, JVA는 객관적이고 수량화된 TMJ 진동 데이터를 제공하기 때문이다. 또한, 청진기와 도플러는 취합된 정보를 저장하고 재현하고 분석하는 능력이 없다.

앞서 언급한 것처럼, JVA를 임상적 검사와 질병 내력과 함께 사용하면, TMJ의 안정성, 질병의 만성, DJD의 유무에 관한 풍부한 정보를 제공할 수 있다. 가장 중요한 것은 JVA가 TMJ의 건강을 비침습적으로 신속하게(JVA Quick 테스트는 1분 이내로 수행) 임상의와 환자 모두에게 제공할 수 있는 재현성있는 진동과 납득할 수 있는 TMJ 상태 정보를 만들어낸다는 것이다.

체험(Heuristics)을 통한 임상 적용 및 환자 수용의 JVA 기술

이 보증된 강사도 종종 임상의들로부터 환자의 TMJ 상태 혹은 TMD의 가능한 진단과 기존 상태의 연관성을 파악하는 것이 어렵다는 말을 듣는다. 청진기나 도플러 같은 주관적인 진단 보조만을 이용했다면, 아마 그러할 것이다. 특히 환자가 치과 영역에 대하여 사전 지식이 거의 없기 때문에 이를 설명해야 하는 것이 임상의의 어려움을 가중시킨다. 종종 이러한 설명을 위해 환자에게 낯설고 난해한 용어를 포함하게 된다. 그러므로, 환자가 이러한 상태를 이해할 수 있을 것 같지 않다.

당연하게도, 치과의사가 손가락으로 TMJ를 촉진하여 주관적인 느낌 분석에만 근거한 진단을 내린다면, 환자는 미온적이거나 심지어 냉소적일 수 있다. 임상의는 컴퓨터 스크린상의 JVA 객관적인 숫자 데이터가 환자 자신의 TMJ 상태를 더 잘 이해할 수 있도록 돕는데 매우 효과적이라는 것을 발견하게 된다. 저자의 임상 관찰에 따르면, JVA는 그래픽 데이터를 사용하여, 이전의 다른 진단 방법과 비교 시 훨씬 간단하게 TMJ 상태 정보를 환자에게 전달할 수 있다. 이것은 JVA의 체험적 특성 덕분에, 환자가 TMJ 기능의 난해한 세부사항을 더 잘 이해할 수 있게 돕는다. 사전 상에서 heuristics(체험)은 스스로-발견하는 행위로 정의한다. 어떤 것이 체험적이라는 것은, 환자가 스스로 학습하고 배울 수 있는 능력을 가지고 있다는 것이다.

생태학자들은 인간의 행동과 사회적 상호관계에 대해 연구하였다. 그들의 학문은 인간이 우호적으로 반응하게 하는 인간 행동의 '심리적 계기'를 결정하는 것을 포함한다(Tahan & Sminkey, 2012; Sugarman, 1999; Cialdini, 2001):

- 지속적인 적용.
- 관여 및 약속.
- 감정적 요구와 걱정 충족.
- 이의 제기 및 해결.
- 성실성/권위, 혹은 언행일치.
- 가치 증명.

좀 더 특별하게 건강 관리나 TMD의 진단 및 치료에 연관하여, 환자가 더 잘 받아들이고 이해할 것 같은 방법으로 환자에게 정보를 제공하는 데 병인론이 유용하다. 이것은 환자에게 자신의 특수한 TMD 상태에 대한 TMJ의 역할을 설명하는 데 큰 도움이 된다.

JVA를 일상 진료에서 모든 환자에게 사용하면, JVA는 환자가 강력하게 수용할 수 있는 심리적 계기를 제공한다. 특별히, TMJ의 건강이나 치료 필요성과 상관없이 JVA를 일 년마다 최소 한 번씩 모든 환자에게 스크리닝 도구로 사용하면, 이런 '지속적인 적용'은 환자에게 긍정적인 영향을 미쳐 이 기술을 사용하는 중요성을 인식하게 되고, 환자가 시간에 따라 변하게 된다. 한층 더 나아가, 임상의가 JVA를 편견없이 모든 환자에게 사용한다면, (가능하다면 수납없

이), 환자는 JVA 검사를 받아들이게 될 것이고, 그들이 술식을 향한 '관여 및 약속'을 가지게 됨을 암시한다. 이것은 시간의 흐름에 따른 반복적인 데이터 수집 허락을 크게 향상시킨다.

TMD 환자에게 객관적인 데이터를 보여주며 환자의 상태를 설명하면, 종종 긍정적이면서 부정적인 그들의 과거 경험과 느낌에 대한 대화의 문이 열려, 환자는 자신의 TMJ 문제 치료에 대한 마음을 갖게 된다. 이 '감정적 요구와 걱정 충족'은 건설적인 대화의 발달을 허용하는 가치있는 쇄빙선으로, 환자가 그들의 상태를 '같이-진단'할 수 있게 한다. 이것은, '이의 제기 및 잠재적 해결'이 일어날 수 있도록 허용하는데, 특히 이미 스스로-결정하여 그들의 특별한 상태에 적용할 수 있는 해결 방안이 없는 환자에서 그러하다.

임상의가 모든 환자에게 지속적으로 JVA 데이터를 수집하면, '성실성'을 제공할 뿐만 아니라, 임상의는 매일의 진료에서 TMJ 문제를 심각하게 다룸으로써, '언행일치'를 보여줄 수 있다. 대부분의 임상의는 TMD 치료에 수납을 내리기 때문에, JVA Quick을 무료로 환자에게 제공하는 것은 임상의 술식에 대한 매우 강력한 '가치 증명'을 만들 수 있다. JVA Quick의 지속적인 사용은 매우 강력하고 잘 정리된 심리적 계기를 제공하여 환자가 난해한 내용을 잘 이해하고 수용할 수 있게 할 수 있다.

스크리닝 도구로서의 JVA와 진단적 환자 흐름(Patient Flow)

JVA Quick 테스트는 치아만이 아니라 온전한 구강악계를 아우르는 포괄적인 환자 관리를 제공하기 위해 헌신하는 임상의에게 탁월한 스크리닝 도구이다. JVA Quick 진단은 'TMJ가 건강한가 아닌가'라는 기초적인 질문에 답할 수 있게 돕는다. 위에 언급된 것처럼, JVA를 요즈음 흔하게 사용되는 주관적 TMJ 진단 과정(일관성 없는 근 촉진, 청진기 및 도플러 해석, 혹은 평가 없음)과 비교하면, JVA는 다양한 TMJ 질환을 수량화하여 임상 진단을 위해 보여주는 신속하고 정확한 TMJ 진단 기술이다.

어떤 방법, 시스템, 과정이 효과적으로 진료의 작업 흐름 안으로 시행되기 위해서, 그것은 단지 '흐름'일 뿐만 아니라, 맞닥뜨릴 수 있는 모든 가능한 상황이 고려되어야 한다. 효과적이고 넓게 사용되는 관리 도구는 조직 내 사람에 의해 수행되는 모든 과정의 흐름도(flow chart)이다. 만약 모든 가능한 시나리오를 아우르는 부드러운 흐름이 없다

환자 흐름: 생체측정 교합 모델

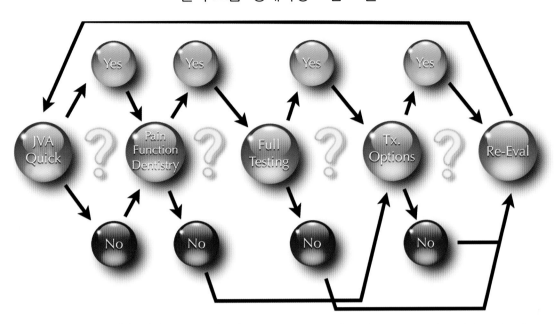

그림 20 생체측정 교합 모델 흐름도로 초기 JVA Quick 스크리닝부터 재-평가에 이르는 치료의 과정을 보여준다. 이 흐름도는 모든 환자 관리 단계에서 체계적으로 생체측정 기술을 사용하여 임상의를 도와준다

면, 이런 혼란스런 사안이 실제 작업 환경에서 드러날 것이다. 좋은 흐름도는 누가 무엇을 언제 어디서 그들이 과정을 변화시킬 수 있는 지에 대해 이해할 수 있고, 다른 사람도 이해하고 수행할 수 있는 예견 가능한 동일한 흐름을 만들어야 한다. 그림 20은 생체생리학 데이터 수집을 위해 JVA와 다른 생체측정 기술을 사용하기 위한 '생체측정 교합 모델' 흐름도를 나타낸 것이다.

생체측정 교합 모델 흐름도는 초기 JVA Quick 스크리닝 평가부터 재평가를 통한 치료의 과정을 묘사한 것이다. 이 도해는 어떤 유형의 환자 진료에서도 임상 술식에서 체계적으로 이용하는 생체측정 기술로 임상의를 도와주기 위해 고안되었다. 이 교합의 생체측정 모델은 초기에 생체생리적 데이터를 수집하고, 그래픽으로 재현하여, 특정 개인에 대한 진단 결정을 위해 분석한다. 이 모델은 단순하게 언제 어떻게 정보를 JVA로부터 얻는지를 결정한다(그림 20).

제시된 각 단계의 의사 결정 나무를 따라, 환자 및/혹은 임상의는 정보를 받아들이거나 거절할 수 있다. 차트에서는 초기 JVA TMJ 스크리닝의 중요성을 강조하는데, 이것이 TMJ 안정성을 결정하는 1번째 단계이기 때문이다. JVA Quick에서 발견한 것은 다음의 통증/기능/치과치료 지역

을 통해 여과되는데, 환자가 통증을 호소하는 경우 기능을 변경하거나 상당한 치과치료가 필요할 수도 있다. 여기서부터, 전체적인 생체측정 테스트와 이미지는 확정적인 진단을 제공하고 환자의 완벽한 생체측정 측정에 기초한 치료 옵션을 추천한다. 2차 생체측정 테스트로 측정된 재평가에 의해 수행된 치료에 대한 개선 여부를 입증한다. 최종적으로, 정기적인 JVA Quick 검사를 주기적으로 시행하여 시간의 흐름에 따른 TMJ의 안정성을 모니터링한다. 지속적이고 반복된 장기간의 TMJ 기준치(baseline) 데이터 수집으로, 임상의는 가능한 이상 기능 습관, 외상, 보철물 장착으로 유발된 TMJ 안정성의 변화를 관찰할 수 있다. TMJ의 구조적 온전성이 약화된 변화가 감지되면, 임상의는 더 큰 악화를 피하기 위해 사전적인 측정을 시행할 수 있다.

생체측정 교합 모델 흐름도를 현재 만연한 교합 모델과 함께 편견없이 사용할 수 있다. 근신경이나 중추 관련 교합 모델을 따라가는 임상의는 전형적으로 진단 도구를 사용하여 그들 각자의 이론과 치료 양식을 입증하고자 한다. 이와 같이, 객관적인 JVA 진단, 치료로부터의 작업은 특정 이상 포착으로 바로 향하게 하여, 근신경이나 중추 관련 접근보다 유용하다.

187

생체측정 흐름 차트를 통한 움직임

환자가 JVA Quick에 의해 포착되는 TMJ 병적 이상을 보이면, 환자가 통증을 겪고 있는지, 기능에 어려움이 있는지, 전체적인 치료 계획의 일부로 상당한 치과 치료를 받아야 하는지 결정하기 위해 이 결과를 한층 더 여과해야 한다. 환자가 이런 세 가지 변수에 한가지라도 "네"라고 대답하면, 좀 더 확증적인 분석이 필요하다. 전체 BioPAK을 사용하는 전 구강악계에 대한 포괄적인 테스트는 다음을 포함한다:

- Electromyography(EMG) 기록(앉아있을 때와 서있을 때의 안정 EMG)
- JVA와 이의 정확성과 세밀성을 향상시키는 3D 하악 Electrognathograph(EGN) 기록
- 운동 범위 결정
- 개폐구 속도 결정
- 연하 분석 시행
- Cotton roll을 전치부 및 구치부 모두 사이에 위치한 상태로 이악물기 테스트 시행
- 저작 분석 시행
- 교합 접촉력과 타이밍 데이터를 T-Scan/EMG 동기화 모듈을 사용하여 EMG와 함께 동시에 기록

이런 프로토콜을 따르면 임상의는 확장성을 얻어, 이런 쟁점을 끊임없이 포괄적으로 다루어 과잉진료를 예방한다. 이 모델은 수년간 성공적으로 임상에 세팅되어 왔고, 진단 기술을 매일의 진료로 유입하려고 시도하는 성장하고 있는 임상의에게 성공적으로 전수되고 있다.

이 모델을 가치있게 만드는 것은 많이 진행되기 전의 상태를 찾아내는 정확한 TMJ 스크리닝에 있다. 환자마다 지속적인 스크리닝을 규칙적으로 수행하면 환자 상태의 중요한 변화를 간단하게 알 수 있다. 만약 환자 상태가 저하되고 증상이 생긴다면, 가장 보존적인 적절한 치료로 즉각적으로 개입하는 것이 환자와 임상의 모두에게 좋을 것이다. 분명하게, 조기 개입은 상당한 시간, 잠재적 통증, 고가의 치료비를 아낄 수 있다.

진단을 돕는 생체측정 흐름도를 보여주는 증례 연구

다음의 간단한 증례 연구는 진단, 치료, 재평가에서 생체측정 교합 모델을 사용하는 상당한 이해와 혜택을 묘사한다.

제시된 환자는 24세의 여성으로, 주목할 만한 과거 병력은 없다. 약 8년 전에 교정 치료를 마쳤고, 교정 유지 기간 동안 비협조적이었다고 인정하였다(그림 21-27). 환자는 교정 치료 후 턱에서 "종종 소리가 난다"는 것을 알게 되었다고 했다. 통상적인 JVA Quick 테스트를 6년간 받았는데, 우측 TMJ가 우측 과두의 외측극에서 정복되는 부분적으로 변위된 디스크를 갖는 Piper Ⅲa단계를 보였다(그림 28). 그 후 환자는 권고받은 경과 관찰 치료나 검사를 받지 않았다.

생체측정 흐름도에 따르면, 환자 검사는 TMJ 병리에

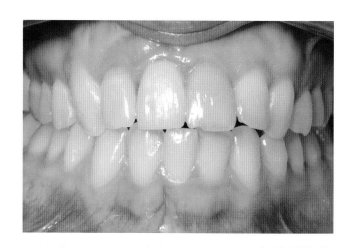

그림 21 최대 교두감합에서 환자 치아 정면 사진. 전방부 개방 교합이 보인다. 아마도 혀 내밀기나 이상 기능 습관의 결과일 수 있다. 혀 내밀기의 존재는 EMG 연하 테스트로 결정될 수 있다(그림 32 참조)

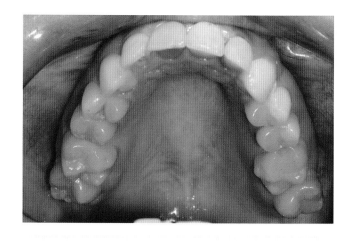

그림 22 상악 교합면 사진. 후방 대구치 교두 배열이 불규칙하여, 교합 간섭이 존재할 가능성이 증가한다. Cotton roll을 후방부에 놓고 이악물기(그림 33a, 33b 참조)를 하여, T-Scan/EMG 동기화 테스트로 이런 접촉을 찾을 수 있다(그림 34-36 참조)

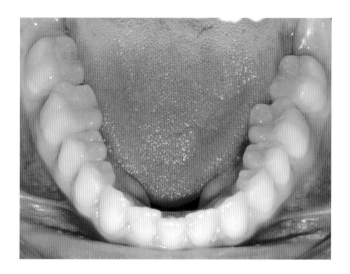

그림 23 하악 교합면 사진. 마찬가지로 후방 대구치 배열이 고르지 않아 교합 간섭의 가능성이 증가한다. 과한 내외측 Curve of Wilson 또한 분명하게 보여, 연장된 교합면 마찰의 악화를 촉진한다

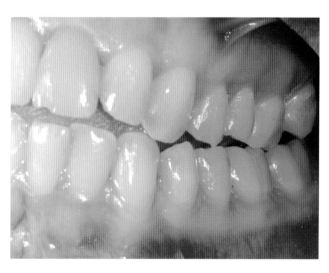

그림 25 좌측 편심위 운동 시의 좌측면 사진. 외측 후방 간섭이 분명하게 보이고, 견치가 효과적인 견치 유도를 제공하지 못하고 있다. 좌측 편심위 시 연장된 간섭이 T-Scan/EMG 동기화로 확인된다(그림 36 참조)

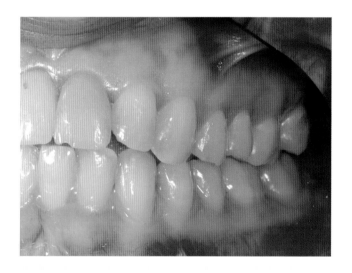

그림 24 최대 교두감합의 좌측면 사진. 상악 제1대구치의 과다 맹출이 눈에 띄고, 전치가 짝을 이루지 못하는 전반적인 부정교합이 있다

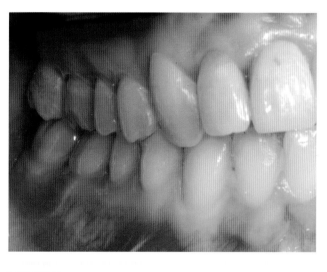

그림 26 최대 교두감합의 우측면 사진. 구치부의 교두감합이 잘 조화되고 있다

'양성'을 반복해서 보였지만, 경제적인 이유로 다른 평가나 치료를 계속 거부하였다. 그러므로, 환자는 재내원시마나 JVA Quick 검사만 받고 시간이 흐르면서 디스크 정복에 대한 잠재적인 변화를 쉽게 포착할 수 있었다(그림 20). 최근에, 환자가 좌측 TMJ에서 중요하고 예상하지 못한 '불편한 popping'을 경험한 후, JVA Quick 재검사에서 현저한 변화가 감지되었다. Popping은 우리의 관심을 끌었고, 신속하게 생체측정 흐름도를 이용하여 구조적 변화에 대해 환자와

같이 검토하였다. 그 결과, '통증, 기능, 치과치료'에서 '양성'으로 나타났고, 환자는 좀 더 정밀한 완전 생체측정 테스트를 받아야 했다.

환자의 진단을 위한 정밀 검사를 선택하면, 환자가 자신의 상태를 더 잘 이해하고 인정하는데 필수적인 환자의 자아-발견이라는 체험 과정을 이용한다. 환자는 상태를 완전히 이해하여, 임상의가 추천하고 설명하는 치료도 받아들이게 될 것이다. 궁극적으로, 환자는 치료가 자신에게 직접

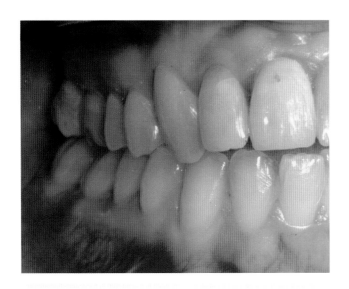

그림 27 우측 편심위 운동 시의 우측면 사진. 견치가 좌측 견치보다는 하악 견치와 더 좋은 짝을 이루지만, 그룹 기능 내에서 여전히 상당한 구치부 접촉이 존재한다. 우측 편심위 시 우측 작업측 그룹 기능은 T-Scan/EMG 동기화로 확인할 수 있다(그림 35 참조)

적으로 주는 혜택과 전체적인 삶의 질에 미치는 영향을 믿을 때 반응하게 될 것이다.

완전 생체측정 테스트 결과

이 임상 증례는 생체측정 교합 모델 흐름도 및 초기 JVA Quick 스크리닝부터 전체 완전 생체측정 테스트까지의 진행을 설명하는 일련의 테스트 결과 스크린샷을 이용하여 설명할 것이다(그림 28-36). 테스트 결과는 치료 옵션을 환자에게 제공할 때, 최종 재평가가 완료되어 치료 후 결과를 비교할 때 사용된다.

이 테스트는 수년간에 걸친 특별한 환자의 반복적인 상당량의 JVA Quick 테스트 기록을 대표한다(그림 28). 16.2의 전적분(A)은 Piper Ⅲa급을 표시하고, 부분적인 DDR이 우측 TMJ에 있다. >300Hz/<300Hz 비율은 0.05로(B), 퇴행성 질환은 없다. 또한 운동 범위 제한도 없다; 환자의 최대 개구량은 45mm이다(C). 테스트에서 좌측 TMJ는 약간의 이완을 보인다(D).

그림 29는 상당한 변화가 초기 JVA Quick(그림 28)에서부터 발생하고 있음을 보여준다. 전적분은 296.6으로(A) 좌측 TMJ에 개구 시 디스크가 정복되면서(B) Piper Ⅳa급 상태가 있다는 것을 알 수 있다. 진동 에너지의 40%가 반대측으로 전송되어(C), 디스크가 내측 과두극에서부터 전방

내측 방향으로 변위됨을 알 수 있다. >300Hz/<300Hz 비율은 0.13으로(D), 만약 있다면 약간의 골-대-골 접촉 혹은 DJD이 있을 수 있다. 또한, 이전 테스트에서 45mm였던 개구량이 42mm (E)로 약간 감소되었다. 정복으로 발생하는 진동의 최대 진폭이 24.31로(F), 자신이 들을 수 있는 진동의 최소 진폭은 6.0이기 때문에, 이 정도면 환자가 쉽게 들을 수 있다. 더욱이, 이런 현상이 하악 운동 싸이클 내에서 발생하면, 급성 상태로 상당량의 진동 에너지(G)를 볼 수 있다. 마지막으로, 디스크 정복 동안, 이환측으로의 굴절이 EGN 기록(H)에 나타난다. 이 현상의 급성 본성 때문에, 디스크의 후방면이 최소로 손상되고 정복에 더 큰 저항을 만들어내어, 이로 인해 디스크가 정복되면서 상당히 높은 에너지를 발산한다.

운동 범위 분석(그림 30)은 개폐구 운동을 지시하는 다른 유색선(colored line)으로, 3개의 축을 이용하여 평가한다. 테스트 동안 개별 기록의 배경 색은 항상 연관된 유색선으로 개구 싸이클을 나타낸다. 시상면은 디스크 변위와 동시에 발생할 때 폐구 시 '교차'가 존재함을 보여준다. 개구선은 녹색이고(배경처럼), 폐구 단계는 자주색선으로 나타난다(A). 정면에서, 하악이 이환된 좌측 TMJ로 편위됨을 볼 수 있는데, 적색의 개구선과 청색의 폐구선은 좌측을 향해 "휘어" 들어간다(B). 또한 좌우측 경계 운동에 약간의 제한이 있고, 이는 노란색 수평면에서 볼 수 있다(C). 그리고, 살짝 우측으로 정복되어, 이환측의 이동 동안 반대편(좌측) TMJ에 약간의 제한이 있다는 것을 암시한다. 이 모든 결과는 좌측 TMJ내에 존재하는 기능 이상과 연관된다.

그림 31은 운동느림증(bradykinesia) 혹은 속도 기록(A)에서 정상 속도(300-350mm/sec)보다 느려지고, 개구 단계를 나타내는 청색선(B)에서 운동이상증(dyskinesia)이 있는 경우이다. 이 속도 변화는 개구 시 좌측 디스크의 정복에 의해 야기된다. 다시 한번 시상면에서 녹색선 위로 자주색선이 교차되는 것이 보이는데, 이것은 하악의 폐구 경로(C)를 변경시키는 좌측 디스크의 정복으로 발생한다. 이런 폐구 경로 방해는 정면에서 약간의 우측 편위로도 확인될 수 있다(D). 종말(terminal) 속도는 정상보다 느려져(150mm/sec), 완전 폐구에서 완전 교두감합으로 이동하면서 환자의 하악이 느려짐을 나타낸다(E). 아마 폐구 운동시 회피 근육 양상이 만들어지는 교합 간섭이 원인일 듯 하다.

그림 32에서 EMG의 수평선 및 수직선은 모두 정상(안

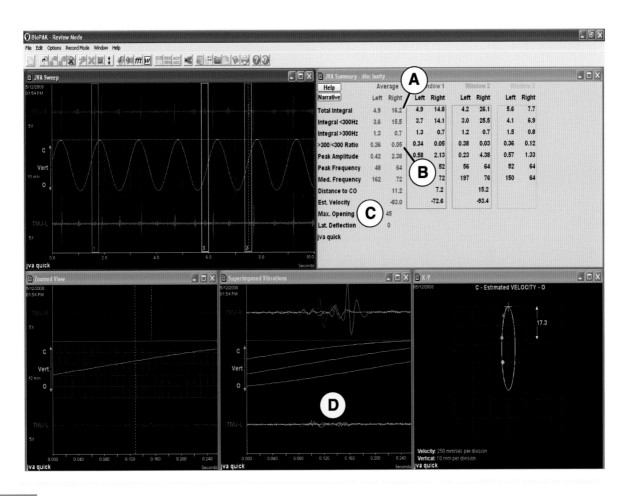

그림 28 초기 JVA Quick

정 상태에서 근활동은 1µV 이하)으로, 정상적인 연하 활동을 위해 혀를 긴장시켜 상하악 부조화를 보완하도록 혀를 내밀어 발생되는 정도이다. EMG 데이터에서, 연하하는 동안 악이복근(digastric m.)이 수축하는 것을 볼 수 있다(A). 연하에서 전형적으로, 약한 후방 치아 접촉이 이루어지면서 가시적인 교근 활동이 1.5초간 일어난다.

그림 33a에 묘사된 테스트에서, 환자는 3번의 개폐구 싸이클 동안 자신의 후방 자연치로 물었고, 그 후 기록 정지 동안 이완한 후, 연이은 3회의 개폐구 싸이클 동안 cotton roll을 악물었다(그림 33b 참조). 환자가 자연치로 물었을 때, 낮은 근활동이 발생하였고, 좌우측 교근 사이의 대칭성이 낮게 관찰되었다(A). 전체적인 근활동은 억제를 보였고(B), 구치부에의 cotton roll 배치에 의해 확인되었다. 정상적으로, 교근이 주요한 저작근이나, 이 환자에서는 전측두근(ant. temporalis m.; 보통 자세근)이 교근과, 그 이상은 아니라 할지라도, 동등하게 작용하여 폐구 교합 간섭이 존재

할 가능성이 있다(C).

테스트를 정지한 후(다시 그림 33a 참조), cotton roll을 구치부의 교합면에 위치시키고, 3회 이악물기를 기록한다(그림 33b). 구치부 사이에 cotton roll을 배치하는 것은 폐구 시 구치부 간섭을 제거하여, 교합을 약간 열리게 하는 것이다. EMG 데이터 내에서 EMG 활동이 배가되었음이 교근과 측두근에서 관찰되는데(A), 환자가 자신의 치아로 교두감합할 때 근억제와 근약화 발생이 있다는 것을 확인할 수 있다. 또한 cotton roll 데이터에서, 교근과 측두근이 한계 수준에 도달하는 데 필요한 시간(B; 26-191 milliseconds)이, 환자 자신의 자연치로 교합했을 때와 비교해서(그림 33a; 200-274 milliseconds) 현저히 감소하였다.

그림 34와 같이, 중심 간섭이 #3번-30번(16-46), #14번-19번(26-36), #15번-18번(27-37) 치아 사이에서 보이는데, 이것은 T-Scan의 3D ForceView에서도 확인된다(A). 가벼운 전치 접촉과 과다한 좌측 치아 접촉으로 COF 궤도

191

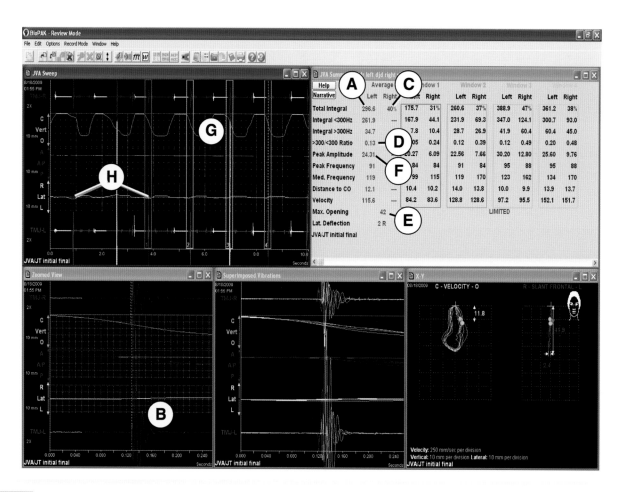

그림 29 JVA와 3D Electrognathograph

가 중앙선에서 교합력 대부분이 집중되는 좌측 후방 치아로 이동한다(B). EMG 데이터에서, 다른 수축근과 비교하여 좌측 교근의 활동이 증가한다(C).

그림 35에서처럼, 우측 편심위 운동 초기에 견치를 참여시키지 못하여 작업측 그룹 기능 유도 양상과 비작업측 간섭이 일어나게 된다. 이런 접촉은 2D, 3D T-Scan ForceView 양쪽 모두에서 확인된다(A). 편심위 운동이 시작되면서 후방 그룹 기능은 COF 궤도 이동에 의해 우측 후방 치아로 이동한다(B). 또한, 편심위 운동을 완성하기까지 극도로 긴 이개 시간이 (C-D 간격에서 보듯이) 존재한다(C). 총 힘 선(흑색선)의 가시적인 불규칙한 하강이 C-D 사이에 나타나고, 환자가 하악을 우측으로 운동할 때 후방 교합면에 마찰이 존재함을 암시한다. EMG 데이터에서, 과다한 편심위 근활동이 좌우측 교근에서 발생한다(E). 이것은 마찰성 접촉을 형성하는 구치가 우측에 더 많이 존재함에도 불구하고, 간섭 치아가 과다한 좌측 교근 활동을 야기함을

의미한다.

좌측방 운동에서도 동일하게 좌측 견치를 참여시키지 못하는 것이 관찰된다(그림 36). 또 다시, 작업측과 비작업측 간섭의 그룹 기능을 T-Scan ForceView의 2D, 3D에서 볼 수 있다(A). COF 양상(B)과 연장된 총 힘 선이 힘 vs. 시간 그래프에서 계단 모양을 보이고(C), 이로써 구치부가 좌측 편심위 동안 연관됨을 알 수 있다. 좌측 그룹 기능으로 인해, 거상근의 과다한 반사적 활성이 EMG 데이터에 나타난다. 또한 우측의 비작업측 간섭으로 인한 과다한 우측 교근 활성이 분명하다(D).

위의 완전 테스트 결과를 환자와 검토한 후, 주된 관심사는 좌측 TMJ의 이상 기능을 안정시키는 것으로 결정되었다. 이 문제는 장치를 사용하여 치료한다. 사용되는 특정 장치는 논의의 범위 밖이지만, 일련의 기능 회복 장치로 TMJ를 우선 안정화하고, 상하악 부조화도 수정할 수 있을 것이다(그림 37a, 37b, 38). 추가적인 목표는 더 나은 교합 기

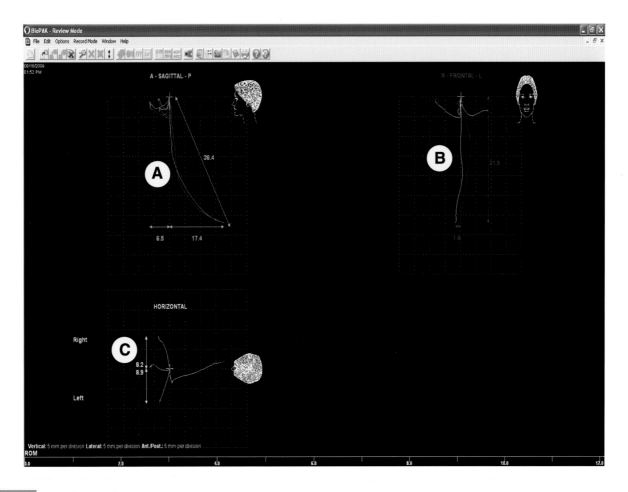

그림 30 운동 범위(ROM)

능을 통한 좀 더 조화로운 근관계를 구축하는 것이다.

장치 치료는 영구적으로 교합을 변경하기 전에, 적절한 교합과 상하악 관계를 결정할 수 있는 가역적인 방법이다. 환자는 최종 장치를 지속적으로 첫 6-8주간 착용한 후, 밤에만 착용하도록 했다. 이것이 환자가 결정한 치료였다. 심각한 재정적 문제로, 환자는 교정 치료와 T-Scan/EMG 동기화로 수행되는 교합 치료로 구성된 최종 치료를 거부하였다.

그림 37a에 보이는 테스트에서, 환자는 처음 3회의 싸이클 동안 자신의 구치부로 교합하였고, 그 후 테스트를 정지하였다가, 장치를 착용한 후 3회 더 이악물기를 하였다(그림 37b). 이것이 치아 상 교합과 장치 상 이악물기 비교의 기초선이 된다.

환자는 우선 첫 8주간 하루 24시간 동안 장치를 착용하였다. 그 후 장치를 벗고, 약 2년간 밤에만 착용하였다. 초기 테스트(그림 33a, 33b)와 비교한 데이터 분석에서 좀 더

동반상승적(synergy)이고 대칭적인 전체적 수축 활동이 확연히 관찰되었다(A). 그러나, 우측 측두근이 이상적인 동반상승과 대칭성에 미치지 못했는데(B), 이것은 후방 간섭과 상하악 관계가 확고하게 수립되지 않았기 때문이다. 그 대신에, 모든 근육 그룹에 요구되는 역치에 도달하기 위한 초기 수축의 시간에 지속적인 감소가 관찰되어, 근활동이 좀 더 조화됨을 알 수 있다(C).

그림 37b에서, 환자는 테스트를 정지하고 장치를 입안에 낀 상태로 이악물기를 하였다. 장치 상 이악물기는 양측성으로 두부 동측에 있는 근육의 동반상승 효과와 대칭성을 향상시켰다(A). 게다가, 각 근육이 역치에 도달하는 데 필요한 시간을 감소시킴으로써(B), 장치에 의한 수직 고경 증가는 좀 더 전체적인 근수축력을 가능하게 하고 조화를 향상시킨다.

환자가 장치를 착용한 상태로 연하하였다(그림 38). 악이복근에 남아있는 약간의 활동은 장치를 장착한 상태에서의

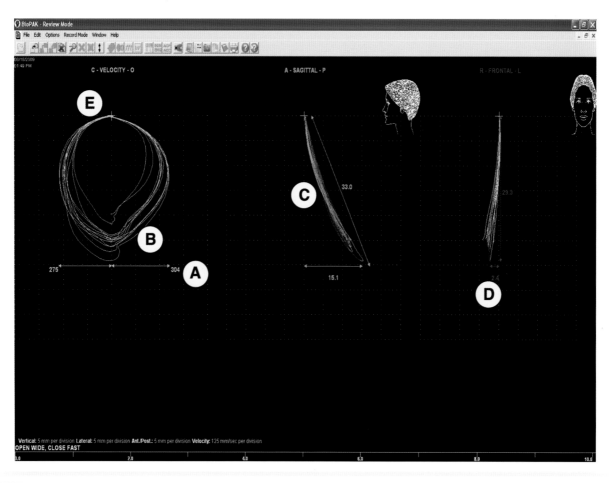

그림 31 속도

혀 위치에 대한 정보를 준다(A). 그러나, 연하 동안 교근의 적당한 활동이 관찰된다(B).

어떤 치료라도 그 목표는 TMJ 복합체의 악화 심화를 예방하는 것이지만, 장치 치료는 TMJ 상태만을 안정시키게 될 것이다. 디스크가 내측극을 가로질러 정복되고(이 증례처럼) 급성으로 길쭉해졌지만 인대가 찢어지거나 손상받지 않았다면, 바로 교정 장치를 개입시켜 수개월에 걸쳐 인대를 팽팽하게 유도할 수 있다. 언급된 기능적 안정성 때문에, 환자는 어떤 추가적인 치료를 추구하지 않았고, 재내원 시마다 생체측정 교합 모델 흐름도에 따라서 JVA Quick 테스트 진행을 시행하였다. 이런 반복된 평가로 좌측 TMJ가 무증상의 장기간 안정을 보였다(그림 39).

이 JVA 기록 내에서의 치아 접촉 타이밍이 완벽하게 sine 파장의 폐구 운동과 일치하지는 않지만, TMJ 진동이 개폐구 싸이클 내내 발견되지 않았다(A). 환자는 편위없는 최대 개구 49mm를 얻었다(B). 최근 검사에서 JVA 기록이 2년

전의 기록과 유사하게 나왔다.

이번 장을 쓰는 현재, 환자는 성공적으로 2년 이상 밤마다 장치를 착용하여 야간 기능 이상을 조절하고 있고 더 이상의 TMJ 불편감이나 악화된 TMD가 없다고 하였다(그림 39). 최근 내원에서, 환자는 TMJ 문제 경험을 희미하게만 기억하고 있다고 진술하였다. 초기 관절 병적 상태 정도를 고려했을 때, 이것은 다소 놀라웠다(그림 29).

환자는 TMJ 구조적 분해의 급성 단계(Piper Ⅳa단계; 그림 29)에서 진단받았기 때문에, 연골은 외형적으로 찢어지거나 아니면 영구적으로 손상되지는 않았고, 인대는 급성으로 변형 및/혹은 길쭉해졌다. 게다가, 환자의 디스크는 여전히, 특히 후방면을 따라 상대적으로 잘-구성되어 있었다. TMJ 구조적 변화에 따른 신속한 치료도 우호적인 치료 결과의 요인으로 작용하였다. 장치 치료의 재빠른 적용으로 디스크가 내측극 위로 성공적으로 재배열되고, 늘어진 인대가 시간이 흐름에 따라 긴장되어, 더 이상의 디스크 변

194

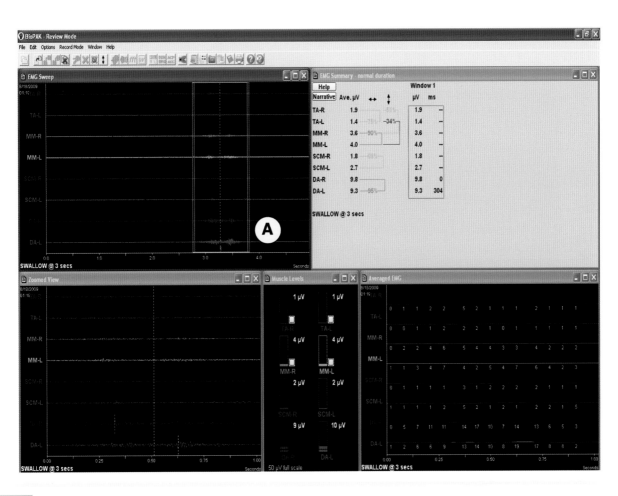

그림 32 연하

위를 함께 예방하였다. 흥미로운 것은 시간에 따라 만들어 진 초기와 연속적인 JVA Quick 검사가, 좌측 TMJ의 근본 적인 변화를 초기에 발견하여 치료하는데 도움이 되었다는 것이다.

이 증례는 상습적인 JVA Quick 검사 시행의 중요한 임 상적 장점을 강조한다. TMJ 손상의 조기 진단 결정의 매우 긍정적인 치료 결과는 장치 개입을 질병 진행의 초기에 시 행할 수 있다는 것이다. 환자의 TMJ 불안정성의 근본적인 원인도 밝힌 좀 더 완벽한 검사로, 원래의 테스트에서 발 견되었던 일탈적인 데이터가 재-평가에서 정상화되었음을 확인하였다. 임상적 교합 철학, 선택한 치료 양식, 사용된 장치 디자인 원리에 관계없이(혹은 장치 사용없이), 생체측 정 교합 모델은 임상의가 좀 더 성공적인 치료 결과를 얻도 록 도울 수 있다.

JVA 진단 기술의 비평

TMD 질환 상태 진단에 사용하는 데 관하여, JVA의 능력 과 신뢰성에 관해 상반되는 시각이 있다. 'TMD'는 복수의 기술 약어로 정의되는데, 하나의 특정 질환이 아니라, 온전 한 구강악계에 영향을 미치는 많은 복합적 병폐를 포함하 는 포괄적 용어이다. 그러므로, 단일 진단 검사나 단일 임 상적 도구로 TMD가 망라하는 모두를 진단할 수는 없을 것 이다. 이와 같이, TMD를 진단할 수 있는 단일 검사나 도 구가 없기 때문에, 'TMD를 진단'하는 JVA의 능력을 분석 하려고 시도하는 연구는 의심쩍고, 그 연구 디자인이 부적 합할 수 있다. JVA 기술 탐구에 흥미가 있는 임상의에게 연 구뿐만 아니라 연구 디자인, 누가 연구했는지, 어디서 연 구했는지, 어떻게 연구 기금을 모았는지에 대해서도 철저 하게 검토해 볼 것을 강력하게 권고한다. 이런 요소는 어떤 잠재적인 편견이 연구 그 자체뿐만 아니라 만들어지는 결 론에도 영향을 미치는지 이해하는 데 중요하다.

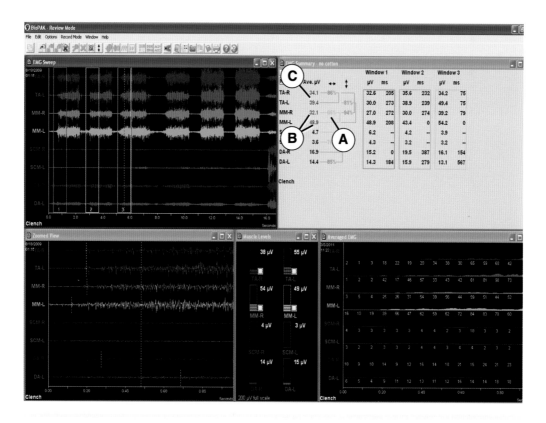

그림 33a 자연치 상의 이악물기

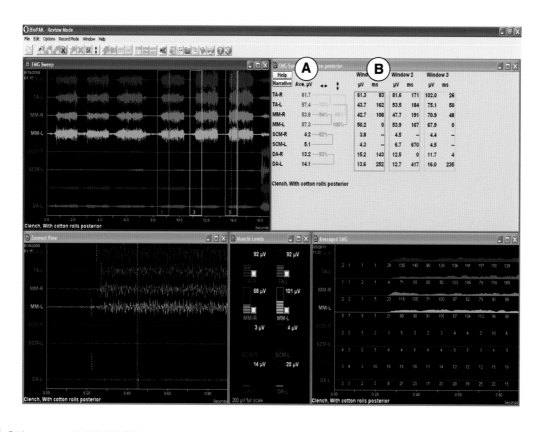

그림 33b 후방 cotton roll 상의 이악물기

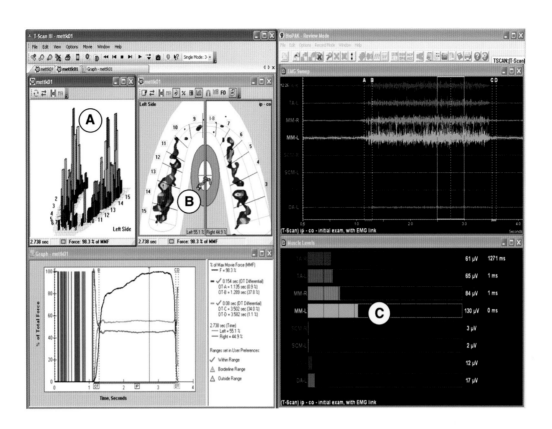

그림 34 CO (MIP)의 T-Scan/EMG 동기화 기록

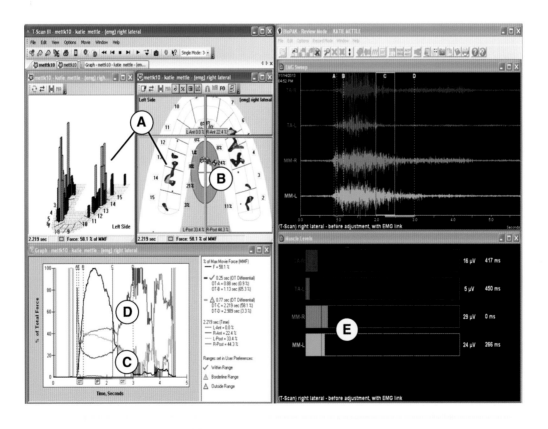

그림 35 우측 편심위 운동의 T-Scan/EMG 동기화 기록

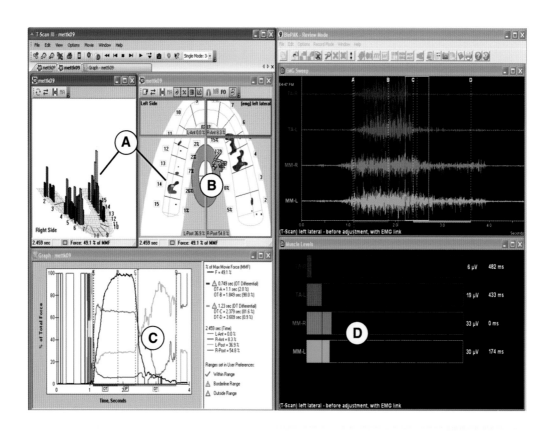

그림 36 좌측 편심위 운동의 T-Scan/EMG 동기화 기록

잘 고안되고, 조절되고, 독립적인 많은 연구에서(이번 장에서 앞서 언급된), JVA는 90% 이상의 특이성(질병의 존재를 결정하는 능력)과 90% 이상의 민감성(특정 상태를 결정하는 능력)을 갖는다고 하였다. 최근 연구를 포함하는 이런 연구의 일부에서 TMJ 진단과 분석의 '황금 표준'으로 널리 인식되고 있는 MRI 검사를 동시에 시행하여 JVA의 정확성을 심사하였다(Deregibus, Castroflorio, De Giorgi, & Debernardi, 2013).

JVA의 신뢰성에 반대하는 비평들은 전형적으로, 연구 디자인이 TMD 진단에 생체측정 데이터, 질병 내력, 임상적 검사를 수반하지 않고 JVA만을 이용하는 한정적인 메타-분석 연구에 근거한다(Manfredini, Cocilovo, Favero, Ferronato, Tonello, & Guarda-Nardini, 2011; Sharma, Crow, McCall, & Gonzalez, 2013). 메타 연구의 의도는 다수의 연구의 결과를 비교, 대조, 통합하는 것으로, 개별 연구의 한정된 데이터로는 얻을 수 있는 것보다 연구하는 재료 안에서 더 큰 통찰력을 얻기 위해 존재하는 근본적인 양상을 결정하기 위한 것이다. 메타 연구의 가장 중요한 잠재

적인 결점은 종종 '의제가 주도하는 편견'이 존재할 수 있다는 것이다. 즉, 만약 개별 혹은 연구 팀이 어떤 정치적이거나 경제적인 의제 혹은 편견을 가진다면, 희망하는 가설에 비호의적인 연구는 거절하고, 재검토되는 연구는 연구자의 가설을 지지하는 목적으로 특별하게 선택하게 될 것이다. 또한 연구자는 데이터가 적지만 그들의 가설에 호의적인 연구를 선택하고, 그들의 편견을 지지하지 않는 더 많은 양의 데이터를 가진 연구를 무시할 수도 있다(Stengenga, 2011). 게다가, Journal of the American Medical Association에 최근 발표된 논문은, 메타 분석을 수행한 연구자들이 관심사의 충돌이 원래의 연구에서 제시되었을 때 조차도, 분석한 연구 내에 충돌할 잠재력이 있는 관심사는 거의 제공하지 않는다고 하였다(Roseman, Milette, Bero, Coyne, Lexchin, & Turner, 2011). 연구는 반드시 가실과 반대되는 다른 목적을 가진 연구를 사용하는 메타 연구도 조사해야만 한다. 사용된 연구가 같은 가설을 특별히 검사하지 않을 때 단언하는 것은 불가능하게 된다.

앞에 언급한 것처럼, TMD의 병인으로 간주되는 생각에

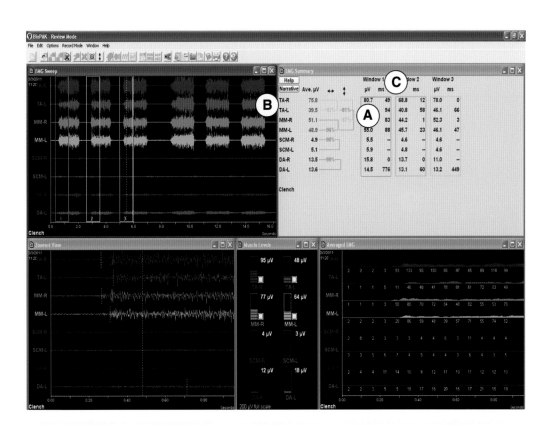

그림 37a 치료 옵션: 치아 상 교합, 그 후 장치 상 이악물기

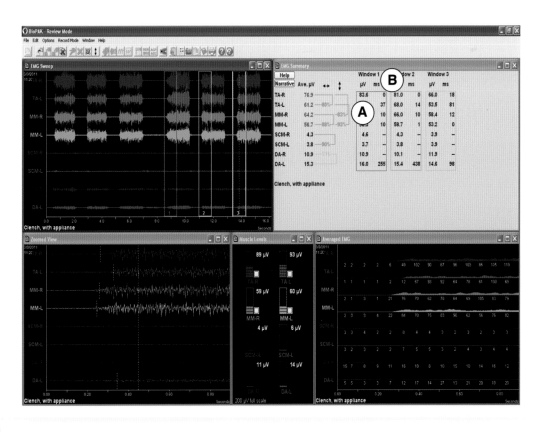

그림 37b 치료 옵션: 장치 상 이악물기에 대한 장치 테스트

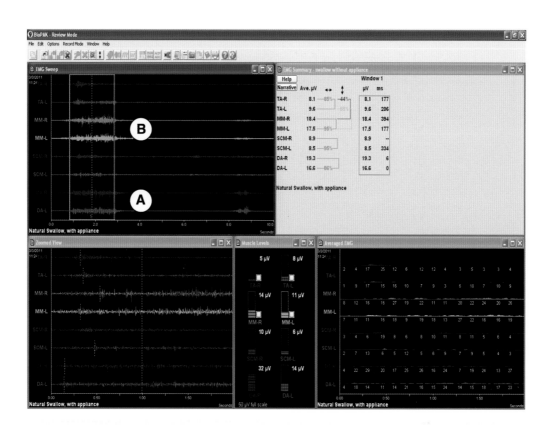

그림 38 치료 옵션: 장치 낀 상태로 연하

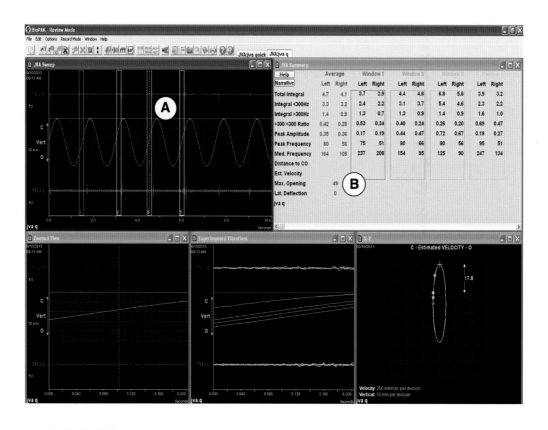

그림 39 JVA Quick을 이용한 재-평가

는 2개의 그룹이 있다;
• 심리적 유도설
• 교합적 유도설

이들 다른 그룹의 양쪽을 연구하는 대다수는 압도적으로 자신의 특별한 접근이 확정적이고, TMD 상태의 주요 원인임을 확증하려는 쪽으로 향하였다. 이상하게도, TMD와 관련하여, 매우 좋은 연구는 그들의 각 분야의 타당성과 중요성 쪽으로 초점을 맞춘다. 그러므로, 각 이론이 TMD 상태의 최종 진단에서 어느 정도 중요한 역할을 할 것이다. 그러나, 특정한 TMD 상태의 병인이 우연한 요인이라고 믿는 것에 단순히 집중되지 않는 것 같다. TMD의 심인성 병인을 옹호하는 진영은 다른 생체측정 기술뿐만 아니라 JVA의 타당성에 의문을 갖는 메타 연구에 책임져야 한다(Manfredini, Cocilovo, Favero, Ferronato, Tonello, & Guarda-Nardini, 2011; Sharma, Crow, McCall, & Gonzalez, 2013).

JVA 기록은 구조적으로 약화된 TMJ에서 방출되는 진동을 기록한다는 점을 재강조할 필요가 있다. 일부 메타-분석에서 언급된 것처럼(Manfredini, Cocilovo, Favero, Ferronato, Tonello, & Guarda-Nardini, 2011; Sharma, Crow, McCall, & Gonzalez, 2013), JVA는 특수하게 TMD를 진단하는 데 사용된다고 주장된 적이 없다. JVA로 취합된 데이터로 상당한 임상 정보를 얻을 수 있음에도, 이것은 독자적으로 일반적인 TMD 진단을 제공하도록 고안되지 않았다.

오늘날까지, 단 하나의 연구도 JVA의 혜택, 수행, 정확성을 부인하지 않았다. 반대로 병리의 본질을 결정하기 위해, 구조적 TMJ 병리와 JVA의 신뢰성있는 사용 사이에 존재하는 중요한 연관성을 밝히는 상당량의 증거가 있다(이 연구들은 이 장에서 앞서 언급하였다).

위의 논의 내에 포함된 주목할 가치가 있는 사항을 설명하는 단순한 예는, 임상의가 JVA Quick 기록 실시를 시작하기 전에 필수적으로 환자의 최대 개구와, 가시적인 하악 편위를 확인해야 한다는 것이다. 이런 단순하고 기본적인 임상 정보만으로도 JVA의 사용이 과두-걸림 TMJ 상태를 오진하지 않게 할 가능성을 상당히 증가시킨다. 과두-걸림 상태가 존재하면, 디스크가 변위되어 과두 전방에 위치하기 때문에, 개구가 제한적이고, 눈에 보이는 이환측으로의 하악 편위가 있고, 있다 해도 매우 적은 TMJ 진동이 관찰된다. 그러므로, 상당한 병적 상태가 존재할 때 관절 진동

을 발견하지 못할 수도 있다.

임상의나 연구자가 다른 연관된 임상 정보와 별개로, 이런 잘못된 환경에서 홀로 관절 진동을 본다면, 과두-걸림 TMJ는 오진할 가능성이 크다. 그 대안으로, JVA를 3D 하악 EGN과 같이 사용하면, 어떤 제한적인 개구나 하악 편위 존재도 자동적으로 확실하게 기록 내에 포착될 것이다(그림 17). 증례가 보여주는 것은 JVA 정보가 병력, 임상 검사, 필요하다면 다른 진단 데이터와 통합하여 사용될 때 가장 좋다는 것이다.

해결 방안 및 권고 사항

JVA 기술의 더 나은 진보는 임상의의 초기 구입비를 낮추기 위해서 필요하다. 이를 통해, 더 넓은 범위의 임상의가 사전적이고 객관적인 TMJ 상태 스크리닝의 혜택을 누릴 수 있을 것이다.

현대 컴퓨터-기반 진단 기술의 진화에 따라, 임상의는 전통적인 근촉진, 현미경 검사, 도플러 해석의 한계와 단점을 인식해야만 한다. JVA는 임상의와 환자에게 객관적이고 재현성있는 진단 데이터를 제공하여 측정된 진단을 내릴 수 있게 돕는다. 이것은 TMD 진단 과정의 질에 상당한 진전을 대표한다. 우리들은 환자의 전반적인 치료 향상을 위해 컴퓨터-기반 방법론을 더 잘 받아들이고 사용할 수 있는 과학 기술을 이용하도록 분투해야 한다.

JVA는 어떤 광범위한 기본 세트나 전문 면허, 방사선 촬영처럼 기록을 만들기 위해 훈련 받은 직원 없이 쉽게 적용할 수 있다. 건강한 TMJ를 유지하기 위해 비-침습적, 진행적, 일상적으로 객관적인 평가가 병리와 불안정성 진단에 중요하기 때문에, TMD 상태가 있는 기존의 환자나 신환 모두를 임상에서 쉽게 스크리닝할 수 있다. 지속적이고 규칙적인 환자 스크리닝 접근은 JVA의 일반적인 사람들에 대한 접근성을 높일 것이다.

TMD의 임상적인 증상이나 증후를 수반하는 구조적인 TMJ 기능 이상과 연관된 소리가 발견되면, 치의학이 임상의에게 TMJ의 안정성에 대한 빈번한 생체측정 평가를 시행하라고 요구하는 것이라고 저자는 말하고 싶다.

201

미래의 연구 방향

TMD 치료에 이용할 수 있는 다른 치료 양상에 대해 장기적인 임상 연구를 하는 것이 매우 유익할 것이다. 이런 종류의 연구는 특별히 다양한 진단, 치료, 치료 결과에 대한 TMJ 자체의 역할을 결정한다.

TMJ 기능 이상 조기 발견의 이익을 평가하기 위해 환자 집단을 시간의 흐름에 따라 지속적, 사전적으로 스크리닝하기 위해 JVA를 사용하는 연구는 환자와 임상의에게 모두 이득이 될 것이다.

JVA를 이용한 일상적인 TMJ 환자 스크리닝을 흔하게 사용되는 주관적이고 사후적인 방법과 비교하고 대조하는 연구는 단호하게 기술-기반 스크리닝이 비-디지털적이고 주관적인 방법보다 더 신뢰도있고 정확하다고 대답할 것이다.

결론

JVA는 생체측정 교합 모델의 초석이다. 신속하고, 다루기 쉽고, 비-침습적인 방법으로 TMJ의 건강 상태를 지속적으로 평가할 수 있다. 철저한 병력 조사, 운동 범위를 포함하는 임상 검사, 하악 개구 시 편위 확인과 함께 JVA를 의도적으로 스크리닝 도구로 채택하면, 극도의 세밀하고 정확한 TMJ 구조적 건강 평가를 예상가능하게 얻을 수 있다.

이 장에서는 흔하게 보고되는 병적인 TMJ 변화와 다양한 병리에서 나오는 그들의 JVA-표현 진동 양상에 대해 검토하였다. 부가적으로 JVA가 기록하고 값을 계산하는 방법과, 다양한 TMJ 병리의 대표적인 특징적 진동 파형을 보여주었다. 이런 파형은 객관적으로 임상의와 환자가 구조적 TMJ 기능 이상의 본성을 구체적으로 이해하도록 돕는다. TMD의 이론화된 병인에 대한 장기간에 걸친 양측의 반박을 논의하기 위해 지지적이거나 반대하는 문헌들을 인용하였다. 마지막으로, 생체측정 교합 모델 흐름도는 JVA 이용 전략을 윤곽화하여, 임상의에게 단계화된, 의사-결정 과정을 안내하여 향상된 TMD 진단, 치료 계획, 치료 시행, 장기간 TMD 상태 경과 관찰하도록 돕는다.

참고문헌

- American Dental Association. (1983). Report of the president's conference on the examination, diagnosis, and management of Temporomandibular disorders. Journal of the American Dental Association, 106, 75-77.
- American Dental Association Council on Scientific Affairs. (2012). The use of cone-beam computed tomography in dentistry: an advisory statement from the American Dental Association Council on Scientific Affairs. Journal of the American Dental Association,143, 8, 899-902.
- Brooks, C.P. (1993). Joint Vibration Analysis in 314 Patients Presenting with TM Dysfunction: Correlation with Clinical and Tomographic Data. Presented at the 8th International Congress, International College of Craniomandibular Orthopedics. Banff, Alberta, Canada.
- Carr, L.T. (1994). The strengths and weaknesses of quantitative and qualitative research: What method for nursing? Journal of Advanced Nursing, 20, 716-721.
- Christensen, L.V., & Orloff, J. (1992). Reproducibility of Temporomandibular joint vibrations (electrovibratography). Journal of Oral Rehabilitation, 19, 3, 253-63.
- Cialdini, R. (2001). Influence: Science and Practice-4th Ed. Needham Heights, MA: Allyn & Bacon
- Cortés D, Exss E, Marholz C, Millas R, & Moncada G. (2011). Association between disk position and degenerative bone changes of the Temporomandibular joints: an imaging study in subjects with TMD. The Journal of Cranio Mandibular Practice, 29, 2, 117-26.
- Dawson, P.E. (2007). Functional Occlusion: From TMJ to Smile Design Chapter 6; the Masticatory Musculature. St. Louis, Missouri, C.V. Mosby, Elsevier.
- Dawson, P.E. (1996). A classification system for occlusions that relates maximal intercuspation to the position and condition of the Temporomandibular joints. Journal of Prosthetic Dentistry, 75, 1, 60-66.
- Deregibus, A., Castroflorio, T., De Giorgi, I., Burzio, C., & Debernardi, C. (2013). Diagnostic concordance between MRI and electrovibratography of the Temporomandibular joint of

subjects with disc displacement disorders. Dentomaxillofacial Radiology, 42, 4.

- deWujen, A., et. al. (1995). Reliability of Clinical Findings in Temporomandibular Disorders. Journal of Orofacial Pain, 9, 2, 181-189.

- Droter, J. R. (2005). An orthopaedic approach to the diagnosis and treatment of disorders of the temporomandibular joint. Dentistry Today, 24, 11, 82-84.

- Dworkin, S.F., LeResche, L., DeRouen. T., & Von Korff, M. (1990). Assessing clinical signs of Temporomandibular disorders: reliability of clinical examiners. The Journal of Prosthetic Dentistry. 24, 1, 574-579.

- Dworkin, S.F., & ,LeResche, L. (1992). Research diagnostic criteria for Temporomandibular disorders: review, criteria, examinations and specifications, critique. Journal of Craniomandibular Disorders. 6, 4, 301-355.

- Erb, K.H. (1933).Uber die Moglichkeit der Registrierung von Gelenkgerauschen. Deutsche Zeitschrift fur Chirurgie, 241, 237.

- Eriksson, L., Westesson, P.L., & Sjobert, H. (1987). Observer Performance in Describing

- Temporomandibular Joint Sounds. The Journal of Craniomandibular Practice, 5, 32-35.

- Findlay, I.A., & Kilpatrick, S.J. (1960). An analysis of the sounds produced by the mandibular joint. Journal of Dental Research, 39, 1163-1171.

- Goiato, M.C., Garcia, A.R., dos Santos, D.M., & Pesqueira, A.A. (2010). TMJ vibrations in asymptomatic patients using old and new complete dentures. The International Journal of Prosthodontics. 19, 6, 438-442.

- Greene, C.S. (2010). Management of patients with TMDs: a new "standard of care". The International Journal of Prosthodontics. 23, 3, 190-191.

- Greene, C.S. (2010). Managing patients with Temporomandibular disorders: a new "standard of care". American Journal of Orthodontics and Dentofacial Orthopedics. 138,1,3-4.

- Greene, C.S. (2010). Diagnosis and treatment of Temporomandibular disorders: emergence of a new care guidelines statement. Oral Surgery, Oral Medicine, Oral Pathology, Oral Radiology, and Endodontology, 110, 2, 137-139.

- Greene, C.S. (2010). Managing the care of patients with Temporomandibular disorders: a new guideline for care. Journal of the American Dental Association. 141, 9, 1086-1088.

- Greene, C.S. (2010). Diagnosis and treatment of Temporomandibular disorders: emergence of a new "standard of care". Quintessence International. 41, 8, 623-624.

- Heffez, L., & Blaustein, D. (1986). Advances in sonography of the Temporomandibular joint. Oral Surgery, Oral Medicine, Oral Pathology, Oral Radiology, and Endodontology. 62, 5, 486-495.

- Higashi, K. (1989). A clinical study on the relationship between chewing movements and masticatory muscle activities. Osaka Daigaku Shigaku Zasshi, 34, 1, 26-63.

- Honda, K., Natsumi, Y., & Urade, M. (2008). Correlation between MRI evidence of degenerative condylar surface changes, induction of articular disc displacement and pathological joint sounds in the Temporomandibular joint. Gerodontology, 25, 4, 251-257.

- Huang, Z.S., Lin, X.F., & Li, X.L. (2011). Characteristics of Temporomandibular joint vibrations in anterior disk displacement with reduction in adults. The Journal of Craniomandibular Practice, 29,4, 276-283.

- Huang, Z.S., Lin, X.F., & Li, X.L. (2011). Characteristics of Temporomandibular joint sounds in reducible anterior disc displacement of youth. Hua Xi Kou Qiang Yi Xue Za Zhi. 29, 6, 600-603.

- Ishigaki, S., Bessette, R.W., & Maruyama, T. (1993). Vibration of the Temporomandibular joints with normal radiographic imagings: comparison between asymptomatic volunteers and symptomatic patients. The Journal of Craniomandibular Practice, 11, 2,88-94.

- Ishigaki, S., Bessette, R.W., & Maruyama, T. (1993). Vibration analysis of the Temporomandibular joints with meniscal displacement with and without reduction. The Journal of Craniomandibular Practice, 11, 3,192-201.

- Ishigaki, S., Bessette, R.W., & Maruyama, T. (1993). Vibration analysis of the Temporomandibular joints with degenerative joint disease. The Journal of Craniomandibular Practice, 11, 4, 276-83.

- Ishigaki, S., Bessette, R.W., & Maruyama, T. (1994). Diagnostic accuracy of TMJ vibration analysis for internal derangement and/or degenerative joint disease. The Journal of Craniomandibular Practice, 12, 4, 241-246.
- Jankelson, B. (1979). Neuromuscular aspects of occlusion. Effects of occlusal position on the physiology and dysfunction of the mandibular musculature. Dental Clinics of North America. 23, 2,157-168.
- Kurita, H., Ohtsuka, A., Kobayashi, H., & Kurashina, K. (2000). Flattening of the articular eminence correlates with progressive internal derangement of the Temporomandibular joint. Dentomaxillofacial Radiology, 29, 5, 277-279.
- Laskin, D.M. (1970). Etiology of the myofascial pain-dysfunction syndrome. Journal of the Massachusetts Dental Society, 19, 4, 227-228.
- Levy, J. H. (2009). Teeth as Sensory Organs. Vistas, Aegis Publications, 2, 3, 14-19.
- Lund, J.P. (1991). Mastication and its control by the brain stem. Critical Reviews in Oral Biology & Medicine, 2, 1, 33-64.
- Manfredini, D., Cocilovo, F., Favero, L., Ferronato, G., Tonello, S., & Guarda-Nardini, L. (2011). Surface electromyography of mandible muscles and kinesiographic recordings: diagnostic accuracy for myofascial pain. Journal of Oral Rehabilitation, 33, 11, 791-799.
- Mazzetto, M.O., Hotta, T.H., Carrasco, T.G., & Mazzetto, R.G. (2008). Characteristics of TMD noise analyzed by electrovibratography. The Journal of Craniomandibular Practice, 26, 3, 222-228.
- Moffett, P, & Moore, G. (2011). The Standard of Care: Legal History and Definitions: the Bad and Good News. Western Journal of Emergency Medicine, 12, 1, 109-112
- Olivieri, K.A., Garcia, A.R., Paiva, G., & Stevens, C. (1999). Joint vibrations analysis in asymptomatic volunteers and symptomatic patients. The Journal of Craniomandibular Practice, 17,3, 176-183.
- Owen, A.H. (1996). Rationale and utilization of Temporomandibular joint vibration analysis in an orthopedic practice. The Journal of Craniomandibular Practice. 14,2, 139-153.
- Paesani, D., Westesson, P.L., & Hazala, M.P. (1992). Accuracy of Clinical Diagnosis for TMJ Internal Derangement and Arthrosis. Oral Surgery, Oral Medicine, Oral Pathology, Oral Radiology, and Endodontology, 73, 3, 360-364.
- Piper, M. (2013). Piper's classification of TMJ disorders. Published on-line, Retrieved June 1, 2013 from http://www.tmj-surgery.com/
- Radke, J.C., Ketcham, R., Glassman, B., & Kull, R. (2003). Artificial neural network learns to differentiate normal TMJs and nonreducing displaced disks after training on incisor-point chewing movements. The Journal of Craniomandibular Practice, 21,4, 259-264).
- Radke, J.C., & Kull, R.S. (2012). Distribution of Temporomandibular joint vibration transfer to the opposite side. The Journal of Craniomandibular Practice, 30,3,194-200.
- Radu, M., Marandici, M., & Hottel, T.L. (2004). The effect of clenching on condylar position: A vector analysis model. The Journal of Prosthetic Dentistry, 91,2,171-179.
- Ribeiro-Rotta, R.F., Marques, K.D., Pacheco, M.J., & Leles, C.R. (2011). Do computed tomography and magnetic resonance imaging add to Temporomandibular joint disorder treatment? A systematic review of diagnostic efficacy. The Journal of Oral Rehabilitation, 38, 2, 120-135.
- Rohlin, M., Westesson, P.-L., & Eriksson, L. (1985). The correlation of Temporomandibular joint sounds with joint morphology in fifty-five autopsy specimens. Journal of Oral Maxillofacial Surgery, 43, 3, 194-200.
- Roseman, M., Milette, K., Bero, L.A., Coyne, J.C., Lexchin, J., & Turner, E.H. (2011). Reporting of Conflicts of Interest in Meta-analyses of Trials of Pharmacological Treatments. The Journal of the American Medical Association, 305, 10, 1008-17.
- Sharma, S., Crow, H.C., McCall, W.D. Jr., & Gonzalez, Y.M. (2013). Systematic review of reliability and diagnostic validity of joint vibration analysis for diagnosis of Temporomandibular disorders. Journal of Orofacial Pain, 27, 1, 51-60.
- Stegenga, J. (2011). Is meta-analysis the platinum standard? Studies in History and Philosophy of Biological and Biomedical Sciences, 42, 4, 497–507.
- Sugarman, J. (1999). Triggers-1st Ed., Las Vegas, Nevada, Del-

Star Books, pp. 5-11, 23-43, 48-60, 80-87, 184-186.

- Tahan, H. A., & Sminkey, P.V. (2012). Motivational interviewing: building rapport with clients to encourage desirable behavioral and lifestyle changes. Professional Case Management, 17,4, 164-172.

- Wang, M., Sun, L., Yu, S., Liu, X., Jiao, K., Wang, G., Liu, L., & He, J. (2012). Degenerative changes in rat condylar cartilage induced by non-matching occlusion created by scattered orthodontic teeth-moving. The Journal of Craniomandibular Practice, 30, 4, 286-292

- Widmalm, S.E., Westesson, P.L., Brooks, S.L., Hatala, M.P., & Paesani, D. (1992). Temporomandibular joint sounds: correlation to joint structure in fresh autopsy specimens. American Journal of Orthodontics and Dentofacial Orthopedics, 101, 1, 60-69.

- Widmalm, S.E., Bae, H.E., Djurdjanovic, D., & McKay, D.C. (2006). Inaudible Temporomandibular joint vibrations. The Journal of Craniomandibular Practice, 24, 3, 207-212.

추가문헌

- Bell, W.E. (1990). Temporomandibular Disorders 3rd Ed., Chicago, Illinois, Year Book Medical Publishers.

- Berger, A. A. (2008). Seeing is Believing: An Introduction to Visual Communication 3rd Ed., New York, New York, McGraw Hill

- Carey, J., Craig, M., Kerstein, R.B., & Radke, J. (2007). Determining a Relationship Between Applied Occlusal Load and Articulation Paper Mark Area. The Open Dentistry Journal, 1, 1-7.

- Christensen, L.V. (1992). Physics and the sounds produced by the temporomandibular joints. Part 1. Journal of Oral Rehabilitation, 19, 5, 471-483.

- Cooper, B.C., Cooper, D.L., & Lucente, F.E. (1991). Electromyography of Masticatory Muscles in Craniomandibular Disorders. Laryngoscope, 101, 2, 150-157.

- Gallo, L.M. (2005). Modeling of temporomandibular joint function using MRI and jaw-tracking technologies-mechanics. Cells Tissues Organs, 180, 1, 54-68.

- Gigerenzer, G. & Gaissmaier, W. (2011). Heuristic Decision Making. Annual Review of Psychology, 62, 451-482.

- Huang, B.Y., Whittle, T., Peck, C.C., & Murray, G.M. (2006). Ipsilateral interferences and working-side condylar movements. Archives of Oral Biology, 51, 3, 206-214.

- Huijbers, W., Pennartz, C.M., Rubin, D.C., Daselaar, S.M. (2011). Imagery and retrieval of auditory and visual information: neural correlates of successful and unsuccessful performance. Neuropsychologia, 49, 7, 1730-1740.

- Hwang, I.T., Jung, D.U., Lee, J.H., & Kang, D.W. (2009). Evaluation of TMJ sound on the subject with TMJ disorder by Joint Vibration Analysis. The Journal of Advanced Prosthodontics, 1, 1, 26-30.

- Jankelson, R.R. (1990). Clinical Electromyography. Neuromuscular Dental Diagnosis and Treatment, pp. 97-174.

- Kerstein, R.B. (2010). Reducing Chronic Massetter and Temporalis Muscular Hyperactivity with Computer-Guided Occlusal Adjustments. Compendium of Continuing Education, 31, 7, 530-543.

- Kerstein R.B., & Radke J. (2012). Masseter and Temporalis Excursive Hyperactivity Decreased by Measured Anterior Guidance Development. Journal of Craniomandibular Practice, 30, 4, 243-254.

- Kobs, G., Bernhardt, O., Kocher, T., & Meyer, G. (2005). Critical assessment of temporomandibular joint clicking in diagnosing anterior disc displacement. Stomatologija, 7, 1, 28-30.

- Lerman, M.D. (2011). The muscle engram: the reflex that limits conventional occlusal treatment. Journal of Craniomandibular Practice, 29, 4, 297-303.

- Magnusson, C., Nilsson, M., & Magnusson, T., (2010). Degenerative changes in human temporomandibular joints in relation to occlusal support. Acta Odontologica Scandinavica, 68, 5, 305-311.

- Mazzeto, M.O., Hotta, T.H., & Mazzetto, R.G. (2009). Analysis of TMJ vibration sounds before and after use of two types of occlusal splints. Brazilian Dental Journal, 20, 4, 325-330.

- Nielsen, I.L., McNeill, C., Danzig, W., Goldman, S., Levy, J., & Miller, A.J. (1990). Adaptation of Craniofacial Muscles in Subjects with Craniomandibular Disorders. American Journal of

Orthodontics and Dentofacial Orthopedics, 97, 1, 20-34.

• Okeson, J.P. (2006). Bell's Orofacial Pains 6th Ed., Chicago, Illinois, Quintessence Publishing.

• Okeson, J.P., & de Leeuw, R. (2011). Differential Diagnosis of temporomandibular disorders and other orofacial pain disorders. Dental Clinics of North America, 55, 1, 105-120.

• Radke, J.C., Ketcham, R., Glassman, B., & Kull, R. (2004). Artificial neural network learns to differentiate normal TMJs and non-reducing displaced disks after training on incisor-point chewing movements. Journal of Craniomandibular Practice, 21, 4, 259-264.

• Singh, M., & Detamore, M.S. (2009). Biomechanical properties of the mandibular condylar cartilage and their relevance to the TMJ disc. Journal of Biomechanics, 42, 4, 405-417.

• Soboleva, U., Laurina, L., & Slaidina, (2005). Jaw tracking devices--historical review of methods development. Part I. Stomatologija, 7, 3, 67-71.

• Soboleva, U., Laurina, L., & Slaidina, (2005). Jaw tracking devices--historical review of methods development. Part II. Stomatologija, 7, 3, 72-76.

• Takada, K., Yashiro, K., & Takagi, M. (2006). Reliability and sensitivity of jerk-cost measurement for evaluating irregularity of chewing jaw movements. Physiological Measurement, 27, 7, 609-622.

주요 용어 및 정의

• Electrognathography(EGN): 정면, 시상면, 수평면에서 하악의 운동을 실시간으로 나타내는 컴퓨터, 전기적 3D 기록.

• JVA: 기능적으로 약화된 TMJ의 구조와 연관된 진동을 측정하고 기록하는 진단 컴퓨터 분석 기술.

• TMD: 복수의 설명 약어로, 하나의 특정한 질병을 의미하는 것이 아니라, 온 구강악계에 영향을 미치는 많은 복합적 병폐를 아우르는 포괄적인 용어.

• 가속도계: TMJ 기능과 연관된 진동을 기록하는 JVA 헤드셋 내에 사용되는 민감하고 표준화된 센서.

• 과두-걸림 디스크: TMJ의 디스크가 전방 변위되어 하악 개구 시 정복되지 않는 상태를 가리키는 진단 용어.

• 구강악계(Stomatognathic System): 치아, 저작근, TMJ를 포함하는 말, 음식물의 수용, 저작, 삼킴과 연관된, 서로 연관되고 의지하는 입의 구조적 요소.

• 발견적 교수법(Heuristics, 체험적 학습): 전체적인 수행을 향상하기 위해 자가-발견 혹은 자가-학습을 돕는 행동의 과정이나 요소.

• 비교 행동학(ethology): 다양한 환경 하에서 예상되는 인간의 행동에 대한 과학적인 연구 및 관찰.

• 생체측정 교합 모델: 환자의 교합을 진단, 치료, 재평가하는 기본적인 방법으로, 치아, 근육, TMJ로부터 데이터를 획득하는 컴퓨터 기술 사용.

• 치료 기준(Standard of Care): 특정 부위, 특정 시간에 수행될 것으로 예상되는 전형적인 치료를 일컫는 법의학 용어.

CHAPTER 07

만성 교합-근육 장애 치료를 위해 근전도계와 동기화한 T-Scan의 사용

Robert B. Kerstein, DMD
미국, 터프트 대학교 치과 대학 임상 교수 역임
보철과, 컴퓨터 교합 분석 전문

초록

이번 장에서는 교합에 의한 근육 과활성으로 발생한 TMD 증상 중 근육성 하위군(subset)인, 만성 교합-근육 장애(Occlu-so-Muscle Disorder)에 대해 논의할 것이다. 1991년 이후 발표된 T-Scan 기반 연구는 교합-근육 장애의 상당한 원인 요소가 하악 편심위 동안 대합하는 구치부 사이에서 발생하는 연장된 교합면 마찰에 있다고 하였다. 이런 마찰은 해당 치아의 PDL 섬유에 연장된 압축력을 발휘하여 저작근의 과다한 근수축을 촉발한다. 이번 장은 편심위 마찰이 저작근 과활성을 유발하는 신경 구조를 설명하고 연장된 교합면 마찰을 촉진시키는 환자의 교합 요소를 보여주게 될 것이다. 교합-근육 장애 환자가 교합 개입에 대한 후보자인지를 결정하기 위한 환자 부문 기준을 설명하고, 이개 시간 감소로 알려진 컴퓨터-유도 교합-근육 장애 치료를 상세히 설명하며, 이런 측정성 교합 치료가 매우 효과적인 교합-근육 장애 치료 사용임을 입증하는 연구 조사를 근거로 지지할 것이다.

도입

만성 교합-근육 장애(Dawson, 1989a)는 만성 통증, 두통, 기능 장애로 저작근계를 괴롭히는 TMD 장애의 근육성 부분 집합이다. 연관된 근육 과활성이 앞서 언급한 유사한 증상의 환자군에서 빈번히 관찰되는 주요 원인이다(Glick-man, 1979a; Dawson, 1989a):

- 만성 안면 통증, 만성 측두통, 잦은 이악물기와 이갈이, 아침 턱 통증, 눈의 피로, 이통, 저작 피로, 저작 시 근육과 치아 통증, 온도에 민감한 치아, TMJ의 가벼운 clicking과 popping.

문헌 내에서 이미 언급된 근육 과활성의 병인론은 이갈이(Clayton, Kotowicz, & Zahler, 1971; Dawson, 1989b), 이악물기(Bertram, Rudisch, Bodner, & Emshoff, 2002), 부정교합(Mophlin 등, 2004), 삼차 신경통(Zakrzewska & Mc-Millan, 2011), 교합 간섭(Glickman, 1979b; Baba, Yugami, Yaka, & Ai, 2001)이다.

만성 저작근 과활성 치료를 위해 교합면 마찰이 과활성의 원인 요소임에도(Williamson & Lundquist, 1983; Kerstein & Wright, 1991; Kerstein, 1995; Kerstein, Chapman, & Klein, 1997; Kerstein & Radke, 2006; Kerstein & Radke, 2012), 내재된 비-생리적 교합면 마찰 문제를 다루

지 않고 증상만을 치료하려는 시도가 장기간 주장되어 왔다(Herman, Schiffman, Look, & Rindal, 2002). 교합면 마찰/저작근 과활성 관계와 증상 발현 및 빈도의 상관성에 대한 많은 연구 발표가 있었음에도 불구하고, 만성 교합-근육 장애 증상에 대한 원인으로서의 교합 병인이 치의학의 다양한 교육 안에 널리 받아들여지지 않고 있다. 교합-근육 장애 증상 치료에 대한 전통적인 접근에서, 교합은 원인의 제한적 요소로 간주되고 있고, 정서적이고 심리적인 요소가 선호되며, 치료도 치아와 구강 구조에 대해 가역적이고 비침습적이어야 한다고 제안되고 있다.

장치 치료(Bertram, Rudisch, Bodner, & Emshoff, 2002)는 가장 흔하게 선택되는 치료법이다. 구내 장치의 주요 효과는 교합-근육 장애 증상을 개선할 수 있다는 것이다:

- 이상 기능과 연하 시에 발생하는 잦은 치아 교두감합과 마찰성 교합면 편심위 접촉을 제한함으로써 치아의 기능에 개입한다. 장치를 장착하면 치아가 마찰성 접촉을 하지 않음으로써, 과활성을 유발하는 생리적 교합 마찰 문제를 완충한다.
- 장치가 수직 고경을 열어서, 선택된 새로운 전후방 및 내외측 위치에 하악이 재위치하고, 과두를 수직적으로 내리고 살짝 과두와 밖으로 꺼내어 TMJ 구조물의 부하를 줄인다.

장치 치료는 종종 근육 이완, 소염제, 악 근육계의 물리 치료(McNeely, Armijo, Olivo, & Magee, 2006), 경피성 전기 자극(Trans-cutaneous Electonic Nerve Stimulation, TENS)(Alvarez-Arenal, Junquera, Fernandez, Gonzalez, & Olay, 2002), 연질 식사와 병행된다. 이런 모든 치료 접근은 만성 교합-근육 장애 환자에서 다소 도움이 되고, 실행 가능한 가역적인 교합-근육 장애 치료라고 보고되고 있다. 교합 조정 술식이 모든 전형적 치료 프로토콜로 사용된다면, 장치가 가역적인 치료법으로 간주되기 때문에 장치 치료 단계 뒤에 수행된다(Okeson, 1985a; Solow, 2011).

교합의 잠재적인 원인으로서의 역할이 최소화되는 이유는 아마 연구에서 측정되지 않은 교합 조정 술식이 치료된 교합-근육 장애 증상의 제한적인 효과를 보여주기 때문일 것이다(Goodman, Greene, & Laskin, 1976; Forssell, Kirveskari, & Kangasniemi, 1986; Wenneberg, Nystrom, & Carlsson, 1988; Tsolka, Morris, & Preiskel, 1992). 1984

년 교합 부조화, CR-CO 일치, 비-작업측 간섭, 최대 교두감합, 교합 조정, 교합 장치에 관한 리뷰 논문 분석 연구(Bush, 1984)는 교합 조정이 만성 구강안면 통증의 치료에 성공적인 양식이 아니어서, 모든 환자의 증상이 개선되는 것이 아니고 재발도 흔하게 발생한다고 하였다. 그 대신에, 같은 리뷰 논문에서 교합 스플린트 장착으로 대부분의 증상과 징후가 단기간 및 장기간 기준 모두에서 감소되지만, 스플린트 치료 후에 치열을 재-교합시키기 위해 광범위한 기능 회복이 요구된다고 하였다(Bush, 1984). 저자는 논문에서 근육성 구강안면 통증 증상의 잠재적인 원인으로 문헌에서 빈번하게 논의되는 교합 요소와 연관된 그 때에 널리 퍼져있는 교합 이론이 연구에 의해 입증되지 않았다고 결론지었다(교합 부조화, CR-CO 불일치, 비-작업측 간섭, 최대 교두감합, 교합 수직 고경). 이런 결과로 치의학은 교합이 만성 근육 증상의 원인에 제한적인 역할을 한다고 인지하게 된다.

1984년, T-Scan I 기술(T-Scan 2000, Tekscan, Inc., S. Boston, MA, USA)이 TMD 영역에 소개되고 나서야, 이전에 지지되지 못했던 이론에서 연구를 기반으로 하는 교합 원인설이 방출되었다(Kerstein & Wright, 1991; Kerstein, 1993). T-Scan I이 0.01초 간격으로 교합 접촉 타이밍 순서를 기록하기 때문에, 후방 이개 시간(Posterior Disclusion Time)으로 알려진 새로운 교합 기능성 운동 매개변수가 분리되었다. 후방 이개 시간은 *마주보는 교합면 마찰성 연루 지속에 의한 연장된 편심위 운동 지속 시간으로* 측정된다(Kerstein & Wright, 1991).

DT를 분리하기 전에는, 편심위 운동 동안 구치부 접촉 결여가 나타나는 시각적인 분명한 이개가 인정되는 기준이었다(그림 1). 이런 시각적 평가 동안, 뚜렷한 이개의 타이밍을 수량화하는 방법이 없고, 임상의는 치아의 설측면에서 편심위 동안 마찰성의 간섭이 있는지를 볼 수 없다. 아직, 편심위 운동 동안 시각적인 견치 혹은 전치 조절이 있다면, 이개가 "즉시" 이루어진다고 강하게 믿어지고 있다.

이개 시간은 환자가 교두감합에서 출발하여, 우측, 좌측, 혹은 전방으로 이동하여 견치 및/혹은 절치만 접촉을 이루고 모든 구치부가 이개되는 데 필요한 경과 시간으로 정의된다(Kerstein & Wright, 1991). 그러나, 가장 중요한 것은, 1.39초의 연장된 교합면 마찰성 지속 시간(긴 이개 시간으로 알려진)의 존재가 편심위 운동 동안 발생하는 교

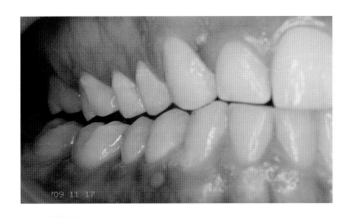

그림 1 뚜렷한 가시적인 후방 이개로, 임상의가 이개 시간을 수량화하거나 편심위 운동에서 발생할 수 있는 설측-대-설측 마찰성 상호작용을 볼 수 없다

근과 측두근의 수축성 근활성(Contractile Muscle Activity, CMA)의 크기 상승과 적절하게 연관되는지 결정하는 것이다(그림 2)(Kerstein & Wright, 1991).

CMA~DT

동일한 연구에서, 마찰 시간을 측정가능한 거의 즉각적으로 감소시킴으로써(편심위 당 0.41초 이하; *짧은 이개 시간이라고 알려진*), 치료 전 상승되었던 근활성의 크기가 사람마다 5-10배 정도 현저하게 감소하여, 같은 편심위 운동 동안 휴지기 근활성 크기 정도 혹은 그에 근접하게 기능하게 되었다(그림 2)(Kerstein & Wright, 1991). 이런 근활성 크기 감소로 연구에 참여한 모든 피실험자가 신속히 교합-근육 장애 증상이 해소되었으며, 1년 장기간 리콜 기간 동안 재발되지 않았다(Kerstein, 1992).

연장된 이개 시간/상승된 저작근 활성 크기 간 연관성의 발견으로 이런 관계가 근육-교합 장애 종합 증상에 대한 원인이라고 지속적으로 실증하는 많은 수의 연구들이 이어지고 있다(Kerstein, 1995; Kerstein, Chapman, & Klein, 1997; Kerstein & Radke, 2006; Kerstein & Radke, 2012). 또한 이런 연구들은 편심위 당 교합면 마찰성 지속 시간을 0.5초 이하로 정량화하여 단축시키고, (MIP 위치에서부터) 연장된 이개 시간 치료를 목표로 하는 *측정성 교합 조정 술식*을 수행함으로써(Kerstein, 1992), 스플린트나 교합 장치(Deprogrammer)와 같은 어떤 종류의 장치를 사용하지 않고, 만성 교합-근육 장애 증상이 빠르게 약화되고 드라마틱하게 감소되거나 없어진 상태로 유지된다고 지속적으로

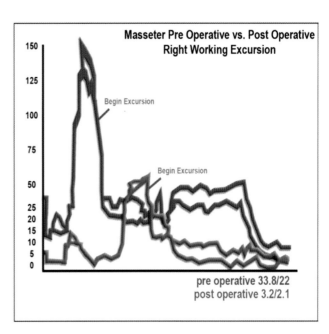

그림 2 같은 사람의 교근 편심위 근활성 크기로 긴 이개 시간(적색 EMG 데이터; 좌측 33.8μV, 우측 22μV)와 짧은 이개 시간(청색 EMG 데이터; 좌측 3.2μV, 우측 2.1μV)를 가진다. 긴 이개 시간에서 짧은 이개 시간으로 변화한 결과, 편심위 당 편심위 근활성이 10%로 감소하였다(Kerstein & Wright, 1991에서 개작되고 재판됨, Elsevier Limited, Oxford, UK 허락 하에; License Number - 3301411429527, http://www.elsevier.com)

보고하고 있다.

마찰성 원인이 저작근 활성을 상승시키는 기전은, 뇌 안에서 저작근으로의 원심성 운동 섬유와 신경 접합하는 구심성의 대구치 PDL 기계적 자극 수용기의 신경 구조에 근거한다고 가정한다(Kerstein, 1993; Haines, 2012). 1993년에 처음 제안되었을 때, 이는 교합-근육 장애에서 교합의 병인을 설명하는 독특한 이론을 대표하게 되었다. T-Scan I 기술이 문헌에 등장하기 전에 장기간 증명되지 않았던 뛰어난 교합 이론의 결정적인 출발이 되었다(교합 부조화의 존재가 증상을 유발하고, CR과 CO이 일치하지 않을 때 증상이 유발되고, 비-작업측 간섭이 증상을 일으키며, 치아의 최대 교두감합 위치가 부적절한 악관계의 증상 발현을 야기하며, 부정확한 교합 수직 고경이 증상을 야기한다)(Bush, 1984).

이번 장의 특별한 목표

- 연장된 이개 시간/저작근 과활성 연관성의 신경 구조 및 생리를 설명

209

- 연장된 편심위 운동 교합면 마찰을 증진시키고 저작근의 과활성을 야기하는 교합 요소를 실증
- 환자 예시와 교합-근육 환자를 감별하는 치료 변수를 상세히 함으로써, 교합면 마찰과 저작근 과활성에 대한 치료가 필요한 환자 적응증을 설명.
- 무측정성 교합 조정과 측정성 교합 조정 수행 간에 상당한 차이 설명
- 1991년 이후 계속된 교합-근육 장애 환자에서 측정성 교합 조정 치료의 타당성에 관한 연구를 지지

배경

대구치 치주 인대 기계적 자극수용기의 신경 구조

대구치의 PDL 기계적 자극수용기는 말초 신경계(Peripheral Nervous System, PNS)의 한 부분이다. 말초 신경은 자율 신경, 뇌 신경, 척수 신경을 포함하는 뇌와 척수 외부에 위치한 신경으로 정의된다(Definitions.net, 2013). 이런 신경은 일반적으로 척추나 뇌 자체에 들어가기 전에 자신의 1번째 신경 접합을 중추 신경계(CNS) 밖에서 형성한다.

그러나, 대구치 PDL 기계적 자극수용기는 말초 신경임에도 불구하고 독특한 신경 구조를 가지고, 중추 신경계의 외부에서 초기 신경 접합을 가지지 않는다. 대신에, PDL 기계적 자극수용기는 신경 접합없이 중간 뇌핵을 거쳐 CNS로 바로 들어가는 유일한 구심성 사람 말초 신경 섬유로 삼차 운동 신경핵으로 들어간다(Haines, 2012)(그림 3a, 3b). 삼차 신경 운동핵 내에서, PDL 기계적 자극 수용기 섬유가 4개의 저작근, 고막장근, 구개범장근, 악설골근, 악이복근 전복에 대한 원심성 운동 섬유와 1번째 신경 접합을 형성한다(그림 4a, 4b)(Haines, 2012).

이런 독특한 신경 구조적 말초 신경 경로 때문에, 저작, 이악물기, 이갈이, 연하 시에 발생하는 마주하는 구치부의 압박은 교합하는 대구치 PDL 기계적 자극수용기 섬유에 압력을 행사하여, 삼차 신경 운동핵 내에서 1번째 신경 접합(그림 3a, 3b)을 이룬 후 4개의 저작근과 위에 열거한 구개, 귀, 구강저의 근육과 접촉한다(그림 4a, 4b). 이 경로는 아마 단단하거나 잠재적인 파괴성 음식물 덩어리가 대합치와 접촉하게 될 때, 대구치 와를 손상이나 외상으로부터 보호하기 위해 진화적으로 창조되었을 것이다. 치아가 빠르

고 강력하게 치조를 향해 압박할 때, 단단한 물질이 만들어내는 과도한 힘은 빠르게 뇌에 전달되고 연이어 근육에 전달되어 하악 운동을 조절하게 된다. 단단한 덩어리가 외상성 치아 손상을 유발하기 때문에, 뇌는 환자에게 빠르게 (거의 무의식적으로) 치아를 벌리게 하여 단단한 덩어리에 의해 유발된 치아의 과부하를 경감시킨다. 이런 방법으로, 비정상적인 치아와 PDL 기계적 자극 수용기 압박은 치아, 상하악의 치조, TMJ를 잠재적인 파괴적 외상으로부터 보호한다.

연장된 편심위 운동 이개 시간/저작근 과활성 연관성의 생리학

임상적 보고와 교합 조정 연구에서 연장된 후방 편심위 마찰성 접촉이 상승된 근활성의 원인이 되고(Ingervall & Carlsson, 1982; Williamson & Lundquist, 1983; Kerstein & Wright, 1991; Kerstein & Radke, 2006; Kerstein & Radke, 2012), 임상적 교합-근육 종합 증상의 원인도 된다(Kerstein & Farrel, 1990; Kerstein & Wright, 1991; Kerstein, 1992; Kerstein, 1995; Kerstein, Chapman, & Klein, 1997; Kerstein, 2010a; Kerstein & Radke, 2012)는 것은 지속적으로 제시되었다.

이런 증상이 나타나는 기전은 1993년에 처음 제시되었고(Kerstein, 1993), 상하악 치조와 TMJ 전반에 걸친 PDL 기계적 자극수용기 방어 조절의 정반대를 강조하였다. 동일한 보호성 PDL 섬유 압박 기전은 (보통 경도의 음식을 저작하거나, 이악물기, 이갈이 및/혹은 연하 동안) 정상적인, 잘 견뎌내는, 자주 반복되는 치아 소켓 압박동안, 일상적인 하악 운동(기능적 및 이상기능적)을 수행하는데 요구되는 기초선에 근수축을 추가하여, 근활성을 높게 된다. 정상적, 종종, 연장된 교합면 마찰성 접촉이 일상적인 하악 운동 동안 존재하면, 저작근 과활성이 증가되어 근육 내 젖산 축적 상승으로 의한 근허혈이 유도되고(그림 5), 예민한 환자에서 장기간 지속되는 경우 교합-근육 장애 증상의 임상적 발현이 야기된다(Kerstein, 1993). 연장된 교합면 편심위 마찰과 상승된 교근 및 측두근 활성 사이의 관계의 예를 그림 6에서 볼 수 있다.

장치 치료(스플린트, 보조기, Deprogrammer)는 이런 기전을 어느 정도는 완화시키게 되고, 이런 점에서 몇몇 연구에서 장치를 장착한 환자에서 증상이 개선됨을 볼 수 있다

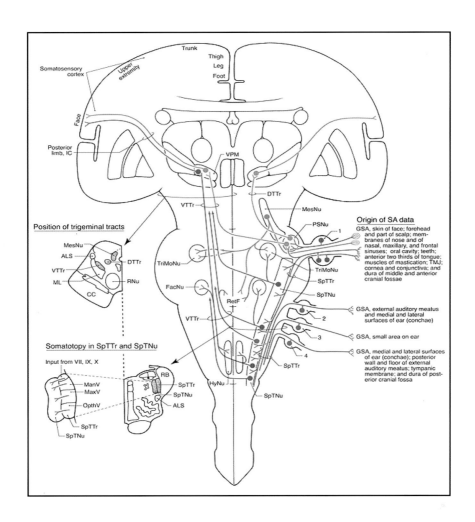

그림 3a 중간 뇌핵(MesNU)을 지나 나중에 삼차신경 운동핵(TrMoNU)에서 신경 접합되는 대구치 PDL 기계적 자극 수용기로부터의 일반적인 구심성 체신경 경로(초록색) (Haines Neuroanatomy, 8th Ed.,에서 허락 하 발췌, Lippincott, William, and Wilkins publishers, http://lww.com)

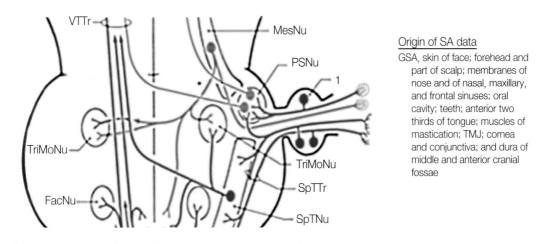

그림 3b 중간 뇌핵(MesNU)을 지나 삼차신경 운동핵(TrMoNU)에서 신경 접합되는 대구치 PDL 기계적 자극수용기에 대한, 그림 3a의 신경 통로 확대(초록색)

211

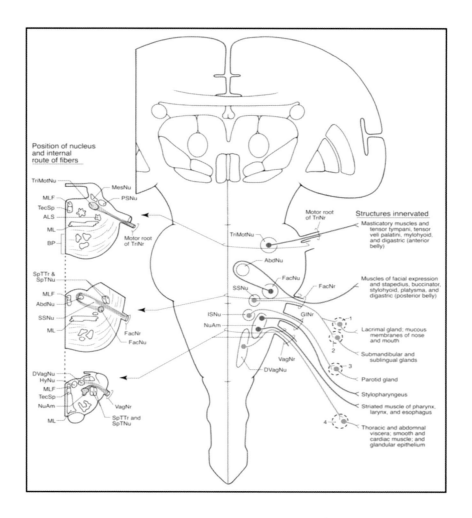

그림 4a 삼차신경 운동핵(TrMoNU)에 의한 신경 분포 구조(Haines Neuroanatomy, 8th Ed.,에서 허락 하 발췌, Lippincott, William, and Wilkins publishers, http://lww.com)

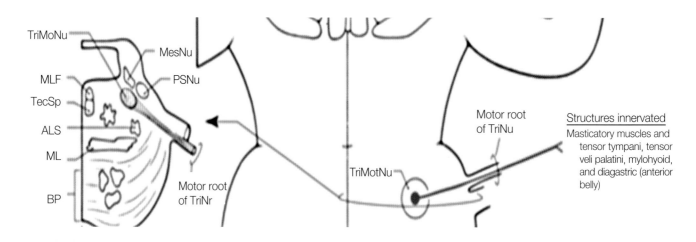

그림 4b 그림 4a의 삼차신경 운동핵(TrMoNU)에 의한 신경 분포 구조 확대. 교근이 신경 분포된 근육의 주요 그룹이다

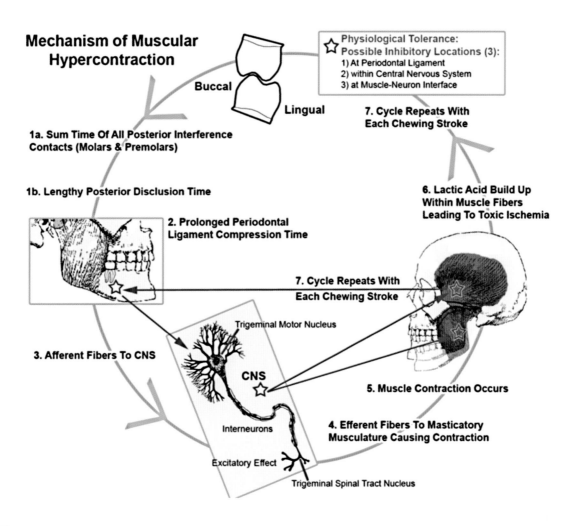

그림 5 교합-근육 장애 증상에 대한 원인인 연장된 편심위 후방 마찰성 접촉의 기전(the Journal of Craniomandibular and Sleep Practice in, Kerstein, R.B.(1993)에서 허락 하 개작되고 재판됨. Journal of Craniomandibular Practice, 11, 126-140, www.maneyonline.com/crn)

(Gelb, 1979; Bush, 1984; Wennerberg, Nystrom, & Carls-son, 1988). 그럼에도 불구하고, 장치가 진정으로 내재적인 근육 과활성을 야기한 교합면 마찰 원인을 치료하지 않았기 때문에, 지속적으로 장치나 스플린트를 장착하고 높은 적응을 보임에도 불구하고 만성 교합—근육 장애 환자들은 중등도의 불편한 증상이 지속되는 것을 경험하게 될 것이다(Kerstein, 2010a). 보통 이런 환자들은 규칙적인 약 복용, 부가적인 지지를 위한 경험적 신체 장치나 지압 요법 치료로 진행 중인 증상을 "자가—치료"한다. 만성 교합—근육 장애 환자는 삶을 방해하는 정도의 증상을 가지고 살게 되고, 장기간 약물 복용 및 장치 사용과 연관된 부정적인 전신적 후유증에 시달리게 된다(Kerstein, 2010a).

대합하는 후방 교합면 편심위 마찰과 연장된 이개 시간을 증진시키는 임상적 교합 요소

연장된 교합면 편심위 마찰은 많은 기여 요인이 교합 체계 내에 존재한다. 모든 요소가 지연된 교합면 마찰을 보이는 모든 환자한테 존재하는 것은 아니지만, 어느 정도는 각 요소가 교합에 의한 편심위 마찰 존재에 기여한다.

연장된 이개 시간을 증진시키는 교합 요소는:

- Angle의 골격 분류,
- 전방 개방 교합,
- 교합하는 제3대구치의 존재,
- 부적절하게 대합하는 후방의 수직적 치아 방향
- 최대 교두감합 위치에서 대합하는 견치 접촉의 부족,
- 수직적 중첩이 없는 edge-to-edge 전방 치아 관계를 포

213

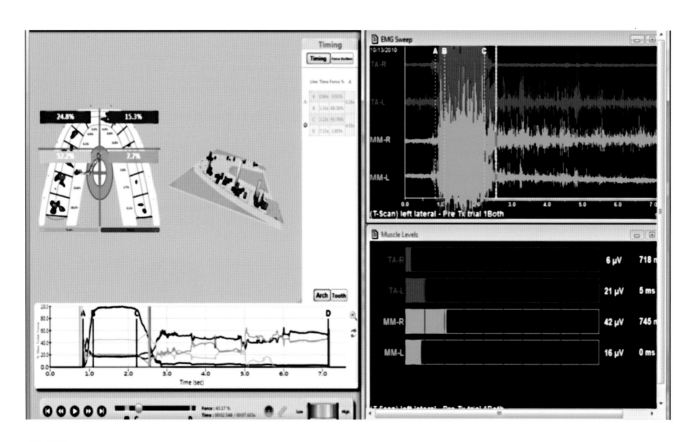

그림 6 좌측 편심위 운동 동안 좌측 측두근과 양측 교근의 근활성을 상승시키는(우측 구획 EMG 데이터에서 선 C 후방) 좌측 연장된 편심위 후방 접촉을 보여주는 T-Scan 8/BioEMG 데스크탑(좌측 구획 T-Scan 데이터). 이런 과활성은 장기간의 젖산 증강과 교합-근육 장애 증상의 임상 발현을 일으킨다고 연구되고 있다

함하는 얕은 전방 유도 접촉,

- 지나친 Curve of Spee 및 기울어져 솟아오른 대구치 존재,
- 협측에서는 보이지 않는, 편심위 운동 시 작업측에서의 설측-설측 간 접촉.

Angle의 골격 분류

80명의 환자를 대상으로 수행한 인구 분석으로, Angle의 골격 분류에 의해 통계적으로 달라지는 이개 시간 지속을 결정하는 좌우측 하악 편심위 운동을 평가하였다(Kerstein, 1994).

Angle의 분류마다 평균 이개 시간은:

- Class Ⅰ: 1.2초.
- Class Ⅱ: 1.7초.
- Class Ⅲ: 1.3초.
- **개방 교합**: 1.8+초.

데이터가 설명하는 것은 어떠한 Angle 분류도 실제적으로 짧은 이개 시간을 입증하지는 않는다는 것이다. Class Ⅰ의 피실험자조차도(1.2초) 앞서 생리적이라고 결정된 시간 (0.41초 이하)보다 3배나 더 긴 편심위 이개 시간을 보이는 교합면 마찰을 나타낸다. 이 데이터는 "이상적"이라고 간주되는 교합 관계(양측성 견치 결합을 수반하는 Class Ⅰ)가, 견치가 편심위 시작부터 접촉되기 때문에 발생할 것으로 생각되는, 측정 가능한 즉시 후방 이개를 입증하지 못한다. 그림 7a와 7b는 Class Ⅰ을 설명하는 것으로, 교정 후 환자는 MIP에서 견치 접촉, 우측 편심위 운동에서 견치 유도 접촉을 가지나, 실제적으로 우측 작업 편심위에서 구치부가 이개되지 않는다.

그림 7b에서, 환자는 정중선에서 우측방으로 상악 중절치 절단연 폭경의 1/3만큼만 이동할 수 있다. 긴 이개 시간과 가시적인 편심위 마찰성의 존재를 임상적으로 보기 위해서, 환자는 MIP 위치에서 작업측으로 1-3mm만 움직이면 되고, 상악 견치첨 외부로까지 측방으로 미끄러질 필요가 없다. 이런 짧은 편심위 운동 거리는 저작, 이악물기, 이

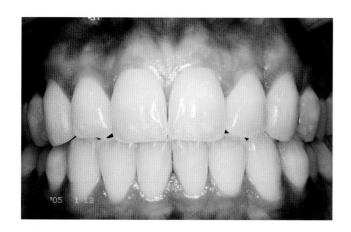

그림 7a 최대 교두감합에서 가시적인 견치 접촉을 수반하는 Class I 환자

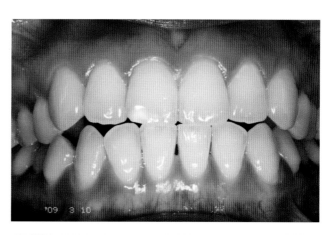

그림 8 전치가 결합되지 않는 전방 개방 교합 환자. 전치 관계 결손으로 이개 시간이 현저하게 길어진다

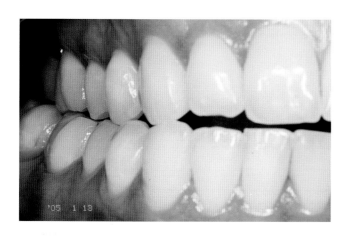

그림 7b 우측 편심위 동안 견치 유도 접촉에도 불구하고 편심위 마찰이 눈에 띈다

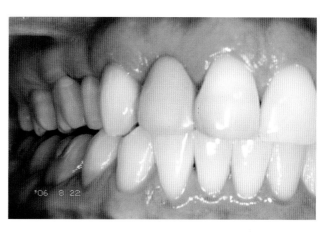

그림 9 우측 작업 편심위 시에 이개되지 않는 제3대구치를 가지고 있는 Class I 환자

갈이, 연하 동안, 환자가 구치부의 중앙와 주변으로 이동할 수 있는 범위가 된다. 1-3mm 구역 내에서 연장된 교합면 마찰이 발생하여 PDL 압박과 근육계 과기능이 길어진다. 어떤 편심위에서 중앙와의 양측에 동일한 짧은 거리 내에서 0.4초 내에 이개된다면, PDL 압박은 최소화되어 교합-근육 증상 발현을 제한한다.

환자는 견치첨에서가 아니라 구치부 중심와의 양측에서 짧은 거리 내에서 기능하기 때문에, 이번 장에서 소개되는 모든 임상적 편심위 특성은 후방 교합면 편심위 마찰을 시각적으로 관찰할 수 있는 1-3mm 운동 구역을 설명할 것이다.

Class Ⅲ 대상자는 Class I과 유사한 평균 이개 시간을 보이지만, Class Ⅱ와 개방 교합은 현저하게 긴 이개 시간을 보인다. Class Ⅲ는 Class I과 유사한 전방 치아 접촉을 가

지나, Class Ⅲ는 일반적으로 매우 얕거나 적은 전방 중첩(overlap)을 보인다. Class Ⅱ와 개방 교합은 전방 접촉 결합이 없고, 명확하게 이개 시간이 연장된다(그림 8).

제3대구치의 존재

교합에 관여하는 제3대구치는 하악 운동의 회전 중심(TMJ)에 가깝게 놓이기 때문에 종종 연장된 교합면 마찰을 증진시키지만, 빠르게 이개되기 위한 전방 유도 메카니즘과 너무 멀리 위치한다(그림 9). 어떤 제3대구치의 즉시 이개 부족은 얕은 전방 유도 및/혹은 전방 개방 교합의 존재에 의해 악화된다(그림 9, 10, 11).

215

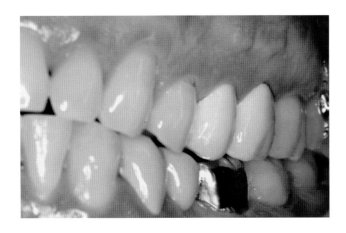

그림 10 편심위 동안 존재하는 견치 접촉이 있는 좌측 편심위로 작업측의 모든 대구치가 이개되지 않는다

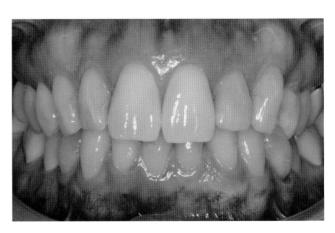

그림 12 구치부가 양측성으로 설측으로 기울어져, 연장된 교합면 편심위 마찰을 증진시킨다

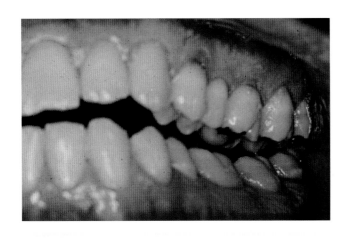

그림 11 좌측 제3대구치가 우측 편심위 동안 접촉하고 있다

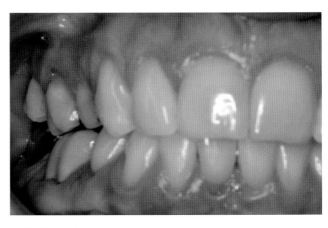

그림 13 기울어져 대합하는 구치부의 수직적 방향으로 우측 편심위 운동 초기에 후방 이개가 부족하다

부적절하게 대합하는 후방의 수직적 치아 방향

이상적으로 대합하는 구치부 방향은 대합치가 수직적으로 치아의 장축을 따라 교합력을 향해 배열되는 것이다(Okeson, 1985b). 그러나, 1989년 이후 교합-근육 장애 환자의 임상적 관찰은 이런 이상적인 치아 배열이 임상적으로 거의 존재하지 않음을 밝혀냈다. 그 대신에, 부적절한 대합 치아 방향이 자주 관찰되고, 대합 치아가 거의 30°에 가깝게 각각 *기울어져* 편심위 교합면 마찰을 증진시켜 이개 시간이 연장된다(그림 12, 13).

최대 교두감합 위치에서 대합하는 견치 접촉의 부족

견치가 MIP에서 닿지 않을 때, 후방 편심위 마찰과 연장된

이개 시간이 교합 체계 내에서 같이 존재한다. 이것은 하악이 측방으로 이동할 때 구치부를 들어올려 분리하기 위한 전치의 수직적 중첩이 없기 때문에 발생한다. 대신에, 구치부가 편심위로 연루되고 측방 운동을 조절하게 된다. 그림 14a와 14b는 우측 견치 MIP 접촉이 없는 환자를 보여주는 것이다(그림 14a). 이 환자가 우측으로 운동하면, 편심위에서 견치가 연루됨에도 불구하고 구치부를 들어올리지 않기 때문에, 모든 치아가 편심위에서 접촉하게 된다(그림 14b).

그림 15a는 편심위 초기 동안 MIP에서 우측 견치 접촉이 없는 다른 증례이다(그림 15b). 대신에, 전방 편심위 수직 거상 부족으로 인해 제1소구치와 1대구치가 접촉하고 있다.

그림 16은 또 다른 환자로 대합하는 견치가 마모되어

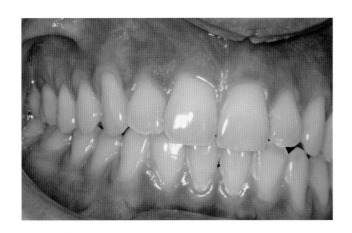

그림 14a MIP에서 우측 견치는 접촉되지 않고 좌측 견치가 살짝 접촉하는 환자. 구치부의 수직적 방향이 좋지 않다

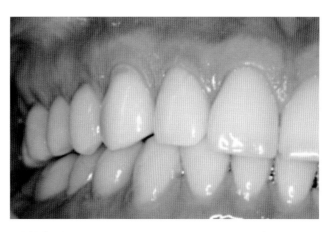

그림 15a MIP에서 우측 견치 접촉이 부족하다. 구치부의 수직적 방향이 좋지 않다

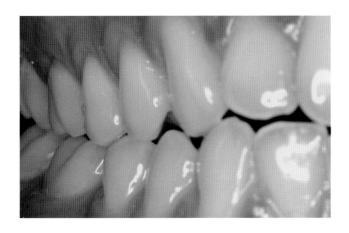

그림 14b 그림 14a의 환자가 우측으로 운동하면서, 우측 견치가 연루되나 구치부를 들어올리지 못하여 구치부 모두가 편심위 접촉을 보이고 있다

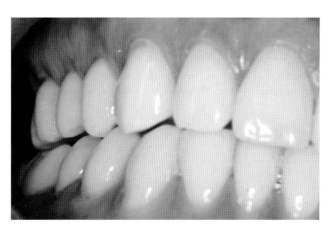

그림 15b 그림 15a의 환자로, 견치 접촉이 없는 우측 작업 편심위 운동을 보인다. 편심위 운동 초기에 제1소구치와 1대구치가 협측 접촉하면서 변화하는 하악 정중선 위치를 볼 수 있다. MIP 접촉이 부족하기 때문에, 견치는 편심위 후반에 접촉을 형성한다. 모든 편심위 운동 과정 동안 설측의 미끄러지는 치아 접촉을 가지는 대신, #6(13)번 치아가 #27(43)번 치아에 의해 가격당하기 때문에 굴곡파절이 발생하고, 충격으로 만곡된다

MIP에서 접촉되지 않고, 측방 전방 유도 조절 접촉 없이 구치부가 연루됨을 보여준다. 마모된 중앙–절단연은 편심위 운동의 초반부 동안 접촉되지 않는다.

수직 중첩이 없는 edge-to-edge 전치 관계를 포함하는 얕은 전방 유도 접촉

환자가 제한된 수직 중첩을 수반하는 얕은 견치 유도 접촉 혹은 수직 중첩이 없는 edge–to–edge의 전치 배열을 보일 때, 편심위 운동 동안 구치부를 분리하기 위한 수직적 거상 요소가 존재하지 않는다. 거상 부족은 항상 환자를 후방 교합면 마찰과 연장된 이개 시간에 취약하게 한다.

그림 17a는 순측으로 위치한 좌측 견치가 유도 접촉을 하지 못하고, 모든 제3대구치가 접촉되는 Class Ⅲ edge–to–edge 환자를 보여준다. 교합 체계 내에 전방 유도가 없고 좌측 편심위 운동의 전방 유도가 존재하지 않는다. 그림 17b는 같은 환자로 완전 후방 작업측 그룹 기능을 유도하는 얕은 경로를 통해 좌측 편심위 운동이 이루어진다. 이 증례에서, 후방 이개 부족에 기여하는 3가지의 다른 요소(edge–to–edge 관계, 순측으로 위치한 견치, 제3대구치의 존재)가

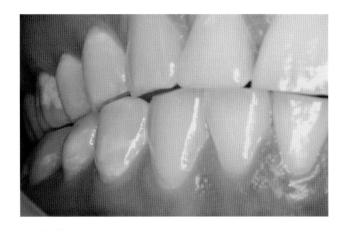

그림 16 견치 접촉이 없는 우측 편심위. 모든 구치가 측방으로 연루되고 서로서로 내측으로 기울어져 있다

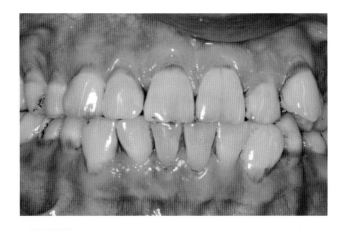

그림 17a 좌측 견치가 순측으로 위치하여 유도 접촉이 없는 Class III edge-to-edge. 제3대구치가 양측으로 존재한다

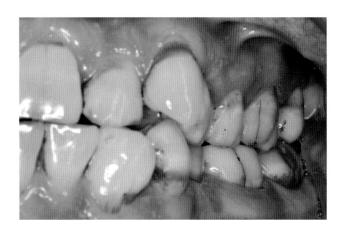

그림 17b 완전한 후방 작업측 그룹 기능이 존재하는 좌측 편심위

존재한다.

지나친 Curve of Spee 및 기울어져 솟은 대구치 방향

하악은 저작 동안 회전 경로 안에서 움직이기 때문에, 전후방 교합 평면 만곡의 존재는 그룹 기능 교합을 촉진한다. 이 원리는 기능하는 동안 보철물의 안정을 촉구하기 위해 "보상적 만곡"을 교합 체계 내에 구축하는 것처럼 양측성 균형 보철물을 제작할 때 보철적으로 이용된다. 이 만곡은 기능적 운동 동안 평평한 교합 평면(이것은 후방 이개를 촉진한다)보다 구치부를 함께 더 잘 유지한다. 전후방으로 과장된 Curve of Spee 및/ 혹은 근원심으로 기울어져 솟아오른 대구치(이것이 Curve of Spee를 심화한다)를 가지고 있는 환자는 만곡으로 인한 편심위 교합력 마찰과 연장된 이개 시간을 보일 것이다.

그림 18은 지나친 Curve of Spee가 편심위 동안 구치부 접촉을 어떻게 유지하는 지를 보여준다. 후방 좌측은 서로 교합하게 몇 개의 크라운으로 수복되었는데, 크라운 형태에 의해 교합 평면 만곡이 창조되었다. 편심위에서 전치 접촉이 있음에도 불구하고, 좌측방 운동 후기에 하악 제1대구치를 제외한 모든 구치가 작업측 협측 접촉을 형성한다.

그림 19a는 기울어져 솟아오른 우측 하악 제2대구치를 설명하는데, 그림 19b에서 균형측 편심위 마찰에 연루됨을 분명하게 볼 수 있다. 기울어진 제2대구치로 인해 Curve of Spee가 심해졌다. 그림 19c는 같은 제2대구치로, 좌측 편심위에서 교합지 자국이 원심협측 교두 내사면에 나타나있다. 이 선 모양의 교합지 자국은 연장된 마찰이 #21번-31번(17-47) 치아 사이에 존재함을 보여준다.

설측-대-설측 작업측 마찰성 접촉

편심위 운동은 일상적으로 협측에서 보여지기 때문에, 설측 작업측 간섭 접촉을 가시적으로 확인할 수 없다. 근육 과수축의 기전은 PDL 기계적 자극수용기가 중재하는 과정으로, 연장되는 모든 PDL 압축을 포함한다. 설측-대-설측 간섭 접촉은 협측-대-협측 작업측 간섭 접촉과 유사하게 PDL 기계적 자극수용기를 압축한다. 치아 압축과 PDL 압축은 마찰성 교합면 연루의 모든 방향에서 나타난다. 이 이개 시간 계산은 모든 작업측 대구치와 소구치 및 비작업측 대구치와 소구치 간섭 접촉의 지속 시간을 포함한다 (Kerstein, 1993). 편심위 운동 PDL 기계적 자극 수용기 압

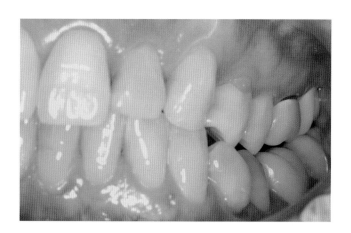

그림 18 대합하는 후방 크라운과 치아가 전후방으로 지나친 만곡을 가지고 있다. 하악 제1대구치를 제외한 모든 구치가 좌측 편심위에서 작업측 협측 접촉을 형성한다

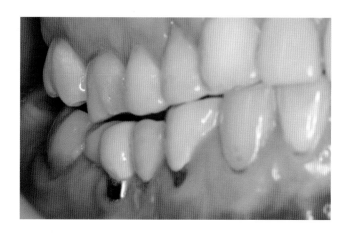

그림 19a 우측 하악 제2대구치가 기울어져 솟아오르고, 원심협측 교두가 치아의 근심면보다 더 높다. Curve of Spee가 심해졌다

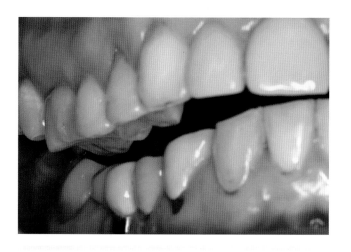

그림 19b 기울어진 우측 하악 제2대구치가 좌측으로 운동할 때 발생하는 연장된 균형측 접촉과 연관된다

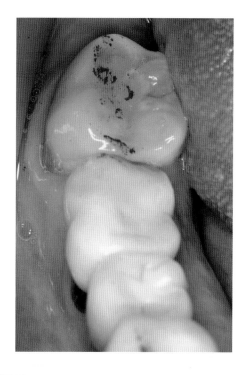

그림 19c 교합지 자국으로 연장된 편심위 마찰이 원심협측 교두 내사면에 존재함을 알 수 있다

착의 총 지속 합계 시간만큼 저작근계를 과활성시킨다.

구강 협측에서 관찰할 수 없는 설측-대-설측 작업측 접촉은 환자가 작업측으로 운동하면서 T-Scan/BioEMG 데이터에서 볼 수 있다. 그림 20a는 설측-대-설측 접촉이 그림 20b에서 보여지는 치아 접촉이 근육계를 활성화시키는 증례를 보여주고 있다. 2D ForceView(그림 20a 좌측 구획)는 우측 편심위에서 #2(17)번 치아의 원심구개측면에 상당한 힘이 형성되고 있음(분홍색과 노란색 sensel)을 보여주고, 같은 치아의 근심설측 및 근심협측면에 약한 힘이 있음을 보여 준다. EMG 데이터(그림 20a 우측 구획)는 시간 선 2.413초(편심위로 0.29초)에서, #2(17)번과 31(47)번 치아 사이의 설측-대-설측 마찰 접촉으로 인해 우측 측두근과 우측 교근이 과다하게 흥분함을 보여 준다(각각 약 100μV). 그림 20b는 치아에 존재하는 일치하는 접촉 위치를 보여주나, 교합지 자국은 근심협측과 구개측 접촉 사이의 상당한 힘 차이를 적절하게 설명하지 못한다.

그림 21a는 다른 환자의 좌측 편심위 운동을 보여 준다. 2.358초(편심위에서 0.27초)에서 편심위 동안, 대구치와 제2소구치가 낮은 힘(거의 암청색)의 설측-대-설측 접촉을 보인다. 그러나, 이것으로 교근이 매우 과활성되고(74μV),

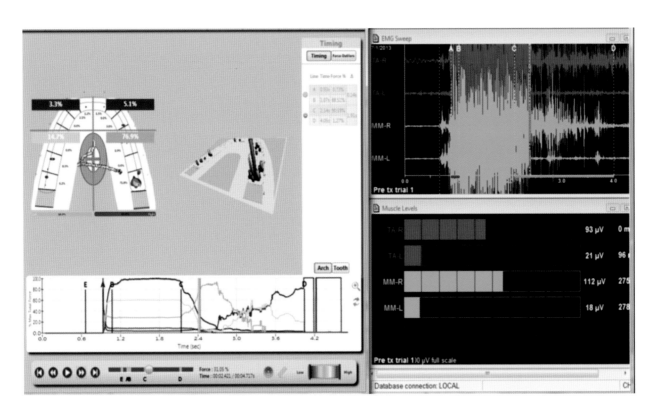

그림 20a 우측 편심위 2D ForceView에서 #2(17)번 치아의 원심구개측면에 상당한 힘이 형성되고(분홍색과 노란색 sensel), 근심설측 및 근심협측면에 약한 힘이 있다. EMG 데이터에서, #2(17)번과 31(47)번 치아 사이의 설측-대-설측 마찰성 접촉으로 인해 우측 측두근과 우측 교근이 과다하게 흥분한다

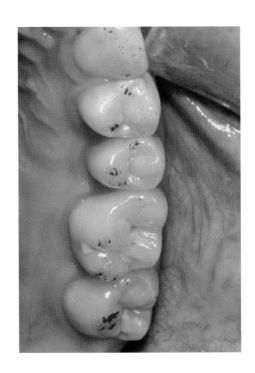

그림 20b 상악 우측 후방 설측-대-설측 접촉 교합지 자국이 #2(17), 3(16)번 치아에 존재하고, 이것은 그림 20a에서 보여지는 과기능된 EMG 양상을 생산한다

좌측 측두근(33μV)과 우측 교근(27μV)은 중등도로 활성화된다. 그림 21b는 이런 설측-대-설측 접촉의 교합지 자국양상을 보여준다.

1980년대와 90년대에는 제1대구치의 근심을 포함하는 작업측 그룹 기능이 용인되는 교합 체계 디자인으로 주장되었는데, 견치, 소구치, 제1대구치의 근심면이 모두 같이 외측 편심위 유도를 공유한다고 하였다(Okeson, 1985c; Dawson, 1989c). 그러나, 좀 더 최근의 연구들은 유도 접촉을 공유하는 대구치와 소구치를 동반하는 작업측 그룹 기능이 신경생리학적으로 수용되는 교합 디자인이 아니라는 것을 발견하였는데, 과다한 저작근 수축의 심각한 활성체로 작용하기 때문이다(Kerstein & Radke, 2012). 45명의 교합-근육 기능 장애 환자를 대상으로 한 연구에서, T-Scan/BioEMG 데이터는 상승된 편심위 근활성을 야기하는 지배적인 구치부 접촉이 작업측에서 관찰됨을 밝혀냈다. 이 연구의 결과는 교합면의 특성(자연치 혹은 수복물)과 관계없이 작업측 그룹 기능을 피하고 측정 가능한 즉시 후방 이개가 이루어지면, 감소된 편심위 근활성이 달성

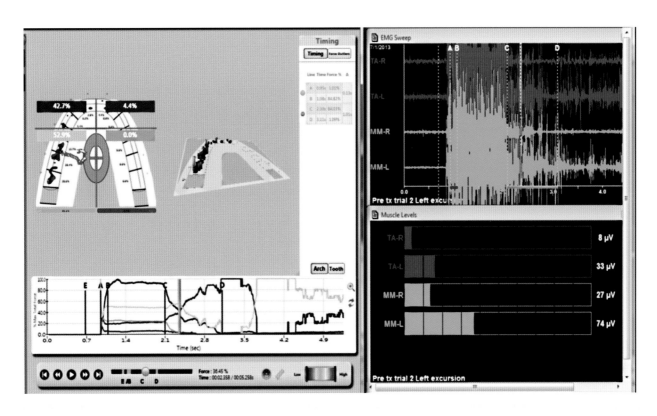

그림 21a 좌측 작업측 편심위에서, 대구치와 소구치가 낮은 힘(거의 암청색)의 설측-대-설측 접촉을 보인다(좌측 구획). 좌측 측두근과 교근이 C를 지나서 매우 활성화되어 있고, 우측 교근 또한 상승되어 있다(우측 구획)

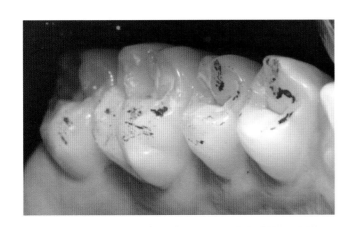

그림 21b 좌측 편심위 운동 설측-대-설측 대구치와 제2소구치의 교합지 자국 양상. 제1,2소구치에서 협측-대-협측 간섭 접촉 또한 있다

될 수 있다고 제안하였다(이개 시간 편심위 당 0.5초 이하) (Kerstein & Radke, 2012).

비-작업측 간섭 접촉

자연 치열에서 비작업측 간섭은 일부 치과의사에 의해서 교합-근육 기능 장애의 원인 혹은 기여 요소로 생각되었다

(Weisgold & Laudenbach, 1976). 이런 종류의 간섭은 근육, 치아, 치주조직을 과다한 응력 하에 놓음으로써, 하악을 가두고 측방 운동을 손상시키는 것으로 여겨진다. 그러나, 리뷰 논문은 1985년 이전에 행해진 장기간 연구에서 균형측 간섭의 제거가 통증과 기능 장애를 예방한다는 사실을 입증하기 위한 증거가 부족하다고 하였다(Bush, 1984).

근활성의 기능 장애를 유발하는 비작업측 간섭의 중요성에 대한 믿음 또한 이전 연구 결과들에 의해 축소되었다. 1982년, 교합 조정을 균형측에만 시행한 후 EMG 활성을 측정했는데, 비작업측 간섭이 없었던 12명의 환자와 비교했을 때, 이런 접촉에 만들어진 교합 변화가 13명의 환자에서 저작근 활성에 거의 영향을 미치지 않는다는 결과가 있었다(Ingervall & Carlson, 1982).

균형측 간섭이 근육계에 기능항진을 일으키는 경우가 있다는 것에 주의해야 한다. 한 증례를 그림 22에서 볼 수 있다. 이 환자는 저작 동안 주로 좌측 교근 통증으로 고통받고 있었다. 이것은 우측 편심위 운동으로(좌측 구획에서 C의 우측 시간 선), #15(27)번 치아에 상당한 좌측 균형 접촉이 존재하고(중등 강도를 보이는 총 좌측 교합력의 24.6%),

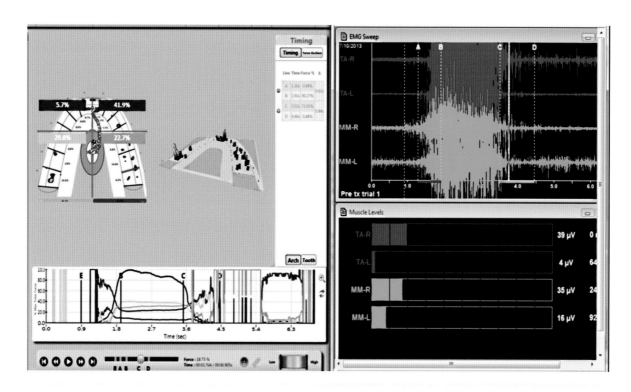

그림 22 상당한 좌측 균형 접촉이 #15(27)번 치아에 존재하고(중등도 힘 강도인 총 좌측 교합력의 24.6%), 좌우측 교근, 좌측 측두근의 수축력을 증가시킨다. 환자가 하악을 충분히 우측으로 이동하여 좌측 교근을 압박하기 때문에, 좌측 교근 활성이 D(후방 이개) 이후로 악화된다

좌우측 교근과 좌측 측두근의 근 수축력 크기가 증가되었다(우측 구획). D 이후의 편심위 후반부에서(우측 구획, 후방 이개가 발생할 때), 환자가 하악을 충분히 우측으로 운동하면 좌측 교근이 압박되어 EMG 크기가 증가한다(D 이후). 그러나, (이 환자에서) 같은 운동이 지나치게 우측 교근을 D에 가깝게 혹은 D 이후에 상승시키지는 않는다.

같은 현상은 그림 23에서도 볼 수 있는데, 동일 환자가 좌측 편심위 운동을 하였다. #14, 15(26, 27)번 치아에서 상당한 작업측의 연장된 마찰성 접촉(42.2%)이, #2(17)번 치아에서 우측 균형 접촉(3.0%)이 있다. 작업측에 과다한 후방 마찰과 균형측에 적은 양의 힘이 존재함에도 불구하고, 좌측 편심위 운동은 최소로 좌측 교근에 영향을 미치게 되고, 편심위 초기에 빠르게 휴식 상태값으로 하락하면서, 우측 교근과 좌측 측두근이 편심위에서 과활성된다(우측 구획 상부 C 이후).

T-Scan/BioEMG 동기화를 이용하여, 임상의는 분명하게 매 순간마다 어느 운동, 어느 치아가 다양한 근육를 과활성시키고 교합 근육 기능 장애 증상을 유발하는지에 대해 진단할 수 있다. 현대의 연구는 작업측 접촉이 균형측 접촉보다 교합 근육 장애 증상의 좀 더 중요한 원인 요소임을 지적한다(Kerstein & Radke, 2012). 그러나, 일부 환자에서는 균형측 연장된 마찰성 접촉이 근육 과활성의 주요한 활성체일 것이라는 점을 인식하는 것이 중요하다.

T-Scan 유도 교합 요법과 EMG 동기화로 교합면 마찰, 연장된 이개 시간, 만성 교합-근육 장애 치료

환자 선택 기준

만성 근육 종합 증상을 수반한 TMD 환자를 치료하기 위해 시도할 때 적절한 환자 선택이 필요하다. 마찰성으로 유도된 만성 근육 증상의 예견성 있는 치료법 해결을 얻기 위해, 적절한 환자 선택은 정확한 상태를 치료할 수 있는 임상의의 가능성을 크게 향상시킨다. 환자가 컴퓨터 유도 이개 시간 감소(Disclusion Time Reduction, DTR) 교합 치료법(Kerstein & Wright, 1991; Kerstein, 1992)의 후보인지를 결정하기 위해서, 환자의 병력, 증상의 양상과 위치, TMJ 기능, 편심위 마찰 접촉 양상, 편심위 마찰성 접촉 양상으

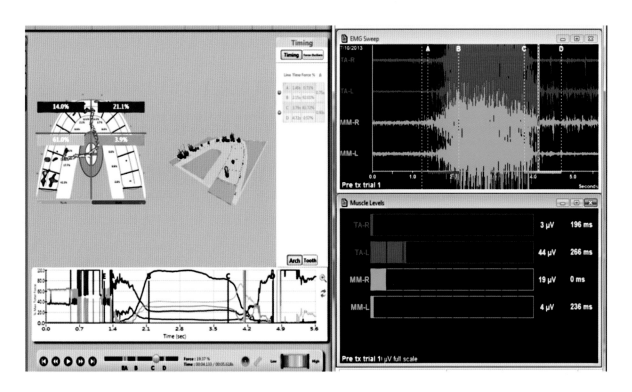

그림 23 그림 22와 같은 환자가 만든 좌측 편심위 운동. 작업측 후방 마찰과 균형측에 존재하는 낮은 힘에도 불구하고, 이 좌측 편심위 운동은 최소로 좌측 교근에 영향을 미치고, 우측 교근과 좌측 측두근은 편심위에서 과활성된다

로 야기된 편심위 근 활성 크기를 평가해야 한다.

환자 선택 기준 흐름도(그림 24)는 임상의가 TMD 환자의 대다수에 해당하는 일차적으로 근육 기원의 문제인지(Harness, Donlon, & Eversole, 1990), 아니면, TMJ 내장증이 있는지를 판단하도록 안내한다.

환자 선택 과정은 환자로부터 자세한 구강 병력을 수집하는 것부터 출발한다.

TMD와 교합-근육 증상 구강 병력

환자 상태의 구강 병력 수집을 통해, 환자는 초기 시작부터 현재 상태까지 자신의 질환 병력, 그들이 경험하는 증상의 양상, 증상의 두부 상 위치, 그들이 자신의 질병을 해결하기 위해 시도하고자 했던 치료, 증상을 조절하기 위해 평소에 복용하는 약물에 관해 자세하게 설명한다.

임상의의 진료 환경에 맞추어, 적절한 서식과 질문지를 이용하여 환자가 자신의 상태를 체계화하도록 한다. 그러나, 환자가 직접 질병에 대해, 일상 생활에 미치는 영향에 대해 방대한 시간을 들여 설명하게 함으로써, 임상의는 환자의 만성적 증상과 그와 연관된 정서적 상태를 이해할 수 있게 된다. 또한 환자의 현재 상태에 긍정적인 영향을 미치는 치료법과 개선시키지 못했던 치료법을 파악하는 데에도 도움이 될 것이다.

구강 병력의 중요한 부분은 임상의가 환자의 상태가 근본적으로 근육에서 기인한 것인지 혹은 내장증인지에 대한 판단에 도움이 되는 일련의 날카로운 질문을 하는 것이다.

1. 통증이 오면 머리의 어디가 아픕니까?

환자가 경험하는 만성 통증의 위치를 만져보게 한다. 그들이 측두근 및/혹은 교근, 관골궁, 귀나 중앙안면의 겉면 주변을 지적하면, 환자는 삼차 신경이 분포하는 근육에서 근육성 합병 증상을 경험할 가능성이 있다.

환자가 그들의 귀 속 혹은 직접적으로 과두 근처 귀 전방부를 지적한다면, 내장증 상태일 가능성이 있다.

환자가 머리의 정수리 부분, 경추 부분, 어깨를 지적하면, 그들은 교합적으로 활성화된 근육 합병 증상이나 내장증 상태가 아닐 가능성이 있다. 이런 경우 환자에게 경부 MRI나 CT를 권유할 것을 고려한다.

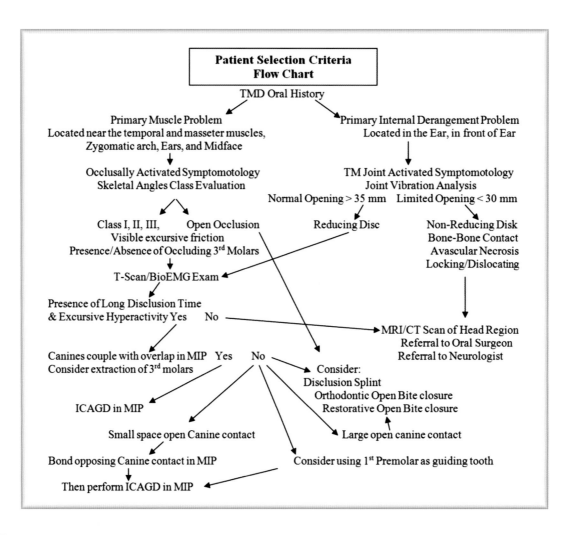

그림 24 그림 24. 교합-근육 장애 환자 선택 기준 흐름도

2. 입이 얼마나 크게 벌어집니까?

Therabite Range of Motion Scale(CPT 95851, Great Lakes Orthodontics, Tonawanda, NY, USA)을 사용하여, 환자의 최대 개구량을 측정한다.

근본적인 하악 근 응력을 가지고 있는 환자는 30-45mm 사이로 개구할 수 있을 것이다. 이런 환자는 입을 벌리고자 시도할 때 하악연 부위 혹은 교근 부위 내에 통증을 호소할 것이다.

그러나, 제한된 내장증을 가진 환자는 과두가 디스크를 지나 이동할 수 없기 때문에, 개구가 25mm 미만으로 나타난다. 완벽하게 전방으로 변위된 디스크가 과두가 관절 융기 하방으로 이동하는 것을 가로막고, 이로 인해 개구가 심하게 제한된다. 정복되는 부분적으로 변위된 디스크는 심각하게 하악 이동을 제한하지 않게 되고, 개구 범위가 좀

더 커진다.

3. 턱이 뻐근해서 잠에서 깹니까? 그리고, 잠 잘 때 이를 간다는 얘기를 들은 적이 있습니까?

수면 중에 이상 기능이 있는 환자는 하악이 "뻐근해서" 잠이 깬다고 말할 것이다. 어떤 환자는 자신의 이상 기능 습관을 알고 있기도 하고, 어떤 사람들은 같이 자는 사람에게 들어서 알게 된다. 장치로 morning stiffness를 감소시킬 수 있지만, 이상 기능 습관이 고쳐지는 일은 거의 없다.

4. 스플린트를 가지고 있습니까? 그렇다면, 장치가 상태 완화에 도움이 되었습니까?

장치 치료는 이갈이나 이악물기 치료를 위해 흔하게 사용된다. 환자는 일반적으로 장치 장착 후 초기 개선을 보이지

만, 시간이 흐름에 따라 스플린트는 만성 근육 합병 증상을 감소시키는 능력을 잃을 수 있다(Kerstein, 2010). 이것은 장치가 저작, 이악물기, 이갈이, 연하 동안 발생하는 진행 중인 치료되지 않은 교합면 마찰로 저작근 내에 다량의 젖산을 축적하는 환자의 교합면 마찰/근육 과수축 생리를 뒤엎을 수 없기 때문이다. 이때가 장치가 환자의 증상을 조절하도록 돕지 못하게 되는 시점이 된다.

장치 순응도 또한 장치의 효과에 영향을 미치는 진행 중인 문제이다(Lindfors, Helkimo, & Magnusson, 2011). 대부분의 환자는 장치를 장착한 상태로 먹지 못하기 때문에, 환자의 치아는 하루의 상당 시간 동안 지속적으로 마찰성으로 재-연루된다. 게다가, 많은 환자가 사회 생활 중 직장에서 장치를 끼지 않고, 24시간 동안 성공적으로 장착하지 못한다. 장치를 장착하지 않은 모든 시간 동안 환자의 치아는 하루에도 수회에 걸쳐 마찰성으로 연루되어, 근육의 과기능이 진행된다. 이것이 장치가 초기에는 환자 상태 조절에 효과가 있으나, 시간이 지나면서 서서히 효과를 잃게 되는 이유이다.

장치가 "효과가 있었는데, 지금은 그렇지 않아요"라고 대답하는 환자는 교합면 마찰이 있는 근본적인 근육 장애일 가능성이 있다.

5. 하루 중에 쉽게 완화되지 않는 안면 긴장이 있습니까?

안면 긴장과 팽팽함은 근본적인 근육 장애 환자가 흔하게 호소하는 증상이다.

6. 낮/밤 동안 이를 악무는 습관이 있습니까/?

3, 4번 질문에 이어서, 낮동안의 이악물기는 근본적인 근육 장애 환자에게 흔하게 보고된다. 이악물기와 이갈이는 교합면 마찰과 연장된 이개 시간에 의해 가속화된다(Kerstein, 1995; Kerstein, Chapman, & Klein, 1997).

7. 보통의 음식을 먹을 때 피로를 느낍니까?

저작 피로는 근본적인 근육 장애의 또 다른 지표이다. 저작하는 동안 구치를 가는 반복적인 동작은 피로를 유발하는 근육 허혈을 야기한다. 근본적인 근육 장애 환자는 식사를 할 수는 있지만, 식사 후반부에는 피로를 경험하게 된다.

8. 껌을 씹으면 어떤가요?

껌 씹기는 구치부의 최대 분쇄를 포함하여, 근육 장애 환자에게 허혈을 급속하게 구축한다. 이런 환자는 자신의 근육이 구치의 최대 분쇄에 의해 영향받음을 암시하는 흔한 다음의 대답 세트로 질문에 답하게 될 것이다:

- "절대 껌 안 씹습니다; 너무 고통스러워요."
- "씹을 때마다 턱이 아파서 몇 년 전에 껌 씹기를 중단했습니다."
- "껌을 씹으면 피로가 빨리 옵니다."
- "껌 씹는 것은 저한테 너무 고통스럽습니다."
- "씹을 때마다 아픕니다."

9. 악관절에서 소리가 납니까?

TMJ의 clicking이나 popping은 근육 장애 환자의 증상에 수반되어 흔하게 나타난다. Clicking은 연장된 교합면 마찰로 인한 근육 과수축으로 외측 익돌근이 짧아져서 나타난다. 외측 익돌근이 짧아지면서, 디스크 조합물이 과두 상방의 정상적인 위치 외부로 당겨지게 된다. 이런 현상은 저작, 이악물기, 이갈이, 연하의 동작 동안 반복적으로 발생한다. 시간이 지나면서, 디스크는 하악 기능 동안 불규칙적으로 소리를 내는 새로운 위치에 만성적으로 놓이게 된다. 디스크가 "정복"되면서, 근육 합병 증상을 유발하고 clicking을 야기하는 교합 요소는 안전하게 치료된다. 그러나, 디스크가 "비정복성"이거나 걸림 현상이 있다면, 환자는 근본적인 교합 치료에 대한 후보자가 아니게 된다.

10. 턱이 걸려서 벌어지거나 다물어지지 않습니까?

과두 걸림이나 변위는 환자가 경험하는 주요한 문제점으로 내장증이 먼저 고려되어야 하고, 교합 치료가 착수되어서는 안 된다. 대신에, 환자는 관절 진동 분석(JVA, Bioresearch Assoc., Milwaukee, WI, USA)을 시행하고 그 결과에 따라서 TMJ의 MRI나 CT를 위해 의뢰되어야 한다. 과두 걸림성 내장증 치료는 관절 상태가 적절하게 해결될 때까지 어떤 교합 치료도 보류될 것이다.

구강 병력과 환자 질문이 완료되면, 환자가 근본적인 근육 문제 혹은 내장증을 가지고 있는지 분명해질 것이다. 흐름도를 따라서, 근본적인 근육 증상 환자는 이제 심도있는 교합 평가를 받게 되고, 근본적인 내장증 환자는 TMJ 평가를 받게 될 것이다(이번 장에서는 논의되지 않고, 5, 6장에서 볼 수 있다).

근본적인 근육 장애 환자 교합 평가

교합 평가는 3가지의 다른 요소를 포함한다:

- 시각적인 교합 기능 평가,
- T-Scan/BioEMG 반복-교합 및 편심위 기능 평가,
- 결과와 치료 고려 사항에 대한 환자 상담.

시각적 교합 기능 평가

시각적 교합 평가는 앞서 설명한 대합하는 교합면 마찰과 연장된 이개 시간을 증진시키는 다양한 임상 요소에 대한 임상의의 검사를 포함한다. Angle의 분류, 전방 결합(anterior coupling)의 질, 구내 구치부의 수직적 방향, 교합하는 제3대구치의 존재, Curve of Spee, 편심위 운동에서 가시적인 마찰의 존재 여부 등이 있다.

Angle의 분류는 환자가 가지고 있는 전치 결합 관계에 크게 영향받는다. Class Ⅱ와 개방 교합(그림 25a, 25b) 환자는 전치부 접촉이 없기 때문에, 구치부 편심위 마찰 연루가 상당히 길어진다. 전치부가 약간의 수직적 overbite와 0에 가까운 수평적 overjet을 가지는 Class Ⅰ 환자보다 치료가 훨씬 어려울 것이다. Class Ⅲ 환자 치료는 하악 전돌의 양에 따라 달라질 것이다. Class Ⅲ 환자가 수직피개가 부족한 절단 교합(edge-to-edge) 관계를 가지면, 엄청난 후방 편심위 마찰을 보일 것이다.

Class Ⅰ 환자는 상하악 견치-대-견치 접촉 혹은 완전 전방 결합을 가짐에도 불구하고, 자연 발생적으로 짧은 이개 시간을 보이지 않는다는 사실에 주목해야 한다(그림 26a, 26b, 26c).

뚜렷하게 가파른 견치-대-견치 유도 접촉을 가지고 있음에도 불구하고, 우측 편심위 초기에 완벽한 후방 그룹 기능이 존재한다(그림 26b). 그림 26c는 견치-대-견치 접촉의 편심위 초기이지만, 가시적인 연장된 마찰이 존재함을 보여준다.

앞에서 논의된 것처럼, Class Ⅰ 이개 시간은 평균 1.2초로 많은 교합-근육 장애 환자들에게 생리적으로 지나치게 긴 것으로 보인다(Kerstein, 1994). 그러므로, Class Ⅰ 환자는 만성 교합적 활성 근육 합병 증상으로 고통받고 있는 환자의 많은 부분을 차지한다. Class Ⅰ 교합-근육 장애 환자의 발현을 증가시키는 추가적인 요소가 이 영역에서 존재

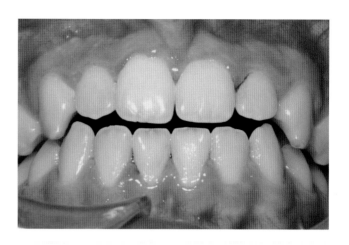

그림 25a 교합-근육 장애 환자의 개방 교합을 확대한 모습

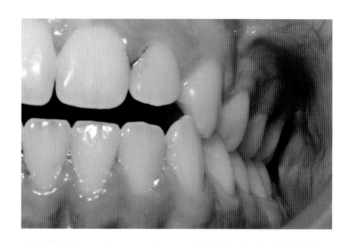

그림 25b 전치 접촉이 결여된 개방 교합으로 인한 좌측 편심위 마찰

하는데, Class Ⅰ 교합 관계를 얻기 위해 교정적 치료가 종종 시행된다.

전방 접촉(견치-대-견치)과 약간의 수직피개와 0에 가까운 수평피개를 보이는 Class Ⅰ 환자에게 전방 결합의 질이 제일 중요하다. 개방된 견치 접촉의 Class Ⅰ 환자, 약간의 전방 개방 교합 환자, Class Ⅱ 환자, 완전 전방 개방 교합 환자, Class Ⅲ 환자들은 전방 접촉이 약하다. 약화된 전방 결합은 근본적인 치료 고려 사항으로 전치의 최고 결합을 위한 치료 계획이 필요하다.

후방 치아의 수직 방향을 시각적으로 평가하면, 대합하는 구치들이 내측으로 경사되었는지를 알 수 있다(그림 26a, 26b, 26c). 이러한 벗어난 각도 방향은 편심위 교합면 마찰을 증진시킨다.

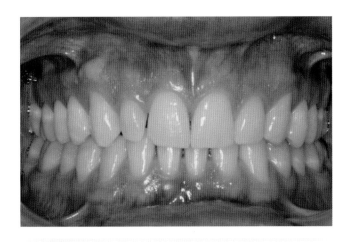

그림 26a Class Ⅰ 교합-근육 장애 환자의 MIP 위치

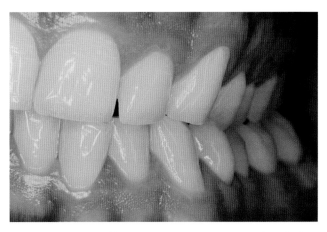

그림 27 그룹 기능으로 좌측 견치 절단연이 마모되었다. 이 증례는 치료의 1번째 단계로 #11(23)번 치아에 일종의 유도 창조가 필요할 것이다

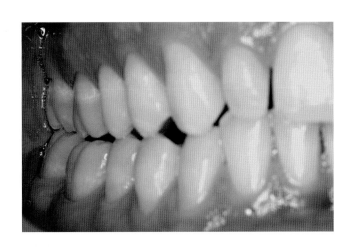

그림 26b 동일한 Class Ⅰ 교합-근육 장애 환자, 우측 편심위 운동 1-3mm에서 견치가 접촉됨에도 불구하고 이개되지 않는다

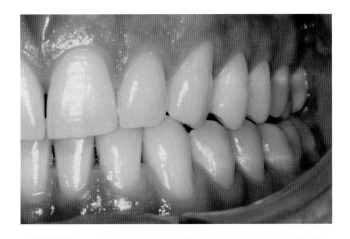

그림 26c 좌측 편심위 초기 견치-대-견치 접촉으로, 뚜렷하게 연장된 마찰이 존재한다

Curve of Spee가 과도하면 교합면 마찰이 연장되는 반면(그림 27), 편평한 후방 교합면 만곡은 빠르게 이개하도록 한다. 기울어져 솟아오른 대구치와 제3대구치가 있는 경우 Curve of Spee가 종종 더 악화된다.

시각적 교합 평가의 마지막 요소는 편심위 운동에서 뚜렷한 마찰의 존재 여부이다. 이때 환자는 처음에 MIP 위치에서 1-3mm 정도로 짧게 우측, 좌측, 전방으로 운동하는 모습을 임상의에게 보여주게 된다(그림 26b, 26c). 그림 26b와 26c에서 하악 절치 정중선이 MIP로부터 짧은 거리의 변화를 보임을 확인하라. 이것이 임상의가 가시적인 후방 편심위 교합면 마찰을 관찰하기 위해 환자가 외측으로 운동해야 하는 정확한 거리가 된다.

임상의는 집게손가락을 작업측 하악 견치의 협측 2mm 바깥쪽에 위치하여 환자의 운동을 정지시킬 수 있게 준비하고, 환자에게 손가락에 닿을 때까지만 미끄러지도록 설명한다. 초기에 그들은 손가락을 지나 미끄러지기 쉬우므로, 약간의 연습을 시행하여 손가락 접촉에서 멈추도록 학습시키는 것이 필요하다. 환자가 적절하게 짧은 거리만 편심위 운동을 하게 되면, 임상의는 협측에서 작업측과 균형측 모두에서 뚜렷한 이개 부족을 관찰하게 된다. 전방 운동에서, 환자는 상악 절단연을 넘어서 살짝만 전방으로 운동한 후 상악 전방 설측 경사면에서 멈춘다.

견치가 편심위의 초기 혹은 말기에 연루되는 지도 확인한다. 환자가 약간의 전방 개방 교합, MIP에서 약간의 견치 접촉 부족 혹은 얕은 전방 유도를 가지고 있다면, 임상

227

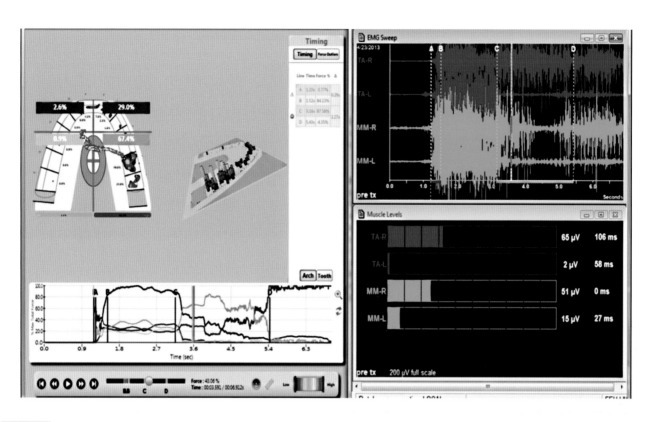

그림 28 T-Scan 8/BioEMG 데스크탑에 같은 시간 선과 선 A, B, C, D를 이용하여 교합 기능 순간과 근육 기능 반응이 분석을 위해 동시에 전시되고 있다

의는 환자의 유도 각도 및/혹은 더 나은 이개를 증진시킬 수 있도록, 어느 치아를 사용하여 어떻게 일종의 전방 유도 접촉을 구축하는지 시각화하여야 한다. 그림 27은 그룹 기능으로 좌측 견치 절단연이 마모된 환자를 보여준다. 이 증례에서는 후방 이개 부족을 개선하기 위한 치료의 1번째 단계로 #11(23)번 치아에 일종의 유도 창조가 필요하다.

시각적 평가로 연장된 교합면 마찰과 후방 이개 부족이 확인되고, 환자의 구강 병력에서도 교합-근육 장애 합병 증상이 나타날 때, 환자가 교합에서 야기된 과활성 근육계를 가지고 있다고 생각할 수 있다. 그러므로, T-Scan/BioEMG 평가를 시행해야 한다.

T-Scan III/BioEMG 시스템

2004년, T-Scan III/BioEMG 동기화가 처음 소개되었다 (Kerstein, 2004). 역동적인 교합 접촉 정도와 이에 상응하는 근활성 반응을 동시에 최초로 기록한 것이기 때문에, 교합 기능의 연구에 중요한 진전을 이룬 것이다. 이 동기화로, 교합 접촉 타이밍과 힘 데이터는 직접적으로 저작근계에 대한 치아 접촉 효과의 상관관계를 보여준다.

진단적 교합 과학 진전이 이런 동기화로 발전되었고, EMG 데이터가 고정된 이미지에 제시되는 방법이 변화하였다. T-Scan과 짝을 이루어, 동기화된 EMG 데이터는 영상으로 재생되어, 전방, 후방, 연속적, T-Scan 영상의 0.003초 단위 시간으로 볼 수 있다. T-Scan으로 캡처한 중요한 작은 지속 시간 교합 기능 순간의 효과는 EMG 영상 재생 동안 측정된 근육의 변화하는 전기 잠재력을 관찰할 수 있다. 분석을 위해 데스크탑에 근육 반응을 전시할 때, 같은 시간 선과 선 A, B, C, D를 사용하여 시간-기반 근육 활성 크기 분석을 T-Scan 내에 나타낸다(그림 28). 임상의는 BioEMG 데이터 내의 C-D 구간 동안 편심위 과활성을 유발하는 T-Scan 데이터의 C-D 이개 시간 구간을 쉽게 관찰하고 수량화할 수 있다.

BioPAK™ 근전도 검사 시스템

BioEMG 근전도 시스템은 8개의 근육으로부터 전기적(생체전위) 활성을 기록한다. 이것으로 전방 측두근, 교근, 이복근, 흉쇄유돌근을 양측성으로 측정할 수 있다. 임상의는 분석할 근육 조합을 선택할 수 있다(Kerstein, 2010b).

표면 EMG 측정은 전도성 접착젤을 이용하여 양극성 전극을 이용하여 달성한다. 이 전극을 수축된 근육의 촉진된 주요 덩어리를 덮는 피부에 근섬유의 전체적 방향에 평행한 방향으로 붙인다(그림 29). IBM/PC-호환 컴퓨터(혹은 Intel processor의 Macintosh)가 각각의 근활성 크기 신호를 USB 접속을 통해 초당 1000-6000 샘플의 속도로 (12나 16bits의 해상도로) 연속적으로 표본 조사를 시행한다 (Kerstein, 2010b).

분석에 앞서, 여과된 미가공의 근전기 신호가 원래 크기의 5000배 증폭된다. 이 신호가 컴퓨터에 실시간으로, 시간-영역 파형(waveform), 진동수-영역 파형, 이개 수축 양상과 상대적 근수축 강도의 평균값으로 보여진다. 데이터가 기록되면, 이것이 디지털 방식으로 여과되어 근전도 신호로부터 50/60-싸이클 소음 내용물의 모두(99%)를 시각적으로 제거한다(*NOTE: 대수 계산(logarithmic scale)에서 40dB 감소는 소음 진폭상의 99% 감소와 동등하다*). 그 후에, 특정 교합의 근수축 활성(이악물기, 연하, 편심위 운동 등)을 microvolt로 수량화될 수 있다. 선택적으로, 저작 기능 분석을 위해 특별하게 고안된 특수한 모듈을 이용할 수 있다(Kerstein, 2010b).

T-Scan/BioEMG 시스템 통합 역학

두 가지 독립된 시스템의 통합과 동기화는 임상의에게 역동적인 "Movie Form"으로 치아 접촉과 선택된 저작근의 전기적 잠재력을 실시간으로 기록할 수 있게 해준다. T-Scan 시스템은 기록 기능이 활성화되면서 두 가지 유형의 데이터를 획득하기 시작한다. 정확한 순간에, 근전도 기록 또한 시작된다. 치아 접촉 타이밍 및 힘 데이터가 기록되면서, 근활성이 기록된다(Kerstein, 2004). 두 시스템의 시간 동기화는 기록된 영상 내내 나타나는 타이밍과 힘에 대한 일시적인 교합 접촉 변동이 교합 변동에 의한 근활성 크기 상의

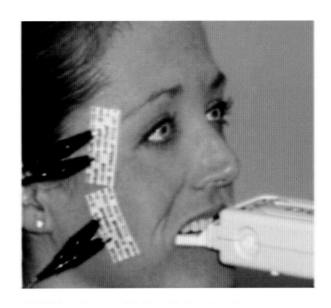

그림 29 EMG 전도성 리드가 양측 측두근과 교근에 위치하고 있다 (Journal of Craniomandibular and Sleep Practice; Kerstein, R.B., & Radke, J.(2012)에서 허락 하 발췌. Masseter and temporalis excursive hyperactivity decreased by measured anterior guidance development. Journal of Craniomandibular and Sleep Practice, 30(4), 243-254, www.maneyonline.com/crn)

특수한 변화와 시간-상호관련성이 있다는 것을 보장하게 된다.

BioPAK EMG 재생창에서, 기록된 근전도 데이터는 T-Scan 시스템에 의해 기록된 시간-확인 교합 접촉 데이터와 일치시키기 위해 시간-확인형의 실시간 EMG 영상으로 디스플레이된다. 두 개의 EMG 재생창이 존재한다; 하나는 (T-Scan과 시간-동기화되어) 파동을 따라 전후로 움직이는 수직적 시간 커서와 함께 파형으로 기록된 근활성을 보여준다(그림 28, 상방 우측 구획). 다른 창은(그림 28, 하방 우측 구획) 수평적 막대 그래프로, 변화하는 수량화된 근활성 크기를 microvolt로 나타내는 변화하는 막대 길이를 포함한다. 파형과 막대 그래프 모두 전방 및 후방으로 연속적으로 재생되거나, 0.01초 간격(non-Turbo Mode) 혹은 0.003초 간격(Turbo Mode)으로 정지될 수 있고, T-Scan 영상 재생과 동시에 그리고 같은 방식으로 재생될 수 있다(Kerstein, 2010b).

T-Scan/BioEMG 반복-교합 및 편심위 기능 평가

교합 평가의 이 부분을 통해 교합이 만성 증상을 야기하는 근육 과활성을 일으키는지 확정하게 된다. 반복-교합과 편

심위 운동 기능을 기록하기 전에, 환자의 피부를 살균성 알코올로 닦고, 자가-접착의 양극성 EMG 전극을 양측성으로 표층 교근과 전방 측두근에 (또한 임상의는 양측성 이복근, 흉쇄유돌근을 기록할 수 있다) 각 전극의 축을 근섬유 방향에 평행하게 부착한다(그림 29).

다음에, 적절한 T-Scan 센서 크기를 선택하고 환자가 4번 자가-폐구로 센서를 길들이게 하여, 기록된 교합력 데이터의 반복성을 향상시킨다(Kerstein, Lowe, Harty, & Radke, 2006). 또한, 적절한 기록 감도 단계를 선택하여 환자 개별의 교합력 잠재력에 대한 기록 센서의 반응을 맞추어 놓는다.

그 다음 환자와 기록 시행을 시작한다. 환자가 바람직한 편심위 운동을 수행할 수 있게 가르치고 교육하여, 질적이고 유용한 교합 데이터를 획득하기 위해서 특별한 기록을 수행하는 동안, 그들이 어떻게 운동해야 하는지 환자와 교류할 수 있도록 한다. 실제적인 기록을 수행하기 전에 환자가 구두지시를 따라올 수 있게 하악 운동을 교육하여, 실제적인 기록 동안 편심위 운동을 정확하게 시행할 수 있게 한다. 기능 운동 훈련은 센서를 구강 내에 위치한 상태로 달성할 수 있고, 2D 및 3D ForceView를 통해 기록을 활성화하지 않는 상태로 관찰할 수 있다. 이렇게 하여 기록 전에 T-Scan 데스크탑 상의 COF 움직임을 관찰하고, 환자가 정확한 기능 운동을 하고 있는지 확인할 수 있다. 환자가 반복-교합 폐구와 편심위 운동 모두를 정확하게 시행하는지 보기 위해서 훈련은 일반적으로 몇 분의 체어 타임을 필요로 한다. 일단, 환자가 정확한 기능 운동을 할 수 있게 되면, 기록 진단 교합 데이터 형성을 시행한다.

기능적 운동 진단 기록
편심위 과활성이 교합 체계에 존재하는지 적절하게 진단하기 위해, 임상의는 4개의 T-Scan 기능 운동 기록을 수행해야만 한다. 임상적으로 1~3mm 구역에서 편심위 마찰을 보이고, 진행 중인 만성 근육계 합병 증상을 가진 환자에서 연장된 이개 시간과 편심위 과활성이 같이 발견되면, 명확한 교합-근육 장애로 진단할 수 있다.
환자의 편심위 과활성을 평가하기 위해 필요한 4개의 기록은:
• 반복-교합,
• 우측 편심위,
• 좌측 편심위,

• 전방 편심위.

반복-교합은 환자에게 적절하게 반복적으로 자가-교두감합하여 최대 교두감합 위치를 잡은 후, 치아를 굳건하게 유지하도록 가르친다. 이것은 분석을 위한 유용한 편심위 데이터를 수집하는 필수적인 과정이다. 그러므로, 임상의는 편심위 기록 전에 반복-교합 운동을 기록하여 환자가 반복적으로 MIP로 폐구할 수 있는지 확인해야 한다.

반복-교합으로 휴지기 EMG 과활성의 존재 여부를 알 수 있고, 환자의 이악물기의 수축 잠재력을 확인할 수 있다. 그림 30은 폐구 전 휴지기 EMG 과활성이 있는 환자이다. 1번째 이악물기 치아 접촉에 앞서, 선 A1의 바로 좌측에(A1 전 0.268초), 4개의 모든 근육이 치아 접촉 전 휴지기 EMG 과활성을 보이고, 하악이 1번째 치아 접촉에 앞서 수직적으로 움직이자마자 전기적 활성 분출이 나타난다. 게다가, 기록 초반부터(0.0초) 1번째 교두감합까지 그리고 1번째와 2번째 교두감합 사이에 우측 교근은 낮은 수준의 진행 중인 휴지기 과활성을 보이고, 다른 3개의 근육은 1번째 이악물기 이후에 정상적인 휴지기 EMG 수준을 보인다.

그림 30은 교합-근육 장애 환자 기록이지만, 두 번의 이악물기 내에서 중등도의 수축력이 존재함을 보여준다. 2번째 이악물기에서 접촉 전 분출이 없고, EMG 데이터가 1번째 이악물기보다 조밀하다. 이 EMG 이악물기 현상은 T-Scan의 힘 vs. 시간 그래프에서 2번째 폐구 곡선과 일치하고, 1번째 이악물기보다 더 큰 힘이 발생한다는 것을 보여준다. 환자들은 1번째보다 2번째 폐구가 더 쉽고, EMG 데이터는 근육의 힘 차이를 반영한다.

편심위 기능 근육 과활성 기록
편심위 운동을 잘 기록하기 위해서, 환자는 MIP로의 확실한 자가-폐구와 이후의 단단한 교두감합 유지를 수행하여 완전 교두감합으로부터 편심위 운동을 시작하도록 해야 한다. 이 특별한 기록 형식은 온전한 자가-폐구 접촉 순서(A-B), 교두감합 유지(B-C), 모든 편심위 교합면 마찰성 상호작용, 정확한 이개 시간 길이(C-D), 교합 체계 내에 존재하는 어떠한 편심위 과활성을 쉽게 포착한다. 좌우 편심위 이개 시간을 기록하는 이런 방법은 환자 개인의 이개 시간을 표현하는 통계적으로 믿을 수 있는 숫자 값을 생산한다고 앞서 설명되었다(Kerstein, Chapman, & Klein,

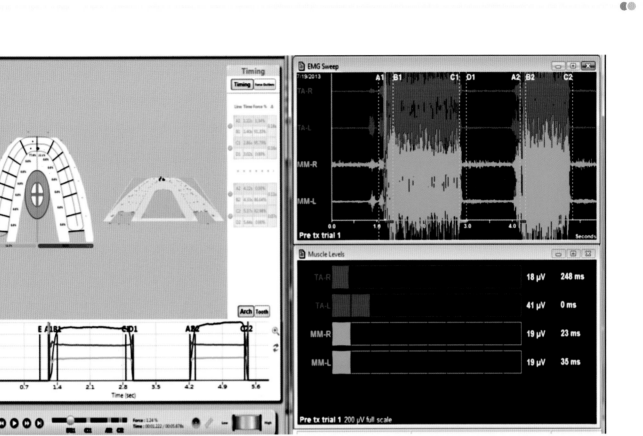

그림 30 선 A1 전 0.268초에, 4개의 모든 근육이 1번째 치아 접촉에 앞서 전기적 활성 분출이 나타난다. 우측 교근은 0.0초부터 1번째 교두감합까지 그리고 1번째와 2번째 교두감합 사이에 낮은 수준의 진행 중인 휴지기 과활성을 보인다

1997; Kerstein, 1992).

저자는 단일 편심위 진단 기록에서, 한-방향의 편심위 운동만(우측, 좌측, 전방 중 하나)을 기록할 것을 권고한다. 이렇게 하면 힘 vs. 시간 그래프의 선 A, B, C, D의 분석 명료성이 크게 향상된다. 다수의 편심위가 하나의 기록에서 시도되면, 4분악 당 채색된 그래프 선 힘 변화의 세부 내용이 임상의에게 분명하게 보여질 수 없다. 모든 그래프 데이터가 너무 압축되어, 임상의가 편심위 분석을 수행하기 정말 어려워진다.

단일 방향의 편심위 운동을 기록하기 위해, (센서를 구강에 위치시킨 후 중절치 순면 치간 사이에서 단단하게 지지되도록 한 후) 환자에게 완전 교두감합으로 단단하게 폐구하고 치아를 견고하게 유지하여 1-3초간 완전히 교두감합되게 한 후, 하악 치아가 상악 치아를 가로질러 우측, 좌측, 전방으로 미끄러지게 하는데 운동하는 동안 전치의 접촉을 유지하도록 한다. 4장에 반복-교합과 편심위 운동 기록 기술에 대해 좀 더 자세하게 설명되어 있다.

좌측 편심위 T-Scan/BioEMG 진단 기록 특성

그림 31은 편심위 과활성의 존재를 관찰하기 위해 요구되는 적당한 좌측 편심위 힘 vs. 시간 그래프 양식을 보여준다. 교두감합 유지(B-C 부분)는 모든 4분악 내에서 유지되는 지속력 수준을 보여준다. 편심위는 EMG 데이터에서 C의 우측에서 시작하고, C에서 좌측 측두근, 좌우측 교근에서 편심위 과활성을 볼 수 있다. 거의 보편적으로 비작업측 측두근은 편심위 운동 동안 흥분하지 않는다. 이번 좌측 편심위에서, 우측 측두근은 정확하게 C에서 평평하고 낮은 EMG 수준으로 돌아왔다. 이 좌측 편심위의 총 이개 시간은 0.75초이다.

우측 편심위 T-Scan/BioEMG 진단 기록 특성

그림 32는 환자가 B1까지 처음으로 교두감합한 후 이악물기를 견고하게 유지할 수 없어 힘 감소를 보인 약한 1번째 폐구 후(B1 이후 총 힘 선이 하락한다), C1에서 수직적으로 개구한 것을 보여주는 것이다. 환자는 MIP에서 잘 교두감합하고 증가된 힘으로 단단하게 유지함으로써, 2번째 교

231

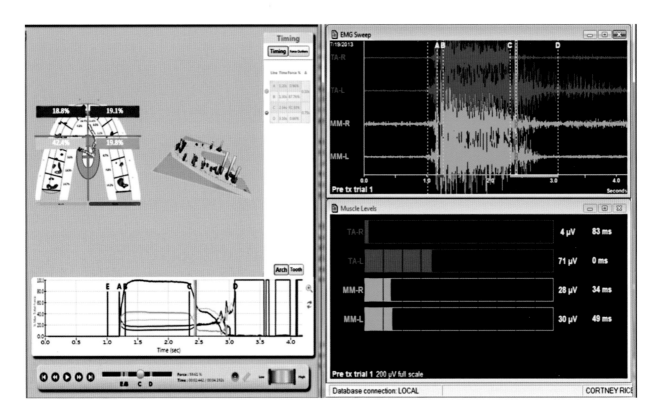

그림 31 EMG 데이터 내에서, C 이후의 진단을 위해 쉽게 관찰되는 편심위 과활성의 존재를 형상화한 정확한 힘 vs. 시간 그래프 양식을 보여주는 적절하게 기록된 좌측방 운동

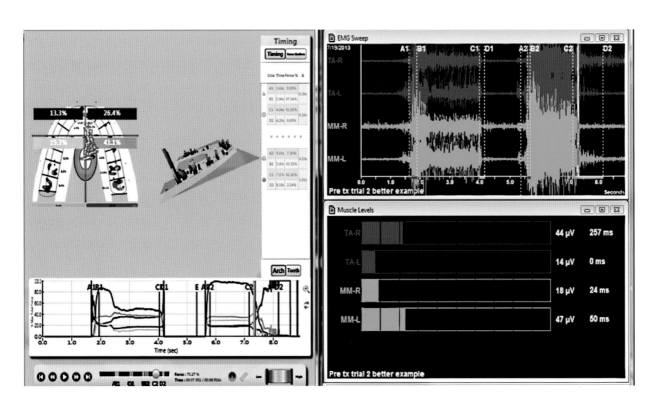

그림 32 약한 1번째 폐구에 이어 더 완벽한 2번째 교두감합과 견고한 교두감합 유지가 이루어진다. C2의 오른쪽까지, 환자가 우측으로 운동하면서, 편심위 과활성이 우측 측두근과 좌측 교근에서 관찰된다. 이개 시간은 1.01초로 동일하다

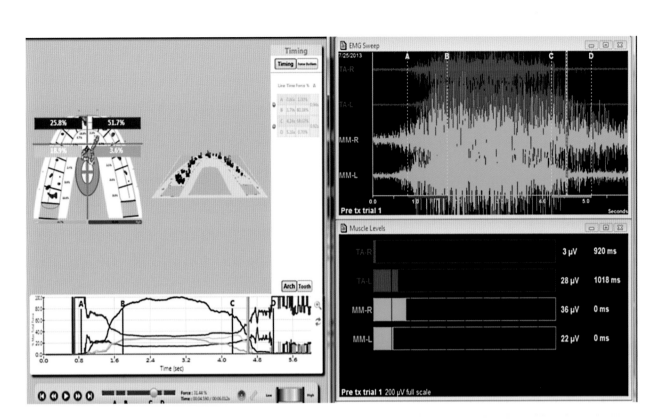

그림 33 전방 편심위로 뚜렷한 근육 기능 장애가 힘 vs. 시간 그래프와 EMG 데이터에서 보인다. 편심위와 휴지기 EMG 과활성이 모두 존재한다

두감합을 좀 더 완벽하게 시행할 수 있었다. C2에서, 환자가 우측으로 운동하여, 지속적인 편심위 과활성이 우측 측두근과 좌측 교근에서 관찰된다. C2-D2 기간의 이개 시간은 1.01초로 연장된다.

전방 운동 T-Scan/BioEMG 진단 기록 특성

그림 33은 교합-근육 장애 환자의 전방 운동으로, T-Scan 힘 vs. 시간 그래프와 연계된 EMG에서 근육 기능 장애를 보이고 있다. A-B의 교합 시간이 0.94초로 매우 길다. 떨어져있는 선 A, B는 환자가 MIP로 편안하게 폐구하는 게 어렵다는 것을 의미한다. 환자가 교두감합하고 나면, 총 힘 곡선은 환자가 정점의 교합력을 확고하게 유지하는 능력이 없다는 것을 보여준다. B-C에서 변화하는 시간 동안 총 힘 선이 원호로 나타나는 것은, 환자가 힘을 증가시켜 유지하려고 노력하나 실제적으로 전방 운동을 시작하기 전에 이미 최정점의 힘이 풀린다는 것이다. C에서, 환자는 전방으로 운동하면서 연장된 좌측 대구치와 양측 소구치 전방 접촉이 발생하여, 좌측 측두근과 좌우측 교근에서 편심위 과활성이 창출된다. 전방 이개 시간은 0.92초다. 마지막으로,

EMG 데이터에서 또 다른 기능 장애 특성이 보이는데, 양쪽 교근에서 상당한 휴지기 EMG 과활성이 0.0초부터 A까지 관찰된다.

모든 연장된 이개 시간 편심위가 편심위 과활성을 발생시키지는 않는다

모든 환자가 양측성 및/혹은 전방 편심위 과활성을 보이지는 않는다. 그림 34a, 34b에 보이는 환자는 연장된 이개 시간을 가지고 있으나, C와 D 사이에 현저한 과활성이 발생하지는 않는다. 힘 vs. 시간 그래프(그림 34a의 6.706초)에서, 분홍색 4분악 선이 X-축 바닥을 따라 주행하고, 연장된 치아 접촉력이 적어 큰 힘의 수축성 활성을 자극하지 않는다.

그림 34b는 7.549초의 편심위 후반부로, 지속적인 우측 구치부 접촉으로 과활성을 생성하기에는 힘이 너무 낮다.

이와 다르게, 동일 환자의 좌측 편심위는, 3,922초(그림 35a)에 상당한 편심위 과활성이 좌측 측두근과 양쪽 교근에서 좌측방 운동의 초기 0.5초 내에 나타난다. 힘 vs. 시간 그래프에서 연청색의 후방 좌측 4분악 선의 높이가 총 힘의 32%로 유지되고, 중등도의 마찰력 크기를 보여준다. 이것

233

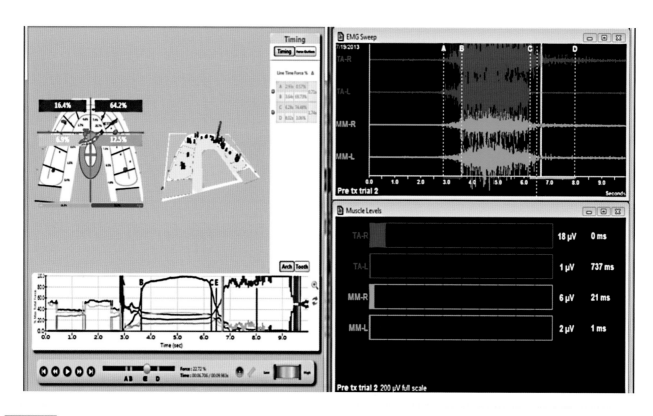

그림 34a 분홍색 후방 우측 4분악 선이 X축의 바닥을 따라 주행하여 연장된 접촉력이 낮음을 암시하고, 과활성을 자극하지 않는다

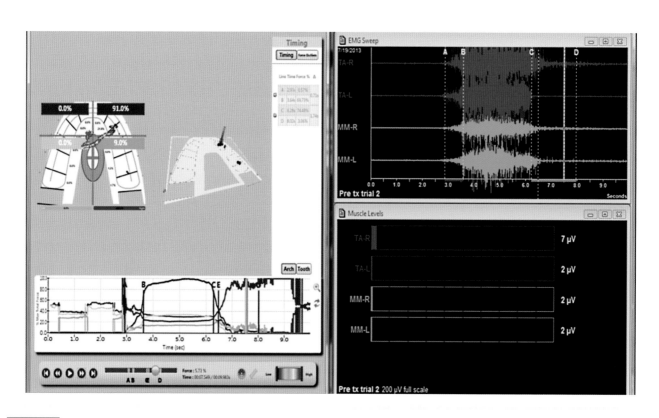

그림 34b 같은 편심위 후반부로, 우측 제1대구치의 이개 시간이 연장되지만 과활성을 야기하지는 않는다

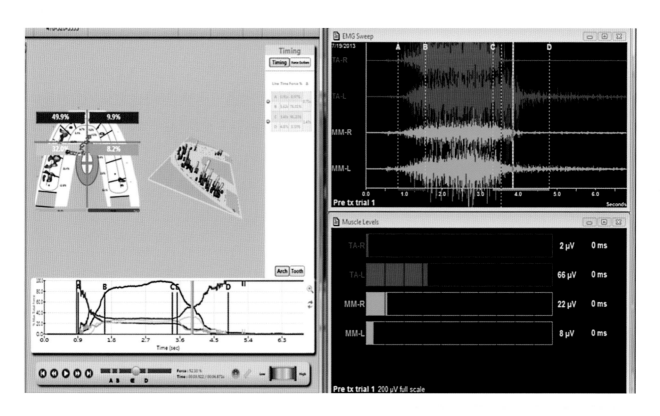

그림 35a 상당한 편심위 과활성이 좌측 측두근과 양쪽 교근에서 좌측 편심위의 초기 0.5내에서 발생한다

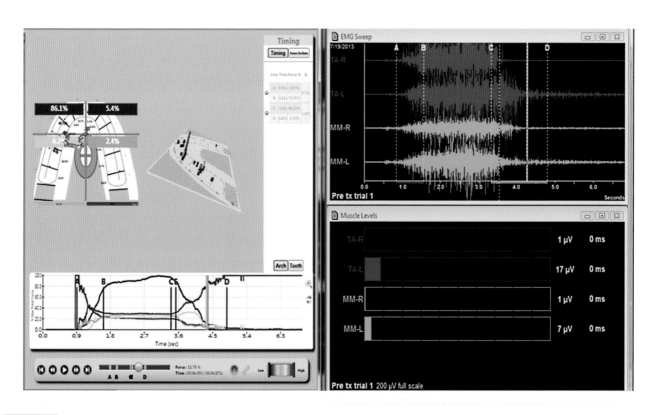

그림 35b 감소된 힘으로 적은 구치부 접촉이 전방 유도 치아 분리와 결합되고, 좌측 측두근을 제외한 대부분의 남아 있는 과활성을 감소시킨다

은 3D ForceView 막대 높이 및 색상과 잘 상호연관된다. 환자의 우측 편심위와 비교해서, 좌측 구치부가 우측 후방 간섭 치아보다 더 큰 힘을 보이는데, 이것은 더 높은 마찰력 크기가 더 큰 과활성에 기여한다는 것을 지적한다.

편심위 후반 4.353초에(그림 35b), 힘 vs. 시간 그래프에서 연청색 후방 4분악 선은 총 힘의 6.2%로 더 낮다. 전방 유도가 시작되어 치아를 들어올리면서 이런 약화된 힘이 등장하게 된다. 과활성이 좌측 측두근에서만 보이고, D에서 후방 이개를 지나서까지 지속된다(편심위 시작 후 1.47초).

모든 진단적 T-Scan/BioEMG 기록에서 긴 이개 시간의 존재가 확인되나 현저한 편심위 과활성이 없다면, 존재하는 어떤 교합면 마찰도 저작근을 지나치게 자극하지 않는 것이고 환자가 구술하는 두경부 불편감은 교합과 연관되지 않을 것 같다. 이런 경우, 만성 통증 환자에게 두경부 MRI나 CT 촬영을 권유하여 다른 가능성있는 통증 원인(암, 낭종, 구조적 TMJ 상태)에 대한 검사를 받게 하고, 신경과나 구강외과로 의뢰하여 두경부 통증을 치료받게 할 수 있다.

평가 결과와 치료 고려사항에 대한 환자 상담

편심위 마찰의 구내 검사를 완성하고 T-Scan/BioEMG 데이터를 취합한 후, 환자와 상담하여 결과를 알려주고 본인 상태의 본질에 대해 이해시킨다. 환자가 독특한 PDL 기계적 자극수용기를 이해하고, 환자 교합의 마찰력이 자신의 치아를 오랜 기간 치아 와(socket)로 압착하는 것과 이로 인해 증상을 유발하는 과활성이 형성된다는 것을 이해하는 것이 도움이 된다. 전치는 접촉해도 근육을 과활성시키지 않는다는 것을 설명하여, 근본적인 치료 목표가 편심위 유도 조절을 마찰로 연루되는 구치부에서 전치부로 이동시켜 편심위 과활성을 감소시키고 증상을 완화시키는 것임을 이해시킨다.

또한 환자에게 자신의 특별한 증례에 대한 핵심적인 구내 치료 고려 사항을 손거울로 보여 주는 것이 중요하다:

• 기여하는 비정상적인 골격성 문제를 보여준다. 환자의 개방 교합 혹은 전돌된 하악이 치료의 부분으로 고려해야만 한다는 점을 상의하면서, 개방 교합, Class Ⅱ 및 Ⅲ 부정 교합이 전치 접촉을 현저하게 감소시켜, 후방 편심위 마찰성을 악화시킬 수 있다는 것을 설명한다. 심한 개방 교합이 있다면, Disclusion Splint(Kerstein, 1994)를 사용하거나, 개방 교합을 폐쇄하고 전치를 결합

시키는 방법으로 교정이나 보철 치료에 대해 상의한다.

• 비-접촉 치아 사이의 교합간 공간(interocclusal space)을 보여주면서 견치 혹은 전치 접촉의 부족을 지적한다. 또한 견치 설측의 오목한 모양을 보여주어, 견치의 거상 부족으로 인해 구치부가 마찰성으로 연루되는 수평적 조기 편심위 운동이 나타남을 설명한다. 열린 공간이 적어 상악 견치만 혹은 상하악 견치에 레진 합착하여 공간이 쉽게 채워질 수 있다면, 견치의 레진 합착도 상의한다. 견치가 오목하다면, 가파른 모양과 더 나은 견치 이개면을 창조하기 위해 수복 재료로 충전하는 것을 상의한다.

• 환자에게 마모된 절단연을 보여주어 마모된 유도 치아를 설명하고, 이로 인한 얕은 전방 유도는 악화된 편심위 마찰로 더 이상 후방 치아 이개를 지원할 수 없음을 상의한다. 구치부 이개를 위해 소실된 전방 유도 거상을 재창조하기 위해 새로운 절단연과 견치 접촉을 형성해야 하는 필요성을 상담한다.

• 마찰성으로 연루된 치아를 확인시켜주기 위해 1-3mm 편심위 운동을 하게 한다.

• 부적절하게 대합되는 구치부 수직 방향과 굴곡파절된 치아를 보여 준다. 이런 치근 결함이 연장된 교합면 마찰, 증가된 근활성 과부하, 치근 백악질과 치경부 법랑질에 균열을 유발하는 치아 굴곡으로 인해 야기된다.

• 제3대구치가 있다면 과도한 마찰에 대한 기여도를 설명하고, T-Scan 데이터를 이용하여 제3대구치에 의해 연장된 접촉 지속을 보여 준다. 그리고, 제3대구치 발거로 후방 마찰의 상당한 원인요소를 제거함으로써 치료 효과가 빨리 향상될 것임을 상의한다.

• 구치부 마찰과 그로 인한 편심위 과활성을 나타내는 T-Scan/BioEMG 데이터에 대해 논의한다. 어떤 근육이 다양한 편심위 운동에 의해 영향을 받는지 보여주고, 치료를 통해 전방 유도 조절을 향상시켜 높은 근활성을 낮추도록 상담한다. 환자에게 유사 증례에서 치료 후 EMG 크기가 더 감소된 경우를 보여주는 것이 항상 도움이 된다. 치료로 자신의 상태가 개선될 수 있다고 환자 자신이 이해하는 데 큰 도움이 된다.

• 환자와 이개 시간 감소 컴퓨터 교합 치료에 대한 대안적 치료 선택, 예를 들어 장치 치료법, 물리치료법, 약물 복용, TENS 치료에 대해 논의한다. 그러나, 만성 통증 환

자들은 T-Scan/BioEMG 의뢰에 앞서 일부 혹은 모든 비-교합적 치료를 이미 받아봤고, 제한적인 증상 개선이나 해소가 있었다고 할 것이다. 종종, 환자들은 비-장치 치료 대안을 위해 특별하게 의뢰되었다고 보고하기도 할 것이다.

마지막으로, 환자에게 질문할 수 있는 넉넉한 시간을 주고, 치료에 대한 걱정을 이야기하도록 한다. 만약 환자가 치료를 받아들이면, 이개 시간 감소 술식의 위험성과 이점에 대해 신중하게 설명한다.

위험성

이런 환자의 이개 시간 감소(DTR) 치료 시행 시 위험성은 이전에 DTR을 만성 교합-근육 장애 및 근막 통증 기능 장애 증후군 환자에게 적용한 출판물에 명시되어 있다(Kerstein, 1992; Kerstein, 1995; Kerstein, Chapman, & Klein, 1997; Kerstein, 2010).

1. 치관성형술 후 감소된 교합면 법랑질로 인한 치아 민감성.

2. 1번째 내원 치료 후, 치료-전보다 치료-후 상당히 센 힘이 전치에 가해지는 총 부하력 변화에 의한 전치부 동통.

3. 조정된 치아 표면과 견치 레진 합착을 포함하는 필요한 치아 구조 변경에 의한 교합 접촉 양상 변경으로 환자의 불편한 교합 "감각".

4. 과도한 마찰이 연루된 수복물에 대한 치관성형술로 기존의 크라운이나 브릿지의 교합면 천공이 유발될 수 있다. 환자에게 치료 전에 보철물 천공이 발생할 수 있지만 반드시 보철물 교체가 필요한 것은 아니라고 권한다. 대부분의 천공은 작고, 천공된 크라운 교합면은 수복재료로 보수될 수 있다.

5. 교합 기능이 향상되고 근활성 크기가 감소되었다고 측정되었음에도 불구하고, 환자의 치료 개선에 대한 느낌이 부족할 수 있다. 저자가 1989년부터 임상적으로 관찰한 결과, DTR 치료 후, 7~12%에서는 미미한 개선을 보고하였다. 초기 치료 1-2개월 후, 컴퓨터-기반 치료가 환자의 상태를 향상시키지 않을 때, 반응이 없는 환자에게 보조 치료(물리 치료나 지압 요법, 필요에 따른 약물 처방)를 위해 의뢰하였다.

6. TMJ clicking이 살짝 증가할 수 있다. 기능성이 향상된 경우, 만성 환자의 장기간 긴장되고, 제한된 운동 범위의 악관절에 부담이 될 수 있다. 새로운 동작 패턴과 운동 범위의 증가로 새로이, 혹은 증가된 clicking, popping이 발생할 수 있다.

이점

다음에 서술한 DTR의 이점은 1989년부터 본 저자에 의해 치료-후 지속적으로 관찰되었던 사항이다. 이는 DTR로 만성 증상의 교합-근육 장애 및 근막 통증 기능 장애 증후군 환자를 치료한 다수의 출판된 논문에서, 환자가 치료를 통해 경험할 수 있는 예견성 있는 이점으로 입증되었다(Kerstein & Farrel, 1989; Kerstein & Wright, 1991; Kerstein, 1992; Kerstein, 1995; Kerstein, Chapman, & Klein, 1997; Kerstein & Radke, 2006; Kerstein & Radke, 2012).

1. 교합-근육 장애의 증상 감소

2. 보조 장치 의존 감소

3. 물리 치료나 지압 요법에 대한 필요성 감소

4. 약물 사용 및 의존 감소; 사용 빈도와 용량 모두

5. 측두통 감소

6. 저작력, 속도, 저작 동안 근육 회복 증가

7. 저작 동안의 통증 감소, 저작 인내력 향상

8. 저작근 경련 및 통증의 빈도와 강도 감소

9. 치경부 상아질 지각과민증의 빈도와 강도 감소

10. TMJ의 clicking 및 popping의 빈도와 강도 감소

환자 상담 완성 후 환자가 치료를 선택하면, 적절한 교합 치료 피험자 동의서에 서명하도록 신중을 가한다.

3가지 다른 교합-근육 장애 증례 양상

일단 편심위 근육 과활성이 적절하게 진단되면, 이개 시간 단축에서 가장 중요한 치료 고려사항은 MIP에서 견치가 약간의 수직 중첩으로 결합되는가 하는 것이다. DTR은 즉시 완전 전방 유도 발생 치관성형술(Immediate Complete Anterior Guidance Development Coronoplasty, ICAGD)을 통해 얻어진다(Kerstein & Wright, 1991; Kerstein, 1992). ICAGD는 견치 접촉이 존재할 때 가장 간단하게 시행될 수 있다. 그러나, 견치가 결합되지 않으면 개방 견치 접촉의 정도에 의해 치료가 결정될 것이고, 초기에 견치 접촉을 만들어 모든 다른 DTR 치료 단계를 선행할 것이다.

교합-근육 장애 증례 양상의 3가지는:

- Type 1: ICAGD 단독; 대합하는 견치가 이미 접촉되어 있을 때. 접촉하는 견치로, ICAGD 치관성형술을 시작한다.
- Type 2: 견치가 접촉되지 않는 약간의 전방 개방 교합. 개방 견치 접촉 공간이 작을 때, 상악 견치의 설측면에만, 혹은 상하 마주보는 견치에 레진을 합착하여 접촉을 만들고 ICAGD 치관성형술 시행에 선행하도록 한다.
- Type 3: 단순한 방법으로 신속하게 개방 교합을 폐쇄할 수 없는 심한 개방 교합 환자. 견치가 매우 많이 떨어져 있는 개방 교합의 환자의 경우, 임상의와 환자는 Disclusion Splint(이번 장 뒤에 설명될 것이다), 전방 치아가 접촉하도록 이동시키기 위한 교정 치료, 전치를 결합시키기 위해 veneer나 크라운으로 개방 교합을 폐쇄하는 보철 치료 사용을 고려할 수 있다. 악교정 수술 또한 상담의 옵션이 될 수 있다.

위에 서술된 3가지의 모든 유형에서 치료-후 치유 반응이 개선될 것이고, 온 증례에서 ICAGD를 수행하기 전 접촉하는 사랑니를 발거하면 치료가 더 간단해진다. 발치 동안 만성 환자의 저작근계에 대한 응력을 감소시키기 위해, 상악 제2,3대구치와 마찰성으로 연루되는 하악 제3대구치만 발거할 것을 권고한다. 이것은 모든 제3대구치의 연장된 편심위 마찰 접촉 총 시간을 성공적으로 감소시킬 것이다.

좌우측 편심위 치료가 전방 편심위보다 더 중요하다

만성 증상의 교합-근육 장애 및 근막 통증 기능 장애 환자를 DTR로 치료한 예전에 발표된 모든 연구들은, 전방 이개 시간에 대한 분석과 치료없이 좌우측 편심위 마찰 접촉에 대해서만 ICAGD를 시행하여 일관된 근육 생리 향상과 근육성 TMD 증상 감소를 얻을 수 있음을 보여주었다(Kerstein & Wright, 1991; Kerstein, 1992; Kerstein, 1995; Kerstein, Chapman, & Klein, 1997; Kerstein & Radke, 2006; Kerstein & Radke, 2012). 이런 일관되고 반복된 결과는 좌우측 편심위가 전후방 편심위보다 더 자주 저작 활동에서 발생하는 한다는 것을 암시한다. 이처럼, 그들이 편심위 과활성에 주로 연관되어, 절치가 결합되지 않거나 견치가 그러한 만성 교합-근육 장애 환자를 성공적으로 치료할 가능성이 커 보인다.

MIP 상에서 만성 교합-근육 장애 환자의 치료

ICAGD는 최대 교두감합(MIP)의 상태에서 수행한다(Kerstein, 1992). 환자가 자신의 습관성 접촉 양상으로 작업함으로써 턱을 재위치시킬 필요가 없고 수직 고경 개방이나 재위치 장치를 사용할 필요가 없기 때문에 치료가 단순화된다. 환자가 다른 교합 위치로 운동하지 않기 때문에, 장치와 새로운 수직 고경, 새로 구축된 폐구 교합 접촉 양상에 적응하기 위해 노력할 필요가 없다. MIP 상에서의 치료는 환자가 치료 출발점부터 이미 안정적인 기초 교합 접촉 양상과 잘-교두감합된 교합 위치를 가지기 때문에 임상의에게도 수월하다.

견치 결합이나 근(near)-결합, 중대한 내장증 병리가 없는 근-정상 교합 관계를 가진 경우, 환자는 안전하게 MIP 위치에서 ICAGD를 받고 상당한 측정성 근육 이완을 이룰 수 있다(Kerstein & Wright, 1991; Kerstein, Chapman, & Klein, 1997; Kerstein & Radke, 2012).

즉시 완전 전방 유도 발생(ICAGD) 치관성형술

ICAGD(Immediate Complete Anterior Guidance Development)는 측정으로 이루어지는 컴퓨터 교합 조정 술식으로 편심위 운동의 교합면 접촉 마찰 지속 시간을 단축시킨다. MIP 위치에서 수행되는 편심위로 집중된 교합 조정 술식으로, 환자는 전 치료 과정에 걸쳐 BioEMG 전극을 교근과 측두근에 장착하게 된다. 치료-전 과활성 상태를 초기 치료로 획득된 치료-후 상당한 과활성 감소와 적절하게 비교할 수 있다.

ICAGD의 주요 목표는 후방 이개 시간을 편심위마다 0.5초 이하로 줄이는 것인데, 생리적 평균 이개 시간이 0.41초라고 먼저 연구되었기 때문이다(Kerstein & Wright, 1991). 그러므로, 임상적으로 편심위 당 0.5초 이하의 이개 시간 획득이 ICAGD와 DTR에 대한 발표에서 권고되고 있다.

치료 되지 않는 교합이나 정확한 교합 종말점이 측정되지 않은 치료 상태 달성보다, 0.5초 이하의 이개 시간은 구치부와 각각의 PDL 섬유 압력을 훨씬 적게 한다. DTR을 통해 치주 기계적 자극수용기의 피드백 고리가 더 이상 기능적 하악 운동을 수행하기 위해 요구되는 기초선에 과다한 수축력을 추가하지 않기 때문에, 이것으로 저작근의 수축 시간이 축소된다. 교합면에 기능적 편심위 접촉의 타이밍을 정교하게 변경함으로써, 치료-후 생리적 근육 이완이 이루어진다(Kerstein & Wright, 1991; Kerstein, 1992; Kerstein & Radke, 2012).

실제적인 치료 첫 날, 어떠한 교합 치료를 시작하기 바로 전에, 편심위 마찰의 존재와 이로 인한 편심위 과활성을 재-확인하기 위해 4개의 모든 진단 T-Scan/BioEMG 영상을 재-기록해야 한다. 마지막으로, 견치 결합을 창조하기 위해 견치 레진 합착이 필요하다면, 레진 합착은 ICAGD 시작 전에 시행해야 한다.

ICAGD 술식

이 부분은 저자가 ICAGD를 수행하는 35분짜리 비디오와 연계하여 따라갈 것을 권유한다:

http://www.tekscan.com/t-scan-practical-and-reliable-occlusal-analysis

내원 1

ICAGD 술식 단계는 예전에 설명되었지만(Kerstein, 1992), 여기서 개요를 설명할 것이다.

대합하는 상하악 4분악을 공기-건조한 후, 교합지 (Accu-Film II®, Parkell, Inc., Edgewood, NY, USA)를 해당 부위 치아 사이에 위치시킨 후 환자에게 MIP 위치로 단단하게 자가-폐구하도록 지도하고, 상악 견치점의 바깥쪽으로 하악 작업측 편심위 운동을 시작하여 다시 MIP로 돌아오고, 다시 MIP부터 균형측 편심위 운동을 시행한 후 다시 MIP로 돌아오게 한다. 이런 환자의 편심위 운동은 어떠한 방법으로도 임상의에 의해 유도되거나 조절되지 않는다(Kerstein, 1992; Kerstein, Chapman, & Klein, 1997; Kerstein & Radke, 2012).

긴 이개 시간과 마찰성 편심위 접촉을 묘사하는 치료-전 교합지 자국(그림 36a)을 치료-전 만들어진 작업측 편심위 T-Scan 기록에 근거하여 치료를 시행한다.

그 후에, 표시된 자국에서, 임상의는 "눈으로" 긴 이개 시간을 나타내는 어느 경사면 선 접촉 자국을 판단하여 0.018mm round diamond bur(Model No. 6801, Brasseler USA, Savannah, GA, USA)를 이용하여 중심와, 교두첨, 변연융선의 비-선형(non-linear) 접촉만을 남긴다. 교합지의 1번째 세트를 조정한 후, 환자에게 같은 하악 편심위를 반복하게 하여 동일한 두 4분악을 다시 표시하고, 그 후에 유사한 조정을 다시 한번 수행한다. 선 접촉 자국이 거의

남지 않을 때까지 이 과정을 반복하고(그림 36b), 1번째 구강측의 작업 및 균형 운동에서 시각적 이개를 획득하도록 한다.

같은 과정을 구강 내 반대편에서 시행하여 편심위 마찰을 포착하기 위해 필요한 1-3mm의 운동 범위 내에서 모든 구치에 "시각적 이개"가 나타나도록 한다. 전방 조정은 양측을 시행한 후에 수행하여 전방 이개의 시각적 확증을 성취한다. 그 후, 환자는 교합지가 개입된 상태로 수회의 유도되지 않은 MIP 위치로의 자가-폐구를 시행한다. 새로운 폐구 접촉이 중심와 내에나 가깝게 및/혹은 변연융선 상에 위치해야 한다. 모든 조정된 표면의 치아 연마를 시행한다(그림 35b).

그 다음, 우측, 좌측, 전방 편심위 운동의 치료-후 세트와 새로운 교두감합 접촉을 T-Scan/BioEMG 동기화 소프트웨어로 측정하여, 교합지 자국에 대한 "눈에 의한" 판단 및 조정 결과의 질을 결정한다. 종종 치료-후 기록이 비-이상적인 이개 시간(0.5초 초과), 비-동시적 교합 접촉(모든 대합치 접촉 형성이 0.2초 초과), 불균등한 좌우 반악궁 힘 분포(±2% 초과), 부적절한 힘 합산 벡터 위치(모든 교합 치아 사이의 중앙에 위치하지 않는)를 보일 수 있다; 이런 것들 모두는 술자의 시각적 검사로 결정될 수 없다.

초기 ICAGD 치료-후 기록과 연이은 T-Scan/BioEMG 기록을 토대로, 편심위 운동과 MIP로의 환자 자가-폐구를 더 시행하여, 측정가능한 짧은 이개 시간(0.5초 이하)을 모든 편심위에서 달성하고, MIP로의 자가-폐구를 시행하는 짧은 교합 시간(0.2초 이하)을 얻고, 모든 힘 이상치(Force Oulier) 접촉을 치료하여 새롭게 구축된 양측성 반-악궁 균등성을 획득한다(Kerstein, 1992; Kerstein, 1993). 치료-후 T-Scan/BioEMG 기록을 EMG 데이터 내에 도해하여, 치료-후 이개 시간 감소에 부합하는 편심위 과활성의 뚜렷한 감소를 확인한다.

내원 1: 치료-후 교육

처음 치료 후, 환자에게 다음을 교육한다:

- 정상적으로 먹되, 매우 단단하거나 먹기 힘든 음식은 첫 1주 동안 피한다.
- 신체적으로 저작근에 무리를 일으키지 않게 하기 위해서 입을 크게 벌리지 않는다.
- 가지고 있는 장치 사용을 줄이거나 중단하고, 특히 밤에

239

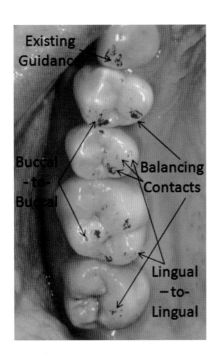

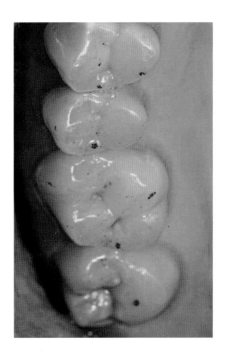

그림 36a ICAGD 환자가 교합지를 대합하는 후방 교합면 사이에 개재한 상태로 작업 및 균형 운동을 시행하여 만든 전형적인 치료-전 교합지 자국 양상

그림 36b 치아 연마를 시행한 후 보여지는 조정된 전형적인 ICAGD 치료-후 교합지 자국 양상. #3(16)번 치아에 약한 설측-대-설측 접촉이 남아 있다

제한한다.

- "느낌"을 평가하기 위해서 이를 부딪치거나(tapping) 확인해보는 행동은 ICAGD로 인해 변화한 새로운 교합 접촉에서의 환자 적응을 느리게 하고, (B-C에서 보이는) MIP에서 모든 교합 접촉이 만들어질 때 발생하는 근활성을 자극하게 된다.
- 레진 합착으로 견치 접촉이 형성되었다면, 환자에게 견치의 전혀 경험해보지 못한 새로운 접촉으로 어색할 수 있기 때문에, 먹는 동안 주의할 것을 충고한다. 또한, 단기간 내에 레진 조각이 떨어지면, 1주일 후 예약 전에 레진 수복을 위해 재내원할 것을 설명한다.
- 발생하는 어떠한 증상 변화를 파악한다.
- 변화하지 않고 남아있는 증상을 파악한다.
- 약물 복용의 변화를 파악한다.

내원 2: 1주 후 Follow-Up으로 환자 증상 변화 상담

2번째 치료 예약을 초기 치료 1주 후로 잡는다. 환자는 여전히 어느 정도의 증상이 남아 있겠지만, 치료 전 근육 증상에 대한 어떠한 뚜렷한 변화를 설명해야 한다. 보고된 증상 변화는 연관된 저작근의 허혈 상태를 제거하는 젖산 기전이 시작되면서 일어난다. 환자가 변화를 느끼지 못한다고 하면, 임상의는 반드시 T-Scan/BioEMG를 사용하여 모든 교합 기능 매개 변수를 정교하게 정제하여 가능한 최대 수준으로 교합 기능을 최적화해야 한다. 개선에 저항이 있는 환자에서, 종종 이런 최적화로 근육 이완 과정을 시작할 수 있게 된다.

보고된 증상 개선과 관계없이, T-Scan/BioEMG 편심위 측정의 새로운 세트를 획득하여 한층 더 심화된 컴퓨터 교합 조정을 시행하고, 1번째 내원에서 달성하였던 정교한 종말점을 향상시킨다. 이 과정은 1번째 치료의 후반 1/2 부분과 유사하여, 총체적인 교합력 균형을 한층 더 향상시키고, 더 좋은 폐구 순서 동시성을 창조한다.

내원 2: 치료-후 교육

환자에게 다음을 교육한다:

- 계속 정상적으로 식사하되, 단단하고 좀 더 먹기 힘든 음식을 먹기 시작한다.
- 아침 턱 통증이 감소한다면, 밤에 더 이상 장치를 사용하지 않는다. 만약 이악물기와 이갈이로 인한 아침 통증이 지속된다면, 밤에만 장치 사용을 재교육하고 낮에는

사용하지 않는다.

- "느낌"을 평가하기 위해서 이를 씹어보거나 확인해보는 행동은 계속 피한다.
- 앞으로 발생할 어떠한 증상 변화를 파악한다.
- 변화하지 않고 남아있는 증상을 파악한다.
- 약물 사용 필요성의 변화를 파악한다.
- 30일 정도 후에 재내원한다.
- 다음 예약에 앞서 2, 3주 내에 교합이 불편해지면 교합 정제를 위해 연락하도록 한다.

내원 3: 한달 후 Follow-Up

3번째 내원은 한달 후로 예약하여, 30일 간 진행된 근육 치유를 지켜본다. 보고된 증상 개선과 상관없이, 새로운 T-Scan/BioEMG 편심위 운동 측정 세트를 획득하여, 편심위 기능이 더 이상 근육과 연루된 과활성을 유발하지 않고 상승되었던 휴지기 EMG 수준이 감소된 것을 확인한다. 3번째 약속에서, 미묘한 컴퓨터 유도 조정으로 교합 시간, 이개 시간, 총 힘 균형의 수적인 종말점을 한층 더 강화할 수 있다. 일반적으로 1개월 경과 확인 약속에서는 적은 치료만이 필요하고, 임상의는 필요하다면 환자의 새로운 교합에 대한 적응을 최소한으로 변경하는 매우 신중한 개선을 수행해야 한다.

한달 후, 환자는 치료-전 근육 증상과 비교하여 빈도, 강도, 장치 사용의 변화에 대한 눈에 띄는 감소를 보고한다. 게다가, 이 즈음, 저작 강도의 향상이 보이게 될 것이다. 한 연구에서 초기 치료 후 다른 교합-근육 증상이 상대적으로 신속하게 감소하고, 저작 강도나 인내력은 회복과 개선이 드러나는 데 최소 30일이 필요하다고 밝혔다(Kerstein, Chapman, & Klein, 1997).

내원 3: 치료-후 교육

다음과 같이 교육한다:

- 대부분의 음식을 먹기 시작하지만, 여전히 특별하게 저작 통증과 피로를 유발할 수 있는 음식은 피한다.
- 장치 없이 밤에 편안하게 보낼 수 있는 경우에는 장치를 쓰지 않도록 한다. 이악물기나 이갈이를 계속하는 환자는 필요한 경우 밤에 장치를 사용한다.
- 이 시점에도 지속되는 증상을 파악하여, 필요하면 물리 치료, 지압 요법을 사용하거나, 구강외과의에게 의뢰한다.

- 필요하면 약물을 사용한다.
- 30일 정도 후에 최종 검사를 위해 예약을 잡는다.
- 환자의 교합이 다음 예약 전 2, 3주내에 불편하다면 교합 정제를 위해 전화하도록 한다.

내원 4

초기 치료 방문으로부터 2달이 되는 4번째 내원이 대부분의 환자에서 최종 예약이 된다. 이것은 최종 T-Scan/BioEMG 측정을 포함하는 확인 약속으로, 1번째 치료에서 구축된 낮은 수준의 편심위 과활성의 감소가 유지되는지 관찰하고, 2개월 전 환자 증상의 치료-전 상태와 비교하여 변화를 논의한다. 이 시점에서는, 환자가 자신의 새로운 교합에 대해 적응하고 치료로 인한 근육 이완이 거의 완성될 수 있는 충분한 시간이 있었으므로, 미미한 교합 치료만이 시행되어야 한다.

더 깊은 치료가 요구되는 지속되는 증상이 있다면 환자의 지지 요법을 제공할 수 있는 전문가에게 의뢰를 고려할 수 있다. 1991년 ICAGD 치관성형술과 DTR을 수행한 이후부터, 저자의 경험 상, 1번째 약속부터 60-90일의 치료후에는 대부분의 환자에서 치료-후 지지 요법이 필요한 경우가 매우 적다.

4번째 내원은 보통 활동적 DTR 치료를 완성하는 마지막 약속이다.

내원 4: 치료-후 교육

다음과 같이 교육한다:

- 가능한 몇 개만을 제한한 상태로 정상적으로 식사한다.
- 장치없이 편안하게 잘 수 있는 환자는 장치의 밤 사용을 중지한다. 이악물기와 이갈이가 계속되는 환자는 필요하다면 밤에 장치를 사용한다.
- 이 시점에도 지속되는 증상이 있다면 지지 요법을 찾아본다. 해결되지 않는 근육 응력과 목 긴장을 위한 물리 치료와 지압 요법을 의뢰한다. 아니면, 지속적인 clicking이나 popping 같은 성가시고 반응 없는 내장증을 평가하기 위해 구강외과의에게 환자를 의뢰한다.
- 필요에 따라 약물을 사용한다.
- 교합이 불편해지고 증상이 다시 나타나 최소 2-3일 동안 지속된다면, 심도있는 교합 정제를 위해 연락하도록 한다.

추가 치료 내원의 필요

종종 환자는 1번째 내원 후 새로운 교합의 느낌으로 투쟁하거나 치료에 의한 지연된 (혹은 결여된) 초기 치유 반응을 보이기도 한다. 근본적인 합병증이 교합 느낌과 연관된다면, 치료 초기에 추가적으로 치료 방문하게 하여 환자가 새로운 교합 접촉 양상에 더 잘 적응하도록 도울 수 있다. 가끔, (7일차 내원의) 2번째 내원 14일 후에 예약을 할 수 있다. 이를 통해, 임상의는 환자의 교합을 한층 더 최적화하고 정교하게 정제하기 위한 또 다른 기회를 갖게 된다. 추가적으로, 초기 치료의 어느 때라도 환자가 1번째 치료 후 감소한 증상의 부활을 경험하면, 환자는 자신의 증상을 감소시키기 위한 시도로 다시 한번 T-Scan/BioEMG를 사용하여 교합 상태를 정제해야 한다.

근본적인 합병증이 치유에 대한 지연된 (혹은 결여된) 초기 치유 반응이라면, 추가적인 치료 내원으로 치유 반응의 시동을 걸도록 돕는다. 14일 재내원 시, 임상의는 잔존하는 편심위 마찰을 한층 더 최적화하고, 혹은 새로운 MIP 폐구 접촉 양상으로 환자 근육의 이완 시작을 도울 수 있다.

추가적 내원이 일부 환자에는 도움이 되고 필요하지만, 1991년부터의 저자 경험에 의하면, ICAGD 치관성형술을 사용하여 DTR을 수행하면 대부분의 환자에서 위에 설명한 4번의 치료 방문만이 필요할 것이다. 일반적으로, 1, 2번째 내원에서 정교하게 성취되면, 적은 비율의 환자만이 추가적인 내원이 필요하다.

추가된 내원 치료-후 교육

다음과 같이 교육한다:

- 추가 내원 전과 같이 먹되, 저작 통증과 피로를 유발하는 특정 음식은 피한다.
- 장치없이 편안하게 잘 수 있는 환자는 장치의 밤 사용을 중지한다. 이악물기와 이갈이가 계속되는 환자는 필요하다면 밤에 장치를 사용한다.
- 추가 내원 후 증상이 약해지기 시작하는지 파악한다. 일반적으로, 추가 내원 후 며칠 내에 개선이 있을 것이다.
- 필요하다면 약물을 사용한다.
- 다시 예약을 잡는다. 그래서, 만일 환자가 7일이나 14일 만에 왔다면, 그 다음 예약은 추가 내원 날짜 30일 후로 잡는다.
- 다음 예약 전에 환자의 교합이 불편하다면 교합 정제를

위해 전화하도록 한다. 환자에게 적은 치료가 목표임을 설명하여, 추가 내원 후에도 증상이 빠른 시간 내에 뚜렷하게 감소되지 않는 경우에만 다시 약속하도록 한다.

편심위 과활성 치료를 위한 이개 시간 감소(DTR) 증례

ICAGD 치관성형술에 의한 DTR을 시행하면, 기능성 및 이상 기능성 편심위 운동 시 서로 가는 동안의 대합하는 구치부의 교합면 마찰성 상호 작용을 감소시킨다. 동시에 ICAGD 치료 첫 날부터 분명하게 시작되는 저작근 과활성을 축소하여, 연루된 치아에 적용되는 적은 마찰력으로 장기간 교합면 마모에 대한 잠재력을 감소시킨다(Kerstein & Radke, 2012). 이렇게 관찰되는 근활성 감소로 많은 교합-근육 장애 및 근육성 TMD 증상이 빠르게 해결된다는 연구가 있었다(Kerstein & Wright, 1991; Kerstein, 1995; Kerstein, Chapman, & Klein, 1997; Kerstein & Radke, 2012).

다음의 2가지 증례는 일련의 임상적 이미지와 T-Scan/BioEMG 데이터로 설명될 것이다. 독자를 위한 중요한 증례 요소는 그림 캡션으로 설명될 것이다. BioEMG를 포함하거나 포함하지 않는 모든 T-Scan 그림에서, 최종 이개 시간 길이에 상관없이, 어떤 편심위 운동 초기(C 직후)에 하악이 MIP에서 측방으로 운동하는 초기 마찰력 발생 동안 초기 구치부 접촉이 항상 존재한다는 것을 알 수 있다. 긴 이개 시간(0.5초 초과)은 편심위에서 연장된 교합면 마찰 연루가 존재함을 의미한다. 그러나, 짧은 이개 시간(0.5초 이하)은 편심위 운동이 전개되면서 이런 접촉이 빠르게 분리된다는 것을 보장한다. 어떠한 하악 편심위도 0.00초의 이개 시간을 가지지 않는다는 것은, 건강한 이개와 그렇지 않은 이개 모두 약간의 대합하는 교합면 마찰 연루를 포함하는 시간 범위가 있음을 지적한다.

Type 2의 환자는 Type 1의 모든 증례가 경험하는 마찰성 편심위 ICAGD 치관성형술 치료를 경험할뿐 아니라, 대합하는 견치 한두 쌍에 대한 ICAGD-전 유도면 접촉 창조 술식이 필요하기 때문에, Type 2 환자를 선택하였다. 유도면 제작이 미리 이루어지지 않는다면, 알려진 ICAGD의 근이완 효과로만 환자를 치료할 수 없을 것이고, 유도를 만들지 않고 ICAGD를 수행하면 과다한 구치부 구조물이 삭제될 것이다.

1989년 이후 저자의 임상적 관찰 결과(Kerstein & Farrell, 1989), 치료를 구하는 교합-근육 장애 환자의 막대한

다수가 Type 1 아니면 Type 2이다. 마주하는 견치가 철저하게 분리되는 심한 골격성 악궁 부조화의 존재로 인해 견치가 만나지 않는 중증 개방 교합(Type 3)은 일반적으로 적게 발생한다.

Type 2 증례: 치료-전 견치가 결합하지 않는다

Type 2의 경우가 그림 37에서 52에 걸쳐 완벽하게 설명되어 있다.

- **환자 설명:** 24세의 남성으로 매우 얕은 전방 유도를 가지는 가성 Class Ⅲ 전방 관계로 마주하는 견치 접촉이 양측성으로 결여되어 있다. 예전의 교정 치료는 14세에 완료되었다(그림 37a, 37b, 37c). 좌측 견치 개방 접촉이 우측보다 더 심하다. 많은 구치에서 작은 원형의 교합 마모면을 보인다. 상담 2.5년 전에 PFM 크라운이 #18(37)번 치아에 장착되었는데, 장착 당시 광범위한 교합 조정이 있었다고 한다. 모든 제3대구치는 이미 발거되었다.
- **교합 질환의 병력 및 현재:** 상담 전 3.5년 동안, 환자는 만성 양측성 교근 긴장을 경험하고 있었고, 힘든 시기에는 더 악화되는 규칙적인 아침 턱 통증이 있었다. 낮 동안에도 이악물기 습관이 있고 수면 중에는 어느 정도의 이갈이가 있다고 하였다. 불편감의 대부분은 교근 부위에서 양측성으로 발생하였고 실제적인 측두통은 없었다. 또한 17세에 당한 자동차 사고로 인한 만성 경부 긴장을 호소하였다.
- **과거의 비성공적인 치료:** 10개월 간 밤에 장치를 장착하였지만, 규칙적인 장치 사용으로 증세가 악화되었다고 한다. 그는 입 안에 무언가가 있으면 물게 되기 때문에, 장치가 그의 이악물기를 더 심하게 만든다고 느꼈다. 이렇게, 환자는 상담 받기 전 수개월간 장치 사용을 중단하였다. 근이완제로도 효과가 미미하여, 더 이상 복용하지 않았다고 하였다.
- **TMJ 상태:** 개구량은 47mm로, 좌측으로 1mm 편위된다. 아침마다 기상 후 근육를 풀어주기 위해 하악을 움직여 clicking을 유발한다고 한다. 드물게 clicking과 popping이 발생하고, 과두 걸림, 변위, 무혈관성 괴사는 없다. JVA는 최대 개구 근처에서 매우 헐거운 캡슐의 존재를 설명한다. 디스크는 변위되지 않을 것이지만, 개폐구 운동 동안 양쪽 관절 내에서 돌아다닌다. 우측 TMJ 내

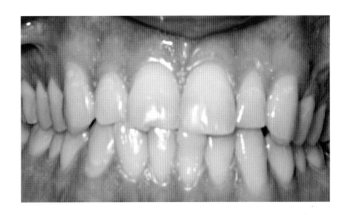

그림 37a 정면 사진으로 양측성의 좋지 않은 치아 방향, 약간의 우측 개방 견치 접촉, 더 큰 좌측 개방 견치 접촉, 얕은 전방 유도를 수반하는 가성 Class Ⅲ 전방 관계를 볼 수 있다. MIP에서 정중선이 나란하다

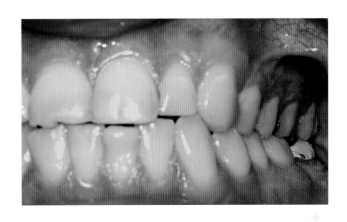

그림 37b 좌측 편심위 1mm에서 견치가 연루되기 시작한다. 완전한 협측 후방 그룹 기능과 편심위 마찰이 보인다. 개방 견치 접촉으로, 전방 유도가 구치부를 분리하여 거상하기 전에 하악이 측방으로 몇 mm 이동한다. 수직 유도 접촉이 존재하지 않기 때문에, 좌측방 운동 초기에 대합하는 구치가 협설측으로 마찰성으로 연루된다. 좋지 않은 수직 치아 방향으로 마찰이 악화된다

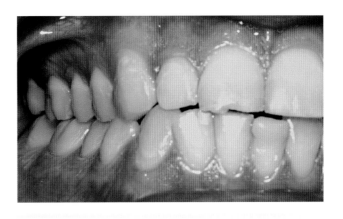

그림 37c 우측 편심위 1mm에서 견치가 연루되기 시작한다. 완전한 협측 후방 그룹 기능과 편심위 마찰이 보인다

에서 활주면이 약간 거칠어진 증거가 있다.

환자의 임상적 상태

치료-전 좌측 편심위 T-Scan/BioEMG 데이터(T-Scan 부분)에서 연장된 좌측 이개 시간(C-D = 1.33초)을 보이고, 작업측 및 균형측 편심위 마찰 교합 접촉이 2D, 3D ForceView에서 총 힘 선의 "하강"으로 나타난다(그림 38a). (BioEMG 부분의) 양쪽 교근에서 현저한 휴지기 EMG 과활성을 보인다(A 이전). 교두감합 동안(B-C) 4개의 근육에서 높은 수축 강도가 있다. 좌측 측두근과 우측 교근에서 과다한 편심위 과활성이 발생하고, 환자가 측방으로 더 운동하면서 악화된다(D 이후). 좌측 측두근은 4.4초에서(EMG 데이터의 거의 우측 끝부분) 근경련이 발생하여 기록의 끝까지 계속된다.

치료-전 우측 편심위 T-Scan/BioEMG 데이터(T-Scan 부분)에서 연장된 우측 이개 시간(C-D = 2.50초)이 있고, 제1,2대구치에서 상당한 설측-대-설측 작업측 마찰성 교합력과 가파른 총 힘 선 "하강"이 나타나, 편심위 운동을 전개하면서 구치부가 종종 하악을 쉽게 움직이지 못하게 하

여 급격하게 힘이 하락한다는 것을 암시한다(그림 38b). 우측 측두근은 편심위 초기에 매우 높은 수축력(155µV)을 보이고, 3.2초에서 전기 활성이 약간 떨어지지만, 편심위 운동이 전개되면서 후방 우측 교합력 증가(분홍색 4분악선 상승)와 동반하여 3.5초에서 빠르게 증가한다. 그 후 4.0초에서, 우측 측두근의 수축력이 감소하기 시작하지만, 기록이 끝날 때까지 과활성 상태를 유지한다. (BioEMG에서) 양쪽 교근은 상당한 휴지기 EMG 과활성을(A 이전), 교두감합 동안 높은 수축력을(B-C), C 이후에 편심위 과활성을 보인다. 우측 교근은 운동 동안 여러 차례의 경련을 보여, EMG 데이터에서 연속적이고 반복적인 높고 낮은 EMG 파동이 매우 밀접하게 그려진다. D에 근접한 편심위 운동 후반에 우측 교근 경련의 진폭이 악화된다. 좌측 교근은 연장된 낮은 수준의 편심위 과활성으로 보이고, D 근처와 이후에서 살짝 악화된다.

이개 시간 감소(DTR) 치료

1단계: 양측성으로 견치 접촉 창조

견치 접촉이 부족한 위치에서, #6(13)번 치아의 근심설측면

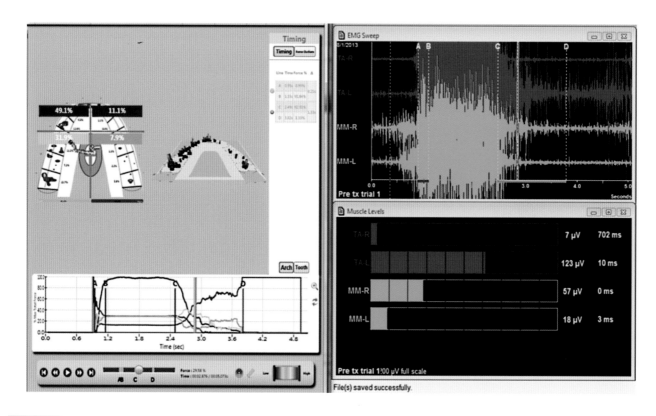

그림 38a

244

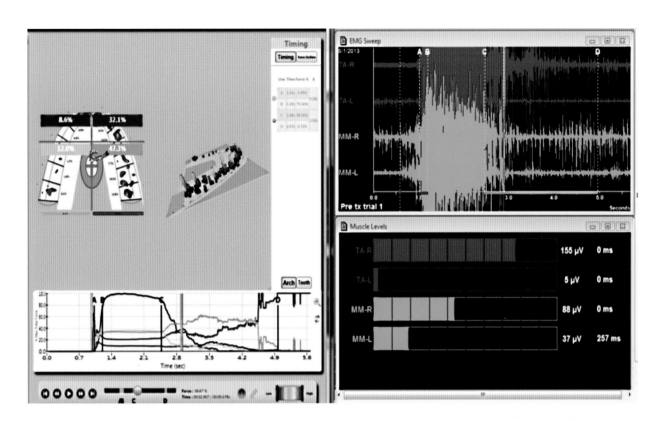

그림 38b

에 법랑질 유지"홈"을 inverted cone bur로 살짝 삭제한다(그림 39a). 이렇게 하면, 유지홈의 벽에 돌출부가 있고 약간의 언더컷이 있기 때문에, 레진의 유지력이 현저하게 향상된다. #6번 (및 #11(23)번) 치아의 근심 1/2만이 사용된다.

치아를 퍼미스로 닦고, 유지홈의 내부 및 주변과 절단연을 넘어 협측 법랑질까지 적절하게 산부식 처리한다(그림 39b). 충분한 양의 물로 세척하고 건조하여 필러가 없는 레진을 위치시키고 광중합한다.

유사한 색상의 레진 덩어리를 유지홈 내부와 절단연을 넘어 협측 법랑질에까지 위치시킨다(그림 39c). 마주보는 하악 치아에 바셀린(Vaseline Petroleum Jelly, Proctor and Gamble, Cincinnati, OH, USA)을 얇게 도포한 후, 환자가 레진 상에서 MIP로 교두감합하게 한다. 하악 견치가 완전하게 레진 내부에 놓인 상태에서 광중합한다. 중합 후, 하악 치아에 대항하여 남아있는 레진의 가장자리를 기교적으로 다듬어 적절한 견치 형태로 만든다. 이 증례에서는, 양쪽의 개방 견치가 유사하게 합착되었다.

그 후, 잉여분을 제거하여 레진 위로 편심위 운동이 쉽게 미끄러지도록 유도면을 형성하였다(그림 39d). 교합지

를 개재한 상태로, 환자에게 전후방으로 운동하게 하여 조정 다듬질이 필요한 새로운 유도 통로 내의 불규칙성을 파악한다. 견치 유도면 추가에도 불구하고, #12(24)번 치아의 협측 교두 내사면에 편심위 간섭 접촉을 의미하는 교합지 자국이 있다.

#6(13), 11(23)번 치아에 유도를 추가한 후, #8(11)번 치아의 절단연을 레진으로 보수하여, 전방 유도 또한 향상시킨다. #6, 8, 11번 치아 수복으로 형성된 새로운 전방 유도면이 그림 40a에 보여지고 있다.

그림 40b에서, 우측 작업 편심위 시 추가된 유도면으로 향상된 이개를 볼 수 있다. 그러나, 추가된 유도는 1mm 운동 범위 내에서 제1소구치를 시각적으로 이개시키지 않는다. 남아있는 설측–대–설측 접촉은 보이지 않는다.

그림 40c에서 좌측 작업 편심위 시 추가된 유도면으로 향상된 이개를 볼 수 있다. 그러나, 추가된 유도는 1–3mm 운동 범위 내에서 2개의 소구치와 제1대구치를 시각적으로 이개시키지 않는다. 그리고, 남아있는 설측–대–설측 접촉은 보이지 않는다.

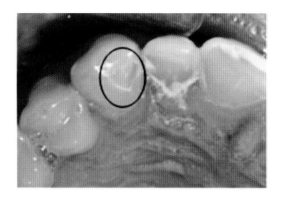

그림 39a

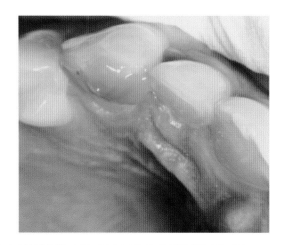

그림 39b

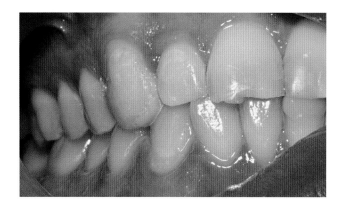

그림 39c

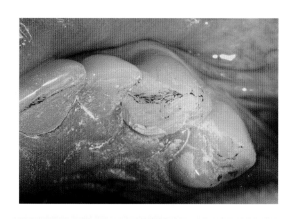

그림 39d

• **치료-전 이개 시간 길이와 편심위 운동 근육 생리에 대한 합착된 유도 첨가 효과**

부드러운 편심위 운동을 획득하기 위해 3개의 새로 형성된 유도면을 다듬고 연마한 후, 새로운 T-Scan/BioEMG 편심위 데이터를 기록하여 치료-전 상태에 대한 생리적 변화를 확인한다.

합착된 견치 유도로 편심위 과활성이 눈에 띄게 감소하였다. 우측 측두근은 C 이후 0.3초 동안 높은 수축력을 유지하고 있지만, 그 후 두드러지게 감소한다. 우측 교근은 적은 편심위 과활성을 보이지만, D를 지나면서도 여전히 경련을 보이고 있다. C 이후, 좌측 교근이 빠르게 평평한 선으로 나타나고 신속하게 휴지기 EMG 수준(8-10μV 미만)에 다다른다. 이개 시간은 0.61초로 감소했지만, 향상된 유도로 인한 초기 감소에도 불구하고 편심위 초기에 상당한 (하지만 감소된) 설측-대-설측 접촉력이 #2, 3(17, 16)번 치아에 존재하여 연루된 근활성 크기가 상승한다. COF 궤도는 처음에 우측 후방 치아를 향해 이동하여 후방 그룹 기능이 남아있음을 보여주고, 합착된 첨가가 마찰성으로 연루된 구치부를 거상하기 시작하면서 궤도가 북쪽으로 전환된다.

합착된 견치 유도로 C 이후에 존재하는 편심위 과활성이 뚜렷하게 감소하였다. 좌측 측두근과 우측 교근 모두에서 두드러지게 감소하였지만, D를 지나면서까지 상승된 크기를 유지한다. C 이후, 좌측 교근이 빠르게 감소하고 5μV로 평평한 선을 보인다. 이제 이개 시간이 0.51초이지만, 편심위 초기에 상당한 설측-대-설측 접촉이 #13, 14, 15(25, 26, 27)번 치아와 #15번 치아의 협측을 포함하여 남

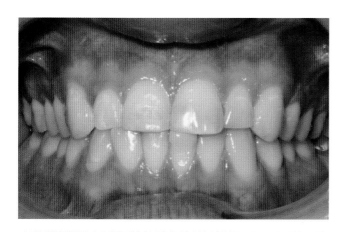

그림 40a

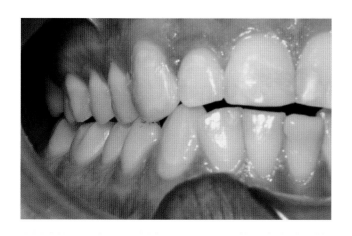

그림 40b

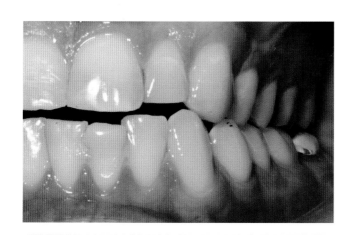

그림 40c

아 있다. 합착 후, COF 궤도가 마찰성으로 연루된 후방 치아를 향해 좌측으로 똑바로 이동하여, 새로이 합착된 견치 첨가에도 불과하고 연장된 구치부 접촉이 남아있음을 설명한다.

• 중요한 합착 첨가의 임상적 실제 상황

그림 41과 42는 합착 추가 단독으로는 이개 시간이 여전히 너무 길기 때문에(좌측 0.51초; 우측 0.61초), 생리적인 편심위 근활성이 만들어지지 않는다는 것을 보여준다. 이것은 ICAGD 조정 없이는 마주하는 견치 접촉만으로 연장된 후방 마찰을 양측성으로 가장 낮은 수준의 이개 시간으로 감소시킬 수 없음을 의미한다.

합착 후 개방된 견치 환자는 Class Ⅰ 교합-근육 장애 환자가 견치 접촉 치료 전에 보이는 방식과 유사하다; 마주보는 견치가 접촉은 하지만, 최적의 근신경 생리를 위한 후방 이개는 부적절하다. 합착 추가에 연이어 ICAGD 치관성형술이 수행되어야만 가장 낮은 수준의 근활성을 임상적으로 얻을 수 있다.

2단계: ICAGD 치관성형술

새로이 구축된 레진 유도에 수반하여, 남아있는 마찰성으로 연루된 편심위 접촉을 치료하기 위해서 이제 환자는 ICAGD 치관성형술을 받게 된다. 양측성 견치 접촉으로 레진 합착을 받은 환자는 먼저 소개되었던 Class Ⅰ 교합-근육 환자와 같은 방법으로 치료되게 된다.

• ICAGD-후 편심위 근생리

그림 43a는 ICAGD-후 우측 편심위를 보여주는 것이다. 이개 시간은 0.37초로 균등하고, 우측 측두근과 우측 교근의 편심위 과활성이 한층 더 감소하였다. 우측 교근 경련은 D를 지나 계속되지만, 편심위 0.76초 후 3.116초에서 매우 낮은 수준으로 멈추어 평평한 선으로 나타난다.

그림 43b는 치료-전(좌측 구획)에서 견치 유도 합착 후(중앙 구획)로 ICAGD-후(우측 구획)로 진행되면서 개선되는 우측 편심위 EMG를 보여주는데, 가장 낮은 근활성이 ICAGD-후 편심위 운동에서 바로 관찰된다. 감소된 근활성의 전개는 진행 중인 이개 시간 감소와 직접적으로 연관된다(치료-전 DT = 2.5초; 합착-후 DT = 0.61초; ICAGD-후 DT = 0.37초).

247

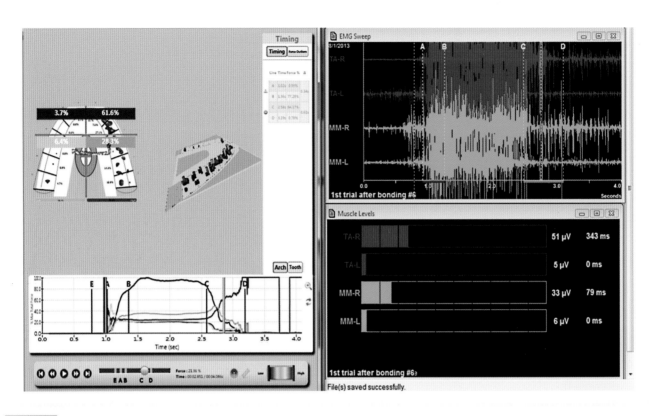

그림 41a 합착 후 우측 편심위 기능

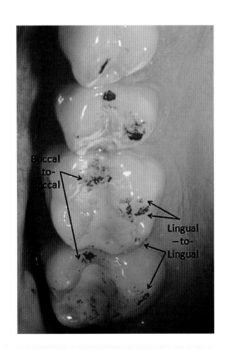

그림 41b 합착된 유도 추가를 구축한 후 상악 우측 후방 교합지 자국. 새로이 합착된 유도 추가에도 불구하고 상당한 설측-대-설측 접촉과 협측-대-협측 접촉이 남아있다. 뿐만 아니라, 상승된 편심위 근육 기능도 여전히 남아있다

그림 44a는 ICAGD-후 좌측 편심위이다. DT는 0.44초로 균등하지만, 편심위 초기에 좌측 측두근과 우측 교근 편심위 과활성이 한층 더 감소한다. 이 두 근육은 D를 지나서 편심위 과활성을 유지하여, 편심위 마찰이 치료-후 근활성을 더 낮출 것인지 판단하기 위해서 치유 시간이 좀 더 필요하다는 것을 의미한다. 좌측 교근은 C에서 신속하게 평평한 선으로 바뀌는 데, 비-작업측 우측 측두근도 마찬가지이다. 양쪽 교근은 과다한 휴지기 EMG 과활성을 보인다. 치료로 내원하는 동안, 임상적으로 낮은 이개 시간을 양측으로 획득하기 위한 과정으로 환자의 교합을 기록하고 치료하기 위해서, 모든 폐구와 편심위 하악 운동으로 인해 환자의 휴지기 EMG 수준이 상승하였다.

그림 44b는 치료-전(좌측 구획)에서 견치 유도 합착(중앙 구획)까지 그리고 ICAGD-후(우측 구획)보다 개선된 좌측방 EMG를 보여주는데, 가장 낮은 근활성이 ICAGD-후 편심위 운동에서 바로 관찰된다. 우측 구획에서 좌측 측두근과 우측 교근 모두에서 중앙 구획과 비교하여 더 적은 과활성이 보인다. 그러나, 휴지기 EMG 수준이 ICAGD 후에 더 높다. 감소된 편심위 근활성의 진행은 이개 시간의

248

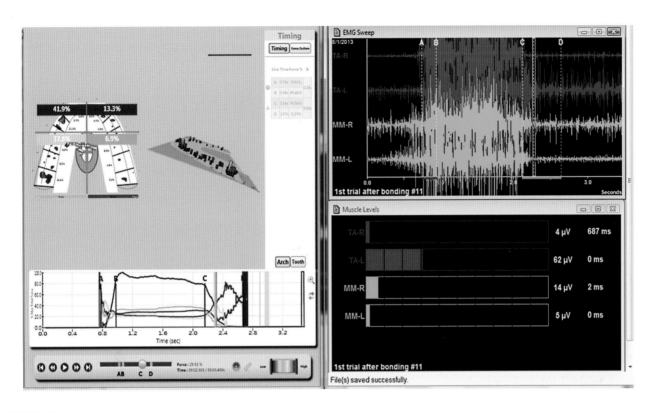

그림 42a 합착 후 좌측 편심위 기능

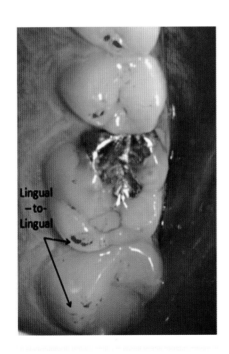

그림 42b 합착된 유도 추가를 구축한 후 상악 좌측 후방 교합지 자국으로 상당한 설측-대-설측 접촉이 #14, 15(26, 27)번 치아에 남아있고, 상승된 편심위 근육 기능도 여전하다. #15번 치아에 성글고 무분별한 매우 작은 구개측 자국이 중요하지 않아 보이지만, T-Scan 데이터 내에서 연장된 마찰성 편심위 접촉으로 선명하게 드러난다

점진적인 감소와 직접적으로 연관된다(치료-전 DT = 1.33초; 합착-후 DT = 0.51초; ICAGD-후 DT = 0.44초).

• **DTR 치료 전후 전방 운동**

그림 45a는 이개 시간이 0.69초인 치료-전 전방 운동을 보여준다. #3(16)번 치아의 원심구개측에 강력한 초기 간섭이 있다. 측두근에서 상당한 편심위 경련이 보이고, 종종 신경생리학적으로 최소로 전방 운동에 연관된다. 양쪽 교근이 온 기록에 걸쳐 매우 과활성된다. 우측 교근은 연장되고 상승된 휴지기 EMG(A 이전) 및 과다한 편심위 과활성(C 이후)을 보인다. 좌측 교근은 우측 교근(A 이전)보다 적은 휴지기 EMG와 적은 편심위 과활성을 보인다. 두 근육이 경련을 보인다.

합착/ICAGD 후 초기에(DT = 0.61초), 양쪽 교근에 감소된 과활성이 있고, 환자가 D를 지나 더 전방으로 운동하면서 악화된다(그림 45b). 양쪽 측두근이 교합 치료 시행에도 불구하고 다소 감소되었지만 유사한 과잉반응 양상을 유지한다. 더 많은 치유 기간이 있어야 감소된 전방 편심위 마찰이 치료-후 근활성 수준과 경련을 감소시킬지 결정할

249

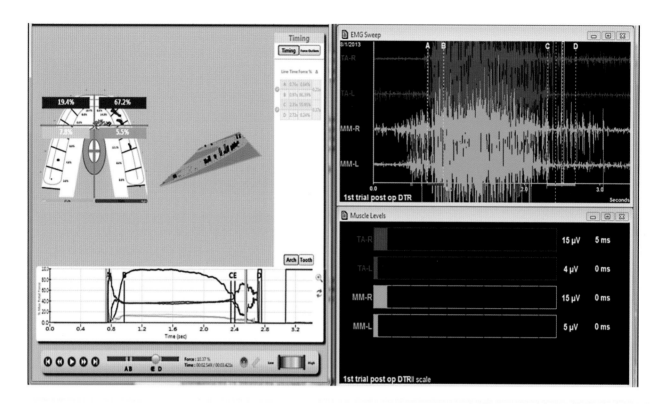

그림 43a

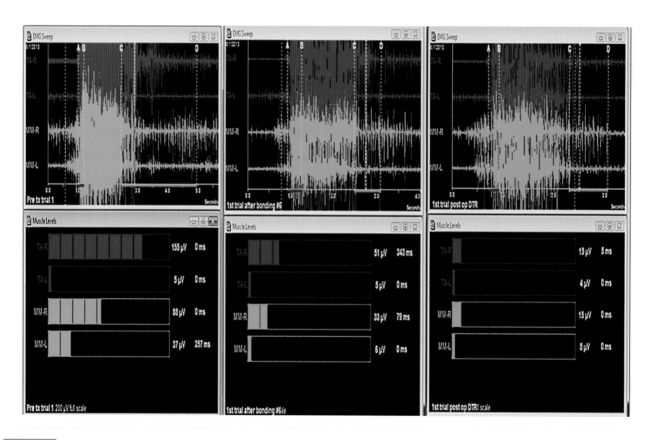

그림 43b

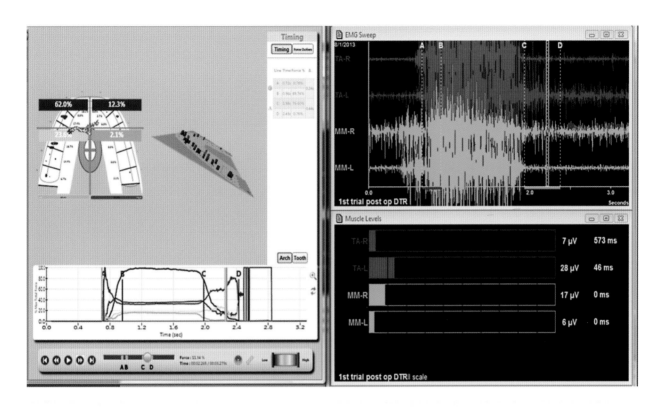

그림 44a

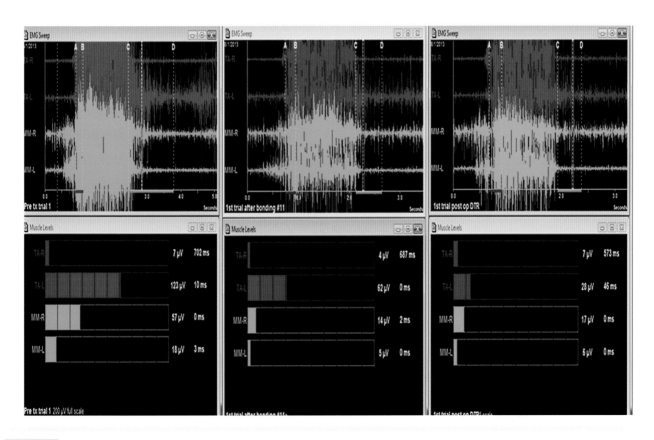

그림 44b

수 있을 것이다.

그림 45c는 이개 시간 감소(DTR) 치료로 인해 전방 운동 초기에 감소된 EMG 수준을 보여주는 치료 전후 전방 EMG 데이터를 설명한다. 우측 구획(치료 후)에는 양쪽 교근에 존재하는 편심위 과활성이 더 늦게 악화되어 나타나고 양쪽 측두근에는 적게 명시된 경련이 보인다. B-C 사이에 ICAGD-후 감소한 이악물기 활성이 나타나 완전 교두 감합이 총 근활성을 적게 형성함을 알 수 있다.

환자에게 앞서 설명한 1번째 내원 후 교육을 전달하고, 7일 후로 예약을 잡는다. 2번째 내원 이후로는 추가의 내원이 필요하지 않는 한 1개월이나 2개월 간격으로 방문하면 된다.

• 내원 2: 1주 후 Follow-Up
환자는 새로운 교합 기능과 근생리에 대한 재평가를 위하여 7일 후 내원한다. 양측성으로 두드러지게 적어진 안면 긴장과 장치를 착용하지 않고도 확실하게 적어진 기상 시 아침 하악 긴장을 경험하고 있다고 보고했다. 아침에 일어났을 때 머리의 불편감이 눈에 띄게 적어졌다고 하였고, 안면 긴

장이 줄어 쉽게 웃을 수 있다고 하였다. 7일 경과에서, 환자는 그동안 없었던 새로운 견치 접촉에 신체적으로 적응했다고 하였다.

남아있는 문제성 마찰 편심위 교합 접촉을 재평가하기 위해서 새로운 반복-교합, 우측, 좌측, 전방 기록을 T-Scan/BioEMG로 작성한다. 전체의 교합 균형, 폐구 접촉 타이밍 동시성, 편심위 기능을 위해 각 기록을 토대로 섬세한 조정을 시행한다. 이런 중요한 정제는 종종 1주의 근육 치유 후에 근기능을 한층 더 최적화하는데 도움이 된다.

• DTR 1주 후 우측 편심위 기능
그림 46a는 상악 우측 4분악의 1주 후 교합지 자국으로 조정이 필요한 설측-대-설측 및 협측-대-협측 접촉이 남아 있음을 보여 준다. 치료-전과 비교하여 확실하게 감소된 편심위 마찰이 보인다.

그림 46b는 하악 우측 4분악의 1주 후 교합지 자국으로 조정이 필요한 설측-대-설측 및 협측-대-협측 접촉이 남아 있음을 보여 준다. 치료-전과 비교하여 확실하게 감소된 편심위 마찰이 보인다.

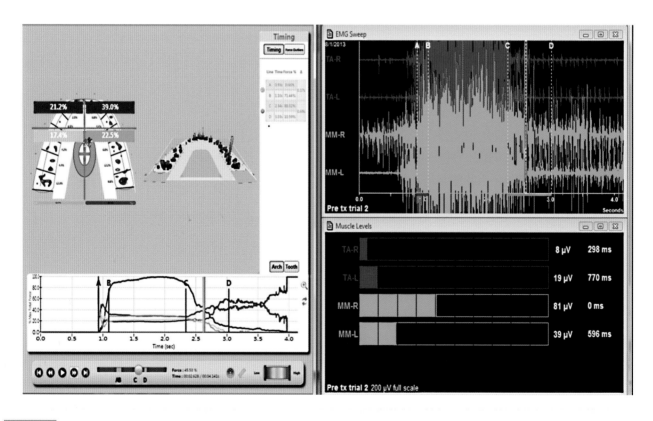

그림 45a

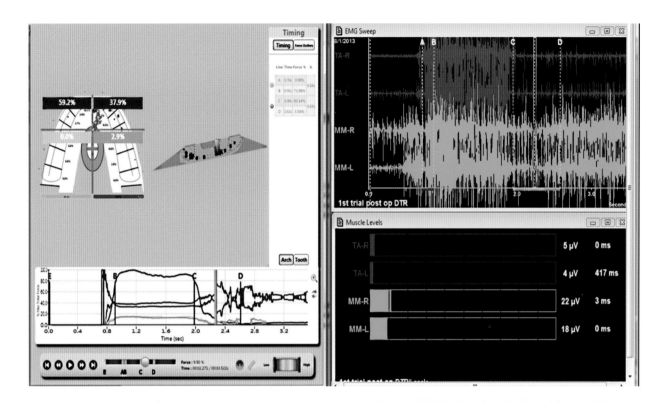

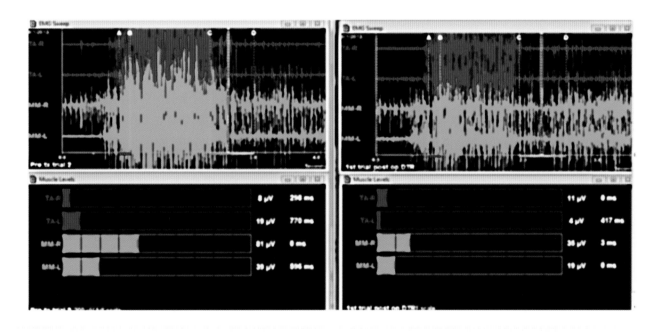

그림 47a에서, 1회 조정 후 설측–대–설측 접촉이 감소하였지만, 정제가 더 필요한 협측–대–협측 접촉이 남아있

다. 제1소구치의 원심협측 측면에 눈에 띄는 유도 접촉이 있다.

그림 47b에서, 1회 조정 후 #30(46)번 치아에 단 1개의
설측-대-설측 접촉이 남아있다. #28(44)번 치아의 근심협
측 접촉이 그림 47a에 제시된 제1소구치 유도 접촉과 대합
한다.

그림 48a은, 2세트 조정으로 그림 45와 46에서 보이는

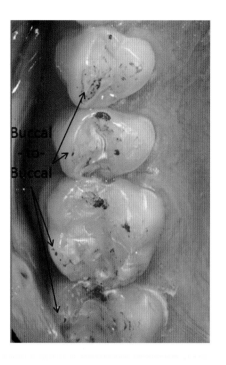

그림 47a

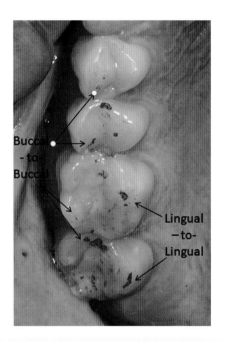

그림 46a

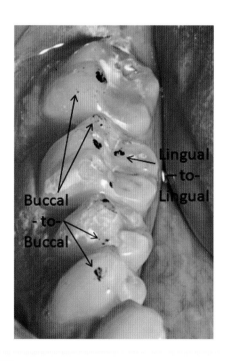

그림 47b

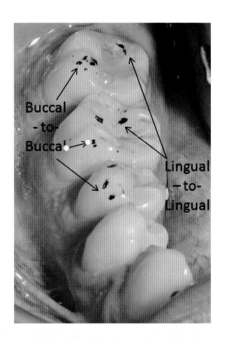

그림 46b

후방 우측 접촉, 0.49초로 균등한 DT나 견치 부위를 향해
살짝 좌측으로 곧장 이동한 (좋은 교합 균형을 암시하는) 적
절한 편심위 COF 궤도 경로와 같은 정제된 1주 우측 편심

위 데이터가 달성되었음을 보여준다. 처음 0.289초 내에서 C(2.17초)와 시간 선(2.459초) 사이의 편심위 초기에, EMG 데이터에서 우측 교근의 상당한 과기능이 보이고 D전에 빠르게 감소하여 거의 평평한 선이 되지만 여전히 작은 경련(수직적 EMG 선)을 보여준다. 1주 전에 시행된 DTR에도 불구하고, A 이전에 양쪽 교근의 휴지기 EMG 과활성이 감소했지만 존재하고 있다. 편심위 동안(C 이후), 양쪽 교근이 운동 내내 낮은 크기의 과활성을 유지하고, 우측 교근은 환자가 측방으로 더 운동하면서 경련이 증가한다.

그림 48b는 치료-전(좌측 구획)과 DTR 치료 1주 후(우측 구획)를 비교하여 보여준다. 치료-후 데이터 내에서 4개의 근육 모두에서 A(초기 치아 접촉) 이전에 휴지기 EMG 크기가 감소했다가, B와 C 사이에서 감소된 교두감합 EMG 밀도와 잔잔한 진폭이 나타나 이악물기 구간(B-C) 동안 낮은 근활성 발생을 암시하고, 우측 편심위 동안 C 이후에 감소된 경련과 함께 극적으로 감소된 EMG 크기가 보인다. 합착 추가와 ICAGD를 결합한 결과로 이루어진 치료-전(긴 이개 시간)과 치료 1주 후(짧은 이개 시간)를 비교해 보면 현저하게 다른 C-D 시간-거리가 보인다.

• DTR 1주 후 좌측 편심위 기능

그림 49a는 상악 좌측 4분악의 1주 후 교합지 자국으로 조정이 필요한 설측-대-설측, 협측-대-협측, 우측 균형측 접촉이 남아 있음을 보여 준다. #11(23)번 치아의 근심에 합착된 유도 접촉이 #12, 13, 14, 15(24, 25, 26, 27)번 치아의 설측(매우 작고 가벼운 빨간색 교합지 자국이 존재)을 완전하게 이개시키지 못한다.

그림 49b는 하악 좌측 4분악의 1주 후 교합지 자국으로 조정이 필요한 설측-대-설측, 협측-대-협측, 우측 균형측 접촉이 남아 있음을 보여 준다.

그림 50a에서, 조정된 상악 좌측 교합지 자국 양상이 거의-이상적인 짧은 이개 시간의 양상을 보인다. #14(26)번 치아의 근심협측 사면을 제외하고 선형의 접촉 자국이 거의 없다.

그림 50b에서, 조정된 하악 좌측 교합지 자국 양상이 거의-이상적인 짧은 이개 시간의 양상을 보인다. 선형의 접촉 자국이 거의 없다.

그림 49a와 49b에서 보이는 접촉에 2세트의 조정을 시행한 후, 정제된 1주 좌측 편심위 데이터는 0.45초로 균등한

DT와 좌측 견치 부위를 향해 살짝 좌측으로 곧장 이동하는 적절한 편심위 COF 궤도 경로를 보여준다(그림 51a). 그러나, 여전히 짧은 설측-대-설측 접촉이 좌측 편심위 초기에 발생한다(처음 0.266초 이내). C와 시간 선 사이에, 좌측 측두근에 상당한 과기능이 발생하고 D전에 빠르게 감소하여 낮은 수준의 편심위 근 수축을 유지한다. A 이전에 양쪽 교근의 폐구 전 휴지기 EMG가 감소함을 보여준다. 좌측 편심위 동안(C 이후 D를 지나면서), 양쪽 교근이 운동 내내 낮은 크기의 과활성을 유지한다.

그림 51b는 치료 전(좌측 구획)과 DTR 치료 1주 후(우측 구획)를 비교하여 보여준다. 치료-후 데이터 내에서, 양쪽 교근은 A 이전의 휴지기 EMG 크기가 감소했다가 B와 C 사이에서 감소된 교두감합 EMG 밀도와 잔잔한 진폭이 나타나 이악물기 구간(B-C) 동안 낮은 근수축 발생을 암시하고, C-D 사이에서 좌측 측두근과 우측 교근의 편심위 EMG 크기가 극적으로 감소되었다. 편심위 초기인 C 이후 즉각적으로, 4개의 모든 근육은 치료 전과 비교하여 상당한 근활성 감소를 보인다. D를 지난 편심위 후반 동안 좌측 측두근에 눈에 띄게 적은 경련이 보인다. 마지막으로, 합착 추가와 ICAGD를 결합한 결과로 이루어진 치료 전(긴 이개 시간)과 치료 1주 후(짧은 이개 시간)를 비교하여 현저하게 다른 C-D 시간-거리가 보인다.

• DTR 1주 후 전방 기능

정제된 1주 전방 운동 데이터에서 이개 시간은 0.35초로 균등해졌고, 교두감합 동안 중절치 쪽으로 곧게 나가면서 중앙의 좌측으로 살짝 이동하는 적절한 직선형의 전방 편심위 COF 궤도 경로를 보인다(그림 52a). C와 시간 선 사이의 편심위 초기에, 양쪽 측두근이 평평한 선으로 나타난다. 좌측 교근은 경련을 수반하는 중등도의 과활성을, 우측 교근은 좌측보다 낮은 과활성을 보인다. 양쪽 교근은 A 이전에 폐구-전 휴지기 EMG 과활성을 나타낸다.

치료-전과 치료 1주 후 전방 EMG 데이터는 치료 후 기록 내내 극적으로 감소된 EMG 수준을 보여준다(그림 52b). 휴지기 EMG(A 이전), 교두감합 EMG(B-C 사이), 편심위 EMG(C 이후부터 D를 지나서까지) 크기가 감소되었다. 편심위 동안 2개의 측두근에서 경련이 감소되었다. DTR 1주 후에 이런 뚜렷한 치유가 발생하였다.

이 증례는 다음의 임상적 상태를 보인다:

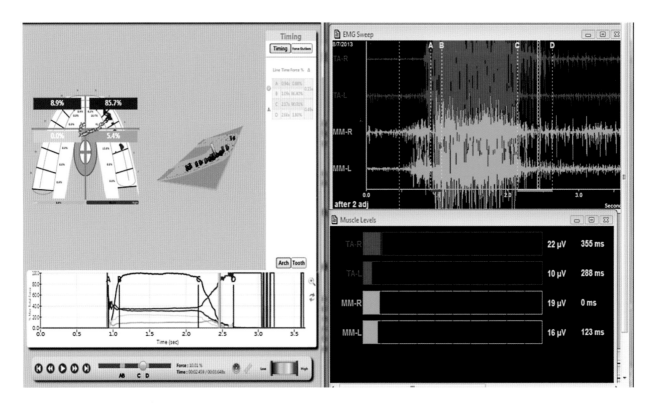

그림 48a

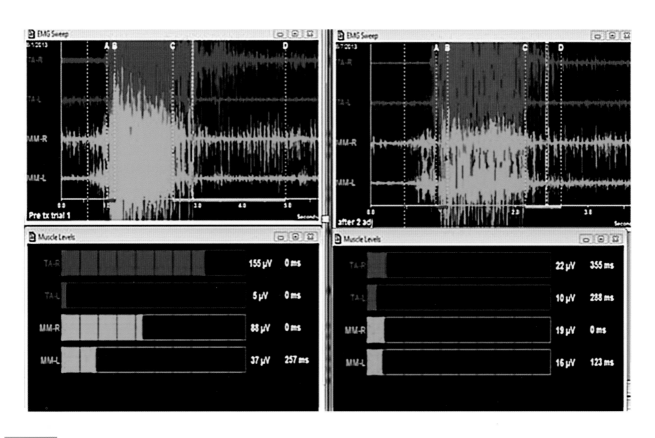

그림 48b

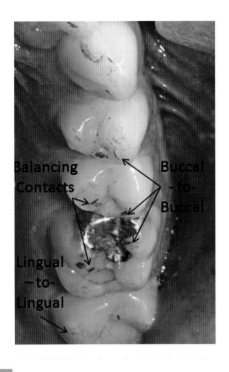

그림 49a

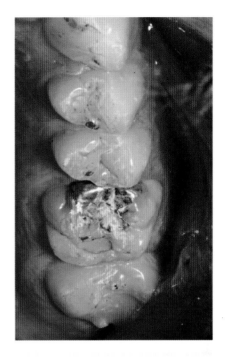

그림 50a

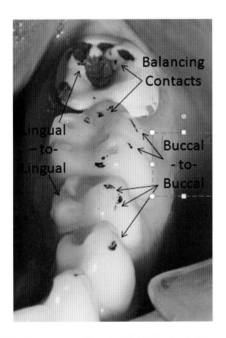

그림 49b

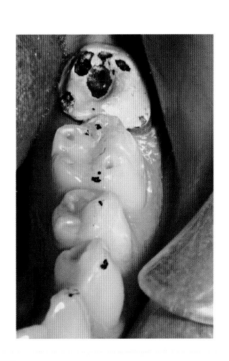

그림 50b

- 유도 합착만으로 낮은 수준의 편심위 근활성을 얻을 수 없다.
- ICAGD를 시행했음에도 불구하고, 이개 시간은 0.00초

의 지속 시간을 가질 수 없고, 이것은 "즉시 후방 이개"의 개념이 근생리를 최적화하기 위해 조작될 수 있지만, 실제적으로 진정으로 즉각적이지 않다는 것을 의미한

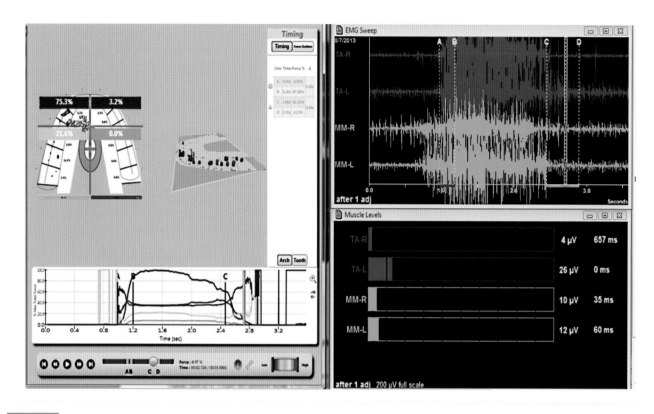

그림 51a

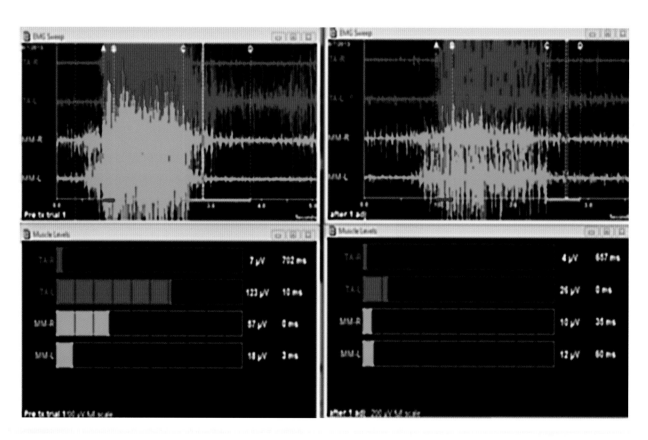

그림 51b

다. 때문에 저자가 이에 대해 설명하고자 할 때, 이 개념이 최적이면서 최적이 아닌 이개 시간의 범위를 포함하여 정의되어야만 할 것이다.

- MIP에서의 치료는 성공적으로 이루어져 하악의 재위치 없이 과다한 근수축을 해결하였다.
- 감소된 근활성으로 장치, 스플린트, 전방 교합 장치를 이용한 초기 근육 재교육(deprogramming)을 얻을 수 있다.
- 만성 근육 기능 장애를 보이는 환자로부터 유효하고 반복성있는 데이터를 얻을 수 있다.
- 적절하게 감소된 이개 시간으로 인해 모든 편심위 운동에서 눈에 띄는 근수축 크기 감소가 있음에도 불구하고, 환자는 편안함이 향상되었다고 진술하였으나 일부 근육에서 과활성과 경련이 남았다. 이것은 최적으로 측정된 교합 종말 획득으로도 이상적인 근활성 감소를 모든 환자에서 달성하는 것이 불가능하다는 것을 암시한다. 장기간의 만성 신경생리적 상해에 의한 섬유 손상으로 완전한 치유나 완전한 정상적인 기능 회복을 이룰 수 없을 것이다.

Type 3 증례: 중증의 전방 개방 교합에서 Disclusion Splint 사용

환자

이 Type 3 증례는 그림 53에서 59까지 도해되어 있다.

전치, 특히 양측 견치가, 너무 멀리 위치하여 합착으로 전치를 결합시킬 수 없을 때, Disclusion Splint를 사용할 수 있다(Kerstein, 1994). Disclusion Splint는 전통적인 완전 피개 장치와 달라서, 환자의 기존의 MIP를 유지하는 개방 교합 공간에만 위치한다. 이것이 접촉하는 구치 사이에 놓이지 않기 때문에, 구치의 수직 고경이 열리지 않는다. 이 장치가 장착되면, 환자의 후방 교합 교두감합 접촉 양상과 수직 고경을 유지하도록 고안된 전통적인 이개 혹은 재프로그램 장치와 다르다(그림 53a, 53b).

Disclusion Splint 제작

- **1단계: 기존 수직 고경 상의 MIP에서 교합간 기록 형성**

MIP로 안착된 구치 상태의 개방 교합 공간을 포착하는 것이 1단계의 목표이다. 개방 교합 공간은 전형적인 교합 기록 재료를 구치 사이가 아닌 개방된 교합 공간에만 위치시

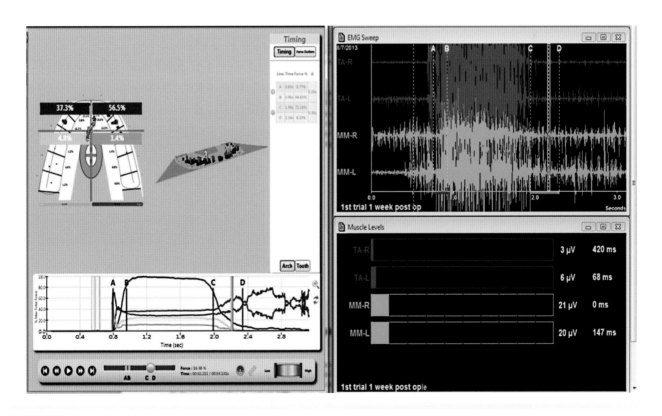

그림 52a

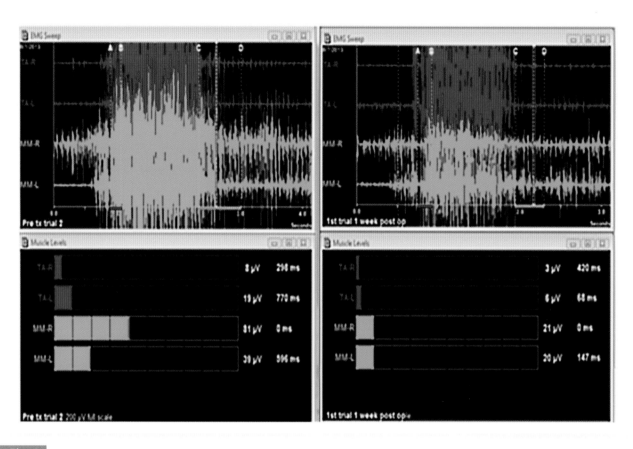

그림 52b

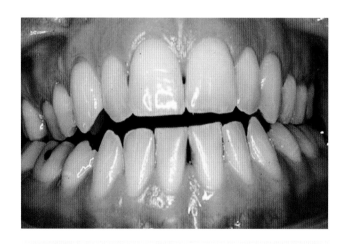

그림 53a 커다란 개방 교합을 가지고 있는 환자로 전후방 및 수직적으로 약화된 상하악 공간 관계로 인해 전치가 결합되기 어렵다

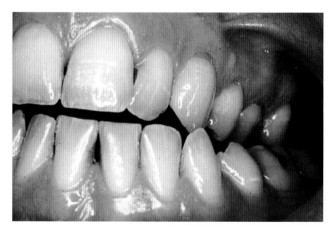

그림 53b 환자가 좌측으로 운동하면서 견치가 너무 멀리 위치하여 좌측 전치가 접촉하지 않고, 구치는 편심위 마찰성 연루를 계속 유지하게 된다

키고, 환자를 MIP로 완전하게 교두감합시켜 간단하게 채득한다. 실내 온도에서 단단하게 냉각되는 열-연화 왁스면 충분하다(그림 54)(L.A. Cohn's Wax, Almore, Inc., Beaverton, OR, USA).

연화된 왁스 막대를 개방 전치 공간보다 두껍게 만든다(그림 54). 상악 치아 위로 누르되, 상악 구치는 포함하지 않도록 한다. 환자는 MIP로 후방 교합하여 하악 전치가 왁스에 인기되도록 한다. 차가운 공기를 왁스에 분사하여 경화

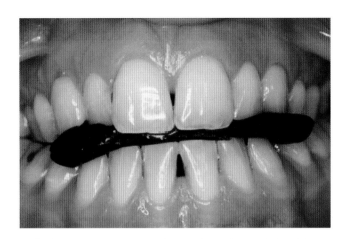

그림 54

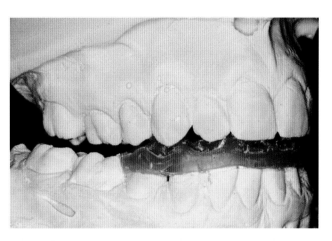

그림 55

시키면서, 모든 구치가 적절하게 MIP 위치로 교합되었는지 시각적으로 확인한다. 단단해진 왁스 막대를 제거한다. 상하악 진단 인상을 만들고, face-bow transfer, 구내 왁스 기록으로 환자의 진단 모형을 적절하게 교합기에 장착한다.

모형이 세팅되면, 왁스 기록을 제거하고, 하악 전치 위에 연성 왁스를 덮어 교합하지 않는 모든 전치와 소구치의 절단 1/3을 협설측으로 균일하게 다듬는다(그림 55). 왁스의 표면을 토치로 연화하여 상악 치아를 왁스 위로 덮으면서 incisal pin이 incisal table로 견고하게 안착되는지 그리고 구치가 적절하게 교두감합 되는지 확인한다. 왁스로 인해 환자의 수직 고경이 증가하지 않는지 확인한다.

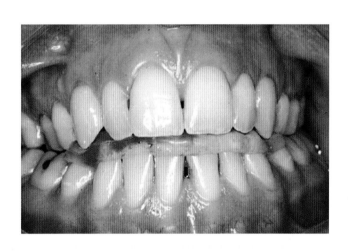

그림 56

• 2단계: Disclusion Splint 가공을 위한 왁스-업

왁스가 부드러운 상태일 때, 왁스 상에서 편심위 운동을 진행하여 모든 방향에서 시각적인 후방 이개를 구축한다(그림 55). 가공에 앞서 왁스 인기를 다듬어 왁스 표면을 부드럽게 한다. 하악 모형을 제거하고 모형 상의 왁스 스플린트를 투명 아크릴릭 레진으로 가공한다. 가공된 스플린트를 모형에서 제거하기 전에 재마운팅하여 수직 고경을 재구축하고, 환자에게 스플린트를 전달하기 전에 편심위 운동이 구치에서 적절하게 자유롭게 이루어지는지 확인한다.

• 3단계: Disclusion Splint 임상적 삽입

시적 시, Disclusion Splint가 완전하게 하악 전치에 안착되지 않는다면, 임상의는 후방 수직 고경을 개방하지 않고 스플린트가 적절하게 치아 위에 장착될 때까지 각 치아 인기

를 삭제하여 제거할 수 있다(그림 56). 그 후, 바셀린을 하악 전치에 도포한 후, 개방 교합 공간에 Disclusion Splint를 채운 상태에서 환자에게 MIP위치로 완전하게 교두감합하게 하고, 스플린트를 냉-중합 투명 아크릴로 relining한다. 스플린트가 안정적이고 치아에 유지되는지 확인하고, 환자 스스로 적절하게 장착하고 제거할 수 있는지 확인하고, 필요하다면, 환자의 혀에 의해 장치가 헐거워지지 않도록 한다.

그림 57은 Disclusion Splint를 장착한 상태로 좌측 편심위 운동을 한 것으로 가공하기 전에 왁스-업된 스플린트 내에 창조된 후방 이개를 시각적으로 확인할 수 있다. 교합 균형의 정도와 3개의 모든 편심위에서 이개 시간이 짧아졌는지를 평가하기 위해 T-Scan으로 Disclusion Splint를 평가한다. 스플린트 교합면 디자인이 매우 최적화될 때까지

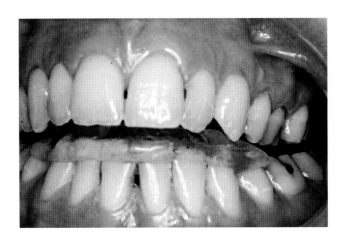

그림 57

T-Scan으로 장치를 성공적으로 조정한다.

제2권의 14장을 참고하면, T-Scan을 이용한 교합 스플린트 설명을 자세하게 알 수 있다.

이개 시간에 대한 Disclusion Splint의 효과

Disclusion Splint는 개방 교합 환자에서 생리적 시간 내(편심위마다 0.5초 이하)로 빠르게 이개시킬 수 있는 전방 유도면을 가진 효과적인 장치이다. 치료-전(장치 장착 없는)과 치료-후(장치 장착한) 좌우 측방 운동에서의 이개 시간 감소에 대한 Disclusion Splint의 적절한 기능 효과에 대한 설명이 다음에 있다.

그림 58a는 그림 52a, 52b에서 보여졌던 중증 개방 교합 환자의 장치를 장착하지 않은 치료 전 좌측 편심위에 대한 T-Scan 데이터이다. COF 궤도가 매우 후방으로 위치하고 있고(COF 타겟의 하방 부분을 거치는 코스), 좌측 편심위 동안 전방 유도 접촉이 없기 때문에 COF 궤도가 좌측 대구치 부위를 향해 진행되고 있음이 확인된다. 환자가 좌측으로 운동하면서 센 힘과 중등도의 힘 모두가 제1대구치와 제2소구치에서 나타난다. #8, 9(11, 21)번 치아에 나타난 뚜렷한 낮은 힘 막대는 개방된 교합 공간 내부와 #8, 9번 치아 주변으로 센서가 접히면서 발생한 위상이다. 이개 시간은 1.00초로 측정되었다.

동일 환자가 신속하게 구치를 분리하는 유도 접촉을 제공하는 Disclusion Splint를 장착하고 좌측 편심위 운동을 수행하였다(C에서 편심위 시작; 이개 시간은 0.12초에 필적)(그림 58b). Disclusion Splint로 완벽한 전방 접촉을 형성하

였고, 좌우 반-악궁 모두에서 폐구력과 타이밍이 균형잡혔다. COF 궤도가 전방에서 시작하여(생리적으로 정상적인) 직선으로 후방 주행한 후 COF 타겟 내에서 정지하고(생리적으로 균형잡힌 교합), 편심위 운동이 시작되면서 좌측 전방으로 이동한다(생리적 편심위 COF 경로).

Disclusion Splint가 폐구상의 전체적인 힘 분포를 재배치하고 후방 마찰 지속 시간을 감소시켜 COF 궤도가 편심위 동안 한층 더 전방으로 이동한다. 그러나, 그림 58b에서 한 번 도식화된 것처럼, 모든 편심위에서 이개 시간이 0.00초가 되는 편심위 운동은 없다. 편심위 초기에(C를 지나 0.06초), 작업측 및 균형측 모두에서 구치부 접촉이 있다.

그림 59a도 같은 환자로, Disclusion Splint를 장착하지 않고 수행한 치료-전 우측 편심위이다. COF 궤도가 후방으로 위치하고, 우측 편심위 동안 COF 궤도가 좌측으로 그리고 더 후방으로 주행하여 편심위 운동이 전개되면서 대구치와 소구치 부위의 편심위 힘이 증가함을 암시한다(힘 vs. 시간 그래프에서 분홍색 4분악 선이 두드러지게 하락하기 전, C 이후에 증가한다). 또한 상당한 좌측 균형측 접촉이 보인다. #8, 9(11, 21)번 치아에 나타난 뚜렷한 낮은 힘의 청색 막대는 개방 교합 공간 내부와 #8, 9번 치아 주변으로 센서가 접히면서 형성된 위상이다. 이개 시간은 1.38초에 필적한다.

Disclusion Splint 장착으로 우측 편심위 시 구치를 신속하게 이개시키는 유도 접촉이 제공되었다(이개 시간은 0.36초이다)(그림 59b). 새로운 COF 궤도 경로는 균형잡힌 폐구력과 타이밍이 형성되었음을 보여주고, COF가 전방에서 시작하고(생리적으로 정상) 거의 직선적으로 후방으로 주행하여 COF 타겟의 중간부에서 멈춘다(생리적으로 균형잡힌 교합). 그 후, 편심위 운동이 시작되면서, COF가 우측 그리고 전방으로 이동하고, 이상적인 궤도는 아니지만 그림 58a에서 보여지는 바와 같이 궤도가 급격한 개선되었다. Disclusion Splint는 폐구상의 전체적인 힘 분포를 재배치하고 후방 마찰 지속 시간을 감소시켜, 편심위 운동 동안 COF 궤도가 더 전방으로 이동하였다.

치료 전후 전방 T-Scan 데이터는 Disclusion Splint 환자에서 취합되지 않았다.

Disclusion Splint 장착 후 환자 교육

Disclusion Splint를 장착한 후 환자를 교육한다:

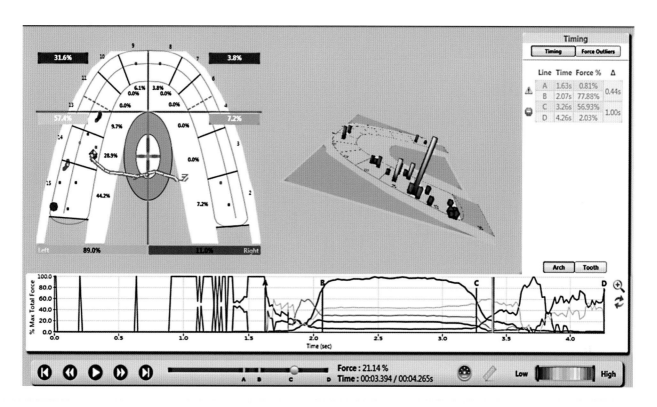

그림 58a

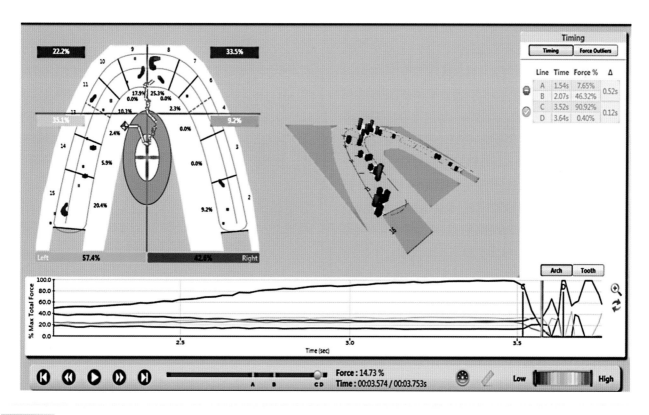

그림 58b

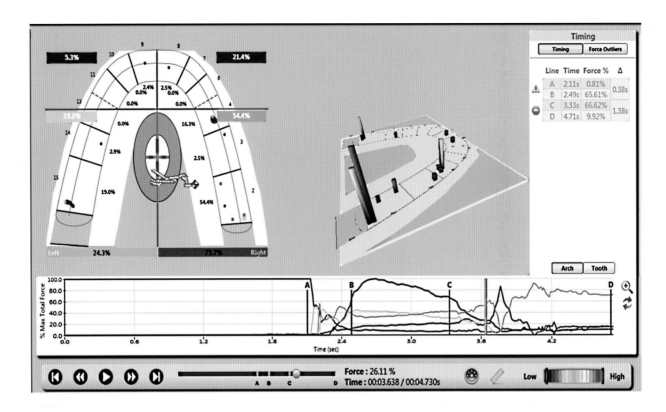

그림 59a

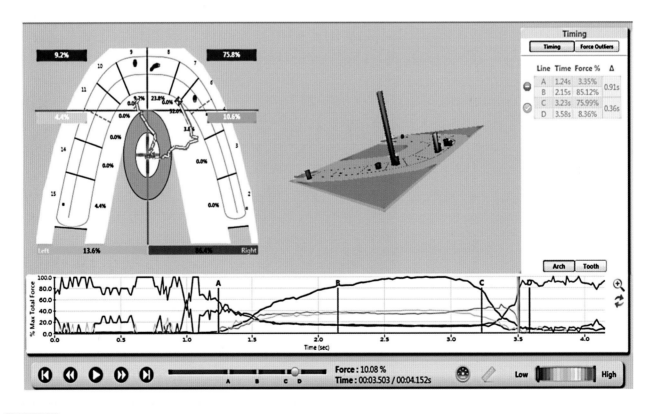

그림 59b

264

- 식사 시를 포함하여, (가능하다면) 하루 종일(24시간) 장치를 사용한다.
- 장치를 끼고 식사하는 것은 약간의 훈련이 필요하기 때문에, 처음에는 단단하고 씹기 어려운 음식을 피한다.
- Disclusion Splint는 "테스트" 장치지만 개방 교합을 폐쇄하고 전치의 결합을 도움으로 환자의 증상 향상이 기대되기 때문에, 장치로 인한 증상 개선 변화를 파악한다.
- 변화하지 않고 남아있는 증상을 파악한다.
- 약물 사용의 변화를 파악한다.
- Disclusion Splint의 균형과 이개 상태를 정제하기 위해 1주 후 재내원한다.

몇 개월에 걸쳐 Disclusion Splint가 뚜렷하게 증상을 완화시키면, 환자는 전치 결합을 위한 영구적인 개방 교합 수정 치료를 고려할 수 있다. 치료 옵션으로 교정이나 보철을 생각할 수 있다. 장치 사용 수개월 후에도 증상이 완화되지 않는다면, 신경과에 의뢰하여 만성 통증 상태를 평가받도록 한다. 또한, MRI나 CT를 촬영하여, 두경부에 존재할 수 있는 가능한 통증 유발 병소를 찾아볼 수도 있다.

해결 방안 및 권고 사항

이번 장에서는 교합과 근육을 같이 평가하여 임상적으로 예견할 수 있는 교합-근육 장애의 진단과 치료 개선에 대하여 설명하였다. 비측정성의 주관적인 교합 조정의 보고된 치료 효과에 비하여, 교합-근육 장애 환자에게 시행된 측정성 교합 조정 술식은 교합 기능과 근육 기능을 같이 수량화함으로써 그 치료 효과가 상당히 향상되었다.

비측정성 vs. 측정성 교합 조정 술식

비측정성 교합 조정은 임상의가 교합 접촉을 나타내는 교합지 자국을 관찰하여 "임상의가 감지하는, 높은 교합력"을 선택한다. 이런 교합력을 결정하기 위해 임상의는 자국의 색상과 형태적 특징을 *주관적으로 해석*한다. 최근의 주관적 해석에 관한 연구는(Kerstein & Radke, 2013), 임상의가 강력한 접촉이라고 믿는 접촉을 근본적으로 추측한다고 하였다. 이 연구에서, 295명의 임상의에게 교합지 자국 사진 6장을 보여주고 "가장 강력한 접촉 1개" 및 "가장 약한 접

촉 1개"를 주관적으로 판단하여 선택하도록 하였는데, 참가한 치과의사의 95%가 12개의 가능한 정답(최강 접촉점 6개와 최약 접촉점 6개) 가운데 3개 이하만 맞추었다. 전체 정답률은 12.8%에 지나지 않았다. 이 연구를 통해, 교합지 자국 외형에 대한 주관적 해석 원리를 이용하여 교합력을 설명하는 것은 임상의가 힘의 크기를 결정하는 데 믿을 수 있는 기준이 아니라는 것을 알 수 있다.

비측정성 교합 조정 술식은 TMD의 근육성 증상의 치료에 대해 혼재한 결과를 산출한다. 몇몇 연구는 비측정성 교합 조정으로 임상적 개선을 얻을 수 없다고 하였다(Tsolka, Morris, & Preiskel, 1992; Yatani, Minakuchi, Matsuka, Fujisawa, & Yamashita, 1998). 매우 부정확한 교합지 자국의 주관적 해석 접촉 선택 과정은, 종종 부적절한 교합 접촉 치료를 초래하여 교합 접촉 양상을 향상시키지 않고, 이론상으로는 악화시킬 수도 있을 것이다. 교합지 자국 외형 특성을 기준으로 한 임의의 주관적 접촉 선택은 비측정성 교합 조정 술식을 시행하게 하여 환자의 근생리를 예견성있게 향상시킬 수 없다. 이렇듯, 비측정성 교합 조정 술식을 시행한 연구에서 관찰되는 TMD와 교합 임상에 대한 혼합된 치료 효과가 야기된다(Goodman, Greene, & Laskin, 1976; Bush, 1984; Tsolka 등, 1992; Yatani 등, 1998; Karppinen, Eklund, Suoninen, Eskelin, & Kirveskari, 1999).

이와는 다르게 지속 시간 측정의 능력을 보유한 T-Scan 기술 연구(Kerstein & Wright 1991; Hirano, Okuma, & Hayakawa, 2002; Koos, Holler, Schille, & Godt, 2012)는 정돈된 치아 접촉 시간 순서를 보여주고(Kerstein, Chapman, & Klein, 1997; Kerstein & Grundset, 2001; Koos 등, 2012), 상대적 교합력을 재현하며(Kerstein, Lowe, Harty, & Radke, 2006; Koos, Godt, Schille, & Göz, 2010), 과다하게 강력한 교합 접촉의 위치를 파악하여(Maness, 1988; Maness, 1991), 교합 기능 정확성을 결정하기 위해 선택하는 시각적 관찰보다 월등하게 우월하다. 가장 중요한 것은, T-Scan이 교합지로 수행하는 힘과 타이밍에 대한 주관적 해석을 수행하는 매우 신뢰할 수 없는 주관적 교합 평가를 배제한다는 것이다(Kerstein & Radke, 2013). T-Scan은 오로지 측정에 의해, 겨냥된 교합 수정이 이루어지도록 한다. 컴퓨터 교합 조정은 진정한 문제성 접촉만을 고르기 때문에(높은 상대적 힘, 조기 시간, 연장된 마찰성), 최소로 침

습적이다. 컴퓨터 교합 조정 과정은 술자의 주관적인 교합 접촉 선택에 의한 불필요한 조정을 배제함으로써, 치아 구조와 교합 수복 물질을 보존한다.

환자 치료 기준의 질적 향상을 위해, 치의학은 주관적 해석에 의해 시행하는 교합 조정 술식의 심각한 문제를 다루고 주관적 해석을 측정성 교합 조정 술식으로 대체해야 하는 필요성을 인식해야 한다. 저자는 T-Scan 유도 교합 조정이 치과 교합의 치료 기준이 되어야 한다고 권고하는 바이다.

교합-근육 장애 치료에서 MIP를 유용한 위치로 수용

MIP에서 교합 문제를 치료하는 것은 문제가 있다는 널리 수용되는 믿음은 MIP 위치가 환자 건강에 이롭다면 만성 통증이나 교합-근육 기능 장애가 발생하지 않을 것이라는 가정에서 발전하였다. 이런 이유로, 1991년 T-Scan I 시스템이 발달하고 이개 시간이라는 존재가 발견되기까지, 하악을 재위치하고 치아를 분리하는 것이 교합-근육 장애 환자에게 적용되는 치료의 기본 유형이었다. 수직 고경을 증가시키는 치아 사이 장치 사용으로 대합하는 대구치 PDL 기계적 자극 수용기를 상승된 근활성으로부터 완충시켜, 환자의 근육 증상을 감소시켰다. 그러나, 치의학은 장착된 장치에 의해 감소된 증상이 마찰성으로 연루된 치아 때문이라고 판단하는 대신에, 감소된 증상은 장치에 의해 기존의 MIP보다 환자에게 좀 더 생리적인 위치로 추정되는 새로운 하악 위치가 발견되었기 때문이라고 믿어지고 있다.

지금까지, CR, CO(MIP), TENS에 의해 얻어진 근신경성 하악 위치 중 어느 것이 가장 적당한 지에 대해 결정적인 증거를 보여주는 발표는 없었다. 임상의는 교합 치료 전에 건강한 디스크-과두 방향이 존재하는지 신중하게 확인해야 하지만, 하나의 특정 상하악 관계가 다른 것에 비해서 기능적으로 유리하다고 과학적으로 입증된 연구는 없었다. 이와 같이, 현재 최고의 위치에 관한 의견 합의는 없고, 인지된 위치적 정확성이 교합-근육 증상을 해결한다는 확신도 없다(Kerstein & Radke, 2012).

ICAGD 연구는 과거에도 현재에도 지속적으로 MIP가 문제적 교합 치료 위치라는 믿음을 반박하기 위해 진행되고 있다. 1991년 이후, ICAGD로 시행한 DTR에 관해 발표된 모든 연구는 MIP에서 이루어졌다. 더욱이, 모든 연구

에서 TMJ의 기능 악화없이 MIP에서 뚜렷한 증상 해결이 예견성있게 신속하게 획득되었다. 이와 같이, 심각한 내장증이 없는 교합-근육 장애 환자를 치료할 때 MIP는 사용하기에 문제가 있는 상하악 관계라는 계속된 믿음은 비현실적인 이론으로 보인다(Kerstein & Radke, 2012).

오늘날까지 시행된 DTR에 관한 모든 연구의 결과, 교합-근육 장애 환자에 대한 MIP에서의 치료는 안전할 뿐만 아니라 가장 효과적이고 환자와 임상의에게 가장 간단하다는 것이 저자의 의견이다.

미래의 연구 방향

근육성 TMD 상태의 치료에 대한 미래의 연구는 전통적이고 비-교합-근거 근육 증상 치료 접근(보조적인 약물이나 물리 치료 혹은 지압 요법 사용 여부와 상관 없는 장치, deprogrammer, 하악 재위치)에 대한 DTR의 상대적 치료 효과를 다루어야 할 것이다. 이런 종류의 연구는 잠재적으로 T-Scan/BioEMG 교합 조정에 의해 정교하게 조절된 PDL 압박 크기와 지속 시간으로 인한 환자의 신경생리적으로 얻어진 생리적 근이완이, 환자의 신경생리에 대해 외부에서 작용하는 전통적이고 비-교합성 치료에 의해 얻어질 때보다 좀 더 심오하고 신속한 증상 개선을 제공한다는 것을 밝혀낼 것이다.

또 다른 중요한 미래 근육성 TMD 치료 연구는 CR에서 시행되는 비측정성 교합 균형의 상대적 치료 효과(Dawson, 1989d; Dawson, 2007)와 MIP에서 시행되는 측정성 컴퓨터-유도 DTR을 비교하는 것이 될 수 있다.

마지막으로, DTR 연구가 이갈이의 감소된 증례와 만성 수면 장치 사용의 필요성을 반복적으로 보고하기 때문에, DTR이 조절된 수면 이갈이 연구에서 제한된 만성 수면 이갈이에 대한 치료 효과가 평가되어야 할 것이다.

결론

교합-근육 장애는 저작근계를 괴롭혀 만성 하악 근육통, 측두통, 저작 통증 및 제한, 잦은 이악물기와 이갈이를 유발한다. 이런 상태에 대해 교합 요소는 예견성있는 원인으

로 여겨지지 않았기 때문에, 전통적인 치료는 교합에 대한 직접적인 치료없이 증상 완화에 초점이 모아졌다. 그러나, T-Scan Ⅰ 시스템의 발달과 연장된 후방 이개 시간의 발견으로, 연장된 교합면 마찰 및 PDL 기계적 자극 수용기 섬유의 독특한 말초 신경 구조의 원인에 근거하는, 교합-근육 장애에 대한 대안적인 컴퓨터 교합 치료 접근(DTR)이 발달하게 되었다.

이번 장에서는 대구치 PDL 신경 구조가 기능 장애 증상의 임상적 발현을 초래할 수 있는 진행 중인 저작근 과활성을 자세하게 설명하였다. 또한 연장된 교합면 편심위 마찰이 교합 체계에 존재하는 교합-근육 장애 환자에게서 관찰할 수 있는 흔한 교합 특성을 설명하고 그림으로 도해하였다. 이 부분은 임상의가 시각적인 교합 검사를 시행할 때 연장된 이개 시간의 존재를 더 잘 인지하도록 돕기 위해 포함되었다.

적절하게 상응하는 임상 상태에 특정 치료가 적용될 때만, 치료 개입이 예견성있게 될 수 있다. 이와 같이, 이번 장은 임상의가 TMD 환자가 DTR의 적응증에 해당되는지에 대한 진단 결정 과정을 안내하는 환자 선택 기준 흐름도를 포함한다. 교합-근육 장애 증상과 연관되는 교합을 확인하는 데 요구되는 T-Scan/BioEMG의 필요한 모든 진단 과정도 설명하였다.

적절한 환자 선택 후, 연장된 이개 시간 치료를 자세하게 설명하였다. ICAGD 치관성형술의 술식 과정, ICAGD 내원마다 치료 순서, ICAGD 치관성형술 전에 수행되는 레진 합착 견치 치료 전후에 측정된 교합 정확성과 근생리 향상을 보여준 T-Scan/BioEMG 데이터 변화, 발생가능한 합병증, 컴퓨터 교합 조정 치료의 위험성과 이점, DTR에 비효과적인 교합-근육 장애 증상(치료받은 환자 중 낮은 비율만 발생한다고 보고된다)에 수행할 수 있는 유용한 후속 치료에 대해 설명하였다.

마지막으로, 치의학에 다음을 권고한다:
• 교합 기능과 근생리를 진단하고 평가할 때 교합 측정 기술이 현재 일상적으로 행해지는 주관적인 시각적 평가를 대신하여 받아들여져야 한다. 교합력 판단 시에 교합지 자국을 근거로 하는 믿을 수 없는 주관적 해석법을 배제하면, 교육 과정에서의 교합 조정 술식 시행의 질이 개선되고, 환자 임상 치료도 극적으로 향상될 것이다.
• 1991년 이후 시행된 많은 DTR 연구의 결과가 교합-근육

장애 치료에 있어서 MIP가 안전하고 매우 효과적인 악관계라는 점을 암시한다는 것을 인식해야 한다.

참고문헌

• Alvarez-Arenal, A., Junquera, L.M., Fernandez, J.P., Gonzalez, I., & Olay, S. (2002). Effect of occlusal splint and transcutaneous electric nerve stimulation on the signs and symptoms of temporomandibular disorders in patients with bruxism. *Journal of Oral Rehabilitation*, *29*, 858-863.

• Baba, K., Yugami, K., Yaka, T., & Ai, M. (2001). Impact of balancing-side tooth contact on clenching induced mandibular displacements in humans. *Journal of Oral Rehabilitation, 28*, 721-7.

• Bertram, S., Rudisch, A., Bodner, G., & Emshoff, R. (2002).Effect of stabilization-type splints on the asymmetry of masseter muscle sites during maximal clenching. *Journal of Oral Rehabilitation*, *29*, 447-51.

• Bush, F.M. (1984). Occlusal therapy in the management of chronic orofacial pain. *Anesthesia Progress*, *31*(1), 10-16.

• Clayton, J.A., Kotowicz, W.E., & Zahler, J.M. (1971). Pantographic tracings of mandibular movements and occlusion. *Journal of Prosthetic Dentistry*, *25*, 389.

• Dawson, P.E. (1989a). *Evaluation, Diagnosis and Treatment of Occlusal Problems, Ed. 2*. St. Louis, MO: CV Mosby Co., pp. 95

• Dawson, P.E. (1989b). *Evaluation, Diagnosis and Treatment of Occlusal Problems, Ed. 2*. St. Louis, MO: CV Mosby Co., pp.457.

• Dawson, P.E. (1989c). *Evaluation, Diagnosis and Treatment of Occlusal Problems, Ed. 2*. St. Louis, MO: CV Mosby Co., pp.407-408.

• Dawson, P.E. (1989d). *Evaluation, Diagnosis and Treatment of Occlusal Problems, Ed. 2*. St. Louis, MO: CV Mosby Co., pp. 435.

• Dawson, P.E. (2007). *Functional Occlusion From TMJ to Smile Design*. Philadelphia, PA: Mosby/Elsevier Publishers, pp. 426.

• Forssell, H., Kirveskari, P., & Kangasniemi, P. (1986). Effect of Occlusal Adjustment on Mandibular Dysfunction. A Double-Blind Study. *Acta Odontologica Scandinavica*, *44*, 63-9.

• Gavish, A., Winocur, E., Menashe, S., Halachmi, M., Eli, I., &

Gazit, E. (2002) Experimental chewing in myofascial pain patients. *Journal of Orofacial Pain*, *16*(1), 22-8.

• Gelb, H. (1979). An orthopedic approach to occlusal imbalance and temporomandibular joint dysfunction. *Dental Clinics of North America*. *23*(2), 181–197

• Glickman, I. (1979a). *Clinical Periodontology, Ed. 5*, Philadelphia, PA: W.B. Saunders Co., pp. 481

• Glickman, I. (1979b). *Clinical Periodontology, Ed. 5*, Philadelphia, PA: W.B. Saunders Co., pp. 482.

• Goodman, P., Greene, C.S., & Laskin, D.M. (1976). Response of patients with myofascial pain dysfunction syndrome to mock equilibration. *Journal of the American Dental Association*, 92,755-758

• Haines, D.E. (2012). *Neuroanatomy. An atlas of structures, sections, and systems, Ed.8*, Baltimore, MD: Lippincott, Williams, & Wilkins. pp 199, 227

• Harness, D.M., Donlon, W.C., & Eversole, L.R. (1990). Comparison of clinical characteristics in myogenic, TMJ internal derangement, and atypical facial pain patients. *Clinical Journal of Pain*, *6*(1), 4-17.

• Herman, C.R., Schiffman, E.L., Look, J.O., & Rindal, D.B. (2002). The effectiveness of adding pharmacologic treatment with clonazepam or cyclobenzaprine to patient education and self-care for the treatment of jaw pain upon awakening: a randomized clinical trial. *Journal of Orofacial Pain, 16*, 64-70.

• Hirano, S., Okuma, K., & Hayakawa, I. (2002). In-vitro study on the accuracy and repeatability of the T-Scan II system. *Kokubyo Gakkai Zasshi*, *69*(3), 194-201.

• Ingervall, B., & Carlsson, G.E. (1982). Masticatory muscle activity before and after elimination of balancing side occlusal interference. *Journal of Oral Rehabilitation, 9*(30), 182-192.

• Karppinen, K., Eklund, S., Suoninen, E., Eskelin, M., & Kirveskari, P. (1999) Adjustment of dental occlusion in treatment of chronic cervicobrachial pain and headache. *Journal of Oral Rehabilitation*, *26*, 715-721.

• Kerstein, R.B., & Farrel, S. (1990). Treatment of myofascial pain dysfunction syndrome with occlusal equilibration. *Journal of Prosthetic Dentistry*, *63*, 695-700.

• Kerstein, R.B., & Wright, N. (1991). An electromyographic and computer analysis of patients suffering from chronic myofascial pain dysfunction syndrome, pre and post - treatment with immediate complete anterior guidance development. *Journal of Prosthetic Dentistry*, *66*(5), 677- 686.

• Kerstein, R.B. (1992). Disclusion time reduction therapy with immediate complete anterior guidance development: the technique. *Quintessence International*, *23*, 735 - 747.

• Kerstein, R.B. (1993). A comparison of traditional occlusal equilibration and immediate complete anterior guidance development. *Journal of Craniomandibular Practice*, *11*, 126-140.

• Kerstein, R.B. (1994). Disclusion time measurement studies, Stability of disclusion time. A 1 year follow - up study. *Journal of Prosthetic Dentistry, 72*(2), 164-168.

• Kerstein, R.B. (1994). Disclusion Time Measurement Studies: A comparison of Disclusion Time length of chronic myofascial pain dysfunction syndrome patients and non - patients. A population analysis. *Journal of Prosthetic Dentistry. 72*(5), 473-480.

• Kerstein, R.B. (1994). Alternative splint design to reduce Disclusion Time in severe open occlusion patients. *Dentistry Today*, *13*(3), 68 -73.

• Kerstein, R.B. (1995). Treatment of myofascial pain dysfunction syndrome with occlusal therapy to reduce lengthy disclusion time - a recall study. *Journal of Craniomandibular Practice*, *13*(2), 105-115.

• Kerstein, R.B. (2004). Combining Technologies, A Computerized Occlusal Analysis System Synchronized with a Computerized Electromyography System. *Journal of Craniomandibular Practice*, *22*(2), 96-109.

• Kerstein, R.B. (2010a). Reducing chronic masseter and temporalis muscular hyperactivity with computer-guided occlusal adjustments. *Compendium of Continuing Education, 31*(7), 530-543.

• Kerstein, R.B. (2010b). Time-sequencing and force-mapping with integrated electromyography to measure occlusal parameters. In A. Daskalaki (Ed.) *Informatics in Oral Medicine,* (pp. 88-110). Hershey PA: IGI Global Publishers

• Kerstein, R.B., Chapman R., & Klein, M. (1997). A comparison of ICAGD (Immediate Complete Anterior Guidance Development) to "mock ICAGD" for symptom reductions in chronic myofascial pain dysfunction patients. *Journal of Craniomandibular Practice*, *15*(1), 21-37.

- Kerstein, R.B., & Grundset, K. (2001). Obtaining bilateral simultaneous occlusal contacts with computer analyzed and guided occlusal adjustments. *Quintessence International*, *32*, 7-18.

- Kerstein, R.B., Lowe, M., Harty, M., & Radke, J. (2006). A Force reproduction analysis of two recording sensors of a computerized occlusal analysis system. *Journal of Craniomandibular Practice*, *24*(1), 15-24.

- Kerstein, R.B., & Radke, J. (2012). Masseter and temporalis excursive hyperactivity decreased by measured anterior guidance development. *Journal of Craniomandibular Practice, 30*(4), 243-254.

- Kerstein, R.B., & Radke, J. (2013). Clinician accuracy when subjectively interpreting articulating paper markings. *Journal of Craniomandibular & Sleep Practice, 32*(1), 13-23

- Koos, B., Godt, A., Schille, C., & Göz, G. (2010). Precision of an instrumentation-based method of analyzing occlusion and its resulting distribution of forces in the dental arch. *Journal of Orofacial Orthopedics*, *71*(6), 403-10.

- Lindfors, E., Helkimo, M., & Magnusson, T. (2011). Patients' adherence to hard acrylic interocclusal appliance treatment in general dental practice in Sweden. *Swedish Dental Journal*, *35*(3), 133-42.

- McNeely, M.L., Armijo, O.S., & Magee, D.J. (2006). A systematic review of the effectiveness of physical therapy interventions for temporomandibular disorders. *Physical Therapy*, *86*, 710-25.

- Mohlin, B.O., Derweduwen, K., Pilley, R., Kingdon, A., Shaw, W.C., & Kenealy, P. (2004). Malocclusion and temporomandibular disorder: a comparison of adolescents with moderate to severe dysfunction with those without signs and symptoms of temporomandibular disorder and their further development to 30 years of age. *Angle Orthodontics*, *74*, 319-27.

- Okeson, J. (1985a). *Fundamentals of Occlusion and Temporomandibular Disorders*. St. Louis, MO: CV Mosby Co., pp. 360.

- Okeson, J. (1985b). *Fundamentals of Occlusion and Temporomandibular Disorders*. St. Louis, MO: CV Mosby Co., pp. 106-108.

- Okeson, J. (1985c). *Fundamentals of Occlusion and Temporomandibular Disorders*. St. Louis, MO: CV Mosby Co., pp. 109. peripheral nerves. (n.d.). Definitions.net. Retrieved July 5, 2013, from http://www.definitions.net/definition/peripheral nerves.

- Solow, R.A. (2011). Occlusal bite splint therapy. In: I.M. Becker (Ed.), *Comprehensive occlusal concepts in clinical practice* (pp.169-214). Hoboken, NJ: Wiley-Blackwell,.

- Tsolka, P., Morris, R.W., & Preiskel, H.W. (1992). Occlusal adjustment therapy for craniomandibular disorders: a clinical assessment by a double-blind method. *Journal of Prosthetic Dentistry*, *68*, 957-64.

- Wenneberg, B., Nystrom, T., & Carlsson, G.E. (1988). Occlusal equilibration and other stomatognathic treatment in patients with mandibular dysfunction and headache. *Journal of Prosthetic Dentistry*, *59*, 478-483.

- Weisgold, A.S., & Laudenbach, K.W. (1976). Occlusal etiology and management of disorders of the temporomandibular joint and related structures. *Alpha Omega*, *69*(3), 60-73.

- Yatani, H., Minakuchi H., Matsuka, Y., Fujisawa, T., & Yamashita, A. (1998). The long-term effect of occlusal therapy on self-administered treatment outcomes of TMD. *Journal of Orofacial Pain. 12*(1), 75-88.

- Zakrzewska, J.M., & McMillan, R. (2011) Trigeminal neuralgia: the diagnosis and management of this excruciating and poorly understood facial pain. *Postgraduate Medical Journal*, *87*(1028), 410-6. doi, 10.1136/pgmj, 2009.080473, Epub 2011.

추가문헌

- Chapman, R.J., Maness, W.L., & Osorio, J. (1991). Occlusal contact variation with changes in head position. *The International Journal of Prosthodontics*, *4*(4), 377-381.

- Ciavarella, D., Mastrovincenzo, M., Sabatucci, A., Parziale, V., Granatelli, F., Violante, F., Bossù, M., Lo Muzio, L., & Chimenti, C. (2010). Clinical and computerized evaluation in the study of temporo-mandibular joint intracapsular disease. *Minerva*

269

Stomatology, *59*(3), 89-101.

• Ciavarella, D., Parziale, V., Mastrovincenzo, M., Palazzo, A., Sabatucci, A., Suriano, M., Bossù, M., Cazzolla, A.P., Lo Muzio, L., & Chimenti, C. (2011). Condylar position indicator and T-Scan system II in clinical evaluation of temporomandibular intracapsular disease. *Journal of Craniomaxillofacial Surgery.* *40*(5), 449-55, doi: 10.1016/j.jcms.2011.07.021.

• Gelb, M. (1990). Length-tension relations of the masticatory elevator muscles in normal subjects and pain dysfunction patients. *Journal of Craniomandibular Practice*, *8*(2), 139-153.

• Green, S.R. (1993). A way to quantify the occlusal factors of excursive movements. *Journal of Prosthetic Dentistry*, *70*(1), 99-100.

• Learreta, J.A., Beas, J., Bono, A.E., & Durst, A. (2007). Muscular activity disorders in relation to intentional occlusal interferences. *Journal of Craniomandibular Practice*, *25*(3), 193-199.

• Lazić. V., Todorović, A., Zivković, S., & Marinović, Z. (2006). Computerized occlusal analysis in bruxism. *Srp Arh Celok Lek.* *134*(1-2), 22-29

• Maeda, N, Sakaguchi, K., Mehta, N.R., Abdallah, E.F., Forgione, A.G., & Yokoyama, A. (2011). Effects of experimental leg length discrepancies on body posture and dental occlusion, *Journal of Craniomandibular Practice*, *29*(3), 194-203.

• Makofsky, H.W. (2000). The influence of forward head posture on dental occlusion. *Journal of Craniomandibular Practice*, *18*(1), 30-39.

• Makofsky, H.W., & Sexton, T.R. (1994). The effect of craniovertebral fusion on occlusion. *Journal of Craniomandibular Practice*, *12*(1), 38-146.

• Makofsky, H.W., Sexton, T.R., Diamond, D.Z., & Sexton, M.T. (1991). The effect of head posture on muscle contact position using the T-Scan system of occlusal analysis. *Journal of Craniomandibular Practice*, *9*(4), 316-21.

• Mehta, N., & Forgione, A.G. (2000). *The Effect of Macroposture and Body Mechanics on Dental Occlusion*. pp. 261-289.

• Racich, M.J. (2005). Orofacial pain and occlusion: is there a link? An overview of current concepts and the clinical implications. *Journal of Prosthetic Dentistry.* *93*(2), 189-196.

• Rauhala, K., Oikarinen, K.S., & Raustia, A.M. (1999). Role of temporomandibular disorders (TMD) in facial pain: occlusion,

muscle and TMJ pain. *The Journal of Craniomandibular Practice.* *17*(4), 254-261..

• Sakaguchi, K., Mehta, N., Abdallah, E., Forgione, A., Hirayama, H., Kawasaki, T., & Yokoyama, A. (2007). Examination of the relationship between mandibular position and body posture. *The Journal of Craniomandibular Practice*, 25,(4), 237-249.

• Seligman, D.A., & Pullinger, A.G. (1991). The role of functional occlusal relationships in temporomandibular disorders: a review. *Journal of Craniomandibular Disorders*, *5*(4), 265-279.

• Sessle, B. (2012). Oral parafunction, pain, and the dental occlusion. *Journal of Orofacial Pain*, *26*(3), 161-162.

• Sierpinska, T., Golebiewska, M., Kuc, J., & Lapuc, M. (2009). The influence of the occlusal vertical dimension on masticatory muscle activities and hyoid bone position in complete denture wearers. *Advances in Medical Science*, *54*(1), 104-108

• Suda, S., MacHida, N., Momose, M., Yamaki, M., Seki, Y., Yoshie, H., Hanada, K., & Hara K. (1999). A multiparametric analysis of occlusal and periodontal jaw reflex characteristics in adult skeletal mandibular protrusion before and after orthognathic surgery. *Journal of Oral Rehabilitation*, *26*(8), 686-90.

• Thumati, P., Manwani, R., & Mahantshetty, M. (2014). The effect of reduced disclusion time in the treatment of myofascial pain dysfunction syndrome using immediate complete anterior guidance development protocol monitored by digital analysis of occlusion. *The Journal of Craniomandibular Practice, 32*(4), 289-299.

• Wang, C., & Yin, X. (2012). Occlusal risk factors associated with temporomandibular disorders in young adults with normal occlusions. *Oral Surgery, Oral Medicine, Oral Pathology, and Oral Radiology.* 114,4,419-23. doi: 10.1016/j.oooo.2011.10.039. Epub 2012 July 26.

주요 용어 및 정의

• **ICAGD 치관성형술:** ICAGD는 측정을 기준으로 컴퓨터에 의한 교합 조정 술식으로 연장된 편심위 교합면 접촉 마찰 지속 시간을 단축한다. MIP에서 시행되는 교합 조정 술식으로 편심위에 초점

이 맞춰진다. 폐구 교합 조정으로 시작하는 다른 교합 조정 및 균형 술식과 다르게, 편심위 운동 교합 조정으로 시작한다. 주요 목표는 모든 편심위에서 후방 이개 시간을 0.5초 이하로 단축하여, 편심위에서 연루되는 치아와 그들의 PDL 섬유 압박 시간을 치료-전 상태보다 훨씬 적게 감소시키는 것이다. 이개 시간 감소는 편심위 동안 PDL 기계적 자극수용기 압박을 현저하게 줄임으로써, 편심위 저작근 수축 지속 시간도 감소시키고 편심위 근 수축의 크기도 축소한다. 편심위 당 0.5초 이하의 치료-후 이개 시간은 환자 자신의 신경생리 내에서 통계적으로 유의성 있는 과활성 근 이완을 구축한다.

• **T-Scan/BioEMG:** T-Scan III/BioEMG 동기화는 교합 접촉력과 타이밍 데이터를 상응하는 근활성 크기와 동시에 기록한다. 두개의 통합된 시스템은 재생하는 동안 실시간으로 교합 접촉 데이터와 저작근 전기적 발생을 포착하여, 컴퓨터 화면에서 나란히 재생되고, 임상의는 역동적인 "영상"을 분석한다. 이런 방법으로, 일시적인 교합 접촉력과 타이밍 변동성이 시간과 연관된 저작근 활성 크기의 특별한 변화를 나타내게 된다. T-Scan 데이터와 EMG 데이터 모두 같이 0.003초 단위로 전방과 후방으로 연속적으로 재생되거나 정지할 수 있어서, 교합 기능과 근육 기능을 연관시켜 작은 시간-간격으로 볼 수 있게 된다.

• **개방 견치 접촉:** MIP에서 마주하는 상하악 견치 사이에 공간 존재. 견치 접촉 부족은 교합 기능에 연장된 후방 이개 시간과 연장된 교합면 편심위 마찰을 유발하기 쉽고, 과활성된 저작근 발달을 야기할 수 있다. 개방 견치 접촉은 편심위 저작근 과활성을 야기하는 중요한 요소로, 개방 견치 접촉을 가지고 있는 교합-근육 장애 환자를 치료할 때, 다른 임상 단계에 앞서 견치를 성공적으로 다루어야 한다.

• **긴 이개 시간을 증진시키는 요소:** 연장된 이개 시간과 교합면 편심위 마찰은 많은 기여 인자에 의해 교합 체계 내에 존재하게 된다. 편심위 운동 마찰에 영향을 미치는 9개의 인자가 있다. Angle 분류, 전방 개방 교합, 교합하는 제3대구치의 존재, 좋지 않은 수직 치아 방향, MIP에서 견치 접촉 부족, 얕은 전방 유도면, 과다한 Curve of Spee, 기울어져 솟은 근원심 대구치 방향, 설측-대-설측 작업측 편심위 접촉.

• **독특한 대구치 PDL 기계적 자극수용기 신경 구조:** 대구치 PDL 기계적 자극수용기는 말초 신경계(PNS)의 부분이다. 말초 신경은 뇌와 척수 밖에 존재하여, 보통 중추 신경계(CNS)의 외부에서 처음 신경 접합을 이룬다. 그러나, 대구치 PDL 기계적 자극수용기는 구심성 말초 신경임에도 불구하고, 독특하게 CNS에 직접적으로 들어가 CNS 내에서 삼차신경 운동핵으로 주행하는 유일한 인간 말초 신경으로, 4개의 저작근, 고막 장근, 구개 범장근, 악설골근, 이복근의 앞힘살의 원심성 신경 섬유와 처음 신경 접합을 형성한다.

• **비측정성 교합 조정:** 이것은 교합 접촉력 결정에 있어서 교합지 자국의 크기, 색상, 형태적 특성을 주관적으로 해석한다. 최근의 연구에 의하면, 강력한 접촉이라고 믿는 접촉에 대한 임상적 추측(정확성 15% 미만)으로 인해, 이 방법은 임상의에게 치료를 위한 정확한 접촉 판단을 안내하지 않는다. 비측정성 교합 조정은 교합-근육 장애의 치료에 혼재한 결과를 보인다. 교합지 자국 외형에 근거하는 이런 임의적이고 주관적인 교합 선택은, 이에 대한 여러 연구에서 보고된 것처럼, 예견성있는 치료 효과를 이끌어낼 수 없다.

• **설측-대-설측 작업측 편심위 접촉:** 저작근 과수축은 과정을 중재하는 PDL 기계적 자극수용기를 압박한다. 설측-대-설측 편심위 간섭 접촉은 PDL 기계적 자극수용기를 협측-대-협측 작업측 간섭 접촉과 유사하게 압박하지만, 설측-대-설측 접촉은 구내에서 볼 수 없다. 치아 압박과 PDL 압박이 모든 방향에서 발생하여 설측-대-설측 접촉은 종종 저작근에 과활성을 야기하는 연장된 작업측 그룹 기능의 상당한 요소가 된다. 설측-대-설측 작업측 접촉이 편심위 운동에서 존재할 때 T-Scan 데이터에서 분명하게 관찰할 수 있다.

• **이개 시간 감소(DTR):** 우측, 좌측, 전방 편심위 운동 동안 후방 교합면 마찰성 연루 지속 시간을 각각 0.5초 이하로 감소시킨다. 구치를 좀 더 빠르게 이개시키는 가파른 전방 유도 접촉의 추가 여부와 관계없이, 일반적으로 ICAGD 치관성형술을 사용하여 마찰성으로 연루된 대합하는 교합면을 재형성하여 달성된다.

• **작업측 그룹 기능:** 작업측 그룹 기능은 편심위 운동이 행해지는 측에서 제1대구치, 두개의 소구치, 견치 모두가 측방 편심위 유도를 모두 공유하는 교합 체계로 설명된다. 구치가 초기에 접촉 상태를 유지하다가, 전치 유도가 구치를 들어올리면서 점차적으로 이개된다. 1980년대 이후로, 작업측 그룹이 허용되는 교합 체계로 주장되고 있다. 그러나, 최근의 연구는 대구치와 소구치에 의한 작업측 그룹 기능이 편심위 운동 동안 과다한 저작근 수축을 활성화하기 때문에, 신경생리적으로 문제가 있다고 보고하고 있다.

• **최대 교두 감합 위치(MIP):** MIP는 과두-디스크 조합물의 위치와 무관하게 치아가 최대의 교합 접촉하고 있는 환자의 상하악 관계이다. MIP는 환자가 습관적으로 자가-폐구했을 때 치아가 완전하게 교두감합하는 위치이다. ICAGD는 MIP에서 시행되고, 이로 인해 환자는 습관적 교합 접촉 양상을 유지하면서 치료도 간단해진

다. 환자가 다른 교합 위치로 이동하지 않기 때문에, 환자가 장치, 새로운 수직 고경, 새로이 구축된 폐구 교합 접촉 양상에 적응할 필요가 없다. 게다가, 교합-근육 장애 환자를 MIP에서 치료하면, 환자가 안정적인 교합 접촉 양상을 유지하기 때문에 임상의에게도 더 수월하게 된다.

• **편심위 교합면 마찰:** 편심위 운동 초기에 발생하는 대합하는 구치 교합면 "갈림" 연루로 전방 유도가 구치를 들어올리기 전에 중심와 내 혹은 주변에서 발행한다. 편심위 마찰성 연루 지속 시간은 연관된 치아가 자신의 PDL 기계적 자극 수용기를 압박하는 시간과 같아지게 된다. 이런 PDL 기계적 자극수용기 압박은 저작근계를 과활성시키게 된다.

SECTION

04

교합 외상과 컴퓨터 교합 분석

CHAPTER 08

민감한 치열에서의 교합 고려 사항

Nick Yiannios, DDS
개인 의원, 미국

초록

문헌에서, 상아질 지각과민증(Dentinal Hypersensitivity, DH)은 노출된 상아질과 상아 세관에서 유발되는 것으로 여겨진다. 그러나, 최근의 DH 민감성에 대한 임상 관찰은 노출된 상아질이 없어도 발생할 수 있음을 지적한다. 수량화된 교합 접촉력과 타이밍 변수는 과민성 치아를 평가하는 연구에서 무시되었었다. 이번 장은 새로운 교합 개념을 소개한다: 마찰성 치아 지각과민증(Frictional Dental Hypersensitivity, FDH). 컴퓨터 교합 분석 및 EMG를 연동하여 얻은 임상적 증거로, 대합하는 구치부 간의 마찰과 근육 과활성이 DH와 연관되어 있음을 제안한다. 또한 교합, 근육성 TMD 증상과 FDH가 어떻게 연관되는지 살펴본다. 마지막으로, 과민 증상이 있는 환자에서 즉시 완전 전방 유도 발달(Immediate Complete Anterior Guidance Development, ICAGD) 치관성형술을 시행하여, DH 개선 정도를 통증 진단 척도(VAS)를 이용하여 수량화한 예비 연구를 제시한다. 컴퓨터-유도 교합 조정으로 치료-전 FDH 증상을 제거하고, 더 나아가 DH가 교합-기반, 마찰성 병인을 가진다는 것을 뒷받침한다.

도입

상아질 지각과민증(Dentinal Hypersensitivity, DH)은 고전적으로 *생활치의 개방된 상아 세관*에서 유발되는 지속 시간이 짧은 날카로운 급성 통증으로 표현되며, 철저한 치아 스크리닝, 검사, 병력을 통해 배제하는 과정을 통해 진단된다(Porto, Andrade, & Montes, 2009). DH는 일반적으로 굴곡파절된 치경부나 교합성 미세외상, 부식, 마모, 교모로 상아 세관이 노출된 교합면에서 발생한다.

이번 장에서는 노출된 *상아 세관* 없이 발생하는 DH의

임상 진단과 일치하는, 날카롭고, 짧은 급성 통증과 교합이 연계되는 방법을 탐구할 것이다. 포함된 문헌을 통해 교합이 기능 중인 대합치 사이의 연장된 마찰성 상호작용으로 야기된 DH 발달에 주요한 원인 요소의 하나라는 것과, 시간에 따라 굴곡파절, 상아질과 상아 세관 노출을 야기하는 근육 과다활성을 야기하는 교합면 마찰에 대해 자세히 설명할 것이다. 마찰성 치아 지각과민증(FDH)이라는 새로운 용어를 제안하여, *노출된 상아질 유무와 관계없는*, 마찰성 교합 병인의 DH를 설명할 것이다. 또한 외상성 교합(교합성 미세외상 및 과다교합과 동의어)으로 알려진 상태를 노출된

275

상아질을 포함하는 고전적인 DH뿐만 아니라, FDH와 비교 대조하여 정의할 것이다. 또한 DH의 원인 설명을 시도하는 무수한 과학적 이론을 FDH 현상을 설명하는 메커니즘에 대한 논의와 함께 재검토한다. FDH를 치료하기 위해 교합 조정을 사용하는 최적의 치료를 위한 합리적인 프로토콜과 컴퓨터-유도 교합 치료의 혜택을 받을 수 있는 FDH 환자를 감별할 수 있는 임상적 요소를 자세히 설명한다.

마찰성 치아 지각과민증의 제안된 메커니즘

FDH로 인한 치아 통증 반응은 기능 운동 범위 내에서 특정 치아에 가해지는 상당한 근육성 교합 과부하를 나타내는 것이다. 이러한 통각반응은 기원이 염증성일 수 있으며, 과부하된 치아의 치수 및/혹은 치주 접촉면 내에서 발생하고, 잦은 짧은 통증을 유발할 수 있다.

구치부의 과다한 마찰 연루(이개 시간 0.5초 초과)는 저작근의 과활성을 촉진한다고 알려져 있다(Kerstein & Wright, 1991; Kerstein, 1993; Kerstein & Radke, 2006; Kerstein & Radke, 2012). 가설상, 지나친 근육 과활동이 임상적으로 FDH로 나타나는 통각 반응과 연관된다면, ICAGD로 알려진 교합 조정 과정으로 이개 시간을 0.5초 미만으로 감소시켜(Kerstein, 1992), 과활성된 근육을 잠재움으로써, 간접적으로 FDH의 증상을 제거하게 된다.

ICAGD는 정교하고 보존적인 측정에 근거하는 치관성형술로, 삭제하는 제거 단계와 가끔 씩의 첨가 단계(교정 치료가 옵션이 아닐 때)를 포함하여 교합력과 타이밍 종점 모두에서 생리적 변화를 최적화한다. ICAGD는 연구와 증례 보고를 통하여 PDL 압축 시간을 최소화함으로써 간접적으로 과활성된 거상근 활동을 좀 더 정상적인 기능적 기준선까지 감소시킨다고 보고되었다(Kerstein & Wright, 1991; Kerstein, 1993; Kerstein & Radke, 2006; Kerstein & Radke, 2012).

이번 장은 상아질 지각과민증(DH)을 정의하고, 병인론을 설명하며, 기계적으로 활성화된 교합 원인론의 상호 관점에 대한 연구를 논의할 것이다. 전통적인 DH 개념이 노출된 상아세관을 포함하지만, 새로운 FDH 개념은 노출된 상아 세관을 요구하거나 반드시 포함하지 않고, FDH는 *DH 현상의 발생에 대한 전구체로써 연루되었음을 시사할 것이다.* 추가적으로, DH에 이용할 수 있는 전통적인 치료 방법뿐만 아니라, 임상에서의 환자 진단 과정을 강조할

것이다. 마지막으로, 어떻게 교합, 근육성 TMD 기능 이상 상태, 마찰성 DH가 모두 복잡하게 관련되어 있는지 제시할 것이다. DH의 예상되는 해결이 ICAGD 치관성형술로 얻어질 수 있고 더 나아가 마찰로 유발되는 DH(FDH)의 개념을 지지하는 예비 연구를 제안할 것이다.

배경

제1부: 상아질 지각과민증의 정의와 임상적 특성

지난 150년 동안, 인간의 치열이 DH라는 일시적 병치레를 경험하는 이유를 설명하기 위해 많은 연구가 이루어졌다. 널리 받아들여진 유체동력설(Hydrodynamic Theory)부터 적게 받아들여진 상아모세포 수용기설(Odontoblastic Receptor Theory), 최소의 지지를 받는 직접 신경 분포설(Direct Innervation Theory)까지, 대중적인 이론은 풍부하다. 치은 퇴축, 개방된 백악-법랑질 접합부(CEJ), 노출된 상아 세관과 치아 지각과민증 사이의 연관성은 보통 잘 지지되지만, 전문가적으로 적용되는 치료와 일반 의약품(Over The Counter, OTC)은 모두 DH 현상을 일시적으로 감소시키는 것으로 보인다. 치과의사는 이런 흔한 환자 고통의 원인과 발생을 완벽하게 알아야 한다.

문헌에서, DH라는 용어는 많은 동등한 의미를 가지고 있고, 과민성과 가장 연관된 것은 상아질 노출과 상아 세관 개방으로 살아있는 치수와 교통하는 것이다. 많은 동의어가 분명히 존재하지만, 이번 장에서는 이러한 고전적인 상태를 *상아질 지각과민증(DH)*이라 칭할 것이다.

DH를 둘러싼 명명법은 매우 혼란스러운데 이는 문헌에서 다양한 상태를 하나의 두리뭉실한 진단으로 묶어내려 했기 때문이다.

발표된 상아질 지각과민증(DH) 명명법

- 치아 지각과민증(Tooth Hypersensitivity)/지각과민증(Hypersensitivity)/치과 지각과민증(Dental Hypersensitivity).
- 상아질 지각과민증(Dentinal Hypersensitivity)/치경부 상아질 지각과민증(Cervical Dentinal Hypersensitivity).
- 상아질 민감증(Dentin(e) Sensitivity)/지각과민증(Hypersensitivity)/상아질 지각과민증(Dentin(e) Hypersensitivity).

- 치경부 지각과민증(Cervical Hypersensitivity)/민감증 (Sensitivity).
- 백악질 지각과민증(Cemental Hypersensitivity)/민감증 (Sensitivity).
- 치근 민감증(Root Sensitivity)/지각과민증(Hypersensitivity).

1530년 Blum이 최초로 DH를 언급한 이후, 대부분의 문헌이 병에 대한 화학적 치료의 효과를 주장하는 임상 시도를 보고하였다(Blum, 1530). DH의 원인과 치료에 대한 이론이 매우 많고, 오늘날까지 하나의 병인이나 치료로 받아들여지는 것이 없고, 단일의 효과적이고 영구적인 치료법도 존재하지 않는다(Banfield & Addy, 2004; Balaji, Jois, & Kumar, 2012). 이와 같이, DH에 대해서 밝혀야 할 것이 많이 있다.

DH는 유해하지 않은 자극에 대한 과장된 반응으로 정의된다(Dababneh, Khouri, & Addy, 1999). 일반적으로 날카롭고 순간적이며 국소화된 통증으로 치수 통증과 구분될 수 있다. 대조적으로, 치수 통증은 지속적인 둔하고 쑤시는 아픔으로 잘 국소화되지 않고, 자극이 제거된 후에도 길게 지속된다. 상아질 대 치수 기원의 구분은 임상적 진단 결정에 중요하다. DH는 노출된 상아질이(치아 결함이나 병리 같은 다른 형태로 원인을 돌릴 수 없는, 전형적으로 온도, 증발, 접촉, 삼투, 화학적 자극 같은) 자극에 반응하여 발생하는 짧은, 날카로운 통증으로 특징지어진다(Holland, Narhi, Addy, Gangarosa, & Orchardson, 1997).

또한 DH는 가역적 치수염의 한 형태로 생각되었다(Bruder & Erickson). 반면에, 다른 연구자들은 증상 발현 시간이 짧기 때문에, DH의 원인이 염증 반응은 아니라고 반박한다(West, Lussi, Seong, & Hellwig, 2012). 그러나, 치아 상태의 가장 고통스럽고 만성적인 통증 중의 하나라고도 하였다(Strassler & Serrio, 2009). DH 상태는 진성 통증 증상으로 분류되는 임상 기준의 모두를 충족시킨다(Curro, 1990).

전통적으로, DH는 *살아있는 치수와 교통하는 상아 세관공(orifice) 개방을 수반하는 상아질 노출을 포함한다*(Pashely, Tay, Haywood, Cooins, & Drisko, 2008). DH가 *노출된 상아 세관과 연관되지 않는 것으로 보인다고* 한 문헌에서는 시간만이 생활치 미백과 연관된 지각과민증과 관련있다고 하였다(Swift, 2012). 생활치 미백 뒤에 나타나는 DH는 환자를 괴롭히고 고통스럽게 하며, 일반적인 DH와 매우 유사하게 나타날 수 있다. 이와 같이, 생활치 미백 처치-후 민감증은 비-미백 DH의 메커니즘과 유사하게 관련되는 것으로 생각된다(Swift, 2012).

DH라는 주제에 대한 리뷰는 과민반응하는 상아질이 정상적 상아질과 임상적으로 다르다는 증거가 없거나 치수 반응이 노출된 상아질에의 자극에 대한 정상적인 반응과 다르지 않기 때문에, 상아질 민감성이라는 용어가 좀 더 정확한 것으로 고려된다고 주장한다(Dababneh, Khouri, & Addy, 1999). 그러나, 임상의는 가끔 상아질이 어떤 자극에 극도로 민감할 수 있다는 것을 알고 있다(Rowe, 1985; Tronstad, 1986). 조직학적으로, 민감한 상아질은 민감성을 보이지 않는 상아질과 비교하여 2배 넓은 상아 세관과 단위 면적 당 더 많은 수의 세관을 갖는다(Yoshiyama, Noiri, Ozaki, Uchida, Ishikawa, & Ishida, 1990). 이것은 상아질의 세관 구조에 의해 일부 설명된다. 세관내 용액은 온도, 삼투압, 접촉, 기화성 자극에 반응하여 자유롭게 움직인다(Pashley, 1996). 그러나, 문헌뿐만 아니라 임상적 경험은 노출된 상아질 모두가 민감하지는 않다는 것을 지적한다(Trowbridge, Franks, Korostoff, & Emling, 1980; Rimondini, Baroni, & Carrassi, 1995). Dababneh 등은 1999년 노출된 상아질과 연관하여 광범위하게 "DH"라는 용어를 임상적으로 사용하는 것이 전적으로 정확하지 않을 수 있다고 발표하였다(Dababneh, Khouri, & Addy, 1999). 그러나, 그들은 이런 정의의 불일치에도 불구하고, 뚜렷한 임상적 실체를 표현하기 위해 이 용어가 치의학에서 수십 년간 널리 받아들여지고 사용되었다고 하였다.

배제에 의한 DH 진단

DH의 진단은 배제에 의한 진단으로, 민감성을 다른 병적 요인으로 설명할 수 없을 때 내려진다(Porto, Andrade, & Montes, 2009). 노출된 상아질 없이 DH를 유발할 수 있는 다양한 치아 상태(제9부 참조) 가운데, 과다-교합과 급성 외상 교합이 목록의 상위에 위치한다(Dowell & Addy, 1983; Dawson, 2006). 치아에 만성 외상성 교합을 남기는 전형적인 부정교합뿐만 아니라 과도하게 풍융한(over-contouring) 보철물도 흔한 예시이다(West, 2006). 이런 상태에서 치아에 장기간 과다-교합을 남기기 때문에 급성 보다는 만성으로 분류되어야 한다는 주장도 있다. 종종 아주 작은 교합 부조화가 전통적인 치과 진단을 통해 발견되지 않고 환자에게 상대적으로 무해함에도 불구하고, 연루된 치아가 다양한 일반 자극에 오랜 시간 노출되면서 DH의 합병 증상이 자발적으로 분명하게 나타날 수 있다. Micron-두께의 교합 접촉 부조화를 포착하는 치의학 통찰력과 무관하게, 만성 과다-교합 치아는 임상에서 만연한 현상으로 환자가 지각과민증을 경험하는데 막대한 영향을 미칠 수 있다. 이번 장에서는 노출된 상아질이나 상아 세관의 유무와 관련 없이, 주로 과다 *마찰* 기원의 치아 지각과민증 증상을 유발하는 공간적 기계적 교합 접촉 문제에 초점을 맞춘다.

제2부: 상아질 지각과민증과 연관된 치아 형태
DH를 유발할 수 있는 치수와 그 염증 반응

치아의 치수는 결합 조직으로 신체의 다른 결합 조직과 유사하다. 이것은 혈관, 신경, 간질액, 기질, 상아모세포, 섬유모세포와 다른 세포 성분으로 구성된다(Ingle, Bakland, & Baumgartner, 2008). 그러나, 대부분의 다른 신체 결합 조직과 달리, 치수는 법랑질과 상아질로 구성된 단단한 껍질에 의해 둘러싸여 있다. 이런 제한적인 환경으로 염증 발생과 같은 부피 팽창을 위한 공간이 거의 없다. 치수는 기본적으로 감각 섬유로 구성되고, 축소형 순환계도 존재하며, 치수 부피의 겨우 7%만이 혈관계가 있는 림프관으로 완성된다. 이런 미약한 혈관 요소 때문에, 치수의 혈액량은 보통 분당 5-14회로 자주 교체된다(Ingle, Bakland, & Baumgartner, 2008).

발생학적으로 치수, 상아질, 치주 조직은 외배엽성간엽(ectomesenchyme)에서 유도되고, 치아의 법랑질은 분리된 외배엽(ectoderm)에서 유래된다(Ingle, Bakland, & Baumgartner, 2008). 신경펩타이드(neuropeptide), 칼시토닌 유전자-관련 펩타이드(Calcitonin Gene-Related Peptide, CGRP), P 물질(Substance P, SP; 아픔의 감각을 유발한다고 알려진 물질)을 함유하는 감각 신경 섬유가 치수 도처에서 발견된다. 치관이 형성되고 치근이 형성되기 직전에, 하위치아모세포(subodontoblastic) 감각 신경총이 치수 안에서 형성되고, CGRP와 SP가 동시에 등장하여 상아 세관의 신경 섬유 내에 포함된다(Ingle, Bakland, & Baumgartner, 2008). 이런 신경펩타이드에 대한 수용기가 작은 치수 혈관을 둘러싸게 되고, 치수 변화는 방출되는 신경펩타이드의

종류에 의해 결정된다.

치수가 단단한 환경 내에 갇혀있기 때문에, 혈류의 변화는 가벼운 허혈부터 괴사까지 치수의 건강에 엄청난 영향을 미칠 수 있다(Ingle, Bakland, & Baumgartner, 2008). 치수 혈류는 교감신경의 a-아드레날린성 혈관 수축, b-아드레날린성 혈관 확장, 교감신경의 콜린작용성 혈관활성계, 축색 반사인 역방향성 혈관확장에 의해 조절된다(Ingle, Bakland, & Baumgartner, 2008). 이런 신경펩타이드는 국소 인자와 호르몬과 함께 불수의근의 탄력과 혈류에 영향을 미친다(Ingle, Bakland, & Baumgartner, 2008).

혈관 수축 및 확장이 치수 미세혈관 내에서 가능하다. 염증 반응이 시작되면 혈관 확장 신경이 우선적으로 생산되어 치수 조직의 건강을 약화시킨다(Ingle, Bakland, & Baumgartner, 2008). 상아질이 치관측으로 법랑질, 치근측으로 백악질로 싸여있다면, 치근첨 혈액 공급이 과다한 교정력이나 심각한 외상에 의해 붕괴되지 않는 한, 내부 치수의 생명력은 일반적으로 평생 아무 탈없이 유지될 것이다(Ingle, Bakland, & Baumgartner, 2008). 그러므로, 치수 미세순환의 상태는 치수의 안정성과 건강을 유지하는 중요한 인자이다. 마지막으로, 치주 조직과 치수 조직 간의 혈액 순환이 밀접하게 관련되기 때문에, 치주 조직의 외상성 염증이 치수에까지 연장될 수 있고, 이것으로 치수 건강에 영향을 미치게 된다(Seltzer & Bender, 1984).

동물 실험에서 얻은 증거는 치수 염증 반응이 상아질 지각과민증에 역할을 할 수 있음을 암시한다(Narhi, Yamamoto, Ngassapa, & Hirvonen, 1994). 이와 대조적으로, West 등은 2012년 상아질 지각과민증이 발생할 때의 치수 상태는 알 수 없다고 하였다(West, Lussi, Seong, & Hellwig, 2012). 이들은 증상의 본성이 반복적이지만 지속 시간이 짧기 때문에, 치수 내에 급성 혹은 만성 염증 반응이 발생할 것 *같지 않다*고 추정하였다.

상아질과 상아 세관

상아질은 무기질 hydroxyapatite와 결합한 교원질성 단백질의 유기적 매트릭스로 다공성 광화 결합 조직이다. 상아질은 살아있는 조직으로 간주된다.

상아 세관은 상아질을 관통하여 분포하는 미세 원형관으로, 치수강부터 상아질 표면까지 바깥쪽으로 뻗어나간다. 모든 세관은 Tomes 섬유(세포질체 세포 반응)를 포함하는

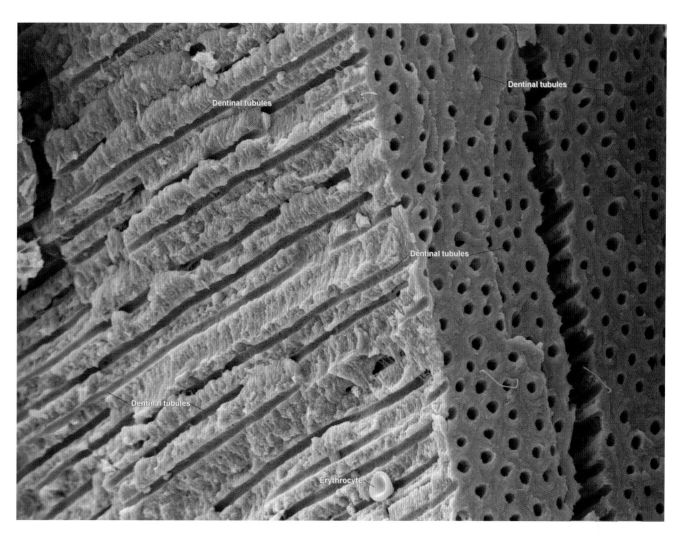

그림 1 2000배로 확대한 상아질 표면의 주사 전자 현미경 사진(Chu, C.H(2010) 허락 하에 발췌. Management of Dentine Hypersensitivity, Dental Bulletin, 15, 3)

상아질액, 치수와 상호교통하는 상아모세포를 함유한다. 이런 수많은 미세관이 상아질을 침투한다(그림 1). 세관 밀도는 약 20,000관/mm²(CEJ에서 근첨쪽으로)에서 약 45,000관/mm²(치수에서 치관측으로)까지 다양하다(West, 2006). 상아질과 백악질은 대개 이상적인 건강 상태에서 구강 환경으로 노출되지 않는다(Reiter, 1980). 어느 하나라도 노출되면, 연이은 조직 마모가 시간에 따라 진행되어, 쉽게 상아질 및 상아 세관 노출이 초래되어 DH가 발생할 수 있다.

상아 세관 분포의 이런 변화는 임상적으로 영향을 미친다. 치료 과정 동안 치수 가깝게 접근할수록, 유체로 차있는 상아 세관 면적이 증가하고 석회화 기질의 양이 감소하기 때문에 상아질이 더 부드러워진다(Ingle, Bakland, & Baumgartner, 2008). 이런 세관의 축축함은 상아질 표면에서 심부로 가면서 20배 증가한다(Pashley, 1996). 정상적인 사람의 상아 세관은 치수 종점 3-4μm정도부터 가늘어져서 말초 직경은, 개인의 나이에 따라 다르지만, 0.5μm 정도에 이른다(Forsell-Ahleberg, Brannström, & Edwall, 1975). 세관 폭경 또한 임상적으로 중요한데, *유체* 흐름 속도가 원형 세관 반지름의 4제곱수와 연관되기 때문이다. 따라서, 세관 직경이 2배 증가하면 유체 흐름 속도는 16배 증가한다.

상아질의 투과성이 치아의 모든 부위에서 같지 않다는 것이 강조되어야 한다. 변수가 있는데, 특히 교합면에서 세관의 30%만이 치수와 자유 소통한다(Pashley, Andringa, Derkson, Derkson, & Kalathoor, 1987). 축을 이루는 상아질이 교합면 상아질보다 좀 더 투과적이다(Richardson, Tao, & Pashley, 1991). 흥미롭게도, 민감한 치아는 그렇지 않은 치아보다 협측-치경부의 상아 세관이 8배 많고 2배 넓다(West, 2006). 실제적인 의미에서, 조직학적 연관성이 종종 임상에서 임상의가 보게 되는 치경부 DH 증상의 빈도를 설명할 수 있겠다.

상아질 투과성은 2개의 넓은 범주로 나뉠 수 있다(Pashley, 1996):

- 상아 세관을 통과하는 물질의 상아질 경유 운동(transdentinal movement) (예, 유체 역학적 자극에 반응하는 유체의 이동).
- 외인성 물질의 상아 세관간 상아질(세관 사이의 상아질)로의 상아질 내부 운동(intradentinal movement). 이것은 산부식 후 친수성 접착성 레진이 탈회된 상아질 표면으로 침투하거나, 세균성으로 유도된 산에 의해 상아 세관간 상아질의 탈회로 인해 발생한다.

Pashley 등은 1980년대에 방사성 요오드를 사용하여 상아 세관이 개방된 후 분자가 쉽게 유체로 차있는 세관을 투과하여 치수까지 도달할 수 있다는 것을 밝히고자 했다(Pashley, Kehl, Pashley, & Palmer, 1981). 이런 고전적인 연구는 충치, 마모, 굴곡파절, 파절로 보호성의 법랑질이나 백악질이 제거되었을 때, 상아 세관이 노출되어 구강과 치수 사이에 잠재적인 상호교류의 문이 열린다는 것을 증명하였다. 분자가 작을수록 상아 세관을 더 잘 투과할 것이다. 노출된 상아질의 투과성의 규모가 깊이, 나이, 시간, 위치, 상아질의 경화나 세균 감염의 유무에 따라 달라짐에도 불구하고, (온도, 기화, 화학, 기계적 자극에 의한) 치수 자극은 유체 역학적 유체 이동으로 야기될 수 있고, 세균의 부산물로 야기되는 면역학적 자극을 유발할 수 있다.

상아질 유체는 또한 치수로 스며든 손상 물질(세균 침투, 충치에 의한 외독소 혹은 내독소와 같은)에 의해 오염되어 염증을 일으킬 수도 있다. 세관의 크기(0.5-4µm)가 일반적으로 더 큰 세균의 이동을 허락하지 않기 때문에, 치수에의 손상 물질 집중이 염증이나 농양 발생에 원인으로 의심된다(Ingle, Bakland, & Baumgartner, 2008).

치수 혈류 감소는 상아 세관 유체를 침투하는 물질의 간질액 농도를 증가시켜, 더 높은 농도의 손상 물질이 간접적으로 초기 치수 염증을 일으킬 수 있게 허용한다. 또한 DH의 일부 증례는 상아질의 직접적인 노출로 발생하여, 세관이 효과적으로 봉쇄된 후에도 민감하게 남게 된다. 이것은

치수 염증과 그 결과로 일어나는 상아질 내부 신경의 감작증 때문일 것이다(Byers & Narhi, 1999; Narhi, Yamamoto, Ngassapa, & Hirvonen, 1994). 감작증(Sensitization)은 신경 상처 후에 나타나는 정상적으로 무해한 자극뿐만 아니라 유해한 자극에 대한 과장되거나 새로 발견된 과민증으로 설명될 수 있다.

치수-상아질 신경 분포

치수와 상아질은 2개의 구분되는 해부학적 구조이지만, 이 둘은 하나의 단위로 기능한다. 따라서, 신경 공유에 대해서 이 둘을 함께 설명하는 것이 좋겠다. 치아는 통증 감각 수용체인 통각 구심성(nociceptive afferent) 신경에 의해 거의 독점적으로 지배당한다(Lin, Luo, Bai, Xu, & Lu, 2011). 게다가, 치아는 치관 상아질, 치수에의 밀집한 다양상(polymodal) 통증 감각 신경 분포, 혈관 구조, 희박한 자율 신경 분포, 상아질 유체 역학에의 감각 신경 연구, 신경의 치수 혈류 조절, 치아 조직을 보호하고 치아 상처 치유를 개시하기 위한 신경의 보호 반사와 같은 특이한 신경 특성을 가지고 있다(Byers & Narhi, 1999). 대부분, 감각 구심성 신경은 통증 중재와 연관된다(Byers, 1984; Mumford, 1982; Närhi, Jyväsjärvi, Virtanen, Huopaniemi, Ngassapa, & Hirvonen, 1991).

상아질은 생리적 신경 분포가 많지 않고 신경 섬유가 오직 치수-상아질 경계면에서 상아질로 약1mm정도 횡단한다는 것이 반복적인 조직학적 연구를 통해 알려져 있다. 이런 제한된 신경 분포에도 불구하고, 상아 세관이 개방되면 상아질은 매우 민감한 것으로 보인다(Matthews, Andrew, & Wanachantararak, 2000). 포유류의 치아는 치관 상아질보다 치근 상아질의 신경 분포가 적다. 치관부를 향하는 상아 세관의 비율이 치근첨으로 위치하는 세관보다 밀도가 높다(Grippo, 1991). 치수각(pulp horn)의 꼭대기에서 밀집한 신경 다발은 내측 상아질로 0.5-1.0mm 연장된다. 치수각으로부터의 거리가 증가하면서 밀집한 상아질 신경 분포는 점차 적어지고(Byers & Narhi, 1999), 말초부위의 상아질에는 신경이 없다(Byers, 1980). 그러므로, 치수-상아질 경계면에서 바깥쪽으로 첫 mm에는 상아 세관 내 상당한 신경 조직을 보유하고 있다. DEJ까지의 나머지 상아 세관은 조직학적으로 신경 조직이 결여되어 있다.

세관 내 유체의 움직임이 세관의 내측 종말부나 치수 표

충 내의 신경 종말을 직접적으로 자극하는지, 상아모세포가 전달 기전에서 역할을 하는지에 대해서는 덜 알려져 있다(Matthews, Andrew, & Wanachantararak, 2000). Brännström은 연구를 통해 상아질 내 상아모세포 과정이나 흥분성의 신경이 상아질 민감성에 책임이 있다고 제안하였다(Brännström, 1966). Brännström의 유체 동력설(Hydrodynamic Theory)이 DH의 증상을 설명하기 위해 제안된 작업 모형 중 가장 유력하다(유체 동력설은 전통적인 DH 이론에 충당된 이번 장의 부분에서 더 자세하게 설명될 것이다).

치수 혈관벽뿐만 아니라 주요 치수 몸통 내에 함유된 혈관 확장 신경펩타이드가 유리되기 때문에, 감각 신경은 치아 치수의 혈액 순환에 강력한 영향을 미친다. 이런 신경펩타이드는 치수 혈류를 돕는다(Ingle, Bakland, & Baumgartner, 2008).

무수성(unmyelinated) C 섬유가 치수 염증 기원의 치아 둔통 자각에 중요한 역할을 하는 것 같다는 연구도 있었다(Närhi, Jyväsjärvi, Virtanen, Huopaniemi, Ngassapa, & Hirvonen, 1991). 치아내 C-섬유가 상아질의 유체 동력적 자극에 반응하지 않는 것으로 보인다. 그들은 다양상이고, 외부 자극이 치수에 적당하게 다다를 때 활성화된다. 치수 염에 연관된 둔통을 주로 중재하는 역할을 한다. 그러나, 그들이 치수 염증 반응에 작용하는 신경펩타이드를 방출하기 때문에 상아질 민감성에 중요한 완화 효과를 발휘하는 것 같다(Närhi, Yamamoto, Ngassapa, & Hirvonen, 1994).

유수성(myelinated) A 및 무수성 C 신경 섬유 모두 치수-상아질 경계면에 존재한다. A-delta, A-beta, C-섬유의 대부분은 다양상 수용기 기능을 갖고 있다(Byers & Narhi, 1999). 치아간 A-타입 신경 섬유가 상아질의 민감성을 책임지는데, 이것은 상아 세관 내 유체 이동으로 활성화되는 것으로 여겨진다(유체 동력 기전으로 알려져 있다)(Narhi, Yamamoto, Ngassapa, & Hirvonen, 1994). 그룹 중 가장 신속한 치아간 A-beta 섬유는 A-delta 섬유와 같은 기능 그룹에 속한 것으로 분류되고, 둘 다 상아질에서 유도되는 통증 감각과 연관된 것으로 보인다(Narhi, Yamamoto, Ngassapa, & Hirvonen, 1994). 이런 진동-감각성 A-beta 기계적 자극수용기(mechanoreceptor)가 상아질 부상에 대한 "통증-전" 경고를 유발하는 것 같다(Dong & Chudler, 1985; Dong & Shiwaku, 1993).

1993년 Dong은 전기생리학적 기록 기술을 이용하여 고양이 견치의 치아간 수용기가 온전한 법랑질에 적용되는 기계적인 일시적 흐름을 포착한다는 증거를 발견하였다(Dong, Shiwaku, Kawakami, & Chudler, 1993). 이 발견으로 포유류의 치수-상아질 신경분포가 저작과 연하 과정 동안 치아 접촉에서 포착되는 비-침해수용성(non-nociceptive; 통증 전달에 관여하지 않는) 역할도 할 수 있을 것이라고 암시한다. 이렇게, 치아간 수용기는 조직 손상이나 훼손에 임박한 신호를 제공할 뿐만 아니라(통각수용; nociceptive), 온전한 구강악계(치아, 저작근, 인대, 치주인대, TMJ와 연골)의 운동을 조절하는 기능도 제공한다. 그들은 A-delta 섬유보다 빠르게 뇌간, 시상, 감각 피질과 교통하는 일부 섬유 타입이 존재한다고 결론지었다. 이런 더 빠른 감각 섬유는 A-beta 섬유로 밝혀졌다(Levy, 2009). Narhi 등은 1999년 전기생리학적 기록을 이용하여 치아간 A-beta 섬유가 A-delta 섬유와 같은 기능 그룹에 속하여, 상아질에서 유도된 통증 감각과 적절하게 연관됨을 부여주었다(Byers & Narhi, 1999). 그 뒤, 2008년, 치수가 치아간 A-beta 뉴런의 입력을 받는 1차 감각 피질에 해당함을 입증하였다. 이것은 구강안면 부위의 상세한 구성 지도를 제공하여, 결과적으로 치수가 "감각 호문쿨루스(sensory homunculus, 감각 지도)"에 추가되었다(Kubo, Shibukawa, Shintani, Suzuki, Ichinohe, & Kaneko, 2008).

치주 인대와 근육

저작 근육에 연관된 고려 사항은 전형적으로 치과 치료에서 부수적인 것이다. 이런 점은 이완되고 효율적인 근육이 평화로운 구강악계와 예견성있는 수복 치료에 중요하기 때문에 실수가 될 수 있다(Dawson, 2006). Williamson, Kerstein 등은 EMG를 이용하여 중심 교합과 측방 운동에서의 교합 간섭이 근육의 과다활동을 유발할 수 있다는 것을 보여주었다(Williamson & Lundquist, 1983; Mahan, Wilkinson, Gibbs, Mauderli, & Brannon, 1983; Kerstein & Wright, 1991; Kerstein & Radke, 2006; Kerstein & Radke, 2012). Kerstein은 과다활성 근육에 사용되는 객관적인 교합 타이밍 변수를 수량화하였다(Kerstein & Wright, 1991; Kerstein, 1992; Kerstein 1993; Kerstein 1995; Kerstein, Chapman, & Klein, 1997; Kerstein & Radke, 2006; Kerstein, 2010; Kerstein & Radke, 2012).

치아간 A-beta 섬유뿐만 아니라 치주 인대(PDL)의 기계적 자극수용기가 저작근에 의해 생산되는 부하력을 조정한다고 알려졌다(Kleinfelder & Ludwig, 2002; Levy, 2009). 1999년, 치아-관련 온도 정보가 치은 조직의 수용기에서 주로 나오는 반면, 치아의 촉각 정보는 치주 인대와 치아-치은 인대 내의 저-역치 루피니 기계적 자극수용기에서 방출된다는 보고가 있었다. 이와 같이, 치아-관련 통증은 치수, 상아질, 치주 인대에서 기원할 수 있다(Byers & Narhi, 1999). 2009년 현대 과학 검토로, 치주의 루피니 수용기는 느리게 적응하여, 낮은 진동수의 진동을 포착한 후 연속적으로 흥분하고, 오직 편측성 힘 운동을 포착하면서, 폐쇄되기 전 치아 사이의 1번째 접촉만을 감지한다는 것을 알게 되었다(Levy, 2009). 이렇게 하여 CNS에게 치아 사이에 물체가 있다는 것을 인식시킨다.

정의

- **기계적 감응(mechanoreception)**: 물체의 외측 자극에서 발생하는 무의식적 감각이나 의식적 접촉 감지, 혹은 기계적 변위.
- **기계적 자극수용기(mechanoreceptors)**: 압력, 진동, 긴장, 마찰과 같은 기계적 자극에 반응하는 감각 종말 기관.

치주 루피니 기계적 자극수용기와 대조적으로, A-beta 치아간 기계적 자극수용기는 신속하게 적응하여, 기계적 진동의 훨씬 넓은 진동수 범위를 포착한 후 간헐적으로 흥분하고, 여러 방향으로부터의 힘 운동을 포착한다. 추가적으로, 이런 치아간 섬유는 음식물 덩어리의 질감도 감지하여 CNS에 정보를 보내어, 적합한 원심성 근육 반응과 리듬을 생성한다(Levy, 2009). 추가적으로, Dong의 고양이 연구에서, 치아간 기계적 자극수용기와 치주 기계적 자극수용기의 신경생리학적 특성은 기능적으로 다르다고 결론내렸다(Dong & Chudler, 1985; Dong & Shiwaku, 1993). 고양이의 견치에 입자 크기가 다른 사포를 문지른 후, 진동수-부호화 유출 양상이 삼차신경절성 뉴런에서 발생함을 발견하였다. 이런 유출 양상은 입자 크기에 따라 다르고, 치아간 기계적 수용기가 실제적으로 다양한 유형의 기계적 진동을 부호화할 수 있다는 것을 암시한다(Levy, 2009). 그러므로, 치아간 및 치주 기계적 수용기 입력은 이론적으로 저작하는 동안 섬세한 운동 조절을 위해 입으로 들어오는 음

식의 기계적 특성 감지를 책임지게 된다(Trulsson, Francis, Bowtell, & McGlone, 2010; Levy, 2009).

축 방향이든 직각 방향이든 직접적인 운동의 영향은 치아의 위치나 좌우 차이에 따라 달라진다(Ohmori, Kirimoto, & Ono, 2012). 예를 들어, 치주 수용기로부터 정보가 부족한 상태(마취되었을 때나 임플란트가 있을 때와 같이)는 정교한 방향 조절의 분명한 방해와 낮은 교합력을 보이고, 치아 상에 접촉이 만들어진 위치에 대한 뚜렷하고 믿을 수 있는 느낌이 없다고 보고된다. 이런 발견은 치주와 치아간 수용기가 크기, 방향의 특이성에 중요한 역할을 수행하고, 근력의 공격점이 치아 사이에 음식을 유지하고 조종한다는 것을 강력하게 암시한다(Trulsson, Francis, Bowtell, & McGlone, 2010; Levy 2009). 그러므로 힘 적용의 방향이 저작근의 반사 반응에, 치주 기계적 수용기가 편측성으로, 치아간 A-beta 기계적 수용기가 전방향으로 기여하는 듯하다.

치아와 인접 조직의 뉴런 조절의 복잡성은 더 나아가 감각 신경 섬유가 치수, 치주 조직의 혈류량에 영향을 미치고 입술 안에서 치수나 입술의 자극을 뒤따르는 원심성 활동에 의해 확증된다. 이것은 일부 구심성이 치아 내부와 주변 조직에 가지를 낸다는 것을 제안한다(Byers & Narhi, 1999).

Levy는 살아있는 치아의 기능에 관하여 양식 전환을 제안하여(Levy, 2009), 치아가 유기체의 생명을 위한 영양분을 지원하는 기관일 뿐만 아니라, 살아있는 치아는 감각 기관으로 고려되어야 한다고 하였다. 이와 같이, 살아있는 치아는 기계적 감응 입력을 CNS로 편성하는 책임을 지게 되어, 주어진 음식 덩어리의 다양한 농도에 따라 진동, 긴장, 압력, 마찰 변화를 경험하는 치아의 기계적 변위로 야기되는 치수와 치주 구심성 입력을 경유하게 된다. 이런 모든 피드백은 저작계가 성공적으로 주어진 과제(저작, 연하, 호흡)를 조절하게 돕는다.

교합력 크기는 근활동을 제지하고 치아, TMJ, 치주 기구에 구조적 손상을 제한할 수 있는 기계적감각 피드백에 의해 영향받는다고 설명된다. Levy는 교합 치료가, 악근육 활동과 구강운동 활동에 거의 즉각적인 변화를 유발할 수 있는, CNS로의 기계감각적 신경 줄기를 실제적으로 조절할 수 있음을 시사하였다. 그는 종종 신경치료된 치아의 비참한 파절을 야기하는 조절할 수 없는 잦은 힘을 인용하면서, 생명제거로 살아있는 신경이 없는 치아는 구강악계에

제공할 수 있는 조정이 적어진다고 하였다. 기본적으로, 신경치료된 치아와 임플란트 보철물은 살아있는 치아보다 기계감각 정보를 적게 제공하는 것으로 보인다. 부가적으로, 교합력 크기(근활동을 통한)는 전통적으로 받아들여지는 치주 기계감각 피드백 기전뿐만 아니라 치수 기계감각 피드백에 의해서도 직접적으로 영향을 받는다.

외상성 교합(교합 미세외상 혹은 과다-교합)

외상성 교합은 치아 전체, 지지 조직(치주 인대 포함)과 치수에 영향을 미칠 수 있다(Kvinnsland & Heyeraas, 1992). 온전한 치아에 가해진 기계적인 힘(대부분 저작근의 근육을 통한)이 치주 조직과 치수의 감각 수용기를 활성화하여, 치주 조직 압력을 증가시키고, 치수와 치주 조직 내의 혈류량을 변경하는 것으로 보인다(Kvinnsland & Heyeraas, 1992). 교합 조기 접촉의 힘이 치주 질환의 진행과 연관되기 때문에(Harrel, Nunn, & Hallmon, 2006), 감소된 치주 지지는 치주 기계적 수용기 기능의 역치를 감소시킬 수 있고(Takeuchi & Yamamoto, 2008), 이로 인해 교합력의 변화를 야기할 수 있다(Alkan, Keskiner, & Arici, 2006). 교합이 치주 지지 소실을 영구화하면 악순환의 싸이클이 뒤따를 것이 자명하고, 시간이 지남에 따라 연조직 뿐만 아니라 골성 지지도 약화되고, CEJ와 백악질 또한 노출되고, DH가 발생할 가능성이 증가한다(노출된 상아질과 개방된 상아 세관에 의존하는 전통적인 이론을 따르면).

편심위 운동 동안 구치부의 과다한 마찰 연루가 지속되면, 하악 거상근, 즉 교근, 측두근, 내측 익돌근의 과다활성이 야기된다(Dawson 2006; Kerstein & Wright, 1991; Kerstein & Radke, 2006; Kerstein & Radke, 2012). 이런 근 과활성은 구치부에 과다한 수평력을 초래하여, TMJ에 대한 압축력이 증가하게 되고, 구치부에 과다 마모와 과부하를 유발하는 데, 특히 환자가 이를 간다면 더욱 그러하다(Dawson, 2006). 시간에 따른 이런 과부하는 기능 중인 대합치 사이에 쉽게 과다한 마찰성 교합면의 상호 작용을 일으켜, 기능하는 동안 그들을 굴곡시켜 치아 민감성을 조장할 수 있다. *마찰성 치아 지각과민증(Frictional Dental hypersensitivity, FDH)*이라는 새로운 용어가 이런 교합-유발 현상을 설명하기에 적절한 것으로 보인다. 외상성 교합은 상대적으로 측정 불가하고, 추상적이고, 종종 주관적으로 치료되는 교합 문제이지만, 디지털 교합 분석으로 FDH의

원인을 수량화하고 치료하는 것이 가능하다는 것이 저자의 경험이다.

제3부: 상아질 지각과민증의 유병률과 잠재적 병인

임상에서, DH의 증상이 있는 환자는 종종 치과의사에게 급성 혹은 만성의 DH 경험을 토로한다. 하나 이상의 치아가 연관될 수 있고, 종종 다른 4분악에 존재하기도 한다. 환자는 전형적으로 뜨거운 음식을 먹거나 차가운 물을 마실 수 없고, 차가운 공기로 편안한 숨을 쉴 수 없으며, 민감증의 일반적인 원인이 되지 않는 비-침습적인 치과 치료를 받지 못하게 된다. 어떤 환자는 자신이 DH가 있다는 것을 알지 못하고 치과 치료를 받거나 정상적인 고통이라고 간주하기도 한다. Addy에 의하면, DH에 대한 증상이 있는 환자의 48%만이 치과의사와 자신의 상태에 대해 상담하고, 반 정도만이 권고받은 치료 선택을 구한다고 한다. 이와 같이, 발생의 정확한 빈도를 파악하는 것은 어렵다. 연구 검토에 의하면, DH의 유병률은 일반 인구의 5-57% 사이에 있다고 보고된다(Rees, 2000; Fischer, 1992; Liu 등, 1998; Taani & Awartani, 2001; Irwin & McCusker, 1996; Clayton 등, 2002; Al-Sabbagh 등, 2004; Rees & Addy; 2002).

DH 역학의 넓은 변동을 설명하기 어렵지만, 연구 샘플 선택에서 선택 편향이 가능할 것이다(Splieth & Tachou, 2013). 일반적인 치과 치료 환자를 포함하는 선택된 연구는 지역과 나라 사이에 큰 차이가 있고, 예방적 치료에 큰 비중을 두는 지역의 환자는 좀 더 진행된 질병 상태를 보이고 치과 치료를 간헐적으로 받는 지역의 DH 비율과 현저하게 다르다. 간헐적인 치료를 받는 진행된 치주 환자가 퇴축을 더 많이 보여 정기적으로 치주 치료를 받는 환자들보다 노출된 상아질에 대한 잠재력이 더 크고, DH도 더 많이 발병할 것이다. 게다가, DH를 가지는 개개인이 전문가의 도움을 구할 것인지 의문이고, 특히 치과의사 자신이 지각과민증을 예방하고 치료하기 위한 적절한 과학적 데이터를 부족하게 가지고 있다는 것도 문제이다(Splieth & Tachou, 2013).

잠재적인 상아질 지각과민증 병인 과정

연구에 의하면, 상아질 노출은 다음 과정의 하나 이상으로부터 기인한다(Chabanski & Gillam, 1997; Ikeda 등, 1998; Gillam & Orchardson, 2006; Porto, Andrade & Montes, 2009).

- **구강 위생 불량**: 치주 조직 파괴, 지지골 소실, 치근 노출은 구강 위생 불량과 직접 관련된다(Mayhew, Jessee, & Martin, 1998). 치근이 노출된 후, 플라그 세균막에서 분비된 산(acid)이 상아 세관을 화학적으로 개방할 때 DH가 종종 발생된다(Wilchgers & Emert, 1997).

- **부족 혹은 과도한 칫솔질**: 부족한 칫솔질은 플라그의 축적을 야기한다. 과다한 플라그는 치은염을 유발하여 치은이 퇴축되고, 잠재적으로 백악질, 치근 상아질, 혹은 지지가 부족한 CEJ가 노출될 수 있다(Suge 등, 2006). 과도한 칫솔질 또한, 대부분의 상아 세관이 함유하고 있는 도말층(smear layer)을 물리적으로 제거하기 때문에(Pashley, 1991), 노출된 상아질 부위에 DH를 발생시킬 수 있다(Addy, 2005).

- **음식물의 비-세균성 산에의 노출**: pH가 낮은 음료, 술, 화학적 부산물, 위액 역류에 의한 내인성 산 등은 화학적 용해와 연이은 상아 세관 개방을 야기할 수 있다. 치경부와 교합면에 연화된 법랑질을 초래하는 이런 과정을 전형적으로 *부식*이라고 명명한다(Eisenburger & Addy, 2002). 산에 의한 손상은 DH의 성향을 증가시키고, 특히 위산이 역류하거나 산성 음식물을 섭취한 후 바로 칫솔질을 하는 경우 마모와 연관될 수 있다(Wilchgers & Emert, 1997).

- **치주 치료**: 비-수술적 치근면 활택술과 치주 판막 수술로 종종 백악질 구조 소실과 치은 퇴축이 발생한다. 이것으로 잠재적 상아 세관 노출과 잇따르는 DH의 가능성이 커질 수 있다(Marini 등, 2004).

- **퇴축과 과맹출을 유발하는 자연적인 신체 요소**: 자연적인 노화는 일반적으로 과다한 치근 노출과 DH의 가능성을 야기한다. 대합치 소실로 인한 치아 정출이나 과맹출도 치근 노출과 DH를 일으킬 수 있다(Bartold, 2006). 치은 퇴축은 DH의 직접적 원인이기 보다는, 치근면을 구강 환경에 노출시키는 선행 요인으로 간주되어야 한다(Swift, 2005). 치은 퇴축의 유병률, 범위, 심각성은 앞선 교정 치료와 관련될 수 있는데, 교정 치료로 치아가 협설측 피질판 외측으로 이동하여 열개(dehiscence)를 형성할 수도 있다(Joss-Vassalli 등, 2010; Tugnait & Clerehugh, 2001). 이갈이도 치은 퇴축의 개시 및/혹은 심화와 연관될 수 있다(Abbound, Gruner, & Koeck, 2002).

- **과다한 교합력 혹은 조기 교합 접촉**: 만성 *교합성 미세*

*외상*이라고도 불리는 과다-교합 형태의 교합 질환은 5급 수복을 포함하는 보존 보철 수복 실패의 원인으로 인용된다(Ruiz, 2005; Christensen, 1992; Ruiz & Christensen, 2006; Tyas, 1995). 저자의 경험에 의하면, 이런 과다-교합 현상이 임상적으로 많이 발생하고, 상아질이나 상아 세관 노출 없이 DH 증상도 야기할 수 있다. DH는 교합과 연관된 질병이라고 많은 학자에 의해 분류되었다(Johansson 등, 2002; Hypersensitivity C.A.B.O.D, 2003; Dawson, 2006; Manshreck, 2009; Splieth & Tachou, 2013). 더 나아가, 활동적인 교합 조기 접촉의 존재는 치주 질환의 진행과도 연관된다(Harrel 등, 2006; Ruiz & Coleman, 2008).

최근 많은 문헌에서 DH와 교합 접촉, 굴곡파절, 교합 질환간에 연관성이 존재한다는 증거를 제안했음에도 불구하고(Mayhew 등, 1998; Ikeda 등, 1998; Miller 등, 2002; Porto 등, 2009; Grippo 등, 2012), DH는 마모, 부식, 굴곡파절, 치주 기전을 통한 상아질 노출과 좀 더 직접적으로 연관된 것으로 생각되고(West 등, 2012), 전형적으로 교합 요소와 DH의 연관성이 적다고 여겨지고 있다. 게다가, 어떤 연구들은 과다교합과 DH가 직접적으로 연관된다고도 하였다(Ikeda 등, 1987; Ikeda, Nakana, & Suzuki, 1998; Coleman, Grippo, & Kinderknecht, 2003). 17년간 지속된 광범위한 연구에서, DH에 대한 기본 치료로 교합 조정을 받은 환자들은 장기간의 증상 완화를 보였다(Coleman 등, 2003).

제4부: 굴곡파절 형성, 비-우식성 치경부 병소(Non-Carious Cervical Lesions, NCCL), 그리고 마찰성 치아 지각과민증의 개념

1991년, Grippo는 치경부 병소가 과한 이갈기로 인해 치은정(gingival crest) 부위에서 치아가 휘어지기 때문에 발생한다고 하였다. 이 굴곡이 치경부 법랑소주의 헐거움을 유발하는 손상을 야기하여, 뒤이은 치아 구조의 탈락이 일어난다(Grippo, 1991). 교합으로 유도되는 이런 양상의 치아 구조 손상을 "굴곡파절(abfraction)"이라고 한다(그림 2).

굴곡파절에 대해 일부 학자들은 DH의 소인임을 시사하였다(Mayhew, Jessee, & Martin, 1998; Ikeda, Nakano, Bando, & Suzuki, 1998; Coleman, Grippo, &

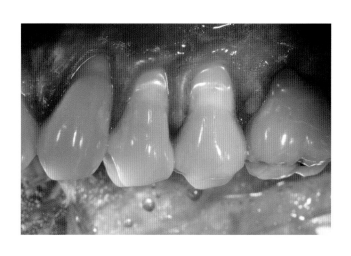

그림 2 치경부 굴곡파절과 치은 퇴축

시간을 보인다. 치경부 굴곡파절과 하악 대구치의 컵모양 병소는 과도한 근과활성을 유도하는 과다 만성 마찰의 연루 결과일 것이다. 두 소구치의 협측 교두에 극심한 마모와 (wear facet)가 편심위 근과활성과 후방 이개의 부족을 크게 암시한다는 것을 확인하라.

외상성 교합과 비교하여, 부식과 DH는 널리 연구되었다. Bartlett은 부식(단단한 치아 기질에 외인성 산에 의해 유발되는)이 치아 마모에서 가장 흔하고 중요한 원인 요소로 간주하였다(Bartlett, 1997). 굴곡파절 형성에 대한 교합의 잠재성에 반대하는 사람들은, 많은 실험실 연구에서 치주 인대의 쿠션 효과를 다룰 수 없다고 반박한다(West, Lussi, Seong, & Hellwig, 2012). 결과적으로, 교합 외상 단

Kinderknecht, 2000). 굴곡파절의 분포 및 위치와 DH 의 관계는 DH가 과다한 기능 이상이나 기능적 교합 스트레스의 결과일 수 있음을 암시한다(Coleman, Grippo, & Kinderknecht, 2003). Yoshiyama 등은 굴곡파절로 발생한 상아 세관 노출이 치수의 자극을 증가시키고, 결과적으로 DH가 유발될 수 있음을 발견하였다(Yoshiyama 등, 1990). 다른 연구는 작업측 및 비작업측 편심위 힘이 수직적 부하력보다 10-20배 더 큰 굴곡을 생산하여, 굴곡 스트레스가 DH와 굴곡파절을 형성하는 데 역할을 하는 것으로 보인다고 하였다(Spranger, 1995). 굴곡파절이 명백하게 교합 방해와 연루됨을 시사하기 때문에(Miller 등, 2003; Porto 등, 2009; Grippo, Simring, & Coleman, 2012), 교합은 DH의 많은 병인 중 하나로 보인다(Dowell & Addy, 1983).

스트레스, 부식, 그리고 교합면 *마찰*의 상호 작용은 비-우식성 치경부 병소(non-carious cervical lesion, NCCL) 형성에 역할을 하는 것으로 보인다(Ruiz & Coleman, 2008). 5-6개 이하의 치아가 확실한 치경부 상아질 지각과민증으로 진단되면, 주요 원인으로 *만성 교합 미세외상*일 수 있다고 제안하였다. 이와 대조적으로, Coleman과 Ruiz는 6개 *보다 많은* 치아가 지각과민증을 보이는 경우, 주요 원인이 산성 손상에 의한 부식일 가능성이 크다고 하였다(Ruiz & Coleman, 2008).

그림 3a, 3b, 3c, 3d는 마찰성 교합 외상의 증거가 있고, 위액 역류 병력은 없으며 산성 음식이나 음료를 과다하게 섭취하지 않는 환자를 보여 준다. 그러나, 환자는 0.51초의 이개 시간, 1.89초의 좌측 이개 시간, 1.65초의 우측 이개

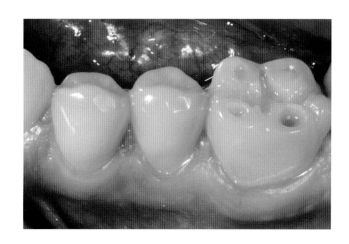

그림 3a NCCL과 교모와(facet) 모두를 보이는 하악 제1대구치

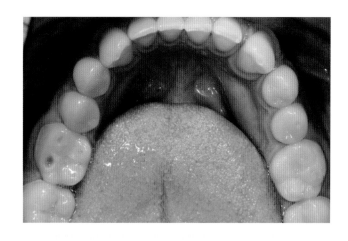

그림 3b 동일 환자의 하악 교합면. 환자는 전 치열에 걸친 전반적인 순간적 지각과민증상을 호소하고, 양측 제1대구치(하나는 이미 수복되었다)에 눈에 띄는 상아질 노출이 있다

285

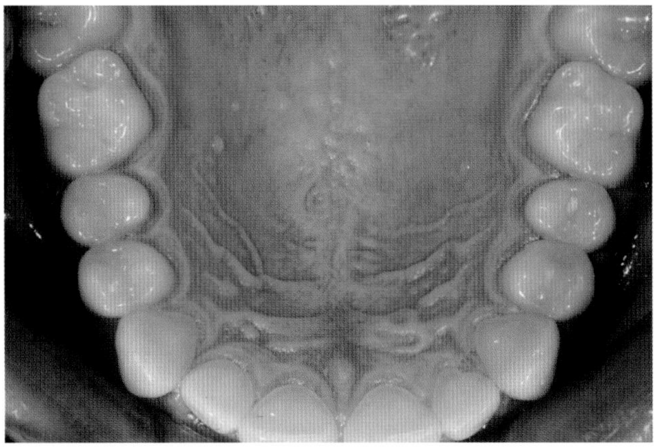

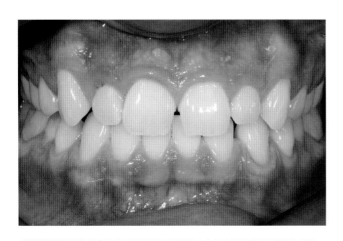

그림 3c 동일 환자의 상악 치열. 상아질 노출이나 부식이 거의 없다

그림 3d 동일 환자의 MIP 모습

독으로는 NCCL의 발달을 만족스럽게 설명할 수 없다. NCCL 형성에 대한 교합 부하의 역할은 다인성 현상에 기여하는 것으로 고려된다(West, Lussi, Seong, & Hellwig, 2012).

다양한 NCCL이 상이한 인자에서 기인한다:

- **굴곡파절**: 교합.
- **부식**: 산.
- **마모**: 칫솔질과 치약.
- 위 인자들의 조합.

이상 기능의 이갈이로 인한 교모 또한 일부 교합면 DH에서 역할을 할 수 있다(Bartlett & Smith, 2000; Ekfeldt 등, 1990). 굴곡파절이나 DH를 유발하는 과다한 힘이 있을 때,

교합면 형태 이상도 교모를 통해 상아질이 노출될 수 있다(Spranger, 1995).

교합력이 굴곡파절을 야기한다는 것에 반대하는 사람들은 많은 치아가 *외상성 교합*의 증상을 보여도 치경부 병소가 발달하지 않는다고 제안한다. 더욱이, 굴곡파절이 교합 부하에 의해서만 발생한다면, 협측과 설측의 치경부가 특징적인 표현 양상을 공유할 것이다(West, Lussi, Seong, & Hellwig, 2012). 이 의견은 대부분의 굴곡파절이 치아의 협측에 발생하기 때문에, 이 병소는 과다하고 지나치게 열성적인 칫솔질에 기인한다고 주장한다(West, Lussi, Seong, & Hellwig, 2012). 반대로, 2003년 한 연구에서, NCCL는 교합면 마모와(wear facet)와 견치 이개 부족과 체계적으로 거의 공존하고(각 94.5%, 77.2%), 309개의 굴곡파절이 과도한 칫솔질로 유발된 증상이라는 관련성은 부족하다고 하였다(Miller 등, 2003). 아마도, 치료받지 않은 환자군을 장기간 추적관찰하면서 그들의 교합을 정기적으로 반복적으로 숫자로 측정한다면, 시간이 흐름에 따라 외상성 교합이 치경부 병소 형성의 원인으로 드러날 수 있을 것이다. DH와 과다한 교합력 혹은 연장된 교합면 마찰과의 상관관계를 보여주기 위해 T-Scan 교합 분석을 사용하는 단일 연구를 만들 수 없다.

최근 T-Scan 8 시스템(Tekscan Inc., S. Boston, MA, USA)과 실시간으로 동기화한 EMG(BioEMG III, Bioresearch Associates, Milwaukee, WI, USA)를 사용한 한 연구에서, 작업측 그룹 기능이 균형측 간섭보다 편심위 근활성 크기를 더 증가시킴을 확인하였다(Kerstein & Radke, 2012). 이 연구는 작업측 간섭이 균형측 간섭보다 근육 과다활성을 자극하는 것 같다고 설명하여, 균형측 접촉이(근 과다활성에 관하여) 가장 문제가 되는 교합 접촉이라는 일반적으로 주장되는 교합 관념과 반대되었다. 이것은 NCCL과 굴곡파절이 crossbite이 없는 환자에서 치아 협측면에 주로 발생하는 이유를 설명할 수 있게 도와준다. 또한 압축성 측방굴절력이 작업측의 협측에 가장 크게 발생하는 것을 그럴 듯하게 한다.

마찰성 치아 지각과민증 vs. 외상성 교합

아마도 아직까지 DH에서 교합의 역할에 관한 대답은 증거가 부족하다. 노출된 상아질이 없을 때 그럴 듯한 원인이 외상성 교합이나 교합성 미세외상(과다교합)이라는 발표가

있었다(West, 2006). 외상성 교합과 과다교합이 유사하거나 동등한 바로 그 상태를 묘사함에도 불구하고, 이 두 용어는 이런 상태를 대표하는 어떤 교합을 수량화하지 못한다.

마찰성 치아 지각과민증(FDH)의 개념은 임상에서 가장 흔하게 마주하게 되는 상황에 대한 이해를 돕는다. 이런 DH 상태는 노출된 상아질의 존재를 포함할 수도 안 할 수도 있지만, 디지털 교합 분석으로 객관적으로 진단되고 ICAGD라고 알려진 교합 조정 과정을 통해 쉽게 해결될 수 있다(Kerstein & Wright, 1991; Kerstein, 1992). 교합지를 이용하여 주어진 교합 접촉 존재의 질을 단순히 파악한다기 보다는, T-Scan 기술을 이용하면 교합 병리를 객관적으로 다루고 교합 접촉 타이밍과 DH를 나타내는 치아의 상대적 교합력을 수량화할 수 있다.

객관적 디지털 데이터(T-Scan/EMG)를 사용한 저자의 경험에 의하면, 과활성된 근육과 과다한 중심 교합 및 편심위에 적용되는 교합 접촉력의 조합으로 발생한 치아 굴곡과 측방 굴곡이 종종 DH 증상 발현을 유발한다. 치아간 A-beta 치수 자극 및/혹은 과다한 치주 인대 기계적 자극 수용기 자극이 증가하면, 굴곡파절 병소가 임상적으로 나타나기 전 오랫동안 DH 합병 증상의 원인이 될 수 있다. 게다가, 이런 기계적 수용기 자극은 적어도 부분적으로 굴곡파절 병소 형성과 결과적인 상아질 노출의 원인으로 어느 날 증명될 지도 모른다.

제5부: 널리 받아들여지는 치아 지각과민증 이론

1. **상아질 수용기 기전설**: DH가 상아질 내 감각 신경 종말의 직접적인 자극에 의해 유발된다는 오래된 가설. 그러나, 이 이론을 뒷받침하는 실험적이고 현미경적인 증거가 거의 없고, 신경 세포가 외측 상아질의 감각 부분에 존재하지 않을 것 같다(Irvine, 1988; Porto 등, 2009).

2. **상아모세포 변환 기전설**: 1968년, Rapp이 제안한(Rapp 등, 1968) 이론으로, 상아모세포가 수용 세포로 작용하여 신경과의 시냅스 접합부를 통해 상아모세포 막의 변화를 조정한다는 가설. 치수-상아질 복합체내의 통증 감각을 유발할 수 있다. 상아모세포 변환 기전을 지지하는 증거가 거의 없다(West, 2008; Porto 등, 2009).

3. **유체 동력설**: 현재까지, 가장 널리 받아들여지고 있는 이론이다(West 등, 2012; Linsuwanont 등, 2008). 1964년도에 제안되어, 치경부의 법랑질이나 백악질이 소

실되어 연이은 상아 세관 개방을 야기한다는 가설이다(Brännström & Åström, 1964). 외부 자극이 상아 세관 내 상아질 유체의 빠른 유출을 유도한다. 유체 유출이 치수-상아질 접촉면에 위치한 기계적 자극수용기를 활성화하여 간접적으로 치수 신경을 자극하여 통증 감각을 일으키는 것으로 믿어진다. 상아질 유체 유출이 신경을 자극하는 방법은 여전히 알려지지 않았다(Chidchuang-chai, Vongsavan, & Matthews, 2007).

외부 자극에 반응하는 치수-상아질 접촉면 기계적 수용기는 유수성의 A-delta, A-beta 섬유를 빠르게 유도하여 두개 통증 센터에 자극을 전달한다(Ruiz & Coleman, 2008). 상아질 유체의 흐름은 치수와 외측 상아질 사이의 길이, 개방된 세관의 수, 세관 직경, 세관의 배치에 의해 직접적인 영향을 받는다(Ruiz & Coleman, 2008). 한 연구는 DH가 있는 치아에서 정상의 치아보다 더 크고 더 많은 세관이 보인다고 하였다(Absi 등, 1987; Swift, 2005). 앞서 설명한 것처럼, 더 크고 더 많은 세관이 혼합된 경우 상아질 유체 흐름의 상당한 증가가 일어나고, 상아 세관 직경이 증가하면 외부 자극에의 반응이 증폭된다(Swift, 2005).

유체 동력설에 근거하여, DH는 일시적인 치통으로 고려된다. 간단히 설명해서, 외부 자극에 반응하기 위해, 세관이 상아질 표면에서 열려있어야 하고, 살아있는 치아의 치수를 통과하는 내내 개방되어야 한다. 찬 공기나 액체 같은 외부 자극이 상아질을 통한 압력 변화를 유발하여 신경 반응을 활성화하여 통증성 감각을 초래할 수 있다. 유체 동력설은, 온도 자극이 세관 내용물의 빠른 이동을 일으키고 치수-상아질 경계에서 신경 섬유를 기계적으로 자극한다고 제안함으로써, 열에 의한 DH 유발을 설명한다(Brännström & Åström, 1964). 세관 내 유체의 열에 의한 팽창과 수축은 유체의 이동을 일으켜, 치아가 받는 온도 변화 속도가 좀 더 확연한 반응을 야기한다(Matthews, 1977). 그러므로, 고온의 물질이 상아질 표면에 적용되면 이런 반응이 분명해진다(Linsuwanont 등, 2008).

Pashley는 유체 동력설이 옳다면, 지속적인 DH의 경우는 다음 현상의 한 가지 혹은 두 가지 때문이라고 하였다(Pashley 등, 2008).

• 국소적인 치수 염증이 지속적인 신경 발생이나 신경 역치 저하를 일으킨다.

- 일부 상아 세관은 각 유체 흐름 DH 현상 이후에 과전도 상태로 남는다.

유체 동력설은 상아 세관이 구강 환경에 개방되지 않고 온전한 법랑질과 백악질로 덮여 있을 때 문제가 된다. 임상 상황에서 미백제가 사용되고 치아 민감성이 발생될 때는, 노출된 상아질이 이런 유형의 DH의 전제 조건이 아닌 것으로 보인다(Swift, 2005).

그러나, 유체 흐름이 열에 의한 상아질의 팽창과 수축의 결과라면, 뜨겁거나 차가운 자극이 상아질이라고 불리는 상아질 유체 보관소의 해부학적 지점에 실제적으로 접촉한 후에 유체 흐름이 발생해야 할 것이다(Linsuwanont 등, 2008). 하지만, 환자의 온도 감각은 상아질 표면의 온도 변화를 앞서는 것으로 보인다(Linsuwanont 등, 2007). 이것은 치수-상아질 경계에의 직접적인 온도 자극의 가능성을 불가능하게 한다(Trowbridge 등, 1980; Linsuwanont 등, 2007).

현재 신경 자극, 열팽창 및 수축, 직접적 상아질 온도 자극에 대한 유체 동력설에 대한 의문은, 모든 임상적인 DH 현상을 적절하게 설명할 수 있는 이론이 없다는 것이다. 뒤에 소개될 대안적인 기계적이고 염증적인 이론이, 임상적 및 과학적 연구에서 온도 자극으로 관찰되는 신속한 DH 통증 반응을 보다 잘 설명하는 것으로 보인다(Pashley, 1990; Linsuwanont 등, 2008).

제6부: 상아질 지각과민증에 대한 교합과 관련된 대안적 이론

1990년 Pashley(뾰족 구두 이론, Stiletto Heel Theory)와 2008년 Linsuwanont(응력 변형설)에 의해 대안적인 기전은 교합 과부하가 산발적인 DH 증상을 야기한다고 제안한다(Linsuwanont 등, 2008; Pashley, 1990; West 등, 2012). 시간이 흐름에 따라, 과부하는 가속된 치은 퇴축, 치경부 법랑질의 미세 파절, 상아질 노출, 잠재적인 상아 세관과 분명한 굴곡파절을 야기하는 것으로 보인다(Yoshiyama 등, 1990). 노출된 상아 세관의 존재 유무와 관계없이 DH 증상 과정의 개시뿐만 아니라 지속에도 교합 요소가 관여하지 않는다고 할 때, 임상의와 연구가들은 전형적으로 개방된 상아 세관을 병인으로 지목한다.

1. **신경성 염증론:** 치경부에 영향을 미치는 과다한 교합력으로 인한 미세 파절이나 수산화 인회석 결정의 생리화

학적 소실은 치수의 신경성 염증 반응을 유발할 수 있다(Pashley, 1990). P 물질(Substance P, SP), 칼시토닌 유전자 관련 펩타이드(Calcitonin Gene-Related Peptide, CGRP), 뉴로키닌과 같은 뉴로펩타이드의 분비가 DH를 보급하고 강화하는 것으로 주장된다.

2. **연장된 이개 시간, 연장된 교합면 마찰, 치아 굴곡 및 측방굴곡, FDH 이론:** 마주하는 교합면의 연장된 마찰로 인한 연장된 PDL 압력은, 기능하는 동안 하악 운동에 필요한 기준치 이상의 저작근 과다 수축을 유발하여 근육의 과활성을 초래하는 것으로 보인다(Kerstein & Wright 1991; Kerstein 1993; Kerstein & Radke, 2006; Kerstein, 2010; Kerstein & Radke, 2012; Dawson, 2006). 수축력이 증가하면 과다한 교합 및/혹은 기능 이상 부하(그리고 비틀림 부하와 과다한 마찰성 부하)가 치열에 가해진다(Kerstein, 1993). PDL 및 치수(아마도 치아 변형에 의한 치아간 A-beta 기계적 자극수용기의 기계적 자극을 통하여)와 중추 신경계(CNS) 사이의 복잡한 피드백 기전은 임상적으로 FDH를 나타나는 치수 내의 비틀림 굴곡에 의한 신경성 염증 반응을 야기한다(Coleman, Grippo, & Kinderknecht, 2003; Pashley, 1990). 치아의 비틀림과 굴곡으로 발생하는 치수 자극에 의한 저작근의 수축과 이완에 신경성 영향이 있음을 암시한다(Sharaw, McGrath, & Dubner, 1982; Coleman, Grippo, & Kinderknecht, 2003).

기계적 감각설

이 이론에서, 외부 자극은 상아질 유체 이동을 유발하고, 혹은 DH 증상의 독특한 기계적 감각 원인을 나타내는 상아모세포의 신경 복합체 반응을 유도할 수 있다. 여기에서, 상아모세포는 DH의 통증을 이끌어내는 감각 세포처럼 행동하는 것으로 여겨진다(Chen 등, 2003).

1. **뾰족 구두 효과(Stiletto Heel Effect):** 교합면의 물리적 압력은 교합면 하방 조직을 압박하고 세관 팽창을 야기하여, 외측으로의 유체 흐름 증가를 촉진한다. "뾰족 구두 효과"는 작은 표면 부위의 접촉점에 치아 교합면에 부과된 커다란 압력이 가해지면, 치아를 굴곡시켜 통증을 유발한다(Pashley, 1990).

이와 유사하게, 2008년 DH 병인의 대안적인 기계적 이

론이 주장되었다.

2. **응력 변형 기전**: 발거된 소의 절치를 이용하여, 온도 분포와 치아 구조 변형 사이에 존재하는 관련성을 보여주었다(Linsuwanont 등, 2008). 순측 법랑질 표면에 가해진 온도 자극은 DEJ에 온도 변화가 감지되기 전에 치수–상아질 경계면에 신속하고 *거의 즉각적인* 응력 발달을 야기한다(노출된 상아 세관이 DH 현상의 유일한 병인이라는 타당성을 감소시킨다). 응력 양상은 이상성(biphasic)이다; 열은 처음에 치수 표면에 수축을 유발하고, 그 후에 팽창이 발생한다. 이런 상아질 팽창과 수축은, 법랑질이 온도 변화를 DEJ에 전달하기 전에 법랑질의 온도 변화가 상아질 유체 흐름을 기계적으로 유도하는 물리적 힘을 행사할 수 있다는 것을 암시한다. 간단하게 말해서, 기계적으로 유도된 치아 구조의 변형이 신경 자극을 직접적으로 촉발하거나, 신경 활동을 촉발하는 유체 흐름을 기계적으로 유도하게 된다는 것이다.

또한 온도 자극은 (감각 구조물이 가장 많이 위치한) 치수 벽에 상아질 변형을 기계적으로 유발하여, 신경 자극을 직접적으로 촉발할 수 있다. 이 이론은 치아의 물리적 구조적 변형이 직접적으로 신경 자극을 유발함을 시사하여, 상아 세관 개방이 없는 온전한 치아 DH에 대한 유체 동력설에의 가능한 대안적인 설명을 제공한다.

제7부: 근육성 측두하악 장애와 상아질 지각과민증에서 교합의 역할

현재의 치의학은 전형적으로 다음 세 가지 병리 과정과 그들이 저작계에 미치는 영향을 조정하고자 시도한다:

- 치아 우식증.
- 치주 질환.
- 교합 질환.

교합 질환은 의심할 여지없이, 이 세 가지 중 가장 적게 이해되고 있고, 교육 과정 중에도 최소로 노출된다. 임상의에게 제공되는 평생 교육 과정은 TMD 분석의 하나로 교합 커리큘럼을 결합하는 경향이 있다. 상이한 교합 "캠프"에서 각자 다양하게 이야기하는 것을 보면, 매일의 치료 과정에서 교합 치료를 포함하기 위한 시도가 왜 그렇게 적은지 놀라울 것도 없다. 마주하는 악궁 간의 기능적인 상호 작용이

DH의 증상 유발을 포함하여 구강악계를 대혼란에 빠뜨릴 수 있기 때문에, 모든 치과의사가 교합 전문가가 되어야 한다는 것은 변명의 여지가 없다(Dawson, 2006). DH에서 보여지는 것과 같이 교합과 관련된 통증의 제거는 전형적으로 통증의 심리적 스트레스 및 TMD와 연관된 통증을 포함하는 다른 구강안면 통증들을 완화시키기 때문에, TMD 증상이 감정적인 스트레스에 의해 유발된다는 만연한 믿음은 오류일 것이다(Dawson, 2006).

교합 접촉 연구 및 상아질 지각과민증

1987년, 매우 작은 조기 접촉이 있고(200μm) 어떤 치주 증상이 없을 때, DH가 교합 조정을 통해 성공적으로 치유될 수 있다는 실험적 증거가 보고되었다(Ikeda 등, 1987). 1998년, 동일 저자는 객관적인 치아 통증 역치(Tooth Pain Threshold, TPT)와 주관적인 환자의 느낌을 사용하여 가벼운 조기 접촉(높이 200μm 이하)이 DH 증상을 유발할 수 있다고 하였다(Ikeda, Nakano, Bando, & Suzuki, 1998). 이 결과는 치아 통증 역치 변화의 규모를 설명하는 객관적인 데이터를 제공한다. 높은 교합 접촉을 제거하면 TPT 기준치로 돌아가게 된다. 그들은 가벼운 조기 접촉이 DH의 잠재적인 원인이 될 수 있다고 결론짓고, 교합 조정이 가장 효과적인 치료법이라고 하였다(Ikeda, Nakano, Bando, & Suzuki, 1998).

교합, 상아질 지각과민증, 그리고 근육성 TMD

이갈이나 이악물기 같은 이상 기능 활동은 TMD와 분명한 상관 관계를 가진다(Manfredini 등, 2003; Choi 등, 2002; Manschreck, 2009; Molina 등, 2001; Casanova-Rosado 등, 2006; Jerjes 등, 2008; Yadav, 2011). DH는 이갈이 버릇이 있는 많은 환자에게 영향을 미치는 만성적이고 종종 진단되지 않는 문제로 보고되었다(Manschreck, 2009). 또한 *DH는 이갈이의 가장 빈번하게 보고되는 증상의 하나이다* (Yadav, 2011; Jerjes 등, 2008; Manschreck, 2009). 2007년 문헌 리뷰에서, Kalamir 등은 172편의 논문을 검토하여 그 중 101편만이 TMD 증상과 연관성을 지적하였다고 보고하였다(Kalamir, Pollard, Vitiello, & Bonello, 2007). 그들은 이런 변동성이 주로 TMD와 이갈이에 대해 보편적으로 받아들여지는 정의의 부족 때문으로, 치의학이 이 용어를 버리고, 진단적으로 적절한 기술어로 대체되어야 한다고

권고하였다. 2002년 Choi 등은 27,000명 이상의 19세 한국 군인을 대상으로 한 연구를 통해, 이갈이가 TMD의 직접적인 위험 요소는 아니고, 이상 기능의 이악물기가 이에 해당될 수 있다고 하였다(Choi, Choung, Moon, & Kim, 2002). 그들은 이악물기 습관을 고백한 사람에서 비습관 그룹보다 2.05배 많은 개구 제한을 가지고 있음을 발견하였다. 이런 대단위 연구는 흔하지 않은데, 다른 연구에는 여성이 더 많은 비율을 차지하는 반면, 이 연구는 남성만을 대상으로 하고 있다(Choi, Choung, Moon, & Kim, 2002). 마지막으로, DH는 문헌에서 수없이 많이 근육성 TMD의 증상으로 인용되었다(Jerjes 등, 2008; Emodi-Perlman 등, 2008; Melchior, Mazzetto, & Felicio, 2012; Chuang, 2002; De Felicio 등, 2006). Manschreck 등은 2009년 증가하는 DH를 근육성 악안면 통증, 두통, 귀의 통증과 함께 이갈이의 주요한 임상적 지표로 인용하였다(Manschreck, 2009).

이보다 전인 2000년에, 또 다른 리뷰 문헌은 TMD의 증후, 증상의 조절과 예방에 미치는 교합의 역할에 대한 지지가 거의 없다는 것을 발견했다(DeBoever, Carlsson, & Klineberg, 2000). Manfredini 등은 이갈이가 디스크 변위나 관절 병리보다 근육성 TMD에 더 강한 연관성을 갖는다고 보고하였다(Manfredini, Cantini, Romagnoli, & Bosco, 2003). Koh와 Robinson은 교합 조정이 오직 TMD에 대한 효과적인 치료 결과와 강력한 상관 관계를 가지지 않는다고 하였다(Koh & Robinson, 2004). 2012년 치아 교합, 신체 자세, TMD에 대한 리뷰 논문에서, 저작들은 교합과 TMD가 관계없다고 강조하였다(Manfredini, Castroflorio, Perinetti, & Guarda-Nardini, 2012).

반대로, 크기가 몇 micron에 불과한 높은 교합 접촉이 TMD를 유발하는 것으로 보인다(Anderson, Schulte, & Aeppli, 1993; Sharma, Rahul, Poduval, Shetty, Gupta, & Rajora, 2013). 1998년, Kirveskari는 증상있는 환자를 포함하는 임상 시험에서, 교합 요소가 TMD에 가벼운 역할을 하지 않는다고 설명하기 어렵다고 결론지었다. 그는 근육성 TMD 증상을 유발하는 교합의 역할을 최종적으로 확실하게 하기 위한 연구 노력이 강화되어야 한다고 강력하게 제안하였다(Kirveskari, 1997).

Ramjford는 DH의 근신경설을 주장하면서, 교합 조정을 경험한 환자에서 이갈이와 연관된 부위의 통증과 근육통이 완전히 사라졌음을 언급하고, 교합 간섭이 TMD 증상의 유발 요소라고 하였다(Bhat, 2010). 이 이론은 교합 간섭이 변경된 자기 수용성 피드백을 유발하여, 저작근의 부조화와 경련을 가져온다고 하였다(Ash & Ramfjord, 1995). 이와 유사하게, Kerstein은 지난 25년 동안, T-Scan 교합 분석 기술과 ICAGD 치관성형술 프로토콜(CR-기반 평형 프로토콜 사용과 대조되는)을 사용하여 교합이 근육성 TMD의 종합적 증상과 분명하게 연관된다는 주목하지 않을 수 없는 증거를 제안하였다(Kerstein & Farrel, 1989; Kerstein & Wright, 1991; Kerstein, 1995; Kerstein, Chapman, & Klein, 1997; Kerstein & Radke, 2006; Kerstein, 2010; Kerstein & Radke, 2012). 지금까지, 근육성 TMD의 종합적 증상과 교합에 관련하여 디지털 교합 분석과 EMG를 사용한 Kerstein의 광범위한 연구가 동료들에 의해 리뷰 논문에서 복제되거나 도전을 받고 있다(개인적 소통, 2012). 17년에 걸친 후향 연구에서, 저자는 교합 평형이 많은 DH의 적절한 치료라는 결론에 도달하였다(Coleman, Grippo, & Kinderknecht, 2000). 마지막으로, 한 캐나다의 조사 연구에서, DH의 주요 유발 요소로 연구에 의해 입증되지 않았음에도 불구하고, 대다수의 치과의사와 치위생사가 *이갈이*와 *부정교합*을 DH의 도화선으로 인식하고 있다고 했다. 5000명의 치과의사와 3000명의 치위생사에게 설문지를 보냈는데, 치과의사의 64%와 치위생사의 77%는 이갈이와 부정교합을 DH의 도화선이라고 답하였다(Hypersensitivity, C.A.B.O.D., 2003). 다른 저자들도 이런 발견에 도전하였는데, 대답한 치과종사자들은 DH의 원인을 잘못 판단하여, 부식과 노출된 상아 세관이 DH를 유발한다고 주장하였다고 한다(Strassler & Serio, 2009). 아마도 노출된 상아질이 DH의 합병 증상에 대한 전제 조건이 아닌 상태가 존재하기 때문은 아닐까? 이와 같이, 조사된 치과의사는 마찰에 의해 유도된 DH(FDH)를 설명할 것 같다.

DH와 교합 요소, 근과활성, TMD 증상의 연관성에 관한 광범위한 문헌에 근거하여, 저자는 교합하는 동안 대합하는 구치부 사이에 발생하는 과다한 마찰성 상호관계가 국소화된 FDH 현상을 창조하는 과다한 치아 굴곡을 야기한다고 주장한다. 치아를 가진 개인에서, 과다한 교합력이 과활성된 저작근에 의해 발생할 수 있기 때문에, 교합 간섭 제거를 통한 감소된 근력은 잠재적으로 FDH 증상을 정지시킬 것이다. 이번 장에서는 TMD뿐만 아니라 FDH 증상의 원인과 조절에서 교합이 중요한 역할을 한다는 증거를 지속적으로 제시하고 주장할 것이다.

제8부: 교합 조정, Old & New

DH와 TMD 모두의 발생에 대한 교합의 역할에 관한 합의가 거의 혹은 아예 없기 때문에(Spranger, 1995; DeBoever, 2000), 이런 만연한 의견 충돌은 다음 사항에서 가장 많이 발생한다:

- 교합 평가에서 교합 접촉 표시 자국을 주관적으로 해석하여 사용.
- 전형적으로 관찰에 의거하여 수행한 비측정성 교합 조정 술식의 질의 주관적인 가변성.

놀랍게도, 교합 리본은 문헌에서 연구된 적이 거의 없었다. 교합지 자국은 몇몇 연구를 통해 이런 추정이 근거없다고 밝혀졌음에도 불구하고(Rimondini 등, 1995; Carossa 등, 2000; Millstein & Maya, 2001; Carey 등, 2007; Saad 등, 2008), 치과 교육과 임상에 스며들었고, 힘과 시간 동시성을 보여주는 것으로 받아들여지고 있다. 교합지 자국 크기와 강력한 접촉과의 연관성은 20-38.3%에 불과하다고 보고되었다(Qadeer 등, 2012; Carey 등, 2007). 최근에 발표된 연구들은 교합 리본이 객관적이고 정확한 힘과 타이밍 측정 도구라기 보다는 주관적인 교합력 발견 방법임을 분명히 지적한다. 이 연구들은 교합지가 믿을 수 있고 정확한 힘을 기술한다는, 치의학의 다양한 분야에 걸쳐 제시되는 진행 중이고 널리 퍼진 신념을 완벽하게 반박한다.

예측성의 치과 수복은 다음을 필요로 한다(Anderson & Schulte, 1993):

- 객관적인 교합 검사.
- 교합 기록.
- 교합 저장.
- 교합 정보 전송.

전통적인 교합 왁스와 교합지는 위의 기준에 부합하지 않는다는 것이 자명하다. 치과의사는 의미상 교합 전문가가 되어야 하고, 구강악계 내에서 발생하는 TMJ와 근육 역학에 대해 최소 기본적인 사항을 숙지해야 한다. 그러기 위해서, 임상의는 객관적이고, 기록할 수 있고, 재현가능하며, 전송할 수 있는 데이터를 사용해야만 한다. TMD 증상과 연관된 교합 주제를 이해하는 잠재적인 열쇠는 주관적

요소(리본, 왁스, 재현할 수 없는 교합 조정 과정)를 배제하고, 객관적인 측정(T-Scan 8 디지털 교합 분석)과 ICAGD 치관성형술에서 설명된 것과 같은 객관적으로 생리적 교합 종점을 측정하는 교합 조정법으로 대체하는 것이다(Kerstein, 1992). 환자를 재현가능하게 측정할 수 없다면, 그것은 의미상으로 의견일 뿐이다. 재현성있게 측정할 때, 그것이 사실이 된다.

임상의가 TMD 발병과 교합 접촉 양상을 지속적으로 연관시킬 수 없게 하는 중요한 변동성은 기존의 연구 내에 채택된 교합 측정이 부족하다는 것이다. 그 대신에, 디지털 교합 분석은 임상의에게 모든 교합 접촉의 "언제"(혹은 타이밍), "얼마나 세게"(혹은 상대적 힘의 수량화)를 확인하고 기록할 수 있는 능력을 부여한다. T-Scan 소프트웨어는 환자의 교합 데이터 저장과 재내원에 대한 데이터베이스를 포함하여, 임상의와 연구가들에게 정보를 전송할 수 있게 한다. 특히, 교합 접촉 양상과 TMD 증상 발현에 절대적인 연관성이 있다는 T-Scan 기반 연구들이 많이 있다(Kerstein & Wright, 1991; Kerstein, 1995; Kerstein, Chapman, & Klein, 1997; Kerstein & Radke, 2006; Kerstein & Radke, 2012).

T-Scan 8 기술은 중심과 편심 운동 모두에서 대합치아의 교두감합 "영상"을 창조하고, 0.003초 단위로 기록하여, 모든 교합 접촉에서 변화하는 상대적인 힘 데이터를 동시에 제공한다. 이런 "영상"을 재생하고 분석하여, 기능적 하악 운동 동안 치아가 겪는 일탈적인 마찰성 및/혹은 기계적 연루를 파악하는데 이용할 수 있다. 이와 같이, 역동적인 교합 접촉 타이밍과 변화하는 교합력 비율을 실시간으로 *객관적으로 수량화*하여 결정하고, 이것이 전통적이고 비-디지털적인 교합 지표로 교합을 주관적으로 평가하는 측정할 수 없는 연구 접근법과 극명히 대조되는 점이다.

교합과 TMD 증상과의 연관성을 지속적으로 연관시킬 수 없는 마지막 변동성은 다양한 교합 이론에 의해 주장되는 "올바른" 하악 위치의 다양성이다. 전체적인 교육 과정은 하악 위치 이론을 둘러싸는 배타적인 다양성과 함께 발달되었다.

- **중심위(CR)**: CR은 양수 조작을 포함하는 많은 방법으로 결정되는데, 디스크가 개입된 상태로, 과두가 과절와 내의 가장 전상방에 위치하는 것으로 여겨진다.
- **근신경성 획득(Neuromuacularly Obtained, NM)**: 이

위치는 경피성 전기 신경 자극(Transcutaneous Electronic Nerve Stimulation, TENS)을 사용하여 결정되고, 하악이 CR과 MIP의 전하방에 위치한다. 하악이 해부학적 TMJ 구조 관절에 놓이는 대신에 전기적으로 근활성 크기가 감소되는 위치에 놓이게 된다.

- **4/7 위치**: 정형외과적으로 얻어지는 악관계로 과두/디스크 조립이 관절와 밖 관절 융기 경사면에, CR과 MIP로부터 약간 전하방에 놓인다.
- **최대 교두감합(MIP)**: 중심 교합(CO)라고도 알려져 있다. 치아에 의해 결정되는 위치로, 환자가 완전한 치아 교두감합으로 습관적으로 폐구하여 결정된다.

MIP는 다른 세가지 하악 관계와 마찬가지로 이상 기능적 증상이 있을 때 MIP에서 관찰되는 증상 발현을 해결하기에는 비-생리적이다. 이 견해는 과학적으로 입증된 적이 없다. 주장되는 바에 반하여, MIP 위치에서 수행된 몇 가지 교합-근육 장애 치료에 대한 연구가 있는데(1991년 이후), MIP 위치에서의 특정 교합력과 타이밍 요소 치료로 신속하고 지속적인 증상 해소를 얻을 수 있다고 하였다(Kerstein & Wright, 1991; Kerstein, 1995; Kerstein, Chapman, & Klein, 1997; Kerstein & Radke, 2006; Kerstein & Radke, 2012).

교합 평형(Occlusal Equilibration)은 비측정성의, 주관적인 치관성형 술식이다

논문에서, 교합 평형이 교합 조정 술식으로 가장 많이 인용되고 연구된다(Jerjes 등, 2008; Dawson, 2006). 교합 평형은 객관적으로 측정되는 과정이 아니라는 점이 흔한 논쟁거리이다. 교합지 자국 크기와 색상 심도에 대한 주관적인 해석, 견고한 교합 접촉을 인지하는 소리, 술자의 느낌, 조수의 개입, 환자의 주관적인 교합 느낌, 이악물기 테스트에 근거하고, 술자가 지속적으로 시행하는 CR로 위치시키기 위해 재현성이 의심되는 양수 조작과 결합된다(Kerstein, 2010). 따라서, 전통적인 교합 평형의 과정은 매우 주관적이고, 그 정확성이 정교한 교합 접촉력과 타이밍 측정이 아니라 CR로의 하악 위치에 근거하게 된다(Kerstein, 1993; Kerstein, 2010).

대안적인 교합 치료 프로토콜: ICAGD 치관성형술을 통한 이개 시간 감소

즉시 완전 전방 유도 발생(Immediate Complete Anterior Guidance Development, ICAGD)이라는 덜 알려진 교합 조정 술식은(Kerstein & Wright, 1991; Kerstein, 1992; Kerstein, 1993), T-Scan 8 컴퓨터 교합 분석 기술로부터 모아진 객관적인 정보를 따르는 일련의 재현가능하고 정교한 단계에 근거한다. 이 과정은 교합 종점으로 알려진 생리현상을 수량화함으로써 교합력과 타이밍 데이터가 측정되고 이를 기반으로, 객관적으로 착수된다. ICAGD는 환자의 습관적 폐구에 의한 MIP 위치 내에서 이루어진다. 데이터 수집과 치료는 의원성 하악 조작이나 재위치없이 환자가 자연적으로 또한 최적화하여 기능하는 위치를 근거로 한다(Kerstein, 1992; Kerstein, 1993).

ICAGD 치관성형 술식은 전통적인 교합 평형과 현저히 달라서, ICAGD는 CR보다는 MIP에서부터 만들어지는 편심위 운동과 연관된 힘과 타이밍의 정교한 측정을 포함한다(Kerstein, 1993).

또한 ICAGD는 근신경적 접근과 달라서, 환자는 TENS에 의해 결정되는 하악 관계가 아닌 MIP 위치에서 치료받게 된다. 근이완은 일시적인 이완 상태로 만드는 외부의 전기 자극에 의해서가 아니라 환자 자신의 생리에 의해 얻어진다(치료 전후를 같이 기록하여 확인)(Kerstein, 1993; Kerstein, 2004; Kerstein & Radke, 2012).

중요한 것은, ICAGD가 치료-전 모델과 교합된 모델에서 구강으로 전달된 알 수 없는 조정에 의존하지 않는다는 것이다. 기록된 치료-전 T-Scan 데이터는 치관성형술을 구강내에서 시행하도록 안내하고, 수정의 정교함을 즉각적으로 교합 변수로 평가하여, 측정할 수 없는 교합 조정의 주관성을 모두 배제한다.

ICAGD 술식은 이개 시간(DT)의 측정을 중심으로 진행된다(Kerstein & Wright, 1991). DT는 구치부가 하악 편심위 동안 *마찰에서* 완전히 해방되는 데 필요한 *시간의 크기*를 측정한다(Kerstein, 1993). 이런 타이밍 측정은 오직 T-Scan 시스템으로만 기록될 수 있다. 환자가 MIP로 자가-폐구 후 MIP에서 2초간 치아를 유지하고 하악 치아가 상악 치아를 가로질러 문지르면서 외측 편심위 운동을 개시하는 동안 삽입된 T-Scan 8 센서가 연장된 구치부 마찰 연루 지속-시간을 기록하여 수량화하고, 이렇게 하여 모든 편심위

표 1 전통적인 CR 교합 평형 vs. ICAGD 사이의 차이

	교합 평형	ICAGD
장비	교합지/Shim stock	교합지/T-Scan 8
교합기	필요	N/A
진단 모형	필요	N/A
치료전 장치(스플린트) 권유	○	N/A
목표	유도된 CR 폐구	측정성 즉시 후방 이개
초기 조정 단계	CR(유도된 폐구)	유도되지 않은 폐구에 의한 편심위 운동
폐구 위치	CR-CO 일치(유도된 폐구)	CR 전방의 CO 및 종종 치료전 MIP(비유도성)
측방간섭의 중요성	해당 치아에 잠재적인 유해력	PDL의 연장된 압착시간이 근과활성을 유발
전방 유도 타이밍의 중요성	비측정성	측정성, 즉시 & 수량화될 것(편심위 당 0.41초 미만)
대구치 접촉량의 변화	증가	감소
수량화된 특정 교합 종점	×	○
측정 가능한 재현성	×	○
저작근에의 효과	다양한 효과	유의성있게, 교근 및 측두근의 과활성 감소
PDL에의 영향	중요 인자로 고려되지 않음: CR로의 위치가 가장 중요	ICAGD 치관성형술로 치료되는 가장 중요한 구조체

마찰성 상호작용이 기록된다. 이 프로토콜에서, 교합 시간(폐구 시 만들어진 1번째 접촉부터 정적이고 완전한 교두감합의 처음 순간까지 측정된 지속 시간; 최적의 OT는 0.2초 이하)(Kerstein & Grundset, 2001)과 이개 시간(편심위 동안 구치부가 완전히 마찰에서 해방되고 전치만 독점적으로 남아 편심위를 조절할 때까지 측정된 지속 시간; 0.4초 이하가 최적)을 숫자로 수량화할 수 있다.

Kerstein은 연장된 DT가 근육성 통증 및 증상과 복잡하게 연관된다는 것을 반복적으로 주장하였다(그는 2008년 ICAGD를 시행한 이후 DH가 근육성 증상과 자주 동반됨을 반복적으로 관찰하였다). 게다가, Kerstein은 정교한 생리적 교합 종점을 획득하기 위해 T-Scan 기술을 사용하여 ICAGD 조절 술식이 적절하게 시행되면, 근육성 증상이 쉽게 해결되어 장기간 무증상으로 유지될 수 있다고 하였다(Kerstein, 1993; Kerstein, 1995). ICAGD를 경험한 102명 환자의 9년 리콜 연구에서, 대상 그룹의 근육성 TMD 증상 감소가 통계적으로 유의성이 있고 치료 후 2-9년 동안 유지되었다(Kerstein, 1995).

ICAGD는 바람직한 *이개 시간 감소(DT reduction, DTR)*를 임상적으로 성취하는 치관성형 술식이다. T-Scan 시스템은 연장된 편심위 치아-대-치아 교합면 마찰 상호 작용을 분리하고 정교하게 수정하여 감소시킬 수 있도록 술자를 돕는다. 전치 간 결합(anterior tooth coupling)이 부족한 임상 증례에서, 과다한 치관성형술로 연루된 구치부 손상 없이 후방 마찰 지속 시간을 적절하게 축소시킬 수 없다. 비-접촉성 전치를 결합시키기 위해 추가적인 수복 술식으로 전방 개방 접촉을 변경하는 것이 필요할 수 있고, 대안적으로 교정적 치아 이동을 사용할 수도 있다. 수복적 추가는 편심위 마다 구치부의 해방 시간이 0.5초 이하가 되도록 전방 유도 접촉 배열을 구축하는 것을 돕는다(Kerstein, 1992). 수복으로 덧붙이는 것만으로는, 일반적으로 구치부를 0.5초 이하로 이개시킬 수 없음을 숙지해야 한다. 이런 정교한 치료를 달성하기 위해서, 임상의는 접착성 추가 후 바로 ICAGD 치관성형술을 시행해야만 한다.

ICAGD 동안 치아에 표시하기 위해 교합지를 사용하지만, 술자는 주관적으로 교합지 자국을 해석하지 말고, 디지털 데이터에 나타난 치아를 교차 시험하는 용도로만 사용해야 한다. 이것은 중심과 편심 운동 모두에서 존재하는 가성의 "높고", "낮은" 힘 접촉을 조절하는 임상의의 편견을 상당히 감소시킨다. 임상의는 재내원시의 T-Scan 데이터와 상호 참조되는 반복적인 교합지 자국을 겨냥하여 극소의 교합 조정으로 객관적이고 예견성있는 바람직한 치료 후

DTR을 성취할 수 있다(Kerstein, 2010). 전형적으로, 편심위마다 DT를 0.5초 이하로 감소시키기 위해 편심위를 우선적으로 조정하고(우측, 좌측, 전방), 후에 OT를 0.2초 이하로 달성하기 위해 필요한 조정을 시행한다. 보통 편심위 교합 조정이 0.5초 이하로 적절하게 개선되면, OT는 자동적으로 0.2초 밑으로 떨어진다.

편심위 DT는 거상근 활동 크기를 증가시키고 (연장되었을 때) 조절하는데 (편심위 마다 0.5초 이하로 적절하게 단축되었을 때) 굉장히 중요한 것으로 보인다(Kerstein & Wright, 1991; Kerstein & Radke, 2006; Kerstein, 2010; Kerstein & Radke, 2012). 저자의 경험상, 이런 연장된 편심위 타이밍은 활동성 DH 증상과도 지속적으로 연관될 수 있다. 과다한 마찰성 연루는 근과활성을 일으킬 뿐만 아니라, 치아의 외측 굴곡도 증가시킨다. 이런 굴곡은 연장된 편심위 마찰성 교합면 연루와 동시에 발생하는 연장된 PDL 압축으로 유도된 근육 과부하에 의해 발생한다(Kerstein, 1992; Kerstein, 2010; Kerstein & Radke, 2012).

*시간 경과에 따른 치아 굴곡 및 변형*은 치관 및 치근의 상아질 노출뿐만 아니라, 치경부의 법랑질 파절에 기여하고(Osborne-Smith, Burke, & Wilson, 1999), 이런 굴곡파절 병소는 DH 증상과 연결된다(Mayhew, Jessee, & Martin, 1998; Ikeda, Nakano, Bando, & Suzuki, 1998). 이런 과다한 측방 굴곡 또한, 굴곡파절 질환 과정 진행에서 관찰되는 상아질 노출에 앞서서 임상적으로 나타나는 *FDH 합병 증상의 원인*일 것이다.

제9부: 상아질 지각과민증의 진단과 전통적인 임상 관리
상아질 지각과민증의 진단
DH는 전형적으로 유사한 증상을 보이는 다른 가능성 있는 원인들을 하나씩 지우면서 찾아가는 배제의 진단이다(Hypersensitivity C.A.B.O.D. 2003; van Loveren, 2013). 그러므로, 임상의는 정확한 DH 진단을 내리기 위해서, 짧고 날카로운 상아질 통증의 일반적인 원인을 *배제*해야만 한다.

DH와 유사한 다른 가능한 상태
- 상아질 노출을 유발하는 치아의 깨짐, 균열, 파절.
- 수복 실패.
- 생활치 미백 처치-후 민감성.
- 잘못 위치된 치아 핀.

- 충치 및/혹은 수복 치료에 대한 비가역적 및 가역적 치수 반응.
- 치아 와동 형성 동안 다양한 약제의 부적절한 도포.
- 종종 광범위하게 수복된 치아에서의 치아 균열 증후군.
- 치아의 급성 교합 과다-기능.
- 구개치은 고랑(groove)과 다른 법랑질 함입부.
- 수복물 마진의 수로 형성 및 레진의 표면 마모.
- 미세유출을 유발하는 상아질 합착제의 잘못된 적용.
- 충치.
- 적절한 절연이 없는 금속성 수복물.
- 선천적으로 개방된 CEJ.
- 법랑질 형성부전.
- 조직 소실과 퇴축을 유발하는 어떤 치주 상태.
- 비전형적인 안면 치과 시술.
- 일시적인 수복 처치-후 민감성.

보통 단독적인 DH의 병력은 임상적으로 혼동되기 쉽다(Davies, Gray, Linden, & James, 2001; Porto, Andrade, & Montes, 2009). 앞서 언급한 것처럼, 생활치 미백은 가역적인 치수염을 유발할 수 있다(Byers, 1985; Swift, 2005). 그러므로, DH를 호소하는 환자에게 미백의 경험이 있는지를 확인할 필요가 있다.

DH의 임상적 진단 테스트
전통적으로, 치과의사는 DH 반응을 유발하기 위해 탐침이나 체어의 공기 분사를 이용하여 노출된 치근면을 검사한다(Gillam & Orchardson, 2006). 임상의가 DH를 평가하고자 할 때 조절되지 않는 공기 분사로는 지속적인 결과를 얻을 수 없기 때문에, Coleman은 각 환자의 DH 역치 반응을 판단할 수 있는 새로운 "공기 지표법"을 발표하였다(Coleman & Kinderknecht, 2000). 치근 0.5cm 거리에서 치아 장축에 대해 45° 각도로 0.5-1초 동안, 조절된 실온의 공기를 분사하여 치아의 DH 반응을 예견성있게 등급화한다. 이제까지 분사된 공기 연구는 조절되지 않은 공기의 양을 길게 다양한 양으로 분사하여 훨씬 주관적으로 성취되어, 상아질을 탈수시키고 비지속적이고 의원성으로 유도된 DH 반응을 야기하게 된다. 치경부 DH을 진단하는 공기 지수 방법의 자세한 설명은 9장에서 찾아볼 수 있다.

탐침을 사용하는 다소 비지속적이고 촉각적인 자극은 의

심스러운 DH를 진단하는 데 이용할 수 있는 가장 간단하고 빠른 방법으로 여겨진다(Gillam & Orchardson, 2006). 모든 검사 자극 중에서, 냉자극이 가장 문제적인 DH 자극으로 보고되었고, 일상적으로 사용된다. 차가운 물이 (따뜻한 물보다 더) 매우 지속적인 DH 반응을 이끌어내는 것으로 보인다(Brännström, 1966; Kleinberg, Kaufman, & Confessore, 1990; Addy, 2000; Walters, 2005).

알려진 자극에 반응하는 DH 통증의 심도는 진단적으로 몇 가지의 주관적인 통증 평가법에 의해 수량화된다(Holland, Narhi, Addy, Gangarosa, & Orchardson, 1997; Gillam & Orcardson, 2006):

- 환자에 의해 약, 중, 강으로 표현되는 구두 기술 척도(Verbal Descriptive Scale, VDS).
- 행동 평가 척도(Behavior Rating Scale, BRS).
- 시각 통증 척도(Visual Analogue Scale, VAS).
- 점수식 척도(Numerical Scale, NS).

이 중에서, VAS가 VRS(Verbal Rating Scale, 구두 평가 척도)와 비교하여 임상적으로 가장 신뢰성 있는 통증 평가 방법으로 보인다(Banos, Boshch, Canellas, Bassols, Ortega, & Bigorra, 1989). 그러나, 다른 연구에서는 VAS와 VDS가 TMD 통증의 불확실하고 주관적인 평가라고 하고, NS가 가장 객관적인 통증을 설명한다고 하였다(Le Resche, Burgess, & Dworkin, 1988).

노출된 상아질과 개방된 상아 세관을 가진 치아의 DH에 대한 전통적 치료

DH 증례의 대다수는 치은 퇴축과 치아 부식 때문이라고 생각된다(Strassler, Drisko, & Alexander, 2008). 제안된 병리가 결여된 것으로 보이는 경우는 지나치게 긴 마찰성 교합 접촉이 퇴축과 부식에 잠재적인 영향력을 미칠 수 있을 가능성이 있다. 이론적인 원인과 상관없이, 전통적으로 주장되는 두 가지의 주요 치료 옵션은 신경을 둔감하게 하는 것(자극에 덜 반응하게 만드는)과 상아 세관을 막는 것(유체 흐름을 예방하는)이다(Marvin, 2008).

- **신경 둔감화**: 치수 신경 감각 활성에 영향을 미칠 수 있는 칼슘 이온의 농도를 증가시키는 이온 확산에 의해 이루어진다(Ling & Gillam, 1996; Porto, Andrade, & Montes, 2009). 전형적으로, 필요한 이온 확산을 위해 일반 의약품과 탈민감성 치약을 치아 표면에 적용할 수 있다.
- **개방된 상아 세관을 덮는 폐쇄 치료**: 연루된 치아 안팎으로의 유체 흐름을 예방하는 것이다(Pashley 1986; Porto, Andrade, & Montes, 2009). 불소, 수산염, 염화물을 함유한 약제가 전문가적 탈감작 치료로 적용된다.

Paine 등은 불소, 질산 칼륨, 아세트산 스트론튬을 함유한 가글액이나 치약을 집에서 사용하면 DH를 감소시키고 충치를 예방할 수 있다고 하였다(Paine, Slots, & Rich, 1998). 그러나, 이와 대조적으로, 다른 연구는 불소 치약이 널리 사용되고 있음에도 불구하고 DH의 상당한 감소가 없다고 보고하였다(Gillam & Orchardson, 2006). DH가 심하지 않는 경우는 (최소 일시적으로) 위의 나열된 전통적인 치료에 반응하는 것으로 보인다.

저자의 경험과 임상적인 관찰에 의하면, 노출된 상아질의 존재 여부와 상관없이 FDH의 증례에서 전통적인 치료가 비효과적일 때조차도, ICAGD 치관성형술로 이개 시간 감소(DTR)를 획득하면, DH 합병 증상이 종종 개선된다. 아마도 T-Scan에서 OT가 0.2초 이상, DT가 0.5초 이상이고, EMG 데이터로 저작근 편심위 과활성이 보이면 시행해 볼 수 있다. 이런 임상 발견을 FDH 예비 연구(뒤에 서술)의 결과와 결합하면, 과다하게 긴 교합면 마찰성 연루가 DH의 원인이라는 것과 ICAGD 치관성형술이 DH 증상에 대한 실행가능하고 예견성있는 치료 선택이라는 전제를 지지한다.

상아질 지각과민증 치료에서 ICAGD 사용을 위한 진단 기준

다음의 진단 기준은 임상의가 ICAGD를 DH 치료에 이용할 건지 결정하는데 도움이 될 것이다.

- DH 합병 증상의 만성적 병력.
- 차가운 물에 대한 양성 반응(일시적이고 날카로운 통증).
- DH와 교합근 장애(Occlusal Muscle Disorder, OMD)에 대한 FDH/DTR 평가 질문지(하방).
- 노출된 상아질 유무와 상관없이, 이전의 전통적인 DH 치료에 반응하지 않는 경우.
- DT가 0.5초 이상이고, DH 치아가 연장된 편심위 접촉을 보이는 경우.
- OT가 0.2초 이상(첫 치아 접촉부터 정적인 교두감합 상

태에 이르기까지 측정된 시간).

제10부: 마찰성 치아 지각과민증 처치에 대한 컴퓨터 교합 분석과 치료

이번 장의 이 부분은 마찰성 교합 요소가 FDH 증상 발현의 핵심이 되는 예비 연구를 설명할 것이다. 이 연구는 비-주관적인 정교한 *컴퓨터-유도* 교합 조절로 치료한 교합이 DH 증상을 예견성있게 해소할 수 있는지 설명한다. 이 연구는 아직 발표되지는 않았지만, 이번 장은 저자의 T-Scan 유도 DH 치료에 대한 1번째 보고가 될 것이다.

이번 연구의 특정 목표는 DH를 ICAGD 치관성형술만 단독으로 사용함으로써, 환자의 FDH 개선과 연관성을 보여주기 위해 시도하는 것이다. ICAGD 치료에 의한 교합과 근육 향상을 T-Scan 8/BioEMG Ⅲ 동기화 모듈(Tekscan, Inc., S. Boston, MA; Bioresearch Assoc., Milwaukee, WI, USA)로 추적 관찰하였다.

FDH 연구의 탄생

저자는 일반 치과 처치에서, 교합-근육 장애 환자에게 DTR을 성취하기 위해 ICAGD 치관성형술을 시행하였을 때, high speed bur, 물과 공기 관주로 시행한 초기 조정 후, 환자가 *DH와 일치하는 짧고 날카로운 통증의 순간을 경험*하게 되는 것을 종종 볼 수 있었다. 치료-전 노출된 상아질의 유무에 상관없이, 이런 초기 조정 후 동일 환자가 다른 T-Scan 유도 편심위 마찰 수정을 받게 되면, 동일한 high speed bur, 물, 공기 관주를 사용했음에도 불구하고 *DH 증상이 종종 치료-중에 없어지기도 한다.* ICAGD 술식이 진행되면서, 많이 환자들이 불과 몇 분 전과 달리 바람과 물에 대한 불편감이 더 이상 느껴지지 않는다고 진술하였다.

연이은 리콜 약속에서, 이런 많은 환자들은 근육성 TMD 합병 증상의 현저한 개선뿐만 아니라, *DH 합병 증상 발생의 엄청난 감소*를 보여준다. 많은 환자는 DTR 치료 후 증상이 감소될 때까지 그들이 DH 증상을 가지고 있다는 것을 의식적으로라도 깨닫지 못하기도 한다. 어떤 환자들은 DTR 치료 전에 마음 편히 먹을 수 없었던 차가운 음료수를 마시고 아이스크림이나 아이스캔디도 먹을 수 있다고 한다. 이런 2년 주기의 반복적인 임상 관찰로 저자는 만성적인 DH 합병 증상에 대한 DTR의 효과를 평가할 수 있는 예비 연구를 착수하였다.

재료 및 방법

진행성의 DH 증상을 가진 32명의 환자에게 이 연구에 참여해달라고 부탁하였다. 이 연구는 16-75세의 남성 및 여성 환자에 대해 6개월이 넘는 기간 동안 시행되었다.

대상자 포함 기준은:
- 진행 중인 DH 증상(찬 물에 대한 순간적인 날카로운 통증)
- 전방 접촉이나 근(near)접촉을 가진 Class Ⅰ 교합
- 치아 우식증, 최근 수복, 치주적 문제의 결여
- TMJ 과두걸림의 병력 부재
- 수직적 개구량 30mm 초과
- 관절 진동 분석(JVA, Bioresearch Assoc., Milwaukee, WI. USA - 6장 참조)으로 진단된, popping이나 clicking에 한정된 임상적 TMJ 결과를 수반하는 Piper 분류 1, 2, 3a, 3b, 4a(Droter, 2005)
- 교합-근육 장애 만성 합병 증상의 병력

대상자 배제 기준은:
- 전치부 접촉이 약하거나 개방 교합을 가진 Class Ⅱ, Ⅲ 부정교합
- 커다란 견치 개방 접촉
- 심한 수직피개
- 치주 판막 수술을 받은 경험이 있는 환자
- 확인되거나 의심되는 치아우식증, 치수 연관 혹은 치주적으로 약화된 치아
- JVA와 임상 데이터 해석으로 진단된 Piper 분류 4b, 5a, 5b(전형적으로 불안정하고 적응된 TMJ를 나타내는 분류)
- 수직적 개구량 30mm 이하
- 개구 시 상당한 편위와 공존하는 안면 비대칭
- 예전의 TMJ 수술 경험

포함 기준을 충족시키는 잠재적인 참가자에게 어떠한 교합 치료를 시행하기 전에 DTR과 ICAGD(Kerstein, 1992; Kerstein, 2010)의 알려진 합병증에 대해 설명하고, 그 후 그들에게 동의서에 서명하도록 하였다. 그들에게 ICAGD에 관해 술자에게 질문할 기회를 부여했고, 어떠한 이유라도 연구 참여를 거부할 수 있는 기회도 제공하였다.

FDH/DTR 평가 질문지: DH와 저작근 과활성에 대한 환자의 주관적 인지를 평가하기 위한 시각 통증 척도와 점수식 척도 (VAS/NS) 혼합 사용

얼음물에 대한 환자의 신속하고 순간적인 DH 반응과 잠복성의 저작근 과활성 증상을 측정하기 위해, 저자는 치아 민감성 통증 척도(VAS와 NS의 통합)와 근육 과활성이 결합된 질문지를 고안하였다(부록 참조). FDH 연구는 ICAGD/DTR 치료에 대한 환자의 지각과민성과 저작근 해소를 함께 평가하기 위해 비-치료일 진단 척도, 치료-전 척도, 치료-후 결과 척도를 완성한 대상자를 포함하였다.

ICAGD/DTR 치료에 의해 얻은 이익을 확인하기 위해, 얼음물을 5초간 적용하는 테스트에 수반하여 치료-전 질문지가 주어졌고, 치료-후 경과 관찰 재평가 도구로 같은 테스트와 같은 질문지가 제공되었다.

이 질문지의 1번째 부분(A)은 VAS/NS를 사용하여 얼음물 적용에 기초한 DH의 주관적인 평가를 결정하는 것이다. 초기 진단 얼음물 적용 후, 치료 시행 당일 ICAGD/DTR을 시작하기 몇 분 전에 2번째 얼음물 테스트를 시행한다. 이 반복 테스트로 앞선 DH 반응과 비교하여 환자 자신에 의한 조정 여부를 확인한다. 3번째 얼음물 테스트와 질문지는 치료 당일 치료-후 주어져, ICAGD/DTR 치료 시행 후 환자의 상태를 재-평가하고, 가능하다면 수주 혹은 수개월 후에도 실시한다.

질문지의 2번째 부분(B)은 저작근 과활성을 포함하는 교합과 연관된 질병의 증상이나 증후가 있는지 확인하는 것이다. 3번째 부분(C)은 컴퓨터-지원 교합 조정 치료에 반응하지 않을 것 같은 신경치료 질환이나 관절낭 내 질환과 같은 치과적 관련성을 입증하기 위한 것이다. DH가 있고 (B)부분에서 "예"가 많이 나오는 동시에 (C)부분에 해당사항이 적으면, JVA, 근촉진, ROM 평가, 교합과 DT에 대한 T-Scan 8/BioEMG Ⅲ 기록으로 구성된 추가적인 평가를 시행하여 연구에 대한 그들의 적용 가능성을 확인한다.

관절 진동 분석(JVA)

JVA(Joint Vibration Analysis, Bioresearch Associates, Milwaukee, WI, USA)는 기능하는 동안 연골성 TMJ 디스크의 건강을 평가하는 TMJ 검사 도구이다(6장 참조). JVA는 TMJ 내의 진동을 기록하여, 분석을 위한 전매 소프트웨어에서 보여진다(그림 4). 적은-진동은 일반적으로 건강한 관절낭 내 연골과 일치한다. 진동-가득한 측정값은 덜 건강한 TMJ 연골을 암시한다. 이런 데이터는 TMJ 손상의 알려진 단계(실제적인 TMJ 수술로 확인한) 및 Piper의 TMJ 분류와 연관성을 가진다(Ishigaki, Bessette, & Maruyama, 1994; Droter, 2005). 기록된 진동값은 임상의의 다양한 TMJ 상태 진단을 지원하는 흐름도에 상호 참조가 된다.

JVA는 어떤 임상 치료를 시작하기 전에 TMJ에 존재하는 연골 손상 여부를 판단하는 효과적인 방법으로 생각된다(Mazzeto, Hotta, & Mazzetto, 2009). 안정적이고 적응된 TMJ의 디지털적으로 입증된 세트 덕분에, 이 검사는 중요하게도 대상자의 교합이 교합 변화를 예견가능하게 유지할 가능성을 결정하는 데 도움이 된다. 양쪽 TMJ가 내부 구조 손상이 거의 혹은 아예 없다면, 디스크는 안정적이고 적응되었을 것이고 임상의는 아마도 ICAGD 술식을 예견가능하게 성공할 수 있을 것이다. 만약 디스크가 불안정하고 적응되지 않았거나 구조적 손상이 연조직 변위 유형을 넘어서 진행되었다면(JVA 해석에 근거하여), 변화된 교합은 문제가 될 잠재성을 가지고 있다. 여기서 TMJ는 개조될 것이고, 디스크의 구조적 적응이 일어나는 동안 결과적으로 개폐축(hinge axis)이 변화하여, 시간의 흐름에 따라 하악 폐구와 편심위 경로가 변경되면서 교합 또한 변하게 된다. JVA 기록의 예시는 그림 5에 나와있다.

근촉진

측두근의 윗힘살과 교근의 표층힘살의 구외 촉진처럼, 외측 익돌근의 아랫가지 끝을 구내로 촉진하는 것이 연구 프로토콜과 저작계 검사에 포함되어 있다(Jerjes, Upile, Abbas, Kafas, Vourvachis, & Hopper, 2008; Tarantola, Becker, Gremiilion, & Pink, 1998). 촉진은 단연코 근막 통증 민감성을 평가하는 가장 흔한 방법이다(Ekberg & Nilner, 2006; Tarantola, Becker, Gremiilion, & Pink, 1998). 그러므로, 연구 프로토콜 내에서 저작의 거상근과 부가적 근육(목근육 포함)을 촉진한다. 주관적이더라도 압통 반응은 근육 이상을 높게 암시하는 것으로 고려된다(그림 6, 7, 8).

운동 범위(Range of Motion, ROM)

각 환자의 수직 운동 범위를 수동으로 측정하여 얻어진다. 30mm를 초과하면 연구에 포함되나, 40mm 초과가 최적으로 간주된다. 완전 개구까지 편위가 유지되지 않는 한, 개구

그림 4 JVA 헤드셋이 TMJ 양측에 위치되어, 양 TMJ 캡슐에서 방출되는 진동 에너지를 포착한다

과정 동안 일어나는 편위는 문제성으로 간주되지 않는다. 완전 개구 편위는 ICAGD/DTR 치료로는 예견성있게 해결될 것 같지 않은 관절낭 내 장애가 있을 가능성이 높다.

T-Scan 8/BioEMG Ⅲ 평가

T-Scan 8/BioEMG Ⅲ(그림 9)는 교합 접촉 양상과 (최소한으로) 교합 접촉에 반응하는 양측 교근과 전방 측두근 활동 반응을 측정하기 위해 사용된다. 간혹 근육성 TMD 치료 시, 저작의 부가적 근육도 EMG를 사용하여 연구된다. 부가적 근육은 양측 흉쇄유돌근, 이복근, 승모근을 포함한다. FDH 치료-전 분석에서, 저자의 경험에 의하면 오직 교근(MM)과 측두근(TA)만 분석하면 된다.

T-Scan/EMG 통합 시스템을 진단학적으로 사용하여, 편심위 근육 과활성의 존재를 확인한다(Kerstein, 2004; Kerstein, 2010; Kerstein & Radke, 2012). 과활성된 편심위 EMG 데이터는 정상에 가까운 JVA 해석, 촉진에의 근육 압통, 30mm 초과의 ROM, 노출된 상아질 유무와 상관없는 FDH를 암시하는 FDH/DTR 평가 질문지와 결합되어 ICAGD/DTR 치료 시행의 필요성을 확인해 준다. 이런 특별한 기준을 충족시키는 환자는 예비 연구에 포함되고, 궁

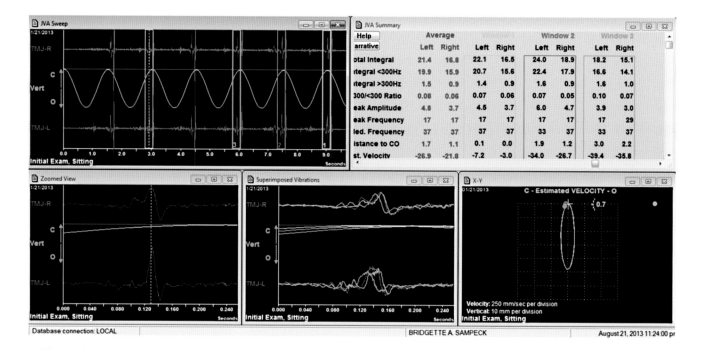

그림 5 Sine 파동의 고점(녹색의 C로 표시된)은 완전 교두감합을, 저점(녹색의 O로 표시된)은 최대 개구를 표시하는 치료-전 JVA 기록 예시. 이 폐구는 6회 반복되고, 파형 에너지의 평균이 JVA 소프트웨어 내에서 컴퓨터로 계산된다. 이 기록은 우측 TMJ가 정상 범주 내에 있고, 좌측 TMJ 진동은 인대 이완 혹은 정복 시 부분적 디스크 변위가 있음을 보여준다. 심각한 내장증이 없기 때문에, 환자는 예비 연구에 포함되었다

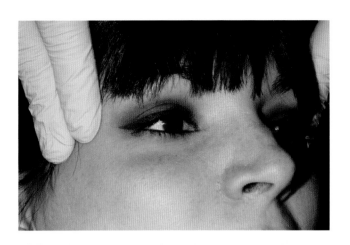

그림 6 좌우측 전방 측두근의 구외 촉진

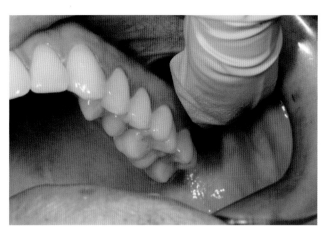

그림 8 좌측 외측 익돌근의 아래힘살의 구개 촉진. 압통은 저작근 과활성 환자에서 흔하게 나타나고, 종종 뒤따르는 ICAGD/DTR 치료로 해소된다

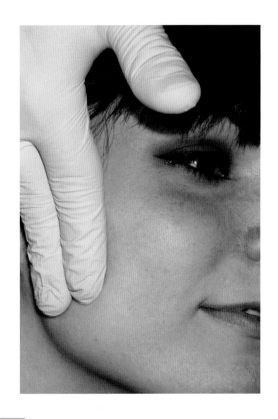

그림 7 우측 표층 교근 촉진

극적으로 ICAGD 치관성형술을 받게 된다.

T-Scan 8/EMG 동기화 모듈 해석

그림 10a와 10b는 그림 5의 JVA 데이터와 같은 환자의 T-Scan DT 데이터와 동기화(그림 10a, 10b; 좌측 구획)된 Bio-EMG 근활성 데이터(그림 10a, 10b; 우측 구획)의 예시를 보여

준다. T-Scan 2D, 3D ForceView(T-Scan 위쪽 구획)와 측두근 및 교근 EMG 수평바 그래프(EMG 아래쪽 구획) 모두는 특정한 기록 순간을 설명한다. 반면에, T-Scan의 힘 vs. 시간 그래프(T-Scan 아래쪽 구획)와 EMG 위쪽 파형 부분은 우측 편심위의 시작과 수행되는 동안 폐구 초기부터 MIP까지 전체를 기록한다. 초기 폐구 동안, A에서 초기 치아 접촉을 형성한 후(T-Scan 타이밍 부분), 환자가 MIP에 도달하는 데 0.44초가 필요하다(A-B). T-Scan 소프트웨어는 OT가 생리적 길이(0.2초 이하)의 2배로 건강하지 않음을 보여준다. 그 후 환자는 약 1.0초간 이를 견고하게 악물고(양쪽 데이터 세트에서 선 B에서 선 C까지), 선 C에서 우측 편심위 운동을 시작한다. 편심위는 0.34초 동안 진행되고(DT = 0.34초), 그 후 전치만이 접촉하여 구치부는 접촉하지 않게 된다(선 D). C 이후의 T-Scan 힘 vs. 시간 그래프에서(T-Scan 아래쪽 구획), 환자가 편심위로 이동하기 위해 치아를 이개할 때 총 힘 발생이 감소한다(떨어지는 흑색선). 좌측 측두근이 선 C 이후에 과활성됨이 보이는 데, 하악이 반대 방향으로 편심위를 시작할 때 비-작업측 측두근이 일반적으로 선 C에서 정지하기 때문에 이것은 흔치 않은 현상이다. 환자가 짧은 좌측 편심위 DT(0.5초 이하)를 보인다면, FDH 반응을 감소시키기 위해 연장된 OT만을 치료해야 할 것이다.

T-Scan/EMG 데이터의 EMG 부분 해석

근육을 덮는 피부에 적용하는 표면 전극은 근육이 수축하

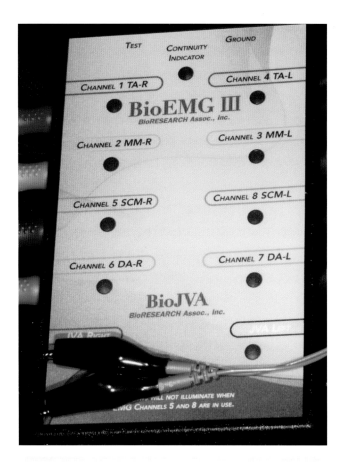

그림 9 BioEMG III 시스템으로 4개의 양측 근육 쌍의 표층힘살을 조사할 수 있다. 전방 측두근과 교근이 일상적으로 조사되고, 환자의 증상에 따라서 3가지 부가적 근육 그룹의 2개만이 조사될 수 있다

는 동안 형성되는 μV의 전기 방출을 포착한다. 휴식 상태의 근육이 일하는 근육보다 더 낮은 측정값을 보이지만, 항상 근긴장이 있어서 휴식 상태에서조차 미세-전기 방출이 있다. 일반적으로, 휴식 상태의 거상근(전방 측두근과 교근)에서 T-Scan/EMG 데이터가 8-10μV보다 적게, 부가 근육(전방 이복근, 흉쇄유돌근, 승모근)에서 2-4μV보다 적게 측정된다. 휴식 상태에서, 휴식값보다 큰 μV의 측정값이 나오면 해당 근육이 과활성되었음을 의미한다(휴식 상태가 환자 저작근의 임상적 기초선과 비-수축 상태로 간주된다).

BioEMG를 단독으로 사용하면(T-Scan 8 동기화없이), T-Scan 8과 동기화했을 때보다 약간 낮은 근활성값이 얻어질 것이다. EMG 단독으로 사용하는 것에 비해 동기화된 버전은 약간 다르게 기능하는데, 이것은 T-Scan과 동기화되었을 때 EMG 시간 커서가 T-Scan 영상 1 프레임의 시

간-폭에 일치하도록 좁아지기 때문이다. 넓은 시간-폭은 존재하는 근활동 크기의 비교적 평균적인 값을 제공하지만, 시간-폭이 좁아질수록 기록된 EMG 데이터 안에 존재하는 갑작스런 증감을 보다 면밀하게 보여줄 것이다. 이렇게, 좁은 시간-폭으로, 정점은 더 높게, 저점은 더 낮게 나타날 것이다. EMG 동기화는 옵션으로, 임상의가 T-Scan/EMG 기록의 EMG 부분을 마치 따로 기록된 것처럼 분석할 수도 있다([*Options*으로 가서, *Switch Display Mode*를 선택한다]Bioresearch Associates의 Mr. John Radke와 개인적 연락).

ICAGD 치관성형술 시행
ICAGD 술식은 7장에서 자세하게 설명되었다.

ICAGD를 위해 필요한 기구는:

- **삭제 단계(Subtractive Phase)**: 일반적으로 점진적인 방식으로 수행되고, 매 분마다 새롭고 반복적으로 기록된 T-Scan/EMG 데이터로 치관성형술의 과정과 정확성을 확인한다:
  - T-Scan8/BioEMG III.
  - 초기 치관성형술을 위한 거친 round diamond bur.
  - 최종 연마를 위한 고운 round diamond bur와 rubber cup.
  - 교합지 Accufilm II (Parkell, Inc., Farmingdale, NY, USA).

- **추가 단계(Additive Phase)**: (그림 11) 견치나 전방 접촉이 존재하지 않거나 닳아 없어지면, 보존적인 삭제 방법만으로는 DT 값을 0.5초 이하로 낮출 수 없다:
  - T-Scan 8/BioEMG III
  - Accufilm 교합지.
  - 견치 및/혹은 전치의 절단연을 새로 형성할 때 물리적 부하 저항과 함께 좋은 심미성을 보이는 레진 본딩 시스템(없거나 소실된 견치 저항 수복에 사용).

증례 보고

FDH를 보이는 환자의 교합근 장애에 대한 T-Scan 8/EMG 진단 기록
예비 연구 환자의 다음 FDH 증례 보고에서, 좌우 양측 편

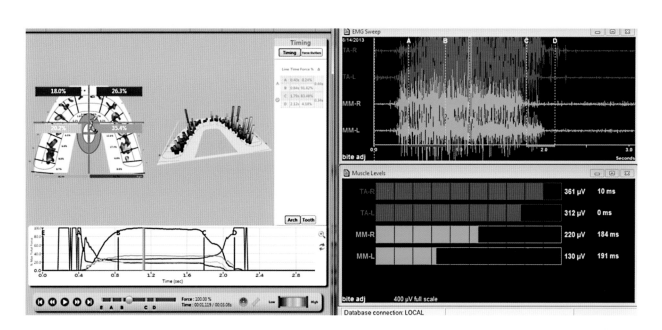

그림 10a 그림 5에 설명된 환자의 MIP에서 T-Scan/EMG(기록의 활성화 후 0.119초) 데스크탑으로, 연이은 우측 편심위 운동이 만들어지기 바로 전이다. 교합력과 타이밍 데이터(좌측)가 동기화된 EMG 데이터(우측)와 나란히 보여진다. OT가 연장되고 지속 시간이 0.44초로 다소 건강하지 않다. 그러나, 우측 DT는 0.34초로 생리적 건강 범위인 0.5초 이하로 좋다

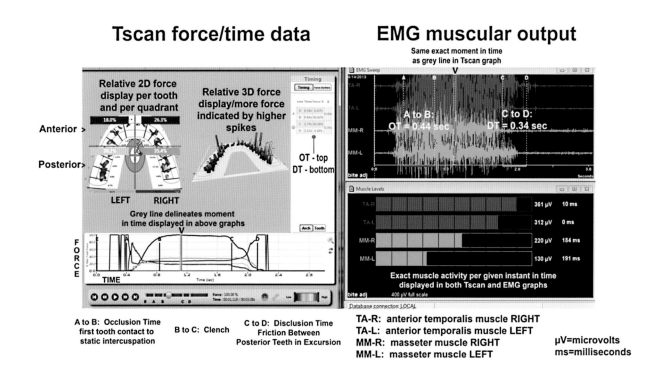

그림 10b 교합 기능에 반응하는 양쪽 교합 기능과 근반응에 대한 해석을 신속히 처리하여 표시한 그림 10a와 같은 데이터

심위를 치료하였지만 간단하게 하기 위해 우측 편심위 기능 데이터만 제시하였다. 그림과 캡쳐를 이용하여 증례를 자세하게 설명할 것이다.

데이터 수집 단계

주호소(C.C.): "보통 뺨 근육이 매우 아프고, 특히 밤에 더 심합니다. 껌을 씹거나 바삭한 음식을 먹을 수 없습니다.

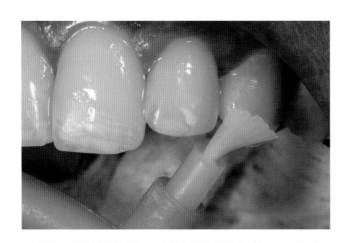

그림 11 좌측 상악 견치에 컴포짓 레진을 도포하여 더 짧은(빠른) DT를 촉진한다. ICAGD의 삭제 단계가 적절하게 완성된 후에도 DT가 0.5초 밑으로 떨어지지 않으면, 절단-협설측 컴포짓을 접착시킨다.

밤에 이를 악물고 가는 것 같습니다. 예전에 진료받았던 치과의사 두 분이 스플린트를 만들어 주셨지만, 전혀 도움이 되지 않았습니다. 가끔, 장치 장착으로 더 나빠지는 것 같습니다… 또한, 아이스크림처럼 차가운 것을 마시거나 먹기 힘들고 참기 힘듭니다. 생각하시는 것보다 아이스티나 아이스크림을 먹을 수 없어서 힘들어요!"

전신 병력: N-S

치과 병력: 15년 전 교정 치료 받음. 치주 처치 경험이나 병리는 없음. 수복 치료 필요 없음. 상태좋은 레진 수복 3개와 포셀린 크라운 1개.

질문지 및 차가운 물 적용: 치아 민감성 통증 척도(FDH/DTR 평가 질문지의 1번째 부분)에 대해, 환자는 얼음물 적용에 대해 DH 10 중 6으로 반응. DH에 대해 날카롭고 전반적인 일시적 통증이라고 묘사. 동일한 DH 반응이 진단 내원일과 처치-전 챠트에 기록되어 있음. 검사 결과 교합에 의해 FDH가 활성화되는 것으로 판단됨.

JVA 결과: 그림 13

우측 TMJ: 만성적으로 적응된 정복성 디스크 변위(DDR)가 적용되는 Piper 4a.

좌측 TMJ: 만성적으로 적응된 정복성 디스크 변위(DDR)가 적용되는 Piper 4a

노트: 최대 개구 시 나타나는 양쪽 TMJ에서 비정상적 진동, 양측성.

근촉진 결과 – 좌측 전방 측두근: 압통
우측 전방 측두근: 압통
좌측 교근: 압통
우측 교근: 정상
좌측 외측방 익돌근 아래힘살: 압통
우측 외측방 익돌근 아래힘살: 압통

수직적 ROM – 편위없는 40mm

전치의 예비 평가 – 4개의 견치 모두에서 약간의 절단연 마모 존재. 상악 견치가 하악의 대합치보다 더 많이 마모되었으나, 상아질 노출은 어느 치아에서도 발견되지 않음. #5, 30(15, 46)번 치아에서 1-2mm의 협측 퇴축이 보임.

우측 편심위 데이터 수집 기록 프로토콜

정확한 T-Scan/EMG 데이터를 얻기 전에 환자에게 MIP에서 적절한 우측 편심위 운동을 시행하도록 지시하였다. 그 후 MIP로 스스로 교합하고 그 상태로 1-2초 동안 악물도록 한 후, 구치부가 완전히 분리될 때까지 비유도성 우측 편심위 운동하여 전치만 접촉되도록 훈련하였다(그림 14-18). 생성된 데이터로 적절한 선 A/B/C/D 위치를 평가하여 교합 시간(OT, A-B 타이밍), 이개 시간(DT, C-D 타이밍), 편심위 근육 과활성(EMG 내의 C-D 사이)의 존재를 파악한다.

생리적, 효율적, 이상적인 우측 편심위 운동에서 우측 전방 측두근이 대부분의 일을 하고, 좌측 전방 측두근과 양쪽 교근은 C 이후 짧게 이완되고 편심위 운동의 나머지 내내 이완된 상태로 남게 된다.

우측 편심위 데이터 분석

이 환자의 OT는 0.2초로 상대적으로 빠르고 건강하고, 상대적 힘 비율도 전체적으로 꽤 잘 분포되어있다. 그러나, DT가 0.95초로, 환자는 좌측 교근(MM-L)과 좌우측 측두근(TA-R & TA-L)에서 압통을 가지고 있다.

환자가 MIP를 떠나 우측 편심위를 시작하면서, 과다한 마찰을 암시하는 T-Scan 3D ForceView의 좌측에 나타나는 2개의 상대적인 교합력 급증이 좌측 후방 4분악에 존재하고, 좌측 교근 활성 크기(MM-L)가 고조되었다. 우측 전방 측두근(TA-R)이 우측 편심위 동안 작용(해야)한다. 좌측 측두근이 8μV 이하로 휴식해야 하지만, 29μV까지 상승했다. 좌측 교근이 117μV로 매우 과활성되어 있고, TA-L

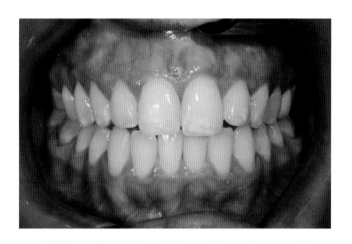

그림 12 MIP 상태의 치료-전 정면 모습

과 MM-L 모두 C 이후에 과활성된다. 이 두 근육 모두 우측 편심위 동안 쉬어야 한다.

MM-L 및 TA-L의 과활성은 편심위로 *가는 시간에* 이 지점에서 지나친 마찰이 발생하기 때문이다. 이런 지나친 과활성은 연루된 구치부의 과다한 비틀림 유연성을 유발하여, 결과적으로 FDH 증상이 유발된다.

약간 뒤에, 과다한 힘이 우측 구치에 남아 있지만, 좌측 대구치에의 마찰은 현저하게 감소한다. 좌측에서 마찰이 감소하기 때문에, 좌측 측두근처럼 교근도 상당히 차분

해진다. 그러나 이런 이완된 상태는 짧게 유지되고, 환자가 더 우측으로 운동하면서 과도한 마찰이 0.3초 이내에 다시 발생한다(그림 17).

2.408초에서, 힘의 83%가 우측 전방 4분악에 놓이는데, 이것은 긍정적인 발생이다. 그러나, 힘의 17%는 작업측 구치부에 존재하게 되고, 이로써 좌측 측두근 전기 출력이 크게 증가한다(TA-L에서 0.1초 전 11µV에서 81µV까지 증가). 좌측 교근도 출력이 살짝 증가한다(23µV). 우측 후방 4분악에 존재하는 17%의 힘은 근육 과활성의 막대한 증가와 연루된 치아의 과다한 비틀림 유연성을 유발한다.

0.5초 뒤 우측 편심위가 거의 끝나가면서 좌측 측두근이 8µV 근처 범위로 쉬어야 하지만, 대신, 후방 작업측 혹은 균형측 마찰성 연루가 없음에도 불구하고 4배에 가까운 30µV에서 머무르고 있다. 좌측 교근은 8-10µV의 휴식 상태보다 2배가 넘는 21µV를 보인다. 이런 과활성은 충분한 ATP (Adenosine Tri Phosphate)를 생산하기 위한 호기성 대사의 능력을 압도하여, 과다한 젖산 축적과 연이은 근육 허혈을 유발하여, 결국 근육성 TMD 증상의 징후가 초래된다.

진단

- 교합-근육 장애(Occluso-muscle Disorder, OMD)
- 마찰성 치아 지각과민증(FDH)

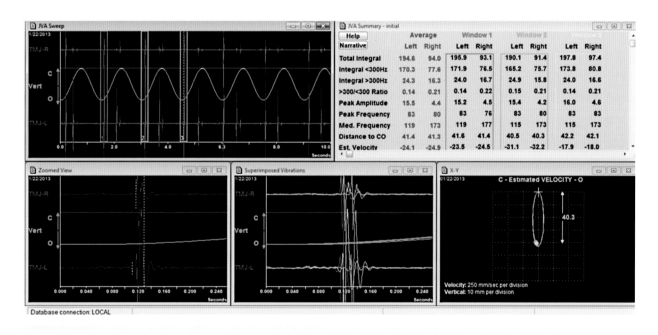

그림 13 양측성 복원성 디스크 변위(DDR)에 만성적으로 적응된 관절을 암시하는 치료-전 JVA 데이터

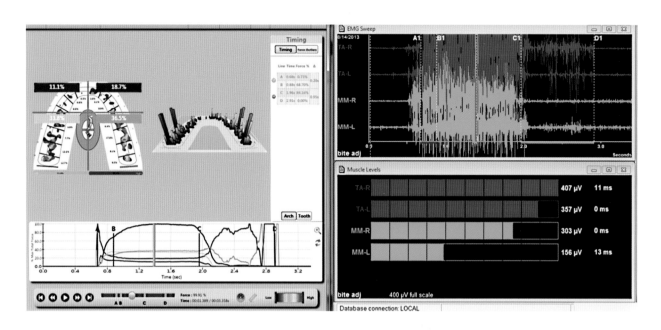

그림 14 기록 1.389초, MIP에서 우측 편심위

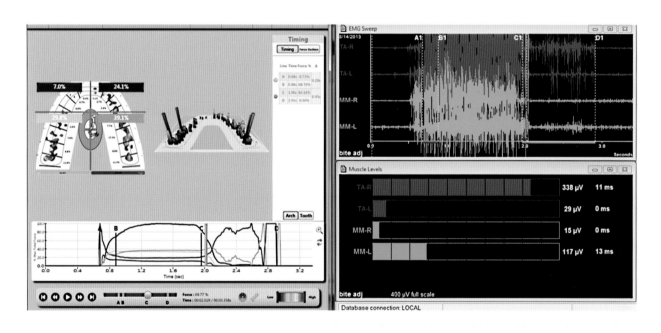

그림 15 2.019초 선 C를 막 지난 우측 편심위

삭제 단계로 ICAGD/DTR 치료 시작

치아를 철저하게 건조한 후, 환자에게 MIP로 폐구하도록 부탁하고 교합지를 문 상태로 비유도성 편심위 운동을 반복하게 한다. 그 후, 컴퓨터 데이터와 교합지 자국을 상호 비교하여 문제성 마찰 교합 위치를 구내에서 파악한다. 그 다음, T-Scan이 발견한 편심위 과다교합 접촉을 제거하여

치료한다. 임상의는 후방 반대교합이 없는 Class I 교합을 가진 환자에게 BULL 법칙(Buccal Upper; Lingual Lower)을 적용할 수 있다. 상악 대구치와 소구치의 협측 경사면 및 하악 대구치의 설측 경사면에 있는 작업측 및 비작업측 마찰 자국을 제거하여, *MIP 접촉을 본래 그대로 온전하게 남긴다.*

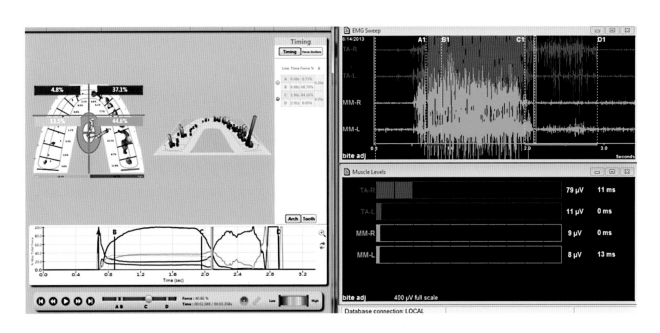

그림 16 | 2.089초 선 C에서 멀어지는 우측 편심위

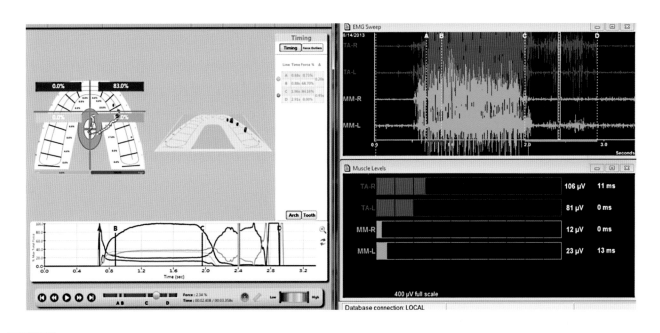

그림 17 | 2.408초 선 C에서 멀어진 우측 편심위

DT가 치료 전보다 짧고 빨라지고 힘 중심 아이콘(Center of Force, COF)이 좀 더 전방으로 이동할 때까지 몇 분마다, T-Scan/EMG 편심위 기록을 재형성하고 교합지 자국을 확인하여 부적절한 접촉을 교합 조정하면서 술식의 진행을 확인한다. 좀 더 전방에 위치한 COF가 감소된 구치부 힘 집중을 의미하기 때문에, 바람직하다. 초기 편심위

가 적절하게 이개되면, 같은 과정을 반대편 편심위 운동에서 시행하여 T-Scan/EMG 데이터를 참조하여 문제가 되는 교합지 자국을 파악한다. DT가 (2번째 편심위에서 0.5초 이하로) 짧아지고 빨라질 때까지 교합 데이터 수집과 교합지 자국을 반복적으로 시행한다. 충분히 짧은 DT가 얻어지지 않는다면, 견치에 합착하는 추가 단계를 시행하여 좌

305

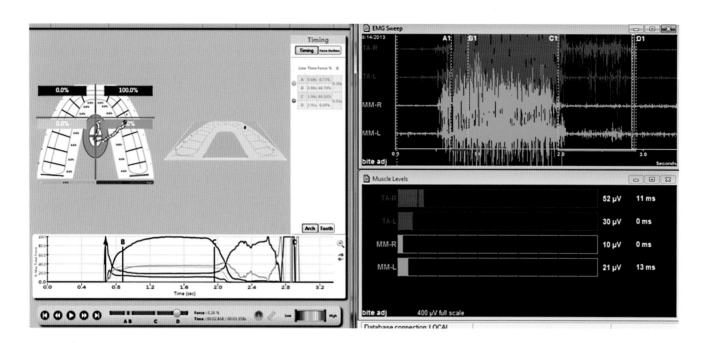

그림 18 2.9초 선 D 직전의 우측 편심위

우 측방 운동의 DT를 0.5초 밑으로 내려가게 한다. 필요한 만큼 견치 절단–설측 혹은 절단–협설측에 합착을 시행하여 DT를 0.5초 이하로 내린다.

후방 마찰 간섭을 제거할 때는 상식적으로 하는 것이 중요하다. 주어진 우측 혹은 좌측 편심위의 삭제 단계만으로 0.5초 이하의 DT를 반드시 획득해야 하는 것은 아니다. 적절하게 시행되면, 삭제 단계는 PDL 압력을 감소시키기 때문에 상하악 운동의 근육 효용성을 증가시키지만, 필요에 따라서, 전치(보통 견치)에 첨가성 술식을 추가 단계로 시행하여 DT를 더욱 감소시킨다.

추가 단계
이 증례에서, 후방 이개를 촉진하기 위해 양쪽 상악 견치에 IFL 레진을 직접 합착하였다(보존적인 삭제 방법만으로 DT가 0.5초 이하로 떨어지지 않았기 때문에). 상악 합착만으로 0.5초 이하의 DT를 얻었기 때문에, 하악 견치가 살짝 마모되었지만 레진 합착은 필요하지 않았다(그림 19a, 19b).

좌우측 편심위를 조정한 후에(그리고 레진 합착을 시행하였다면 편심위 DT를 *다시* 확인하고), 술자는 MIP 위치에서 OT를 조절하여 조정을 마무리하는데, 이 과정은 종종 극소의 개선만이 요구된다. 편심위 조정만으로 MIP 교합 타이밍이 0.2초 이하로 최적화되는 경우가 자주 있다.

이 환자는 좌우측 편심위 조정을 통해 COF가 자동적으로 살짝 전방으로 중앙화되었기 때문에, 어떤 의미있는 MIP 개량이 필요하지 않았다. 이런 전방 이동은 ICAGD의 긍정적인 결과로, 교합 조정 과정이 전통적인 CR 술자–유도 평형을 뛰어넘는 많은 차이점 중 하나이다. 후방 마찰 연류 감소로 대구치 교합 접촉이 감소하여, PDL 압력도 감소하게 되고 근육 과활성과 치아 비틀림 굴곡의 감소를 야기하게 된다. 중앙와, 변연융선, 교두첨에 남아있는 가벼운 후방 접촉이 장기간의 안정적인 ICAGD 교합 치료 후 상태를 유지하는 데 충분한 역할을 하게 될 것이다.

ICAGD 교합 조정은 적절한 diamond bur, 연마제와 cup으로 거친 면을 연마하여 마무리하고, 그 후에 처치–후 편심위 데이터를 양측성으로 기록한다(그림 20–23은 우측 편심위의 치료 후 데이터이다).

ICAGD/DTR 치료-후 당일의 우측 편심위 T-Scan/EMG 데이터
T-Scan 데이터의 타이밍 구획에, OT 0.17초, DT 0.35초가 보인다. 모두 건강 범주 내에 있다. 치료–전(그림 14)과 치료–후 MIP 데이터를 비교해보면, TA-R은 치료–전 407μV에서 치료–후 280μV로 감소하였다. TA-L도 357μV에서 260μV로 감소하였다. MM-R은 303μV에서 156μV

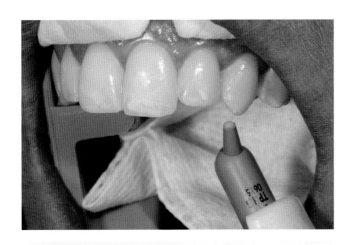

그림 19a 레진을 상악 좌측 견치의 절단측, 협설측면에 추가하여 더 신속한 DT를 얻는다

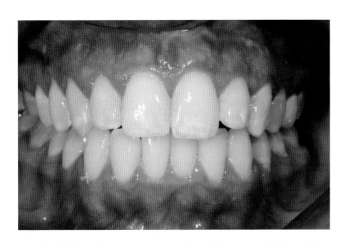

그림 19b 양측 상악 견치에 레진을 합착한 추가 단계 후 MIP 모습. 사진은 견치 레진 합착을 과장하기 위해 최종 마무리 및 연마 시행 전에 촬영하였다

으로, MM-L은 156μV에서 137μV로 감소하였다. 환자의 MIP에서 근출력이 ICAGD/DTR 조정으로 4개의 측정 근육 모두에서 감소하였다.

환자가 MIP를 떠난 후 0.01초 이내에 TA-R이 당연한 것처럼 흥분하고, TA-L은 거의 휴식 상태(8-10μV의 휴식 범위에 가까운, 13μV)를 보인다. MM-R과 MM-L은 편심 위에서 약간의 과활성을 보인다.

(그림 21보다) 0.05초 늦게 TA-R이 훨씬 조용해지고(매우 효율적인 작업), TA-L, MM-L, MM-R 모두는 휴식 상 태에 근접한다. 선 C를 지나 0.2초 이내에(~1.57초), 과다 하게 활성되지 않아야 하는 근육이 쉬고 있다.

편심위는 0.35초의 짧은 DT로 거의 끝난다. 우측 편심

위 운동을 근본적으로 책임지는 TA-R을 포함한 근육이 조 용하다. 이 환자의 "저작 기계"는 ICAGD/DTR 치료-전보 다 훨씬 효과적이 되었고, 근육은 더 이상 편심위 과활성이 없다.

효율적인 근육은 ATP를 덜 필요로 한다. 호기성 대사는 효과적인 근육에 연료를 공급하기에 충분한 에너지를 생산 하게 될 것이다. 이런 이유로, 혐기성 당분해 경로가 근육 을 위한 추가적인 ATP를 만들어 낼 필요가 없게 되고, 그 결과로 불필요한 당분해성 젖산 부산물이 감소하여 근육의 허혈 상태가 적어지게 될 것이다. 시간이 흐르면서, 환자는 과다한 젖산을 대사시켜, 수주 내에 드라마틱한 근과활성 증상 경감을 느끼게 될 것이다. 부가적으로, 이 결과로 근 육이 좀 더 이완될 뿐만 아니라 교합 전체에 걸쳐 감소되고 균형된 힘이 분포하게 될 것이고, 치아 비틀림 굴곡이 감소 하여 환자가 느끼게 되는 FDH 증상이 줄어들 것이다.

전방 운동 고려 사항

전방 운동은 전형적으로 치료가 덜 필요하지만(Kerstein & Wright, 1991; Kerstein, Chapman, & Klein, 1997; Kerstein & Radke, 2012), 전방 overjet, reverse smile line, 상당한 전 방 마모, 구치부의 mesioversion 및/혹은 tipping이 있다면 얘기가 다르다. 만약 이런 상태가 존재한다면, 임상의는 전 방 운동시 DT를 0.5초 이하로 만들어야만 한다. 위의 증례 는 앞서 언급한 어떤 상태도 존재하지 않았기 때문에, 전방 측정이 필요하지 않았다.

CR 고려 사항

이번 증례나 예비 연구에서 어떠한 환자도 CR 위치나 CR 경로 간섭을 검증하지 않았으며, 치료 프로토콜의 일부로 고려하지 않았다.

교합 스플린트 고려 사항

이번 증례나 예비 연구에서 어떠한 환자도 치료-전이나 치 료-후 모두에서 교합 스플린트를 사용하지 않았다.

치료 시간

모든 환자는 T-Scan 8/EMG Ⅲ-유도 DTR 치료를 위해 1 회의 30-60분에 걸친 ICAGD 교합 조정을 받았다.

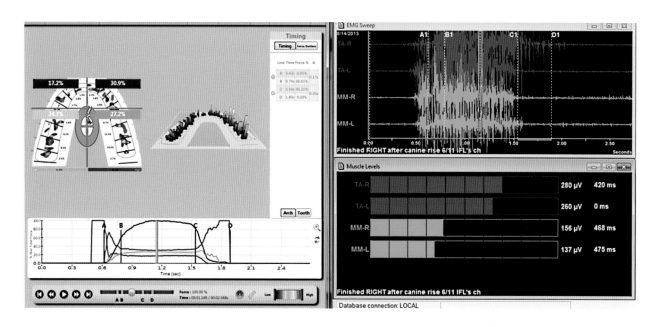

그림 20 ICAGD/DTR 치료 후 MIP에서 우측 편심위, 1.149초

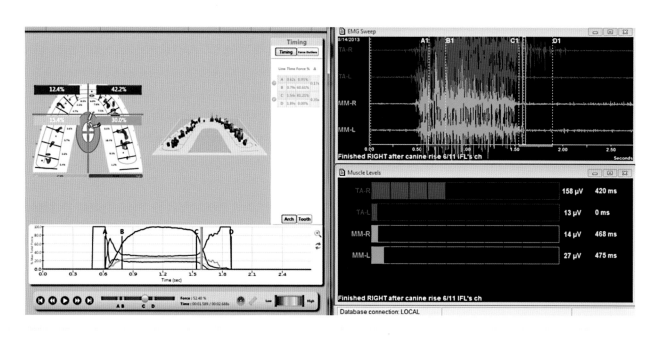

그림 21 ICAGD/DTR 치료 후 선 C를 막 지난 우측 편심위 운동, 1.589초

치료-후 질문지 및 차가운 물 테스트

6주 리콜에서, 환자들은 얼음물 테스트 후 질문지의 VAS/ NS 부분에 10 중의 1로 표시하였다. 치료-전 10 중의 6으로 표시했던 것과 비교하면 눈에 띄게 줄어든 것이다. 환자의 치료-후 언급은 "… 믿을 수 없을 정도로 부드러워지고", "… 차가운 음료수도 괜찮고요", "…더 이상 압통이 없

어요" 등의 표현을 포함하고 있다.

차가운 물 테스트의 ICAGD/DTR 치료에 대한 피실험자 그룹 반응

FDH 증상이 있는 32명의 피실험자는 ICAGD 치료-전 2회, 치료-후 1회에 걸쳐 차가운 물 테스트에 참여하였다.

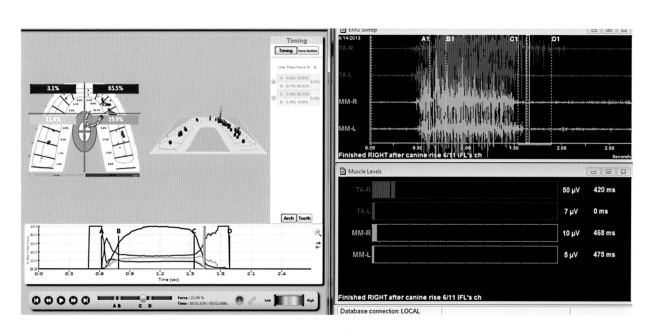

그림 22 ICAGD/DTR 치료 후 선 C를 0.05초 지난 우측 편심위 운동, 1.639초

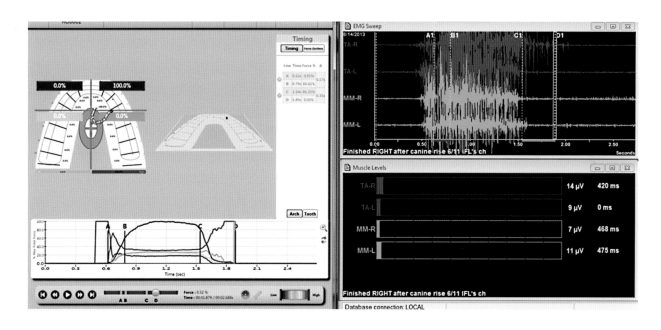

그림 23 ICAGD/DTR 치료 후 선 D 전의 우측 편심위 운동, 1.879초

그림 24의 수집된 데이터는, 목록화된 각 그룹의 평균값, 표준편차, 중앙값을 보여준다. 대상자가 주관적인 반응을 서수로 표현했기 때문에, Paired Difference test를 위한 편측의 Wilcoxon Signed Rank와 같은 비모수 통계를 사용할 필요가 있다. 비모수 통계는 데이터가 덜 정교하고(데이터가 전형적으로 주관적이고), 존재하지 않는 상당한 차이가 발견되는 제1형 오류가 야기될 가능성이 적은 것으로 추정된다. 차가운 물 테스트의 모든 데이터 값은 주관적이므로, 비모수 통계를 사용하여 통증 크기에 대한 환자의 "추측"이 덜 정교함을 추정한다(그림 24).

각 환자의 임의적인 "0"은 아마도 치료 전후가 같은 것이기 때문에, 중앙값(피실험자 그룹의 집중 경향)에 추가하여, 대조군과 그룹에 대해 주관적인 서수 반응으로 보고된 차가운 물 테스트의 평균을 산출하는 것도 효력이 있다. 표준 편차는 반응을 표현하는 그들의 능력뿐만 아니라, 그룹의 반응 추정의 변동성을 설명하는 것이다. "Paired" Wilcoxon Signed Rank Difference test를 사용하는 이유는 개별 환자가 보고한 값이 치료 전후 동일 환자가 보고한 값과 비교되기 때문이다.

32명의 치료받은 환자 그룹 내에서, 부정적인 결과가 보고되지 않았다(치료받지 않은 환자는 ICAGD 후 악화된 차가운 물 테스트 결과를 보고하였다). 치료-후 반응은 치료-전 및 대조군 반응과 통계학적으로 유의성 있는 차이를 보였다(p<0.005)(그림 24).

그림 25a와 25b는 ICAGD 치료 전과 후의 반응 분포 변화를 그래프로 나타낸 것이다. 치료-전 차가운 물 통증 반응은 0-9이고, 많은 환자들이 4-8의 범위를 보였다(그림 25a). ICAGD 치료-후 차가운 물 통증 반응은 0-3으로, 대부분의 환자는 0이라고 하였다(그림 25b).

고찰

처음으로 시행된 ICAGD/FDH 치료 연구로써, 이 결과로 다른 유사연구를 확인하거나 반박할 수 없다. 그러나, 이 예비 연구의 결과는 교합 기능이 DH 증상의 원인 역할을 한다는 결론에 도달한 다른 연구 결과(이번 장 앞쪽에 서술되었던)를 확증한다. 특히, 이번 연구는 교합면 마찰이 DH를 증진시키고 지연된 마찰 지속 치료를 목표로 하는 특별한 교합 치료(ICAGD)로 쉽게 해결된다는 것을 보여주었다. 모든 32명의 연구 대상자는 치료-후 DH 민감성 반응에 유의성 있는 감소를 보였다. 대상자들은 퇴축, 굴곡파절, 노출된 상아질의 여부와 관계없이 연구되었다. 그러나, 저자는 노출된 상아질 없이 냉자극에 민감하게 반응하는 다수의 연구 대상자를 리콜하였다.

예비 연구로 얻은 결과는 치아 지각과민증을 해소하기 위해 시도되었던 앞서 시행된 교합 치료 조사와 일치하는데(Coleman 등, 2003), 이 두 연구는 DH를 다른 방법으로 감지하고 다른 교합 조정 방법을 사용하였다. 이번 연구는 DH 민감 반응을 끌어내기 위해 차가운(얼음) 물을 사용한 반면, Coleman은 공기 지표법(Air Indexing method)을 사용

하였다. 두 방법 모두 치아가 과민한 이유에 대한 전통적인 DH 개념을 만족시킨다; 치아에 차가운 물을 적용하여 야기되는 유체 흐름 혹은 유체로 채워진 상아 세관의 건조로 야기된 유체 흐름. 이와 같이, 두 술식은 치아의 과민 반응을 평가하는 실제적인 방법으로 보인다.

이번 예비 연구에서 채택한 교합 조정 기술은 Coleman의 방법과 다르다(T-Scan 8을 이용한 습관적인 폐구 접촉과 측방 운동 마찰 치료 vs. 교합지만 단독으로 사용하여 CR을 근거로 한, 비측정성, 비-수량화된 평형). MIP에서 시행한 ICAGD의 결과는 CR 기반 교합 평형에서와 유사한 증상 해소를 얻었다. 유사한 DH 민감성 개선이 두 연구에서 얻어졌는데, 선택된 교합 위치가 증상 해소의 요소가 아니라는 논리에 부합한 것으로 보인다. 대신, 양 연구에서 시행된 교합 치료는 장기간 동안 반복적으로 저작근에 의해 가해지는 연루된 치아에 나타나는 과다한 힘을 다루었다.

DH 진행의 핵심 요소는, 과한 교합면 마찰이 과다한 PDL 압축을 유발하여 치아 구조물의 측방굴곡을 증가시키는 근수축을 직접적으로 증가시킨다는 것이다. 그러므로, FDH는 응력과 변형의 결과라 할 수 있을 것이다. 치아에 대한 물리적 및 온도 상해는 상아질의 즉각적인 물리적 변형을 유발하고, 잠재적인 상아 세관이 없어도 생물-기계적으로 신경 자극을 촉발하게 된다. 생물-기계적인 촉발은 치수 내 및 전방향성 A-beta 유수 신경 섬유의 활성을 포함할 수 있고, ICAGD가 시행된 후 피실험군에서 신속한 FDH 해결이 임상적으로 관찰된다.

장기간 반복된 비틀림과 마찰성 손상은 굴곡파절과 교합면 마모와 부위에 상아질 노출을 야기할 가능성이 있다. 마찰성 치아 비틀림 변형 동안 동시에 발생하는 마모와 굴곡파절을 악화시키는 요인은 과다한 근력이 치아에 과부하를 유발하여 PDL 기계적 자극수용기가 연장된 기간 동안 압축된다는 것이다. 이것이 PDL 압축에 의한 과다기능 저작근계의 기전이다(Kerstein & Radke, 2012).

예비 연구에서, 통계적으로 분석된 것은 아니지만, 저작근 과활성으로 구성된 근기능장애 증상의 발생과 해결에 관한 피실험자의 주관적인 질문이 있었다. 32명 환자 모두는 치아 민감성과 근육 증상의 변화를 경험할 수 있는 충분한 시간을 가진 후, 차가운 물 테스트 평가를 위해 재내원하였다. 대부분은 치아의 마찰을 제거한 후 그들의 근과활성 증상이 일반적으로 약화되었다고 하였다. 그들의 구두

Wilcoxon Signed Rank for Paired Difference

(0=no pain to 10=extreme pain)   C   P   C-P

Patient	Pre of Cold Water Swish Response	Control Cold Water Swish Response	Post-op Cold Water Swish Response	Difference	Rank of Difference	Negative Difference
01	8	8	2	6	25	
02	2	2	1	1	4	
03	3	4	3	1	4	
04	2	2	0	2	9	
05	4	4	2	2	9	
06	8	8	0	8	30	
07	8	8	2	6	25	
08	5	5	2	3	13	
09	3	3	2	1	4	
10	4	4	0	4	18.5	
11	8	8	2	6	25	
12	3	3	0	3	13	
13	4	4	0	4	18.5	
14	7	7	0	7	28.5	
15	2	2	1	1	4	
16	7	7	0	7	28.5	
17	4	4	1	3	13	
18	7	7	2	5	22	
19	3	3	0	3	13	
20	4	3	2	1	4	
21	9	9	0	9	31	
22	2	2	0	2	9	
23	1	1	0	1	4	
24	4	4	0	4	18.5	
25	2	0	0	0	0	
26	4	4	0	4	18.5	
27	4	4	1	3	13	
28	7	7	1	6	25	
29	8	8	2	6	25	
30	5	5	1	4	18.5	
31	5	5	1	4	18.5	
32	2	2	1	1	4	
Median	4	4	1			
Mean	4.65625	4.59375	0.90625		*T-positive*	*T-Negative*
SD	2.322531642	2.421135098	0.92838309	*sum*	496	0

with n=32 and with alpha=0.005 for a one-tailed test, the critical value of T negative < 160

그림 24 FDH 증상을 가진 32명 피실험자의 치료-전, 대조군, ICAGD 치료-후, 차가운 물 테스트 반응 데이터. 각 그룹의 평균값, 표준 편차, 중앙값이 ICAGD 치료로 인한 통계적으로 유의성있는 변화가 보인다(p < 0.005)

보고는 1991년 Kerstein에 의해 수행된 ICAGD 연구에서 관찰된 증상 결과와 일치한다.

저자가 T-Scan 8과 BioEMG에 의해 동시적으로 제공되는 힘과 타이밍 데이터를 이용하여 근기능 이상의 환자들에게 ICAGD를 시행하는 동안, 과활성된 저작근계는 근기능장애 증상에만 연관된 것이 아니라 DH 증상과도 연관되는 것을 알게 되었다. 과민한 치아가 ICAGD 술식으로 괜찮아지고, 저작근계의 부수적인 이완이 유도된다는 관찰은,

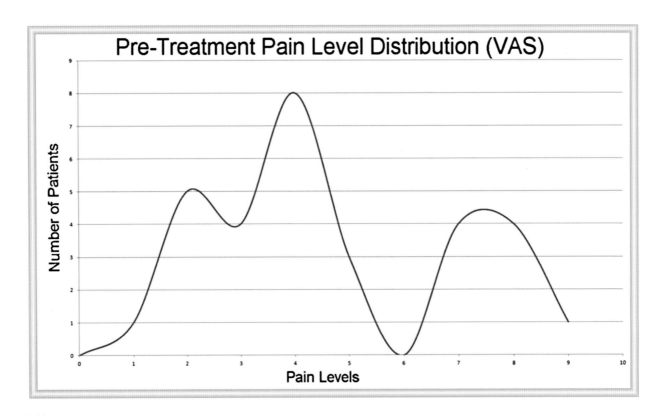

ICAGD 치료-전 차가운 물 테스트 통증 크기 분포

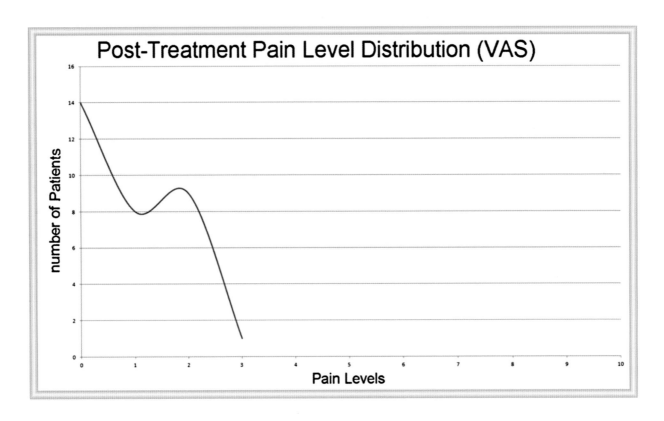

ICAGD 치료-후 차가운 물 테스트 통증 크기 분포

DH가 외부 자극에 대한 염증 반응 때문만은 아닐 수 있다는 것을 암시한다. 응력 변형 기전은 연구 환자군에서 관찰되는 대부분의 즉각적인 지각과민증 변화를 설명하는 데 도움이 될 것이다.

감소된 교합면 마찰은 PDL 압력 감소를 통해 저작근 과다활성을 줄인다(Kerstein & Wright, 1991; Kerstein & Radke, 2012). 구치부가 빠른 편심위 운동으로 분리되어 저작 기구가 치아에 적은 근력을 부과하기 때문에, 감소된 근과다활성은 치아의 측방굴곡을 줄이게 된다. 치아의 측방굴곡이 적으면 치아의 응력과 변형도 줄어든다. PDL 압축이 줄어들어 종종 치주와 치수 혈관의 물리적 압력을 감소시키고, DH 현상을 촉발하는 자극에 대한 통각 반응이 축소된다. 과다한 근활성, 교합면 마찰, 치아 측방굴곡은 시간이 흐름에 따라 연구자가 전통적으로 DH 상태를 설명할 수 있는 징후인 굴곡파절 형성, 상아질 노출, 개방된 상아세관을 유발한다는 것이 타당한 것으로 보인다.

32명의 모든 피실험자에서 객관적인 컴퓨터 유도 ICAGD 술식을 통해 그들의 DH가 현저하게 감소했다는 이 예비 연구의 결과는 FDH가 존재하고, 예민한 치아에서 과다한 편심위 마찰력으로 FDH 증상이 발생할 수 있다는 것을 강력하게 암시한다. 추가적으로, 연구 데이터는 컴퓨터-유도 교합 개입이 FDH 치료에 대단히 효과적이라는 것을 제안한다. 아마도, 컴퓨터-유도 교합 개입이 예방적으로 시행된다면, 임상의는 FDH를 야기하는 연장된 교합면 편심위 마찰을 다룸으로써, 전구 증상의 발생을 피할 수 있을 것이다.

해결 방안 및 권고 사항

치의학은 ICAGD라는 적게 알려진 대안적인 교합 조정 프로토콜을 심각하게 고려해야 할 것이다. 이 방법은 T-Scan 8 기술을 이용하여 치료 전에 모아진 마찰, 타이밍, 상대적인 힘에 대한 정교한 수량화에 근거한다. 디지털 교합 분석을 이용하여 수량화할 수 있는 ICAGD 프로토콜이 전통적인 교합 평형보다 덜 사용되기 때문에, 치의학은 FDH를 하나의 상태로 미쳐 인식하지 않았을 수도 있다.

또한 치의학은 ICAGD가 사실상 술자의 영향을 거의 받지 않는 반면 교합 평형은 술자의 손에 의존한다는 것을 인식하고, ICAGD와 교합 평형 프로토콜을 공정하게 비교하여야 한다. 전 과정은 환자의 습관성 폐구 위치로의 자가-교합과 환자에 의해 수행되는 자연스러운 하악 운동에 의해 시행된다. 그 대신에, 평형의 과정은 고유의 전달 부정확성을 가지고 교합기에 장착된 모형으로 교합 접촉을 전달하게 된다(부정확한 상하악 관계, 인상 왜곡, 작업 모형상 PDL 존재 결여, 교합기 장착 오류, 스톤 수축 경화 오류, 이런 미묘한 변화를 실제적인 환자로 가장하기 위한 주관적인 삭제). 반면, ICAGD는 인상 채득이 필요없고, CR 조작이 없으며, 교합기도 필요하지 않다. 대신, 환자 자신의 치열을 구내에서 측정하여 치아, 근육, 중추 신경계(CNS), TMJ, PDL이 공유하는 상호작용을 정교하게 분석할 수 있다. 이번 장은 불안정한 교합과 근육 과활성이 단지 몇 micron의 과다한 마찰성 치아 접촉으로 발생할 수 있음을 강조한다.

수량화 자체만으로는 측정가능하고 지속적으로 예견할 수 있는 변화를 달성하기 충분하지 않다; 수량화만이 이 방정식에 추가된다면, 환자가 안정적이고 적응된 TMJ를 가지고 있을 때에만 예견 가능한 결과가 나올 것이다. 교합 = 어디서(교합지) + 언제(T-Scan 8) + 얼마나(T-Scan 8). 이런 세가지 영향이 함께 고려될 때, 술자는 구강악계에 대한 진실되고 예견 가능한 교합의 영향을 조정할 수 있을 것이다.

ICAGD가 DH 해결에 미치는 영향에 대한 이 저자의 관찰은 예견 가능하고 수량화할 수 있다. 간단히 말해서, 치의학은 T-Scan 요법을 마음대로 사용할 수 있고, 이것으로 상대적인 교합 접촉력과 지속 시간을 정교하게 측정할 수 있다. 이것은 교합지, 왁스, 다른 비-디지털 교합 지표를 이용하면 교합 접촉의 단서만을 찾을 수 있었던 과거와 대조되는 바이다. 이 디지털 기술은 예전에 다룰 수 없었던 타이밍, 힘, 마찰이라는 변수를 설명하고, BioEMG 기술과 결합되면 근과활성이 일단 조절되면 의심되는 치아를 FDH가 발생되지 않게 예방할 수 있는 확실한 근거를 제공한다.

문헌들을 보면, DH가 TMD 증상의 하나라는 것에는 관심이 거의 없다. 아마도 DH의 "작은 고통"이 구강악계에 일어나고 있는 변화에 대한 진정한 증상이나 징후일 것이다. 아마 "상아질 민감증"이라는 용어는 일반적으로 사실에 입각하고, 그렇다면, 일시적인 DH 현상은 상아질이 사람이라는 유기체를 위해 행하는 자연적으로 고안된 것의 부분일 수도 있다. 아마도 치아가 감각 기관이라면, 부수적으로 구강악계를 위한 "정지 계량기"로 작용하여, 통각, 촉각, 온도, 자기 수용성 정보를 CNS에 전달함으로써 온 구강악계 자신의 보존을 도울 것이다. 굴곡파절로 인한 상아질 노출 및 개방된 상아 세관과 과다하게 비트는 힘이 교합 체계에 나타나기 전인 초기 단계에 발견함으로써, DH가 공간적인 불균형의 존재를 CNS에 경고하는 것이라고 생각할 수도 있다.

2009년, Levy는 "치아는 감각 기관"이라고 언급하면서, DTR의 신뢰성과 그것의 마찰성 DH에 대한 긍정적인 영향을 부여하는 몇 가지 핵심적인 진술을 만들었다(Levy, 2009). 그는 그룹 기능과 비-작업측 간섭을 가지는 환자보다 견치 및 절치 유도를 가지고 있는 환자에서, 편심위 동안 적은 치아만 접촉하고 적은 기계 감각적 정보가 통합된다고 하였다. 편심위에서 발생하는 간섭 접촉의 수가 증가하면서, CNS는 구강 운동을 달성하기 위해 좀 더 중앙으로 수정하도록 강제적으로 조작하여, 결과적으로 추가적인 근육의 과다활성이 발생하게 된다.

원숭이에서, 느리게 적응되는 치주 기계적 자극수용기가 구치부 주변보다 전치 주변에 더 많이 존재한다(Byers & Dong, 1989). Levy는 전치의 촉각 한계점이 구치부보다 더 낮다고 연달아 주장하였다. 교합 치료에서 EMG를 일상적으로 사용하는 저자의 경험에 의하면, 전치만 접촉되었을 때 높은 거상근력이 발생하는 능력이 감소됨을 예외없이 예상 가능하게 보게 된다. 이런 예시는 전치만을 접촉하게 하고 구치부는 완전히 접촉되지 않게 하는 전방 deprogramming splint를 이용하는 전통적인 TMD 치료 접근에서 좀 더 볼 수 있다.

과다한 후방 교합 간섭(및 연이은 과활성된 저작근 활동)이 명확하게 지각과민증의 치아와 연관이 있다면, 중요한 2가지 이유에서 FDH 치료에 ICAGD 치관성형술이 CR 교합 평형보다 훨씬 효과적이라는 것은 자명하다:

- CR 교합 평형은 대구치 접촉 수를 증가시켜, 기계적 감각 출력이 직접적으로 증가하고, 잠재적으로 이 장을 통해 반복적으로 설명된 메커니즘을 통해 근육의 과활성이 증가하게 된다. 이와 대조적으로, ICAGD 교합 조정은 대구치 접촉의 수를 예견성있게 감소시키고 근육 출력은 예견성있고 일상적으로 감소시킨다.
- CR 교합 평형은 객관적이고, 수량화된 종점이 없다.

- ICAGD 방법은 수량화되고 재현 가능한 객관적인 종점을 보유하여 과활성된 근육 활동 크기의 통계학적으로 유의성있는 감소를 구축할 수 있다.

근육의 과활성은 지속적으로 FDH 증상을 유발하므로, 치의학은 과민한 치아를 명확하게 다루기 위해 ICAGD 방법에 의지해야만 한다.

미래의 연구 방향

DH에 대한 연구는 전통적으로 잠재적인 상아 세관과 개방된 세관의 표면 처리로 살아있는 치수와 교통을 차단하는 최고의 방법에 초점이 맞춰져 있다. 치수 상호 교통이 연구자들이 주로 관심을 갖는 것이고, DH 과정의 발단일 뿐만 아니라 시간의 흐름에 따라 계속 진행될 것 같은 원인 요소로 교합을 연구하지 않았다.

그러므로, 앞으로의 연구는 FDH 과정 뒤의 병리생리학을 완벽하게 이해하기 위해서뿐만 아니라, DH의 원인과 치료에 있어서의 교합면 마찰의 역할을 분명히 연결시키기 위해 이루어져야 할 것이다. 교합 요소가 FDH의 근본적인 원인으로 증명되어야 하고, DH에 대한 전통적인 치료가 일시적으로 증상을 가릴 수는 있지만, 반복적인 FDH 증상 발현을 증진시키는 진행되는 교합 질환을 약화시키지 못한다.

측정된 교합 조정이 DH와 FDH를 감소시키는 생리적 이유를 확실하게 이해하기 위한 더 많은 연구가 이루어져야 한다. 공기 지표법(Air Indexing method)과 같은 DH를 진단하는 표준화되고 측정할 수 있는 방법을 포함하는 연구가 주의 깊게 시행되어 퇴축된 치주 조직 높이와 굴곡파절된 병소의 발견을 추적할 수 있어야 한다. 이런 종류의 연구는 치근면 구조 붕괴 및 DH 증상에서의 교합 역할을 한층 더 설명해야 할 것이다.

근육 과부하/FDH/DH 원인의 잠재적인 생존력을 평가하기 위해, T-Scan/BioEMG 동기화 기술을 사용하여 연구를 고안할 수 있다. 이런 분석은 마모와 굴곡파절 후유증을 유발하는 과다한 교합력을 확실히 하여, 임상의로 하여금 근육 과부하를 더 잘 예견하고 방지할 수 있게 하고 FDH 증상을 개시하는 굴곡파절과 마모 발생을 제한하게 된다.

이상적으로, 노출된 상아질이나 굴곡파절의 유무와 관계

없이 차가운 물 테스트에 민감한 치아에 수반되는 연장된 교합면 마찰과 FDH 민감성 환자에게 종종 나타나는 근과 활성 증상 사이의 상관관계를 밝히려는 시도로서 포괄적인 장기간의 연구가 수행되어야 할 것이다.

또 다른 재미있는 연구로 과활성된 저작근과 그로 인한 FDH가 미백제의 집중된 화학적 삼투압적 공격에 대한 치아의 내성을 감소시킬 것이라는 그럴 듯해 보이는 생활치 미백 민감증과 FDH의 상관관계를 찾고자 하는 시도가 있을 수 있다. 이런 유형의 연구는 생활치 미백을 시행하기에 앞서 ICAGD를 먼저 경험하는 실험군과 미백-전 교합 조정을 받지 않은 미백 대조군을 포함하되, 어떤 그룹에도 미백-후 민감성을 격리하기 위한 탈감작성 약제를 주지 않아야 한다. 사전 ICAGD 치료를 받은 그룹에서 미백-후 민감성에 현저한 감소를 경험한다면, FDH가 DH의 또 다른 유형에 대한 그럴 듯한 선조가 될 가능성이 있음을 암시하는 것이다.

결론

통증은 5번째 활력징후(vital sign)로 언급되고, 환자가 건강 관리를 추구하는 중요한 원인이다(McCafeery & Parson, 1999). DH는 모든 문화와 대륙을 가로지르는 진정한 통증 증후군으로 인정받고 있다(Curro, 1990). 현대의 치의학이 이런 임상적 문제를 격리할 수 있는 모든 치료를 연구하는 것이 마땅하다. 2009년 한 문헌 리뷰는 과다한 산성 음식 섭취에 관해 환자를 교육하고 적절한 양치질법을 제공하고 교합 분석을 수행하여, DH와 연관된 선행 요인을 반드시 조절하거나 축출해야 한다고 하였다(Porto, Andrade, & Montes, 2009).

이번 장에서는 과민한 치아의 잠재적인 원인과 치료를 설명하고, 기계적으로 활성화된 교합 원인을 지향하는 연구에 대해 논의하였다. 객관적으로 조절된 교합 조정을 시행한 예비 연구에서 치료받은 그룹에서 DH 발현의 확실하고 지속적인 감소가 있었음을 설명하였다. 측정성 치관성 형술을 지시하기 위해 T-Scan 8 기술에 의해 얻은 객관적인 교합 데이터로, 편심위 운동 동안 마찰성 지속 시간 감소시키고 존재하는 과민증을 감소시키거나 없앨 수 있었다. 표면 EMG를 T-Scan과 연동하여 추가 사용함으로써

교합 조정 술식을 적절하게 수행하고 정교하게 측정하여 이상적인 근육 반응을 얻기 위한 오류의 가능성을 최소화하였다. 게다가, 마찰성 치아 지각과민증(Frictional Dental Hypersensitivity, FDH)이라는 새로운 용어를 도입하여 노출된 상아질이나 개방된 상아 세관이 없이 발생하는 DH 현상을 설명하였다. 마지막으로, 치의학에서 교합 요소가 TMD 근육 상태와 FDH 증상 모두의 핵심이 된다는 발상의 전환이 받아들여질 것을 제안하였다.

지난 150년 간, 인간에서 치아가 DH 현상을 경험하게 되는지를 설명하기 위한 많은 연구가 시행되었다. 널리 받아들여지고 있는 유체 동력설부터 적게 받아들여지는 상아모세포 수용기설과 최소로 받아들여진 직접 신경 분포설까지 전통적인 이론은 풍부하다. 치주 퇴축, 개방된 CEJ 접합면, 노출된 상아 세관과 지각과민증 사이의 상관관계는 대개 잘 지지되나, 이런 관계가 불완전할 수도 있다. 대안적으로, 많은 저자들이 분명하게 과민증을 교합 문제의 직접적인 결과로 여긴다. 이번 장에서는 교합이 DH 증상 발현에서 중요한 역할을 한다는 것과 FDH의 조기 발견이 시간의 흐름에 따라 좀 더 잦은 DH 현상의 시작을 예고할 수 있다는 견해를 지지한다.

참고문헌

- Abboud, M., Grüner, M., & Koeck, B. (2002). Anterior Crowding–Just an Esthetic Problem?. *Journal of Orofacial Orthopedics/Fortschritte der Kieferorthopädie*, 63(4), 264-273.
- Absi, E.G., Addy, M., & Adams, D. (1987). Dentine hypersensitivity. *Journal of Clinical Periodontology*, 14(5), 280-284.
- Addy, M. (2002). Dentine hypersensitivity: new perspectives on an old problem. *International Dental Journal* 52(Suppl 1), 367-375.
- Addy, M. (2005). Tooth brushing, tooth wear and dentine hypersensitivity—are they associated? International Dental Journal, 55(Suppl 4), 261-267.
- Addy, M., Mostafa, P., & Newcombe, R.G. (1987). Dentine hypersensitivity: the distribution of recession, sensitivity and plaque. *Journal of Dentistry*, 15(6), 242-248.

• Alkan, A., Keskiner, I., Arici, S., & Sato, S. (2006). The effect of periodontitis on biting abilities. *Journal of Periodontology*, *77*(8), 1442-1445.

• Al-Sabbagh, M., Andreana, S., & Ciancio, S.G. (2004). Dentinal hypersensitivity: review of aetiology, differential diagnosis, prevalence, and mechanism. *Journal of the International Academy of Periodontology*, *6*(1), 8.

• Anderson, G. C., Schulte, J. K., & Aeppli, D. M. (1993). Reliability of the evaluation of occlusal contacts in the intercuspal position. *The Journal of Prosthetic Dentistry*, *70*(4), 320-323.

• Ash, M.M., & Ramfjord, S. P. (1995). *Occlusion.* Philadelphia, PA: W.B. Saunders Co., pp. 70.

• Balaji, V.C., Jois, H.S., & Kumar, M.P. (2012). Approaching Dentin Hypersensitivity, *Ranchi University Journal of Dental Surgery*, *1*(2 Suppl), 1.

• Banfield, N., & Addy, M. (2004). Dentine hypersensitivity: development and evaluation of a model in situ to study tubule patency. *Journal of Clinical Periodontology*, *31*(5), 325-335.

• Banos, J. E., Bosch, F., Canellas, M., Bassols, A., Ortega, F., & Bigorra, J. (1989). Acceptability of visual analogue scales in the clinical setting: a comparison with verbal rating scales in postoperative pain. *Methods and Findings in Experimental and Clinical Pharmacology*, *11*(2), 123.

• Bartlett, D.W. (1997). The causes of dental erosion. *Oral Diseases*, *3*(4), 209-211.

• Bartlett, D., & Smith, B.G. (2000). Definition, classification and clinical assessment of attrition, erosion, and abrasion of enamel and dentine. *Tooth Wear and Sensitivity*, 87-92.

• Bartold, P.M. (2006). Dentinal hypersensitivity: a review. *Australian Dental Journal*, *51*(3), 212-218.

• Bhat, S. (2010). Etiology of temporomandibular disorders: the journey so far. *International Dentistry South Africa*, *12*, 4.

• Blum, M. (1530). Artzney buch wider Allerbi. *Krancheyton und Gebrechen der Tzeen*.

• Brännström, M. (1966). Sensitivity of dentine. *Oral Surgery, Oral Medicine, Oral Pathology*, 21(4), 517-526.

• Brännström, M., & Åström, A. (1964). A study on the mechanism of pain elicited from the dentin. *Journal of Dental Research*, *43*(4), 619-625.

• Bruder, G.A., & Erickson, T.E. *Color Atlas of Endodontics.* Philadelphia, PA: Elsevier Science, pp. 26.

• Byers, M.R. (1980). Development of sensory innervation in dentin. *Journal of Comparative Neurology*, *191*(3), 413-427.

• Byers, M. R. (1984). Dental sensory receptors. *International Reviews of Neurobiology*, *25*, 39-94.

• Byers, M.R. (1985). Sensory innervation of periodontal ligament of rat molars consists of unencapsulated Ruffini-like mechanoreceptors and free nerve endings. *Journal of Comparative Neurology*, *231*(4), 500-518.

• Byers, M.R., & Dong, W.K. (1989). Comparison of trigeminal receptor location and structure in the periodontal ligament of different types of teeth from the rat, cat, and monkey. *Journal of Comparative Neurology*, *279*(1), 117-127.

• Byers, M.R., & Narhi, M.V.O. (1999). Dental injury models: experimental tools for understanding neuroinflammatory interactions and polymodal nociceptor functions. *Critical Reviews in Oral Biology & Medicine*, *10*(1), 4-39.

• Camps, J., & Pashley, D. (2003). In vivo sensitivity of human root dentin to air blast and scratching. *Journal of Periodontology*, *74*(11), 1589-1594.

• Carey, J.P., Craig, M., Kerstein, R.B., & Radke, J. (2007). Determining a relationship between applied occlusal load and articulating paper mark area. *The Open Dentistry Journal*, *1*, 1-7.

• Carossa, S., Lojacono, A., Schierano, G., & Pera, P. (2000). Evaluation of occlusal contacts in the dental laboratory: influence of strip thickness and operator experience. *The International Journal of Prosthodontics*, *13*(3), 201.

• Casanova-Rosado, J.F., Medina-Solís, C.E., Vallejos-Sánchez, A.A., Casanova-Rosado, A.J., Hernández-Prado, B., & Ávila-Burgos, L. (2006). Prevalence and associated factors for Temporomandibular disorders in a group of Mexican adolescents and youth adults. *Clinical Oral Investigations*, *10*(1), 42-49.

• Chabanski, M.B., & Gillam, D.G. (1997). Aetiology, prevalence and clinical features of cervical dentine sensitivity. *Journal of Oral Rehabilitation*, *24*(1), 15-19.

• Chen, S., Rio, C., Ji, R.R., Dikkes, P., Coggeshall, R.E., Woolf, C.J., & Corfas, G. (2003). Disruption of ErbB receptor signaling in adult non-myelinating Schwann cells causes progressive sensory loss. *Nature Neuroscience, 6*(11), 1186-1193.

- Chidchuangchai, W., Vongsavan, N., & Matthews, B. (2007). Sensory transduction mechanisms responsible for pain caused by cold stimulation of dentine in man. *Archives of Oral Biology, 52*(2), 154-160.

- Choi, Y.S., Choung, P.H., Moon, H.S., & Kim, S.G. (2002). Temporomandibular disorders in 19-year-old Korean men. *Journal of Oral and Maxillofacial Surgery, 60*(7), 797-803.

- Christensen, G. J. (1992). A look at state-of-the-art tooth-colored inlays and onlays. *The Journal of the American Dental Association, 123*(9), 66-67.

- Chu, C.H. (2010). Management of dentine hypersensitivity. *Dental Bulletin, 15,* 3.

- Chuang, S.Y. (2002). Incidence of temporomandibular disorders (TMDs) in senior dental students in Taiwan. *Journal of Oral Rehabilitation, 29*(12), 1206-1211.

- Clayton, D.R., McCarthy, D., & Gillam, D.G. (2002). A study of the prevalence and distribution of dentine sensitivity in a population of 17–58-year-old serving personnel on an RAF base in the Midlands. *Journal of Oral Rehabilitation, 29*(1), 14-23.

- Coleman, T.A., Grippo, J.O., & Kinderknecht, K.E. (2003). Cervical I Dentin Hypersensitivity. Part III: resolution following occlusal equilibration. *Quintessence International, 34,* 427-434.

- Coleman, T.A., & Kinderknecht, K.E. (2000). Cervical dentin hypersensitivity. Part I: The air indexing method. *Quintessence International, 31*(7), 461.

- Coleman, T.A., Grippo, J.O., & Kinderknecht, K.E. (2000). Cervical dentin hypersensitivity. Part II: Associations with abfractive lesions. *Quintessence International* 31(7), 466.

- Curro, F.A. (1990). Tooth hypersensitivity in the spectrum of pain. *Dental Clinics of North America, 34*(3), 429.

- Dababneh, R.H., Khouri, A.T., & Addy, M. (1999). dentine hypersensitivity: Dentine hypersensitivity - an enigma? A review of terminology, mechanisms, aetiology and management. *British Dental Journal, 187*(11), 606-611.

- Davies, S.J., Gray, R.J.M., Linden, G.J., & James, J.A. (2001). Occlusal: Occlusal considerations in periodontics. *British Dental Journal, 191*(11), 597-604.

- Dawson, P.E. (2006). *Functional Occlusion: from TMJ to Smile Design. Ed. 1*, Philadelphia, PA: Elsevier Health Sciences, pp. 14, 18 ,23, 26, 42, 146, 394.

- De Boever, J.A., Carlsson, G.E., & Klineberg, I.J. (2000). Need for occlusal therapy and prosthodontic treatment in the management of temporomandibular disorders. *Journal of Oral Rehabilitation, 27*(8), 647-659.

- de Felício, C.M., Mazzetto, M.O., de Silva, M.A., Bataglion, C., & Hotta, T.H. (2006). A preliminary protocol for multi-professional centers for the determination of signs and symptoms of temporomandibular disorders. *The Journal of Craniomandibular Practice*, 24(4), 258 - 264

- Dong, W.K., Chudler, E.H., & Martin, R.F. (1985). Physiological properties of intradental mechanoreceptors. *Brain Research, 334*(2), 389-395.

- Dong, W.K., Shiwaku, T., Kawakami, Y., & Chudler, E.H. (1993). Static and dynamic responses of periodontal ligament mechanoreceptors and intradental mechanoreceptors. *Journal of Neurophysiology, 69*(5), 1567-1582.

- Dowell, P., & Addy, M. (1983). Dentine hypersensitivity-A review. *Journal of Clinical Periodontology, 10*(4), 341-350.

- Droter, J.R. (2005). An orthopaedic approach to the diagnosis and treatment of disorders of the temporomandibular joint. *Dentistry Today, 24*(11), 82-84.

- Eisenburger, M., & Addy, M. (2002). Erosion and attrition of human enamel in vitro part I: Interaction effects. *Journal of Dentistry, 30*(7), 341-347.

- Ekberg, E., & Nilner, M. (2006). Treatment outcome of short- and long-term appliance therapy in patients with TMD of myogenous origin and tension-type headache. *Journal of Oral Rehabilitation, 33*(10), 713-721.

- Ekfeldt, A., Hugoson, A., Bergendal, T., & Helkimo, M. (1990). An individual tooth wear index and an analysis of factors correlated to incisal and occlusal wear in an adult Swedish population. *Acta Odontologica, 48*(5), 343-349.

- Emodi-Perlman, A., Yoffe, T., Rosenberg, N., Eli, I., Alter, Z., & Winocur, E. (2008). Prevalence of Psychologic-, Dental, and Temporomandibular Signs and Symptoms Among Chronic Eating Disorders Patients: A Comparative Control Study. *Journal of Orofacial Pain, 22*(3), 201-208.

• Fischer, C., Fischer, R.G., & Wennberg, A. (1992). Prevalence and distribution of cervical dentine hypersensitivity in a population in Rio de Janeiro, Brazil. *Journal of Dentistry, 20*(5), 272-276.

• Forssell-Ahlberg, K., Brannström, M., & Edwall, L. (1975). The diameter and number of dentinal tubules in rat, cat, dog and monkey: a comparative scanning electron microscopic study. *Acta Odontologica, 33*(5), 243-250.

• Garberoglio, R., & Brännström, M. (1976). Scanning electron microscopic investigation of human dentinal tubules. *Archives of Oral Biology, 21*(6), 355-362.

• Gillam, D.G., & Orchardson, R. (2006). Advances in the treatment of root dentine sensitivity: mechanisms and treatment principles. *Endodontic Topics, 13*(10, 13-33.

• Gillam, D.G., Bulman, J.S., Eijkman, M.A. J., & Newman, H.N. (2002). Dentists' perceptions of dentine hypersensitivity and knowledge of its treatment. *Journal of Oral Rehabilitation, 29*(3), 219-225.

• Grippo, J.O. (1991). Abfractions: a new classification of hard tissue lesions of teeth. *Journal of Esthetic and Restorative Dentistry, 3*(1), 14-19.

• Grippo, J.O., Simring, M., & Coleman, T. A. (2012). Abfraction, Abrasion, Biocorrosion, and the Enigma of Noncarious Cervical Lesions: A 20-Year Perspective. *Journal of Esthetic and Restorative Dentistry, 24*(1), 10-23.

• Harrel, S.K., Nunn, M.E., & Hallmon, W.W. (2006). Is there an association between occlusion and periodontal destruction?: Yes- occlusal forces can contribute to periodontal destruction. *The Journal of the American Dental Association, 137*(10), 1380.

• Holland, G.R., Narhi, M.N., Addy, M., Gangarosa, L., & Orchardson, R. (1997). Guidelines for the design and conduct of clinical trials on dentine hypersensitivity. *Journal of Clinical Periodontology, 24*(11), 808-813.

• Hollstein, W. (1933). Untersuchungen uber das "dickenunter scherdingsvermogen" bei naturlichen zahnen und insbesondere bei festsitzendem und herausnehmbarem abgestutzten ersatz. *Dtch Mschr Zahnheik, 51*, 385.

• Hypersensitivity, C. A. B. O. D. (2003). Consensus-based recommendations for the diagnosis and management of dentin hypersensitivity. *Journal Canadian Dental Association,* 69(4), 221-226.

• Ikeda, T., Nakano, M., Bando, E., & Suzuki, A. (1998). The effect of light, premature occlusal contact on tooth pain threshold in humans. *Journal of Oral Rehabilitation, 25*, 589-595.

• Ikeda, T., Nakano, M., Bando, E., & Suzuki, A. (1998). The effect of light premature occlusal contact on tooth pain and threshold in humans. *Journal of Oral Rehabilitation, 25*, 589-595.

• Ikeda, T., Yasumura, H., Yokoyama, M., Mima, S., Yamamoto, I., Kubo, Y., & Bando, E. (1987). A report of hypersensitive teeth induced by abnormal occlusal contacts. *Nihon Hotetsu Shika Gakkai Zasshi, 31*(1), 36-42.

• Ingle, J.I., Bakland, L.K., & Baumgartner, C. (2008). *Ingle's Endodontics*, 6th Ed. Lewiston, PA: PMPH-USA, pp. 118-143.

• Irvine, J.H. (1988). Root surface sensitivity: a review of aetiology and management. *Journal of the New Zealand Society of Periodontology, 66*, 15.

• Irwin, C.R., & McCusker, P. (1996). Prevalence of dentine hypersensitivity in a general dental population. *Journal of the Irish Dental Association, 43*(1), 7-9.

• Ishigaki, S., Bessette, R.W., & Maruyama, T. (1994). Diagnostic accuracy of TMJ vibration analysis for internal derangement and/or degenerative joint disease. *The Journal of Craniomandibular Practice, 12*(4), 241.

• Jacobsen, P.L., & Bruce, G. (2001). Clinical I Dentin Hypersensitivity: Understanding the causes and prescribing a treatment. *The Journal of Contemporary Dental Practice, 2*(1), 1.

• Jerjes, W., Upile, T., Abbas, S., Kafas, P., Vourvachis, M., Rob, J., & Hopper, C. (2008). Muscle disorders and dentition-related aspects in temporomandibular disorders: controversies in the most commonly used treatment modalities. *International Archives of Medicine, 1*(1), 23.

• Johansson, A., Unell, L., Carlsson, G. E., Söderfeldt, B., & Halling, A. (2002). Gender difference in symptoms related to temporomandibular disorders in a population of 50-year-old subjects. *Journal of Orofacial Pain, 17*(1), 29-35.

• Joss-Vassalli, I., Grebenstein, C., Topouzelis, N., Sculean, A., & Katsaros, C. (2010). Orthodontic therapy and gingival recession: a systematic review. *Orthodontics & Craniofacial Research, 13*(3), 127-141.

- Kalamir, A., Pollard, H., Vitiello, A.L., & Bonello, R. (2007). TMD and the problem of bruxism; a review. *Journal of Bodywork and Movement Therapies*, *11*(3), 183-193.
- Kerstein, R.B., & Wright, N. (1991). An electromyographic and computer analysis of patients suffering from chronic myofascial pain dysfunction syndrome; pre and post - treatment with immediate complete anterior guidance development. *Journal of Prosthetic Dentistry, 66*(5), 677-686.
- Kerstein, R.B., & Farrel, S. (1990). Treatment of myofascial pain dysfunction syndrome with
- occlusal equilibration. *Journal of Prosthetic Dentistry*, *63*, 695-700.
- Kerstein, R.B. (1992). Disocclusion time-reduction therapy with immediate complete anterior guidance development to treat chronic myofascial pain-dysfunction syndrome. *Quintessence International*, *23*(11), 735-747.
- Kerstein, R.B. (1993). A comparison of traditional occlusal equilibration and immediate complete anterior guidance development. *The Journal of Craniomandibular Practice, 11*(2), 126.
- Kerstein, R.B. (1995). Treatment of myofascial pain dysfunction syndrome with occlusal therapy to reduce lengthy disclusion time-a recall evaluation. *The Journal of Craniomandibular Practice 13*(2), 105-115
- Kerstein, R.B., Chapman, R., & Klein, M. (1997). A comparison of ICAGD (immediate complete anterior guidance development) to mock ICAGD for symptom reductions in chronic myofascial pain dysfunction patients. *The Journal of Craniomandibular Practice, 15*(1). 21-37
- Kerstein, R.B., & Grundset, K. (2001). Obtaining measurable bilateral simultaneous occlusal contacts with computer-analyzed and guided occlusal adjustments. *Quintessence International*, *32*(1), 7-18
- Kerstein, R.B. (2004). Combining Technologies: A computerized occlusal analysis system synchronized with a computerized electromyography System, *Journal of Craniomandibular Practice*, *22*(2), 96-109
- Kerstein, R.B., & Radke, J. (2006). The effect of Disclusion Time Reduction on maximal clench muscle activity level. *Journal of Craniomandibular Practice*, *24*(3),,156-165.
- Kerstein, R.B. (2010). Reducing chronic masseter and temporalis muscular hyperactivity with computer-guided occlusal adjustments. *Compendium of Continuing Education in Dentistry, 31*(7), 530-543.
- Kerstein, R.B., & Radke, J. (2012). Masseter and temporalis excursive hyperactivity decreased by measured anterior guidance development. *The Journal of Craniomandibular Practice, 30*(4), 243-254.
- Kim, H.Y., Chung, G., Jo, H.J., Kim, Y.S., Bae, Y.C., Jung, S.J., & Oh, S.B. (2011). Characterization of dental nociceptive neurons. *Journal of Dental Research*, *90*(6), 771-776.
- Kirveskari, P. (1997). The role of occlusal adjustment in the management of Temporomandibular disorders. *Oral Surgery, Oral Medicine, Oral Pathology, Oral Radiology, and Endodontology*, *83*(1), 87-90.
- Kleinberg, I., Kaufman, H.W., & Confessore, F. (1990). Methods of measuring tooth hypersensitivity. *Dental Clinics of North America*, *34*(3), 515.
- Kleinfelder, J.W., & Ludwig, K. (2002). Maximal bite force in patients with reduced periodontal tissue support with and without splinting. *Journal of Periodontology*, *73*(10), 1184-1187.
- Koh, H., & Robinson, P. G. (2004). Occlusal adjustment for treating and preventing Temporomandibular joint disorders. *Journal of Oral Rehabilitation*, *31*(4), 287-292.
- Kubo, K., Shibukawa, Y., Shintani, M., Suzuki, T., Ichinohe, T., & Kaneko, Y. (2008). Cortical representation area of human dental pulp. *Journal of Dental Research*, *87*(4), 358-362.
- Kurthy, R. (2009). Solving Teeth Whitening Sensitivity, www.evolvedental.com
- Kvinnsland, I., & Heyeraas, K.J. (1992). Effect of traumatic occlusion on CGRP and SP immunoreactive nerve fibre morphology in rat molar pulp and periodontium. *Histochemistry*, *97*(2), 111-120.
- Le Resche, L., Burgess, J., & Dworkin, S. F. (1988). Reliability of visual analog and verbal descriptor scales for" objective" measurement of temporomandibular disorder pain. *Journal of Dental Research*, *67*(1), 33-36.
- Levy, J.H. (2009). Teeth as Sensory Organs. *Vistas*, Aegis Publications, 2(3), 14-19.

• Lilja, J., Nordenvall, K. J., & Bränström, M. (1982). Dentin sensitivity, odontoblasts and nerves under desiccated or infected experimental cavities. A clinical, light microscopic and ultrastructural investigation. *Swedish Dental Journal*, *6*(3), 93.

• Lin, M., Luo, Z. Y., Bai, B. F., Xu, F., & Lu, T. J. (2011). Fluid mechanics in dentinal microtubules provides mechanistic insights into the difference between hot and cold dental pain. *PloS One*, *6*(3), e18068.

• Ling, T. Y., & Gillam, D. G. (1996). The effectiveness of desensitizing agents for the treatment of cervical dentine sensitivity (CDS)--a review. In *The Journal of the Western Society of Periodontology/Periodontal abstracts 44*(1), 5.

• Linsuwanont, P., Palamara, J.E.A., & Messer, H. H. (2007). An investigation of thermal stimulation in intact teeth. *Archives of Oral Biology*, *52*(3), 218-227.

• Linsuwanont, P., Versluis, A., Palamara, J.E., & Messer, H.H. (2008). Thermal stimulation causes tooth deformation: A possible alternative to the hydrodynamic theory? *Archives of Oral Biology*, *53*(3), 261-272.

• Litonjua, L.A., Andreana, S., Bush, P.J., Tobias, T.S., & Cohen, R.E. (2003). Noncarious cervical lesions and abfractions: a re-evaluation. *The Journal of the American Dental Association*, *134*(7), 845-850

• Liu, H.C., Lan, W.H., & Hsieh, C.C. (1998). Prevalence and distribution of cervical dentin hypersensitivity in a population in Taipei, Taiwan. *Journal of Endodontics*, *24*(1), 45-47.

• Mahan, P.E., Wilkinson, T.M., Gibbs, C.H., Mauderli, A., & Brannon, L.S. (1983). Superior and inferior bellies of the lateral pterygoid muscle EMG activity at basic jaw positions. *The Journal of Prosthetic Dentistry*, *50*(5), 710-718.

• Manfredini, D., Cantini, E., Romagnoli, M., & Bosco, M. (2003). Prevalence of bruxism in patients with different research diagnostic criteria for Temporomandibular disorders (RDC/TMD) diagnoses. *The Journal of Craniomandibular Practice, 21*(4), 279.

• Manfredini, D., Castroflorio, T., Perinetti, G., & Guarda-Nardini, L. (2012). Dental occlusion, body posture and Temporomandibular disorders: where we are now and where we are heading. *Journal of Oral Rehabilitation*, *39*(6), 463-471.

• Manschreck, T. C. (2009). Compulsive bruxism: How to protect your patients' teeth. *Current Psychiatry*, *8*(3), 24.

• Markowitz, K., & Kim, S. (1992). The role of selected cations in the desensitization of intradental nerves. *Proceedings of the Finnish Dental Society. Suomen Hammaslääkäriseuran Toimituksia*, *88*, 39.

• Marvin, K. (2008). Bright, white, and sensitive: an overview of tooth whitening and Dentin Hypersensitivity. *Dentistry Today*, *27*, 80–81.

• Matthews, B. (1977). Responses of intradental nerves to electrical and thermal stimulation of teeth in dogs. *The Journal of Physiology*, *264*(3), 641-664.

• Matthews, B., Andrew, D., & Wanachantararak, S. (2000). Biology of the dental pulp with special reference to its vasculature and innervation. *Tooth Wear and Sensitivity*. London, UK: Martin Dunitz, pp. 39-51.

• Mayhew, R.B., Jessee, S.A., Martin, R.E. (1998). Association of occlusal, periodontal, and dietary factors with the presence of non-carious cervical dental lesions. *American Journal of Dentistry*, *11*(1), 29.

• Mazzeto, M.O., Hotta, T.H., & Mazzetto, R.G. (2009). Analysis of TMJ vibration sounds before and after use of two types of occlusal splints. *Brazilian Dental Journal*, *20*(4), 325-330.

• Melchior, M.D.O., Mazzetto, M.O., & Felício, C.M.D. (2012). Temporomandibular disorders and parafunctional oral habits: an anamnestic study. *Dental Press Journal of Orthodontics*, *17*(2), 83-89.

• Miller, N., Penaud, J., Ambrosini, P., Bisson-Boutelliez, C., & Briançon, S. (2003). Analysis of etiologic factors and periodontal conditions involved with 309 abfractions. *Journal of Clinical Periodontology*, *30*(9), 828-832.

• Millstein, P., & Maya, A. (2001). An evaluation of occlusal contact marking indicators. A descriptive quantitative method. *The Journal of the American Dental Association*, *132*(9), 1280-1286.

• Molina, O.F., Dos Santos, J., Mazzetto, M., Nelson, S., Nowlin, T., & Mainieri, É. T. (2001). Oral jaw behaviors in TMD and bruxism: a comparison study by severity of bruxism. *The Journal of Craniomandibular Practice, 19*(2), 114 - 122

• Mumford, J.M. (1982). *Orofacial pain: etiology, diagnosis and treatment.* Edinburgh: Livingstone. pp.26

- Närhi, M., Jyväsjärvi, E., Virtanen, A., Huopaniemi, T., Ngassapa, D., & Hirvonen, T. (1991). Role of intradental A-and C-type nerve fibres in dental pain mechanisms. *Proceedings of the Finnish Dental Society. Suomen Hammaslaakariseuran toimituksia*, *88*, 507-516.

- Närhi, M., Yamamoto, H., Ngassapa, D., & Hirvonen, T. (1994). The neurophysiological basis and the role of inflammatory reactions in dentine hypersensitivity. *Archives of Oral Biology*, *39*, 523-530.

- Ohmori, H., Kirimoto, H., & Ono, T. (2012). Comparison of the physiological properties of human periodontal-masseteric reflex evoked by incisor and canine stimulation. *Frontiers in Physiology*, *3*, 233

- Orchardson, R., & Gillam, D. G. (2000). The efficacy of potassium salts as agents for treating dentin hypersensitivity. *Journal of Orofacial Pain*, *14*91), 9-19.

- Osborne-Smith, K.L., Burke, F.J.T., & Wilson, N.H.F. (1999). The aetiology of the non-carious cervical lesion. *International Dental Journal*, *49*(3), 139-143.

- Paine, M.L., Slots, J., & Rich, S.K. (1998). Fluoride use in periodontal therapy: a review of the literature. *The Journal of the American Dental Association*, *129*(10), 69-77.

- Pashley, D.H. (1986). Dentin permeability, dentin sensitivity, and treatment through tubule occlusion. *Journal of Endodontics*, *129*(10), 465-474.

- Pashley, D.H. (1990). Mechanisms of dentin sensitivity. *Dental Clinics of North America*, *34*(3), 449-473.

- Pashley, D.H. (1991). Smear layer: Overview of structure and function. *Proceedings of the Finnish Dental Society. Suomen Hammaslaakariseuran toimituksia*, *88*, 215-224.

- Pashley, D.H. (1996). Dynamics of the pulpo-dentin complex. *Critical Reviews in Oral Biology & Medicine, 7*(2), 104-133.

- Pashley, D.H., Andringa, H.J., Derkson, G.D., Derkson, M.E., & Kalathoor, S.R. (1987). Regional variability in the permeability of human dentine. *Archives of Oral Biology*, *327*, 519-523.

- Pashley, D.H., Kehl, T., Pashley, E., & Palmer, P. (1981). Comparison of in vitro and in vivo dog dentin permeability. *Journal of Dental Research*, *60*(3), 763-768.

- Porto, I.C., Andrade, A.K., & Montes, M.A. (2009). Diagnosis and treatment of dentinal hypersensitivity. *Journal of Oral Science*, 51, 3, 323-332.

- Qadeer, S., Kerstein, R., Kim, R.J.Y., Huh, J.B., & Shin, S.W. (2012). Relationship between articulation paper mark size and percentage of force measured with computerized occlusal analysis. *The Journal of Advanced Prosthodontics*, *4*(1), 7-12.

- Rapp, R., Avery, J.K., & Strachan, D.S. (1968). *Possible role of the acetylcholinesterase in neural conduction within the dental pulp* (pp. 309-11).Birmingham, AL: University of Alabama Press

- Rees, J.S. (2000). The prevalence of dentine hypersensitivity in general dental practice in the UK. *Journal of Clinical Periodontology*, 27, 11, 860-865.

- Rees, J.S., & Addy, M. (2002). A cross-sectional study of dentine hypersensitivity. *Journal of Clinical Periodontology*, *29*(11), 997-1003.

- Reiter, D. (1980). Concepts of dental occlusion. *American Journal of Otolaryngology*, 1,3, 245-255.

- Richardson, D., Tao, L., & Pashley, D.H. (1991). Dentin permeability: effects of crown preparation. *The International Journal of Prosthodontics*, *4*(3), 219 -225

- Rimondini, L., Baroni, C., & Carrassi, A. (1995). Ultrastructure of hypersensitive and non-sensitive dentine. *Journal of Clinical Periodontology*, *22*(12), 899-902.

- Rowe, N. H. (1985). *Hypersensitive dentin: origin and management*. Ann Arbor, MI: University of Michigan.

- Ruiz, J.L., & Coleman, T.A. (2008). CE 2 Occlusal Disease Management System: The Diagnosis Process. *Compendium-Newton*, *29*(3), 148.

- Saad, M.N., Weiner, G., Ehrenberg, D., & Weiner, S. (2008). Effects of load and indicator type upon occlusal contact markings. *Journal of Biomedical Materials Research Part B: Applied Biomaterials*, *85*(1), 18-22.

- Seligman, D.A., & Pullinger, A.G. (1991). The role of functional occlusal relationships in temporomandibular disorders: a review. *Journal of Craniomandibular Disorders: Facial & Oral Pain*, *5*,4, 265.

- Seltzer, S., & Bender, I.B. (1984). *The Dental Pulp: Biologic Con-*

siderations in Dental Procedures. Baltimore, MD: Lippincott Williams & Wilkins, pp. 324-348

- Sharav, Y., McGrath, P.A., & Dubner, R. (1982). Masseter inhibitory periods and sensations evoked by electrical tooth pulp stimulation in patients with oral-facial pain and mandibular dysfunction. Archives of Oral Biology, 27, 305-310.

- Sharma, A., Rahul, G. R., Poduval, S. T., Shetty, K., Gupta, B., & Rajora, V. (2013). History of materials used for recording static and dynamic occlusal contact marks: a literature review. Journal of Clinical and Experimental Dentistry, 5(1), 48-53.

- Slutzkey, S., & Levin, L. (2008). Gingival recession in young adults: occurrence, severity, and relationship to past orthodontic treatment and oral piercing. American Journal of Orthodontics and Dentofacial Orthopedics, 134(5), 652-656.

- Splieth, C.H., & Tachou, A. (2013). Epidemiology of dentin hypersensitivity. Clinical Oral Investigations, 1-6.

- Spranger, H. (1995). Investigation into the genesis of angular lesions at the cervical region of teeth. Quintessence International, 26, 2, 149 - 154.

- Strassler, H.E., & Serio, F.G. (2009). Dentinal hypersensitivity: etiology, diagnosis and management. Academy of Dental Therapeutics and Stomatology. Aegis. pp 2-7.

- Strassler, H.E., Drisko, C.L., & Alexander, D.C. (2008). Dentin hypersensitivity: its inter-relationship to gingival recession and acid erosion. Newtown, PA: Aegis Publications, pp. 3-5.

- Suge, T., Kawasaki, A., Ishikawa, K., Matsuo, T., & Ebisu, S. (2006). Effects of plaque control on the patency of dentinal tubules: an in vivo study in beagle dogs. Journal of Periodontology, 77(3), 454-459.

- Swift, E.J. Jr. (2005). Tooth sensitivity and whitening. Compendium of Continuing Education in Dentistry 26(9), Suppl 3, 4-10.

- Taani, D.Q., & Awartani, F. (2001). Prevalence and distribution of dentin hypersensitivity and plaque in a dental hospital population. Quintessence International, 32(5), 372-376.

- Tabbara, N. (2009). Temporomandibular disorders (TMDs): A note from the field. Journal of the Lebanese Dental Association, 46, 37-41.

- Takeuchi, N., & Yamamoto, T. (2008). Correlation between periodontal status and biting force in patients with chronic periodontitis during the maintenance phase of therapy. Journal of Clinical Periodontology, 35(3), 215-220.

- Tarantola, G., Becker, I. M., Gremiilion, H., & Pink, F. (1998). The Effectiveness of Equilibration in the Improvement of Signs and Symptoms in the Stomatognathic System. International Journal of Periodontal and Restorative Dentistry, 18(6), 595-603.

- Tillis, T.S., & Keating, J.S. (2005). Dentin hypersensitivity. In: Wilkins, E.M (Ed.). Clinical Practice of the Dental Hygienist. 9th ed. Baltimore,MD: Lippincott, Williams & Wilkins.

- Trowbridge, H.O., Franks, M., Korostoff, E., & Emling, R. (1980). Sensory response to thermal stimulation in human teeth. Journal of Endodontics, 6(1), 405-412.

- Trulsson, M., & Johansson, R.S. (1996). Encoding of tooth loads by human periodontal afferents and their role in jaw motor control. Progress in Neurobiology, 49(3), 267-284.

- Trulsson, M., Francis, S. T., Bowtell, R., & McGlone, F. (2010). Brain activations in response to vibrotactile tooth stimulation: a psychophysical and MRI study. Journal of Neurophysiology, 104,(4), 2257-2265.

- Tugnait, A., & Clerehugh, V. (2001). Gingival recession—its significance and management. Journal of Dentistry, 29(6), 381-394.

- Türker, K.S. (2002). Reflex control of human jaw muscles. Critical Reviews in Oral Biology & Medicine, 13(1), 85-104.

- Tyas, M.J. (1995). The Class V lesion - Aetiology and restoration. Australian Dental Journal, 40(3), 167-170.

- van Loveren, C. (2013). Exposed cervical dentin and Dentin Hypersensitivity summary of the discussion and recommendations. Clinical Oral Investigations, 17(Suppl 1), 73.

- Vera-Portocarrero, L.P., Zhang, E.T., Ossipov, M.H., Xie, J.Y., King, T., Lai, J., & Porreca, F. (2006). Descending facilitation from the rostral ventromedial medulla maintains nerve injury-induced central sensitization. Neuroscience, 140(4), 1311-1320.

- Walters, P.A. (2005). Dentinal hypersensitivity: a review. Journal of Contemporary Dental Practice, 6(2), 107-117.

- West, N.X. (2006). Dentine hypersensitivity, Monographs in Oral Science; Dental Erosion, from Diagnosis to Therapy, 20, 173-189.

- West, N.X. (2008). Dentine hypersensitivity: preventive and therapeutic approaches to treatment. *Periodontology*, *48*(1), 31-41.

- Lussi, A., Seong, J., & Hellwig, E. (2012). Dentin hypersensitivity: pain mechanisms and aetiology of exposed cervical dentin. *Clinical Oral Investigations*, 1-11.

- Williamson, E.H., & Lundquist, D.O. (1983). Anterior guidance: its effect on electromyographic activity of the temporal and masseter muscles. *The Journal of Prosthetic Dentistry*, *49*(6), 816-823.

- Yadav, S. (2011). A Study on Prevalence of Dental Attrition and its Relation to Factors of Age, Gender and to the Signs of TMJ Dysfunction. *The Journal of Indian Prosthodontic Society*, *11*(2), 98-105.

- Yoshiyama, M., Noiri, Y., Ozaki, K., Uchida, A., Ishikawa, Y., & Ishida, H. (1990). Transmission electron microscopic characterization of hypersensitive human radicular dentin. *Journal of Dental Research*, *69*(6), 1293-1297.

추가문헌

- Absi, E.G., Addy, M., & Adams, D. (1992). Dentine hypersensitivity–the effect of toothbrushing and dietary compounds on dentine in vitro: an SEM study. *Journal of Oral Rehabilitation*, *19*(2), 101-110.

- Al-Sabbagh, M., Andreana, S., & Ciancio, S. G. (2004). Dentinal hypersensitivity: review of aetiology, differential diagnosis, prevalence, and mechanism. *Journal of the International Academy of Periodontology*, *6*(1), 8.

- Bakke, M. (1993). Mandibular elevator muscles: physiology, action, and effect of dental occlusion. *European Journal of Oral Sciences*, *101*(5), 314-331.

- Bergamini, M., Pierleoni, F., Gizdulich, A., & Bergamini, C. (2008). Dental occlusion and body posture: a surface EMG study. *Journal of Craniomandibular Practice*, *26*(1), 25-32.

- Ferrario, V.F., Serrao, G., Dellavia, C., Caruso, E., & Sforza, C. (2002). Relationship between the number of occlusal contacts and masticatory muscle activity in healthy young adults. *Journal of Craniomandibular Practice, 20*(2), 91-98.

- Glaros, A.G., Forbes, M., Shanker, J., & Glass, E.G. (2000). Effect of parafunctional clenching on temporomandibular disorder pain and proprioceptive awareness. *Journal of Craniomandibular Practice, 18*(3), 198-204.

- Khan, A., & Hargreaves, K.M. (2010). Animal models of orofacial pain. *Analgesia*, New York City: Humana Press, pp. 93-104.

- Kimoto, K., Fushima, K., Tamaki, K., Toyoda, M., Sato, S., & Uchimura, N. (2000). Asymmetry of masticatory muscle activity during the closing phase of mastication. *Journal of Craniomandibular Practice, 18*(4), 257-263.

- Mahan, P.E., Wilkinson, T.M., Gibbs, C.H., Mauderli, A., & Brannon, L.S. (1983). Superior and inferior bellies of the lateral pterygoid muscle EMG activity at basic jaw positions. *The Journal of Prosthetic Dentistry*, *50*(5), 710-718.

- Nguyen, C., Ranjitkar, S., Kaidonis, J.A., & Townsend, G.C. (2008). A qualitative assessment of non-carious cervical lesions in extracted human teeth. *Australian Dental Journal, 53*(1), 46-51.

- Piancino, M.G., Bracco, P., Vallelonga, T., Merlo, A., & Farina, D. (2008). Effect of bolus hardness on the chewing pattern and activation of masticatory muscles in subjects with normal dental occlusion. *Journal of Electromyography and Kinesiology*, *18*(6), 931-937.

- Raphael, K.G., & Ciccone, D.S. (2008). Psychological aspects of chronic orofacial pain. *Orofacial Pain and Headache*. Edinburgh: Elsevier, pp. 57-74.

- Rees, J.S. (2006). The biomechanics of abfraction. *Proceedings of the Institution of Mechanical Engineers, Part H: Journal of Engineering in Medicine*, *220*(1), 69-80.

- Robertson, L.T., Levy, J.H., Petrisor, D., Lilly, D.J., & Dong, W.K. (2003). Vibration perception thresholds of human maxillary and mandibular central incisors. *Archives of Oral Biology*, *48*(4), 309-316.

- Wright, E.F. (2008). Pulpalgia contributing to temporomandibular disorder-like pain; a literature review and case report. *The Journal of the American Dental Association*, *139*(4), 436-440.

- Zuñiga, C., Miralles, R., Mena, B., Montt, R., Moran, D., Santander, H., & Moya, H. (1995). Influence of variation in jaw posture on sternocleidomastoid and trapezius electromyographic activity. *Journal of Craniomandibular Practice, 13*(3), 157-162.

한 교합면 마찰성 연루로 유발되는 치아의 비틀림과 굴곡에 대한 통각 반응. 날카롭고 급성의 일시적인 통증으로 DH와 유 사하고 DH를 선행한다. DH와 달리, FDH는 노출된 상아질이나 상아 세관을 항상 연루하지 않는다.

주요 용어 및 정의

- **감작(sensitization):** 신경 손상 후 나타나는 유해한 자극이나 정상의 무해한 자극에 대한 증가되거나 새로 형성된 과민증.
- **기계적 감응:** 신체 외부 자극으로 유발되는 무의식적 감지 혹은 접촉이나 기계적 변위의 의식적 인지.
- **기계적 자극수용기:** 압력, 진동, 장력, *마찰*과 같은 기계적 자극에 반응하는 감각 신경 말단 기관.
- **마찰성 치아 지각과민증(FDH):** 하악 편심위 동안 구치부의 과다한 교합면 마찰성 연루로 유발되는 치아의 비틀림과 굴곡에 대한 통각 반응. 날카롭고 급성의 일시적인 통증으로 DH와 유 사하고 DH를 선행한다. DH와 달리, FDH는 노출된 상아질이나 상아 세관을 항상 연루하지 않는다.
- **상아질 지각과민증(DH):** *개방된 상아 세관*이 정상의 무해한 자극에 반응하여 발생하는 짧은 지속 시간의 날카로운 급성 통증으로 철저한 치아 검사, 관찰, 내력과 배제의 과정을 거쳐 진단된다.
- **이개 시간(DT):** 치아가 정적이 교두감합을 떠나 모든 구치부가 양측성으로 완전하게 분리되고 전치만이 접촉 상태로 남을 때까지 필요한 경과 시간을 T-Scan이 측정한 것.
- **젖산:** 근수축 동안 발생하는 혐기성 포도당 대사의 수용성 부산물. 과다한 젖산은 근육성 TMD 환자의 근육통 증후군을 유발할 수 있다.
- **치아 굴곡:** 치근 부분에 제한된 치아의 편향이나 구부러짐.

부록

A) 치아 민감성 통증 평가(TSPS)

환자:	치료 전
날짜:	치료 후

당신의 통증을 0에서 10까지 숫자로 표시하세요.

0 – 전혀 통증 없다

1 – 대부분 느끼지 않는다

3 – 일주일에 수회 느낀다

5 – 약을 먹어야 하는 정도의 통증

7 – 정말로 치과 상담이 필요하다

9 – 더 강력한 약을 먹고 오늘 당장 치과에 가야 한다

10 – 최악의 통증!

얼음물을 5초간 물고 난 후 치아의 민감성 통증을 표시하세요.

통증없음										극심한통증
0	1	2	3	4	5	6	7	8	9	10

B) 교합 관련 질문(해당되는 곳에 표시해 주세요)

당신은:

1 – 치아의 통증을 방지하기 위해 빨대를 사용하여 찬 음료수를 마십니까?

2 – 치아의 민감성 통증이 신속하게 사라집니까?

3 – 단단하거나 질긴 음식을 씹기 힘듭니까?

4 – 차가운 음료수를 마시거나 아이스크림을 먹기 어렵습니까?

5 – 차가운 공기에서 숨 쉴 때 치아에 통증이 있거나, 입을 다물고 코로 숨을 쉬면 통증이 사라집니까?

6 – 몇 개의 치아나 전체에 걸쳐 일시적인 민감성 통증이 있습니까?

7 – 턱이나 뺨 근육이 종종 뻣뻣하다고 느낍니까?

8 – 씹는 껌이나 음식물 저작으로 턱이 피곤함을 느낍니까?

9 – 이악물기나 이갈이 습관이 있습니까?

10 – 상하 치아가 닿으면 살짝 아파서 상하 치아를 의식적으로 닿지 않게 한 적이 있습니까?

11 – 종종 혀를 앞니 사이로 집어넣고 있는 것을 깨달은 적이 있습니까?

C) 교합과 덜 연관된 질문(해당되는 곳에 표시해 주세요)

당신은:

12 – 뜨겁거나 차가운 자극이 사라진 후에도 치아의 민감성 통증이 오래 지속됩니까?

13 – 단단한 음식물을 치아에서 분리한 후에도 통증이 지속됩니까?

14 – 차가운 것이 통증을 완화시킵니까?

15 – 치아가 아파서 밤중에 깨어난 적이 있습니까?

16 – 상하 치아를 분리하지 않으면 참을 수가 없어서 상하 치아를 의식적으로 닿지 않게 한 적이 있습니까?

17 – 앞니 사이에 무언가를 물지 않으면 통증이 참을 수 없었던 적이 있습니까?

18 – 통증을 일으키는 하나의 치아를 정확하게 알고 있습니까?

19 – 예전처럼 입을 크게 벌릴 수 없습니까?

20 – 뜨거운 음료에 참을 수 없고 매우 아픈 반응이 있습니까?

T-Scan 시스템과 결합된 공기 지표를 이용한 치경부 상아질 지각과민증 포착 및 수량화

Thomas A. Coleman, DDS
개인 의원, 미국

초록

이번 장은 치경부 상아질 지각과민증(CDH)을 포착하고 수량화하기 위해 공기 지표법과 접촉치아의 교합력 및 타이밍을 평가하는 T-Scan 교합 분석 시스템을 결합하여 소개한다. 또한 CDH의 임상적 증상 및/혹은 징후의 포착, 진단, 치료에 대해 논의한다. 1979년에서 1996년까지 17년에 걸친 후향적 연구는 CDH와 교합 조정으로 얻은 개선 사이의 상관관계를 보여줄 것이다. 교합 접촉력으로 인한 스트레스가 비-우식성 치경부 병소 형성과 치근 악화의 원인으로 작용하였다. 이번 장에서는 생물부식(biocorrosion)과 보호성 당단백의 소실이 적용된 힘의 영향을 가속화하여 CDH 증상과 치경부 굴곡파절을 유발하는 것에 대해 설명할 것이다. 마지막으로, CDH 증상을 진단하고 치료하기 위해 CDH 진단에 대한 공기 지표법을 T-Scan 교합 분석과 연계하여 소개할 것이다. 이 두 방법을 각각 따로 적용했을 때보다 연계했을 때 CDH/교합 통찰을 더 잘 만들어낸다.

도입

이번 장에서는 만성 치아 미세외상으로 인한 임상 증상 및/혹은 징후의 발견, 진단, 치료에 대해 논의한다. 치경부 상아질 지각과민증(Cervical Dentin Hypersensitivity, CDH)의 존재는 종종 기능 및/혹은 이상기능 동안 나타나는 치경부에 적용되는 과다한 스트레스가 있음을 암시한다. CDH의 발현을 개시하고 확대하는 두 가지의 근본적인 공동 인자가 있다. 그것은 "굴곡파절"과 "생물부식"으로, 동시에 발생하여 임상적으로 복합적인 원인을 이루게 된다. 이번 장에서는 교합 미세외상으로부터 유발된 치경부 스트레스

가 CDH 역치 반응 전에 선행되는 비-우식성 치경부 병소(Non-Carious Cervical Lesion, NCCL)를 어떻게 초래하는지를 설명하기 위해 스트레스에 대한 물리학적 논의를 시행할 것이다. 다른 부분에서는 미세외상으로 인한 임상 병리학의 활동적 또는 비 활동성 소견과 관련 지어 교합 질환(Occlusal Disease, OD)을 정의 할 것이다. CDH 발견과 수량화에 대한 공기 지표법도 설명하고 보여줄 것이다. 마지막 부분은 공기 지표법과 T-Scan Ⅲ 교합 분석 시스템(Tekscan, Inc., S. Boston, MA, USA)의 연계 사용에 대해 논의할 것이다. 두 개의 객관적인 방법이 같이 어우러지면, 측정성 교합 개입으로 인해 활동성의 교합 미세외상을

발견하고 치료하는 임상의의 능력을 상승적으로 향상시켜 CDH 증상을 예견성 있게 감소시킬 수 있다.

배경

교합 스트레스는 만성 *미세외상(microtrauma)* 혹은 *거대외상(macrotrauma)*으로 유발된다(Speck 등, 1979). 만성 미세외상은 장기간에 걸친 반복적인 낮은 힘을 유발하는 악궁 간 치아 접촉이라고 정의된다. 이런 유형의 외상은 연하, 습관성 기능, 이상 기능, 저작 동안 발생한다(Dejak 등, 2003; Grippo, 1991; Grippo 등, 2004; Kydd, 1957; Shore, 1976; Straub, 1960). 미세외상은 음식물 덩어리의 존재 여부와 관계없이 발생할 수 있다.

미세외상은 저작계 건강의 파괴에 의한, 교합 질환의 조기 접촉 증상 및/혹은 징후를 야기하는 병적 상태로 간주될 수 있다. 교합 질환(Occlusal Disease, OD)이란 용어는 1990년 문헌에 처음 등장하였고(Lytle, 1990), 17년 후에 더 수정되었으며(Ruiz, 2007), 1년 후에 다시 정제되었다(Ruiz & Coleman, 2008). 교합 질환은 교합 마모, 치아나 수복물의 파절, 저작시의 치아 지각과민증, CDH(Coleman 등, 2003; Coleman & Kinderknecht, 2000), 치아 과동요(Harrel 등, 2006), 진탕음(fremitus)(Harrel 등, 2006; Ruiz, 2007), 굴곡파절 스트레스(Coleman 등, 2003; Grippo, 1991; Ruiz, 2003, 2005, 2007), 수직적 골 소실 혹은 국소화된 골 붕괴(염증성 및 세균성 치주 질환에 이차적인)(Harrel 등, 2006), 저작근 혹은 TMJ 통증(Gremillion, 2006; Ruiz, 2005; Sipila 등, 2006)의 임상 결과를 포함한다. 본래 개론으로 출간되었다. ©2008년, AEGIS Publications, LLC. 모든 권리 유보. 출판사 허락 하에 발췌.

1971년, Ramfjord와 Ash는 이악물기를 자극하는 중추 신경 반사가 치주 자기수용기, 특히, 치주인대의 Sharpey fiber 복합체 내부로부터 방출되는 것으로 보인다고 제안하였다(Ramfjord & Ash, 1971). 이런 "유해수용성 반사"는 다중 시냅스성(polysynaptic) 유해 자극에 의해 야기된다(Okeson, 1998). 이런 현상은 치열이 과도기 상태인 몇 년 동안 관찰되지만, 치주 반사가 치아 동요도로 야기된 저작근에 반응하면서 모든 나이에 적용되기도 한다(Okeson, 1998).

만성 미세외상은 이갈이 동안 생리적 혹은 병리적일 수 있다. 성장에 따라 유치가 소실되는 과도기 치열을 가진 어린이(만 7-14세)에서 관찰되는 이갈이는 생리적인 것이다. 이 연령대의 어린이에서 발생하는 마모 양상은 유년기 이갈이 성향과 연관된다(Ahmad, 1986). 이 시기의 이갈이는 치아 동요를 유발하는 유치 치근 흡수에 반응하는 치주 유해수용성 반사에 의해 발생하는 것으로 보인다. Angle의 Class I 혹은 II 교합 체계에서 유견치의 치아 동요나 소실은 견치 유도 소실로 이갈이를 자극하게 된다(Williamson & Lundquist, 1983). Angle의 Class I 혹은 II 교합에서 견치 보호 유도가 발달하면서 대체적으로 10대 후반(만15-18세)에 이갈이는 감소된다(Ahmad, 1986). 격동의 청소년기 후반 동안 이갈이의 발생 빈도가 낮아지기 때문에, 불안 그 자체는 이상 기능을 자극하지 않는다. 그러므로, 문헌에 의하면 어린이의 이갈이는 유치 소실을 돕는 생리적인 유해수용성 반사 반응 기전이다.

*거대외상*은 스포츠, 자동차 사고, 싸움, 머리 및/혹은 목 부위에 가해지는 외상 등으로 인해 발생되는 충격적인 손상으로 야기된다. 이로 인해 치아 구조 약화뿐만 아니라, 경조직이나 연조직 손상으로 기능 및/혹은 본래의 모습에도 영향을 받을 수 있다(Dawson, 2007; Okeson, 1998). 이번 장에서 거대외상의 영향을 받은 저작계에 대해서는 언급하지 않을 것이다. 그러나, 기능하는 동안 최대의 저작계 건강을 확보하기 위해서, 임상의는 미세외상과 거대외상에 대해 알아야만 한다.

치경부 상아질 지각과민증(Cervical Dentin Hypersensitivity, CDH)

상아질 지각과민증(DH)의 자세한 분석은 8장에 설명하였다. 이번 특별한 장에서는, 중복되는 내용을 최소화한 간소화 버전으로 설명될 것이다.

CDH의 흔하게 관찰되는 만성 통증 상태는 수년 동안 논문을 통해 논의되었다(Addy, 1990; Kanapka, 1990; Kornfeld, 1932). 이들에 의하면, 전세계적으로 15-57%에서 CDH가 발생한다고 하였다(Preeti 등, 2013).

Brännstrom과 Anderson 등에 의한 "유체 동력설'에 따르면, 노출된 치근면의 개방된 세관으로부터 상아질 유체가 기화되면서 치수 기계적 자극수용기가 자극받는다(Anderson 등, 1970; Brännstrom, 1963). 연이은 광학 현미경 연구에서, 자유 신경 종말이 100micron 이상의 거리인 치수에서 상아 세관으로 연장되어, 중추 신경계를 통한 신경 자극 혹은 직접적으로 저작근에 반응한다(Fearnhead, 1967). 구축된 신경 통로는 8장의 FDH에 대한 부분에서 설명되었다. 부가적으로, 전기 치수 자극은 최소한 교근의 유해수용성 반사 반응을 유발하는 것으로 알려져 있다(Holmgren 등, 1985; Okeson, 1998; Riise & Sheikholeslam, 1982; Ruiz & Coleman, 2008; Sharav 등, 1982; Siirilae & Laine, 1963).

치근면을 덮고 있는 표면층의 방어막이 유체가 상아 세관으로 흐르도록 허락하여 CDH를 유발하는 것으로 생각된다(Pashley, 1990). 최근의 논문에 설명된 것처럼, 치경부 민감성은 치근의 상아 세관이 개방되고 막히지 않아 발생한다(Absi 등, 1987). 냉자극, 공기, 전기 자극, 삼투압 변화, 직접적인 상아질 촉각 자극, 혹은 이들의 통합 같은 외부 자극에 의해서 신경 전도의 역치 자극이 살아있는 치수 및/ 혹은 상아질이 발생하면, CDH로 알려진 통증이 야기된다(Absi 등, 1987; Addy, 1990; Anderson 등, 1970; Brännstrom, 1960, 1963; Curro, 1990; Gysi, 1900; Pashley, 1993; Tavares 등, 1994).

치료 대안은 개방된 상아 세관을 막아 치수 신경 전도를 감소시키는 방향으로 시도되었다. 상아질 차단제, 탈분극 치약, 보호제 적용, glass ionomer를 이용한 치근 혹은 교합면 상아질 노출 수복 등과 같은 치료 양식을 비교하는 논문이 많이 있음에도 불구하고(Addy, 1990; Jones, 2011; Kanapka, 1990; Preeti 등, 2013; Ritter 등, 2006; Terry, 2011), 증명된 CDH 원인에 관한 정보는 거의 없다. 부적절한 칫솔질, 치약 마모, 치은 퇴축이 치경부 치아 구조 소실과 CDH 진행에 크게 기여한다고 추정할 뿐이다. 대안적으로, 후향적 연구는 교합력으로 법랑질, 상아질, 백악질에 활동적인 굴곡파절을 일으키는 치경부 스트레스가 유발되어 CDH가 발생한다고 제안하였다(Coleman 등, 2000, 2003). 더 나아가, 산성의 구강 환경과 치면 세마, 치주 수술, 발치를 최근에 받은 경우가 CDH가 임상적으로 발생할 가능성이 있는 시기라고 하였다(Coleman 등, 2000). 요약하면, 개방된 상아 세관이 살아있는 치수-상아질 경계면의 신경 요소를 자극하는 역치에 다다랐을 때, CDH가 감지된다. 전문가적 치료 접근은 개방된 상아 세관을 폐쇄하거나 치수 신경 전도성을 감소시키기 위해 시도되었다(Veitz-Keenan 등, 2013). Logic은 치료의 형식을 개시하기 전에

CDH의 원인을 결정할 필요가 있다고 제안한다.

다양한 연구자들이 이를 입증하고자, 수많은 객관적 혹은 주관적 평가 양식을 개발하였다(Brännstrom 등, 1967; Johnson & Brännstrom, 1974; Matthews & Hughes, 1988; Orchardson & Collins, 1987; Pashley 등, 1984; Polhagen & Brännstrom, 1971; Preeti 등, 2013; Thrash 등, 1983; Trowbridge 등, 1980; Van Hassel & Brown, 1969). Pashley 는 CDH의 객관적인 연구를 위해 약화되고 지속 시간이 짧은 공기 분사 개발을 권고하였다(Pashley, 1990). 이런 방법들 중 그 어느 것도 적용 시간이 없고, 객관적인 CDH의 포착/수량화를 위한 수용할 만한 수단으로 인정받지 못하고 있다.

CDH를 포착하고 수량화하기 위한 "공기 지표법(Air Indexing Method)"으로 알려진 술식은 1979년 저자에 의해 개발되었고 2000년 처음으로 발표되었다(Coleman & Kinderknecht, 2000).

공기 지표 술식은 다음과 같이 정의된다:

공기 자극에 대한 "역치 환자 반응"을 얻기 위해 실온의 공기를 이용하여, 약화된 공기를 치아 장축의 45° 각도로 CEJ를 향해 직접적으로 0.5-1초간 분사한다.

"역치 환자 반응"은 환자가 약화된 공기 자극에 대해 양성의 CEJ 민감성 치아 반응을 보이는 것으로 정의된다(Coleman & Kinderknecht, 2000). 양성 반응으로 포착되는 치아는 "지각과민성" 혹은 "양성의 공기 지표"로 표기된다. 그러므로, 이것은 CEJ 부위에 가해진 최소의 공기 자극에 대한 주관적인 환자 반응에 특화된 기술이고, 치아 치수 생활력과 유해한 자극에 대한 환자 반응에 의해 결정된다.

250명의 환자에 대한 17년 간의 후향적 연구는 양성의 공기 지표를 가지는 것으로 진단된 치아가 6개 이하인 CDH는 교합 조정으로 해소될 수 있다는 것을 발견하였다(Coleman 등, 2000, 2003; Ruiz & Coleman, 2008). 6개 이상의 치아에서 만성 CDH로 진단된 환자는 근본적으로 산성 원인의 공동 인자와 연관된 것으로 보였다(Grippo 등, 2012; Ruiz & Coleman, 2008). 최근에 CDH의 발현이 적용된 교합 스트레스와 생물부식의 결합으로 기인한다는 보고가 있었다(Coleman 등, 2000, 2003; Coleman & Kinderknecht, 2000; Grippo 등, 2012; Ruiz & Coleman,

2008).

공기 지표법은 임상의에게 활동적인 미세외상, 내부적 (내인성) 혹은 외부적(외인성) 기원에 의한 치아 산성화를 진단하기 위한 예견성 높고 수량화된 기술을 제공한다. 그러나, 공기 지표는 교합력 크기로 인한 CDH 이환 치아를 구분할 수 없다. 대안적으로, T-Scan 교합 분석 시스템이 CDH 이환치에 대한 상대적인 교합 접촉력 크기를 기록하고 보여준다. 공기 지표가 수량화된 교합력 크기를 CDH 이환치에 할당할 수 없기 때문에, 최근에는 T-Scan Ⅲ 교합 분석 기록과 결합하여 CDH 증상을 보이는 치아에 영향을 미치는 힘의 크기를 기록한다.

수직적 교합력 과다와 연장된 편심위 운동 마찰성 교합 접촉 모두는 치아 굴곡을 야기할 수 있다. 치아 굴곡은 결과적으로 상아질 및/혹은 치수 내부로부터 CDH 반응을 이끌어낼 수 있다. 공기 지표와 T-Scan을 같이 사용하면, 이런 객관적인 양식으로 CDH 민감증을 유발하는 활동적인 병적 미세외상을 진단하고 치료하는 능력을 가질 수 있게 된다.

치경부 스트레스
스트레스를 수학 공식으로 표현하였다:

스트레스(Stress) = 힘(Force)/면적(Area)

$S = F/A$

수학적으로 계산하면 넓은 접촉 부위에 50 pound (22.7 kg)의 힘은 좁은 부위에서 32,258 pound (14, 632.0 kg)의 스트레스가 가해진 것으로 전환된다(그림 1). 자체의 특성상, 교합 굴절(deflection)은 일반적으로 좁은 부위에서 발생하게 된다.

힘이 가해지면, 상아질과 법랑질의 공학적 스트레스-응력 분석은 위에 인용된 공식보다 좀더 복잡하지만, 기본적인 기계적 법칙은 표면 면적 감소나 스트레스 증가를 야기한다는 것을 설명해준다(Caputo & Standlee, 1987). 이런 좁은 접촉 부위에 가해지는 힘의 방향이나 크기의 작은 변화는 치경부 스트레스의 주요 원인이 되고, 교합 질환의 진행을 돕게 된다. 80 micron의 적은 교합 조기접촉은 교합력이 70% 증가하는 결과를 가져온다(Laurell & Lundgren, 1987). 그림 1처럼, 저작하고 연하하는 동안 교합 조기접촉이나 굴절이 교합 접촉의 최소 부위에 인장력이나 압축력

으로 적용되면, 결과적인 치경부 스트레스는 현저하게 확대된다.

인장 및/혹은 압축 교합력이 치아에 가해지면, 스트레스는 법랑질 수산화인회석 결정 나선 배열에 벡터로 작용한다(Lee & Eakle, 1984, 1996; McCoy, 1982; Skinner & Phillips, 1982). 스트레스가 상아질과 법랑질에 적용되는 방법에 대한 유한 요소 연구에서, 적용된 교합 부하 하에서 치아 구조가 변형되는 결과가 나왔다(Benazzi 등, 2011; Dejak 등, 2005; Fearnhead, 1962; Goel 등, 1991; Kohler, 1969; Körber, 1962; Lucas & Spranger, 1973; Rasmussen 등, 1976; Selna 등, 1975; Spranger, 1995). 시간이 흐름에 따라 결과적으로 발생한 비-우식성 치경부 병소(NCCL)는 1980년대 초반 McCoy가 논문을 통해 "McCoy notch"라 명명하였다(McCoy, 1982, 1983). 뒤이어 1991년 과다한 인장력과 압축력이 치아의 치경부 1/3부위에 스트레스를 집중시켜 발생하는 치경부 치아 구조 소실을 설명하기 위해 "굴곡파절(abfraction)"이라는 용어가 소개되었다(Grippo, 1991). 굴곡파절의 임상적 형태는 치아 치경부에 존재하는 날카롭게 각진 홈으로 묘사된다. 아주 드물게, 법랑질 내에 타원형의 함몰로 나타날 수 있다(Coleman & Kinderknecht, 2000; Grippo, 1991; Grippo & Simring, 1995; McCoy, 1982, 1983). 힘이 적용되는 접촉 부위가 더 작아지면서, 결과적인 스트레스가 드라마틱하게 증가한다. 이런 이유로, 과다한 기능력 혹은 이상 기능력이 좁은 교합 접촉에 적용되면, 치경부에서 발생하는 굴곡파절 현상의 위험성이 증가하게 된다.

인간의 저작력을 분석한 연구에서, 성인의 교합 접촉력은 전 악궁에 걸쳐서 저작할 때 평균 58.7lb(26.6kg)의 힘으로 194 millisecond(ms)동안, 연하할 때 평균 66.5lb(30.2kg)의 힘으로 683ms 동안 분포한다고 하였다(Gibbs 등, 1981). 한 연구에서는 남성은 최대 975lb(442.3kg)의 교합력을 발휘한다고 보고하기도 하였다(Gibbs 등, 1986). 그러므로, 보고된 인간 교합력 역량의 높은 값을 고려하면, 좁은 교합 표면에 적용된 과다한 만성 교합력의 존재는 치아 파절이나 굴곡파절 형성의 가능성을 현저하게 증가시킬 것 같다. 좁은 면 접촉은 교합면 마모와 치근 구조 스트레스를 크게 악화시킨다(S=F/A)(그림 1).

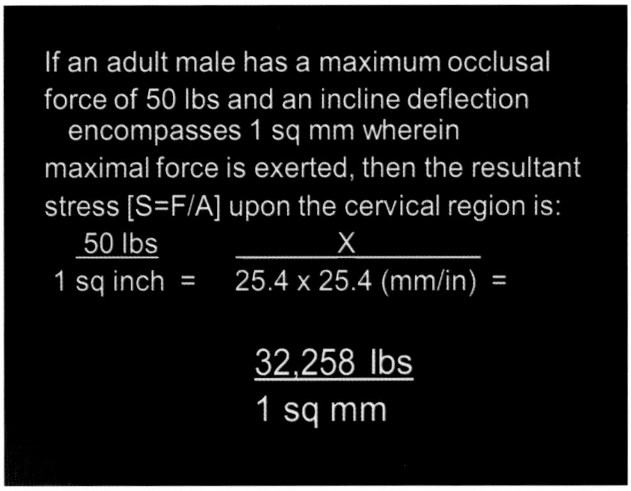

If an adult male has a maximum occlusal force of 50 lbs and an incline deflection encompasses 1 sq mm wherein maximal force is exerted, then the resultant stress [S=F/A] upon the cervical region is:

$$\frac{50 \text{ lbs}}{1 \text{ sq inch}} = \frac{X}{25.4 \times 25.4 \text{ (mm/in)}} =$$

$$\frac{32,258 \text{ lbs}}{1 \text{ sq mm}}$$

그림 1 50lb(22.7kg)의 힘이 1mm² 면적에 가해졌을 때 이에 따른 스트레스의 드라마틱한 증가

교합 질환

교합 질환은 시간의 흐름에 따라 발생하는 만성 기능, 과다 기능 및/혹은 이상 기능으로 유발된다(Ahmad, 1986; Grippo, 1991; Grippo 등, 2004; Harrel 등, 2006; Körber, 1962; Okeson, 1998; Ramfjord & Ash, 1971; Ruiz, 2003, 2005, 2007; Ruiz & Coleman, 2008; Speck 등, 1979).

교합 질환에서 발생하는 임상적 형태는 이 장의 배경에 이미 소개되었다(Ruiz & Coleman, 2008):

• 교합 마모
• 치아나 수복물의 파절
• 저작 동안 치아의 지각과민증
• 상아질 지각과민증(DH) 및/혹은 치경부 상아질 지각과민증(CDH)
• 치아 과동요
• 굴곡파절 스트레스
• 진탕음
• 수직적 골 소실 혹은 국소화된 골 파괴(염증성/세균성 치주 질환에 이차적으로)
• 저작근 혹은 TMJ 통증

활동성 vs 비활동성 교합 질환의 존재는 조기 진행을 완화시키기 위해 객관적인 교합 분석법으로 평가되어야 한다. T-Scan 교합 분석 시스템(Tekscan, Inc., S. Boston, MA, USA)은 임상적 해석을 위해 객관적인 악궁-간 상대적 교합력 데이터와 접촉 타이밍 데이터를 기록한다. T-Scan 소프트웨어는 상대적 힘 크기를 설명하여, "이개 시간(DT)" (Kerstein & Wright, 1991; Kerstein 등, 1997; Kerstein & Radke, 2012)과 "교합 시간(OT)"(Kerstein & Grundset, 2001)은 같이 교합 마모의 위치, 구조적 굴곡파절 치아 소실, CDH 증상과 관련하여 객관적인 기능적 교합 접촉력과 타이밍 정보를 제공한다. "힘 이상치(Force Outlier, FO)" 치아 접촉을 분리하는 기록은, 환자가 최대 교두감합(MIP)으로의 자가-폐구하는 동안 빠른 힘 상승을 보이는 조기 접촉을 식별한다. 이런 높은-힘 조기 접촉은 치아에 지나친 스트레스를 유발하고 CDH 증상 발현을 야기한다. 그러나, T-Scan은 교합 질환을 진단하지도 활동적인 치경부 스트레스를 측정하거나 포착하지도 못한다. T-Scan은 객관적인 교합 접촉력과 타이밍 값을 사용하여 활동적인 교합 질환 증상 및/혹은 징후를 평가하는 방법을 제공한다. 이 책의 다른 장에서 완벽한 T-Scan 교합 분석을 수행하는 결정 요인을 자세하게 제안하겠지만, 이 장에서는 T-Scan을 이용하여 교합적으로 활성화된 치경부 굴곡파절 스트레스를 진단하고 치료하는 것에 대해 논의할 것이다.

치아에 영향을 미치는 활동성 *미세외상*의 존재는 T-Scan 시스템을 이용해 평가할 수 있는데, 여러 가지 상대적 교합력 크기를 기록하지만, 기록된 힘을 스트레스-응력 분석으로 전환할 수는 없다. 객관적인 상대적 교합력 기록은 교합 체계 내 과다한 교합력이 존재하는 위치를 임상의에게 그래픽으로 보여준다. 이 정보에 의해 겨냥된 교합 조정을 시행하면서, 활동적인 시스템 부조화가 진행되지 않게 예방하고 조기 접촉 교합 질환을 야기하는 스트레스를 수정하는 것이 가능하다. 그 대신에, 치료되지 않은 상태로 남아 있다면, 시간이 흐름에 따라 존재하는 교합 굴절이 치아 및/혹은 치조 지지에 지속적으로 피해를 입히게 될 것이다.

힘 이상치 접촉, 교합 시간, 연장된 이개 시간을 일으키는 편심위 마찰성 접촉, 기능 혹은 이상 기능 동안 치아에 적용되는 상대적 힘 차이 모두는 위에 언급한 교합 질환 상태의 원인으로 스트레스-유도 역할을 하게 된다. 동시성을 증가시키기 위한 교합 시간 개선(1번째 접촉부터 완전 교두감합까지 0.2초 이하)(Kerstein & Grundset, 2001), 주위의 치아와 조화로운 힘 정리를 위한 힘 이상치 감소, 컴퓨터 교합 조정으로 생리적 수준의 이개 시간(편심위 운동마다 0.5초 이하)(Kerstein & Wright, 1991)은 진행 중인 교합 스

치아 표면 병소에 대한 병역학 기전의 개요

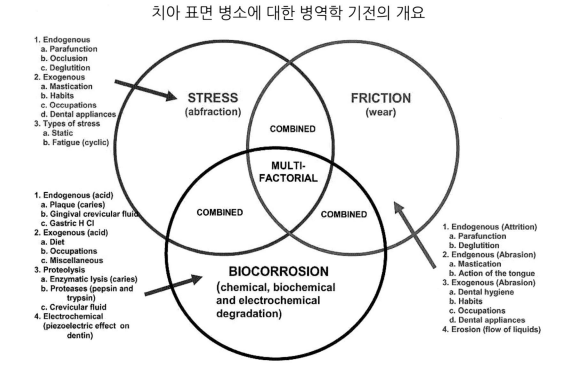

그림 2 생물부식, 스트레스, 마찰 사이의 상호-작용과 연관된 NCCL 형성의 공동 요소가 치경부 결함의 개시와 성숙에 원인이 된다(Grippo J.O., Simring, M., & Coleman, T.A.(2012)에서 발췌. Abfraction, abrasion, biocorrosion, and the enigma of non-carious cervical lesions; a 20-year perspective. Journal of Esthetic and Restorative Dentistry, 24(10), 10-23. © 2011 Wiley Periodicals, Inc. 허락 하 사용.)

트레스를 제한한다. 그 목적을 달성하기 위해, 임상의는 주어진 힘과 타이밍 데이터를 이용하여 시스템 부조화를 예방하고 기존의 교합 굴절로 인한 반복적인 스트레스를 수정하는 방법을 이해해야만 한다.

교합 질환이 활발하게 치아 구조를 무너뜨리거나 비활동적이지만 눈에 보이는 교합 및 치근면 치아 구조 결함이 있는지를 임상가가 결정해야 한다. 비-우식성 치경부 질환(NCCL)은 스트레스, 마찰, 생물부식의 원인 공동 요소 사이의 상호 작용에 의해 발생한다(그림 2). 병소의 계속적인 진행은 위산이나 외인성 산, 트립신, 펩신, 압전력(Piezoelectric force)의 존재에 의해 영향을 받는다(Grippo 등, 2012). 법랑질은 압전성이 아니지만, 상아질은 적용된 기계적 힘에 반응하여 기계적인 잠재성을 발생시키는 것으로 알려졌다(Braden 등, 1966).

잠재적 원인으로서 NCCL을 평가할 때, 임상의는 생물부식 공동-요소가 근본적으로 NCCL 형성에 연관되는지를 평가해야 한다. 내인성(위의) 및/ 혹은 외인성 산은 치경부에 피로 부식을 촉진할 수 있다(Grippo & Masi, 1991;

Grippo & Simring, 1995). 교합면 "컵모양 함몰"은 이전의 혹은 진행 중인 산성 노출의 증거가 될 수 있다. 컵모양 함몰은 교합력과 관계없이 형성된 법랑질 내 교합면 패임으로 나타난다(전통적인 생각에서). 그러나, 이것은 마모와 결합된 산에 의한 법랑질 용해에 의한다(Abrahamsen, 2005; Bartlett, 2005).

치약과 칫솔질에 의한 마모도 역사적으로 CDH와 굴곡파절 형성에 대한 원인으로 여겨졌었다. CDH와 굴곡파절이 칫솔질과 치약 마모에 의해 유발된다는 Miller의 연구(Miller, 1907)와 G.V.Black의 제안(Black, 1907, 1955)에도 불구하고, 좀 더 현대적인 연구는 이런 마모제가 주요한 원인 요소로 작용하는지에 대한 의문을 제기하였다(Björn & Lindhe, 1966; Faye 등, 2006; Ganss & Hardt, 2009; Ganss 등, 2007; Ganss, Schlueter 등, 2009; Schlueter 등, 2010). 하지만, 수평으로 칫솔질하는 마모 실험 기계를 이용한 최신 연구에서, 기계 장치는 날카롭고 각진 마모 홈을 테스트용 발치된 치아에 형성할 수 있었다(Dzakovich & Oslak, 2008).

마모와는 치아 교모가 저작 기능 동안 발생한다는 점에서 활동성 교합력 존재를 암시할 수도 있다. 교합면 마모의 존재는 구조적 소실과 연관된다. 고대 인류는 포유류의 가죽을 무두질하기 전에 치아로 부드럽게 만들었고 거친 음식을 먹었고, 심한 교합 마모를 보인다(Aubry 등, 2003; Ritter 등, 2009). 저작계 기능의 "중립 지대" 침범(Dawson, 2007) 혹은 수축된 악궁 형태를 보이는(Mehta, 1995) 현대 인류는 마모와를 보이기 더 쉽다. 중립 지대는 Dawson에 의해 묘사되었는데, 안면/저작/혀의 근육의 순수한 힘이 시간의 흐름에 따라 치아 동요없이 저작계 균형을 허락하는 위치에 치아가 배열된다는 것이다(Dawson, 2007). 마지막으로, 이상 기능이 교합 질환의 진행을 가속화할 수 있다는 제안이 있었다(Lytle, 1990, 2001; Ommerborn 등, 2007; Xhonga, 1977).

인접치가 안정적이고 동요가 없는 상태에서, 치조골 소실로 인한 고립된 치아 동요는 T-Scan이 분리한 힘 이상치 접촉과 연관될 것이다. 또한, 저작하는 동안 치아 민감성에 대한 환자의 진술은 연루된 치아가 최근에 외상받았음을 암시하고(일시적인 치아 외상), "치아 균열 증후군"을 나타내거나(Lynch & McConnell, 2002), 편향적인 교합 접촉이 존재한다는 것이다. 치아에 과다한 힘이 발휘되는 순간 CEJ 부위에 과다한 스트레스를 경험하는 동안, 일시적인 치아 외상은 음식과 상관없이 발생하는 미세-외상 치아 접촉이 된다. 일시적인 치아 외상 현상은 종종 1주 이내에 해소되지만, 이런 상태에 대해 확실한 교합 치료가 수행될 때까지 통증성 저작 증상 및/혹은 만성 CDH 민감성은 시간이 흘러도 유지되는 경향이 있다.

임상 검사로 생물 부식, 마모, CDH의 증거를 발견하면, 임상의는 다음의 상태에 대한 원인적 평가를 시행해야 한다:
• 전신적 혹은 환경적 산성 원천의 존재,
• 저작계 불균형, 과도한 하악 기능, 거친 음식, 이상 기능으로 인한 활동성 교합 질환의 존재.

최근 발표에 의하면 CDH의 발생은 근본적으로 생물 부식, 스트레스, 및/혹은 이들 상호-요소의 결합으로 보인다고 한다(Coleman 등, 2000, 2003; Coleman & Kinderknecht, 2000; Grippo 등, 2012; Ruiz & Coleman, 2008). 활동성 vs 비활동성 교합 질환의 객관적인 진단 결정은 특정의 환자 불평을 평가하는 환자 인터뷰, 방사선 분석, T-Scan 교합 분석, 치아 시각 검사, 진탕음 평가, 공기 지표 검사를 포함해야 한다.

T-Scan 교합 분석 시스템에 의한 활동성 교합 질환의 객관적 판단

악궁 간 접촉의 T-Scan 분석은 정적(MIP) 및 동적(측방 및 전방 편심위) 치아 접촉력을 기록하고, 또한 힘 이상치 접촉을 분리하는 교두감합의 타이밍 순서를 기록한다. 객관적인 T-Scan 분석은 임상의가 *비활동성* 교합 질환과 *활동성* 교합 질환을 구분하게 도와 준다.

교합지 자국이 치아에 적용되는 힘의 양을 정확하게 나타내지 못함을 보여주는 연구들이 있다(Carey 등, 2007; Saad 등, 2008; Qadeer 등, 2012). 게다가, 교합지, foil, 교합 왁스, 실리콘 자국이 교합력 크기를 설명한다는 연구는 없다. 그러나, T-Scan은 구내에 교합 접촉을 표시하지 않기 때문에, T-Scan으로 평가하고 변경한 교합 접촉을 위의 교합 지표로 표시하는 것이 필요하다. 교합지와 T-Scan 데이터의 교합 인기 자국의 해석에서 충돌이 있다면, 저자는 디지털 데이터를 따르라고 권고한다.

다음의 그림들은 CDH를 생산하는 강한 치경부 스트레스(S) 집중을 야기하는 좁은 혹은 최소의 교합 영역(A)과 T-Scan의 연관성에 대한 4가지의 다른 임상적 증례를 설명한다. 시간의 흐름에 따른 미세외상(F)의 이 증례들은 활동적인 교합 질환의 증상과 징후를 만든다.

그림 3a는 52세 남성으로 13년 전 근심으로 기울어진 #2(17)번 치아에 레진 수복(MO)을 받았다. 3단계 공기 자극을 치근면에 적용하였을 때, 협설측면에서 양성의 중고도(moderately severe) 공기 지표 반응을 보였다. 이 증상은 수년간 존재해왔다. T-Scan 힘 데이터는 MIP에서 #2, 31(17, 47)번 치아에 극심한 접촉을 나타낸다(그림 3a). 환자가 교두감합 위치로 들어갈 때 법랑질 벽에 가해지는 극심한 폐구 접촉력이 #2번 치아의 CDH 원인이다.

그림 3b는 40세 여성으로 저작 동안의 통증과 가끔의 냉자극 민감성이 #3(16)번 치아에 발생한다고 하였다. 이미 수복물 교체를 받았지만, 증상의 변화가 없었다고 한다. T-Scan 분석에 의하면 #3번 치아에 심한 폐구 간섭이 있었고, 힘을 감소시킨 결과 환자의 기능 중 증상이 해소되었다.

그림 3c는 53세 여성으로 8년 전에 #14, 15(26, 27)번 부위에 임플란트 크라운을 제작하였다고 한다. 심한 폐구력

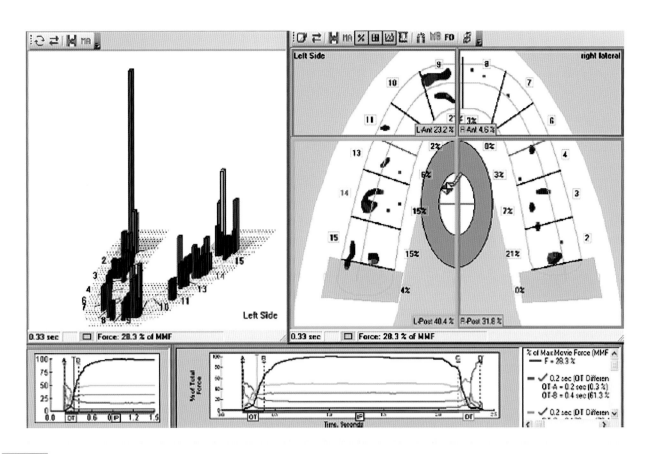

그림 3a 하악 폐구 동안 #2, 31(17, 47)번 치아에 극도의 강한 조기 접촉이 있다

부하가 장착된 위치에 남았고, 장착 직후부터 만성 교합-근육 통증, 수면 이갈이, #7-10(12-22), 19(36), 20(35)번 부위에서 치아 및/혹은 포셀린 파절, #13(25)번 원심과 #30(46)번 근심측에 수직적 골소실이 발생하였다. 임플란트에서는 자기수용성 정보가 형성되지 않기 때문에, 임상의는 T-Scan 데이터로 존재할지 모르는 과다한 교합력을 더 잘 분리할 수 있다.

그림 3d는 62세 남성으로 MIP 폐구시 #11(23)번 뿐만 아니라 #12(24)번 치아의 설측 교두 내사면에 과다한 힘이 존재한다. #12(24)번 치아는 임상적으로 CDH 민감성 굴곡 파절 병소를 보이고 있다. 환자는 좌측 디스크 이완으로 진단되었고, 수십 년 전의 하악 제1대구치 발거가 원인인 것으로 보인다. 공간 유지 없이, 하악 좌측 부위에서 치아의 수동적 이동, 쏠림, 기울어짐이 발생하였다. #12(24)번 치아에 대한 과다한 좌측 편심위 운동력이 없다. 우측 편심위에서 치아의 균형 간섭이 포착되지 않았다. 이 증례에서 폐구 시 과부하가 발생되는 #12(24)번 치아의 경사에 대한 교합 조정 시행에 연이어 CDH가 해소되었다. 최근의 관절연

골 소실이 일반적으로 동일측 최후방 치아에 가해진 더 큰 힘에 의해 발생할 것이라는 게 임상 소견이다.

이들 증례에서, 환자가 병적인 미세외상을 호소할 때 T-Scan이 임상의가 교합 접촉 조사에 사용할 수 있는 객관적인 방법을 제공한다. T-Scan이 활동성의 교합 질환을 보이는 과다한 교합력 부하 부위를 보여준다. 일단 전문적으로 교합의 과부하를 동반한 빠른 교합 질환의 진행이 포착되었다면, 치료 옵션을 환자와 논의할 수 있다. 선택된 치료법이 환자 증상을 성공적으로 개선하려면, 임상의의 훈련도, 설명을 들은 환자의 치료 선택, 치과팀의 기술력이 필요하다(Christensen, 1995).

치경부 상아질 지각과민증 진단에 대한 공기 지표 사용

공기 지표법으로 임상의는 CDH를 객관적으로 파악할 수 있다. 이것이 등급화된 유해한 공기 자극에 대한 주관적인 환자 반응을 유도하고 평가 중에 기화된 자극을 최소화할 수 있기 때문에, 개방된 상아 세관과 생활 치수에 대한 특이성을 가진다(Coleman & Kinderknecht, 2000). Pashley는

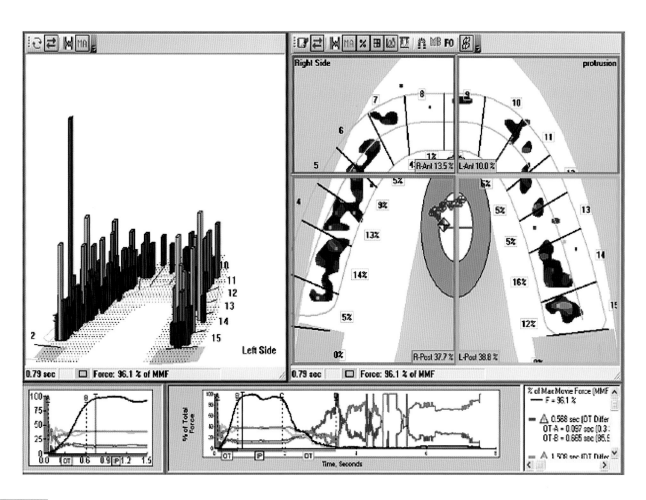

그림 3b T-Scan 분석으로 #3(16)번 치아에 상당한 폐구 간섭을 볼 수 있고, 교합 과부하를 제거하기 위해 교합 조절을 실시한 후 저작 통증과 냉 증상이 해소되었다

1990년, 공기 지표 술식을 소개하기 10년 전과 도입 후 11년에, 짧은 시간 동안 감소된 양의 공기 자극이 CDH를 포착하고 수량화하는데 유용한 것으로 보인다고 하였다(Coleman & Kinderknecht, 2000; Pashley, 1990).

양성의 공기 지표 반응을 유도하기 위해 치경부로 가한 공기의 최소 필요량을 역치 환자 반응(threshold patient response)이라고 한다(Coleman & Kinderknecht, 2000)(그림 4a). 1979년부터 1994년까지 감소된 공기량 방출("소량 분사(minor puff)"라 일컫는)을 위한 표준 공기/물 주사기를 공기 원천으로 사용하여, 이 저자는 유체 조절 차단(Fluid Control Block, FCB)을 발달시켰다.

유체 조절 차단(Fluid Control Block, FCB)은 5개의 구별되는 공기량을 공기 지표로 사용한다(Coleman & Kinderknecht, 2000)(그림 4b). FCB는 공기 지표화 동안 방출되는 공기의 소량 분사량을 복제하고 표준화하기 위

한 공기/물 주사기 부가 장치가 고안되었다(Coleman & Kinderknecht, 2000). FCB에서 임상의가 공기 지표를 시행하면서 5개의 특별하지만 다른 공기량을 반복적이고 지속적으로 전달할 수 있다. 공기 전달의 FCB 표준화로 진료실 치료-전후 사이에 CDH 정보를 공유할 수 있다. 멀리 있는 치과의사들 사이에 환자의 CDH 결과에 관한 논의를 위해 이런 결과를 잠재적으로 이용할 수 있다.

분리된 특정 방향으로의 공기 방출로 임상의는 검사하려는 치아(들)의 CEJ 반응을 얻을 수 있다. 7-10일 뒤에 초기 역치 환자 반응에 대한 검증을 시행하여 다른 잠재적인 CDH 원인(치면 세마나 응급 검사 동안 발견한 일시적인 치아 외상, 부적절한 치조 안정성과 같은)을 배제한다. 일시적인 치아 외상과 만성 굴곡파절 치경부 스트레스는 외상 발생 동안 수산화인회석 결정의 만곡과 파절에 의해 개방된 상아 세관으로 나타난다. 일시적인 치아 외상으로 인

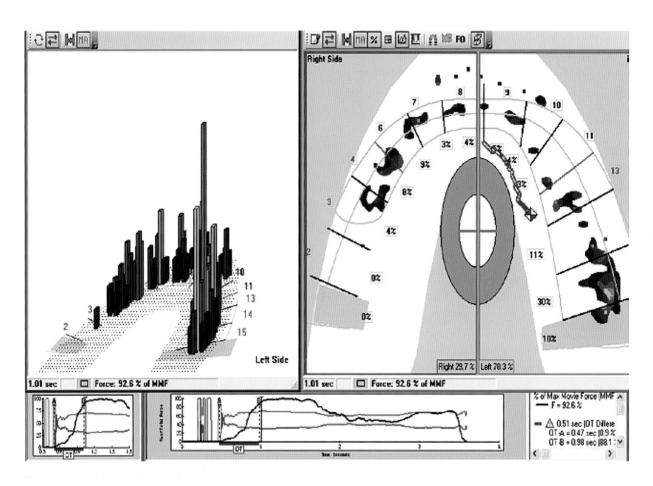

그림 3c #14, 15(26, 27)번이 임플란트 크라운으로 장착 후 심한 교합력 과부하가 남게 되어, 즉각적으로 교합-근육 통증이 발생하여 수면 이갈이, #7-10(12-22), 19(36), 20(35)번 부위에서 치아 및/혹은 포셀린 파절, #13(25)번 원심과 #30(46)번 근심측에 수직적 골소실이 발생하였다

한 CDH는 치면 세마에서와 마찬가지로 미세외상 발생 후 3-5일 안에 해소되는 성향을 보인다(저자의 실증적인 관찰)(Pashley, 1990).

치면 세마의 의도 중 하나는, 이런 일상적인 치료에 앞서 적은 치아 동요가 존재할 때, 염증을 감소시킴으로써 치아 치조 불안정성을 개선시키기 위한 것이다(Goldman & Cohen, 1968). 최근에 출간된 치아 동요도에 대한 요약은 연조직 염증 개선으로 인한 동요도 감소를 지적하였다(George, 2011). 치조 지지의 염증이 적을 때 치아 안정성의 향상은 공기 지표법의 결과를 변화시킬 것이다. 동요하는 치아는 적용된 힘으로부터 도망간다는 점에서, 좀 더 안정적인 치아에서는 적용된 교합 부하가 동요하는 치아보다 CEJ의 지레받침(fulcrum)에 더 큰 스트레스를 가하게 된다. 치면 세마 후 종종 CDH가 나타나는데, 상당한 수나 충분히 큰 직경의 상아 세관에서 그들 당단백의 얇은 막이 부분

적으로 벗겨진다. 이로써 연루된 치아의 청소 작용으로 세관이 개방되기 때문에, 치수 신경 흥분 역치를 넘게 된다. 치면 세마에 이어, 침의 당단백이 개방된 상아 세관을 재-폐쇄시키기 때문에, CDH는 3-5일 내에 회복된다(Pashley, 1993). 만성 교합 미세외상으로 유발된 치경부 스트레스가 다른 생물부식과 결합되면, 집합적으로 당단백의 얇은 막을 재형성의 속도를 초과하여 CDH가 발생할 것이다.

임상의가 이런 구강 상태를 치료하기 앞서 공기 지표 입증 평가를 시행하는 것이 현명하다(Kanapka, 1990; Martin, 1997). 7-10일 후 재내원 시 양성의 공기 지표로 확인되면 CDH가 실제로 만성적이라는 것을 확증하고 입증하는 것이다. CDH를 포착하고 수량화하기 위한 공기 지표법은 환자가 이런 만성적 통증 상태에 대해 호소할 때 혹은 임상의가 치아 검사 중에 발견했을 때 사용될 수 있다.

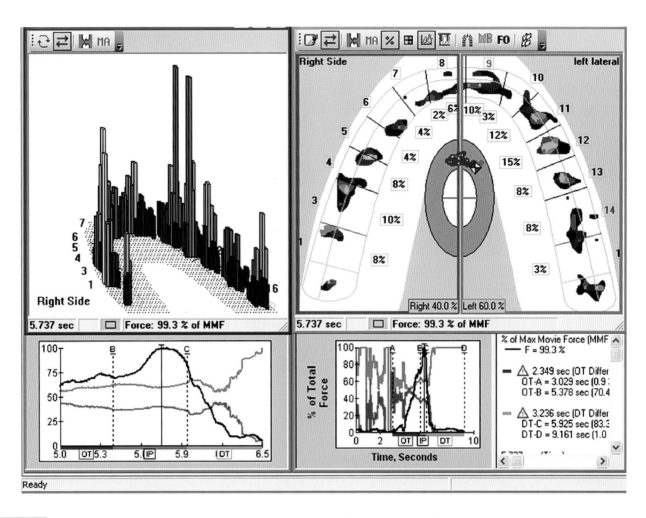

그림 3d 62세의 남성으로 교합 조정에 앞서 #11, 12(23, 24)번 치아에 과다한 MIP 교합 과부하를 보인다. #12(24)번 치아의 설측 교두 내사면에 교합 조정을 시행한 후, 협측 CEJ에서 보였던 치료 전 양성의 공기 지표가 7일 후 재평가 예약 전에 해소되었다

굴곡 파절과 연관된 치경부 상아질 지각과민증을 보이는 CDH 후향적 연구

1979-1996년 동안 250명 환자의 기록과 연구 모델을 조사하여 가능한 CDH 진단과 교합 조정 치료에 대한 CDH 증상의 영향을 평가하였다(Coleman 등, 2000). 굴곡파절은 치경부에 발생한 날카롭고 각진 홈으로 진단되고, 주로 CEJ에서 발견된다(그림 5). 가공하지 않은 CDH 데이터가 3명의 학습된 조사관에 의해 측정되어 2개의 그룹으로 분류되었다. Ⅰ군은 입증된 CDH 반응을 보이는 101명을 포함하였다. 다른 149명은 입증된 CDH 반응을 보이지 않았고, Ⅱ군으로 분류되었다. 양 그룹의 평균 치료 기간은 10년에 가까웠다.

CDH가 #5(14)번 치아의 협측면에 있었지만, 양성의 공기 지표의 덜 심한 크기를 보였다. 이 여성 환자는 8개의 대구치 중 6개가 파절되거나 수복되어있다. #30(46)번 치아는 크라운으로 수복되었다. 편심위 동안 대구치에 과다한 지레받침 힘(fulcrum force)이 적용되었다. 하악 측방 운동 동안 견치 유도가 없는 최소의 전방 개방-교합은 구치부의 이개를 허락하지 않는다. 확인된 협측 CDH가 #3, 4(16, 15)번 치아에 있고, 근심협측 교두의 내사면에 교합 조정을 시행하여 해소되었다.

17년 동안의 후향적 연구(Coleman 등, 2000)에서 Ⅰ군 대상자의 50%와 Ⅱ군 환자의 15%만이 수면 이갈이가 있다고 본인 혹은 가족이 진술하였다. Ⅰ군의 76%와 Ⅱ군의 39%만이 임상적인 굴곡파절로 진단되었다. 굴곡파절 병소는 20세까지는 나타나지 않다가, Ⅰ군에서는 30-39세에 정점에 달하였다. 대신에, Ⅱ군에서는 60-69세에 주로 나타났고, 40-49세에 나타나는 굴곡파절도 적었다.

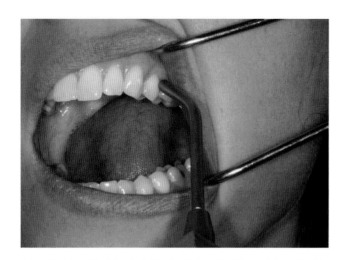

그림 4a 공기/물 주사기 첨단을 치아 장축에 대해 45° 각도로 향하게 하여, 약화된 공기 흐름을 0.5-1.0초 동안 적용한다. 공기 지표는 가장 후방에 위치하는 치아에서 시작하여, 치아별로 근심으로 이동하면서 4분악 모든 치아에 대한 역치 환자 반응을 관찰한다. 역치 환자 반응이 적은 양의 공기 방출에 의해 획득된다

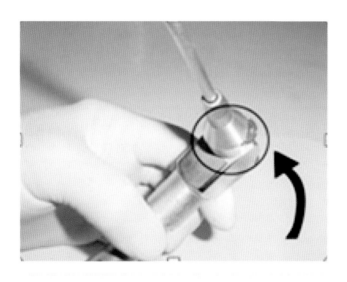

그림 4b 유체 조절 차단(FCB)은 5단계의 표준화된 공기 방출로 되어 있다: 공기 자극의 2-3psi, 4-6psi, 11-17psi, 25-30psi, 35-40psi. FCB의 금속형에는 임상의가 CDH 포착과 수량화 동안 방출되는 공기량을 선택할 수 있는 회전 다이얼이 있다

굴곡파절 병소와 CDH 양성 반응 모두 양 그룹의 협측면에서 두드러지게 발견되었다. 양성 공기 지표는 대부분 대구치 치경부(65%)와 그 다음으로 소구치 치경부(34%)에서 포착되었다. I 군 굴곡파절의 47%는 대구치에서 42%는 소구치에서 발견되었다. 그림 6(Coleman 등, 2000)에서 보는 바와 같이, CDH와 굴곡파절 모두의 발현 빈도와 분포

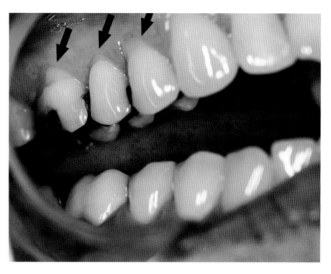

그림 5 연구 안에 포함된 CDH/굴곡파절 병소의 증례. #3(16)번 치아의 근심협측, #4, 5(15, 14)번치아의 협측에서 CDH를 볼 수 있는데, 교합 스트레스로 형성되어 생물부식 및/혹은 마찰에 의해 숙성되게된다. 협측 CEJ 부위에서 양성의 공기 지표 반응으로 진단된 #3, 4(16, 15)번 치아의 협측 사면을 조정하였고, 이에 의해 CDH가 해소되었다. 적절한 견치 유도의 부족으로 인해 #5(14)번 치아가 우측 편심위를 유도하고 있기 때문에, 이 치아는 양성의 공기 지표를 보였지만 교합 조정을 하지 않았다

는 거의 동일하다. 그러나, 양성의 CDH 반응과 굴곡파절의 발견은 어느 특정한 순간에 서로 일치하지 않았다. 양성의 CDH 반응은 굴곡파절 스트레스 동안의 초기 혹은 활성 단계에 나타나는 것으로 보인다.

고도로 연관된 양성의 CDH 반응과 굴곡파절

협회(Association)는 원인을 제안하지는 않지만, 이들간의 상호적인 병인이 공존하는지를 결정하기 위한 연구를 장려할 수 있다. 통계학자에게 의뢰하여 CDH 양성 반응과 굴곡파절의 연관 가능성을 결정해 달라고 하였다. 그러나, 그들은 CDH 양성 반응과 굴곡파절의 빈도와 분포에 대한 그래프(그림 6) 내에서 두 선의 유사성에 근거하여 이 둘 사이에 "분명한 연관성"이 있음에도, 그림 6에 제시된 데이터에 대한 값을 매기지 않았다.

교합 조정에 따른 CDH 해소

CDH와 굴곡파절을 조사한 장기간의 후향적 연구는 교합 조정 후에 만성 CDH 통증에 변화가 있음을 발견하였다. 치관 조정을 전 치열에 하는 대신 CDH 양성 공기 지표 치

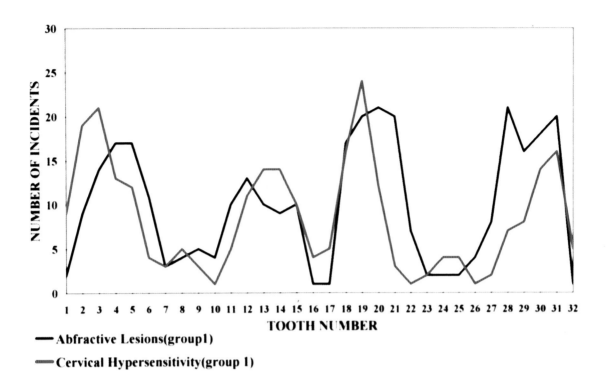

그림 6 굴곡파절의 치아 수가 양성의 CDH 공기 지표를 보이는 치아와 거의 1-대-1 연관성을 보이는 Ⅰ군 피실험자의 선 그래프. (Coleman, T.A., Grippo, J.O., Kinderknecht, K.E. (2000). Cervical dentin hypersensitivity. Part Ⅱ: associations with abfractive lesions. Quintessence International, 31, 466-473.에서 발췌. © [2013] [Quintessence Publishing Co., Inc.]. 허락 하 사용)

아에만 시행하였다. 교합지로 마킹한 자국에 포함된 교합 간섭을 정확하게 조정하여 성형하였다. T-Scan 시스템을 17년 연구 동안 사용하지 않았기 때문에, 진단과 치료에 힘 기록과 분석이 존재하지 않는다.

Ⅰ군의 101명 모두는 확증된 양성 공기 지표로 진단되었고, 뒤따라 교합 조정으로 치료되었다. Ⅰ군은 CDH의 포착과 확증(진단) 사이에 시간의 길이에 근거하여 2개의 소그룹(A, B)으로 세분하였다. 2000년, Coleman 등은 2003년의 후향적 연구 조사를 위해서 Ⅱ군 환자들을 C군으로 재정비하였다. 모든 Ⅰ군 피실험자를 7-10일 후 확인하고자 시도하였지만, 환자들의 스케줄, 교합 치료에 대한 거부감, 환자의 대체적인 치료 선택에 의해 가끔 교합 조정이 지연되었다.

소그룹 A는 양성의 CDH가 30일 이내(평균 7일)에 확인된 82명을 포함하였고, 소그룹 B는 30일을 초과(평균 92일)한 양성 공기 지표로 진단된 19명이 포함되었다. 악궁-간 교합 접촉은 교합지 및/혹은 교합 왁스의 다양한 두께로 기록되었다. Ⅰ군 환자의 대부분은 하나 혹은 두 개의 치아

에서 확증된 CDH로 진단되었고, 소그룹 A와 B에서 CDH 양성 치아가 2개가 넘는 환자는 101명 중 40명에 지나지 않았다. CDH와 수면 이갈이의 연관성은 소그룹 A에서 50%, 소그룹 B에서 47%, C군에서 15%으로 나타났다. 이갈이와의 연관성은 유해 수용 반사 반응이 CDH로부터 이상 기능을 증진시키는지, 혹은 CDH가 성인기의 병적 활동 시작을 촉발하는지에 관한 의문을 불러일으킨다.

교합 조정을 소그룹 A와 B의 CDH 양성 치아에 시행할 때, 저자는 high-speed handpiece 및/혹은 abrasive disc 를 사용하고 한번에 약 100micron 이하로 삭제한다. C군의 149명은 17년 연구 동안 교합 조정을 시행하지 않았고, Ⅰ군에서 병소가 과다한 내인성 혹은 외인성 산에 종속되는 것이 명백한 경우도 치료에서 제외되었다. 일부는 확증된 CDH 혹은 CDH 진단없이 보여진 근막 통증 기능 장애(Myofascial Pain Dysfunction syndrome, MPDS) 증상이 부족하다. 치료받지 않거나 배제된 C군 환자들은 Ⅱ군으로부터 재배치되어 후에 발간된 CDH 교합 조정 연구에 참여하였다(Coleman 등, 2003).

I 군 양성 공기 지표 치아에 시행된 교합 조정으로 소그룹 A, B 모두에서 만성 치아 통증이 해소되었다. 교합 조정은 기본적으로 작업-측 접촉에 대해, 그 다음 작업 및 비작업 접촉에, 3번째로 비작업(균형) 교두 경사에서 시행되었다. 치료받은 피실험자는 교합 조정 7-10일 후에 재평가되었다. 교합지나 교합 왁스와 공기 지표를 적용한 후 조정을 반복하여, 양성 공기 지표가 발견되지 않을 때까지 시행하였다. 소그룹 A는 평균 2회, B는 평균 3회에 걸쳐 CDH 해소에 필요한 교합 조정을 받기 위해 내원하였다. 소그룹 A의 1/3과 B의 절반에 가까운 환자에서 의원성 치과 치료와 CDH 증상의 개시 사이에 양성의 연관성이 있었다. 17년의 연구에서 소그룹 A의 15%와 B의 5% 만이, 교합 치료로 CDH가 초기에 해소되었던 동일 부위에서 CDH가 재발되었다. 이 연구 결과는 CDH가 일단 교합 조정으로 해소되고, 종종 재발할 수 있다는 것을 암시한다(Coleman 등, 2003).

17년 연구의 한계

데이터는 CR에 편향이 있는지(Dawson, 1989) 혹은 제한적인 견치 유도가 CDH 증상/굴곡파절 형성에 기여하는지에 대한 언급을 포함하지 않았다. 그러나, 교근 통증이나 긴장이 환자에 의해 서술되거나 임상의에 의해 발견되면, CR 위치를 위한 양수 조작, 혀-올리기 및/혹은 관절와 내 과두/디스크 복합체의 전상방 위치를 위한 leaf gauge를 이용한 교근 수축 등의 다양한 방법이 사용되었다. 후퇴한 접촉 위치(CR)는 이 연구에서 사용되지 않았다. 대신에, 작업측 및 비작업측 교합 편향만을 치료하였다. 교합지 및/혹은 교합 왁스가 T-Scan 분석없이 사용되었고, 그 결과 CDH를 해소하기 위해 더 많은 교합 치료 내원 횟수가 필요했을 것이다.

CDH 자극을 일으키는 교합 접촉에 대한 저작근의 유해 수용 반응은 지각과민성 평가를 위한 연속된 내원 시 교합지 자국과 교합 왁스 기록의 변이를 발생시킨다. 저작근의 유해 수용 반응을 야기하는 치아 굴절에 대한 치주 및/혹은 치수 자극은 근육의 수축과 이완 양상에 영향을 미치고, 또한 내원 시마다 교합지 자국이나 교합 왁스 기록의 지속성에 영향을 끼친다.

환자나 임상의에 의해 CDH 증상을 가릴 수 있는 탈감작 치약은 이번 연구에서 사용하지 않았다. NCCL 형성과

성숙 동안 존재하여 잔존하는 생물부식 공동 인자가 부분적으로 일부 피실험자에게 CDH 반응을 생산했을지도 모른다. 이런 경우는 이 연구에서 분리되어 II(C)군으로 배정되었다(Coleman 등, 2000, 2003). 역류성 식도염, 폭식증, 혹은 다른 내인성/외인성 생물부식 상태가 있는 환자에서 종종 CDH 치아 수가 증가한다. 이런 환자는 교합 조정을 시행하는 대신에 다른 건강 관리 전문가에게 위탁하는 것이 적당하다(Andrews, 1982; Bassiouny, 2013; Chehal 등, 2009; Dukic 등, 2010; Mandel, 2005; Woodmansey, 2000; Wynne & Silber, 1998). 탈감작 약제를 이용한 완화 치료로 이런 유형의 CDH 만성 통증의 경감을 제공할 수 있다. 추가적으로, 타액 분비율과 구내 pH를 감소시킬 수 있는 항우울증제, 혈압강하제, 많은 다른 조제약은 치경부에 영향을 미치는 산성 물질의 부식 효과를 증가시킨다. 증가된 산은 상아 세관을 폐쇄하는 당단백 온전성을 방해하여 CDH 증상을 야기한다. 이런 환자에게도, 탈감작 치약이 적절할 것이다. 탈감작 치약을 사용하기 전에 임상의와 환자는 정보에 입각한 논의를 통해, 산성의 구강 상태에 영향을 미치거나 감소된 상아 세관 폐쇄를 생산하는 어떤 생물부식 공동 인자가 있는지, 이것이 CDH 증상에 기여할 수 있는지를 확인해야 할 것이다.

II(C)군 대상자에 대한 경험적 관찰에 의해, 6개 이상의 치아가 양성 공기 지표를 가지는 것으로 포착되면, 만성 교합 미세외상의 존재 보다는 생물 부식 공동 인자가 CDH의 근본적 원인일 것이다.

이 연구는 T-Scan 분석 시스템을 사용하지 않았음에도 불구하고, 객관적 힘 값으로 교합 조정을 시행하는 접촉 내에 존재하는 힘을 좀 더 정확하게 평가할 수 있게 되었다. T-Scan 힘 값과 공기 지표법에 의한 임상적 진단 모두가 CDH 증상을 야기할 수 있는 교합 굴절을 치료하는 임상의의 능력을 촉진할 것이다.

공기 지표법과 T-San 교합 분석 시스템을 결합한 CDH 증례 보고

53세의 부분 무치악 여성 환자로, 상악 가철성 부분 의치 시술을 받았다. 일상적인 교합 조정을 수반한 RPD 장착 한 달 후, #13(25)번 치아의 협측 CEJ에 CDH가 발생하였다. 해당 치아는 distal rest seat와 clasp이 있는 지대치였지만, 금속성 교합 간섭은 발견되지 않았다. 교합 조정 시행 후 1

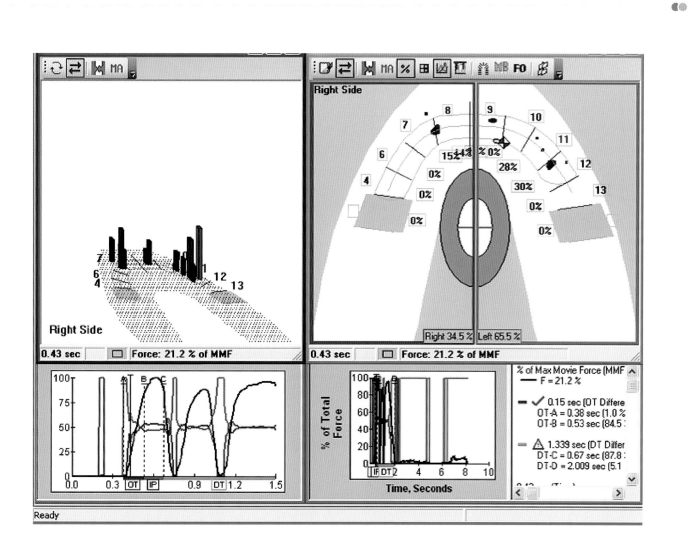

그림 7a #12, 13(24, 25)번 치아의 협측면에 CDH 진단을 수반하는 T-Scan 평가로 #10, 11(22, 23)번 치아 부위 금속 부분 간섭이 있다

주 간격으로 2개의 약속을 잡았지만, CDH 증상에는 차도가 없었다. 사실, 2번째 약속의 공기 지표에서 #12, 13(24, 25)번 치아에서 CDH 양성반응이 발견되었다. #13(25)번 치아는 심한 CDH 반응(3단계)을 보였지만, #12(24)번 치아는 낮은 반응(1단계)을 보였다. 증가된 양성 공기 지표는 CDH의 발생에 기여하는 생물부식 공동 인자의 존재에 대한 교합 접촉 재평가 및 조사를 제안한다.

뒤이은 T-Scan 분석으로 #10(22)번 치아의 금속 부분에 힘 이상치(Force Outlier, FO) 접촉이 있다는 것을 발견하였다(그림 7a, 7b). 앞서 발견되지 않았던 조기 접촉이 #13(25)번 치아에 지렛대 효과를 유발하여, 후속적으로 #12, 13(24, 25)번 치아에 영향을 미친다. 환자에 의해서도, 전통적인 교합지를 사용한 임상의에 의해서도 포착되지 않은, T-Scan 분석 시스템으로 발견된 이 접촉은 #11(23)번 치

아에 존재하는 이런 힘 이상치 접촉을 폭로한다. 이런 이유로, #11(23)번 부위의 금속 접촉으로 생산되는 #12, 13(24, 25)번 치아에 존재하는 지렛대 효과는 공기 지표법 단독 사용에 의해 식별되지 않았다(그림 7a).

또한 T-Scan은 #14, 15(26, 27)번 부위의 레진에 존재하는 과다한 강력 접촉을 분리하였다(그림 7c). 임상의는 T-Scan 분석을 사용하지 않고는 이 증례의 CDH 증상을 해결할 수 없었을 것이다.

#10/11(22/23)번 부위에 금속 부분을 조정하여, 환자에 의해 감지되지도 전통적인 교합지로 임상의가 포착하지도 못했던 병적인 악궁-간 지렛대받침을 해결하였다(그림 7c).

#10/11번 부위의 금속 부분과 #14(26) 부위의 강력한 접촉(그림 7c에서 보여지는)을 개선한 후, #15(27)번 부위의 후방에 더 심한 접촉력이 발생하였다(그림 7d). T-Scan을 효

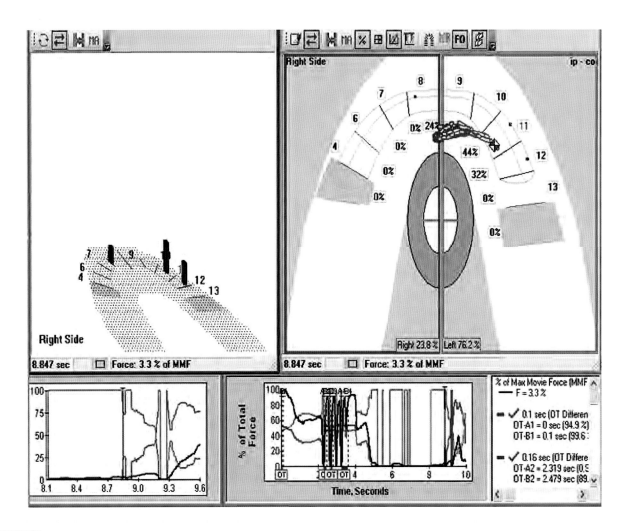

그림 7b 상악 RPD를 장착하지 않은 상태의 T-Scan 기록으로 초기 MIP 교두감합을 보여준다. RPD가 없는 상태에서 #11(23)번 치아의 감소된 접촉과 #12(24)번 치아에 조기 접촉이 확인된다. 공기 지표에 의해 #12, 13(24, 25)번에서 CDH가 진단되었다. 교합 조정은 시행되지 않은 상태이다

과적으로 사용하여, 임상의는 기록하고 조정하고, 다시 기록하고 새로이 발생되는 문제성 접촉을 조정함으로써, 최적의 낮은 힘의 교합 접촉 양상 최종 결과를 가져온다.

양성의 공기 지표가 #12, 13(24, 25)번 치아에 여전히 남아있다. #15(27)번 부위의 레진에 존재하는 과다한 힘(그림 7d에서 보여지는)에 대한 교합 개선을 시행한 후, 상악 RPD를 장착하고 같은 날 새로운 T-Scan 기록을 작성하였다(그림 7e).

이 증례에서, T-Scan 교합 분석 시스템과 공기 지표법을 같이 사용하여, T-Scan 데이터가 임상의의 교합 상식을 향상시킬 수 있다는 것을 숙지하는 것이 중요하다. T-Scan 데이터가 없었다면, CDH 증상의 해소가 쉽사리 임상적으로 성취될 수 없었을 것이다.

최근의 T-Scan 분석 시스템 연구와 공기 지표 연구

CDH를 임상적으로 평가하기 위해 T-Scan 교합 분석 시스템의 객관적인 힘 값과 공기 지표법을 이용한 연구가 최근 진행 중이다. 이 연구는 T-Scan 기록과 임상적 굴곡파절의 존재를 평가하기 위해 고안되었다.

이 연구는 현재 2년 간 진행되었고 아직 완성되지 않았지만, CDH와 과다한 힘 값 사이에 양성의 연관성이 있는 것으로 보이고 DT, OT와 굴곡파절 부위 사이에는 양의 연관성이 나타나지 않았다. 양성의 공기 지표 치아에 교합 조정을 시행한 결과, T-Scan이 결정하는 힘 값이 감소하여 CDH가 예견성있게 해결된 것으로 보인다.

교합의 균형을 맞추기 위한 완벽한 교합 조정은 모든 피실험자보다는 진행성의 MPDS 증상을 보이는 연구 대상자

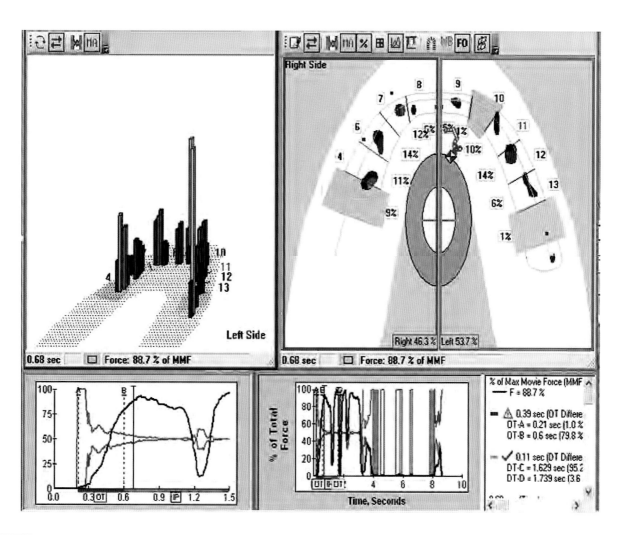

그림 7c #10/11(22/23) 부위 근처의 금속 부분에 초기 교합 조정 시행 후, RPD를 장착한 상태의 T-Scan 힘 영상. 또한, #14(26)번 무치악 부위 레진에 존재하는 높은 힘(노란색 막대) 접촉을 확인하라. T-Scan 데이터에 의하면, 전방 금속 부분의 교합 조정이 부족하다

에게만 시행하였다. 온전한 교합 체계의 DT나 OT의 감소가 몇 개 치아의 CDH 증상을 감소시키려는 시도를 제시하는 것 같지는 않다.

이 연구에서는 EMG 요소가 없었기 때문에, 조정 후 근육의 유해 수용 반응을 조사하지 않았다. 흥미롭게도, 근육 통증과 CDH의 해소가 전략적인 교합 조정에 연이어 발생한 것으로 보인다. 이런 근육 개선 관찰은 FDH 민감성 증상 해결에 있어서 T-Scan 유도 교합 조정 치료 효과를 분석하는 예비 연구에서 관찰된 결과와 유사하다(예비 연구는 7장에 자세하게 설명되었다).

이 연구는 아직 완성되지 않았기 때문에 조기 접촉 결과를 보고하기에 부적절할 지라도, 몇 개의 치아만 CDH가 진단될 때 필요한 제한된 교합 조정의 다른 치료 접근이 될

것이다. CDH가 심한 저작계 교합 병리 발현과 동반될 때, 전 교합 체계에 대한 좀 더 복잡한 교합 조정이 필요할 것이고, 균형측 치아 접촉을 포함하여 DT와 OT를 감소시켜야 할 것이다.

그림 3a-3d과 그림 7a-7e에 나타난 결과 모두는 진행 중인 연구에 참여한 환자이다. CDH를 결정하기 위해 T-Scan 기록의 객관적 교합 분석과 공기 지표를 같이 사용하면 환자 증상을 해결할 수 있다. 그림 3d는 교합 치료에 전에 TMJ 디스크의 폐구성 정복을 보이는 환자로, 공기 지표와 T-Scan이 환자의 모든 임상적 상태를 설명하지 않는다는 것을 보여준다. 이 연구 결과는 객관적인 방법을 단독으로 사용하는 것보다, T-Scan 분석과 공기 지표법을 결합하면 치경부 스트레스와 교합 질환에 관한 더 많은 정보를 임

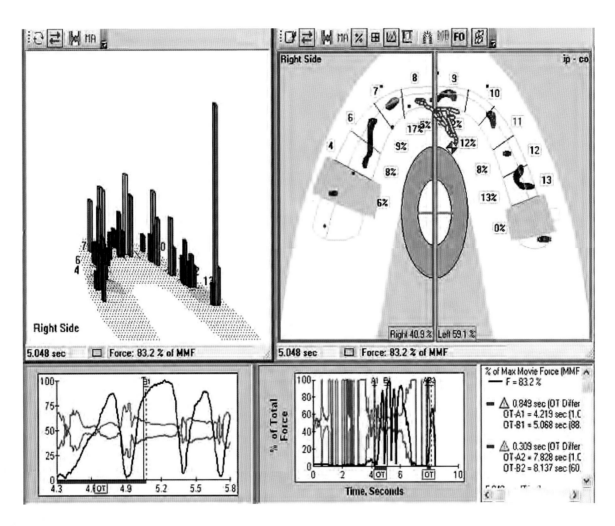

그림 7d #10/11(22/23)번 부위의 금속 부위와 #14(26)번 부위에 존재하는 강력한 접촉(그림 7c)을 더 개선한 후, #15(27)번 부위에 더 심한 접촉력이 형성되었다

상의에게 제공한다는 것을 보여준다.

고찰

작은 굴절성의 교합 접촉의 진단은, 과다한 교합력이 존재한다는 점에서, 치경부에 적용되는 치아 구조 스트레스가 확대된다. 교합 접촉력과 시간은 저작할 때보다 연하할 때 더 크기 때문에(Gibbs 등, 1981), 교합 접촉에 적용되는 힘과 치경부에 적용되는 결과적인 스트레스가 음식 농도의 특성에 따라 현저하게 각기 달라지게 될 것이다. 교합 질환으로 야기된 활동성의 만성 미세외상은 CDH 증상 발현과 치경부 치아 구조 소실 자체를 확대시킨다. 생물부식 공동 인자 또한 굴곡파절 NCCL 병소의 성숙을 평가할 때 기여

요소로 고려되어야 한다. 조기 접촉 마모는 과다한 기능 혹은 이상 기능 활동 단독으로 발생한다기 보다 이런 공동 인자들이 결합한 효과로 발생된다.

T-Scan과 공기 지표 분석을 같이 사용하면, 임상의는 활동적인 치경부 스트레스-연관 병소의 모든 유형을 평가하는데 도움을 받을 수 있다. 이전의 17년 후향적 연구는 6개 치아 이하의 CDH 증상 진단은 미세외상이 주요 원인이고, 6개보다 많을 때는 산에 의한 영향이 있는 것으로 보인다고 하였다(Ruiz & Coleman, 2008). 임상의는 T-Scan과 공기 지표 분석의 결합 정보로 무장하여 적절한 교합 치료를 시행하거나 저작계 건강에 영향을 미칠 수 있는 원인적 공동 인자의 다른 잠재적인 평가를 위해 내과로 의뢰할 수 있다.

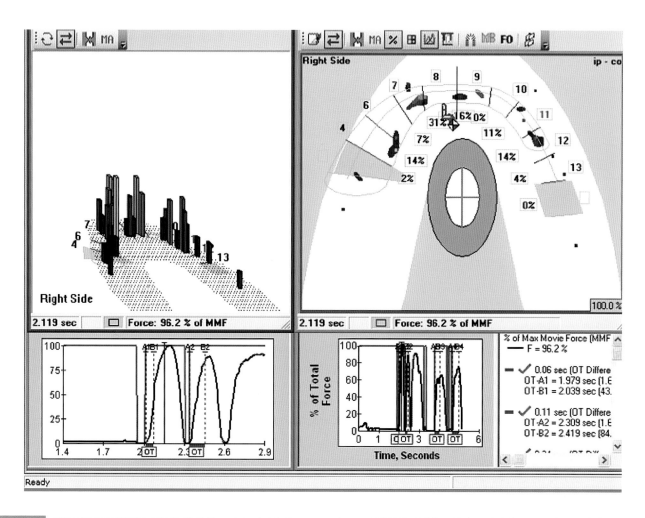

그림 7e 상악 RPD를 장착하고 기록한 힘 영상. #10/11(22/23), #14, 15(26, 27)번 부위의 접촉 모두가 조정되어 #12, 13(24, 25)번 치아에 원래 존재하였던 지렛대 효과가 감소하였다. 환자와의 확인 통화에서, 환자는 마지막 조정 술식 후 1주일 이내에 CDH가 해소되었다고 하였다(그림 7e). 더 이상의 교합 조정 치료가 필요없었고, 환자가 탈감작 치약을 사용할 필요도 없었다

해결 방안 및 권고 사항

오늘 날의 임상의는 심미적인 치과 결과를 얻기 위해 환자와 통신 매체에 의해 조정당한다. 심미성과 기능성은 치료 결과의 수명을 연장시키기 위해 환자의 만족도와 조화를 이루어야 한다. 조화로운 색상으로 잘 만들어진 크라운이나 레진 장착 시 다음의 사항을 고려하여 굴곡파절이나 생물부식에 의한 변색이나 치은 퇴축이 일어나지 않아야 한다:

- 임상의는 T-Scan 분석 시스템, 공기 지표를 이용하여 굴절없는 CR을 유지하는 균형잡힌 교합을구축한다.
- 중립의 구강 pH를 변화시킬 결과를 초래하는 역류성 식도염, 폭식증, 혹은 산의 다른 내인성/외인성 원천의 치료를 위해 건강 관리 담당자에게 의뢰한다.

- 기능 이상은 조절하거나 근절한다.

임상의나 학문적 전문가들이 "부식"과 같은 구식 용어를 사용한 출판물을 볼 때 혼동스러워 할수 있다. 부식이란 용어는 치경부 물질 소실에 적용되는 "물리적 기전"으로 정의되었는데, 1746년 Fachard는 이에 대해 의문을 제기하였다(Lindsay, 1946). 마찰의 물리적 기전은 부식뿐만 아니라 마모, 침식을 통합한다. 이 용어는 1907년 Miller(Miller, 1907b)와 GV Black(Black, 1907)에 의해 사용되었고, 1991년 "굴곡파절"이라는 용어가 소개될 때까지 논문에 등장하였다(Grippo & Masi, 1991). Grippo 등은 최근 논문에서 (Grippo 등, 2012) 스트레스, 마찰, 생물부식이라는 보다 정확한 특정의 용어를 치경부의 치아 구조 소실 기전을 설

명하기 위해 사용하라고 제안하였다. 이 저자는 치의학이 이런 현대적인 용어를 사용하여 다양한 임상 상태를 해석하는 동안 혼동을 피할 것을 권고한다.

미래의 연구 방향

한 순간에 형성되는 T-Scan 기록과 장기간의 관찰에 걸쳐 만들어지는 기록을 비교하는 연구가 이루어져야 할 것이다. 객관적인 공기 지표와 T-Scan 분석 사용은 연구가에게 평균 힘 값과 역동적인 마찰성 타이밍 데이터를 제공하여, 시간에 걸친 악궁-간 교합 접촉 기능의 방법에 대한 미세 역학적 이해를 향상시킨다. 이런 연구로 CDH 발현의 변화와 총체적인 저작계 기능 건강과 연관된 시간에 따른 교합 접촉력과 타이밍 양상이 변화하는 방법을 결정할 수 있다.

연구 환경에서 치아의 세트가 활동적인 만성 미세외상 하에 놓임에도 불구하고, CDH를 보이는 치아에 남아있는 얇은 박막(pellicle)의 온전성을 CDH가 없는 치아와 비교하고 결정하는 연구가 진행될 수 있을 것이다. 이 연구는 과다한 교합력 요소가 모든 연구되는 치아에 존재하는지 T-Scan 분석을 통해 이루어져야 할 것이다.

진행 중인 교합 미세외상이 T-Scan 데이터로 진단될 때, 활동성 vs. 비활동성 교합 질환 진행을 평가하는 연구도 시행될 수 있다. 이런 연구는 굴곡파절 형성 및/혹은 CDH 증상 발현에 대한 공동-인자로 교합성 미세외상을 평가할 수 있다.

진행 중인 CDH 증상에 대한 저작근의 조화와 적응을 조사할 수 있는 장기간의 연구가 이루어지면, 치아가 T-Scan에 의해 과다 교합력 및 활동성 교합 미세외상 부위로 결정될 때 치수 자극으로부터 유해 수용성 영향이 존재한다는 가설을 입증하거나 반박할 수 있게 될 것이다.

성인 이갈이 인구에 대한 연구를 통해, 감소된 DT와 CDH에 동시에 연루된 치아에 대한 성공적인 치료가 이갈이 빈도를 둔화시키거나 감소시키는지 결정할 수 있을 것이다.

굴곡파절과 양성 공기 지표를 보이는 치아에서 칫솔질의 CEJ에 대한 마모 영향도 공기 지표와 T-Scan 분석을 결합한 프로토콜로 한층 더 연구되어야 한다.

Kois Deprogrammer(Bynum, 2010)나 경성 교합 보호 장치를 T-Scan으로 연구하여, 전통적인 교합지와 주관적인 해석을 사용하는 것과 비교했을 때, 객관적인 교합 데이터로 치료 개시 후 교합-근육 장애 증상과 이상 기능이 좀 더 빠르게 감소하는지와 장치 파절의 빈도가 감소하는지 판단할 수 있을 것이다.

EMG 분석을 통해 치주 기계적 자극수용기와 치수 자극으로부터 근육에 대한 유해 수용 영향을 최소화하는 T-Scan/공기 지표-유도 교합 변형이 장기간 동안 유지되는지 확인해야 할 것이다.

유사하게, 양성의 공기 지표를 보이는 치아 유무와 관계 없이, T-Scan으로 확증된, 비-굴절성, CR-CO, 완전 교두감함 상하악 관계가 존재할 때, EMG 분석으로 근활성 수준의 수축력에 미치는 영향을 결정할 수 있을 것이다.

만성 교합 미세외상에 대한 저작계 영향을 감소시키는 목적으로 CDH에 응용할 수 있는 살짝 변형된 많은 임상 치료법 보급은, 가장 효과적이고 믿을 수 있는 CDH 치료를 결정하기 위한 객관적 조사 연구가 이루어져야 함을 암시한다. 이런 방법으로, 치의학은 CDH 치료 결과를 향상시키기 위한 더 좋은 정보를 임상의에게 제공하게 될 것이다.

결론

이번 장에서는 임상적으로 치경부 상아질 지각과민증(CDH)으로 나타나는 만성 치아 미세외상의 증상 및/혹은 징후의 포착, 진단, 치료에 대해 논의하였다. 스트레스 물리학을 도입하여 편향된 교합 접촉의 작은 영역이 치경부에 미치는 스트레스의 영향을 어떻게 확대하는지 설명하였다. 결과적으로 스트레스는 현재 굴곡파절로 인지되는 패인 치근 부위 병소를 형성하는 NCCL의 원인 요소가 된다. 또한 치경부 스트레스가 다음의 공동 인자들과 결합하여 NCCL이 나타난다고 지지하는 논문을 인용하였다: 마찰성 마모, 화학적, 생화학적, 전기화학적 치아 구조 분해에 의한 생물부식. 위산이나 산성의 타액 상태뿐만 아니라 만성 교합 미세외상에 의한 스트레스 또한 CDH의 개시와 보급에 대한 책임이 있는 것으로 보인다. 굴곡파절의 초기 및/혹은 활동성 증상을 보이는 CDH가 개방된 상아 세관과 연관된 치수 반응 개시에 의해 생물부식의 현상으로 야기될 수 있다는 것을 기억하는 것이 중요하다.

CDH 진단에 대한 공기 지표법을 설명하였고, 장기간의 연구 결과는 굴곡파절과 연관된 CDH 포착과 수량화 사용을 지지한다. 17년의 연구에서, 치료받은 피실험자는 양성의 공기 지표 치아에 대해 시행된 교합 조정에 의해 치료-전 CDH 민감성 반응이 해소되었다.

마지막으로, 이 장은 저작계 교합 질환의 요소로서 만성적 교합 미세외상을 임상적으로 평가하고 치료할 때, T-Scan 교합 분석 시스템과 공기 지표법을 혼용한 경우의 임상적 혜택을 제안하였다. T-Scan 컴퓨터 교합 분석 시스템은 악궁-간 치아 접촉 동안 객관적인 상대적 힘 값을 평가하고 보고한다. 공기 지표법은 임상적인 CDH 증상을 평가하는 객관적인 방법을 제공한다. 이 두 가지 객관적 시스템을 함께 사용하면, 교합 방법에 의해 CDH 증상을 성공적으로 치료하고 활동성 교합 질환을 영속시키는 교합 접촉을 분리하고 치료하는 임상의의 능력이 향상된다.

감사의 글

이 저자는 Tammy Hallett, Lauri Rheaume, Keirsten Rapoza에게 편집 구성에 요구되는 그들의 전자 이미지 전문 지식에 대해 감사의 뜻을 표현하고 싶다. 또한 교합과 저작계 건강에 대한 나의 교육에 공헌하는 많은 치과 의사들에게도 감사의 말을 전하고 싶다.

참고문헌

- Abrahamsen, T. C. (2005). The worn dentition--pathognomonic patterns of abrasion and erosion. *International Dental Journal, 55*(4) Suppl 1, 268-276.
- Absi, E. G., Addy, M., & Adams, D. (1987). Dentine hypersensitivity. A study of the patency of dentinal tubules in sensitive and non-sensitive cervical dentine. *Journal of Clinical Periodontology, 14*(5), 280-284.
- Addy, M. (1990). Etiology and clinical implications of dentine hypersensitivity. *Dental Clinics of North America, 34*(3), 503-514.
- Ahmad, R. (1986). Bruxism in children. *Journal of Pedodontics, 10*(2), 105-126.
- Anderson, D. J., Hannam, A. G., & Mathews, B. (1970). Sensory mechanisms in mammalian teeth and their supporting structures. *Physiological Reviews, 50*(2), 171-195.
- Andrews, F. F. (1982). Dental erosion due to anorexia nervosa with bulimia. *British Dental Journal, 152*(3), 89-90.
- Aubry, M., Mafart, B., Donat, B., & Brau, J. J. (2003). Brief communication: Study of noncarious cervical tooth lesions in samples of prehistoric, historic, and modern populations from the South of France. *American Journal of Physical Anthropology, 121*(1), 10-14. doi: 10.1002/ajpa.10210
- Bartlett, D. W. (2005). The role of erosion in tooth wear: aetiology, prevention and management. *International Dental Journal, 55*(4) Suppl 1, 277-284.
- Bassiouny, M. A. (2013). Dental erosion due to abuse of illicit drugs and acidic carbonated beverages. *General Dentistry, 61*(2), 38-44.
- Benazzi, S., Kullmer, O., Grosse, I. R., & Weber, G. W. (2011). Using occlusal wear information and finite element analysis to investigate stress distributions in human molars. *Journal of Anatomy, 219*(3), 259-272. doi: 10.1111/j.1469-7580.2011.01396.x
- Björn, H., & Lindhe, J. (1966). Abrasion of dentine by toothbrush and dentifrice. A methodological study. *Odontologisk Revy, 17*(1), 17.
- Black, G. V. (1907). *A work on operative dentistry. Pathology of hard tissues of the teeth*. 1st Ed.,1, Chicago, IL: Medico-Dental Publishing.
- Black, G. V. (1955). Operative dentistry. Pathology of the hard tisues of the teeth - oral diagnosis. *In R. E. Blackwell Ed. 9(1)*. South Milwaukee, WI: Medico Dental.
- Braden, M., Bairstow, A. G., Beider, I., & Ritter, B. G. (1966). Electrical and piezo-electrical properties of dental hard tissues. *Nature, 212*(5070), 1565-1566.
- Brännstrom, M. (1960). Dentinal and pulpal response. III. Application of an air stream to expose dentine; long observation periods. *Acta Odontologica Scandinavica. 63*, 1-9.
- Brännstrom, M. (1963). Dentin sensitivity and aspiration of

odontoblasts. *Journal of the American Dental Association, 66*, 366-370.

- Brännstrom, M., Linden, L. A., & Astrom, A. (1967). The hydrodynamics of the dental tubule and of pulp fluid. A discussion of its significance in relation to dentinal sensitivity. *Caries Research, 1*(4), 310-317.

- Bynum, H. J. (2010). Clinical case report: Testing occlusal management, previewing anterior esthetics, and staging rehabilitation with direct composite and Kois deprogrammer. *Compendium of Continuing Education in Dentistry, 31*(4), 298-302, 304, 306.

- Caputo, Angelo A., & Standlee, J. P. (1987). *Biomechanics in clinical dentistry*. Chicago, IL: Quintessence Publishing. Co.

- Carey, J. P., Craig, M., Kerstein, R. B., & Radke, J. (2007). Determining a relationship between applied occlusal load and articulating paper mark area. *Open Dentistry Journal, 1*, 1-7. doi: 10.2174/1874210600701010001

- Chehal, H. K., Pate, D. H., Cohen, D. M., & Bhattacharyya, I. (2009). Dental erosion due to excessive wine consumption. *General Dentistry, 57*(5), 519-523.

- Christensen, G. J. (1995). Abnormal occlusion conditions: a forgotten part of dentistry. *Journal of the American Dental Association, 126*(12), 1667-1668.

- Coleman, T. A., & Kinderknecht, K. E. (2000). Cervical dentin hypersensitivity. Part I: The air indexing method. *Quintessence International, 31*(7), 461-465.

- Coleman, T. A., Grippo, J. O., & Kinderknecht, K. E. (2000-C). Cervical dentin hypersensitivity. Part II: Associations with abfractive lesions. *Quintessence International, 31*(7), 466-473.

- Coleman, T. A., Grippo, J. O., & Kinderknecht, K. E. (2003). Cervical dentin hypersensitivity. Part III: resolution following occlusal adjustment. *Quintessence International, 34*(6), 427-434.

- Curro, F. A. (1990). Tooth hypersensitivity in the spectrum of pain. *Dental Clinics of North America, 34*(3), 429-437.

- Dawson, P. E. (1989). *Evaluation, Diagnosis, and Treatment of Occlusal Problems*. St. Louis, MO: CV Mosby Co.

- Dawson, P. E. (2007). *Functional Occlusion from TMJ to Smile Design*. St. Louis, MO: Mosby/Elsevier.

- Dejak, B., Mlotkowski, A., & Romanowicz, M. (2003). Finite element analysis of stresses in molars during clenching and mastication. *Journal of Prosthetic Dentistry, 90*(6) 591-597. doi: 10.1016/s0022391303005900

- Dejak, B., Mlotkowski, A., & Romanowicz, M. (2005). Finite element analysis of mechanism of cervical lesion formation in simulated molars during mastication and parafunction. *Journal of Prosthetic Dentistry, 94*(6), 520-529. doi: 10.1016/j.prosdent.2005.10.001

- Dukic, W., Dobrijevic, T. T., Katunaric, M., Milardovic, S., & Segovic, S. (2010). Erosive lesions in patients with alcoholism. *Journal of the American Dental Association, 141*(12), 1452-1458.

- Dzakovich, J. J., & Oslak, R. R. (2008). In vitro reproduction of noncarious cervical lesions. *Journal of Prosthetic Dentistry, 100*(1), 1-10. doi: 10.1016/S0022-3913(08)00084-X

- Faye, B., Kane, A. W., Sarr, M., Lo, C., Ritter, A. V., & Grippo, J. O. (2006). Noncarious cervical lesions among a non-toothbrushing population with Hansen's disease (leprosy): initial findings. *Quintessence International, 37*(8), 613-619.

- Fearnhead, RW. (1967). Innervation of dental tissues. *Structure and Chemical Organization of Teeth,1*, 247-281.

- Ganss, C., Hardt, M., Blazek, D., Klimek, J., & Schlueter, N. (2009). Effects of toothbrushing force on the mineral content and demineralized organic matrix of eroded dentine. *European Journal of Oral Sciences, 117*(3), 255-260. doi: 10.1111/j.1600-0722.2009.00617.x

- Ganss, C., Schlueter, N., Hardt, M., von Hinckeldey, J., & Klimek, J. (2007). Effects of toothbrushing on eroded dentine. *European Journal of Oral Sciences, 115*(5), 390-396. doi: 10.1111/j.1600-0722.2007.00466.x

- Ganss, C., Schlueter, N., Preiss, S., & Klimek, J. (2009). Tooth brushing habits in uninstructed adults--frequency, technique, duration and force. *Clinical Oral Investigations, 13*(2), 203-208. doi: 10.1007/s00784-008-0230-8

- George, A. K. (2011). Tooth Mobility. *SRM University Journal of Dental Sciences, 2*(4), 324-327.

- Gibbs, C. H., Mahan, P. E., Lundeen, H. C., Brehnan, K., Walsh, E. K., & Holbrook, W. B. (1981). Occlusal forces during chewing and swallowing as measured by sound transmission. *Journal of Prosthetic Dentistry, 46*(4), 443-449.

• Gibbs, C. H., Mahan, P. E., Mauderli, A., Lundeen, H. C., & Walsh, E. K. (1986). Limits of human bite strength. *Journal of Prosthetic Dentistry, 56*(2), 226-229.

• Goel, V. K., Khera, S. C., Ralston, J. L., & Chang, K. H. (1991). Stresses at the dentinoenamel junction of human teeth--a finite element investigation. *Journal of Prosthetic Dentistry, 66*(4), 451-459.

• Goldman, H. M., & Cohen, D. W. (1968). *Periodontal Therapy*. St. Louis, MO:. The CV Mosby Company.

• Gremillion, H. A. (2006). The relationship between occlusion and TMD: an evidence-based discussion. *Journal of Evidence-Based Dental Practice, 6*(1), 43-47. doi: 10.1016/ j.jebdp.2005.12.014

• Grippo, J. O. (1991). Abfractions: a new classification of hard tissue lesions of teeth. *Journal of Esthetic Dentistry,* 3(1), 14-19.

• Grippo, J. O. (2012). Biocorrosion vs. Erosion: the 21st century and a time to change. *Compendium of Continuing Education in Dentistry, 33*(2), E33-37.

• Grippo, J. O., & Masi, J. V. (1991). Role of biodental engineering factors (BEF) in the etiology of root caries. *Journal of Esthetic Dentistry, 3*(2), 71-76.

• Grippo, J. O., & Simring, M. (1995). Dental 'erosion' revisited. *Journal of the American Dental Association,* 126,5, 619-620, 623-614, 627-630.

• Grippo, J. O., Simring, M., & Coleman, T. A. (2012-B). Abfraction, abrasion, biocorrosion, and the enigma of noncarious cervical lesions: a 20-year perspective. *Journal of Esthetic Dentistry and Restorative Dent, 24*(1), 10-23. doi: 10.1111/j.1708-8240.2011.00487.x

• Grippo, J. O., Simring, M., & Schreiner, S. (2004). Attrition, abrasion, corrosion and abfraction revisited: a new perspective on tooth surface lesions. *Journal of the American Dental Association, 135*, 1109-1118; quiz 1163-1105.

• Gysi, A. (1900). An attempt to explain the sensitiveness of dentin. *British Journal of Dental Research 43*, 865-868.

• Harrel, S. K., Nunn, M. E., & Hallmon, W. W. (2006). Is there an association between occlusion and periodontal destruction?: Yes--occlusal forces can contribute to periodontal destruction. *Journal of the American Dental Association, 137*(10), 1380, 1382, 1384 passim.

• Holmgren, K., Sheikholeslam, A., & Riise, C. (1985). An electromyographic study of the immediate effect of an occlusal splint on the postural activity of the anterior temporal and masseter muscles in different body positions with and without visual input. *Journal of Oral Rehabilitation, 12*(6), 483-490.

• Johnson, G., & Brännstrom, M. (1974). The sensitivity of dentin. Changes in relation to conditions at exposed tubule apertures. *Acta Odontologica Scandinavica, 32*(1), 29-38.

• Jones, J. A. (2011). Dentin hypersensitivity: etiology, risk factors, and prevention strategies. *Dentistry Today, 30*(11), 108, 110, 112-103.

• Kanapka, J. A. (1990). Over-the-counter dentifrices in the treatment of tooth hypersensitivity. Review of clinical studies. *Dental Clinics of North America, 34*(3), 545-560.

• Kerstein, R. B., & Grundset, K. (2001). Obtaining measurable bilateral simultaneous occlusal contacts with computer-analyzed and guided occlusal adjustments. *Quintessence International, 32*(1), 7-18.

• Kerstein, R. B., Chapman, R., & Klein, M. (1997). A comparison of ICAGD (immediate complete anterior guidance development) to mock ICAGD for symptom reductions in chronic myofascial pain dysfunction patients. . *The Journal of Craniomandibular Practice, 15*(1), 21-37.

• Kerstein, R. B., & Radke, J. (2012). Masseter and temporalis excursive hyperactivity decreased by measured anterior guidance development. . *The Journal of Craniomandibular & Sleep Practice, 30*(4), 243-254.

• Kerstein, R. B., & Wright, N. R. (1991). Electromyographic and computer analyses of patients suffering from chronic myofascial pain-dysfunction syndrome: before and after treatment with immediate complete anterior guidance development. *Journal of Prosthetic Dentistry, 66*(5), 677-686.

• Kohler, E von. (1969). Experimentelle Untersuchung uber die Ausbreitung von Fremdstoffen in den menschlichen Zahnartgeweben. *Deutsche Zahnarztliche Zeitschrift, 20*, 721-736.

• Körber, KH. (1962). Die elastische Deformierung menschlicher Zähne. *Dtsch Zahnärztl, 17*, 691-695.

• Kornfeld, B. (1932). Preliminary Report of Clinical Observations of Cervical Erosions, a Suggested Analysis of the Cause and Treament for Its Relief. *Dental Items of Interest, 54*, 905-909.

- Kydd, W. L. (1957). Maximum forces exerted on the dentition by the perioral and lingual musculature. *Journal of the American Dental Association, 55*(5), 646-651.

- Laurell, L., & Lundgren, D. (1987). Interfering occlusal contacts and distribution of chewing and biting forces in dentitions with fixed cantilever prostheses. *Journal of Prosthetic Dentistry*, *58*(5), 626-632.

- Lee, W. C., & Eakle, W. S. (1984). Possible role of tensile stress in the etiology of cervical erosive lesions of teeth. *Journal of Prosthetic Dentistry, 52*(3), 374-380.

- Lee, W. C., & Eakle, W. S. (1996). Stress-induced cervical lesions: review of advances in the past 10 years. *Journal of Prosthetic Dentistry, 75*(5), 487-494.

- Lindsay, L. (1946). *The Surgeon Dentist or Treatise on the Teeth*. 2nd Ed., London, England: Butterworth.

- Lucas, D., & Spranger, H. (1973). Experimentelle untersuchungen uber die Auswirkungenunterschiedlich gemessener Gelenkbahn und Bennetwinkel auf die horizontalbelastung des zahnes. *Dtsch Zahnärztl, 28*, 755-758.

- Lynch, C. D., & McConnell, R. J. (2002). The cracked tooth syndrome. *Journal of the Canadian Dental Association. Journal de L'Association Dentaire Canadienne, 68*(8), 470-475.

- Lytle, J. D. (1990). Clinician's index of occlusal disease: definition, recognition, and management. *International Journal of Periodontics and Restorative Dentistry, 10*(2), 102-123.

- Lytle, J. D. (2001). Occlusal disease revisited: Part II. *International Journal of Periodontics and Restorative Dentistry, 21*(3), 272-279.

- Mandel, L. (2005). Dental erosion due to wine consumption. *Journal of the American Dental Association, 136*(1), 71-75.

- Martin, E. J. (1997). Tending to tenderness: GPs get hip to new hypersensitivity products. *AGD Impact, 25*(11), 19-20.

- Matthews, B., & Hughes, S. H. (1988). The ultrastructure and receptor transduction mechanisms of dentine. *Progress in Brain Research, 74*, 69-76.

- McCoy, G. (1982). The etiology of gingival erosion. *Journal of Oral Implantology, 10*(3), 361-362.

- McCoy, G. (1983). On the longevity of teeth. *Journal of Oral Implantology, 11*(2), 248-267.

- McCoy, G. (1999). Dental compression syndrome: a new look at an old disease. *Journal of Oral Implantology, 25*(1), 35-49. doi: 10.1563/1548-1336(1999)025<0035:DCSANL>2.3.CO;2

- Mehta, N. R. (1995). Understanding the influence of occlusal modifiers as they affect occlusal diagnosis. *KMC Dental Journal, 6*, 69-78.

- Miller, W. D. (1907). Experiments and observations on the wasting of tooth tissue variously designated as erosion, abrasion, chemical abrasion, denudation, etc. *Dental Cosmos, XLIX*, 109-124.

- Okeson, J. P. (1998). *Management of Temporomandibular Disorders and Occlusion*. St. Louis, MO, and Baltimore, MD: CV Mosby.

- Ommerborn, M. A., Schneider, C., Giraki, M., Schafer, R., Singh, P., Franz, M., & Raab, W. H. (2007). In vivo evaluation of noncarious cervical lesions in sleep bruxism subjects. *Journal of Prosthetic Dentistry, 98*(2), 150-158. doi: 10.1016/S0022-3913(07)60048-1

- Orchardson, R., & Collins, W. J. (1987). Clinical features of hypersensitive teeth. *British Dental Journal, 162*(7), 253-256.

- Pashley, D. H. (1990). Mechanisms of dentin sensitivity. *Dental Clinics of North America, 34*(3), 449-473.

- Pashley, D. H. (1993). Dentin Sensitivity: Theory and treatment. *Adult Oral Health*, 1(2), 1-7.

- Pashley, D. H., Stewart, F. P., & Galloway, S. E. (1984). Effects of air-drying in vitro on human dentine permeability. *Archives of Oral Biology, 29*(5), 379-383.

- Polhagen, L., & Brännstrom, M. (1971). The liquid movement in desiccated and rehydrated dentine in vitro. *Acta Odontologica Scandinavica, 29*(1), 95-102.

- Preeti, R.S., Swati, S.B., & Srinath, T.L. (2013). Comparative Evaluation of Diode Laser, Stannous Fluoride Gel, and Potassium Nitrate Gel in the Treatment of Dentinal Hypersensitivity. *General Dentistry*, 66-70.

- Qadeer, S., Kerstein, R., Kim, R. J. Y., Huh, J. B., & Shin, S. W. (2012). Relationship between articulation paper mark size and percentage of force measured with computerized occlusal analysis. *The Journal of Advanced Prosthodontics, 4*(1), 7-12.

• Ramfjord. S., & Ash, M.M. (1971). *Etiology of Bruxism, Chapter 5; Occlusion*. 2nd Ed., Philadelphia, PA: W. B. Saunders.

• Rasmussen, S.T., Patchin, R.E., Scott, D.B., & Heuer, A.H. (1976). Fracture properties of human enamel and dentin. *Journal of Dental Research, 55*(1), 154-164.

• Riise, C., & Sheikholeslam, A. (1982). The influence of experimental interfering occlusal contacts on the postural activity of the anterior temporal and masseter muscles in young adults. *Journal of Oral Rehabilitation, 9*(5), 419-425.

• Ritter, A. V., de, L. Dias W., Miguez, P., Caplan, D. J., & Swift, E. J., Jr. (2006). Treating cervical dentin hypersensitivity with fluoride varnish: a randomized clinical study. *Journal of the American Dental Association, 137*(7), 1013-1020; quiz 1029.

• Ritter, A. V., Grippo, J. O., Coleman, T. A., & Morgan, M. E. (2009). Prevalence of carious and non-carious cervical lesions in archaeological populations from North America and Europe. *Journal of Esthetic and Restorative Dentistry, 21*(5), 324-334. doi: 10.1111/j.1708-8240.2009.00285.x

• Ruiz, J. L. (2003). Psychology of a smile. *Journal of Cosmetic Dentistry, 19*(1), 58-59.

• Ruiz, J. L. (2005). Achieving optimal esthetics in a patient with severe trauma: using a multidisciplinary approach and an all-ceramic fixed partial denture *Journal of Esthetic and Restorative Dentistry, 17*,5, 285-291; discussion 292.

• Ruiz, J. L. (2007). Achieving Longevity in Esthetic Dentistry by the Proper Diagnosis and Management of Occlusal Disease. *Continuum of Esthetics*, 24-29.

• Ruiz, J. L., & Coleman, T. A. (2008). Occlusal disease management system: the diagnosis process. *Compendium of Continuing Education in Dentistry, 29*(3), 148-152, 154-146; quiz 157-148. AEGIS Publications, LLC.

• Saad, M. N., Weiner, G., Ehrenberg, D., & Weiner, S. (2008). Effects of load and indicator type upon occlusal contact markings. *Journal of Biomedical Materials Research Part B: Applied Biomaterials, 85*(1), 18-22.

• Schlueter, N., Klimek, J., Saleschke, G., & Ganss, C. (2010). Adoption of a toothbrushing technique: a controlled, randomised clinical trial. Clinical Oral Investigations, 14(1), 99-

106. doi: 10.1007/s00784-009-0269-1

• Selna, L. G., Shillingburg, H. T., Jr., & Kerr, P. A. (1975). Finite element analysis of dental structures--axisymmetric and plane stress idealizations. Journal of Biomedical Materials Research, 9(2), 237-252. doi: 10.1002/jbm.820090212

• Sharav, Y., McGrath, P. A., & Dubner, R. (1982). Masseter inhibitory periods and sensations evoked by electrical tooth pulp stimulation in patients with oral-facial pain and mandibular dysfunction. Archives of Oral Biology, 27(4), 305-310.

• Shore, NA (Ed.). (1976). Temporomandibular joint dysfunction and occlusal occlusal adjustment. 2nd Ed., Philadelphia, PA: Lippincott.

• Siirilae, H. S., & Laine, P. (1963). The Tactile Sensibility of the Parodontium to Slight Axial Loadings of the Teeth. Acta Odontologica Scandinavica, 21, 415-429.

• Sipila, K., Ensio, K., Hanhela, H., Zitting, P., Pirttiniemi, P., & Raustia, A. (2006). Occlusal characteristics in subjects with facial pain compared to a pain-free control group. . The Journal of Craniomandibular Practice, 24(4), 245-251.

• Skinner, E.W., & Phillips, R. W. (1982). Skinner Ⓧs Science of Dental Materials. 8th Ed., Philadelphia, PA: WB Saunders Company.

• Speck, J. E., Ellis, D. A., & Awde, J. D. (1979). The bite in the temporomandibular joint pain dysfunction syndrome. Journal of Otolaryngology, 8(3), 232-240.

• Spranger, H. (1995). Investigation into the genesis of angular lesions at the cervical region of teeth. Quintessence International, 26(2), 149-154.

• Straub, WJ. (1960). Malfunctions of the tongue. American Journal of Orthodontics, 40, 404-420.

• Tavares, M., DePaola, P. F., & Soparkar, P. (1994). Using a fluoride-releasing resin to reduce cervical sensitivity. Journal of the American Dental Association, 125(10), 1337-1342.

• Terry, D. A. (2011). Cervical dentin hypersensitivity: etiology, diagnosis, and management. Dentistry Today, 30(4), 61-62, 64, 68 passim; quiz 70.

• Thrash, W. J., Dorman, H. L., & Smith, F. D. (1983). A method to measure pain associated with hypersensitive dentin. Journal of Periodontology, 54(3), 160-162. doi: 10.1902/

351

jop.1983.54.3.160

- Trowbridge, H. O., Franks, M., Korostoff, E., & Emling, R. (1980). Sensory response to thermal stimulation in human teeth. Journal of Endodontics, 6(1), 405-412. doi: 10.1016/s0099-2399(80)80216-0

- Van Hassel, H. J., & Brown, A. C. (1969). Effect of temperature changes on intrapulpal pressure and hydraulic permeability in dogs. Archives of Oral Biology, 14(3), 301-315.

- Veitz-Keenan, A., Barna, J. A., Strober, B., Matthews, A. G., Collie, D., Vena, D., & Thompson, V. P. (2013). Treatments for hypersensitive noncarious cervical lesions: A Practitioners Engaged in Applied Research and Learning (PEARL) Network, randomized clinical effectiveness study. Journal of the American Dental Association, 144(5), 495-506.

- Williamson, E. H., & Lundquist, D. O. (1983). Anterior guidance: its effect on electromyographic activity of the temporal and masseter muscles. Journal of Prosthetic Dentistry, 49(6), 816-823.

- Woodmansey, K. F. (2000). Recognition of bulimia nervosa in dental patients: implications for dental care providers. General Dentistry, 48(1), 48-52.

- Wynne, B., & Silber, L. (1998). Dental side effects of eating disorders. American Academy of Cosmetic Dentistry, 14(1), 50-54.

- Xhonga, F. A. (1977). Bruxism and its effect on the teeth. Journal of Oral Rehabilitation, 4(1) 65-76.

추가문헌

- Addy, M. (1992). Clinical aspects of dentine hypersensitivity. Proceedings of the Finnish Dental Society. Suomen Hammaslääkäriseuran toimituksia, 88, 23.

- Antonelli, J. R., Hottel, T. L., & Garcia-Godoy, F. (2013). Abfraction lesions--where do they come from? A review of the literature. Journal of the Tennessee Dental Association, 93(1), 14-19; quiz 20-11.

- Bassiouny, M. A. (2009). Effects of common beverages on the development of cervical erosion lesions. General Dentistry, 57(3), 212.

- Bassiouny, M. A., Kuroda, S., & Yang, J. (2007). Topographic and radiographic profile assessment of dental erosion--Part I: Effect of acidulated carbonated beverages on human dentition. General Dentistry, 55(4), 297.

- Bodecker, C. F. (1945). Local Acidity: A Cause of Dental Erosion-Abrasion Progress Report of the Erosion-Abrasion Committee of the New York Academy of Dentistry. Annals of Dentistry, 4, 50-55.

- Brady, J. M., & Woody, R. D. (1977). Scanning microscopy of cervical erosion. Journal of the American Dental Association, 94(4), 726-729.

- Braem, M., Lambrechts, P., & Vanherle, G. (1992). Stress-induced cervical lesions. Journal of Prosthetic Dentistry, 67(5), 718-722.

- Burke, F. J., Whitehead, S. A., & McCaughey, A. D. (1995). Contemporary concepts in the pathogenesis of the Class V noncarious lesion. Dental Update, 22(1), 28.

- Christensen, G. J. (1998). Desensitization of cervical tooth structure. The Journal of the American Dental Association, 129(6), 765-766.

- Cunha-Cruz, J., Wataha, J. C., Heaton, L. J., Rothen, M., Sobieraj, M., Scott, J. (2013). Northwest Practice-based Research Collaborative in Evidence-based, Dentistry. The prevalence of dentin hypersensitivity in general dental practices in the northwest United States. Journal of the American Dental Association, 144(3), 288-296.

- Davis, M. W. (2002). Factors Associated with Cervico Abfraction: Literature Review and Pilot Study, with Periodontal and Restorative Considerations. The Journal of Cosmetic Dentistry, 17(4), 58-76.

- Elsbury, W. B. (1952). Hydrogen-ion concentration and acid erosion of the teeth. British Dental Journal, 93, 177-179.

- Francisconi, L. F., Graeff, M. S. Z., de Moura Martins, L., Franco, E. B., Mondelli, R. F. L., Francisconi, P. A. S., & Pereira, J. C. (2009). The effects of occlusal loading on the margins of cervical restorations. The Journal of the American Dental Association, 140(10), 1275-1282.

- Garberoglio, R., & Brännström, M. (1976). Scanning electron microscopic investigation of human dentinal tubules. *Archives of Oral Biology*, *21*(6), 355-362.

- Gargiulo, A. W., Wentz, F. M., & Orban, B. (1961). Dimensions and Relations of the Dentogingival Junction in Humans. *Journal of Periodontology, 32*, 261-267.

- Hanaoka, K., Mitsuhashi, A., Ebihara, K., & al., et. (2001). Occlusion and the non-carious cervical lesion. *Bulletin of the Kanagawa Dental College, 29*(2), 121-129.

- Imbeni, V., Nalla, R. K., Bosi, C., Kinney, J. H., & Ritchie, R. O. (2003). In vitro fracture toughness of human dentin. *Journal of Biomedical Materials Research Part A*, *66*(1), 1-9.

- Jackson, R. D. (2000). Loss of cuspid guidance: a functional and aesthetic dilemma. *Dentistry Today*, *19*(7), 56.

- Litonjua, L. A., Andreana, S., Bush, P. J., Tobias, T. S., & Cohen, R. E. (2003). Noncarious cervical lesions and abfractions: a re-evaluation. *Journal of the American Dental Association, 134*(7), 845-850.

- Litonjua, L. A., Andreana, S., & Cohen, R. E. (2005). Toothbrush abrasions and noncarious cervical lesions: evolving concepts. *Compendium of Continuing Education in Dentistry, 26*(11), 767-768, 770-764, 776 passim.

- Lussi, A. (2006). Erosive tooth wear - a multifactorial condition of growing concern and increasing knowledge. *Monographs in Oral Science, 20*, 1-8. doi: 10.1159/000093343

- Lyons, K. (2001). Aetiology of abfraction lesions. *New Zealand Dental Journal, 97*(429), 93-98.

- Maness, W. L. (1990). Maximum intercuspation. A computerized diagnosis. *Oral Health*, *80*(1), 39.

- McCoy, G. (2013). Occlusion confusion. *General Dentistry, 61*(1), 69-75; quiz 76.

- Michael, J. A., Townsend, G. C., Greenwood, L. F., & Kaidonis, J. A. (2009). Abfraction: separating fact from fiction. *Australian Dental Journal, 54*(1), 2-8. doi: 10.1111/j.1834-7819.2008.01080.x

- Miller, M. B. (2010). Solving tooth sensitivity. *General Dentistry, 58*(6), 482-483.

- Miller, N., Penaud, J., Ambrosini, P., Bisson-Boutelliez, C., & Briancon, S. (2003). Analysis of etiologic factors and periodontal conditions involved with 309 abfractions. *Journal of Clinical Periodontology, 30*(9), 828-832.

- Paesani, D. AI (2010). Bruxism: Theory and Practice. Germany, Quintessence Publishing Co.

- Palamara, D., Palamara, J. E., Tyas, M. J., Pintado, M., & Messer, H. H. (2001). Effect of stress on acid dissolution of enamel. *Dental Materials, 17*(2), 109-115.

- Palamara, D., Palamara, J. E., Tyas, M. J., & Messer, H. H. (2000). Strain patterns in cervical enamel of teeth subjected to occlusal loading. *Dental Materials, 16*(6), 412-419.

- Perez Cdos, R., Gonzalez, M. R., Prado, N. A., de Miranda, M. S., Macedo Mde, A., & Fernandes, B. M. (2012). Restoration of noncarious cervical lesions: when, why, and how. *International Journal of Dentistry, 687058.* doi: 10.1155/2012/687058

- Piotrowski, B. T., Gillette, W. B., & Hancock, E. B. (2001). Examining the prevalence and characteristics of abfractionlike cervical lesions in a population of US veterans. *The Journal of the American Dental Association, 132*(12), 1694-1701.

- Que, K., Guo, B., Jia, Z., Chen, Z., Yang, J., & Gao, P. (2013). A cross-sectional study: non-carious cervical lesions, cervical dentine hypersensitivity and related risk factors. *Journal of Oral Rehabilitation, 40*(1), 24-32. doi: 10.1111/j.1365-2842.2012.02342.x

- Rees, J. S. (2006). The biomechanics of abfraction. *Proceedings of the Institution of Mechanical Engineers, Part H: Journal of Engineering in Medicine, 220*(1), 69-80.

- Reyes, E., Hildebolt, C., Langenwalter, E., & Miley, D. (2009). Abfractions and attachment loss in teeth with premature contacts in centric relation: clinical observations. *Journal of Periodontology, 80*(12), 1955-1962.

- Santamaria, M. P., Saito, M. T., Casati, M. Z., Nociti Junior, F. H., Sallum, A. W., & Sallum, E. A. (2012). Gingival recession associated with non-carious cervical lesions: combined periodontal-restorative approach and the treatment of long-term esthetic complications. *General Dentistry, 60*(4), 306-311.

- Schlueter, N., Hardt, M., Klimek, J., & Ganss, C. (2010). Influence of the digestive enzymes trypsin and pepsin in vitro on the progression of erosion in dentine. *Archives of Oral Biology, 55*(4), 294-299. doi: 10.1016/j.archoralbio.2010.02.003

- Soo-Lyun, A., Ranson, C., & Rudin, S. (2010). Managing clients with non-carious tooth surface lesions: A case report. *Canadian Journal of Dental Hygiene, 44*(1), 33-37.

- Swift, E. J. (2004). Causes, prevention, and treatment of dentin hypersensitivity. *Compendium, 25*(2), 95-109.

- Tarnow, D. P., Cho, S. C., & Wallace, S. S. (2000). The effect of inter-implant distance on the height of inter-implant bone crest. *Journal of Periodontology, 71*(4), 546-549. doi: 10.1902/jop.2000.71.4.546

- Telles, D., Pegoraro, L. F., & Pereira, J. C. (2006). Incidence of noncarious cervical lesions and their relation to the presence of wear facets. *Journal of Esthetic and Restorative Dentistry, 18*(4), 178-183; discussion 184.

- Truelove, E., Huggins, K. H., Mancl, L., & Dworkin, S. F. (2006). The efficacy of traditional, low-cost and nonsplint therapies for temporomandibular disorder: a randomized controlled trial. *Journal of the American Dental Association, 137*(8), 1099-1107; quiz 1169.

- Tyas, M. J. (1995). The Class V lesion--aetiology and restoration. *Australian Dental Journal, 40*(3), 167-170.

- von Fraunhofer, J. A., & Rogers, M. M. (2004). Effects of sports drinks and other beverages on dental enamel. *Operative Dentistry, 53*(1), 28-31.

- Wood, I. D., Kassir, A. S. A., & Brunton, P. A. (2009). Effect of lateral excursive movements on the progression of abfraction lesions. *Operative Dentistry, 34*(3), 273-279.

- Xhonga, F. A., Wolcott, R. B., & Sognnaes, R. F. (1972). Dental erosion. II. Clinical measurements of dental erosion progress. *Journal of the American Dental Association, 84*, 577-582.

- Zero, D. T., & Lussi, A. (2005). Erosion--chemical and biological factors of importance to the dental practitioner. *International Dental Journal, 55*(4 Suppl. 1), 285-290.

주요 용어 및 정의

- **교합 질환(Occlusal Disease, OD):** 균열치, 치조골 소실에 수반되는 국소적 수직적 골 소실, 관찰되는 구조적 병리가 없는 TMD나 저작근 통증이 없는 상태에서, 저작하는 동안 마모와, 치아나 수복재료의 파절, 치아 과동요의 조기 형성이 치은 염증이나 치조골 소실, 독립된 CDH 현상, 치아 진탕음, 치아 지각과민 없이 나타난다.

- **마찰:** 마찰은 기질면이 고체, 액체 및/혹은 기체의 적용된 힘 아래에 있을 때, 동작하는 동안 기계적인 면 상호 작용으로 발생한다.

- **미세외상(microtrauma):** 악궁-간 접촉 동안 치아에 발생하는 반복적인 낮은-힘의 교두감합. 활동성의 교합 질환이 있을 수도 없을 수도 있으며, 전체적 혹은 국소적일 수 있다.

- **생물부식(Biocorrosion):** 전기적, 생화학적, 및/혹은 전기화학적 치아 조직 분해. 그 영향은 경조직과 연조직 모두를 붕괴시킬 수 있다.

- **유해 수용(Nociception):** 원거리 수용기로부터의 자극에 대한 신경 다중 근육 반응. 근육 수축을 임상적으로 발견하기 위해서는 수용기 자극이 역치에 도달해야만 한다.

- **치경부 상아질 지각과민증(Cervical Dentin Hypersensitivity, CDH):** 공기, 냉자극, 촉감 자극, 전기적 자극, 산성 노출과 같은 외부 자극에 대한 CEJ의 민감성.

- **치경부 스트레스:** 치아 교합면에 적용된 인장력 및/혹은 압축력에 반응으로, 치경부에 발생하는 수산화인회석 결정 배열에의 결과적인 변형. 적용된 교합 부하에 저항하여 적절한 치주 골 높이가 치아의 변형을 도와 치아가 굴곡에 의해 부하에 적응한다.

CHAPTER 10

T-Scan/BioEMG 동기화 모듈을 이용한
중증 치아 마모의 조절

Dr. Teresa Sierpińska

Bialystok 의과 대학, 폴란드

초록

치아 마모는 법랑질과 상아질의 소실을 야기하는 정상적이고 나이와 연관된 생리적 과정으로 간주된다. 그러나, 어떤 경우에서는, 그 과정이 너무 진행되어 병적 상태에 이르기도 한다. 이번 장은 굴곡파절, 과다한 저작력, 불균형한 교합 접촉, 저작근의 과활성으로 인해 초래된 중증의 치아 마모를 제시할 것이다. 또한, 병적인 마모의 진행을 예견성 있게 감소시킬 수 있는 T-Scan 8/BioEMG 동기화 모듈을 사용한 예방 전략의 개요를 설명할 것이다. 이 두 개의 객관적 동행 기술로 치료 전, 진행 중, 후의 교합을 평가하고, 새로이 장착된 고정성, 임플란트-지지, 가철성 보철물의 장기간 안정성을 예견성 있게 조절할 것이다. 이런 동기화는 근활성 크기 정보를 직접적으로 교합 접촉력 및 시간 순서 정보와 연관시켜, 마모 환자에게 같이 적용하면 병적인 교합 마모를 감소시키고, 완전히 제거할 때까지 중요한 역할을 할 수 있다.

도입

저작계는 환자의 일생에 거쳐 발생하는 역동적 변화에 종속되는 형태적-기능적 단위로 간주될 수 있다(Ash & Nelson, 2003). 모든 역동적인 시스템과 마찬가지로, 시간이 경과하면서 핵심 요소가 손상될 수 있다. 저작계의 경우, 치아 마모(교합 마모)는 환자의 중추 신경계가 원치 않는 대합하는 교합면 마찰 현상을 파악하여 제거하기 위한 기본적인 생리적 조절 기전으로 생각되어 왔다. 이런 조기 접촉(전통적인 방법으로는 종종 포착되지 않는)은 종종 임상 증상의 발현 없이 전체적으로 "자가-제거(self-removed)"된다(Barlett, 2003; Barlett, Anggiansah, Owen, Evans, &

Smith, 1994). 어느 정도, 제한된 치아 마모는 일반적으로 나타나는 현상이다.

성인에서, 생리적 및 병적 치아 마모 사이의 구분이 결코 쉽지 않지만, 극도의 치아 마모는 비정상적인 것으로 간주되다(Smith & Knight, 1984). 교합 마모의 임상적 발현은 다음에 따라 달라진다(Barlett, 2003):

- 마모 정도.
- 치아 구조 손상의 위치.
- 시간에 따른 마모의 진행.
- 기여하는 원인 요소.

교합 마모의 임상적 관찰은 종종 편평한 교합면, 법랑

질 변색 발생, 법랑질 균열 및 파절 발생, 상아질 노출, 그리고 심한 경우 치수 노출로 나타난다. 치아의 임상 치관에 대한 마모 손상으로 짧은 치아, 평평한 교합면이 야기된다. 이것은 종종 교합 수직 고경(Occlusal Vertical Dimension, OVD)의 소실을 야기한다(Davies, 2002).

병적인 치아 마모는 저작계에 매우 파괴적일 것이다. 현재, 언제 치료를 해야 하는지 어떻게 재건 치료를 하는 것이 좋은지에 대한 임상 가이드라인이 없다(Johansson, Johansson, Omar, & Carlsson, 2008). 아주 빈번히, 진행 중인 교합 마모에 대한 치료 여부의 결정은 임상의의 경험과 환자의 요구에 의해 이루어진다.

오늘 날, 마모된 치아를 수복하기 위한 방법과 재료는 매우 다양하다. 그러나, 마모 치료의 적절하고 효과적인 접근에 대한 논란도 존재한다. 과도한 교합 마모를 유발하는 원인 요소에 대한 확인이 선행되지 않는 한, 최종적인 수복 술식이 이루어져서는 안 된다고 제안되었다(Barlett, 2003). 더욱이, 이런 원인 요소 치료는 미래의 치아 구조 소실을 제한할 수 있는 예방적 술식과 환자 생활 방식의 변경에 대한 술자의 충고가 같이 결합되어야 할 것이다(Barlett, 2003).

비용이 많이 드는, 전통적인 고정성 및 가철성 보철 치료는 수직고경이 감소한 진행된 치아 마모 치료의 주된 접근 방식이다. 이런 치료는 복잡하고 매우 침습적이어서, 최적의 치료 후 교합 기능이 새로 구축된 보철물에 의해 얻어지고, 새로운 보철물의 기능 이상으로 인한 실패의 잠재성이라는 한계가 있다. 그러므로, 마모된 치열을 수복하는 것은 잘-맞는 고품질의 보철물을 구축해야만 하고, 바람직한 (낮은 근활성) 교합 상태 하에서 기능해야 한다(Kerstein & Radke, 2012):

- 편심위 운동에서 짧은 이개 시간(DT, 편심위 당 0.5초 이하).
- 폐구 시 짧은 교합 시간(OT, 1번째부터 마지막까지 치아 접촉이 0.2초 이하).
- 치아 및 반-악궁 당 높은 수준의 힘 균등성(반악궁에 약 50%씩; 4분악 당 약 25%; 대칭되는 악궁-맞은편 치아가 거의 균등한 비율의 힘).

적절한 기능 교합을 창조하면 저작계가 자연치열과 보철물 모두를 미래의 손상으로부터 보호할 수 있는 최소의 교합력 부하로 작동할 수 있다. 보철물 삽입뿐만 아니라 임시 보철 중에 T-Scan 8 디지털 교합 분석 기술을 사용하면, 임상의는 위에 언급한 측정성 교합 종말점 목표에 도달하는 교합 체계가 구축되는지를 확인할 수 있다. 재건의 정교성과 무관하게, 교합의 안정성이 이런 종류의 장치를 장기간 사용하기 위해 필수적이다(Sierpinska, Kuc, & Golebiewska, 2013). 보철물을 손상으로부터 보호하기 위해, 환자는 객관적인 교합 측정 기술을 사용하여 6개월마다(혹은 더 자주) 그리고 임상의가 필요하다고 느낄 때마다 재평가되어야 한다.

배경

자연 환경에서의 모든 교합 재료는 교합 마모라는 느리고 파괴적인 과정에 의해 영향을 받을 수 있다. 이와 같이, 법랑질 마모는 나이와 관련된 생리적 현상으로 생각되고 있다. 건강한 성인에서, 치아는 하루에 17.5분 정도 교합간 접촉을 이루어(Dahl, Carlsson, & Ekfeld, 1993; Johansson, Haraldson, Omar, Kiliaridis, & Carlsson, 1993), 생리적으로 정상적 마모 상태에서 법랑질 소실은 $65\mu m$/년이 된다 (Dahl, Carlsson, & Ekfeld, 1993).

현대 시대에 수명이 증가하면서 치아의 사용 기간이 길어짐에 따라, 치아 건강에 있어서 법랑질 마모에 대한 염려도 중요하게 증가하고 있다. 독일에서 실시된 역학 조사에서, 20-29세 청년의 마모 정도는 0.6mm인 반면, 70-79세 노년의 마모 정도는 1.4mm로 증가하였다(Bernhardt, Gesch, Splieth, Schwahn, Mack, & Kocher, 2004). 스칸디나비아 자료에서는 35세 환자의 14%에서 65세 환자가 보이는 절단면 마모의 36%를 보인다고 하였다(Wanman & Migren, 1995). 영국에서는 65세 환자의 9%에서 병적인 치아 마모가 발생한다(Nunc, Morrios, Pine, Pitts, Bradnock, & Steel, 2000). 마모와 부식은 어린이에서도 볼 수 있는데, 많은 역학적 마모 연구가 많은 나라에서 실시되었다(Chaldwick, Mitchell, Manton, Ward, Ogston, & Brown, 2005; Al-Dlaigan, Shaw, & Smith, 2001; Larsen, Poulsen, & Hansen, 2005; Khan, Young, Law, Priest, & Daley, 2001).

교합 마모의 기여 요소

주어진 교합의 시간 동안, 치아는 상당한 물리적 및 화학적 위해에 노출되고, 다양한 정도로 치아 경조직이 마모된다. 외인성(단단한 음식 저작, 과다한 칫솔질, 산성 음료, clasp형 가철성 의치, 교정 장치) 및/혹은 내인성 위해(이갈이, 소화액 역류, 비정상적 연하)가 장기간 지속되면, 환자의 낮은 법랑질 마모 저항성과 연관되어, 과도한 병적 마모의 발달이 야기될 수 있다(Grippo, Simring, & Schreiner, 2004). Smith와 Knight에 따르면, 치아 마모로 효과적으로 기능할 수 없게 되거나 치아의 외형이 심각하게 손상되었을 때, 치아 마모를 *병적이라고* 할 수 있다(Smith & Knight, 1984).

일정 나이에서 수용 가능 정도와 병적인 마모 사이의 구분은 마모 진행 속도가 지속될 경우, 치아가 생존할 수 있는지를 예견하는 것에 근거한다(Smith & Knight, 1984). 정상과 병적 마모를 구분하기에 마모 속도가 너무 느리기 때문에, 종종 생리적 혹은 *정상적* 마모와 병적 마모 사이의 경계를 구분하는 것이 명확하지 않게 된다.

어떤 임상적 특성은 병적 치아 마모의 존재를 암시한다(Smith & Knight, 1984).

- 2차 상아질 노출.
- 협설측의 상아질 노출.
- 굴곡파절 및 홈이 패인 치경부.
- 컵모양 함몰이 있는 절단면 및 교합면.
- 한 악궁 vs 다른 악궁에서 더 잘 보이는 마모.
- 하악 편심위 시 마모된 절단 혹은 교합면으로 접촉이 이루어지지 않음.
- 교합면 상에 돌출된 수복물 테두리.
- 감소된 법랑질 양으로 인한 지속적인 치아 민감증.
- 치아 길이가 폭경에 비례하지 않게 짧아진 절단 길이.
- 치수 노출.
- 과다한 치아 마모로 인한 생명력 소실.

마모 결손의 형태학, 심도, 위치는 지배적인 원인 요소에 따라 달라진다(Johansson, Johansson, Omar, & Carlsson, 2008). 마모와 치아 구조 소실과 가장 빈번하게 연관되는 원인 요소는 전통적으로 3가지의 다른 범주에 포함된다:

- **교모(Attrition)**: 저작(Abrahamsen, 2005) 혹은 연하와 이갈이 동안 더 심해지는 이악물기에 의해 발생하는 치아-대-치아 마찰(Grippo, Simring, & Schreiner, 2004)로 인한 치아의 정상적 생리적 마모로 정의된다.

- **부식(Erosion)**: 화학적 혹은 전기화학적 작용에 의한 치아의 용해로 정의된다. 부식에는 외인성 혹은 내인성 요인이 모두 있을 수 있다(Barlett, 2005; Grippo, Simring, & Schreiner, 2004).

- **연마(Abrasion)**: 기계적 문지름이나 치아 사이간의 교합면 마찰(Abrahamsen, 2005) 혹은 외부의 마모제에 대해 치아를 반복적 기계적으로 문질러서 발생(Grippo, Simring, & Schreiner, 2004)한 치아의 마모로 정의된다.

일부 저자는 마모의 4번째 범주로 *굴곡파절(Abfraction)*을 일컫기도 한다. 장기간 동안 과다한 주기적, 비-축성, 교합 부하로 교두 굴곡을 야기하고, 스트레스가 치아의 약한 치경부에 집중되어 굴곡파절 병소가 발생한다(Grippo, 1991; Michael, Townsend, Greenwood, & Kaidonis, 2009).

선사 시대의 치아 공예품에서 교모와 연마가 치아 손상과 지속적인 치아 소실을 유발하는 역할을 하는 것을 흔하게 발견할 수 있다. 과다한 치아 마모가 선사 시대의 대구치에서 발견되는 이유로 선사 시대 인류가 먹었던 거친 음식과 음식 저작에 필요한 저작근 활성 증가를 생각할 수 있다. 그렇지 않으면, 선사 시대의 전치 마모가 전치를 도구로 사용한 결과일 수 있다(Marion, 1996; Vallera, 1990).

오늘 날, 마모의 형태적 특징이 고대 시대 관찰되는 것들과 주목할 만한 유사성을 보여줌에도 불구하고, 치아 부식은 치아 마모의 중요한 원인으로 간주된다(Barlett, 2005; Lanigan, & Barlett, 2013). 병적인 치아 마모에 대한 부식의 역할이 잘 보고되었음에도 불구하고(Ganss & Lussi, 2006; Bartlett, 2005; Featherstone & Lussi, 2006), 부식의 원인 요소로의 기여에 관하여 과학협회 내의 의견 충돌이 여전히 존재한다. 법랑질 구성 요소가 구강 내에서의 부식 상태에 대한 저항에 상당한 영향을 미칠 것이라는 것은 강조할 가치가 있다(Simmer & Hu, 2001; Bartlett, Lee, Eright, Li, Kulkarni, & Gibsin, 2006; Sierpinska, Orywal, Kuc, Golebiewska, & Szmitkowski, 2013).

특별히 교합면에 위치하는 마모(교모 및 연마)의 과정은 마찰과 연관된다(Grippo, Simring, & Schreiner, 2004). 교합면에 적용되는 힘이 크거나 연장되면(기능적 혹은 기능 이상적 활동 모두에서), 이로 인해 법랑질 및/혹은 상아

357

질의 소실이 임상적으로 드러나게 되고(Johansson, Haraldson, Omar, Kiliaridis, & Carlsson, 1993; Johansson, 2002), 이렇게 교합 상태가 마모의 가속화에 핵심적인 역할을 하게 된다. 그러나, 교합 상태가 마모 과정의 원인인지, 아니면 결과인지는 분명하지 않다. 따라서, *병적 치아 마모의 원인*이 먼저 설명되어 마모 환자에 대한 치료 계획이 장기간 마모 예방 혹은 최소화에 집중될 수 있다. 그리고 그 후에만, 임상의는 기능 회복 술식으로 마모 상태 치료를 시작해야 한다.

제1부: 병적 치아 마모의 원인

교합 마모의 다인성 원인: 부식, 교모, 연마

마모의 많은 정의가 존재함에도 불구하고, 마모의 실제 기전은 종종 다인성이어서 주요 원인을 결정하기 어렵다. 각각의 기전은 독립적으로 작용할 수도 있지만, 좀 더 빈번하게 교합간 작용 동안 발생하는 다른 기전들과 결합하게 된다. 생체 공학의 관점에서, 앞에 서술한 많은 병인 기전 간 부가적, 상승적인 조합이 동시에, 순차적으로, 혹은 교대로 발생할 수 있다(부식-교모, 부식-연마, 교모-굴곡파절, 부식-연마-굴곡파절)(Grippo, Simring, & Schreiner, 2004).

- *부식-교모*는 교합하는 치아-대-치아 접촉면에 영향을 미치는 파괴적인 화학적 작용으로 발생한다.

교합면의 법랑질 소실로 교합 수직 고경이 낮아지게 된다.

- *부식-연마*는 부식제가 표면적으로 치아면을 연화하고 반복적인 연마로 장기간에 걸쳐 경조직을 서서히 제거하여 발생한다(예, 칫솔질).

부식-연마는 치아의 치경부와 교합면에서 관찰할 수 있는데, 교합면에서는 상아질 섬이 여전히-단단한 법랑질 테두리에 둘러싸여 나타날 수 있다. 이런 부위는 컵-모양이나 함입된 모양으로 나타날 수 있다(Ganss & Lussi, 2006).

- *교모-연마*는 이갈이, 이악물기, 혹은 측방 운동 동안 야기되는 치아의 교합 접촉 순간에 발생하는 반복적인 마

찰 작용으로 발생한다.

이런 활동은 중추 신경계가 저작의 주근육과 부근육에 전달하는 직접적인 영향에 의존한다.

추가적으로, 부식제가 상호-기여하는 연마제를 악화시킬 수 있다. 이것은 기능하는 동안 마찰성 교합면 스트레스가 법랑질을 마멸시킬 때, 또한 치아를 측방으로 굴곡시킬 때(굴곡파절) 발생한다. 이 경우에, 마모 병소의 원인은 부식, 연마, 굴곡파절의 결합이다.

마찰학(마찰, 윤활, 마모의 원리를 포함하는 상대적 동작의 상호 표면에 대한 과학 및 역학)의 관점에서, 각 병소의 다양한 임상적 마모 표현 및 마모 손상을 치료하는 데 필요한 잠재적인 기능 회복 술식에 상관없이, *병적 치아 마모*로 인한 모든 치아 구조 마모 변화를 정의하는 것이 도움이 된다(Johansson, Haraldson, Omar, Kiliaridis, & Carlsson, 1993). 병적 마모는 단일 치아에 영향을 미칠 수 있지만, 다수 혹은 모든 치아를 포함하는 광범위한 상태로 종종 나타난다.

다양한 마찰학적 원인 요소가 치아 마모와 연관된다:

- CO에서 접촉하는 내전근의 과활성으로 인한 과도한 교합력(200μV를 초과하는 활성 크기)(그림 1a, 1b).
- 저작근의 수축 활성을 증가시키는 구강 상태 – 이갈이, 이악물기, 연장된 이개 시간을 나타내는 연장된 교합면 마찰(그림 2).
- 치아 소실, 특히 대체 보철물이 없는 악궁의 측방 부위(그림 3).
- 법랑질의 무기물 구성 요소.
- 교합면 마찰 증가를 유발하는 침분비 저하증(그림 4).

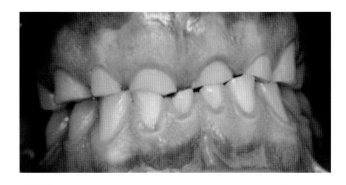

그림 1a 상승된 근활성의 높은 교합력으로 인한 상하악 치아의 심한 치아 마모

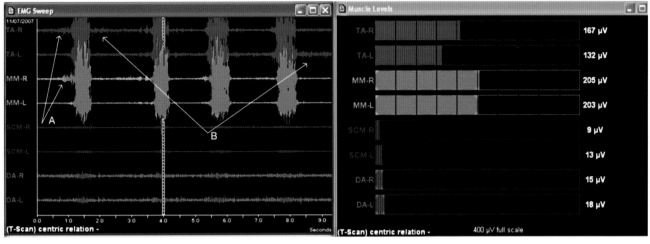

그림 1b 상승된 휴지기 근활성이 1번째 교합 접촉 전에 보이고(EMG 데이터의 A), 개구하는 동안 치아가 벌어진 후 과다하고 연장된 근활성이 발생한다(B). CO에서 교근의 폐구 EMG 활성이 200μV를 넘는다

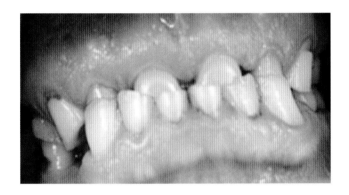

그림 2 Class III 부정교합 및 양 악궁에서의 장기간 구치 소실로 인한 과다한 전방 마모

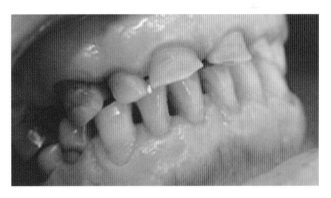

그림 4 낮은 타액 pH(pH = 6.1)와 침분비 저하로 인한 상악 치아의 법랑질 완전 소실

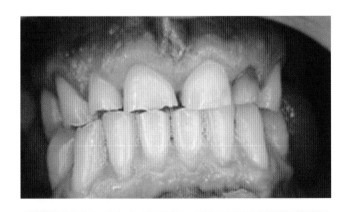

그림 3 하악 구치 소실 후 대체적인 보철을 장착하지 않음으로 유발된 상악 전치 마모

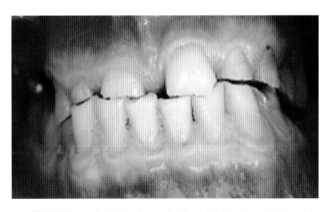

그림 5 낮은 pH 음료 남용으로 인한 치아 마모로(15년 이상, 환자는 하루 2ℓ 이상을 마셨다), 근활성이 높다(임상 검사에서 교근의 비대와 과다긴장)

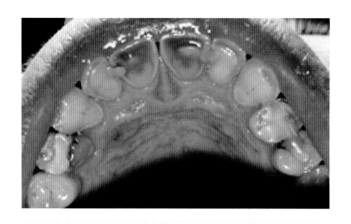

그림 6 잦은 폭식증으로 인한 상악 치아의 설측면 법랑질 소실

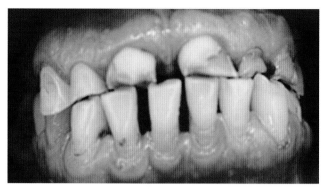

그림 8 알코올 남용과 과다한 근활성(CO에서 교근 활성이 200µV를 초과한다)으로 인한 상악 전치의 치아 구조 소실

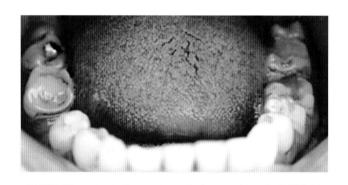

그림 7 매일 레몬을 씹어 먹어서 발생한 하악 구치의 법랑질 소실

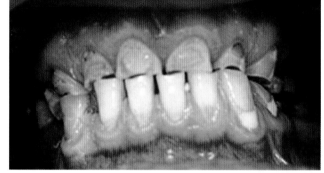

그림 9 2년간의 직업과 연관된 배터리 산성 노출에 의한 상악 전치 협측면의 법랑질 완전 소실

- 산성 청량 음료 및/혹은 산성 음식의 과다한 섭취(그림 5).
- 역류성 식도염, 폭식증, 거식증(그림 6).
- 좋지 않은 구강 위생 및 특이한 구강 습관(그림 7).
- 약물 및 알코올 남용(그림 8).
- 건전지 산성에의 장기간 노출과 같은 직업 상 유해물과의 장기간 접촉(그림 9).

잠재적인 마모 원인으로서의 이갈이

이갈이 정의에 관한 국제 합의는 다음과 같다:

- 이갈이는 치아를 악물거나 가는 동작 및/혹은 하악을 긴장시키거나 밀어내는 것으로 특징지어지는 반복적인 악근육 활동이다(Lobbezoo, Ahlberg, Glaros, Koyano, Lavigne, de Leeuw, Manfredi, Svensson, & Winocur, 2013).

이갈이와 관련된 불수의적인 율동성 혹은 경련성 비기능적 동작 때문에, 치아를 갈거나 악무는 것이 교합 외상을

초래할 수 있다고 주장한다.

또한 치아의 교합면 및/혹은 절단면에 존재하는 조기 접촉으로 외상성 교합과 그로 인한 이갈이도 유발될 수 있다고 제안되었다(Bishop, Kelleher, Briggs, & Joshi, 1997). 추가적으로, 만성 이갈이의 근본 원인은 일상의 생활과 일과 연관된 활동에서 나오는 정서적인 스트레스라는 주장도 있다(Bishop, Kelleher, Briggs, & Joshi, 1997).

이갈이로 고통받는 사람들은 가끔 자신이 치아를 악물거나 간다는 것을 알지 못한다. 치과의사는 이갈이 환자의 구내 검사를 통해, 보통 진행 중인 기능 이상 습관의 존재를 확인할 수 있다. 기능 이상 습관에서 흔하게 발견되거나 이를 높게 암시하는 임상적 특성은 다음과 같다(Pergamalian, Rudy, Zaki, & Greco, 2003):

- 마모된 교합면 혹은 절단면.
- 종종 물결 모양으로 나타나는 혀의 외측 변연 변화.

• 협측 점막의 흉터(scar) 형성.

오늘날까지 과학적으로 입증되지 않았음에도 불구하고, 이갈이는 치아 마모의 진행에 중요한 역할을 하지만 법랑질 소실의 진행에 영향을 주는 추가 요소와 함께 발생할 때로 제한하고 있다(Baba, Haketa, Clark, & Ohyama, 2004). 이갈이 동안 근활성과 교합 마모 사이의 관계에 대한 연구들이 발표되었는데(Clarke, Townsend, & Carey, 1984; Xhonga, 1977), 이갈이 동안 저작근에서 발생하는 교합력이 진행 중인 교합면 교모 과정의 중요한 요소라고 하였다. 교합력은 악궁 내에서 다양하여, 대구치 부위에서 가장 강하고 전치부에서 가장 약하기 때문에, 이갈이가 전치부보다 구치부에 더 많은 손상을 미칠 것이다. 그러나 환자가 보여주는 근활성 크기는 존재하는 환자의 교합 상태, 얼굴 형태, 저작 능력에 따라서 달라진다(Ferratio, Sforza, Zanotti, & Tartaglia, 2004).

저작근 활성 크기를 측정하는 비-침습적이고 자주 사용되며, 연구로 입증된 방법은 표면 근전도 검사(EMG)이다(Kerstein, 2004). 한 연구는 EMG와 교합력 크기 사이에 거의 선형 상관 관계가 존재한다고 하였다(Roark, Glaros, & O'Mahony, 2003). 또한, 악궁 내에서 힘의 위치와 이에 대한 근육 반응 사이에 밀접한 관계가 있다고 보고하였다. 힘이 전방부에 위치하면, 후방부에 존재하는 근력에 비해서 감소되긴 하지만, 근활성의 반사적인 증가를 야기할 수 있다(Suda, Matsugishi, Seki, Suzuki, Morita, Hanada, & Hara, 1997). 별도의 스칸디나비아 연구에서, 음식물의 두께를 판별하는 환자의 능력이 마모 진행에 영향을 미칠 수 있다고 하였다. 커다란 음식과 얇은 조각을 판별하지 못하는 경우에 더 진행된 치아 마모가 발견된다고 하였다(Johansson, Haraldson, Omar, Kiliaridis, & Carlsson, 1993).

마모의 잠재적 원인으로서의 치아 소실

치아 소실 또한 구강 내에 존재하는 다른 치아의 마모를 가속화할 수 있다. 이 과정의 기전은 개별 치아 부하와 연관된다(Johansson, Haraldson, Omar, Kiliaridis, & Carlsson, 1994). 잔존 치아는 새로이 소실된 치아가 기존에 담당하였던 부하를 추가적으로 흡수해야만 한다. 이런 흡수성 보상은 잔존치에 가해지는 교합력의 크기에 관계없이 발생하게 될 것이다. 연구에 의하면, 이런 보상은 자연 치열의 50%까지 온전하게 남아 있으면 생리적으로 가능하다고 한다(Dahlberg, 1942). 그러나, 치아 소실이 50%를 넘으면, 부하 보상은 불충분하게 된다(Dahlberg, 1942). 새로운 치아 소실로 발생할 수 있는 가능한 부하 흡수 후유증의 하나는 잔존 치아의 과다한 마모이다.

법랑질 구조

치아 법랑질은 사람의 신체에서 가장 단단한 조직이다(Nanci, 2003). 그 독특한 구조는 법랑질의 87%를 차지하고 총 무게의 95%에 달하는 고도로 조직화되고 빽빽하게 채워진 결정으로 구성된다(Barlett, Lee, Eright, Kulkarni, & Gibsin, 2006; Simmer & Hu, 2001). 성숙된 형태에서, 법랑질은 온전히 세포간 물질을 구성한다.

법랑질 구조는 치아 발생의 긴 과정 동안 형성된다. 성숙의 최종 단계 내에서, 법랑질은 90%의 무기질과 3%의 잔여 단백질 및 지방으로 구성된다(Nanci, 2003). 주된 법랑질 구성 요소는 칼슘, 인산염, 마그네슘이고, 미량의 칼륨, 나트륨, 염소, 불소, 탄산염, 아연, 구리, 스트론튬, 질소, 몰리브덴, 셀레니움, 스트론튬, 납, 철이 존재한다. 이런 무기질은 구강 내 부식환경에 대한 법랑질의 민감성에 영향을 미칠 수 있다(Abrahamsen, 2005). 마지막으로, 상아질 형성부전증이나 법랑질 형성부전증에서 발생하는 법랑질 및/혹은 상아질이 부적절하게 형성되는 것과 같은 유전이 법랑질 구조 형성에 영향을 미칠 수 있다. 이런 상태는 모두 교합 마모에 대한 법랑질 저항성을 부적절하게 감소시킨다(Pain, Luo, Wang, Bringas, Ngan, Miklus, Zhu, MacDougall, White, & Snead, 2005).

치아 맹출 후, 법랑질은 국소적 환경에 의해 표면 구조가 영향을 받게 된다. 법랑질 마모 저항을 감소시킬 수 있는 잠재적인 국소 인자는 다음과 같다:

• 타액의 흐름성 및 완충 능력 정도와 같은 생물학적 인자.
• 저작 동안 연조직/치아 움직임.
• 법랑질 박막 및 치아의 형태적 구조 존재.
• 타액의 낮은 pH, 비효과적인 타액 완충 능력 혹은 산 노출과 같은 화학적 인자.
• 칼슘 부착 및 인산염과 불소 법랑질 킬레이트의 존재.
• 행동 인자 – 식사 및 음료 습관, 공격적인 칫솔질, 잦은 구토, 어떤 종류의 약물 사용 및 남용, 직업적인 유해물질에의 노출(Eisenburger, Addy, Hughes, & Shellis,

2002; Ganss & Lussi, 2006; Barlett, 2006).

법랑질 보호제로서의 타액

타액은 법랑질의 자연 환경이다. 타액은 *법랑질 박막 (Enamel pellicle)*으로 알려진 매우 얇은 표층을 형성하고 치아에 밀접하게 부착되어 진행 중인 치아 마모 과정을 완화시키는 데 중요한 역할을 한다(Hanning, Fiebiger, Guntzer, Dobert, Zimehl, & Nekrashevych, 2004). 박막의 두께는 악궁에서의 치아 위치에 따라 달라진다. 전방 박막이 가장 얇다는 사실은, 상악 절치의 절단연이 가장 마모에 민감한 한 가지 이유가 된다(Amaechi, Higham, Edgar, & Milosevic, 1999).

정상적인 타액 pH는 6.5-7.4 사이로, 구강 내로 유입되는 산성을 중화(*타액의 완충 능력으로 알려진*)하여 법랑질 표면을 보호한다(Bardow, Moe, Nyvad, & Nautofte, 2000). 또한 이런 pH 범위는 칼슘 인산염과 법랑질 수산화인회석의 적당한 농도를 유지한다(Daves, 1969; Pedersen, Bardow, Beier-Jensen, & Nautofte, 2002). 타액의 pH가 감소하면, 법랑질 탈회가 생길 것이다. 타액 pH 감소는 외부 부식제(예, 산성 음료 섭취, 알코올 남용, 과다한 레몬 섭취) 및 내부 부식제(예, 위식도 역류)로 인한 치아 마모에 기여한다(Barlett, 2005). 이 탈회 현상은 타액에 적절한 양의 칼슘과 인산염을 다시 주입하여 적절하게 완충 능력을 회복시킴으로써 되돌릴 수 있다. 그러므로, 무기물 성분이 정확한 비율로 보충되면, 타액은 법랑질 재광화를 지원할 수 있다(Eisenburger, Addy, Hughes, & Shellis, 2001).

구내 타액의 양이 감소하거나 유속이 위축된다면, 탄산염 완충 양 또한 감소하여, 자주 발생하는 구내 산성을 효과적으로 중화시키는 능력을 약화시키게 된다(Bardow, Moe, Nyvad, & Nautofte, 2000). 야간에, 타액 유속이 느려져서 법랑질의 타액 보호 효과가 낮 시간보다 떨어지게 된다. 이런 모든 인자들은 교합 마모 진행에 대한 촉진제 및/혹은 증강제로 작용할 수 있다.

소화와 정신적인 잠재적 마모 원인

소화성 및 소화-정신적 문제가 결합된 질환이 타액 pH를 낮추고 법랑질 탈회를 촉진할 수 있다는 것은 잘 정리되어 있다(Barlett, Anggiansah, Owen, Evans, & Smith, 1994). 이런 상태는:

- 위-식도 역류 질환.
- 폭식증.
- 거식증.

이런 소화계 기능 장애는 더 날씬해지기 위한 의도적이고 잦은 구토로 치아 구조 손상을 유발한다. 상습적인 구토로 위산이 반복적으로 다수 치아에 접촉하여, 상악 전치와 소구치의 구개측에서 가장 흔하게 발견되는 국소화된 법랑질 소실을 야기한다. 하악 전치는 환자가 구토하는 동안 혀로 덮이기 때문에 가장 적게 영향받는다.

낮은 pH를 가진 다른 외부 부식제는 타액의 보호 성질을 변경시켜 방어 효과가 감소한다(Barlett, 2005). 산성 음료, 일부 과일 주스, 어떤 약물, 채식 요법도 병적 치아 마모에 추가적인 기여 역할을 할 수 있다. 병적 치아 마모의 진행과 연관된 많은 다양한 원인 인자가 있기 때문에, 교합계가 상당한 교모와 연관된 치아 구조 손상을 경험하지 않게 보호하기 위해서 조기 진단하는 것이 중요하다.

제2부: 교합 안정성과 치아 마모

생리적 교합은 저작계의 모든 요소가 기능적으로 안정을 이룰 때 존재한다(Ferrario, Tartaglia, Galletta, Grassi, & Sforza, 2006). 교합은 성장과 성숙이라는 자연적인 과정을 통해 발달한다. 이런 과정 동안, 개체-내 및 개체-간 변수가 한 순간에 정상으로 나타나더라도 연속적으로 시간에 따라 변화하면서 저작계의 구성 요소의 붕괴가 야기될 수 있다.

이상적인 교합은 교합의 안정을 방해하는 구조적, 기능적, 신경-행동적 특성이 없는 상태를 일컫는다. 교합의 안정성은 치아에 작용하는 다양한 구강의 모든 힘에 의해 영향을 받을 수 있다. 교합력, 맹출력, 악궁을 둘러싸는 연조직에 가해지는 압력(뺨 근육, 입술, 혀), 치주 지지 모두가 치아 위치를 유지하는 데 능동적으로 관여한다. 이런 모든 힘이 균형을 이루면, 치아와 교합은 안정적으로 유지될 것이다.

교합의 안정성을 감소시키는 인자는 치아 소실, 치아 구조의 마모(지지 교두의 온전성에 영향을 미치는), 치주 지지의 감소, 미세외상을 일으키는 교합의 존재를 포함한다.

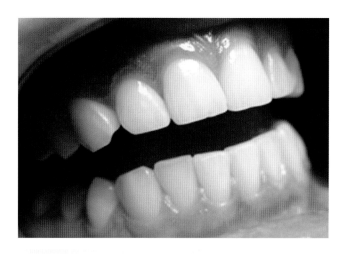

그림 10 하악 우측 제2대구치의 조기 접촉이 T-Scan 2D및 3D ForceView(그림 11a)에 나타나는 17세 소녀의 치아 마모 초기 단계

조기 마모 증례를 그림 10에서 볼 수 있는데, 17세 소녀로 상하악 우측 견치 및 상하악 전치 절단연에 뚜렷한 마모가 있다. 이런 상태는 상악 우측 제3대구치가 대합치 맹출 후

에 등장하면서 조기 접촉이 형성됨에 따라 교합이 불안정하게 되어 발달하였다.

그림 11a에 보이는 T-Scan 데이터에서, 하악 우측 제3대구치의 맹출 후 형성된 과다하게 강력한 교합이 상악 우측 제2대구치에 나타나고 있다. COF 궤도와 아이콘이 과다한 제2대구치 교합력으로 인해 중앙 타겟의 왼쪽으로 주행함을 볼 수 있다. 이런 과부하된 힘 부위가 전체적인 교합 균형에 영향을 미쳐 악궁의 좌측에 치우쳐 있다.

그림 11b에서, 치료에 의해 모든 높은 힘 접촉 부위가 감소하고 전체적인 힘 분포가 향상되어 미래의 잠재적인 마모 손상 발현이 최소화되었음을 볼 수 있다. 같은 날 만들어진 T-Scan 기록은 COF 궤도의 중앙화와 모든 교합 접촉에 존재하는 더 균등화된 크기의 힘을 보여 준다.

교합력 및 교합 마모

근육에서 교합 접촉으로의 교합력 적용은 몇 개의 기여 인자에 따라 치아 구조 및 지지 조직에 손상을 유발할 수 있

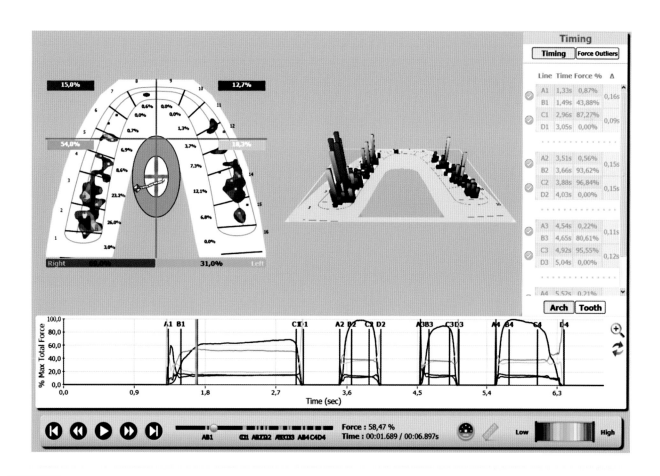

그림 11a T-Scan이 그림 10에서 보여지는 환자의 뚜렷한 마모와 일치하는 상악 우측 제2대구치에 존재하는 과다하게 강력한 접촉을 포착하였다

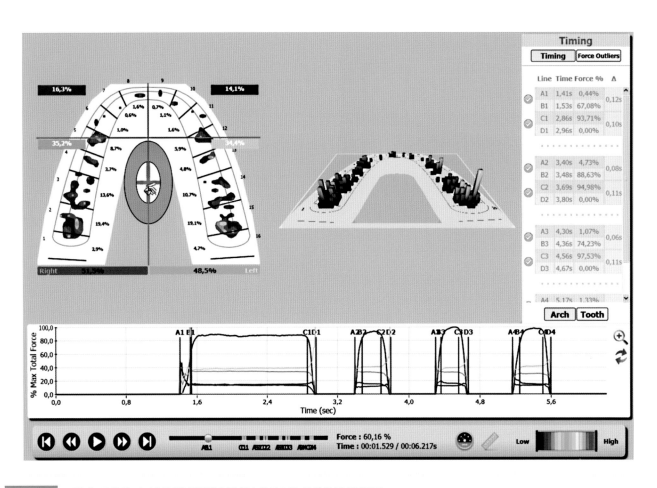

그림 11b 조정 후, 교합력 과다 부위가 임상적으로 감소하여 교합 균형이 향상되었다

다(Davies & Gray, 2001):

- 적용되는 힘의 양.
- 적용되는 힘의 빈도.
- 적용되는 힘의 방향.
- 힘을 전달하는 접촉의 수.
- 적용되는 힘에 대한 조직 혹은 수복물의 저항.

스웨덴의 한 연구는 교합 마모 증가와 상당히 연관된 인자로 나이, 증가된 교합력, 감소된 교합 촉각 민감도, 증가된 내구 수명, 악궁 내에서 밀집(crowding)에 대한 축소된 경향이 있다고 하였다(Johansson, 1992). 마모 환자는 증가된 저작력 활성을 보여 마모된 치아를 교합 접촉 상태로 유지시키는 연장된 시간-프레임에 의해 심화된다(Dahl, Carlsson, & Ekfeldt, 1993; Johansson, Kiliaridis, Haraldson, Omar, & Carlsson, 1993). 그림 12a는 노화되고 마모된 치열로 시간에 따른 치아 구조의 점진적인 소실이 있고,

약화된 교합 수직 고경이 형성되었다. 지나친 마모로 인해, 환자의 하악 전치가 상악 구개측 cingulum 대신에 치은 조직에 접촉한다. 동반된 T-Scan 데이터(그림 12b)는 폐구 접촉 진행 동안 넓은 운동 범위를 수반하는 COF 궤도를 보여준다. 이것은 중증의 교합 마모로 인한 불안정한 교합의 특징이다.

어떤 연구는 악궁의 골격 방향과 교합 마모 발현 간에 연관성이 존재한다는 것을 보여 주었다. 증가된 마모와 연관성이 있는 두부계측 변수는 상악 절치의 retroinclination과 커다란 절치간 각도(interincisal angle)이다(Johansson, Kiliaridis, Haraldson, Omar, & Carlsson, 1993). 수직 피개, 수평 피개, 및 그들의 비율은 전방 부위 내에서 마모에 대한 원인 요소로 기여할 수 있다(Silness, Johannessen, & Røynstrand, 1993). 그러나, 측방 혹은 전방 편심위 접촉 유형과 교합 마모의 심도 및 위치 사이에 연관성이 존재하지 않는다는 것이 흥미롭다(Abdullah, Sherfudhin, Omar,

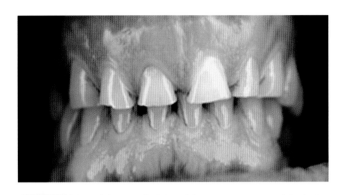

그림 12a 과다한 마모로 인해, 환자의 하악 전치가 상악 구개측 cingulum 대신에 구개측 치은 조직과 접촉하고 있다

& Johansson, 1994). 그러므로, 교합 마모의 발현에서 "이개 보호"의 역할이 의심스럽고, "상호 보호"의 효능도 유사하게 입증되지 않은 것으로 나타났다(Johansson, Kiliaridis, Haraldson, Omar, & Carlsson, 1993).

교합 접촉 분포

교모나 교합 조정 술식의 일부분으로써 교합면 성형에 의해 증가하는 교합 접촉 부위의 크기는 저작 효능을 결정하는 중요한 인자이다. 효과적인 접촉 부위는 교합면의 크기와 모양, 교두감합 정도, 교두 경사, 존재하는 마모나 교모의 양, 부정교합의 정도와 유형에 따라 달라진다(Yurkstas, 1965).

편평한 치아가 MIP 내에서 많은 수의 교합 접촉을 야기한다는 것은 어느 정도 가능하다. Centric Stop이 진행중인 교합면 마모로 인해 다소 감소 될 때, 저작 시스템은 치아 접촉 상호 작용 지속 시간을 연장함으로써 새로운 균형점을 찾아내어 실제로 마모 과정을 가속화 할 수 있다(Ash & Nelson, 2003). 편평한 치아는 종종 더 큰 교두간 접촉 부위를 유발하지만, 마모 변화의 결과가 교합면에 배치되는 것이기 때문에 환자가 더 약하거나 혹은 더 강한 교합력을 만들 수 있는지는 판단할 수 없다. 교두감합되는 교합 접

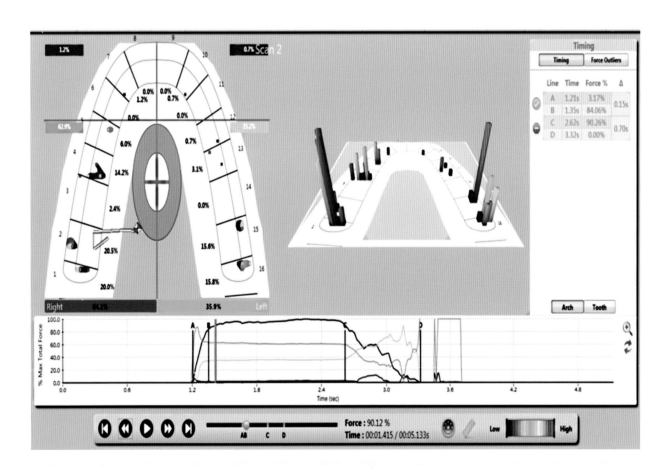

그림 12b T-Scan COF 궤도가 중앙 타겟의 바깥쪽에서 시작하여 1번째 접촉에서 최대 교두감합까지 연장되는 긴 궤도를 보인다. 얼룩덜룩한 교합 접촉 분포와 고립된 높은 힘 부위가 좋지 않은 COF 궤도 위치와 통합되어 불안정한 교합을 나타낸다

촉의 수와 저작 동안 발생되는 힘의 양 사이에 상당한 양의 관계가 있다는 것이 발견되었다(Bakke, Michler, & Moller, 1992). 그러나, 접촉면의 크기, 교합면에서의 접촉 위치, 그리고 저작력 사이에 직접적인 상관관계는 발견되지 않았다(Hidaka, Iwasaki, Saito, & Morimoto, 1999).

악궁 내 교합 접촉력 분포가 달라서, 교합력은 대구치와 소구치 부위에서 가장 크고 견치와 절치 부위에서 감소한다. 교두감합 위치는 하악 폐구 동안 교합 접촉의 안정점을 제공하여, 교합력이 치아의 중앙 내에 흔하게 위치하게 된다. 이것이 과부하로부터 치아와 TMJ를 가장 잘 보호하기 위해, 적용된 교합 스트레스를 분배하고 분산시킬 수 있는 가장 유리한 위치가 된다(Saifuddin, Miyamoto, Ueda, Shikata, & Tanne, 2001; Gibbs, Mahan, Lundeen, Brehnan, Walsh, & Sinkewiz, 1981).

대합하는 교합 접촉 Centric Stop은 전체적인 교합 안정성에도 기여한다. MIP에서, 전방보다 후방에서 치아 접촉의 수가 더 많다(Garrido-García, García-Cartagena, & González-Sequeros, 1997). 그러나, MIP에서 존재하는 치아 접촉의 위치와 수가 종종 양측으로 비대칭적이다(Korioth, 1990). 마지막으로, 적용된 교합 부하의 크기는 발견되는 교합 접촉의 수에 영향을 미칠 수 있어서, MIP에서 가벼운 접촉 압력은 센 접촉 압력보다 적은 교합 접촉을 발생시키는 것으로 보여진다(Riise, 1982).

MIP 접촉은 그 위치와 분포가 매우 다양하기 때문에, 편심 교합 접촉 양상 또한 약간의 다양성을 보여줄 것이라고 제안되었다. 발표된 연구에 의하면, 편심위 운동에서 활주하는 경로는 편심위 접촉의 수, 연루된 치아에서 접촉의 위치, 접촉 강도와 지속성에서 다르다고 하였다(Berry & Pole, 1976).

어떤 개별 환자의 교합이 사전에 형성된 이상적인 것에서 벗어날 수 있다고 하더라도, 치료 개입이 필요하지 않다. 적절한 내과적 혹은 치과적 치료를 제공하는 가장 중요한 목적의 하나는 환자의 안정성을 유지하는 것이다(Zarb, 2005). 중요한 치료 목표는 건강한 기능을 가진 환자의 교합을 현저하게 변화시키지 않아야 한다는 것이다. 역동적 개별 교합 이론(theory of Dynamic Individual Occlusion)에 따르면, 저작계 기능 요소가 효과적으로 병적인 증상이 없을 때 교합은 개별 접촉점과 관계없이 생리적으로 수용될 수 있다(Turp, Greene, & Strub, 2008). 그러나, 마모된

교합을 보철로 수복하기 위해 교합 치료가 필요하면, 수복물은 최적의 기능 교합의 기준을 충족시켜야 한다(Beyron, 1973; Bryant, 2003; Turp, 2008).

최적의 기능 교합

최적의 기능성 교합 기준은:

- 환자의 특별한 상하악 관계와 관련없이, 최대 교두감합 내에서 양측성 Centric Stop의 최대수를 획득한다.
- 치조 내로 최적의 힘을 소멸시키기 위해 구치에 축의 방향으로 부하한다.
- 후방에 1mm의 자유도를 구축하여, 모든 치아가 CO에서 교두감합할 때 하악이 경계 위치(border position)로 강제적으로 들어가지 않아야 한다.
- 다각적인 운동의 자유도를 구축하기 위해, 편심위 운동마다 구치가 0.5초 이하의 이개 시간을 형성하도록 전방 유도 접촉이 측방 및 전방 운동을 조절한다. 이렇게 각 편심위 운동에 가장 바람직한 힘 분포를 제공하여 편심위 운동 동안 근기능이 가장 낮은 크기로 머무르게 될 것이다(Kerstein & Radke, 2012).
- 적절한 수직 고경을 유지하거나 구축한다.

제3부: 교합 마모의 치료 방법

치아 마모는 특별한 치료를 항상 필요로 하지 않는 자연스러운 과정이다. 중등의 치아 마모를 가진 환자가 자신의 상태에 잘 적응하고 TMJ 기능 이상이 없이 편안하게 기능하고 있다면, 구강 기능 회복이 필요하지 않다(Carlsson & Magnusson, 1999). 그러나, 주요 치아 구조물 소실 및 감소된 교합 수직 고경을 수반한 중증의 치아 마모는 종종 상급의 비용이 많이 드는 보철적 기능 회복으로 손상된 교합을 재건할 필요가 있다. 치아 마모 기능 회복에 적용할 수 있는 확실하고 신속한 규율이 없다는 점을 강조하는 것이 중요하다.

치료 필요 여부는 다음을 고려한 후 이루어져야 한다(Davies, Gray & Qualtrough, 2002):

- 임상 검사에서 관찰되는 치아 마모의 정도와 유형.
- 마모 증상의 원인과 발현.
- 마모 손상 치료에 대한 환자의 바람.

표 1 치아 마모 지수(Tooth Wear Index, TWI) (Smith & Knight, 1984)

값	표면	기준
0	B/L/O/I	법랑질 소실 없음
	C	외형의 변화 없음
1	B/L/O/I	법랑질 표면 특성 상실
	C	최소의 외형 소실
2	B/L/O	법랑질 소실과 마모면 1/3 이하의 상아질 노출
	I	법랑질 소실과 상아질 노출 시작
	C	깊이 1mm 이하의 결손
3	B/L/O	법랑질 소실과 마모면 1/3 이상의 상아질 노출
	I	상당한 상아질 소실을 동반한 법랑질 소실, 그러나 치수 노출이나 2차 상아질 소실은 없음
	C	깊이 1-2mm 결손
4	B/L/O	완전한 법랑질 소실, 혹은 치수 노출, 혹은 2차 상아질 노출
	I	치수 노출, 혹은 2차 상아질 노출
	C	깊이 2mm 이상의 결손, 치수 노출, 2차 상아질 노출

치아 마모의 평가는 양적으로(임상 검사, 진단 모형, 사진을 통해), 질적으로(화학적, 물리적, 현미경적, 미세방사선 사진, 컴퓨터 prophilometric 분석) 성취될 수 있다(Azzopardi, Barlett, Watson, & Smith, 2000). 마모를 평가하는 매우 유용한 임상 접근으로 임상 검사 동안 환자의 입속에서 볼 수 있는 마모의 정도를 나타내는 치아 마모 지수(Tooth Wear Index, TWI)를 들 수 있다(표 1 참조)(Smith & Knight, 1984).

치아 마모 과정을 관찰하기 위해서, 기본적 부식 마모 검사(Basic Erosive Wear Examination, BEWE)가 이용될 수 있다(표 2)(Ganss, 2008). BEWE는 각 6분악에서 가장 영향을 많이 받은 치아의 점수를 참작하고, 영향 받은 모든 치아의 점수를 합산한다. 이것으로 임상의가 마모 기능 회복 치료를 시작해야 하는지 결정하는 것을 간소화한다. 점수가 14°를 넘어가면, 마모 진행이 심한 것으로 고려되고, 예방적 전략으로는 뚜렷한 마모 감소를 달성할 수 없으므로, 미래의 치아 파괴를 저지하기 위해 교합 기능 회복 치료가 채택되어야 한다.

마모는 통상적으로 느리게 진행되어 환자는 명백한 증상을 거의 호소하지 않는다. 마모 과정은 병인론 및 원인 요소에 대한 법랑질의 저항성에 따라 달라진다. 그러므로, 주요 원인 인자를 확인하고 재건 및 수복 술식이 진행되기 전에 악화 인자를 변경하거나 제거하는 것이 필수적이다(Johansson, 2002).

치아 마모의 매우 이른 시기에, 일부 예방 치료로 마모 과정을 늦추고 진행중인 마모 활동을 감소시킬 수 있다. 치아 마모는 각 환자마다 다르고 종종 다인성으로 나타나기 때문에, 교합 마모 예방은 충치 예방과는 다르다(Holbrook, Arnadottir, & Kay, 2003). 환자의 생활 방식이 마모에 기여하고 환자가 자신의 생활 습관을 고치겠다고 선택하면(식생활 변화, 산성 음료 섭취 중단, 운동 전에 물 섭취, 스트레스 방지), 환자에게 자신의 특이한 기여 인자가 미래 손상을 예방할 수 있다고 충고한다. 불소의 구내 적용, 특정 치약 사용, 본딩제 도포보다 생활 방식의 변화가 마모 환자의 법랑질을 보호하는 데 더 효과적이다(Young, 2005). 그러나, 최근 발표된 연구에서, TiF4 및 SnF2가 원래의 위치에서 유사-부식 마모 병소의 진행을 제한할 수 있다고 제안하였다(Hove, Holme, Young, & Tveit, 2008). 진행성 마모를 보이는 환자에서, 마모 진행을 완화시킨다는 희망 하에 생활 방식 변화와 정기적인 불소 적용을 결합하면 것을 신중하게 고려해야 한다.

교합 치료는 진행중인 마모를 완화시킴으로써 마모 진행을 예방할 수 있다. 교합면 마모가 눈에 보이면, 교합의 불안정이 발생할 수 있다. 이런 경우, 미래의 치아 구조 소

표 2 기본 부식 마모 검사(Basic Erosive Wear Examination, BEWE) (Ganss, 2008)

위험 수준	점수	대처법
없음	2° 이하	일상적인 유지 및 관찰 지속. 3년 주기로 반복
낮음	3 - 8°	구강 위생 기술 강화 및 식생활 평가 시행. 생활 방식 변경 권고, 일상적인 유지 및 관찰 지속. 2년 주기로 반복
중간	9 - 13°	구강 위생 기술 강화 및 식생활 평가 시행. 조식 소실에 대한 주요 원인 인자를 확인하고 각각의 영향을 축출하기 위한 전략 마련. 불소화 조치 혹은 치아 표면의 저항성을 증가시킬 수 있는 다른 방법을 고려. 이상적으로 가능하다면, 수복물 장착을 피하고 작업 모형, 사진, 인상 채득의 방법으로 부식 마모를 지속적으로 관찰. 6-12개월 간격으로 반복.
높음	14° 이상	구강 위생 기술 강화 및 식생활 평가 시행. 조식 소실에 대한 주요 원인 인자를 확인하고 각각의 영향을 축출하기 위한 전략 마련. 불소화 조치 혹은 치아 표면의 저항성을 증가시킬 수 있는 다른 방법을 고려. 이상적으로 가능하다면, 수복물 장착을 피하고 심한 진행의 경우에서 특히, 작업 모형, 사진, 인상 채득의 방법으로 부식 마모를 지속적으로 관찰. 상당한 수복을 포함하는 것 이상의 특별한 치료 고려. 6-12개월 간격으로 반복.

0 - 부식 치아 마모 없음, 1 - 표면 질감의 초기 변화, 2 - 표면적 50% 이하의 분명한 경조직 소실, 3 - 표면적 50% 이상의 분명한 경조직 소실

표 3 WATCH 전략(FDI에 의거) (Young, 2005)

작용물	권고 사항
W - 물	매일 1.5리터의 물을 섭취, 운동 2시간 전에 2리터나 1시간 전에 1리터의 물 섭취
A - 산성	운동, 일로 탈수 상태가 되거나 혹은 타액 보호력을 감소시키는 약물을 복용하는 경우에 산성 음료의 섭취를 피한다
T - 맛	타액 분비를 자극하기 위해서 매일 아침마다 과일을 섭취한다
C - 칼슘	산성화로부터 치아를 보호하기 위해 칼슘을 함유하고 있는 우유, 치즈, 요거트를 섭취한다
H - 건강	탈수, 위산 역류를 유발할 수 있는 과다한 알코올 섭취(탈수 유발), 타액 흐름을 감소시키는 천식, 우울증, 고혈압 약을 피할 수 있는 건강한 생활 방식을 채택한다

실을 예방하기 위한 시도로 문제적인 교합 접촉을 제거하는 것이 도움이 될 수 있다(Brandini, Trevisan, Panzarini, & Pedrini, 2012; Hagag, Yoshida, & Miura, 2000).

2005년, 세계 치과 연합(FDI)은 교합 마모가 있는 환자에 대한 예방 기준을 WATCH 전략(W - 물, A - 산성, T - 맛, C - 칼슘, H - 건강)이라고 결정하였다(표 3)(Young, 2005). 이 전략은 법랑질을 보호하는 타액의 예방적 역할에 초점을 맞춘 것으로, 경조직 소실을 중지하거나 최소화하는 데 도움을 줄 수 있는 환자 추천 전략 세트를 사용한다.

그러나, 예방 전략이 마모 진행을 저지하지 않고, 치아 구조의 빠른 소실이 진행되거나 환자가 자신의 심미성에 대해 크게 걱정한다면, 보철적 기능 회복을 수행하는 것이 필요하다(Satterthwaite, 2012). 이런 치료는 상당히 복잡하고, 일반적으로 매우 침습적이다.

교합 마모의 보철적 기능 회복

마모 환자의 완전한 보철 기능 회복을 계획할 때, 진단이 중요하다(Johansson, Johansson, Omar, & Carlsson, 2008):

• 존재하는 마모의 원인.
• 경조직 소실의 양.
• 원인성 교합 체계.
• 근육의 수축 활성의 크기.
• 마모로 인한 교합 수직 고경의 변화.
• 소실된 수직 고경을 회복하기 위해 요구되는 이용 가능한 교합간 공간의 양.
• 소실된 수직 고경으로 인한 안면 형태의 부정적 변화.

앞서 언급한 것처럼, 바람직한 치료 목표는 순조로운(낮은 근활성) 교합 상태(편심위 운동에서 짧은 이개 시간, 짧은 폐구 시간, 치아 및 반-악궁 마다 높은 수준의 힘 균등성) 하에서 기능하는 잘-맞는 고품질의 수복물을 구축하는

것이다.

건강한 보철 기능 회복 치료의 주요 임상적 및 기술적 원리는 다음과 같다:

- 안정적인 CR에서 적절한 하악 과두와 관절와 관계 구축.
- 악궁의 재건 및 교합 기능의 재구축. 재건을 통해 잃어버린 수직 고경을 재창조하고, MIP에서 좋은 교합면 맞물림을 가지는 수직 관계를 유지해야 한다.
- 재건에 근육이 최소 교합력으로 적용될 수 있는 교합 체계 창조. 동시에 치주 기계적 자극 수용기를 압박하는 안정적이고 동시에 발생하는 교합간 접촉을 구축하는 것이 가장 중요하다. 이것은 낮은 수준의 근활성과 잘-조화된 근 기능을 이끌어낸다. 또한 새로운 교합 상태에 대한 환자의 적응을 가속화한다(환자가 새로운 교합에 적응하는 것이 어렵다면, 뛰어난 안면 심미성이 나쁜 교합 디자인을 극복하지 않을 것이다).
- 수복에 의해 뛰어난 환자의 안면 심미성을 구축한다.

과다한 마모는 종종 증가한 교합간 공간을 수반하는 교합 수직 고경 소실을 만들어낸다. 그러나, 일부 마모 증례에서, 해부학적 치관이 마모로 짧아졌음에도 불구하고, 치아치조 보상으로 교합 수직 고경이 상대적으로 일정하게 남는다(Berry & Poole, 1976; Tallgren, 1957). 이런 보상 작용이 발생하지 않으면, 기능 회복 전략은 잃어버린 교합 수직 고경의 재구축에 초점이 맞추어져야 한다.

세 가지의 다른 치아 마모 교합 수직 고경 마모(tooth wear Occlusal Vertical Dimension wear) 시나리오가 있다:

- 적절하게 유지된 교합 수직 고경을 가지는 국소화된 교합 마모. 이런 마모 조건은 일반적으로 전치에 한정된다.
- 소실된 교합 수직 고경이 2mm 이하인 낮은-수준의 마모.
- 교합 수직 고경이 결정적으로 감소된 현저한 교합 마모. 수복 치료 시 2mm 이상의 교합 수직 고경 증가가 필요할 것이다.

국소화된 교합 마모

마모가 국소화되어 전치에서만 관찰되고, 구치는 영향을 받지 않았다(Dahl, Krogstad, & Karlsen, 1975). 수직 고경은 거의 변하지 않았지만, 종종 이용할 수 있는 교합간 공간이 약화되어 있다. 이런 한정적인 마모 시나리오는 종종 구치를 약간 정출시키고 전치를 약간 함입시키는 치료-

전 교정 이동으로 이익을 볼 수 있다(Dahl, Krogstad, & Karlsen, 1975). 이 방법으로 전방부에 추가적인 교합간 공간을 구축하여, 기존의 구치부 교합간 관계 변화없이 마모된 전치의 적절한 재건을 이루게 되었다(그림 13a-13f). 나이가 종종 교정 치료 동반 결정에 대한 인자가 될 수 있지만, 마모 기능 회복 치료의 일부분으로서 교정 치료를 포함하는 것은 확고한 준비를 요구하는 치아의 갯수를 최소화하는 데 도움이 될 것이다.

감소된 교합 수직 고경

교합 수직 고경이 진행성 마모로 현저하게 감소하면, 환자

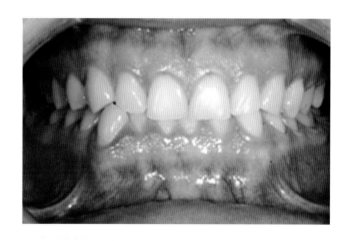

그림 13a 국소화된 전방 구개측 마모가 있는 25세 여성의 치료-전 상태

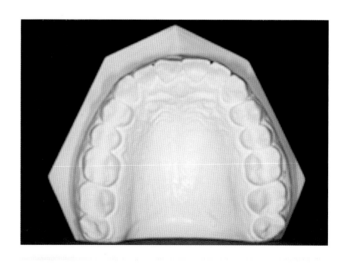

그림 13b 상악 석고 모형으로 상악 전치의 구개측에 뚜렷한 치아 구조 소실이 보인다

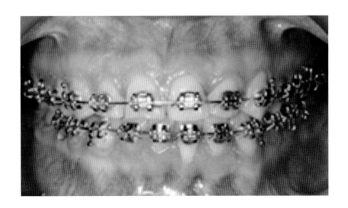

그림 13c 교정 장치로 수복 재료를 위한 전방 공간을 형성한다. 수직 고경은 치아 이동 후에도 변경되지 않고 유지된다(교정 치료는 폴란드 Department of Orthodontics, Medical University of Bialystok, Dr. Izabela Szarmach에 의해 시행되었다)

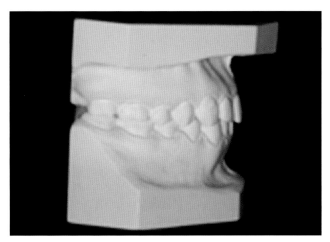

그림 13e 교정 치료 후 교합된 석고 모형으로, 미래의 전치부 수복물을 위해 구축된 가시적인 전방 공간 형성

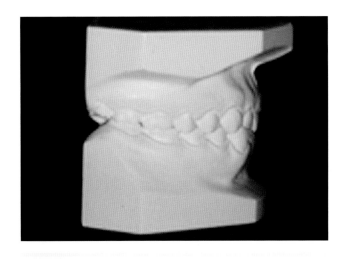

그림 13d 교정 치료 전 교합된 석고 모형

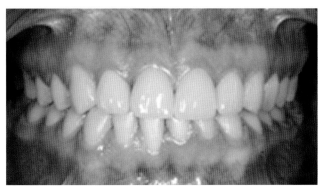

그림 13f #6, 11(13, 23)번 견치 유도를 회복하는 최종 All-Ceramic Crown이 #7, 8, 9, 10(12, 11, 21, 22)번 치아에 장착되었다

의 심미성 또한 약화되어, 소실된 교합 기능의 정상화 및 심미성 회복이 모두 필요하다. 그러나, 교합 수직 고경 재구축이 마모된 치열 회복의 1번째 우선 사항이 될 것이다.

소실된 수직 고경을 재구축하기 위해 사용할 수 있는 세 가지 방법이 있다:

1. **구조-생리적 방법 사용**: 이 방법은 안정 수직 고경 = 교합 수직 고경 + 교합간 거리인, "안정적인" 수직 고경으로 종종 언급되는 생리적 안정위를 자세 관계로 보는 개념에 기초한다.

2. **두부계측 분석 사용**: 두부계측 방사선 사진으로 두개골과 하악 방향을 확인하여, 임상의가 적절한 교합 수직

고경을 결정하는데 도움을 줄 수 있다.

3. **Shimbashi Index 사용**: 이 수직 고경의 수치 측정은 정상 교합 관계를 보이는 건강한 환자의 CO 접촉에서 상하악 중절치 법랑-백악 경계(CEJ) 사이의 거리를 나타낸다(Tallgren, 1957; Nakai, Abekura, Hamada, & Morimoto, 1998).

위의 어떤 방법을 사용하더라도, 소실된 교합 수직 고경의 구축을 더 잘 조절하기 위해서 최소 두 가지 이상의 방법을 신중하게 적용한다.

하지만, 구조-생리적 방법은 무치악 환자에서 가장 빈번하게 사용되는 잘-알려진 접근법이고, 또한 감소된 교합

수직 고경(Occlusal Vertical Dimension, OVD)을 보이는 유치악 환자에게도 사용될 수 있다. 이 환자들은 마모된 치열을 덮는 교합 wax rim을 사용하여 무치악 환자처럼 치료된다. Wax rim 교합 평면은 왁스 평면이 Camper's line과 평행해질 때까지 변경된다. 그 후, OVD는 최종적으로 안정 수직 고경으로 살짝 폐구한 수직 상태를 기록한다.

환자의 나이에 따라서, 유치악 환자는 교합간 거리는 1mm에서 10mm까지 다양하게 나타난다. 환자가 더 어리다면, 교합간 거리가 더 작아지는 경향이 있고, 약 40세 근처에서, OVD는 안정 수직 고경(resting OVD)보다 약 2-4mm 적어진다. 두부계측 분석은 특정 환자의 OVD가 알려진 표준값과 비슷한 지에 대한 믿을 수 있는 확인을 제공할 수 있다(McNamara, 1984; Ricketts, 1981; Ricketts, 1956). OVD 재구축 전후에 촬영된 두부계측 방사선 사진을 비교하면, 선택된 수직 고경이 해부학적으로 합당하다는 것을 입증하는 것이 가능하다(그림 14a, 14b).

표 4는 OVD를 결정하는데 도움이 되는 필수적인 두부계측치이다.

Shimbashi 방법을 이용하여 소실된 수직 고경을 평가하고 순차적으로 증가시키는 것 또한 가능하다(Tallgren, 1957; Nakai, Abekura, Hamada & Morimoto, 1998). Shimbashi 수직 고경 기준 범위는 정상적인 교합 관계를 보이는 건강한 환자의 맞물리는 상하악 중절치 CEJ 사이를 반복적으로 측정하여 결정된다.

Shimbashi에 대한 골격성 분류 참고치(CEJ-CEJ)는 다음과 같다:
- 골격성 Class Ⅰ - 17-18mm.
- 골격성 Class Ⅱ - 15.5-17.5mm.
- 골격성 Class Ⅲ - 18-21mm.

그림 15a와 15b는 소실된 OVD 재구축에 Shimbashi 수를 이용하는 것을 보여준다.

2mm 이하의 적은 수직 고경 소실은 단일 단계 술식으로 회복될 수 있다(Abduo & Lyons, 2012). 증가량이 안정위 공간의 최소치를 초과하지 않을 때 단일 단계 증가는 안전한 것으로 여겨진다.

단일 단계 보철적 수직 고경 증가 술식을 시작하기 전에, 교합간 왁스 기록을 사용하여 원하는 증가를 환자로부터 인기한다. 왁스 기록은 교합기에 장착된 진단 모형에 전

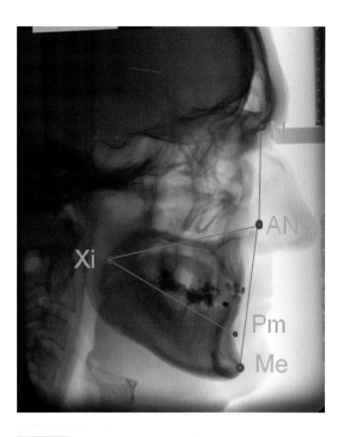

그림 14a Cephalo 사진이 보철 치료를 통해 수직 고경을 증가시키는 치료-전(그림 14a)과 후(그림 14b)에 촬영되었다. N-ANS 거리는 수직 고경 증가 치료 전후에서 같다(50.5mm). 그러나, 치료 전 ANS-Me 거리는 62.5mm 였으나, 치료 후 67.3mm로 증가하였다. 또한, ANS-Xi-Pm 각도는 치료 전 43°에서 치료 후 46°로 증가하였다

달하여 새로이 증가된 수직 고경을 형성한다. 연이어, 진단 왁스업을 수행하여 치아를 준비하고 새로운 수직 고경에 맞는 임시 보철물을 설치한 후, 최종 수복물의 수직 고경에 대한 가이드라인으로써 앞서 증가된 교합 수직 고경을 사용하여 최종 보철물을 기공한다.

2단계 술식은 2mm 이상의 증가가 필요한 마모에서 사용되어야 한다. 치료의 1단계에서, 마모된 수직 고경의 회복을 시뮬레이션하기 위한 진단 왁스에 근거하여 임시 수복물을 만든다. 임시 수복물을 3개월 이상 동안 장착하여 적당한 적응 기간을 가져보고, 환자가 새로운 수직 고경을 수용할 수 있는지 확인하여 임시 수복물에서 시험된 것과 동일한 수직 고경의 최종 보철 재건을 제작하고 장착한다(Abduo, 2012).

진행성 마모는 매우 느리고 환자는 종종 TMD의 증상 발현 없이 느리게 감소하는 교합 높이에 쉽게 적응하지

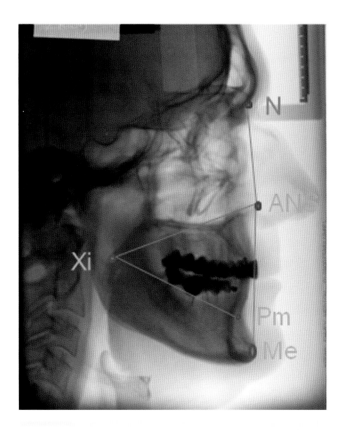

그림 14b Cephalo 사진이 보철 치료를 통해 수직 고경을 증가시키는 치료-전(그림 14a)과 후(그림 14b)에 촬영되었다. N-ANS 거리는 수직 고경 증가 치료 전후에서 같다(50.5mm). 그러나, 치료 전 ANS-Me 거리는 62.5mm 였으나, 치료 후 67.3mm로 증가하였다. 또한, ANS-Xi-Pm 각도는 치료 전 43°에서 치료 후 46°로 증가하였다

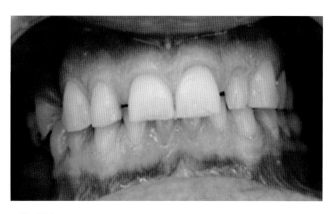

그림 15a 감소된 수직 고경과 13mm의 Shimbashi 값을 가지고 있는 골격성 Class Ⅰ 환자. 하악 절치가 상악 구개측 전방 치은 조직과 접촉한다

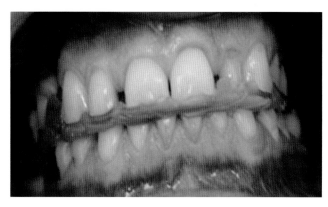

그림 15b Shimbashi 값을 17mm로 증가시킨 교합간 왁스 기록으로, 골격성 Class Ⅰ 환자에 대한 정상값으로 여겨진다

만, 형태의 조절 없이 수직 고경을 증가시키면 잠재적으로 문제가 될 수 있다. 최종 보철물을 제작하기 전에 TMD의 증상이나 징후를 모니터링하는 가역적인 방법을 사용하는 것이 제안된다(De Boever, Carlsson, & Klineberg, 2000; Hagag, Yoshida, & Miura, 2000). 1단계 임시 수복물 수직

고경 증가 동안 TMD의 증상이 나타나면, 수직적 CO를 테스트하기 위해 수정하거나 수직적 테스트 증가량을 감소시켜 TMD 증상이 완화되도록 시도한다.

표 4 교합 수직 고경을 결정하는데 도움이 되는 필수적인 두부계측치

참고	값
N-ANS	51.37 ± 4.03 mm, range = 37.7 - 62.6 mm
ANS-Me	70.44 ± 5.46 mm, range = 61.3 - 88.6 mm
N-ANS/Ans-Me	0.8 ± 0.2
ANS-Xi-Pm	47° ± 4°
Facial axis	90° ± 3°

범례: N - Nasion, 정중 시상면의 비전두골 봉합부의 최전방 점; ANS - Anterior Nasal Spine, 비강저의 최전방 점; Me - Menton, 하악 결합 윤곽의 최저점; Pm - Suprapogonion, 하악 결합의 전방 윤곽 곡선의 변화하는 점; Xi - Xilion, 하악지의 중앙점으로 Frankfort plane과 익돌상악 열구의 교차점에 의해 결정된다.

OVD 증가 후 나타날 수 있는 TMD의 증상과 징후는:

- 턱이나 주변 근육의 통증이나 긴장감.
- 저작 곤란 혹은 저작 동안 불편감.
- 입을 다물거나 벌리기 어려움.

이런 증상은 얼굴의 한쪽이나 양쪽에서 발생할 수 있다(Discacciati, Lemos de Souza, Vasconcellos, Costa, & Barros, 2013).

적응 기간 동안, 새로운 교합 수직 고경에 대한 환자의 편안감을 평가하고 최종 재건을 계획하기 위해서, 임시 교합은 다음으로 구성될 것이다:

- 테스트 수직 고경을 구축하기 위한 repositioning splint.
- 임시 고정성 크라운 및 브릿지.
- 임시 가철성 부분 의치와 혼합된 임시 고정성 크라운 및/혹은 브릿지.
- 임시 완전 의치 혹은 피개의치(overdenture), 혹은 임시 가철성 부분 의치와 혼합된 임시 고정성 크라운 및/혹은 브릿지와 대합하는 의치.

치아의 수와 위치가 적절할 때, 고정성 보철물과의 교합 기능 회복이 이상적이다(Abduo, 2012). 그림 16a-16c는 심하게 마모된 치열의 환자에서(그림 16a) 고정성 임시 수복물로 새로운 수직 고경으로 개방된 상태(그림 16b)를 보여준다. 이런 새로운 수직 고경에 대해 환자는 3-6개월의 적응 기간으로 테스트를 거치게 된다. 환자가 안정적이고 확고한 교합 편안감을 보이면, 임시 수복물은 임시 교합 디자인과 유사한 최종 수복물로 교체될 것이다(그림 16c).

많은 치아가 소실되고 잔존치가 심각하게 마모되면, 소실된 수직 고경을 재구축하기 위해 가철성 부분 의치를 사용할 필요가 있다. 이것으로 후방의 수직 고경을 개방하여 임시 전치 크라운을 만들기 위해 필요한 전방 공간을 새로 형성할 수 있다(그림 17a-17c). 다시, 최종 수복물 장착 전에 3개월 이상의 적응 기간을 가져야 한다.

중증의 교합 마모로 교합 평면이 변형되면, 소실된 수직 고경을 재구축하고 기능적 교합 디자인을 재창조하기 위해 피개의치를 사용하는 것이 치료에 필요한 1단계이다(Ettinger & Qian, 2004; Almog & Ganddini, 2006). 피개의치는 기능 교합을 재달성하는 동안 유지를 위해 기존의 마모된 치아를 사용한다. 궁극적으로, 최종 수복물을 만드는 데

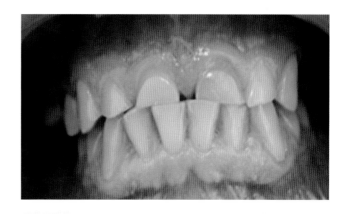

그림 16a 상당한 수직 고경 소실을 수반한 심하게 마모된 치열. 상악 중절치의 50% 이상이 마모되어 없어졌다

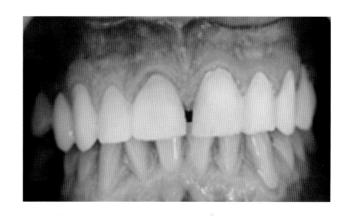

그림 16b 고정성 임시 보철물이 새로운 교합 수직 고경을 개방하였다. 이 수직 높이는 환자의 적응을 위해 3-6개월 동안 테스트될 것이다

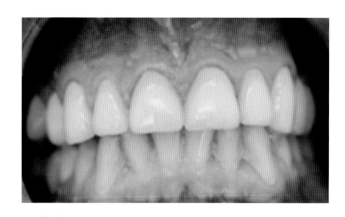

그림 16c 최종 수복물은 계승된 임시 교합 디자인에 근거한다

사용되는 보철물의 종류는 환자의 선택으로 결정될 것이다(임플란트 및 크라운, 혹은 가철성 보철물)(그림 18a-18c).

373

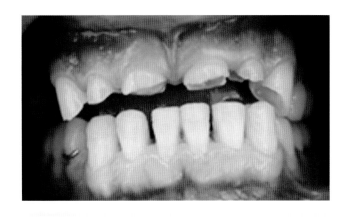

그림 17a 많은 구치가 소실되고 잔존 전치가 심하게 마모되었다. 수직 고경을 증가시킨 하악 후방부의 가철성 임시 부분 의치는 전방 수복 공간을 새로 만들어낸다

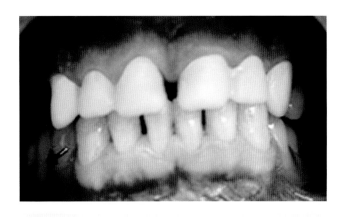

그림 17b 상악 임시 크라운이 후방 하악 가철성 부분 의치에 의해 만들어진 새로운 수직 고경에 위치하였다

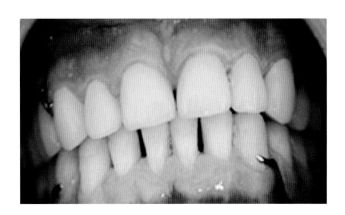

그림 17c 최종 가철성 부분 의치와 최종 상악 크라운이 임시로 테스트된 수직 고경에서 제작되었다

중증의 치아 마모가 하악이 반드시 전방으로 재위치되어

야 하는 하악 후방 위치와 복합되어 있다면, 가철성 재위치 스플린트(repositioning splint)가 유용할 수 있다(그림 19a-19c). 그러나, 가철성 splint의 사용은 환자의 의식적인 협조와 준수가 요구된다. 환자가 splint를 사용하지 않는다면, 적응 과정 동안 최종 보철물이 궁극적으로 TMD 문제를 야기할지에 여부를 확실하게 예측할 수 없다.

다양한 정도의 교합 마모를 보이는 환자들에게 다양한 임상 시나리오가 발생하기 때문에, 모든 마모 증례가 보철적 재건을 요구하지 않는다. 각각의 기준은 진단을 필요로 하고, 각 증례는 정서적 그리고 보철적으로 각각 조절되어야 한다. 마지막으로, 최소의 교합력 부하로 작용하는 적절한 기능 교합 창조는 미래의 손상으로부터 보철 수복물을 보호할 수 있다.

제4부: 치료 전, 중, 후 교합 평가

과다한 교합 마모에 요구되는 제안된 수직 고경 증가와 관계없이, 어떤 최종적인 치료 결정을 내리기 전에, 존재하는 마모의 임상적 특성을 명확히 하고 마모 환자 저작계의 선재하는 기능적 변수를 분석하는 것이 도움이 된다. 이런 방법으로, 임상의는 기능 회복의 적절한 방법과 적절하게 회복된 교합 체계를 위한 계획을 더 잘 세울 수 있다.

임상적 교합 병리 및 근육 병리생리학과의 연관성을 확인할 수 있는 치의학에서 사용할 수 있는 가장 장점이 많은 객관적 기술은 T-Scan/BioEMG 동기화 모듈(Tekscan, Inc., S. Boston, MA, USA; Bioresearch Assoc., Milwaukee, WI, USA)이다(Kerstein, 2004). T-Scan 구성 요소는 역동적 교합력과 시간-순서 영상을 기록하여 각 교합 접촉에서 변화하는 상대적인 교합력을 시간의 흐름에 따라 보여준다. 임상 관찰을 위해 CO과 측방 편심위 운동 모두에서 기록되고 순차적으로 재생될 수 있다.

T-Scan이 객관적으로 평가할 수 있는 중요한 기능적 교합 변수는:

- **교합 시간(OT)**: 하악 폐구 운동시 1번째 교합 접촉부터 정적인 교두감합에 이르는 경과 시간. 생리적 범위는 0.2초 이하의 지속 시간으로 여겨진다(Kerstein & Grundset, 2001).
- **좌측, 우측, 전방 편심위에 대한 이개 시간(DT)**: 최대 교

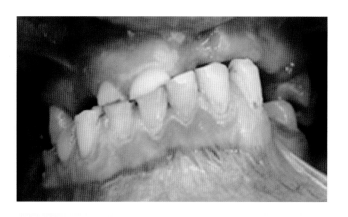

그림 18a 극단적으로 감소된 OVD와 변형된 교합 평면을 가지는 중증의 교합 마모

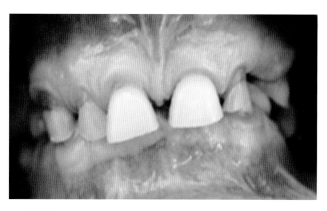

그림 19a 중증의 치아 마모로 하악 후방 위치가 야기되었다. 환자는 하악을 전하방으로 전진시키는 것으로 잘 치료될 것이다

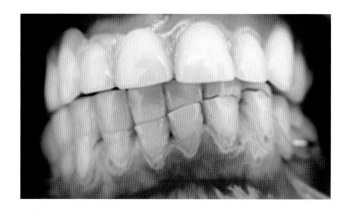

그림 18b 상악 피개 의치와 하악 부분 피개가 함께 소실된 수직 고경을 재구축한다. 이것이 치료의 필요한 1단계이다

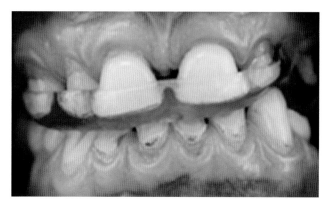

그림 19b repositioning splint가 수직 고경을 증가시키고 확인을 위한 적응 기간을 가능하게 한다

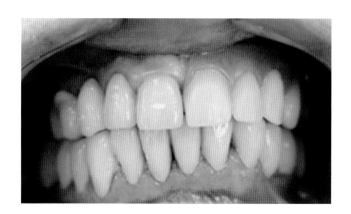

그림 18c 대합하는 하악 크라운과 상악 크라운 및 상악 가철성 부분 의치로 구성된 최종 보철물이 테스트 수직 고경을 유지한다

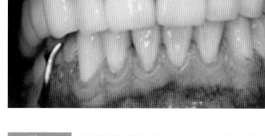

그림 19c 크라운과 하악 부분 의치로 구성된 최종 수복물이 repositioning splint로 구축된 수직 고경을 재창조한다

두감합에서 출발하여 한 방향으로의 편심위 운동을 시작하는 데 필요한 경과 시간으로, 견치 및/혹은 절치만 접

촉하고 구치부 교합면은 완전히 이개되는 것으로 측정될 때까지이다. 생리적으로 0.4초 이하의 지속시간으로 결

정된다(Kerstein & Wright, 1991; Kerstein, Chapman, & Klein, 1997; Kerstein & Radke, 2006; Kerstein & Radke, 2012).

T-Scan 데이터는 컴퓨터 하드 드라이브에 저장되어 필요하다면 언제라도 기록된 교합 기능의 시각적인 내용을 확인할 수 있다. 임시 보철물과 기능적 수직 고경의 재구축부터 최종 보철물 장착에 이르기까지, 교합 접촉이 기존 마모 상태로부터 어떻게 변화했는지 비교하는 것이 가능하다. 그리고, 치료가 종결된 후, 보철물을 보존하기 위한 방법으로써 시간의 흐름에 따른 미묘하고 필요한 교합력과 타이밍 조정을 시행하여, 보철물 장착 이후에 수년간 T-Scan 데이터를 기록할 수 있다. 매우 부정확한 교합지 자국(Carey, Craig, Kerstein & Radke, 2007), shim stock "hold", 교합간 왁스 채득과 같은 교합을 인기하는 모든 다른 비-디지털 방법과 달리, T-Scan 기술에 의해 정밀하게 보고되는 측정성 교합 변수는 임상의에게 측정성의 객관적이고 치료적이면 정교한 교합 종말 결과를 제공한다. 대안적으로, 마모의 미미한 증상만이 보이거나 OVD가 아직 변화하지 않은 치아 마모의 초기 단계에서, T-Scan 분석은 단기간 내에 수정되지 않으면 마모 과정이 가속화될 수 있는 불안정한 교합력 집중 부위를 포착할 수 있다.

근전도 구성 요소(BioEMG) 분석은 기능적 교합 접촉 양상에 반응하는 8개에 이르는 두경부 근육(근육 4쌍)의 수축 근활성을 분석한다. 근활성 평가 동안, 근육 쌍의 대칭성과 협동성이 중요하다(Forrester, Allen, Presswood, Toy, & Pain, 2010). 대칭성은 하악의 개폐구 운동 동안 좌우 짝지어진 근육의 규칙적이고 동시적인 수축 혹은 이완과 연관된다. 협동성은 두부의 같은 쪽에 위치한 근육 사이에 존재하는 공유하는 협조 정도를 나타낸다. 예를 들어, 협동성은 우측 전방 측두근과 우측 교근이 하악 내전 운동 동안 같이 작용할 때, 활성의 상대적인 강도를 비교하는 것이다.

임상의는 반드시 교합 검사 동안 기존의 교합 체계에 존재하는 잠재적인 교합 간섭을 구분해야 한다. Glossary of Prosthodontic Terms에 의하면(Glossary of Prosthodontic Terms, 2005), 교합 간섭은 남아있는 교합면에서 안정적이고 조화로운 접촉 달성을 방해하는 치아 접촉으로 정의된다. 저자들은 대합하는 교합 접촉 관계가 교합 간섭으로 간주되면, 그 접촉은 반드시 남아있는 교합 접촉을 간섭한다

고 하였다(Ash & Ramfjord, 1996).

정상적인 교합 기능을 방해할 수 있는 교합 특성은 다음과 같다(Clark & Evans, 2001):

• 비-작업측에 존재하는 교합 편심위 접촉.
• 작업측에 존재하는 교합 편심위 접촉(Kerstein & Radke, 2012).
• 후방 접촉 위치에서 편측성 접촉.
• 후방 접촉 위치와 교두간 위치 사이에 긴 활주(CR-MIP 활주).
• 후방 접촉 위치와 교두간 위치 사이의 비대칭적 활주.

정상적인 근활성을 방해하고 두개하악 기능 장애 증상을 유발할 수 있는 또 다른 교합 특성은:

• 측방 편심위 운동 동안 양측성 교근, 작업측 측두근의 과다한 과수축을 야기하는 연장된 이개 시간(Kerstein & Wright, 1991; Kerstein & Radke, 2006; Kerstein & Radke, 2012).

T-Scan/BioEMG 동기화 모듈은 임상의에게 위의 비정상 교합을 모두 객관적으로 확인하고 조절할 수 있는 기회를 제공한다. 적절하게 사용하면, 두 가지 기술로 얻어진 디지털 교합 및 근육 데이터는 진행성 교합 마모의 과정을 늦추거나 정지시키는 데 도움이 될 수 있다.

마모가 다소 진행되었으나 OVD의 최소 소실만 있는 경우, 조절하기 위한 기본적인 교합 변수는 교두간 위치의 수직적 구성 요소이다. 약하게 소실된 수직 고경을 재창조하기 위해 흔하게 사용되는 방법은 이 장의 앞 부분에 설명되었다. 이런 약한 마모 증례에서, 임상의는 이개 시간의 측정과 조정에 걸쳐 교두간 위치로 출입하면서 발생하는 편심위 운동 동안 발생하는 마찰성 접촉을 성공적으로 조절해야만 한다.

2mm 이하의 소실된 수직 고경을 가지는 최소로 마모된 치열을 회복하거나 재건이 악궁의 몇 개의 치아로 한정될 때, 반-악궁적으로 힘의 균등한 분포에 수반하는 편심위의 짧은 OT와 폐구시 짧은 DT는 수년간 잘 유지될 수 있는 재건을 환자에게 제공할 수 있다(Davies & Gray, 2001; Turp, Greene, & Strub, 2008).

장착 시, 재건이 양질의 기능을 제공하는지 확인하는 것이 매우 중요하다. 임상의와 환자에게 특별히 중요한 것

은, 회복된 편심위 유도 접촉이 환자의 근신경계와 신경행동 속성과 조화를 이루어야 한다는 것이다(Wang, Zhang, Xing, Xu, & Wang, 2013). 임상의가 성공적으로 구축하기 위해서 노력해야 하는 가장 중요한 교합 구성 요소는 환자가 하악의 경계 위치로 쉽게 운동할 수 있는 안정적인 교두 간 접촉 위치이다. 이상적인 교합 체계에서 어떤 출발은 새로운 보철물의 장착 동안 포착되어, 영구적으로 보철물을 장착하기 전에 부조화를 수정하는 것이 좋다.

새로운 OVD로 완전 기능 회복 치료가 필요한 중증의 교합 마모에서, 1번째 단계는 OVD에서 테스트용 증가를 구축하기 위한 임시 교합을 만드는 것이다. 그 후 임시 보철 치료는 증가된 수직 고경에 대한 환자의 적응을 평가한다. 테스트 수직 높이는 치료-중 두부계측 방사선 사진 분석을 통해 새로 제안된 교합 고경에서 골격 관계의 개선을 확인할 수 있고, 이는 최종 재건에 사용될 수도 있다. 더욱이, 치료 중 그리로 치료 후 측정으로 재건 보철 치료가, 새로운 교합 디자인에 대한 환자의 적응 과정을 향상시킬 수 있게 돕고, 생리적으로 치료 전 심하게 마모된 교합 상태를 개선시켰는지에 대한 결정을 내릴 수 있다(Bakke, Michler, & Moller, 1992; Hidaka, Iwasaki, Saito, & Morimoto, 1999; Sierpinska, Kuc, & Golebiewska, 2013).

이상적으로 구축된 교합에서, 교합 적응 기간은 필요 없을 것이다. 불행하게도, 이런 고귀한 목표는 평범한 임상의의 능력을 뛰어넘는 임상 기술을 필요로 하기 때문에, 임상의가 일상적으로 이상적인 교합을 맞춰 넣을 수 있게 인도하는 특별한 기준에 대한 설명 목록이 없다(Ash & Ramfjord, 1996). 완전 구강 재건이 시행되면, 극소의 교합 부조화라도 급성 구강안면 통증 및/혹은 TMD 근 증상의 임상 발현을 야기할 수 있다. 교합의 변화하는 구조적 특성이 환자의 하악 운동에 변경을 야기하여, 사전 설정, 학습, 적응, 습관화, 기능과 이상 기능에의 관계, 다른 중추 혹은 말초 신경계의 영향을 포함하는 인자에 따라 달라진다.

자연치 상의 수복 목표에서, 과학적으로 근거한 권고 사항은 측방 편심위 운동 동안 견치 유도를 수반하는 교합을 회복하고 기능이 견치에서만 발생하는 것이 좋다. 이런 종류의 유도 기전에서, 작업측 상하악의 마주하는 견치는 매우 짧은 시간 내에 구치를 이개시킨다(편심위 마다 이개 시간 0.5초 이하)(Kerstein & Radke, 2012). 이런 디자인이 측방 운동 동안 접촉이 작업측에서 몇 개의 치아 사이에 공유

(견치, 소구치, 가끔은 제1대구치의 근심면)되는 작업측 그룹 기능에 우선해야 한다. 견치, 소구치, 제1대구치의 근심면을 모두 공유하는 측방 편심위 유도에서, 제1대구치의 근심면까지 포함하는 작업측 그룹 기능은 1980년대와 90년대에는 받아들여지는 교합 체계 디자인으로 생각되었다(Okeson, 1985; Dawson, 1989). 그러나, 최근 연구는 대구치 및 소구치와 유도 접촉을 공유하는 작업측 그룹 기능이, 작업측 그룹 기능으로 과다한 편심위 저작근 수축을 활성시키기 때문에, 근생리적으로 수용할 수 있는 교합 디자인이 아니라고 하였다(Kerstein & Radke, 2012). 대구치 및 소구치 편심위 접촉이 없는 전방 유도 디자인은 낮은 근활성의 교합 체계이고(Williamson & Lundquist, 1983; Kerstein & Wright, 1991; Kerstein & Radke, 2006; Kerstein & Radke, 2012), 따라서 제작에 대한 바람직한 교합 유도 체계가 된다. 이것은 새로 장착된 보철물이 낮은-수준의 저작근 수축력 하에 기능할 것이라는 것을 확신하게 해준다.

치아의 수와 위치가 적절하면, 교합을 회복하는 가장 편안한 방법은 고정성 보철물이다. 그러나, 이 술식은 수행하기 복잡하고, 환자에게 비용이 많이 발생할 수 있고, 일반적으로 더 침습적이고 교합에 특별한 주의가 요구되어 기능 회복이 장기간 동안 존속된다. 그림 20a와 20b는 그림 16a에 보이는 환자의 T-Scan/BioEMG 데이터이다. 그림 20a는 치료 전 T-Scan/BioEMG 기록으로 교합 안정성 부족(우측에 긴 COF 궤도), CO에서 우측 교합 접촉 부족, 얼마 간의 교합-전 휴지기 EMG 수축 분출을 보이고 있다.

그림 20b는 보철물 삽입 후로, 새로운 COF가 수정되어 거의 중앙 위치로 이동하였고, 교합 접촉이 향상되었으며, 내전된 근 기능의 대칭성과 협동성 또한 향상되었다.

상실된 치아 수가 고정성 보철물을 허락하지 않으면(그림 17a), 가철성 보철물을 고정성 구성 요소와 혼합 사용하여 OVD를 증가시키는 것이 유용하다. 이 방법은 그림 21a-21c에서 볼 수 있다. 그림 21a에서, 치료-전 T-Scan 데이터는 단지 몇 개의 교합 접촉만이 전방 부위에 존재함을 보여준다. 동반하는 EMG 데이터는 환자가 CO로 폐구를 시도할 때 수축 능력의 완전한 부족을 보여준다.

재건이 초기에 삽입되면, 교합 접촉 수가 충분히 증가하여 근 수축 기능을 향상시킨다(그림 21b). 그러나, 환자의 추가적인 적응을 통해 근 기능이 최적으로 얻어지는 않는다. T-Scan/BioEMG로 연이어 재평가하는 동안 이런 결과

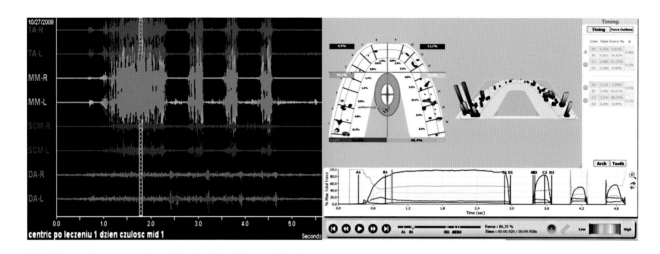

그림 20a 치료 전 T-Scan/BioEMG 기록은 우측 교합 접촉이 없고 많은 휴지기 EMG 수축 분출로 교합 안정성이 부족함을 보여 준다

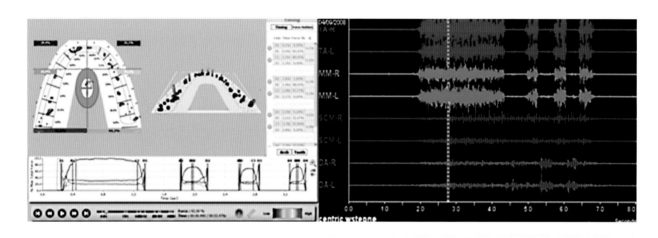

그림 20b COF가 적절하게 중앙으로 이동하면서 교합 기능이 좀 더 균형이 잡혔다. 휴지기 EMG 분출이 없는 근활성 개선이 보인다

가 나타난다(그림 21c). 그림 21c에서, 개선된 COF 궤도와 타겟 위치가 보철물 삽입 후 얻어지고, 전체적으로 향상된 교합 균형을 암시한다.

치아 상실이 매우 광범위하고, 교합 마모가 많이 진행되어 교합 평면이 변형되었다면(그림 18a), 초기 단계는 새로운 OVD를 구축해줄 피개의치를 준비하여 교합 상태를 개선하는 과정을 시작한다. 환자가 새로이 구축된 교합 디자인에 적응하면, 최종 보철물을 제작할 수 있다.

그림 22a는 상당한 상악 치아 상실 때문에(그림 18a), T-Scan에서 우측 반-악궁에 적은 접촉점만이 존재함을 보여준다. COF 궤도와 아이콘은 중심을 벗어나 불안정한 교합체계를 나타낸다. EMG 데이터는 몇 개의 교합 접촉에 동반하여 동반 근육이 약하게 수축하는 것을 보여준다.

최종 수복물 장착 후(그림 18c), 그림 22b의 T-Scan 데이터는, 교합이 여전히 우측으로 치우쳐 있음에도 불구하고 그림 22a에 비해 개선되었다. 좌측 반-악궁에 치료 전보다 더 많은 교합 접촉이 존재하기 때문에 COF가 좀 더 중앙선으로 접근하였다. 그러나, 대부분의 치아가 존재하는 반-악궁이기 때문에, COF는 우측에 남아있다. 근활성은 더 좋은 수축 능력을 보여준다.

중증의 교합 마모는 Class II 부정 교합이 발생하면서 하악의 후방교합으로 인해 복잡해졌고, 가철성 repositioning splint를 사용함으로써 하악을 좀 더 전방 위치로 이동시킬 수 있다(그림 19a, 19b). 치료에 앞서, 하악 절치와 구개의 전방 부위 사이의 접촉이 전방 교합 접촉으로 인기된다(그림 23a).

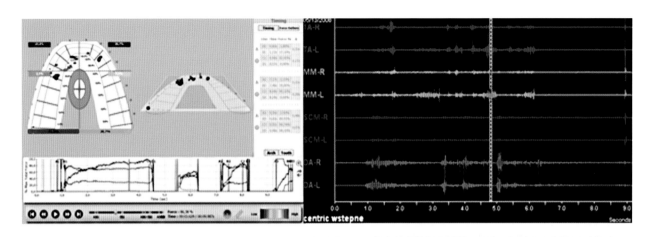

그림 21a 치료 전 T-Scan 데이터로 단지 몇 개의 교합 접촉만이 존재함을 보여준다. 동반하는 EMG 데이터에서 환자가 폐구를 시도할 때 근 수축이 약함을 보여준다

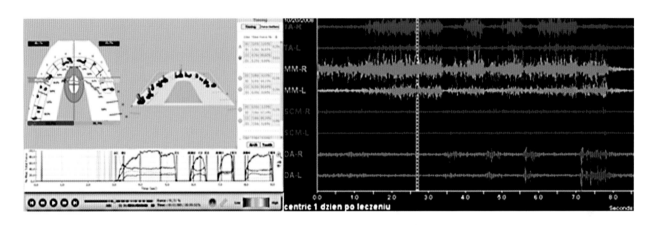

그림 21b 장착 시, 가철성 재건이 교합 접촉의 수를 증가시키고 근육계 내의 수축 기능을 향상시킨다

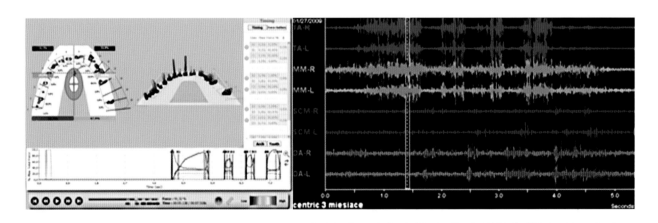

그림 21c 최근에 장착된 재건에 대한 추가적인 적응으로 교합 접촉수와 근 수축 기능 능력 모두에서 지속적인 향상이 보인다. 개선된 COF 위치는 향상된 교합 균형을 암시한다

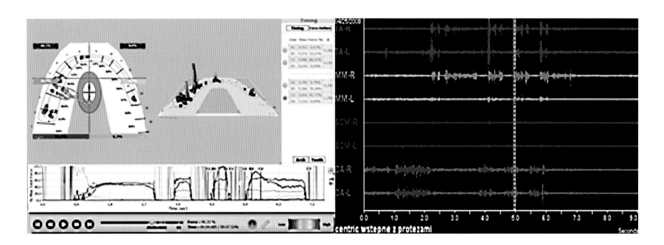

그림 22a 단지 몇 개의 우측 접촉으로 인해 비-중심적인 COF 궤도와 아이콘이 만들어지고, 동반하는 근육 수축이 약하다

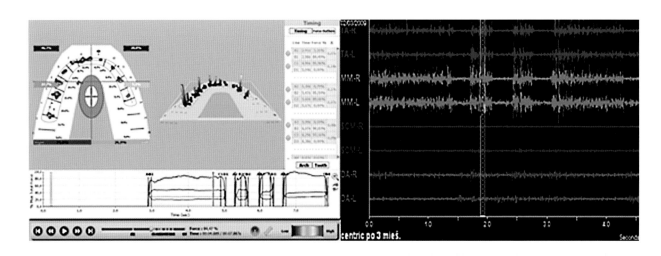

그림 22b 최종 보철물이 위치한 후, T-Scan 데이터에서 COF가 좀 더 중앙으로 이동하였지만 우측 반악궁에 치우쳐있다. EMG 데이터는 수축력이 향상됨을 보여준다

Repositioning splint로 하악을 전방으로 전진시킴으로써, 수축성 근 활성 수준이 눈에 띄게 증가하고, OT 지속 시간이 적절한 길이로 감소하였으며 교합 균형이 거의 우측 50%-좌측 50%에 가깝게 되었고, 거의 이상적으로 중앙화된 COF를 보인다. 최종 재건이 치료의 1단계에서 구축된 동일한 교합 상태에 의해서 장착되었다(그림 23b).

교합 결과의 질을 확인하기 위해, 보철물 장착 시와 follow-up 적응 기간 동안에도 T-Scan/BioEMG를 반복 기록하여, 장기간 최적의 상태 유지를 위한 교합력과 타이밍을 확인한다.

저작 수축성 근 활성뿐만 아니라 기능적 교합 변수를 확인하여, 임상의는 특별한 기능 회복 교합 체계를 각 개별 환자에게 적절하게 맞춘다. T-Scan 8/BioEMG 동기화 모듈을 이용하여 치료-전 평가와 교합 체계 조화를 달성하고, 근 활성, 교합력 균형, 기존 부정 교합에서 OT 및 DT의 기여에 대해 평가한다. 치료-중 및 치료-후 측정으로 수행된 치료가 생리적으로 치료-전 상태를 개선했는지 판단할 수 있다(Kerstein, 2004). 또한 이런 평가로 환자가 새로운 교합 디자인을 받아들이는 동안 적응 과정을 크게 향상시키도록 돕는다. 최적으로 장착된 교합 상태는 보철이 적절하게 기능하고 교합 부조화나 TMD 증상의 갑작스런 발현을 일어나지 않도록 유도할 수 있다.

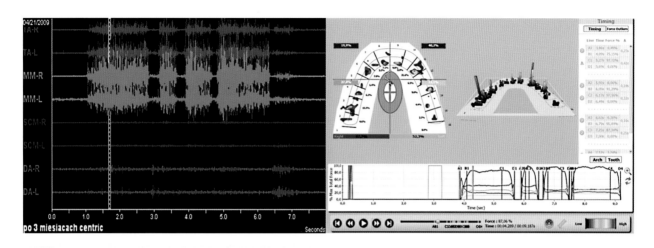

그림 23a 하악 절치와 경구개의 전방 부분 사이의 접촉이 T-Scan/BioEMG와 치아 접촉으로 기록된다

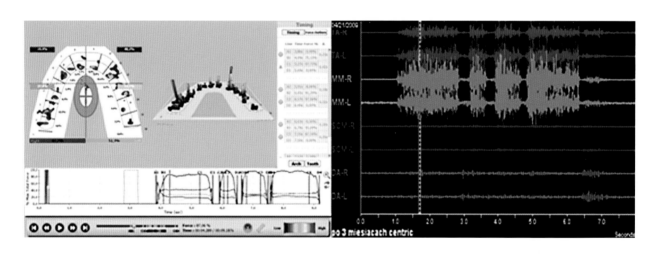

그림 23b repositioning splint로 하악을 전방으로 이동하여 근육의 수축 강도를 증가시킨다. OT 지속 시간이 짧아졌고, 교합 균형은 양측이 거의 균등해졌다

제5부: 교합 안정성의 장기간 조절

치아 보철의 성공은 초기 환자 편안감과 심미적 결과의 만족도뿐만 아니라 최종 보철물의 장기간 지속과 안정성에 의해서도 평가되어야 한다. 장기간 성공은 수행된 치료의 정확성 수준에 따라 달라진다. 정확성을 얻기 위해서 3가지의 중요한 영역이 있다:

• 적합의 정확성.
• 교합 정확성.
• 심미적 정확성.

적합과 심미의 정확성은 임상의의 치아 형성 시의 수행

기술에 의해 결정된다(Mizrahi, 2009). 그러나, 보철물 교합 또한 장기간 수복물 수명에 중요한 것으로 여겨진다. 이상적인 교합은 어떤 상당한 적응, 진행성의 수정, 장기간의 조절이 필요하지 않은 안정적인 것으로 여겨질 것이다. 그러나, 재건된 교합상의 미미한 교합 부조화도 급성 구강안면 통증 및 TMD 근육 증상을 야기할 수 있다(Hagag, Yoshida, & Miura, 2000).

교합 안정성은 치아, 턱, TMJ, 저작근이 최적으로 진행 중인 기능적 상태를 유지하기 위한 경향과 연관된다. 많은 인자가 이미 아슬아슬하게 안정된 교합에 있는 구조적 안정성의 연약한 균형을 틀어지게 할 수 있다고 잘 알려져 있다. 치아의 근심 이동, 교합 부조화를 보상하기 위한 치아

맹출, 치아 함입, 골 개조(bone remodeling), 보호적인 근육 반사, 회복 과정의 교합력 조절, 약간 다르고 잘-알려지지 않는 인자 모두들이 교합 안정성을 유지하기 위해 중요한 것으로 여겨진다(Ash & Nelson, 2003).

임상적으로, 교합 치료 동안 교합 안정의 몇 가지 개념이 사용될 수 있다. 생리적 교합 수직 고경의 CR에 위치한 과두-디스크 조합물에서 안정적 상하악 관계로부터 교합 치료를 시작하는 것이 중요하다고 오랜 기간 주장되어 왔다(Dawson, 1989). 교합 조정 술식은 지지하는 교두첨에서 Centric Stop하여, 교합력을 치아 장축을 통해 전달하고, 치아 동요를 최소화하여, 이상적으로 상실된 치아를 대체해야 한다. 그리고, 교정 치료가 기능 회복 치료의 부분으로 포함되고 치아의 민감한 운동이 구분할 수 없는 조기 접촉을 유발한다면, 임상의는 반드시 조기 접촉을 확인하고 다루어야 하고, 그렇지 않으면 교합이 불안정해지는 결과가 야기된다(Dahl & Krogstad, 1985).

마모와 수복 재료

최소 침습 치료는 제한된 마모의 경우에 항상 권고되어, 마모된 교합면은 레진으로 수복될 수 있다. 그러나, 중증 교합 마모의 기능 회복 치료는 일상적으로 고정성 보철물, 가철성 부분 의치, 가철성 완전 의치를 포함하는 다른 종류의 보철물을 이용하여 성취할 수 있다(Johansson, Johansson, Omar, & Carlsson, 2008).

교합 재건에 사용되는 다양한 치과 재료는 서로 다른 마모 속도를 가지고, 전방향성 힘이 다양한 재료에 적용되는 장기간 기능 동안 시간이 흐르면서 사용된 재료의 특성에 따라 교합 접촉 양상이 달라진다. 빠른 마모에 가장 취약한 재료는 의치 인공치로 흔하게 사용되는 아크릴릭 레진이다. 그러므로, 가철성 완전 및 부분 의치는 원치 않는 보철 치아 마모에 대해 신중하게 평가해야 한다(Douglas, Delong, Pintado, & Latta, 1993).

자연치가 porcelain 표면과 접촉하면 자연치가 더 많이 마모되는 경향이 있는데, 특히 법랑질의 두께가 감소된 경우에 그러하다(Heintze, Cavalleri, Forjanic, Zellweger, & Rousson, 2008). 장기간, porcelain과 대합하여 발생한 법랑질 마모는 교합을 불안정하게 할 수 있다. Porcelain을 이용한 고정성 보철물의 임상적 검사는 대합치가 porcelain일 때 기능적 마모에 가장 저항성이 높다(Heintze, Cavalleri, For-

janic, Zellweger, & Rousson, 2008). 그러나 어떤 수복 증례에서, 보철물이 궁극적으로 저작계에 영향을 미칠 수 있는 예상하지 못한 인자에 의해, 일반적으로 보철물이 손상될 수 있다.

이갈이에 대한 치열의 반응은 치아 구조 소실, 치아 동요도 증가, 잠재적인 치근 흡수로 나타날 수 있다(Manfedini, Bucci, Sabattini, & Lobbezoo, 2011). 이갈이 환자에게 기능 회복 치료를 수행할 때, 잠재적으로 장기간 보철물 손상을 최소화하기 위해 치료-후 교합 스플린트를 제작하는 것이 필요한 경우가 종종 있다(Larson, 2012). 이런 환자에서, 주기적으로 교합력을 재평가하고 조절하는 것이 대단히 중요하다. 만약 T-Scan/BioEMG 기술을 이용하여 반복된 검사들 사이에 교합의 어떠한 변화라도 포착되면, 발견된 차이점을 간단하게 수정하여 미래의 보철물 손상의 위험성을 최소화 할 수 있다.

그림 24a-24h에 제시된 사진은 보철물 장착 후 조절 증례로, overcrowding과 이갈이로 인한 마모된 전치를 가진 28세 남성이 전치 마모를 수복하기 위해 치료를 원하였다(그림 24a, 24b, 24c). 교정 치료를 시행하였고(그림 24d), 연이어 상하악 전치를 라미네이트로 수복하였다(그림 24e). 장착 후 T-Scan 데이터에서 합당한 치아 접촉이 악궁에 걸쳐 나타났다. 그러나, #9(21)번 라미네이트에 과다한 힘이 포착되어 삭제가 필요하였다(그림 24f). 3개월 후 T-Scan 기록에서 분명하게 교합 불안정이 발생하였음을 알 수 있었다. 좌측 교합 접촉 소실과 우측 제2대구치에 과다한 힘이 있다. 또한, 좌측 접촉 감소로 인해 COF가 우측으로 더 이동하였다(그림 24g). 그림 24h는 #2(17)번 치아의 강력한 힘 감소로 인한 변화를 T-Scan 데이터를 통해 보여준다. COF가 더 중앙으로 오면서 전체적인 교합력 균형이 향상되었음을 암시한다. 그러나, 추가적인 힘 조정으로 #7, 9, 11(12, 21, 23)번 치아에 존재하는 과다한 힘을 감소시킬 필요가 있다.

시간의 흐름에 따른 교합력 변화를 평가하기 위해 임상적으로 사용할 수 있는 유일한 기술은 T-Scan 시스템이다(BioEMG 동기화 병행과 무관하여). T-Scan으로 임상의는 모든 교합 변수의 양과 질을 평가하고, 기록하고, 수량화하고, 재내원을 위해 저장할 수 있다. BioEMG를 무료로 추가하여, 교합 상태에 대한 실시간 근활동 반응 또한 수집할 수 있다. 이 기술에서 미래의 분석을 위해 모든 기록

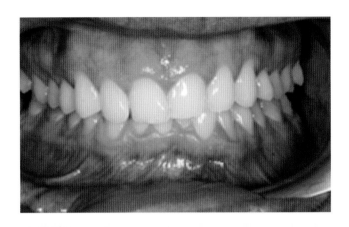

그림 24a 28세 남성으로 overcrowding과 이갈이로 인한 전치 마모가 있다

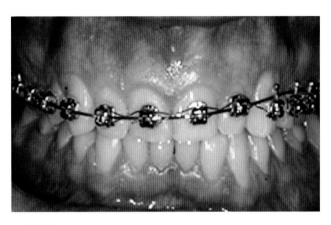

그림 24d 상악 전치를 재배열하기 위해 상악에 교정 장치를 부착하였다(교정 치료는 폴란드, Department of Orthodontics, Medical University of Bialystok, Dr. Izabela Szarmach에 의해 시행)

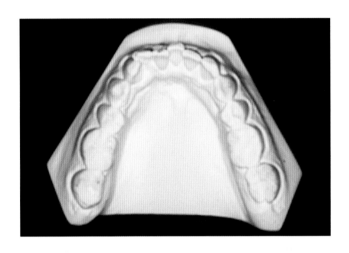

그림 24b 확정적인 치료를 시작하기 전의 모형으로, crowding와 뚜렷한 마모가 하악 절치에 보인다

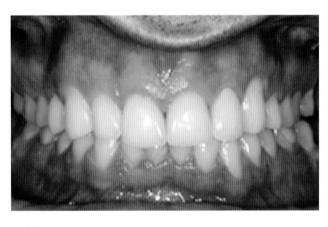

그림 24e 브라켓 제거 후 상하악 전치에 라미네이트를 장착한 모습

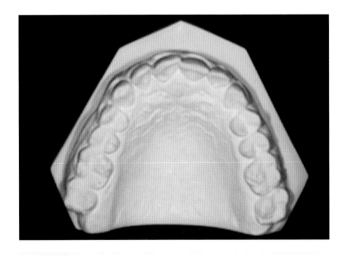

그림 24c 확정적 치료 시작 전 모형으로, crowding와 뚜렷한 마모가 상악 절치에 보인다

된 데이터가 영구적으로 하드드라이브에 저장되기 때문에, 시간의 흐름에 따른 교합 상태를 비교할 수 있다(Kerstein, 2004). 환자는 시간이 흐름에 따라 필요하다면, 매우 효율적으로 소량의 최적화된 조정을 받을 수 있다.

중증의 치아 마모를 치료하기 위해 보철적 기능 치료를 받은 50명의 환자를 대상으로 한 연구에서, 보철물이 장착된 당일에 기록된 폐구 시 측두근, 교근, 이복근 내의 전기 활성의 평균값이 임시 보철 상태 동안 보였던 수준보다 감소하였다. 그러나, 보철물에 대한 3개월 적응 기간 후, 측두근과 교근의 전기 활성이 기능 회복 치료 전에 보였던 수준과 비교하여 현저하게 증가하였다(Sierpinska, Kuc, & Golebiewska, 2013). 보철 기능 회복으로 적절한 교합-관절 상태가 만들어졌고, 이로 인해 향상된 근 반응이 유도되

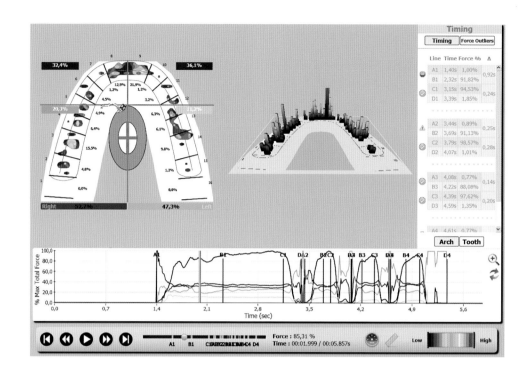

그림 24f 보철물 장착 당일 기록한 교두감합 T-Scan 데이터로 적절한 교합 균형과 양쪽 반-악궁에 걸쳐서 고루 분포된 치아 접촉을 보이지만, #9(21)번 치아에 과다한 힘이 존재한다

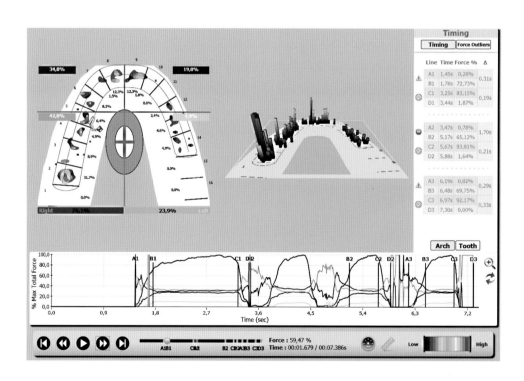

그림 24g 3개월 후 T-Scan 기록으로 연속적인 교합 불균형을 보이고 있다. 좌측 치아 접촉이 소실되었고 과다한 접촉력이 우측 제2대구치에 뚜렷하게 나타난다. COF가 좌측 접촉 약화로 우측으로 이동하였다

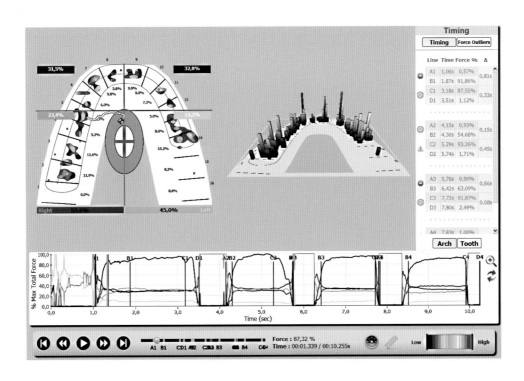

그림 24h 우측 제2대구치의 과다한 힘을 수정한 후 만든 T-Scan 데이터. COF가 좀 더 중앙에 위치하여 전체적인 교합력 균형이 향상되었음을 보여준다. 추가적인 힘 조정이 #7, 9, 11(12, 21, 23)번 치아에 필요하다

없었다(그림 20a, 20b, 21a, 21b, 21c, 22a, 22b, 23a, 23b를 비교할 것). 교근의 전기 활성 크기는, 원래의 훨씬 평평한 마모 접촉과 비교하여, 점 접촉의 존재에 의해 긍정적으로 영향받았다(Ferrario, Sforza, Zanotti, & Tartaglia, 2004). 장착된 보철 치료에 의한 변화는 OT를 충분하게 감소시켜 치료 전과 비교하여 이상적인 크기(0.2초 이하)로 접근하였고, 치료 후 OT는 보철물 삽입 후 3개월 동안 안정적으로 유지되었다. 또한 치료 후 DT도 표준에서 벗어나지 않았다(편심위 마다 0.4초 이하).

중증의 치아 마모로 각 환자는 개별화된 치료 계획, 개별화된 보철물 디자인, 보철 치료에 연이은 개별화된 교합 조정 프로토콜이 필요하다는 것을 인식하는 하는 것이 중요하다. 이런 각각의 단계는 치아 구조를 보존하면서 장기간의 치열 회복을 희망하는, 진행성 구강 마모 상태에 치료적으로 개입하는 결정적인 단계이다.

해결 방안 및 권고 사항

치아 마모가 생리적 현상임에도 불구하고, 과다 마모의 초기 징후 인식으로 연루된 치아의 수명을 연장시키기 위해 예방적 측정 시작을 결정하는 것이 임상적으로 필수적이다. 수복 치료가 요구되면, 가능하다면 최소 침습적 술식이 이루어져야 한다.

다양한 방법과 재료를 사용한 마모 재건 수복 술식의 장기간 결과에 관하여 이용할 수 있는 증거가 두드러지게 부족하다. 생물기계학적 재료는 색상이나 외형의 안정성을 간단하게 표현하지 못하고 수년간의 교합 기능 발생에 대한 부하에 저항하지 못하기 때문에, 수복 재료 선택이 결정적이다. 앞서 언급한 것처럼, 중증의 치아 마모의 기능 회복에 대한 바람직한 치료 목표는 우호적인 교합 상태(낮은 근활성, 짧은 편심위 이개 시간, 폐구 시 짧은 교합 시간, 치아 및 반-악궁 당 높은 수준의 힘 균등성)에 기능하는 잘-맞는 양질의 수복물을 장착하는 것이다. 적절한 기능 교합을 구축하는 것은 효과적인 재료 선택을 포함할 뿐만 아니라, 효율적이고 최소화된 힘 부하를 가능하게 해야 한다. 기능 교합의 일관된 구축은 T-Scan의 출현으로 가능해졌다. 이것은 빈틈없는 임상의에게 저작계의 장기간 건강을 증진시키는 예견성뿐만 아니라 치료된 보철물의 수명을 연장시키기 위해 필요한 보호를 제공한다.

385

수복물(혹은 자연치)의 신체적 유도 조정이 환자의 근신경계 및 신경행동 속성과 조화를 이루어 작용하는지 확인하는 것이 특히 중요하다. 적절한 수복 교합 기능을 확신하는 가장 빈번하게 권고되는 교합 체계는, 가능하다면 측정성 편심위 견치 혹은 전치 유도를 창조하여 편심위 운동 동안 후방 교합면 마찰 연루의 최소 수준을 구축하는 디자인이다. 수량화된 기준은 작업측에서 견치나 전치 접촉이 연이은 편심위 시작 0.5초 내에 편심위를 완전하게 조절하는 것이다. 전방 운동 시 이상적으로, 측방 편심위와 유사하게 오직 전치만 전방 접촉을 유지하고 모든 구치가 즉각적으로 0.5초 내에 이개되어야 한다. 측방 운동 시 골격성 관계로 견치 및/혹은 전치 유도를 구축하기 어려운 경우, 가장 전방에 접촉하는 소구치를 포함하는 작업측 그룹 기능을 유도 치아로 사용할 수 있다. 최근 연구에 의하면, 대구치가 편심위 운동 동안 접촉하게 되면 과다한 근 수축을 선동하는 능력이 있기 때문에, 그룹 기능의 부분으로 대구치는 제외되어야 한다(Kerstein & Radke, 2012). 이런 생각은 근전도 임상 관찰에 의해 지지되지만, 작업측 그룹 기능과 근육 생리에 관한 이전 생각부터 중요한 출발을 포함한다. 다시 말하면, 앞에 언급한 대구치의 빠른 이개가 저작근 이완과 운영 효율성을 증진시키는 반면, 그룹 기능에 포함된 대구치는 저작근 과활성을 선동한다.

치료-중 및 치료-후 T-Scan/BioEMG 기능적 측정으로 임상의는 마모 치료가 생리적으로 치료-전 상태를 개선하였는지 평가할 수 있다. 이런 평가는 발견된 교합력 및 타이밍 비정상을 치료하고 새로운 교합 디자인에의 환자 적응을 현저하게 향상시키는 컴퓨터 유도 교합 정제로 가능하다. 더욱이, T-Scan/BioEMG 시스템을 사용한 최종 재건에 대한 정기적인 follow-up 평가를 적극적으로 권고하고, 임상의는 재평가를 통해 장기간 교합 안정성에 불리한 영향을 미칠 수 있는 교합 부조화를 포착해야 한다.

미래의 연구 방향

법랑질이 일부 개인에서 과다하게 마모되는 이유는 아직 분명하지 않다. 법랑질 마모에 다른 민감성을 보이는 환자를 확인하기 위해서, 일부 유전자 연구가 이런 민감성의 환자의 원인을 설명하는 데 도움이 될 수 있다. 대안적으로,

마모 저항성은 법랑질의 구조에 영향을 미칠 수 있는 어떤 발달성 비정상의 결과일 수 있지만, 오늘날까지 유전적 영향을 입증하는 충분한 양의 강력한 과학적 증거는 없다.

법랑질 형성 과정은 길고, 치아가 구내로 맹출하면서 완성된다. 정확하게 형성된 법랑질만이 마모에 저항성을 가지지만, 광화와 탈회의 과정이 핵심적인 역할을 하는 구강 환경에 의해 부가적인 구조 변화가 분명히 영향을 받게 된다. 법랑질 표면의 맹출-전 상태와 구강 환경에 의한 맹출-후 변화 모두를 평가하는 연구가 마모의 진정한 원인을 설명하기 위한 시도로 이루어져야 한다.

향후 연구에서 고려되어야 하는 또 다른 주제는 교합 자체가 치아 마모에 미치는 영향이다. 최소한의 손상을 주는 교합 체계는 신속한 후방 이개의 측방 운동이 가능한 견치 혹은 전치 유도임에도 불구하고, 그룹 기능이 마모 과정을 가속화하는지 혹은 그렇지 않은지 명백하게 밝혀지지 않았다. 그룹 기능은 근활성을 증가시키고, 전방 유도 교합 체계보다 더 많은 근수축으로 치아에 부하를 가하게 된다. 이런 이유로, 견치 유도와 그룹 기능 교합 체계 사이에 뚜렷한 마모의 발현 빈도나 정도를 비교하는 연구가 시도되어야 한다.

교합 안정성과 적절한 저작 기능은 저작계 건강의 정수이다. 중증의 교합 마모가 생겼을 때 나타나는 특성 중 하나는 교합의 불안정성이다. 그러나, 교합 불안정성의 모든 사건이 활동적이고 과다한 마모를 유도하는 것으로 보이지 않는다. 집중해야 할 핵심 질문은 언제 어떤 조건이 저작 시스템에 영향을 주어, 법랑질이 더 빨리 마모되게 하는지, 그리고 교합 불안정화가 마모 진행의 핵심 요소인지에 대한 사실 여부이다. 초기 마모 단계 동안 행해진 예방적 교합 조정이 마모 진행을 완화하는데 도움이 되는지 연구하는 것은 흥미로울 것이다. 또한 현재 교합 안정성을 유지하기 위해(보호적인 교합 스플린트, 교합 조정, 삶의 방식 변경), 최고의 접근법 혹은 혼합 접근법을 결정하기 위해, 법랑질 파괴와 장기간의 결과를 예방하기 위해 사용되는 다양한 방법을 연구하는 것도 중요하다.

결론

병적인 치아 마모의 원인은 종종 다원적이다. 과정은 단일

치아에 영향을 미칠 수 있지만, 더 빈번하게 전 치열을 포함하는 전반적인 문제로 발생한다. 치아 마모가 교합면을 포함하면, Centric Stop이 감소되면서 저작계가 새로운 균형점을 찾으려고 하여 실제적으로 마모 진행을 가속화할 수 있는 연장된 치아 접촉 상호 관계(긴 이개 시간의 존재로 암시되는)가 형성된다.

임상 검사 동안 발견되는 치아 마모의 정도와 유형, 원인, 어떤 연관된 증상의 발현, 환자의 치료에 대한 갈망을 고려한 후, 치료의 필요성을 생각해야 한다. 병적인 치아 마모가 관찰되면, 치아의 탈감각화와 같은 예방적 활동을 제안하고, 환자의 식이 습관 변경을 권유하고, 일상적인 생활에 존재하는 스트레스를 조절하거나 피하는 방법을 배우도록 권고하는 게 필요하다. 마모의 보철적 치료가 결정되면, 가능한 가장 최소 침습적 접근을 통한 조절이 주의 깊게 이루어져야 할 것이다.

마모 환자의 저작 수축성 근활성 측정뿐만 아니라 기능성 교합 변수를 정의하는 것은, 임상의가 각 개별 환자에게 적절한 기능 교합 체계를 회복하도록 돕는다. T-Scan/BioEMG 동기화 모듈을 사용하여 근활성, 교합력 균형, 교합 시간, 이개 시간을 모두 측정함으로써 선택이 성취될 수 있다. 치료-중 및 치료-후 측정으로 기능 회복 치료가 생리적으로 치료-전 상태를 개선하였는지 판단할 수 있다.

확정적 치료 단계를 완성한 후, 교합 안정성 조절을 시행하여, 반복된 검사들 사이에 발견된 어떠한 교합 부조화라도 치료되어야 한다. 이 프로토콜은 잠재적인 미래의 보철 손상의 위험성을 최소화하는 데 도움이 된다. 만약 임상의가 필요하다고 생각하면, 6개월 마다 (혹은 더 자주) 환자를 재평가할 수 있다.

참고문헌

- Abduo, J. (2012). Safety of increasing vertical dimension of occlusion: a systematic review. *Quintessence Intnternational, 43*, 369-80.

- Abduo, J., & Lyons, K. (2012). Clinical considerations for increasing occlusal vertical dimension: a review. *Australian Dental Journal, 57*, 2-10.

- Abrahamsen, T.C. (2005). The worn dentition- pathognomonic patterns of abrasion and erosion. *International Dental Journal, 55*, 268-276.

- Al-Dlaigan, Y.H., Shaw. L., & Smith, A. (2001). Dental erosion in a group of British 14-year-old children. Part II. Influence of dietary intake. *British Dental Journal, 190*, 258-261.

- Almog, D.M., & Ganddini, M.R. (2006). Maxillary and mandibular overlay removable partial dentures for restoration of worn teeth. A three-year follow up. *New York State Dental Journal, 72*, 32-35.

- Amaechi, B.T., Higham, S.M., Edgar, W.M., & Milosevic, A. (1999). Thickness of acquired salivary pellicle as a determinant of the sites of dental erosion. *Journal of Dental Research*, 78, 1821–1828.

- Ash, M.M., & Nelson, S.J. (2003). *Dental anatomy, physiology and occlusion*. Philadelphia,PA: Elsevier, pp. 477.

- Ash, M.M., & Ramfjord, S. (1996). Occlusion. Philadelphia, PA: W.B. Saunders Co., pp. 465

- Azzopardi, A., Bartlett, D.W., Watson, T.F., & Smith, B.G.N. (2000) A literature review of the techniques to measure tooth wear and erosion. *European Journal of Prosthetic Research Dentistry, 8*, 93-97.

- Baba, K., Haketa, T., Clark, G.T., & Ohyama, T. (2004). Does tooth wear status predict ongoing sleep Bruxism in 30-year-old Japanese subjects? *International Journal of Prosthodontics, 17*, 39-44.

- Bakke, M., Michler, L., & Moller, E. (1992). Occlusal control of mandibular elevator muscle. *Scandinavian Journal of Dental Research, 100*, 284-291.

- Bardow, A., Moe, D., Nyvad, B., & Nauntofte, B. (2000). The buffer capacity and buffer systems of human whole saliva measured without loss of CO_2. *Archives of Oral Biology, 45*, 1-12.

- Barlett, D.W. (2003). Retrospective long-term monitoring of tooth wear using study models. *British Dental Journal, 194*, 211-213.

- Barlett, D.W. (2005). The role of erosion in tooth wear: aetiology, prevention and management. *International Dental Journal, 55*, 277-284.

- Bartlett, D.W., Anggiansah, A., Owen, W., Evans, D.F., & Smith,

B.G.N. (1994) Dental erosion: a presenting feature of gastro-oesophegeal reflux disease. *European Journal of Gastoenterology and Hepatology*, 6, 895-900.

- Bartlett, J.D., Lee, Z., Eright, J.T., Li, Y., Kulkarni, A.B., & Gibsin, C.W. (2006). A developmental comparison of matrix metalloproteinase-20 and amelogenin null mouse enamel. *European Journal of Oral Science, 114*(Suppl 1), 18-23.

- Bartlett, D.W., Anggiansah, A., Owen, W., Evans, D.F., &Smith, B.G.N. (1994). Dental erosion: a presenting feature of gastro-oesophegeal reflux disease. *European Journal of Gastoenterology and Hepatology*, 6, 895-900.

- Bernhardt, O., Gesch, D., Splieth, C., Schwahn, C., Mack, F., & Kocher, T. (2004). Risk factors for high occlusal wear score in a population-based sample: results of the Study of health in Pomerania (SHIP). *International Journal of Prosthodontics, 17*, 333-339.

- Berry, D.C., & Poole, D.F.G. (1976) Attrition: possible mechanisms of compensation. *Journal of Oral Rehabilitation, 3*, 201-206.

- Bishop, K., Kelleher, M., Briggs, P., & Joshi, R. (1997). Wear now? An update on the etiology of tooth wear. *Quintessence International, 28*, 305-13.

- Brandini, D.A., Trevisan, C.L., Panzarini, S.R., & Pedrini, D. (2012). Clinical evaluation of the association between noncarious cervical lesions and occlusal forces. *Journal of Prosthetic Dentistry, 108*, 298-303.

- Brookes, S.J., Shore, R.C., Robinson, C., Wood, S.R., & Kirham, J. (2003). Copper ions inhibit the demineralization of human enamel. *Archives of Oral Biology, 48*, 25-30.

- Capp, N.J. (1999). Occlusion and splint therapy. *British Dental Journal, 186*, 217-222.

- Carey, J.P., Craig, M., Kerstein, R.B., & Radke, J. (2007). Determining a relationship between applied occlusal load and articulating paper mark area. *Open Dentistry Journal, 1*, 1-7.

- Carlsson, G.E., & Magnusson, T. (1999). Management of temporomandibular disorders in the general dental practice. Chicago, IL: *Quintessence Publishing*

- Chadwick, R.G., Mitchell, H.L., Manton, S.L., Ward, S., Ogston, S., & Brown, R. (2005). Maxillary incisor palatal erosion: no correlation with dietary variables? *Journal of Clinical Pediatric Dentistry, 29*, 157-163.

- Clark, J.R., & Evans, R.D. (2001). Functional occlusion: I. A review. *Journal of Orthodontics, 28*, 76-81.

- Clarke, N.G., Townsend, G.C., & Carey, S.E. (1984). Bruxing patterns in man during sleep. *Journal of Oral Rehabilitation, 11*, 123-129.

- Dahl, B.L., Carlsson, G.E., & Ekfeldt, A. (1993). Occlussal wear of teeth and restorative materials. A review of classification, etiology, mechanisms and some aspects of restorative procedures. *Acta Odontologica Scandinavica, 51*, 299-311.

- Dahl, B.L., & Krogstad, O. (1985). Long-term observations of an increased occlusal face height obtained by a combined orthodontic/prosthetic approach. *Journal of Oral Rehabilitation, 12*, 173-176.

- Dahl, B.L., Krogstad, O.,& Karlsen, K. (1975). An alternative treatment in casus with advanced localized attrition. *Journal of Oral Rehabilitation, 2*, 209-214.

- Dahlberg, B. (1942). The masticatory function. *Acta Medica Scandinavica, 39*, 139-154.

- Davies, S., & Gray, R.M.J. (2001). What is occlusion? *British Dental Journal, 191*, 235-245.

- Davies, S.J., Gray, R.J., & Qualtrough, A.J. (2002). Management of tooth surface lost. *British Dental Journal, 192*, 11-23.

- Dawes, C. (1969). The effects of flow rate and duration of stimulation on the concentrations of protein and the main electrolytes in human parotid saliva. *Archives of Oral Biology, 14*, 277-294.

- Dawson, P.E. (1989). *Evaluation, Diagnosis and Treatment of Occlusal Problems, Ed. 2*. St. Louis, MO: CV Mosby Co., pp. 407-408.

- De Boever, J.A., Carlsson, G.E., & Klineberg, I.J. (2000). Need for occlusal therapy and prosthodontic treatment in the management of temporomandibular disorders. Part II: Tooth loss and prosthodontic treatment. *Journal of Oral Rehabilitation, 27*, 647-659.

- Discacciati, J.A., Lemos de Souza, E., Vasconcellos, W.A., Costa, S.C., Barros, &Vde, M.J. (2013) Increased vertical dimension of occlusion: signs, symptoms, diagnosis, treatment and options. Journal of Contemporary Dental Practice, 14, 123-8.

- Douglas, W.H., Delong, R., Pintado, M.R., & Latta, M.A. (1993). Wear rates of artificial denture teeth opposed by natural dentition. Journal of Clinical Dentistry, 4, 43-47.

- Eisenburger, M., Addy, M., Hughes, J.A., & Shellis, R.P. (2001). Effect of time on the remineralisation of enamel by synthetic saliva after citric acid erosion. Caries Research, 35, 211-215.

- Ettinger, R.L., & Qian, F. (2004). Abutmenttooth loss in patients with overdentures. Journal of American Dental Association, 135, 739-746.

- Featherstone, J.D., & Lussi, A. (2006). Understanding the chemistry of dental erosion. *Monographs in Oral Science, 20*, 66-76.

- Ferrario, V.F., Sforza, Ch., Zanotti, G., & Tartaglia, G.M. (2004). Maximal bite forces in healthy young adults as predicted by surface electromyography. *Journal of Dentistry, 32*, 451-457.

- Forrester, S.E., Allen, S.J., Presswood, R.G., Toy, A.C., & Pain, M.T. (2010). Neuromuscular function in healthy occlusion. *Journal of Oral Rehabilitation*, 37, 663-669.

- Ganss, C.,& Lussi, A. (2006). Diagnosis of erosive tooth wear. *Monographs in Oral Science*, 20, 32-43.

- Ganss, K. (2008). How valid are current diagnostic criteria for dental erosion? *Clinical Oral Investigation, 12* (Suppl 1), 41-49.

- Glossary of Prosthodontic Terms. (2005). *Journal of Prosthetic Dentistry, 94*, 10-92

- Grippo, J. O. (1991). Abfractions: a new classification of hard tissue lesions of teeth. *Journal of Esthetic and Restorative Dentistry, 3*(1), 14-19.

- Grippo, J.O., Simring, M., & Schreiner, S. (2004). Attrition, abrasion, corrosion and abfraction revisited. A new perspective on tooth surface lesions. *Journal of American Dental Association, 135*, 1109-1118.

- Hagag, G., Yoshida, K., & Miura, H. (2000). Occlusion, prosthodontic treatment, and temporomandibular disorders: a review. *Journal of Medical Dental Science, 47*, 61-66.

- Hannig, M., Fiebiger, M., Guntzer, M., Dobert, A., Zimehl, R., & Nekrashevych, Y. (2004). Protective effect of the in situ formed short-term salivary pellicle. *Archives of Oral Biology, 49*, 903-910.

- Heintze, S.D., Cavalleri, A., Forjanic, M., Zellweger, G., & Rousson, V. (2008). Wear of ceramic and antagonist--a systematic evaluation of influencing factors in vitro. *Dental Materials, 24*, 433-449.

- Hidaka, O., Iwasaki, M., Saito, M., & Morimoto, T. (1999). Influence of clenching intensity on bite force balance, occlusal contact area, and average bite pressure. *Journal of Dental Research, 72*, 1336-1344.

- Holbrook, W.P., Arnadottir, I.B., & Kay, E.J. (2003). Prevention. Part 3; prevention of tooth wear. *British Dental Journal, 195*, 75-81.

- Hove, L.H., Holme, B., Young, A., & Tveit, A.B. (2008). The protective effect of TiF4 and SnF2, NaF against erosion like lesions in situ. *Caries Research, 42*, 68-72.

- Johansson, A, Johansson, A.K., Omar, R., & Carlsson, G.E. (2008). Rehabilitation of the worn dentition. *Journal of Oral Rehabilitation, 35*, 548-566.

- Johansson, A., Haraldson, T., Omar, R., Kiliaridis, S., & Carlsson, G.E. (1993). An investigation of some factors associated with occlusal tooth wear in a selected high wear sample. *Scandinavian Journal of Dental Research, 101*, 407-415.

- Johansson, A.K. (2002). On dental erosion and associated factors. *Swedish Dental Journal, 156*(Suppl), 1-77.

- Kerstein, R.B. (2004). Combining Technologies: A computerized occlusal analysis system synchronized with a computerized electromyography system. *Journal of Craniomandibular Practice, 22*, 96-109.

- Kerstein, R.B., Chapman, R., & Klein, M. (1997). A comparison of ICAGD (Immediate complete

- Anterior Guidance Development) to "mock ICAGD" for symptom reductions in chronic myofascial pain dysfunction patients. *Journal of Craniomandibular Practice, 15*(1), 21-37

- Kerstein, R.B., & Grundset, K. (2001). Obtaining bilateral simultaneous occlusal contacts with computer analyzed and guided occlusal adjustments. *Quintessence International, 32*, 7-18.

- Kerstein, R.B., & Radke, J. (2006). The effect of Disclusion Time Reduction on maximal clench muscle activity level. *Journal of Craniomandibular Practice, 24*(3), 156-165.

- Kerstein, R.B., & Radke, J. (2012). Masseter and temporalis excursive hyperactivity decreased by measured anterior guidance development. *Journal of Craniomandibular Practice, 30,* 243-254.

• Kerstein, R.B., & Wright, N. (1991). An electromyographic and computer analysis of patients suffering from chronic myofascial pain dysfunction syndrome; pre and post - treatment with immediate complete anterior guidance development. *Journal of Prosthetic Dentistry, 66,* 677 - 686.

• Khan, F., Young, W.G., Law, V., Priest, J., & Daley, T.J. (2001). Cupped lesions of early onset dental erosion in young southeast Queensland adults. *Australian Dental Journal, 46,* 100–107.

• Koos, B., Godt, A., Schille, C., & Göz, G. (2010). Precision of an instrumentation-based method of analyzing occlusion and its resulting distribution of forces in the dental arch. *Journal of Orofacial Orthopedics, 71,* 403-10.

• Lanigan, L.T., & Bartlett, D.W. (2013). Tooth wear with an erosive component in a Mediaeval Iceland population. *Archives of Oral Biology,* in press

• Larsen, M.J., Poulsen, S., & Hansen, I. (2005). Erosion of the teeth: prevalence and distribution in a group of Danish school children. *European Journal of Pediatric Dentistry, 6,* 44-47.

• Larson, T.D. (2012). The effect of occlusal forces on restorations. *Northwest Dentistry, 91,* 25-27, 29-35.

• Lobbezoo, F., Ahlberg, J., Glaros, A.G., Kato, T., Koyano, K., Lavigne, G.J., de Leeuw, R., Manfredi, D., Svensson, P., & Winocur, F. (2013). Bruxism defined and graded: an international consensus. *Journal of Oral Rehabilitation, 40,* 2-4.

• Lynch, R.J.M. (2011). Zinc in the mouth, its interactions with dental enamel and possible effects on caries; a review of the literature. *International Dental Journal, 61* (Suppl. 3), 46-54.

• Manfredini, D., Bucci, M.B., Sabattini, V.B., & Lobbezoo, F. (2011). Bruxism: overview of current knowledge and suggestions for dental implants planning. *Journal of Craniomandibular Practice, 29,* 304-312.

• Matsunaga, T., Ishizaki, H., & Tanabe, S. (2009). Synchrotron radiation microbeam X-ray fluorescence analysis of zinc concentration of remineralised enamel in situ. *Archives of Oral Biology, 54,* 420-423.

• Marion, L.R. (1996). Dentistry of ancient Egypt. *Journal of Historical Dentistry, 44,* 15-17.

• McNamara, J.A. (1984). A method of cephalometric analysis. *American Journal of Orthodontics, 86,* 449-469

• Michael, J.A, Townsend, G.C., Greenwood, L.F., & Kaidonis, J.A. (2009). Abfraction: separating fact from fiction. *Australian Dental Journal, 54,* 2-8.

• Mizrahi, B. (2009). Aesthetic and biomechanical precision in complex cases. *Alpha Omegan 102,* 142-147.

• Nakai, N., Abekura, H., Hamada, T., & Morimoto, T. (1998). Comparison of the most comfortable mandibular position with the intercuspal position using cephalometric analysis. *Journal of Oral Rehabilitation, 25,* 370-375.

• Nanci, A. (2003) .*Ten Cate's Oral Histology, Development Structure and Function.* St. Louis, MO, C.V. Mosby Co., pp. 1-71

• Nunc, J., Morris, J., Pine, C., Pitts, N.B., Bradnock, G., & Steele, J. (2000). The condition of teeth in the UK in 1998 and implications for the future. *British Dental Journal, 189,* 639-644.

• Okeson, J, (1985). *Fundamentals of Occlusion and Temporomandibular Disorders,* St. Louis, MO: C.V. Mosby Co., pp. 109

• Paine, M.L., Luo, W., Wang, H.J., Bringas, P., Ngan, A.Y., Miklus, V.G., Zhu, D.H., MacDougall, M., White, S.N., & Snead, M.L. (2005). Dentin sialoprotein and dentin phosphoprotein overexpression during amelogenesis. *Journal of Biological Chemistry, 280,* 3191-3198.

• Pedersen, A.M., Bardow, A., Beier- Jensen, S., & Nauntofte, B. (2002). Saliva and gastrointestinal functions of taste, masication, swallowing and digestion. *Oral Diseases, 8,* 117-129.

• Pergamalian, A., Rudy, T.E., Zaki, H.S., & Greco, C.M.J. (2003). The association between wear facets, bruksizm and severity of facial pain in patients with temporomandibular disorders. *Journal of Prosthetic Dentistry, 90,* 194-200.

• Ricketts, R.M. (1981). Perspectives in the clinical application of cephalometrics. The first fifty years. *Angle Orthodontics, 51,* 115-150.

• Ricketts, R.M. (1956). The role of cephalometrics in prosthetic diagnosis. *Journal of Prosthetic Dentistry, 6,* 488-503.

• Roark, A.L., Glaros, A.G., & O'Mahony, A.M. (2003). Effects of interocclusal appliances on EMG activity during parafunctional tooth contact. *Journal of Oral Rehabilitation, 30,* 573-577.

• Satterthwaite, J.D. (2012). Tooth surface loss: tools and tips for management. *Dentistry Update,* , 86-90, 93-96.

• Sierpinska, T., Kuc, J., & Golebiewska, M. (2013). Morphological and Functional Parameters in Patients with Tooth Wear before and after Treatment. *Open Dentistry Journal, 17,* 55-61.

• Sierpinska, T., Orywal, K., Kuc, J., Golebiewska, M., & Szmit-kowski, M. (2013). Enamel mineral content in patients with severe tooth wear. *International Journal of Prosthodontics, 26,* 423-428.

• Simmer, J.P., & Hu, J.C.C. (2001). Dental enamel formation and its impact on clinical dentistry. *Journal of Dental Education, 65,* 896-905.

• Smith, B., & Knight, J. (1984). An Index for measuring the wear of teeth. *British Dental Journal, 156,* 435-438.

• Suda, S., Matsugishi, K., Seki, Y., Sakurai, K., Suzuki, T., Morita, S., Hanada, K., & Hara, K. (1997). A multiparametric analysis of occlusal and periodontal jaw reflex characteristics in young adults with normal occlusion. *Journal of Oral Rehabilitation, 24,* 610-613.

• Tallgren, A. (1957). Changes in adult face height due to age-ing, wear and loss of teeth and prosthetic treatment. *Acta Odontologica Scandinavica, 15*(Suppl. 24).

• Turp, J.C., Greene, C.S., & Strub, J.R. (2008). Dental occlusion: a critical reflection on past, present and future concepts. *Journal of Oral Rehabilitation, 35,* 446-453.

• Vallera, J. (1990). Effects of attritive diet on craniofacial mor-phology: a cephalometric analysis of a Finnish skull sample. *European Journal of Orthodntics, 12,* 219-223.

• Wang, X.R., Zhang, Y., Xing, N., Xu, Y.F., & Wang, M.Q. (2013). Stable tooth contacts in intercuspal occlusion makes for utili-ties of the jaw elevators during maximal voluntary clenching. *Journal of Oral Rehabilitation, 40,* 319-28.

• Wanman, A., & Migren, L. (1995). Need and demand for den-tal treatment. A comparison between an evaluation based on an epidemiologic study of 35-, 50-, and 65-year olds and performed dental *treatment of matched age groups. Acta Odontologica Scandinavica, 53, 318-324.*

• Williamson, E.H., & Lundquist, D.O. (1983). Anterior guidance: its effecton electromyographic activity of the temporal and mas-seter muscles *Journal of Prosthetic Dentistry, 49*(6) ,816-823

• Xhonga, F.A. (1977). Bruksism and its effect on the teeth. *Jour-nal of Oral Rehabilitation, 4,* 65-76.

• Yip, K.H., Smales, R.J., & Kaidonis, J.A. (2004). Differential wear of teeth and restorative materials: clinical implications. *Inter-national Journal of Prosthodontics, 17,* 350-356.

• Young, W.G. (2005). Tooth wear: diet analysis and advice. *Inter-national Dental Journal, 55,* 68-72.

추가문헌

• Ahmad, I. (2006). *Protocols for predictable aesthetic dental reconstructions.* Copenhagen, DK: Munksgaard Blackwell

• Becker, I.M. (2011). *Comprehensive occlusal concepts in clini-cal practice.* Hoboken, NJ: Wiley-Blackwell.

• Brocard, D., Laluque, J.F., Knellesen, Ch. (2008). *The question of Bruxism.* London, UK: Quintessence Publishing Co., Ltd.

• Davies, S.J., Gray, R.M., & Smith, P.W. (2001). Good occlusal practice in simple restorative dentistry. *British Dental Journal, 191,* 365-368, 371-4, 377-81.

• Dawson, P.E., & Cranham, J.C. (2007). Aesthetics and function: conflict or complement? Dentistry Today, 26, 82-83.

• Johansson, A., Omar, R., & Carlsson, G.E. (2011). Bruxism and prosthetic treatment: a critical review. Journal of Prosthodon-tic Research, 55, 127-136.

• Lussi, A. (2006). Dental erosion from diagnosis to therapy. Monographs in Oral Science, 20.

• Mehta, S.B., Banerji, S., Millar, B.J., & Suarez-Feito, J.M. (2012). Current concepts on the management of tooth wear: part 1. Assessment, treatment planning and strategies for the pre-vention and the passive management of tooth wear. British Dental Journal, 212, 17-27.

• Mehta, S.B., Banerji, S., Millar, B.J., & Suarez-Feito, J.M. (2012). Current concepts on the management of tooth wear: part 2. Active restorative care 1: the management of localized tooth wear. British Dental Journal, 212, 73-82.

• Mehta, S.B., Banerji, S., Millar, B.J., & Suarez-Feito, J.M. (2012). Current concepts on the management of tooth wear: part

3. Active restorative care 2: the management of generalized tooth wear. British Dental Journal, 212, 121-127.

- Mehta, S.B., Banerji, S., Millar, B.J., & Suarez-Feito, J.M. (2012). Current concepts on the management of tooth wear: part 4. An overview of the restorative techniques and dental materials commonly applied for the management of tooth wear. British Dental Journal, 212, 169-177.

- Satterthwaite, J.D. (2012). Tooth surface loss: tools and tips for management. Dental Update 39, 86-90, 93-6.

- Wassell, R., Naru, A., Stelle, J., & Nohl, F. (2008). Applied occlusion. London, UK: Quintessence Publishing Co., Ltd.

주요 용어 및 정의

- **교합 분석:** 존재하는 치아 접촉과 그들의 지지 구조에 주어진 특별한 고려를 수반하는 저작 구조의 체계적인 검사.

- **교합 수직 고경(OVD):** 교두간 위치의 수직적 구성 요소로, 모든 교합 일원이 교합 접촉에 있을 때 두 점(각 악궁에 하나)사이의 측정된 거리이다.

- **교합 안정성:** 하악 폐구 후, 치아 이동을 예방하는 교합 접촉의 균등성. 이 용어는 최적의 기능적 상태를 유지하기 위한 치아, 턱, TMJ, 근육의 경향과 관련된다.

- **기능적 교합:** 저작과 연하 동안 상하악 치아의 접촉.

- **병적 치아 마모:** 치아 마모 진행으로 효과적인 기능 및/혹은 외형이 상실되기 전에 심각하게 손상된 마모 상태.

- **전방 유도:** 하악 편심위 운동 동안 구치의 접촉을 제한하는 전치의 접촉면 영향.

- **치아 마모:** 법랑질과 상아질의 소실을 야기하는 나이에 의존하는 생리적 과정.

- **컴퓨터 교합 분석 시스템(T-Scan 8 시스템):** 하악의 폐구 및 편심위 운동 동안 분석을 위해, 환자의 상대적 교합력 역동성, 개개의 교합 접촉시 상대적 교합력 크기, 치아와 반악궁 및 4분면 당 힘 비율, 교합력 위치, 교합 접촉 타이밍 순서를 기록하고 보여주는 진단용 컴퓨터 기술.

도움을 주신 분들

Robert B. Kerstein은 Tufts 치과대학에서 DMD 학위를 1983년에 받았으며, 1985년에는 보철과 전문의를 획득하였다. 1985년부터 1998년 까지 Tufts 대학의 임상교수로서 수복 치과학 분야 중 고정성, 가철성 보철학에 대하여 강의하며, 활발히 진료를 하였다. 1984년, Kerstein 선생은 T-scan I 기술에 대해 연구하기 시작하였다. 그리고 그 시기 이래로 T-scan II에 대해서도 연구하였으며, Turbo recording을 포함하는 T-scan III와 현재는 T-scan 9 기술에 대해 연구를 진행하여 왔다. Kerstein 선생은 교합과 교합 이개 시간의 길이가 만성 근막 동통 부전 증후군의 병인에 기여한다는 독창적인 연구를 지금까지 지속해 왔다. 그가 지금까지 30년에 걸쳐 연구해 왔던 T-scan III 교합 분석시스템은 그를 디지털 교합 분석학 영역에서 선도적인 논문 저자이자 연구자로 이끌었다. Kerstein 선생은 총 45편의 출판물을 개제하였는데, 이는 Journal of Prosthetic Dentistry, the Journal of Craniomandibular and Sleep Practice, Quintessence International, Practical Periodontics and Aesthetic Dentistry, the Journal of Computerized, the Compendium of Continuing Education, the Journal of Implant Advanced Clinical Dentistry, Cosmetic Dentistry, and the Journal of Oral and Maxillofacial Implants 등을 포함한다. 이에 더해 Kerstein 선생은 4권의 교과서 챕터의 저자로 참여하였는데, 이는 주로 T-scan 디지털 교합 분석 기술에 대한 내용이 주였다. Kerstein 선생은 국내와 해외 모두에서 디지털 교합 분석, 보철학, 전방유도와 상대적으로 긴 이개 시간 사이의 관계, 체계적이지 않은 근육의 과활성과 근막 동통 부전 증후군에 대하여 강의를 해오고 있다. 그는 또한 Boston과 Massachusetts에서 성공적인 개인 병원을 운영하고 있다. 개인병원에서는 보철치료와, 디지털 교합 분석 및 근막동통부전과 관련 된 치료만 하고 있다. Kerstein 선생은 2016년 경희치대 교정학 교실 외래 부교수에 임용되어 후학들의 관련 연구 진행에 큰 기여를 하고 있다.

Robert Anselmi는 지난 11년간 Tekscan 사의 기술전문 저술가로서 활동하였으며, 현재는 Boston, MA에 거주하고 있다. 그는 1994년 Montreal에 위치한 McGill 대학에서 영문학, 사진학, 그리고 커뮤니케이션학에 대해 학사 학위를 받았다. 이후, 그는 여러 회사에서 기술전문 저술가, 웹 디자인, 웹 기획, 품질 보증 및 코스 디자인 역량과 관련된 다양한 일을 해 오고 있다. 그는 프린트나 비디오, 그리고 다른 매체 등을 통해, 사용자들에게는 복잡하고 어려운 하드웨어나 소프트웨어 기술을 사용하고 작동시킬 수 있도록 교육하는데 노력을 기울이고 있다. 그는 몇몇 온라인 사용지침서와 기사들을 독자적으로 개제하는 저자이다. 2013년에, 그는 전자 음악 산업을 위해 음향 디자인과 컴퓨터 음악 제작과 관련된 지침서를 저술한 바 있다. 그는 사용자들이 새로운 기술을 사용할 수 있도록 가르치는데 도움이 되는 정확하고 자세한 교재를 제공하는데 열정적이다.

Ray Becker는 치과 분야에서 보다 진보된 기술의 선도자, 혁신가, 완성자로서 세계적으로 잘 알려져 있다. 그의 관심은 통합 치과학, 재건학, 심미 치과학 분야에 맞춰져 있다. Becker 박사의 치료법은 복잡하고 까다로운 케이스를 중심으로 이루어지지만, 그는 실제 임상에서 모든 환자에 대한 성공적인 진단, 치료 및 평가를 위한 프로토콜을 개발하고 이를 개인적으로 사용해 왔다. Total Biopak 기술 및 이들의 임상적 프로토콜과 함께 Becker 박사는 환자의 임상적 필요 및 목표와 잘 일치하는 공정하고도 윤리적인 틀을 제시할 수 있다. Becker 박사는 1991년부터 전미뿐 아니라 호주, 핀란드, 캐나다 등지에서 열

렸던 국제 학회의 기조연설을 맡아왔다. 강의 외에도, 그는 laser나 CAD/CAM 치과학에서부터 이들의 실제 임상적 관리에 이르기까지 모든 출판물들과 여러 저널, DVDs 등에 대한 저자로서 활동해 왔다. 그는 HCC, Unident, Sirona와 Isolite System 등과 같은 몇몇 치과 분야의 회사들에 의해 만들어지고 있는 기술의 초기 개발단계에서부터 적극적으로 참여해왔다. 그는 현재 BioResearch, TekScan과 업무적으로 밀접한 관계를 가지고 있다. Ray Becker 박사는 의도적으로 인스트럭터로서 독립적으로 남아 왔는데, 이렇게 하는 것이 그의 일과 개발한 것들에 대한 편향되지 않은 시각을 가질 수 있다고 믿고 있기 때문이다. 그의 독창적인 기술, 프로토콜과 치료법을 풀타임으로 사용해 봄으로써 매일 실제 임상에서 빈번하게 마주치는 여러 이슈들에 대하여 많은 치과의사들에게 강한 울림을 갖도록 해 왔다. 이러한 다양한 지식들을 그가 개발시키고 발전시켜 온 임상적인 해결책들에 적용시킴으로써, 그는 현재 다른 사람들에게 가르치는 다양한 독창적인 접근법들로부터 이익을 얻어왔다. 최종적으로, Becker 박사는 생체인식 기술분야에서 마스터쉽과 전문의 자격뿐 아니라 Academy of General Dentistry 에서 펠로우쉽 지위를 획득하였다.

Nicolas Cohen은 프랑스 파리에 위치한 Pitie Salpetriere 대학 병원의 치주과에서 부교수로 재직하고 있다. 그는 또한 파리 10구 Margueritte에서 개인병원을 운영하고 있다. Cohen 박사는 2000년에 파리 7대학에서 치의학 학사 학위를 취득하였다. 그는 Institute Paris-Sud sur les Cytokines에서 연구를 수행하고 있는데 특히 구강 면역학 분야, 더 자세히는 스트레스를 야기하는 상황에서 구강 생체막의 저항력에 대해 포커스를 맞춰왔다. 그의 연구는 2004년 journal of Dental Research나 2003, 2006, 2007년에 개제된 Blood와 같은 수준 높은 저널에 개제되었고 이를 통해 그는 석사와 박사학위를 취득하였다. 현재 그는 Orthopedic Research UMR CNRS 7052의 임상 연구팀과 함께 연구를 진행하고 있으며, Saint-Louis 대학, 프랑스 파리에 위치한 Denis Diderot 대학에서 진단검사의학과 교수이며, Pitie Salpetriere 병원이 있는 파리 7, 6 대학에서 운영하고 있는 박사 후 과정인 임플란트학 임상 프로그램의 공동 책임자를 맡고 있다. Cohen 박사는 치주 질환이 일반적인 의과적 질병이나 임플란트 주위염과 관계가 있는 지에 대해 국내, 외적으로 많은 강의를 하고 있다. 그는 현재 교합이 치주질환의 진행이나 치주 치료 후 치유 과정에서 어떤 역할을 하는지에 대해 평가를 진행하고 있다.

Julia Cohen-Levy는 프랑스에 위치한 파리 7 대학으로부터 1999년에 DDS, 2003년에 MS, 그리고 2004년에 치과 교정학과 치과안모 교정학 분야에서 박사학위를 취득하였다. 2011년에 프랑스 파리 8 대학에서 의료법 분야 석사학위를 받았으며, 2012년에는 박사학위를 취득하였다. 그녀는 임상교수로 재직하고 있는 파리 7 대학 교정과의 교과 과정에 참여하고 있다. 그녀는 유럽 설측교정학회 (ESLO)의 정회원이고, 프랑스 교정학회 (FFO) 정회원, 프랑스 리케츠의 bioprogressive 모임 (SBR)의 정규 멤버로 활동하고 있다. Cohen-Levy 박사는 2003년부터 파리에서 개인병원을 운영하고 있으며, 2006년 시작과 함께 T-SCAN III의 사용자로 활동하고 있다. 그녀는 교정학, 설측 교정학과 방사선학적 기형 분야에서 컴퓨터 계산에 의한 교합의 분석에 초점이 맞춰진 몇몇 국제 저널과 과학잡지의 저자이다. 추가로 그녀는 Journal of Dento-facial Anomalies and Orthodontics의 편집인이기도 하다. Cohen-levy 박사는 프랑스 교정학회 (FFO)의 수면장애위원회의 위원장으로 활동하고 있다. 그녀는 수면무호흡증, 설측교정과 교정학에서 컴퓨터 계산에 의한 교합치료의 마무리 등과 관련된 코스를 가르치거나 이에 대해 국내, 외적으로 강연자로 이름이 알려져 있다.

Thomas A. Coleman은 Buffalo에 위치한 SUNY 치과대학에서 1976년 DDS 학위를 받았다. 이후 2년간, 그는 Navajo 인디언보호구역 내에 위치한 공공의료기관에서 임상의로 활동한 바 있다. 그는 Vermont에서 1978-2003년 동안 일반 치과의로 일하였으며, Hudson Valley 대학의 치과위생과에서 파트타임으로 강의를 하기도 하였다. 그는 또한 장애인들을 위한 Albany 센터에서 치과 과장으로 재직하였다. 그리고 나서 2005-2014 동안, Vermont, Brandon에서 개인 치과 운영을 지속하였다. 1979년 그는 치경부 과민증 (Cervical Dentin Hypersensitivity, CDH)을 진단하기 위한 Air Indexing 법을 개발하였다. 그는

Quintessence International, the Journal of Esthetic & Restorative Dentistry, Incisal Edge와 Compendium에서 총 8편의 논문을 개제하였다. Coleman 박사는 남가주 대학에 위치한 Dawson 센터, 미국 Equilibratioin 학회, Gelb 센터, 그리고 Vermont 주 치과 위생과 협회에서 전국적으로 강연을 해 왔다. Coleman 박사는 교합접촉, 굴곡파절과 CDH를 조사하기 위해 T-scan III 시스템을 이용한 연구를 진행하고 있다.

John R. Droter는 턱관절장애 (TMD)에 대한 부족한 이해와 함께 1985년 메릴랜드 치과대학을 졸업하였고, DDS 학위를 받았다. TMD에 대한 지식을 더 얻기 위해, 그는 Pankey 교육원, Dawson 아카데미와 플로리다 대학교에 있는 안면통증센터에서 수학을 하였다. Droter 박사는 컴퓨터 이미지를 통해 안면통증에 대한 진단을 해주거나, 턱관절 장애나 저작근에 대해 분석을 해주는 개인 병원을 운영하고 있다. 그는 관절의 위치가 불량한 환자들을 위해 비수술적 TMJ 재건법을 제시하고 있다. Droter 박사는 Pankey 교육원과 Spear 교육센터에서 방문 교수로 재직하고 있다. 그는 워싱턴 DC에 위치한 워싱턴병원 센터에서 교정과 대학원 프로그램을 위한 방문교수로 재직한 바 있다 그는 손상된 관절의 치료를 의학적으로는 어떤 방법으로 접근하는지 알기 위해 정형외과 의사와 함께 MD, Annapolis에 있는 Arundel 메디컬 센터에서 순환 옵져베이션을 하였다. 그는 전국적으로 강연을 하고 있으며, Dentistry Today's top 100 리스트에서 최고의 임상가로 선정되기도 하였다.

Jinhwan Kim은 서울대학교 치과대학에서 1999년 치의학 학사 학위, 2004년 석사학위, 그리고 2011년 박사학위를 취득하였다. 2002년부터 개인병원을 운영하는데, 그는 T-Scan 시스템을 2006년부터 이용해왔고, T-Scan 사용자들을 위해 한국에서 T-Scan 케이스 북을 발간하였다. 그는 한국의 치과의사들에게 T-Scan 시스템에서 타이밍 개념을 소개하고 있는데, T-Scan 시스템을 이용하여 임플란트에서의 교합에 대해 연구하고 있다. 서울대학교 치과대학의 임상교수로 재직하고 있으며, 한국의 서울에서 원데이치과라는 개인병원을 운영하고 있고, 구내스캐너를 개발하는 Theodental Ltd.라는 회사도 운영하고 있다. 그는 디지털 치과학에서 전문성을 가지고 있으며, 대한 디지털치과학회, 대한 치과 턱관절 기능교합학회, 그리고 대한 심미치과학회의 이사로 재직하고 있다. 그는 T-Scan 시스템과 구내 스캐너를 활용한 디지털 교합 분석, 임플란트 교합과 관련한 활발한 강연을 하고 있다.

Sushil Koirala는 인도에 위치한 Mysore 대학을 1992년에 졸업하였다. 그리고 심미치과학, 교정학, 교합학, 수면 치과학과 관련한 많은 임상 교육 프로그램을 이수하였다. 그는 대만의 Thammasat 대학교 치괴대학에서 방문교수로 재직하고 있으며, 네팔의 Vedic Institute of Smile Aesthetics (VISA)의 창립학회장이다. Koirala 박사는 최소 침습적 미용 치과학 (Minimally Invasive Cosmetic Dentistry, MICD)과 Teeth/muscles/Joints/Airway (TMJA) Harmony 치과학 분야에서 세계적으로 잘 알려진 강연자이자 인스트럭터, 그리고 저자로 활동하고 있다. 그는 다방면으로 강의해 왔고, 미소의 미학, 교합력 장애 (OFD), 구강 내과분야에서 모든 노력을 다함과 동시에 의식 하 구강 내과학적인 철학에 기반을 둔 최소 침습적인 기술을 사용하여 기도를 관리하는 등의 분야에서 전세계적으로 핸즈온 교육 프로그램을 시행하여 왔다. Koirala 박사는 직접 심미 치과학에 관한 종합서적인 A Clinical Guide to Direct Cosmetic Restoration with Giomer의 저자로 이는 독일에서 DTI에 의해 출간 되었다. 그는 Cosmetic Dentistry Beauty & Science Magazine (DTI, 독일)과 MICD Clinical 저널뿐 아니라 그가 개제한 다수의 임상 저널의 편집장으로 활동하고 있다. Koirala 박사는 미용치과학, 교합력 장애, TMD, 치과에서의 수면내과학과 기도 조절 등의 관리에서 최소 침습적 기술의 진보를 위해 MICD와 TMJA Harmony 글로벌 아카데미를 설립하였다.

Bernd Koos는 교정과 의사로 독일, 키엘에 위치한 Schleswig-Holstein 대학 의학 센터의 교정과에서 선임의사로 있다. 그는 독일 Tubingen 대학에서 졸업 후 레지던트 과정으로 교정과에서 전문의 과정에 대한 수련을 마쳤다. 여기서 그는 환자에 대한 임상검사와 대부분의 상담시간을 턱관절 장애의 치료와 기능적인 진단을 하는데 초점을 맞추었다. 그의 연구주제는 유년기에서 TMJ가 포함된 특발성 관절염, 기능적 교합의 진단, 턱관절 장애의 치료, 컴퓨터에 의한 교합의 진단과 분석, 구순구개열 환자의 치료와 수면 무호흡 증후군을 가진 어린이 등을 포함하고 있다. 각각 이들 분야에 대하여, Koos 박사는 다방면으로 강의해 왔고, Journal of Orofacial Orthopedics에 T-Scan 기술을 포함하여 몇몇 중요한 논문들을 저술해 왔다.

Paul Mitsch는 미주리주, 세인트루이스에 위치한 워싱턴 대학에서 1977년 DMD 학위를 취득하였다. 1979년 그는 캔자스 Augusta에 있는 Augusta Family Dentistry를 구입하였다. 2005년에 Mitsch 선생은 버틀러와 세지윅 자치주에 널리 퍼져 있는 지역 치과의사들에 의해 쓰여진 출판물인 Dental Impact를 창간하였다. 2008년 Mitsch 선생은 American Family Dentistry 교육 센터를 창립하였는데, 이는 치과 산업에 있어 지역 치과의사들의 교육과 훈련을 도와주기 위해 설립되었다. 이는 자신들이 가지고 있는 기술을 좀더 가다듬고, 진료의 수준을 보다 높이고 싶어하는 지역 치과의사들을 위해 치의학 분야의 여러 전문가들로부터 세미나와 강의를 제공하기 위한 그의 과업의 일환이었다. Mitsch 선생은 전국을 돌며 치의학 분야에서 최신 기술의 적용과 관련한 강의를 해왔다. 그는 Academy of General Dentistry, Academy of Dentistry International, International Congress of Oral Implantologists에서 펠로우 회원이며, American Academy of Craniofacial Pain에서는 특별 펠로우 회원이다. Mitsch 선생은 또한 Bioresearch Inc.으로부터 전문성을 인정받아 마스터쉽을 획득하였다.

Sarah Qadeer는 인도 Lucknow에 위치한 Sardar Patel Institute of Dental and Medical Sciences (SPIDMS)에서 치의학 학사 학위를 받았으며, 한국, 서울에 있는 고려대학교 구로병원에서 보철학 분야 치의학 석사학위를 받았다. 한국에 있을 때 그녀는 T-Scan 기술에 대해 배우게 되었으며, 이를 통해 그녀가 컴퓨터를 통해 교합 분석을 하는 방법에 대해 강력한 흥미유발을 갖게 되는 전환점이 되었다. 결국 이는 그녀의 석사학위 주제가 되었다. 석사학위를 마친 이후 Sarah Qadeer 박사는 경희대학교 치과병원에서 연구교수로 일하면서 아시아-태평양과 중동 지역에서 컴퓨터를 통한 교합분석 방법에 대해 강의해 왔으며, 여러 연구 논문들을 성공적으로 개제해 왔다. Qadeer 박사는 현재 대만에 있는 Thammasat 대학에서 치의학과 교수로 일하고 있다. Thammasat에서 Qadeer 박사는 International Training Centre for Advanced Dentistry (ICAD)의 팀장으로서, 이곳에서 그녀는 T-Scan을 이용한 교합분석, Joint Vibration Analysis (JVA), Electromyography (EMG), 치과 통계학, 최소 침습적인 미용 치의학, 턱관절 장애와 수면 내과학 분야에 대한 교육 프로그램을 구성하고 기획하고 있다. 더 나은 임상 치료 결과를 위해 디지털 기술을 사용함으로써 환자의 교합상태에 대한 객관적인 정보를 얻고, 구강악안면 시스템에 대한 종합적인 이해를 증진시키는데, 이와 같은 미니 레지던시 프로그램들을 아시아 치과의사들을 교육하기 위해 고안하였다. 최근에 Qadeer 박사는 Digital Occlusion from A-Z라는 제목의 일련의 종합적인 기사를 Jordanian online dental journal에 기고해 오고 있다.

John C. Radke는 워싱턴, 시애틀에 위치한 Cornish 대학으로부터 BM 학위를 취득하였고, 일리노이주 시카고에 있는 Keller 경영대학원에서 MBS 학위를 받았다. 그는 현재 위스콘신, 밀워키에 있는 BioResearch Associates, Inc.의 사장으로 재직하고 있다. 1972년 이래 그는 치의학에서 전자식, 컴퓨터 소프트웨어 기반의 진단 기술을 활발히 개발해 왔다. 이는 전자식 jaw tracking, electromyography (EMG), TENS, temporomandibular joint vibration analysis (JVA) 등의 장비를 포함한다. Radke는 국내뿐만 아니라 해외 30개국 이상의 나라들에서 강연을 해 왔다. 그는 생리적 측정값들 예를 들면 1) 턱관절로부터 나는 진동음, 2) 저작시 활성화된 근육으로부터의 근전계 신호, 그리고 3) 기능적 혹은 부기능적 턱의 운동과 같은 데이터를 분석하기 위해 사용되는 과학적 방법들 (푸리에 시리즈, 웨이블릿 변환, 인공 신경계와 유전체 알고리즘)에 대한 수 많은 저술활동을 해 오고 있다. 그는 여러 과학저널들을 위한 리뷰어와 컨설턴트로 일하고 있다. Radke는 국제치과연구학회 (International Association of Dental Research)의 종신 회원이고 국제신경과학회 (International Neural Network Society)와 미국과학진흥회 (American Association for the Advancement of Science)의 정회원이다. 그는 이탈리아의 Academy of Electromyography and

Kinesiography와 멕시코의 Medica Odontologia Craneo-mandibular A. C.의 명예 회원이다. 1969년부터 그는 그의 혁신적인 장치 디자인에 대해 수 많은 특허를 받아 왔다.

Teresa U. Sierpinska는 폴란드, Bialystok 의과 대학에서 1991년 학위를 취득하였다. 그리고 나서 그녀는 1997년 보철학 분야 전문의를, 2009년 임플란트학 분야의 전문의를 획득하였다. 1991년부터 2010년까지 그녀는 Bialystok 의과 대학의 보철과에서 고정성, 가철성 보철학을 가르치는 임상 교수로 재직하였다. 1999년, 그녀는 "The Relationship between Masticatory Deficiency and Pathomorphological Changes in the Gastric Mucosa"라는 학위논문 제목으로 MD 학위를 취득하였다. 2009년에는 "An Assessment of Etiological Factors in Tooth Wear Patients, and the Prosthetic Rehabilitation of the Patients Suffering from Advanced Tooth Wear."라는 제목의 연구를 통해 MD/PhD 학위를 받게 외었다. 2010년 시작과 함께 Sierpinska 박사는 Bialystok 의과 대학의 치의학 기술학과의 과장으로 임명되었는데, 여기서 그녀는 주로 구강생리학과 보철 재건학과 관련하여 강의를 하였다. Sierpinska 박사는 지속적으로 진행되고 있는 치아 마모에 관련된 연구를 수행하였을 뿐만 아니라 위장 관계에 저작 과정이 영향을 미치는지에 대한 독창적인 연구를 수행해 왔다. 그녀의 연구는 저작계의 기능적인 분석에 초점이 맞춰져 있었고, 이는 모든 Bioresearch 진단 기술에 있어 2006년에 그녀가 인증 받은 사실을 포함하고 있다. 그녀는 International Journal of Prosthodontics, Journal of Clinical Densitometry, Osteoporosis International, Advances in Medical Sciences와 Polish professional journal 등에 수많은 연구 논문들을 개제하였다. 2014년 그녀는 Journal of Craniomandibular and Sleep Practice의 편집인으로 임명되었다. Sierpinska 박사는 폴란드 Bialystok에서 성공적으로 개인병원을 운영하고 있다. 여기서는 진행성 교합 마모의 재건에 초점을 맞춘 교합기능장애와 보철적 치료에 한정하여 운영되고 있다. 치의학에서의 그녀의 활동과는 별개로 Sierpinska 박사는 클래식과 재즈 그리고 그림 그리기에 취미를 가지고 있다.

Roger Solow는 UCLA에서 1975년 생물학으로 학사 학위를 취득하였고, 1978년에는 퍼시픽 치과 대학으로부터 DDS 학위를 취득하였다. 그는 일반의로서 전일제 근무를 하며, 행위별수가를 받는 형식으로 캘리포니아 Mill Valley에서 수복 치과학 분야에 한정하여 진료를 하고 있다. 그는 플로리다 Key Biscayne에 위치한 Pankey 치과대학에서 연구원과 방문교수로 재직하고 있다. Solow 박사는 수복치과학, 교합 분석과 안정화, 그리고 종합적이고 다학제적인 임플란트 수복학 분야에서 20개 이상의 저널을 발표하였다. 이는 Journal of Prosthetic Dentistry, Journal of Craniomandibular Practice, General Dentistry, 그리고 Seattle Study Club Journal 등을 포함한다. 그는 또한 Irwin Becker의 Comprehensive Occlusal Concepts in Clinical Practice라는 제목의 책에서 Occlusal Bite Splints라는 제목으로 챕터를 저술한 바 있다.

Chris Stevens는 미소의 개선, 교합의 원리, 전악 수복학, 그리고 턱관절 장애 (TMD)의 진단 및 치료에 있어서 전 세계적으로 유명한 연자이다. 그는 1990년 이래로 능동적인 강연자로서, 치과의사, 의사, 지압요법사와 물리치료사 등을 포함하는 수천명의 의료인들을 위해 전국적으로 그리고 전세계적으로 강연을 해왔다. 1990년부터 그는 치의학에서 컴퓨터의 사용으로 진보된 전자식 진단 장비의 사용에 관해 치과의사와 진료 스태프를 교육하는 일을 해오고 있다. 이러한 장비들이 널리 받아들여지고 있는 분야는 TMD의 진단과 치료, 3차원적으로 하악골을 재위치 시키는 경우, 교합의 원리, 교합조정과정과 레이저를 이용한 치의학 분야 등에서 찾을 수 있다. Stevens 박사는 위스콘신 의과대학의 다학제간 통증 클리닉의 설립 멤버 중 하나였다. 그는 또한 Dick Barnes 박사 그룹의 창립 멤버 중 하나였는데, 이곳에서 그는 8년간 교합학, 증상이 있거나 없는 환자들을 대상으로 하는 전악 수복학, 그리고 미용 분야에 대해 교육을 진행하였다. 그는 현재 Advanced Studies of Functional and Restorative Esthetics 교육 센터를 유지 운영하고 있으며, 미국과 유럽에서 강연자로 활동하고 있다.

Robert (Bobby) Supple은 1972년 Albuquerque 아카데미, 1976년 휴스턴 대학과 1980년 Tufts 치과대학을 졸업하였다.

1990년대 초반에 Supple 박사는 T-Scan 컴퓨터를 이용한 교합분석 시스템을 조기에 들여온 얼리 어답터로서 Pankey 치과대학에서 치의학 대학원 과정을 밟으며 교합과 턱관절에 관한 교육을 받았다. 그는 다음과 같은 다양한 스터디 모임(Horizon, High Desert, R. V. Tucker Gold, 그리고 뉴멕시코 심미 스터디 모임 등)에 참여하였는데, 이곳에서 그는 기능적, 비기능적인 교합과 턱관절에 대한 보다 나은 이해를 위한 그의 열정과 관련된 임상 치의학 분야에서 경험을 쌓을 수 있었고, 핸즈온 교육 역시 다년간 받을 수 있었다. 디지털 교합의 개념은 T-Scan을 활용하여 반복 가능한 교합력 분산 패턴 뿐만 아니라 환자들의 급, 만성 통증 패턴과 교합력의 분포 사이의 상관관계에 대한 인식으로부터 시작된다. 세기의 전환기에 Supple 박사의 개인병원은 턱관절장애에 대한 예방과 치료에 초점을 맞추고 있었다. Supple 박사는 현재 뉴멕시코 치과대학 수련 과정의 교수로 재직하고 있으며, International College of Dentistry, International Academy of Gnathology, American Equilibration Society와 American Dental Association의 정회원으로 활동하고 있다. 미래를 향한 치의학 발전을 위한 열정으로 Supple 박사는 디지털 시대에 맞게 교합학에서의 새로운 개념을 가지고 왔다.

Curtis Westersund는 Alberta, Edmonton에 위치한 Alberta 대학에서 1979년에 DDS 학위를 취득하였다. 그는 지난 35년간 캐나다 Alberta 지역에 있는 캘거리시에서 일반치과의로 임상에 임하고 있다. Westersund 박사의 병원은 생리학적 방법을 통한 턱관절장애의 치료에 한정되어 있다. 그는 Las Vegas Institute of Advanced Dental Studies에서 수련을 마쳤으며, Occlusal Studies 센터에서 TMD 치료를 위한 수련과정에 참여하였다. 그리고 IACA, ICCMO와 ACE 치과 그룹의 정회원으로 참여하고 있다. TMD 치료와는 별도로 Westersund 박사는 치의학 마케팅에 열정을 가지고 있다. 그는 세계적인 마케팅 회사의 이사로 4년간 재직하며, 그들이 전문성을 가지고 마케팅 기법을 개발할 수 있도록 도움을 주었다. 현재 그는 TMD 환자들을 다루는 치과의사들을 위한 마케팅 전략의 개발에 관심을 가지고 있다. 이를 통해 대중에게 그들의 서비스를 보다 많이 제공하며, 판매를 촉진시킬 수 있게 하였다. Westersund 박사는 미국, 러시아, 그리고 캐나다를 순회하며 생리적이고 근신경계적인 원리를 기반으로 한 TMD 환자들의 치료와 커뮤니케이션에 관련하여 치과의사들을 가르치는 일을 돕고 있다.

Nick Yiannios는 Arkansas, Rogers에서 일반의로 임상에 임하고 있다. 그는 1993년에 샌안토니오 치과대학이 위치한 텍사스 대학 보건과학센터에서 DDS 학위를 취득하였다. 이어 2년간 Dallas/Fort Worth에 정착하여 임상 치료를 하였으며, Branson으로 이주하기 전 미주리주에서 지난 19년간 임상의로서 진료를 하고 있다. 최근 Yiannios 박사는 그의 병원을 Arkansas, Rogers로 이주하였는데, 이는 개인적인 사정 뿐만 아니라 특별한 이유가 있어서였다. 그의 대부분의 논문화되지 않은 임상적 치료법은 교합과 턱관절 장애에 대해 강한 강조를 둔 최소 침습적 심미 치의학에 초점을 두고 있다. 그는 예후를 예측 가능하고 기능적으로 최적화되고 심미적으로 만족스러운 정밀한 수복 치료 결과를 얻기 위해 체어 사이드에서의 CAD/CAM 밀링머신, CBCT 이미지, 디지털 교합 분석과 electromyography 등과 같은 다양한 디지털 치과 기기를 사용한다. Yiannios 박사는 2010-2011년 Academy of CAD/CAM dentistry의 이사회 멤버로 재직하면서, 이 시기 동안 치과 진료 시 디지털 교합 분석에 의해 예측 가능한 정밀성을 도입하였다. 그는 이어서 수년의 시간 동안 다양한 비디오 문서화된 임상 케이스 스터디들을 편집하여 임상적으로 이러한 디지털 기법들이 도입되었을 때 치료를 받는 환자들에게 놀랄만하도록 예측 가능한 치료 결과를 제시할 수 있도록 하였다. 한 욕심 많은 어부와 야외활동을 사랑하는 사람으로서, Yiannios 박사는 Arkansas, Rogers에서 그의 아내와 가족과 함께 거주하고 있다. 그의 비디오는 유튜브 drnickdds 홈페이지에서 볼 수 있다.

찾아보기

ㅊ

ㅋ

E

G

H

F

411

기 타